DIE ALTERTÜMER
VON BENIN

DIE ALTERTÜMER VON BENIN

VON

FELIX von LUSCHAN

MIT 889 ABBILDUNGEN
NACH ZEICHNUNGEN VON B. ANKERMANN, G. KILZ, L. SÜTTERLIN U. A. SOWIE
NACH PHOTOGRAPHIEN USW.
HERAUSGEGEBEN MIT UNTERSTÜTZUNG DES REICHS-KOLONIAL-MINISTERIUMS,
DER RUDOLF VIRCHOW- UND DER ARTHUR BAESSLER-STIFTUNG

REPRINTED BY

HACKER ART BOOKS
NEW YORK
1968

FIRST PUBLISHED
1919

Dieser Band erscheint gleichzeitig im Rahmen der »Veröffentlichungen aus dem Museum für Völkerkunde« als Band VIII. Ebenso sind die beiden Mappen mit den Tafeln in der anderen Ausgabe als Band IX und X bezeichnet.

Printed in the United States of America

Herrn Professor

DR. GEORG SCHWEINFURTH

dem ehrwürdigen Nestor der Afrikaforschung, der, gleich groß als Botaniker und als Ethnograph, vor einem halben Jahrhundert die Wasserscheide zwischen Nil und Kongo erforscht und die Pygmäen des Herodot entdeckt hat, dem besten Kenner der ägyptischen Steinzeit, dem Verfasser der ARTES AFRICANAE widmet diesen Band über die

Altertümer von Benin

im Namen der Berliner Staatlichen Museen

der Verfasser.

Inhaltsverzeichnis.

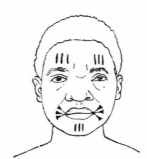

Abb. 888. Gesichtstätowierung der Durru (Kamerun) nach einer Skizze von Leutnant Lessel.

Vorwort.

———

Für den größten Teil dieses nunmehr abgeschlossenen Buches lag schon 1900 ein im wesentlichen abgeschlossenes Manuskript vor; neue Erwerbungen haben dann die Drucklegung verzögert, noch mehr aber die im Laufe der Arbeit zunehmende Einsicht, daß ein richtiges Verständnis der alten Benin-Kultur nicht ohne regelrechte und groß angelegte Ausgrabungen an Ort und Stelle zu gewinnen sei. Eine Zeitlang schien die Möglichkeit solcher naturgemäß gemeinsam vom Britischen und vom Berliner Museum ausgehenden Grabungen in greifbarer Nähe zu liegen, dann aber erschien sie wieder in so unabsehbar weite Ferne gerückt, daß 1916 mit dem Drucke des Buches begonnen wurde. Es ist sehr viel umfangreicher geworden, als ursprünglich vorgesehen war, erhebt aber trotzdem in keiner Weise den Anspruch, erschöpfend zu sein. Große Sammlungen von Benin-Altertümern sind bisher nur ganz ungenügend oder gar nicht veröffentlicht, und zu dem dringenden Wunsche nach Ausgrabungen in Benin hat sich inzwischen auch das Bedürfnis nach umfassenden und systematischen Ausgrabungen im benachbarten Yoruba gesellt. So wird das »letzte Wort« über Benin noch lange nicht gesprochen werden; immerhin kann dieses Buch, schon weil sein Erscheinen mehr als zweimal *nonum in annum* verzögert wurde, sich auf zahlreiche Vorarbeiten stützen und geht daher naturgemäß in vielen Einzelheiten weit über diese hinaus; das kann hier ohne jede törichte und anmaßende Ruhmredigkeit ausgesprochen werden, weil es in keiner Weise mein persönliches Verdienst ist, sondern zunächst die automatische Folge der langen Zeit, in der die Herausgabe vorbereitet wurde. Ganz besonders aber ist diesem Buche die nie versagende Unterstützung der auswärtigen und der heimischen Kollegen, Sammler und Händler zustatten gekommen, sowie die ausnahmslos gewährte Erlaubnis, ihre Abbildungen frei benutzen zu dürfen; das Hamburger und das Stuttgarter Museum sowie die Wiener Anthropologische Gesellschaft haben mir ihre Zinkstöcke zur Verfügung gestellt, und das Britische Museum hat sogar vermittelt, daß die wichtigsten Stücke aus englischen Privatsammlungen für mich photographiert werden konnten. Ich werde niemals müde werden, dieses allgemeine Entgegenkommen voll aufrichtiger Dankbarkeit anzuerkennen.

Zum größten Danke bin ich der General-Verwaltung der Staatlichen Museen, dem vorgesetzten Ministerium für Wissenschaft, Kunst und Volksbildung, dem Reichs-Kolonial-Ministerium sowie den Kuratorien der Rudolf Virchow- und der Arthur Baeßler-Stiftung für die Bereitstellung der großen Mittel verpflichtet, die für das Buch erforderlich waren. Ich zweifle nicht daran, daß weite Kreise, die in der einen oder andern Art an dem Buche interessiert sind, Ethnologen, Künstler, Kunsthandwerker und andere, diesem Danke sich freudig anschließen werden.

Die Kollegen, die bisher über Benin geschrieben, haben sich zumeist auf ihre eigenen Sammlungen beschränkt und waren auch mit lobenswertem Eifer bemüht, ihre Ergebnisse möglichst rasch in Druck zu geben; ich aber konnte alle diese Vorarbeiten benutzen und hatte im Laufe von mehr als zwanzig Jahren Gelegenheit, fast alle in- und ausländischen Benin-Sammlungen zu studieren; so habe ich, ganz ohne eigenes Verdienst, manches besser und richtiger gesehen als meine Vorgänger. Gerade das aber könnte mich diesen gegenüber leicht in eine schiefe Lage bringen: Ich kann, was ich besser oder anders gesehen als sie, nicht unterdrücken, ohne die Sache selbst zu schädigen, aber ich will auch den bloßen Schein einer Polemik da vermeiden, wo ich nur Anerkennung und Dankbarkeit empfinde; da erschien mir als einziger Ausweg, zwar die Tatsache festzustellen, wo immer ich von meinen Vorgängern abwich, aber dabei keinen Namen zu nennen. Ich konnte nicht ganz stillschweigend darüber hinweggehen, daß ein Autor das Bruchstück einer Platte, auf dem ein sich in einer Strickschleife schaukelndes Kind dargestellt ist, als Rundfigur eines Cretins in einem Streckverband bezeichnet, und daß ein anderes Bruchstück derselben Platte mit einer gleichartigen Darstellung von einem Andern als »gefesselter Schimpanse« beschrieben wird. Die Bruchstücke sind schlecht erhalten und so stark abgerieben, daß es töricht wäre, aus derart abwegigen Deutungen auch nur den Schatten eines Vorwurfs abzuleiten; außerdem war es für mich leicht, die richtige Deutung zu finden, da ich aus englischem Privatbesitz eine vollständige und gut erhaltene Platte kenne, auf der man ohne weiteres sieht, wie sich zwei Kinder in von einem Baume herabhängenden Strickschleifen schaukeln. In gleicher Art mußte ich als gewöhnlichen Lendenschurz beschreiben, was ein Anderer für einen Schießbogen und ein Dritter sogar für einen Elefantenrüssel gehalten hatte, und ebenso mußte ich feststellen, daß es sich um eine richtige Schwertscheide handelt, wo andere eine »rechteckige Platte« oder einen »dünnen, viereckigen Gegenstand unter der Achsel« oder ein »*object like a book under left arm*« oder ein »*object resembling a despatch-case*« erwähnen. So durfte ich auch nicht stillschweigend über die Roßschweife hinweggehen, die auf zahlreichen Platten als Helmzier erscheinen, schon 1670 bei Dapper als solche erwähnt und als *witte Peerde-steerten* (weiße Roßschweife) ausdrücklich auch unter den von den Holländern im nahen Arder eingeführten Waren aufgezählt werden; gleichwohl haben mehrere Autoren sie nicht wiedererkannt und sprechen von einer »die Haartracht der Europäer nachahmenden Perücke« oder von einem *straight combed hair* oder von einem *hair parted in the middle and hanging down behind.* Hingegen wird sehr häufig die wirkliche und natürliche Haartracht für eine Kopfbedeckung gehalten oder eine künstliche Frisur als Helm beschrieben; so werden auch die aus Baumbast zusammengenähten, auch als Schemel dienenden Büchsen, die auf vielen Platten von Dienern getragen erscheinen, mehrfach nicht erkannt, obwohl sie in ganz gleicher Art noch heute bei den Bayansi am unteren Kongo vorkommen, und obwohl es mehrere Benin-Platten mit Leuten gibt, die auf solchen Stühlchen sitzen. Schwer verständlich ist die Hartnäckigkeit, mit der ein allerdings stark stilisierter Elefantenkopf als »der bekannte heraldische Arm, in der Faust das gezückte Schwert« gedeutet wird. Freilich endet der Elefantenrüssel der Benin-Kunst durchweg in eine menschliche Hand — genau wie man bei uns und in Indien in diesem Sinne, und sicher mit Recht, von einer »Greifhand« spricht, in die der Rüssel des Elefanten endet, aber von einem »gezückten Schwert in der Faust« habe ich niemals auch nur die geringste Spur entdecken können. Immer sind es nur Blätter, Zweige, Palmwedel usw., die von dem Rüssel gehalten werden.

Alle derartigen, meist auf ungenügendem Vergleichsmaterial beruhenden unrichtigen Deutungen mußte ich selbstverständlich in diesem Buche richtigstellen, aber ich hätte es für unrecht gehalten, dabei Namen zu nennen, auf die es ja auch gar nicht ankommt, da es uns nur um die Sache zu tun sein darf. Nur einen Namen will ich auch in diesem Zusammenhange nicht verschweigen — meinen eigenen. Denn auch mir ist es nicht erspart geblieben, falsche Deutungen und verkehrte Auffassungen zu veröffentlichen. So sage ich in einer vorläufigen Mitteilung, Z. f. E. 1898, Verh. S. 158, daß viele der großen, ganz mit Schnitzereien bedeckten Benin-Zähne an der Spitze in einen bärtigen Kopf endeten, den man wohl auf alte portugiesische Darstellungen von Gott Vater zurückführen könne, »der gleichsam als Herrscher über das ganze Weltgetriebe sehr gut gerade auf der Spitze eines solchen Zahnes dargestellt werden konnte«. Das ist Unsinn von Anfang bis zu Ende, schon deshalb, weil es solche »bärtigen« Köpfe auf den Benin-Zähnen überhaupt nicht gibt. Was ich damals für Bart gehalten, ist nur der *litham*artige Halsschmuck aus großen zylindrischen Perlen, den man auf den Platten ja ohne weiteres als solchen erkennt, der aber auf den gerade oben sehr stark verwitterten Zähnen, die mir damals bekannt waren, mit einigem Leichtsinn schon für einen mächtigen Bart gehalten werden konnte. Die gleiche Auffassung hatte ja schon früher in England Leute dazu veranlaßt, diesen Zähnen sogar assyrischen Ursprung zuzuschreiben. Womöglich noch schwerer empfinde ich einen zweiten Irrtum. In der gleichen Mitteilung, S. 148, heißt es, daß die Bogen »zusammengesetzt« zu sein scheinen. Das ist sicher falsch; ich habe seither gesehen, daß die Benin-Bogen nicht nur »einfach« im gewöhnlichen Sinne des Wortes sind, sondern sogar ganz auffallend primitiv, und daß sie am ehesten noch mit den Pygmäenbogen verglichen werden können, die Oskar Lenz bei den Abongo-Pygmäen gefunden hat. Damit fallen natürlich auch alle Folgerungen, die Andere an den »zusammengesetzten« Benin-Bogen geknüpft haben, wobei ich im einzelnen nicht weiß, ob diese Anderen den Benin-Bogen auf meine Autorität hin für zusammengesetzt hielten oder ob sie unabhängig von mir auf dieselbe falsche Deutung verfallen waren.

Jedenfalls aber bin ich mir durchaus dessen bewußt, daß auch dieses jetzt nach so langer Vorbereitungszeit in die Öffentlichkeit tretende Buch nicht frei von Irrtümern, falschen Deutungen und andern Mängeln geblieben sein kann, und rechne besonders auch darauf, daß mancher Befund, den ich ungedeutet gelassen, von einem Späteren vielleicht spielend gedeutet werden wird. Jede derartige Verbesserung und Richtigstellung würde ich mit Freude und Dankbarkeit begrüßen. Hingegen würde ein Tadel wegen ungleichmäßiger Orthographie mich völlig kalt lassen; ich habe die zur Zeit vorgeschriebene Schreibweise von jeher nur als ein trauriges Produkt schulmeisterlicher Überhebung und kleinlichsten Eigensinns eingeschätzt und gegen sie angekämpft, wo immer es möglich war. In dieser amtlichen Veröffentlichung mußte ich mich selbstverständlich auf den Versuch beschränken, wenigstens die schlimmsten Verstöße gegen Logik und Sprachgeschichte zu verhindern; auch die langen Jahre, die zwischen der Niederschrift der verschiedenen Abschnitte des Buches verstrichen sind, haben eine gleichmäßige Schreibweise nicht gefördert.

Hingegen habe ich in aller Form um Nachsicht für die Inkonsequenz zu bitten, die bei der Schreibart mehrerer einheimischer Worte unterlaufen ist; so ist z. B. das Wort *ebere*, das Cyril Punch für das große Tanz- oder Zeremonialschwert des alten Benin ermittelt hat, mehrfach auch »Ebere« und oft auch nur Ebere geschrieben worden — ohne Anführungszeichen, als ob es ein gut eingebürgertes oder gar ein deutsches Wort wäre. Das ist ganz inkonsequent, aber ich bitte es mit der Tatsache entschuldigen zu wollen, daß mir das Wort ursprünglich fremd und ungewohnt war und erst im Laufe der Jahre immer vertrauter wurde. Dabei steht nicht einmal einwandfrei fest, inwieweit das Wort sprachlich korrekt wiedergegeben ist, und ob es wirklich die angegebene Bedeutung hat, aber es wird sich trotzdem in der ethnographischen Literatur einbürgern, weil es kurz und völlig eindeutig ist. Ein moderner Schriftsteller hat sich in einem Essay über unsere gegenwärtigen Schreibunarten auch gegen die allzu häufige Anwendung von »Anführungszeichen« ereifert; ich teile seine Abneigung nicht; ich denke, daß wenigstens in wissenschaftlichen Arbeiten durch die Verwendung von »Gänsefüßchen« sehr viel Zeit und Raum gespart werden kann, und glaube, daß kaum jemals ein Leser im Zweifel sein wird, was der Autor durch diese bescheidenen Zeichen ausdrücken wollte, und gegen was oder gegen wen sich seine Bedenken richten. So schrieb ein junger Kollege einmal mehrere Jahre hindurch beharrlich von der »Beninkunst« und drückte so kurz und bündig seine Geringschätzung dieser angeblichen »Kunst« und implicite auch seine Geringschätzung der andern Autoren aus, die wenigstens für einen Teil der Guß- und Schnitzwerke von Benin von wirklicher Kunst im landläufigen Sinne des Wortes sprechen. Man mag seine Meinung teilen oder nicht (auch in Kunstfragen muß man jeden nach seiner *façon* selig werden lassen), aber man wird einsehen, daß es ganz unmöglich wäre, eine von der allgemeinen abweichende Ansicht kürzer und bündiger zum Ausdruck zu bringen, als durch jene »Gänsefüßchen«.

Noch scheint es mir nötig, hier im Vorworte die Anschauung jener Autoren zu erwähnen, die Stil und Technik des alten Benin samt und sonders auf fremden Einfluß zurückführen und als durchaus unafrikanisch bezeichnen. Nach ihnen wären deutsche Artilleristen, indische Gelbgießer und portugiesische Juden die wahren Väter von allem, was in Benin gut und schön ist. Das ist nun sicher übertrieben, und besonders die Zusammenhänge mit Indien sind in keiner Weise gesichert; deshalb wird man sich wohl der unbestreitbaren Autorität eines so ausgezeichneten Kenners wie C. H. Read anzuschließen haben, der den Stil von Benin als *unquestionably native* bezeichnet und wörtlich sagt: *to argue for an Indian origin . . . is only to waste time and serves no useful purpose.* Jedenfalls ist alles, was bisher als Beweis für indischen Einfluß auf Benin vorgebracht wurde, völlig belanglos. Seite 333 habe ich erwähnt, daß im südlichen Indien schlechte kleine Hühner aus Messing gegossen werden, die den schlechtesten modernen Hühnchen aus Benin zum Verwechseln gleichen; mit noch sehr viel mehr Recht könnten für einen wirklichen Kulturzusammenhang noch zwei weitere Tatsachen ins Feld geführt werden, das Auftreten des Hakenkreuzes im nahen Aschanti und das auf den geschnitzten Zähnen sehr häufige Vorkommen von völlig bekleideten, schlichthaarigen Leuten mit einem kreisförmigen Zeichen auf der Stirn. Dieses Zeichen könnte man als *tilaka* auffassen und seine Träger dann als Inder, nicht als Europäer, wie sonst wegen der Tracht und der langen schlichten Haare nahe liegen würde. Aber auch, wenn man ohne weiteres zugeben wollte, daß da wirklich Inder gemeint sind, so würde daraus doch weiter nichts folgen, als daß in der Entstehungszeit dieser geschnitzten Zähne, also im späten 16. oder im frühen 17. Jahrhundert, neben den europäischen auch einzelne indische Händler nach Benin gekommen waren — genau so, wie gegenwärtig viele Tausende von Indern als Arbeiter in Südafrika und als Händler in den ostafrikanischen Küstengebieten sich aufhalten. Daraus aber irgendwelche Schlüsse auf einen indischen Ursprung der Benin-Kunst zu ziehen, wäre genau so albern, als wollte jemand die chinesische Porzellantechnik aus Deutschland ableiten, weil es chinesische Teller mit dem Wappen brandenburgischer Familien gibt. Ebenso kennen wir japanische Lackkästchen, auf denen Holländer in der Tracht des 17. Jahrhunderts erscheinen; es wäre ein bösartiges Armutszeugnis, wollte jemand deshalb den Ursprung der japanischen Lacktechnik in Holland suchen.

Ebenso töricht wäre es aber, umgekehrt für Japan und China von vornherein jeden fremden Einfluß ausschließen zu wollen; nicht einmal von der ostasiatischen Kunst läßt sich behaupten, daß sie durchaus bodenständig ist, und in den letzten Jahrzehnten haben wir sogar die Wege kennengelernt, auf denen antiker Einfluß nach dem fernen Osten gelangt ist; in derselben Art erschiene es heute aber auch als eine ganz haltlose Übertreibung, wollte jemand für das tropische Afrika von vornherein jede Art von fremdem Einfluß ausschließen. Gerade für den westlichen Sudân steht es fest, daß er vom Mittelmeer aus schon seit frühen prähistorischen Zeiten her vielfach beeinflußt wurde, und daß die Sahara niemals eine wirkliche Völkergrenze gewesen ist. So hat selbstverständlich auch Benin immer wieder von neuem fremde Anregungen erfahren. In diesem Bande ist gezeigt, wie die altägyptische Prinzenlocke, wie die *busti* der griechischen Vasen, wie *apex, tutulus, impluvium* und der Sabazios-Kult der Römer überraschende Analogien in Benin haben, genau wie sich da auch die alte akademische Tracht von Coimbra, die spanische Halskrause und die holländische Tabakspfeife nachweisen lassen, neben vielem andern europäischen Kulturgut bis herab zu einer schlechten modernen Messingfigur eines Radfahrers. Dabei läßt sich freilich nicht immer mit voller Sicherheit entscheiden, was wirklich auf fremden Import zurückgeht und was vielleicht doch bodenständig ist und nur durch bloße Konvergenz oder im Sinne von Bastians »Elementar-Gedanken« auswärtigem Kulturgut ähnlich geworden ist. Manche von diesen Fragen sind nur auf dem Wege systematischer Ausgrabungen zu entscheiden, andere werden vielleicht dauernd ungelöst bleiben oder gehören überhaupt gar nicht in das Gebiet der Völkerkunde, sondern in das der philosophischen Spekulation.

Zu den schwierigsten Problemen dieser Art gehört die Geschichte der Bronzetechnik. Selbstverständlich kann Einer sich vorstellen, daß der Guß in verlorener Form an verschiedenen Orten und zu verschiedenen Zeiten immer wieder von neuem erfunden wurde, und ein Anderer kann der Meinung sein, daß diese so überaus schwierige und subtile Technik sich nur an einem Ort und nur einmal hat entwickeln können. Persönlich glaube ich, daß sie aus Ägypten stammt und sich von dort aus im Laufe von Jahrtausenden allmählich über die Erde verbreitet hat — aber das gehört einstweilen zu den Dingen, die man glauben oder vermuten kann, nicht zu denen, die wir wissen, und es wäre töricht, inzwischen nicht auch eine andere Meinung achten zu wollen, genau wie vernünftige Leute die religiösen Anschauungen ihrer Mitmenschen respektieren. Wie hoch oder wie gering aber auch immer der einzelne den fremden Einfluß auf Kunst und Technik von Benin einschätzen wird, nie wird man die Tatsache außer acht lassen dürfen, daß wir aus den Bronzen und Schnitzwerken von Benin wichtige und bisher ungeahnte Aufschlüsse für die afrikanische Völkerkunde früherer Jahrhunderte gewinnen. Wie in einem großen ethnographischen Prachtwerk und mit fast photographischer Treue sehen wir da die Benin-Leute des 16. und 17. Jahrhunderts vor uns, greifbar und in wahrhaft monumentaler Form. Darin liegt für uns der wirkliche Wert dieser Altertümer und nicht etwa in irgendwelchen technischen Einzelfragen, von denen manche wohl erst in ferner Zukunft, andere vielleicht niemals restlos gelöst werden können. Auch manche kulturgeschichtliche oder kunsthistorische Fragen sind in dem vorliegenden Bande zwar gestreift, aber nicht befriedigend geklärt worden. Dafür sei als Beispiel auf die großen Bronzepanther verwiesen, die hier S. 335 ff. und Taf. 75 beschrieben und abgebildet sind. Es ist einleuchtend, daß sie irgendwie mit dem Orient, vor allem mit der fatimidischen Kunst, zusammenhängen, und ebenso steht fest, daß sie alle 1897 in Benin zum Vorschein gekommen sind; aber über ihre wirkliche Geschichte sind wir noch nicht unterrichtet; ein guter Kenner der Kunst des Islam wird sie einmal zum Gegenstand einer sorgfältigen Einzeluntersuchung machen und dann wohl feststellen können, ob nicht etwa wirklich wenigstens ein Teil dieser Panther fatimidischen oder etwa spanisch-maurischen Ursprungs ist; einige, vielleicht zunächst die ohne eine Öffnung in der Scheitelgegend, sind wohl in Benin selbst gegossen, alle aber stehen in rein künstlerischer Hinsicht jedenfalls sehr viel höher als etwa die Löwen der Alhambra.

Weisen so manche kunsthistorischen Beziehungen nach dem Norden und nach Osten, so hat der Ethnograph auch verschiedene Zusammenhänge mit dem Süden festzustellen; die Spanndolche, die runden, aus Rindenbast genähten Schemel, ganz besonders auch die helmartigen Haartrachten mit der sagittalen Kammleiste, weisen auf einen alten Zusammenhang mit den Pangwestämmen; sehr viel intimer sind begreiflicherweise noch die Beziehungen mit den näheren Nachbarn, mit Yoruba, Aschanti und Dahome. Im späten 16. Jahrhundert setzt dann der holländische Handel mächtig ein und überschüttet den einheimischen Markt mit einer bunten Menge von »Güldenen und silbernen Laken, rohtem Tuch und Sammet, Harlemmer Zeugen mit grünen Blumen steif gehahrtzt, vergüldeten Spiegeln, Javanischen und weiß geblühmten Ost-indischen Damasten, Ciprischen Tüchern, Indischen Armosinen, Türkischen Prunktüchern und Karpetten, Rupinischen Tuch, Leidnischen wüllenen Zeug, Solinger Bohtsmansmessern, Spanischen Wein und Sarsa-parilla«, so daß da wirklich die beste Handelsware von West und Ost sich zusammenfindet. Benin und seine Nachbarländer stehen solcherart durch Jahrtausende unter fremder Einwirkung, aber es wäre trotzdem falsch, die alte bodenständige Kultur dieser Gebiete übersehen zu wollen; die fremde Einfuhr dringt niemals wirklich in die Tiefe und schafft immer nur einen oberflächlichen Firnis, unter dem die autochthone und an die Einflüsse der Umwelt gebundene Kultur sich auch im Laufe von sehr großen Zeiträumen nur langsam verändert. Das ist der Welt Lauf im allgemeinen, und so wird man auch die Kunst von Benin für im wesentlichen bodenständig halten, auch wenn man allerhand fremde Einflüsse, die zweifellos auf sie eingewirkt haben, nicht übersieht oder geringschätzt.

Schließlich sei hier zur rascheren Orientierung des Lesers noch bemerkt, daß die Namen der am häufigsten zitierten Autoren und Bücher im Text fast durchweg durch ihre Initialen ersetzt sind; so steht R. D. für C. H. Read und O. M. Dalton sowie für deren großes Werk »*Antiquities from the city of Benin*«, P. R. für General Pitt-Rivers sowie für dessen Buch »*Antique Works of Art from Benin*«, M. für Joseph Marquart und dessen Werk über die Leidener Sammlung. Gleichfalls um Zeit und Raum zu sparen, ist regelmäßig statt etwa »Taf. 10, Abb. A« nur »Taf. 10, A« gesetzt, ebenso ist ständig nur ein »Bildwerk Taf. 100, B« zitiert, statt von dem »Taf. 100, Fig. B abgebildeten Bildwerk« zu sprechen. Pitt-Rivers hat in seinem Buche, wo er mehrere Ansichten desselben Gegenstandes gab, diese mit fortlaufenden Nummern versehen, so daß bei ihm die Abbildungen Nr. 1 bis 393 im ganzen nur 227 Gegenständen entsprechen; in meinem Texte sind diese Abbildungen fast durchweg nur unter je einer Nummer zitiert; ebenso habe ich, wo nicht ein zwingender Grund eine andere Bezeichnung erforderte, mehrere Abbildungen desselben Gegenstandes mit einer einzigen Nummer versehen, aber durch kleine Buchstaben (a, b usw.) auseinandergehalten; in einigen Fällen wurden einzelne Abbildungen nachträglich eingeschoben und dann, um nicht die vorher festgestellten und oft schon auf bereits ausgedruckten Bogen zitierten Nummern in Verwirrung zu bringen durch Zusatz eines großen A als eingeschoben bezeichnet. So ist in Wirklichkeit die Zahl der Textbilder etwas größer, als aus ihrer fortlaufenden Numerierung zu schließen wäre, aber das Wesentliche, ihre leichte Auffindbarkeit, hat unter diesem Verfahren nicht gelitten. Mehrfach, ganz besonders bei der Besprechung der geschnitzten Zähne, ergab sich das Bedürfnis, den Text zu entlasten und das Übermaß von Abbildungen auf besondere »Ergänzungsblätter« zu verweisen; diese sind mit großen Initialen von A bis Z bezeichnet und werden mit einem solchen vorgesetzten Buchstaben zitiert.

Auf ein besonderes »Verzeichnis der Abbildungen« wurde verzichtet, da sein Nutzen in allzu ungünstigem Verhältnis zu seinem Umfange gestanden hätte. Um so mehr Sorgfalt wurde aber auf das Sachregister verwandt, in das auch sämtliche Abbildungen im Texte und auf den Tafeln mit aufgenommen sind. Noch erfülle ich eine angenehme Pflicht, indem ich der Firma W. Neumann & Co. für die Mühe und Sorgfalt danke, die sie an die Herstellung der zu diesem Bande gehörigen Lichtdrucktafeln gewandt hat.

Berlin, Museum für Völkerkunde.
Juni 1919.

v. Luschan.

Abb. 886. Anhänger aus Elfenbein mit eingelegten Metallplättchen, ¹/₂ d. w. Gr., aus einem Halsgehänge mit 11 gleichartigen Stücken, Berlin III. C. 8086, angeblich aus dem Besitze des letzten Königs von Benin.

Druckfehler, Berichtigungen, Nachträge usw.

S. 10. Zeile 17 von oben ist nach 33 Nummern einzuschalten: außerdem eine große Zahl minderer Stücke.

S. 12/13. Zu der »Allgemeinen Übersicht« der Benin-Altertümer ist zu bemerken, daß seit dem Drucke des Bogens mehrfache Verschiebungen stattgefunden haben dürften; ebenso ist die Zahl der bekannt gewordenen Stücke etwas gestiegen.

S. 23. Zeile 22 v. unten lies Feststellung statt Beststellung.

Zu S. 57 (Größe der Platten) ist auf S. 250 zu verweisen, wo für eine Londoner Platte durch Zufügung eines in Hamburg erhaltenen Bruchstückes eine Höhe von 70 cm festgestellt wird.

S. 91, Zeile 1 von Nr. 3 der Liste ist hinter »Pickel« das Wort *apex* in Klammern einzuschalten; über *apex* selbst vgl. das Sachregister.

Zu S. 108, 117/8 usw., wo ein *sudarium* erwähnt wird, ist eine Stelle bei Auchterlonie (vgl. Lit.-Verz.) heranzuziehen, in der für 1890 von dem König von B. berichtet wird, er habe eine Leibgarde von 2—300 ausgesucht kräftigen, ganz nackten langen jungen Leuten, nur mit einem Fächer aus Fell, auf dem sie auch sitzen, *and a silk handkerchief, to keep off the flies.*

S. 125 ff. Ad vocem »Prinzenlocke« ist nachzutragen, daß ein vollständiges Analogon zur altägyptischen Kinder- oder Prinzenlocke noch heute in Marokko ganz allgemein und durch viele Photographien beglaubigt ist. Ich kenne sie von Kindern aller Stände und habe sie in den letzten Jahren mehrfach auch an mohammedanischen Soldaten gesehen, die als Gefangene zu uns gekommen waren; von einem von diesen stammt auch die Bezeichnung als »Bräutigamslocke«; sie soll anläßlich der Hochzeit abgeschnitten werden. Als einheimischer Name wird *qarn* angegeben.

S. 163. Der Abschnitt o) beginnt mit der Angabe, daß die rechteckigen Helme von Benin ohne moderne Analogie seien; diese Angabe ist unrichtig; Th. v. Lüpke hat (Profan- und Kultbauten Nordabessiniens. Berlin, Georg Reimer 1913, Abb. 286 u. Taf. VIII) zwei Prozessionskronen abessinischer Priester abgebildet, die eine sehr weitgehende Analogie mit den rechteckigen Helmen von Benin aufweisen und den Gedanken an einen alten Zusammenhang nahelegen.

S. 176. In der Anmerkung über Trommel- und Hornsignale ist nachzutragen, daß solche auch aus der unmittelbaren Nachbarschaft von Benin festgestellt sind: Im Anhange zu Ramseyer und Kühne, Four years in Ashantee ist verzeichnet, daß ein Heerführer, Amankwatia, ein Signal *piridu, piridu* (»vorwärts, vorwärts«) trommeln läßt und ein anderer, Boakje Tenteng, das Signal *don kofo didi in atem ene sen?* (»die Weiber aus dem Innern schmähen mich, warum?«); ein dritter Würdenträger, Bobie, läßt sein Nahen durch ein Hornsignal verkünden: *Bobie annae o five agyaman, agyaman ne nsam ade wo* (»Bobie wacht für den König, etwas ist in des Königs Hand«). So war es bei den Aschanti noch vor rund fünfzig Jahren, und so war es sicher auch in Benin vor drei oder vier Jahrhunderten.

S. 215 hätte in der Beschriftung zu Abb. 353 auf die Verschiedenheit des Halskreuzes von dem häufigeren Typus in reiner Kreuzform hingewiesen werden sollen. Nach alter einheimischer Tradition wurde jeder neue König von Benin von einem sagenhaften »Ogane«, den man mit dem sagenhaften abessinischen »Priester Johannes« zu identifizieren pflegt, mit einem Halskreuz »belehnt«. Darüber sind zunächst die bei Marquart sehr sorgfältig zusammengestellten Quellen zu vergleichen; es liegt aber sehr nahe, anzunehmen, daß auch die Könige von Portugal schon seit Johannes II., unter dessen Regierung (1481—95) die Portugiesen Ansiedlungen an der Guineaküste zu gründen begannen, die einheimischen Könige mit dem Christusorden auszeichneten. Die Verschiedenheit der auf den alten Bildwerken von Benin erscheinenden Halskreuze würde so eine sehr einfache Erklärung finden; doch gibt es Zwischenformen unter ihnen, und so können diese Kreuze zurzeit wohl noch nicht als restlos aufgeklärt gelten.

S. 216. Zeile 16 von unten soll statt Kap. 56 stehen: Kap. 47, S. 450 ff.

S. 223. In den auf dieser Seite oben erwähnten Kleidern mit anscheinend aufgenähten Schlangen und Halbmonden ist an die abessinischen Prunkkleider zu erinnern, die (wie in Mykenae) mit aufgenähten gestanzten Zierscheiben, Schmetterlingen usw. geschmückt sind.

Zu dem mehrfach erwähnten Wort *tilaka* für das aufgemalte Zeichen auf der Stirn mancher Inder macht G. R. Albert Grünwedel mich gütigst darauf aufmerksam, daß die landläufige Auffassung als »Kastenzeichen« unzutreffend sei; es sei vielmehr als ein Sektenzeichen aufzufassen.

Tafel 26. Das letzte Wort in der Beschriftung soll Hammer lauten, nicht Beil.

Tafel 68. Die Bezeichnung der Figur als »König« ist unbegründet; die wirkliche Bedeutung dieser Gruppe von Leuten mit Hammer, Stab, Halskreuz, Schnurrhaaren und Spitzenkragen ist unbekannt.

Tafel 122. Zu dieser Tafel ist auf die kleine Skizze der Hinteransicht des Schnitzwerkes zu verweisen, die ursprünglich als Predella gedacht war; sie ist jetzt als Abb. 887 auf S. 516 abgedruckt.

Zu der Behandlung der Panther auf den Tafeln 79, 85 usw. ist zu bemerken, daß das Fell ganz junger Panther, wie mir aus Photographien von Dr. A. Mansfeld, Kamerun, bekannt geworden ist, nicht glatt, sondern sehr auffallend uneben ist, indem den dunklen Flecken sehr viel längere Haare entsprechen.

Einleitung.

Der älteren Geschichte von Benin wird am Schlusse dieses Buches ein besonderer Abschnitt gewidmet werden. Hier, zum Beginn, sei nur mitgeteilt, wie 1897 die Altertümer von Benin entdeckt wurden und dann in die europäischen Sammlungen gelangt sind. Ganz vereinzelte Stücke hatten sich zwar schon vorher zu uns verirrt, aber die bei der Eroberung von Benin (18. Februar 1897) gemachte Kriegsbeute bildete doch die größte Überraschung, die bis dahin der Völkerkunde zuteil wurde.

Reisende des siebzehnten und achtzehnten Jahrhunderts berichten ausführlich von großen Negerreichen, die sie in Ober-Guinea vorgefunden. Aschanti, Dahome, Yoruba und Benin waren damals nicht nur politisch und militärisch mächtige Staatengebilde, sondern auch im Besitze einer eigenartigen einheimischen Kultur. Damals entwickelten sich auch rasch ausgebreitete Handelsbeziehungen mit Europa, und viele Küstenorte, nach denen später nur Schnaps, Schießpulver und billige Kattune eingeführt wurden, waren kauflustige Absatzgebiete für die besten europäischen Handelswaren; selbst orientalische Seidenstoffe und türkische Teppiche gelangten damals nach der Gold- und Sklavenküste, wie zeitgenössische Berichte lehren. Ganz besonders in Benin fanden die Reisenden eine so merkwürdige und eigenartige Kultur vor, daß ihre Erzählungen nicht ernst genommen wurden, als man sich in den letzten Jahrzehnten wieder etwas mit der Völkerkunde von Westafrika zu beschäftigen anfing. So hat vor 1897 wohl niemand für wahr gehalten, was z. B. der alte Dapper 1670 in seiner »umbständlichen Beschreibung von Africa« erzählt, daß der Palast des Königs von Benin so groß sei, als die Stadt Harlem, und viereckige »Lustgänge« enthalte, so groß als die Börse zu Amsterdam, und daß deren Dach auf hölzernen Pfeilern ruhe, »welche von unten bis nach oben zu mit Missinge überzogen, darauf ihre Kriegstaten und Feldschlachten seynd abgebildet«.

In der Tat ist uns die eigentliche Geschichte all dieser Negerreiche heute noch wenig bekannt. Ebenso wie fast alle anderen afrikanischen Küstenstaaten schlossen sie sich von den Europäern vollkommen ab, sobald sie einmal anfingen, die ungeheure Gefahr zu begreifen, die ihnen aus dem brutalen Sklavenhandel dieser weißen Wilden drohte. Lange genug hatten die Neger schweigend und beinahe stumpfsinnig zugesehen, wie man ihnen für kindischen Tand oder mit List und Gewalt Jahr um Jahr viele Tausende ihrer Brüder auf Nimmerwiedersehen nach Amerika verschleppte — aber endlich besannen sie sich der Gefahr und verschlossen dann ihr Land so vollkommen, daß selbst das damals schon reich gegliederte Kartenbild von Afrika aus dem Gedächtnis der europäischen Menschheit verschwand und in den großen weißen Fleck verwandelt wurde, den man noch vor fünfzig Jahren als »Karte von Afrika« in den Schulen gezeigt bekam.

So kann man in der Tat sagen, daß mit der Entdeckung und Erschließung Amerikas Afrika wieder in die alte Vergessenheit zurücksank. Die Berichte der alten Reisenden und Kaufleute und sogar ihre geographischen Karten und Aufnahmen waren zwar in zahlreichen großen Druckwerken niedergelegt, aber sie blieben in den Bibliotheken vergraben, unbeachtet, als phantastischer Kram, der keine Beachtung verdiene.

Indessen hatte im Westen wie im Osten von Afrika der europäische Einfluß nachgewirkt wie ein zersetzendes Gift. Das tropische Ostafrika, das im Begriffe gewesen war, sich zu einem zweiten Indien zu entwickeln, verfiel ebenso wie die Reiche an der Guineaküste, und der koloniale Aufschwung der letzten Jahrzehnte des vorigen Jahrhunderts enthüllte uns da und dort nur Bilder des tiefsten Verfalles. In Aschanti und in Dahome war allerdings noch ein Rest von militärischer Organisation erhalten geblieben,

der den Engländern und den Franzosen gewaltig zu schaffen machte, und bei manchen Inlandstäm-
men fand sich die feste Überzeugung, daß der Herrscher keinen Weißen schauen dürfe, weil er sonst sterben

Abb. 1. Hauptstraße von Benin, 1897. Erdmann phot.

müsse. So war auch Benin, das
große, mächtige, glänzende Benin
des sechzehnten Jahrhunderts, in
Vergessenheit und in Verfall geraten; einige wenige Reisende
unserer Zeit, besonders der ener-
gische Burton, waren zwar bis
in die Hauptstadt vorgedrungen,
aber sie haben nichts gesehen,
was sie besonders überrascht
oder aufgeregt hätte. Auch die
vielen Menschenopfer, wegen
deren Benin berüchtigt war und
von denen fast jeder neuere

Reisende aus eigener Anschauung zu erzählen wußte, konnten nicht auffallen; von Aschanti und
von Dahome her wußte man ja, wie es in Ober-Guinea zuging und wie gering da das menschliche
Leben geschätzt wurde. Die wahnsinnige Willkür, mit der Hunderte und Tausende treuer Unter-
tanen hingeschlachtet wurden, um einem verstorbenen Herrscher ins Jenseits zu folgen oder ihm an
Festtagen Nachricht von seinen Angehörigen zu bringen, war allgemein bekannt. Man hatte sogar eine
Art von nationalökonomischer Erklärung und Entschuldigung für diese Massenschlächtereien gefunden
und suchte nachzuweisen, daß mit dem Aufhören des Sklavenexportes nach Amerika eine ungeheure
Übervölkerung Ober-Guineas eingetreten sei und daß die Menschenopfer daher nur als ein natürliches
Ventil zur Wiederherstellung des alten Gleichgewichts zu gelten hätten.

Jedenfalls waren die Benin-Leute ängstlich bemüht, alle Europäer von sich und ihrer Hauptstadt
fernzuhalten, und sie würden vielleicht noch viele Jahrzehnte lang von den modernen Kolonisationsbestre-
bungen verschont geblieben sein, wenn sie nicht 1897 nahe ihrer Landesgrenze eine englische Reisegesell-
schaft niedergemetzelt und so eine große Strafexpedition veranlaßt hätten.

Über den Verlauf dieser Begebenheiten berichte ich hier nach einem Brit. Weißbuch (»Africa, 6, 1897,
Papers relating to the Massacre of British Officials near Benin and the consequent Punitive Expedition«
London, Harrison and Sons, 1897) und nach einem Buche von Commander R. H. S. Bacon (»Benin, the
city of blood«, London und New York 1897). Ich
gebe nur einen ganz kurzen Auszug aus diesen Druckwerken, setze aber die wenigen Stellen, an denen
ich eine wörtliche Übersetzung bringe, zwischen
»Anführungszeichen«.

Am 2. Januar 1897 brachen der Britische
Regierungskommissär und stellvertretende Generalkonsul für das Niger-Coast-Protectorate, Mr.
Phillips, sechs andere britische Beamte und zwei
englische Kaufleute mit zwei Dolmetschern, einem
farbigen Beamten, elf Dienern und 215 Trägern von
Sapele auf, um dem Könige von Benin einen schon
lange zuvor angekündigten halbamtlichen Besuch
zu machen. Der König hatte zwar mehrfach gegen
einen solchen Besuch protestiert, aber Mr. Philipps
ließ sich nicht umstimmen, auch als er kurz nach
dem Aufbruch eine neue Botschaft des Königs er-
hielt, dieser mache jetzt »custom« (Totenkult-Zere-
monien) für seinen Vater und könne ihn frühestens

Abb. 2. Straße in Benin. Erdmann phot.

erst nach vier Wochen empfangen. Ein Häuptling eines befreundeten Stammes, Dore, von dem
Generalkonsul Sir Ralph Moor in einem amtlichen Berichte als »the most able and trustworthy

native Political Agent in the division« spricht, erklärte, es sei »sicherer Tod«, wenn man trotzdem versuchen wollte, nach Benin vorzudringen, und auch eine neue Botschaft des Königs, Mr. Phillips könne überhaupt nur allein mit einem Jakri-Häuptling zu ihm kommen, wurde mißachtet: Die Herren setzten ihre Reise fort, bis sie am Nachmittage des nächsten Tages (3. Januar 1897) plötzlich während des Marsches angegriffen wurden. Sie waren alle unbewaffnet und hatten sogar ihre Revolver sämtlich bei ihrem großen Gepäck in Kisten weggeschlossen, waren also völlig wehrlos. So wurde die ganze Karawane fast bis auf den letzten

Abb. 3. Teil der Umfassungsmauern eines Juju-Gehöftes. Ansicht von innen.
Erdmann phot.

Mann niedergemetzelt. Nur Captain A. M. Boisragon und Mr. Locke konnten, obwohl beide verwundet, in den Busch flüchten und sich auf abenteuerliche Weise in Sicherheit bringen. Fünf Tage und fünf Nächte waren sie, fast ohne jede Nahrung und nur den Tau von den Blättern schlürfend, unterwegs, bis sie ein befreundetes Dorf erreichten. Am 10. Januar konnte die telegraphische Nachricht von der Katastrophe nach London gesandt werden; sofort wurde eine große Strafexpedition angeordnet und nach Kapstadt, Malta und Gibraltar um Absendung von Kriegsschiffen telegraphiert.

So fand sich bereits am 7. Februar eine Flotte von 9 Kriegsschiffen und wenige Tage später auch ein als Hospitalschiff eingerichteter großer gemieteter Transportdampfer an der Mündung des Beninflusses ein; schon unterwegs waren alle Vorbereitungen für die Ausschiffung größerer Truppenmengen und für eine Expedition in das Inland getroffen worden, und am 18. Februar, nur 46 Tage nach dem Massacre, wurde die Hauptstadt von Benin erobert und dem Erdboden gleichgemacht.

Unmittelbar nach der Einnahme der Stadt mußte nach einem Befehle der Admiralität vom 27. Januar 1897 an den mit der Leitung des ganzen Unternehmens beauftragten Admiral Rawson das ganze Landungskorps »with as little delay as possible« wieder eingeschifft werden, und so ist verständlich, daß kein Plan der Stadt, keine Aufnahme der Umgebung gemacht und keinerlei wissenschaftliche Untersuchung angestellt wurde. Um so wichtiger ist es, daß uns im amtlichen Weißbuch wenigstens einzelne wissenschaftlich brauchbare Notizen erhalten sind, und daß zwei Teilnehmer der Expedition, Commander Bacon und Dr. Felix Roth, ihre Beobachtungen veröffentlichten. Auf die ausgezeichneten Angaben des letzteren werde ich später noch mehrfach zurückkommen, hier halte ich mich zunächst an den amtlichen Bericht des ersteren, wie er S. 45 ff. des erwähnten Weißbuches mitgeteilt ist:

»Wenn man von Ologbo kommt, mündet der Buschpfad plötzlich senkrecht in eine ganz breite Straße, die dann mitten durch die Stadt Benin zieht und nach Westen in die Straße nach Gwato übergeht. Sie schneidet die ganze Stadt in zwei große Teile. Im Süden von ihr liegen die Gehöfte des Königs und der großen Häuptlinge, im Norden die der kleineren Häuptlinge und des übrigen Volkes. Die Häuser sind alle aus rotem Lehm gebaut und mit Palmblättern gedeckt, nur das Palaverhaus und ein Teil des königlichen Palastes hat Wellblechdächer. Das Gehöft des Königs besteht aus dem eigentlichen Königspalast, einem Palaverhaus, mehreren Juju-Häusern,

Abb. 4. Zerstörter »Altar« in einem Juju-Gehöfte. Erdmann phot.

zahlreichen Gehöften und Häusern für das Gefolge des Königs, außerdem mehreren zerstörten Häusern, in denen wahrscheinlich frühere Häuptlinge bestattet sind und die deshalb nicht mehr bewohnt werden. Das ganze Gehöft ist mit einer fast 7 Meter hohen Lehmmauer mit überstehendem Dach umgeben.«

»Beim Eintritt in diese Umwallung stößt man zunächst auf zwei große Juju-Gehöfte. Diese bilden völlig ebene Höfe, sind nur mit Gras bewachsen und so groß, daß sie mehrere Tausend Personen fassen können. Auf ihrer Südseite befinden sich unter vorspringenden Dächern die »Altäre«, etwa 3 Fuß hohe Plattformen auch aus Lehm, die fast die ganze Breite des Gehöftes einnehmen. In ihrer Mitte stehen Bronzeköpfe, von denen jeder einen geschnitzten Elfenbeinzahn trägt. Auf diesen Altären lehnen auch roh geschnitzte Keulen zum Hinschlachten der Opfer, deren Blut dann über den ganzen Altar gesprengt wurde und die Stufen hinunterfloß. In dem Hauptjuju-Gehöft war der Geruch nach mensch-

Abb. 5. »Altar« in einem halbzerstörten Juju-Hause. Benin 1897. Erdmann phot.

lichem Blut unbeschreiblich krankmachend, und die ganze Oberfläche des Gehöftes triefte von Blut. In den Ecken einiger dieser Gehöfte waren große Schächte zur Aufnahme der Leichen ausgegraben. Fünf große derartige Gehöfte lagen nebeneinander in der Nähe des Königspalastes. Es ist entsetzlich zu denken, wie furchtbar viele Menschenleben in ihnen hingeopfert wurden. In der Mitte einiger dieser Juju-Gehöfte stand ein eiserner Gegenstand wie ein großer Kandelaber mit scharfen Haken. Sein Zweck wurde uns nicht bekannt, aber wahrscheinlich ist es auch irgendeine Art von Opferwerkzeug, vielleicht zum Aufhängen von Stücken der Opfer.«

Abb. 6. Weihgaben auf einem »Juju-Altar«. Benin 1897. Erdmann phot.

»Unabhängig von diesen großen öffentlichen Juju-Plätzen scheint auch noch jedes einzelne Haus eigene Juju-Räume gehabt zu haben und viele von ihnen auch einen Opferaltar, auf dem die jährlichen Opfer niedergelegt wurden. In diesen Juju-Räumen fand sich allerhand Kram, unter dem geschnitzte Stöcke, rohe Gipsfiguren und Kauri-Schnecken am häufigsten waren. Hinter den Juju-Plätzen war das Palaverhaus, ein großes Gebäude, etwa 30 Meter lang und 15 oder 20 breit, innen mit einer ringsumlaufenden Lehmbank unter einem vorragenden Wellblechdach, so daß nur die Mitte des Hofes unbedeckt war. An der Südseite war, über das Dach herunterhängend, eine große Schlange aus Erz befestigt, und in der Mitte des Hofes fand sich ein Krokodilkopf aus Bronze. Die Balken, die das Dach trugen, waren mit einem Netzmuster verziert und mit dünnem Messingblech bedeckt. Auch die Tore waren mit solchem ‚embossed brass‘ bedeckt. Die Farbe des Messings und seine glänzende Oberfläche ließ vermuten, daß es irgendwie ‚in ormolu-Art‘ präpariert war [1].«

---

[1] Von solchen vergoldeten Messingbeschlägen scheint nicht die geringste Probe nach Europa gelangt zn sein. Auch was ich sonst an vergoldeten Stücken aus Benin kenne, hat in einer Kinderhand Platz. Unklar bleibt bis auf weiteres auch der in

»Der Königspalast war ähnlich wie das Palaverhaus, aber mit zahlreichen Nebenräumen; die Balken über dem Throne oder der Schlafstätte des Königs waren mit viereckigen Spiegelstücken verziert. Der Rest der ganzen Anlage bestand aus Medizin- und Vorratshäusern. Diese enthielten hauptsächlich billigen Schund, wie Spazierstöcke aus Glas, alte Uniformen, absurde Sonnenschirme und den gewöhnlichen billigen Kram, mit dem die Händler die Phantasie der Eingeborenen zu reizen pflegen. In einem der Häuser aber fanden sich, begraben unter dem Schmutz von Generationen, mehrere hundert in ihrer Art einzige Bronzeplatten, die fast an ägyptische Vorbilder erinnerten, aber in wunderbarer Weise gegossen waren. Auch andere Gußwerke von bewundernswerter Art und mehrere prachtvoll geschnitzte Elefantenzähne fanden sich da, aber die meisten von ihnen waren verwittert (»dead from age«) und nur ganz wenige aus neuerer Zeit wurden gefunden, diese aber fast unbeschnitzt. Silber gab es nicht und Gold gab es nicht, und auch was an Korallen gefunden wurde, war nur von wenig Wert. Tatsächlich waren die Zähne und die Bronzearbeiten das einzige Wertvolle, was wir fanden. In einem Schacht wurden 41 Elefantenzähne gefunden. Unter den anderen Elfenbeinarbeiten waren einige Armbänder, die an chinesische Arbeit erinnerten und zwei prachtvolle Leoparden bemerkenswert. Einige Bronzegruppen von Idolen und zwei große, prachtvoll gearbeitete Sitze aus Bronze wurden gefunden, die sicher von sehr alter Arbeit waren[1].«

Abb. 7. »Altar« in einem der Höfe des Königspalastes. Benin 1897. Erdmann phot.

»Die eine bleibende Erinnerung an Benin für mich ist der furchtbare Geruch. An die vielen Gekreuzigten, an die Menschenopfer und an jegliche andere Schrecken konnten sich unsere Augen bis zu einem gewissen Maße gewöhnen, aber keines weißen Mannes Nerven konnten diesem schrecklichen Geruch widerstehen. Viermal an einem Tage war ich wirklich seekrank geworden und noch viele Male wurde ich beinahe krank. Es schien, als ob jeder Eingeborene, der es nur irgend konnte, sich ein Menschenopfer geleistet hätte, und die, die das nicht konnten, hatten wenigstens Tiere geopfert und die Reste vor ihrem Hause liegen lassen. Am nächsten Tage schien die ganze Stadt ein einziges Pesthaus zu sein.«

Abb. 8. Menschliche Schädel, auf dem oben abgebildeten Altare liegend. Benin 1897. Erdmann phot.

»Und dann erst diese Schächte. Wer vermöchte sie zu beschreiben. Aus einem von ihnen wurde ein

---

der Mitte des Hofes gefundene »Krokodilkopf«; vielleicht kommt er noch zum Vorschein; wahrscheinlich war es auch nur einer der zahlreichen in Benin gefundenen großen Schlangenköpfe, der zufällig gerade nach der Mitte des Hofes verschleppt worden war.

[1]) Diese zwei in der Tat unvergleichlich schönen und kostbaren Sitze aus Erz befinden sich jetzt in der Berliner Sammlung, als ein Geschenk eines unserer Gönner, auf dessen Rechnung sie in London in öffentlicher Auktion um einen verhältnismäßig ganz geringen Preis für uns erstanden wurden. Sie sind bereits in dem Buche von H. Ling-Roth »Great Benin« abgebildet und da noch als Eigentum von Sir Ralph Moor bezeichnet, zu dessen Kriegsbeute sie wohl gehörten; als dessen Eigentum waren sie auch lange in London öffentlich ausgestellt. Es ist schwer zu begreifen, wie ein hoher englischer Beamter solche in ihrer Art einzigen Stücke ins Ausland verschachern konnte, statt sie dem nationalen Museum zu stiften. Die oben erwähnten »prachtvollen Leoparden« aus Elfenbein sind übrigens auch nicht in das Britische Museum gekommen, sondern der Königin von England geschenkt worden. Vier ebenso schöne Leoparden aus Erz sind nach Berlin gelangt, zwei von diesen besitzt der Kaiser; von dem zweiten Paare hat das Museum für Völkerkunde nur einen behalten und den anderen im Tauschwege nach Leipzig abgegeben.

Jakri-Junge mit Stricken herausgezogen, der da, wie er sagte, fünf Tage unter den Leichen gelegen hatte. Aber es ist ganz unglaublich, daß er so lange an dieser Stelle hätte leben können. Ein oder zwei Tage müssen, sollte man meinen, selbst einen Neger in solcher Lage töten.«

»Alles war voll Blut. Die Bronzen, das Elfenbein, selbst die Mauern waren mit Blut bedeckt und erzählten so die Geschichte dieser schrecklichen Stadt klarer als dies je durch Schrift geschehen könnte. Und das war durch Jahrhunderte so gegangen. Nicht die Grausamkeit eines einzelnen Königs, nicht eine einzelne blutige Regierung, aber des Volkes Religion, wenn man dieses Wort hier gebrauchen darf, war dafür verantwortlich. Das Juju-System herrschte auf Hunderte von Kilometern in der Umgebung, und es ist wahrscheinlich, daß es in der alten Blütezeit der Stadt noch viel grausamer geherrscht hatte als in der Gegenwart. Auch in den benachbarten Negerstaaten pflegten Häuptlinge einen Sklaven zu töten, wenn sie ihrem Vater oder sonst einer verehrten Person eine Botschaft ins Schattenreich senden wollten, und ebenso pflegte man die Frauen und Sklaven eines vornehmen Mannes an seinem Grabe zu töten, um ihm den Aufenthalt im Jenseits zu verschönern. Doch scheint es, daß die Betroffenen nicht allzuviel unter diesem Schicksal litten. In Benin aber scheinen die Greuel der Menschenopfer, zum Teil aus bloßer Mordlust und um die Nachbarstaaten einzuschüchtern, ganz besonders entsetzliche Formen angenommen zu haben.«

»Die Straße vor dem Gehöft des Königs führte nach einem großen offenen Platze, an dessen Rande zwei alte Kreuzigungsbäume standen. Der eine im Westen war ein großer Baumwollbaum, aus dessen Krone zahlreiche Zweige entfernt und durch ein schräges Gerüst ersetzt waren, auf dem die Opfer befestigt wurden. Etwas weiter westlich war ein zweiter Kreuzigungsbaum, der nur für einzelne Kreuzigungen eingerichtet war. Weiter im Westen liegt eine breite Fläche ebenen Landes ganz mit Leichen in jedem Stadium der Verwesung, mit Schädeln und Knochen bedeckt.«

Diese Schilderung Commander Bacons wird in sehr lehrreicher Weise noch durch einen amtlichen Bericht von R. Allman, P. M. O. ergänzt, der im mehrerwähnten Weißbuch S. 57 abgedruckt ist und über die sanitären Verhältnisse von Benin am Tage seiner Eroberung handelt. Da heißt es unter anderem:

»Auf dem großen Opferbaum gegenüber dem Haupteingang in das Gehöft des Königs befanden sich zwei gekreuzigte Leichen und unter dem Baum lagen 17 frisch enthauptete Leichen und 43 andere solche in verschiedenen Stadien der Verwesung. Auf dem Opferbaum im Westen des Haupteinganges lag die gekreuzigte Leiche eine Frau und unter dem Baum lagen vier enthauptete Leichen. Auf dem freien Platze gegen die Straße nach Gwato hin lagen 176 Leichen, von denen ein so unerträglicher Gestank ausging, daß meine Sanitätspatrouille mehrmals umkehren mußte. In dem südlich gelegenen Stadtteil fanden sich fünf weitere Opferleichen mit schrecklichen Verstümmelungen und in dem Gehöfte hinter dem königlichen Palaste noch sechs weitere. Auch auf der Hauptstraße, die von dem Stadttor nach Osten führt, lagen elf frisch enthauptete Leichen; sieben weitere mit Schußwunden fanden sich auf der Straße von Ologbo. Alle diese Leichen und außerdem über 300 Skelette ließ ich beerdigen. In verschiedenen Teilen der Stadt, besonders aber in der unmittelbaren Nachbarschaft des königlichen Palastes, fanden sich große ausgehobene Schächte, 4—5 Meter im Durchmesser, und gegen 15 Meter tief, von denen sieben menschliche Leichen enthielten, 15 oder 20 in jeder dieser Gruben, aber auch einige Lebende und Sterbende fanden sich in den Löchern. Sechs von diesen Unglücklichen konnten gerettet werden. Nachdem sie in Sicherheit gebracht wurden, ließ ich die sämtlichen Schächte mit Erde voll füllen.«

Diese Berichte stimmen gut mit zahlreichen anscheinend kurz vor der Zerstörung der Hauptstadt gemachten photographischen Aufnahmen überein, von denen ich einige nach den mir gütigst von Frau Alma Erdmann in Hamburg überlassenen Negativen hier reproduziere. Ich bemerke allerdings, daß über die Entstehung dieser Aufnahmen zwei Varianten existieren. Einerseits befinden sich die Negative heute noch im Besitz von Frau Erdmann, die schreibt, daß die Aufnahmen von ihrem verstorbenen Mann, dem Leiter einer in Lagos ansässigen großen deutschen Firma, gemacht wurden. Anderseits sind mehrfach Kopien nach zweifellos denselben Negativen in dem schönen Buche »Great Benin« von H. Ling-Roth reproduziert, der meint, daß die Aufnahmen von Mr. R. K. Granville gemacht sind, und zwar mit einem Apparat, der diesem von ihm, d. h. von Herrn H. Ling-Roth, zur Verfügung gestellt worden war. Ich bin nicht imstande, diesen Widerspruch aufzuklären, muß ihn aber der Form wegen erwähnen; sachlich ist er belanglos, nicht nur in wissenschaftlichen Beziehung, sondern auch praktisch, da mir Herr H. Ling-Roth ganz unabhängig von diesen Aufnahmen ungewisser Herkunft in zuvorkommend freundlicher Weise gestattet hat, Abbildungen aus seinem Buche hier wiederzugeben.

Hingegen bin ich für die beiden Abbildungen 9 und 10 Herrn W. D. Webster zu Dank verpflichtet. Sie zeigen den König von Benin bald nach seiner Gefangennahme, die eine, als er noch befürchten mußte, hingerichtet zu werden, die andere, nachdem ihm seine Begnadigung zur Deportation mitgeteilt worden war. Über den Anteil, den er persönlich an dem Überfalle vom 3. Januar 1897 hatte, ist niemals volle Klarheit erreicht worden; fest steht nur, daß er damals sofort flüchtete und daß schon am 5. Februar, also noch vor der Eroberung der Stadt, ein Preis auf seine Einbringung ausgesetzt wurde. Die von dem Brit. Kommissär für das Niger-Coast-Protectorate, Generalkonsul (später Sir) Ralph Moor gezeichnete Proklamation schreibt für die Gefangennahme von King Duboar eine Belohnung von 50 Puncheons [1]) aus; zwei seiner Berater, Ojomo und Okrigi, werden nur auf 10 und 5 Puncheons eingeschätzt, der Oberzauberer auch auf 10 und einige andere Zauberpriester auf je 5 Puncheons.

Aus dem oben bereits erwähnten Buche von H. Ling-Roth erfahren wir nach Briefen seines Bruders Dr. med. Roth, der damals als Arzt beim Niger-Coast-Protectorate tätig gewesen war, daß der König am 5. August, also nicht ganz ein halbes Jahr nach seinem Verschwinden, des ungewohnten Buschlebens müde, sich mit einem großen Gefolge von 7 oder 800 Unbewaffneten, darunter 10 Häuptlingen und gegen 20 seiner Frauen, freiwillig wieder in der Gegend seiner alten Hauptstadt einfand, unter jedem Arm von einem Begleiter gestützt, genau wie uns das auch aus dem alten Benin für den König und für die Königin(?), sowie für ein dämonisches Wesen

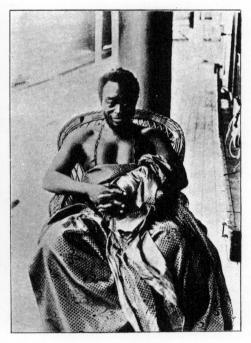

Abb. 9 und 10. Der König Overami Duboar von Benin an Bord von H. M. Jvy, 9, nach seiner Gefangennahme und 10, nachdem er erfahren, daß er nicht hingerichtet, sondern nur deportiert werden würde. Maschmann phot. 1897.

mit Welsen statt der Beine mehrfach durch Bildwerke überliefert ist. Vgl. hier die Tafeln 43, 79, 80, 81 und 83. Nach zwei Tagen begab er sich dann mit einem Gefolge von fast 400 splitternackten Männern (»as was their custom in the presence of the king«) vor das Zelt des stellvertretenden Residenten, um über seine Unterwerfung zu verhandeln; er trug dabei einen weißen Schurz und buntgestickte Beinkleider, war aber sonst derart ganz mit Korallen bedeckt, daß man fast nirgends etwas von seiner Haut sehen konnte. Auch seine Kopfbedeckung in der Form eines italienischen (»Leghorn«) Strohhutes bestand nur aus erlesen schönen Korallen und war so schwer, daß sie von Zeit zu Zeit von einem Begleiter hochgehoben werden mußte. Wir werden uns an diesen sonst ungewöhnlichen Aufwand von echten Korallen zu erinnern haben, wenn wir die Kleidung einiger Würdenträger aus dem alten Benin besprechen, wie solche hier auf unseren Tafeln 18, 19, 20 ff. abgebildet sind. Leider scheint damals keine photographische Aufnahme des Königs gemacht worden zu sein; sie würde wissenschaftlich als ein großer Schatz gelten können; auch über den Verbleib all dieser Korallen sind wir nicht unterrichtet. In europäische Museen ist, von zwei Fliegenwedeln und zwei Kopfbedeckungen abgesehen, die fast ganz aus Korallen bestanden, im ganzen kaum eine Handvoll von solchen gelangt.

Nach glaubwürdigen späteren Angaben war das übrigens wirklich der echte König, Overami Duboar,

[1]) Puncheons sind Fässer mit Palmöl im Werte von etwa rund 150 Mark und werden auch sonst als Ersatz für Geld erwähnt.

gewesen und nicht nur ein bloßer Strohmann, wie anfangs vermutet wurde; man schildert ihn als einen harmlosen und sehr beschränkten Mann, der niemals etwas zu sagen hatte und stets ein willenloses Werkzeug in den Händen seiner Zauberpriester und ein Opfer des Hofzeremoniells, sowie des unsinnigsten Aberglaubens gewesen war.

Zwei besonders wesentliche Tatsachen gehen aus den hier im Auszug mitgeteilten Berichten hervor: Erstens, daß ähnlich wie im Aschanti-Kriege den Siegern auch in Benin reiche und eigenartige Beute in die Hände fiel, zweitens, daß noch am Ende des 19. Jahrh. in Benin ähnliche Sitten und Gebräuche herrschten, wie sie uns nun aus dem 16. von dort bekannt werden. Die »Kriegsentschädigung« der Aschanti hatte im wesentlichen aus einer großen Menge von höchst interessanten kleinen Kunstwerken aus Gold bestanden, deren Metallwert natürlich sofort einleuchtete, deren wissenschaftliche und museale Bedeutung aber von den militärischen und Finanzbehörden niemals begriffen wurde, so daß allen Bemühungen der Fachleute im Brit. Museum zum Trotze der größte Teil von ihnen eingeschmolzen wurde; — die Kriegsbeute von Benin war zur Zeit der Einnahme der Stadt nicht einmal von den Eingeborenen selbst mehr richtig gewertet worden; die große Mehrzahl der kostbaren, aus Erz gegossenen Platten wurde wie wertloser Kram in einem längst verfallenen Hause und mit einer dicken Staubschicht bedeckt vorgefunden, und auch die Sieger haben sie zunächst nicht wesentlich höher bewertet: »Silber gab es nicht und Gold gab es nicht, das Elfenbein war verwittert und die Korallen waren auch nicht viel wert.«

So beschränkten sich die Teilnehmer an der Strafexpedition im wesentlichen, wie es scheint, auf die Mitnahme von »Andenken«; ein nicht ganz geringer Teil ist auch bei dem großen Brande vernichtet worden, der am 21. Februar, also am dritten Tage nach der Einnahme der Stadt, ausbrach und nach dem amtlichen Berichte auch die Zelte, Betten, Vorräte usw. der Expeditions-Kolonne zerstörte: »A fire . . . . destroyed the king's and all surrounding quarters, leaving us only open camp, but the cleansing effect of it compensated fully for the destruction of shelter and loss of baggage and provisions, which occurred.« Auch das erst am Tage vorher wieder zustandegebrachte Gepäck der unglücklichen Phillips'schen Expedition fiel dem Brande zum Opfer; ebenso befinden sich in unseren Museen mehrere große geschnitzte Elefantenzähne mit Spuren dieses Brandes.

Nach einer mündlichen Mitteilung eines Teilnehmers der Strafexpedition war das Feuer von Benin-Leuten gelegt worden, die sich die entstehende Verwirrung zunutze machen wollten, um einen Teil ihres guten Elfenbeins und ihrer Korallen wieder zu bekommen; nach einer anderen Version war ein Anschlag auf die Geldkisten der Expedition geplant gewesen. Die Altertümer aus Erz scheinen unter dem Brande in keiner Weise gelitten zu haben; jedenfalls kenne ich nicht ein einziges Stück, das irgendwie nachträglich angeschmolzen erscheint; viele haben Gußfehler und sonst schadhafte Stellen, aber es unterliegt keinem Zweifel, daß das alte Schäden sind, die mit dem Brand von 1897 nichts zu tun haben.

Das weitere Schicksal dieses einzigartigen Fundes ist sehr wechselvoll gewesen. Ein großer Teil der Stücke war als »Kriegsbeute« in den Besitz von Offizieren und Seesoldaten gekommen und wurde schon nach wenigen Tagen wieder in Lagos an Händler verkauft; von drei Serien, zum Teil mit ganz hervorragend schönen Stücken weiß ich, daß sie mehrere Jahre lang in englischem Privatbesitz zusammengehalten, schließlich aber doch auch verhökert wurden. Andere Serien kamen, teilweise unter der Bezeichnung »damaged ivory« sehr rasch in den Besitz von Londoner Händlern oder in Londoner Auktions-Institute. So stammt auch die erste größere nach Berlin gelangte Sammlung aus einer Auktion bei Hale & Son, London; zu ihr gehört neben einer Anzahl von schönen Köpfen und Platten vor allen fast ein Dutzend schöner großer, ganz mit Schnitzwerk bedeckten Elefantenzähne. Unter dem Eindruck dieser Auktion, von der ich nur ganz zufällig erfahren hatte und zu der ich gerade eben noch im letzten Augenblick hatte eintreffen können, sandte ich noch aus London eine Depesche an das Deutsche Konsulat in Lagos mit der Bitte, von Benin-Altertümern für das Berliner Museum zu kaufen »was immer erreichbar und ohne Rücksicht auf den Preis.«

Dieses zunächst auf meine eigene persönliche Gefahr und Verantwortung abgesandte Telegramm hat uns in der Folge, dank dem einsichtsvollen und weitblickenden Wohlwollen der Generalverwaltung der Königlichen Museen, zwei große Serien zugeführt, eine, die bei uns immer den Namen von Konsul Eduard Schmidt lebendig erhalten wird, mit 80 Nummern und eine zweite noch sehr viel größere mit 176 Nummern, die unter dem Namen von H. Bey katalogisiert ist; die Sammlung Schmidt brachte uns eine Anzahl von schönen großen Köpfen und besonders mehrere Gruppen in Rundguß, wie sie so groß und so zahlreich in kein anderes Museum gelangt sind; die Sammlung Bey dagegen besteht überwiegend aus Platten, enthält aber auch eine ganze Reihe von großen eisernen, teilweise mit Erz überfangenen »Fetischbäumen« und zahlreiche andere kostbare und in ihrer Art einzige Stücke.

Andere größere Serien, im ganzen 82 Stück, haben wir später noch von einem englischen Händler, W. D. Webster, gekauft, kleinere Serien oder einzelne Stücke von anderen englischen Händlern oder auf englischen Auktionen (Christie, Manson & Woods, Miss Cutter, Fenton & Sons, Oldman, H. E. Rogers und J. C. Stevens). Mit ganz besonderer Dankbarkeit verzeichne ich hier auch eine wichtige Zuwendung, die uns durch die kollegiale und wissenschaftliche Denkart des Direktors der ethnographischen Abteilung am Britischen Museum Sir Hercules Read ermöglicht wurde: Die englische Regierung hatte dem Brit. Museum eine große Anzahl von Platten leihweise überlassen und eine andere Zahl zum Verkaufe übergeben; aus diesen letzteren hatte ich die erste Wahl, und Geheimrat Prof. Dr. Hans Meyer hatte dann die Güte, uns 32 aus den von mir ausgewählten Platten als Geschenk zu überweisen, während er den Rest für seine eigene Sammlung und die des Leipziger Museums behielt.

Mit einigen Stücken aus dem alten Bestande des Museums und mit verschiedenen Einzelerwerbungen kann sich so das Berliner Museum des Besitzes von 580 Nummern aus Benin rühmen, zu denen noch 44 Gipsabgüsse und 10 Stücke kommen, deren Herkunft nicht ganz gesichert ist. So steht das Berliner Museum für Völkerkunde in dieser Hinsicht bei weitem an der Spitze aller Museen. Außerdem haben wir aus den beiden großen, aus Lagos eingegangenen Sammlungen im ganzen noch über hundert weitere Stücke als Doubletten oder als bei uns entbehrlich an andere Museen abgeben können.

Da deutsche und zwar überwiegend Hamburger Firmen schon seit langen Jahren den Markt an der ganzen Küste von Ober-Guinea beherrschen, ist es verständlich, daß Benin-Altertümer sehr früh schon auch nach Hamburg gelangten. Bereits im August 1897 konnte Justus Brinckmann der in Lübeck tagenden Jahresversammlung der Deutschen Anthrop. Gesellschaft einige ausgezeichnet schöne Benin-Bronzen vorlegen, die er für das Hamburger Museum für Kunst und Gewerbe erworben hatte, und bald nachher legte auch das Hamburger Museum für Völkerkunde den Grund zu seiner jetzt 196 Nummern umfassenden Benin-Sammlung mit vielen ganz besonders hervorragenden Stücken.

Sehr früh schon traten auch Dresden, Leipzig und Stuttgart auf den Plan, jede der drei Städte von einem opferfreudigen Mäcen (Arthur Baeßler, Hans Meyer und Karl Knorr) mit großen Mitteln unterstützt, so daß sie, dem Berliner Beispiel folgend, ohne Rücksicht auf den Preis für ihre Museen sichern konnten, was an Benin-Altertümern auf dem Markte war.

So besitzen mit Einschluß von späteren Geschenken und Erwerbungen Dresden jetzt 182 Stücke, Leipzig 87 und Stuttgart 80. Dabei sei der Ordnung wegen bemerkt, daß die für Leipzig mitgeteilte Zahl drei verschiedene Sammlungen umfaßt — die dem dortigen Museum für Völkerkunde gehörige, dann eine räumlich mit ihr vereinigte, die Geheimrat Prof. Dr. Hans Meyer als Leihgabe zur Verfügung gestellt hat, und schließlich eine kleine, aber ganz erlesene Anzahl von Stücken, die derselbe Gelehrte persönlich in seinem Hause verwahrt. Für mich liegt hier kein Grund vor, diese drei Leipziger Sammlungen getrennt zu registrieren; wo ich später einzelne Stücke besonders zu erwähnen haben werde, wird das Eigentumsverhältnis meist unschwer aus der Inventar-Nummer zu ersehen sein.

In ähnlicher Weise ist es in Wien dem Direktor der anthrop.-ethnograph. Abteilung des Hof-Museums gelungen, die erst nur kleine Sammlung nicht ohne mehrfache Schwierigkeiten und auf dem Wege einer privaten Subskription um eine große Zahl hervorragender Prachtstücke zu vermehren, so daß Wien nun eine stolze Reihe von 167 Nummern aus Benin besitzt — was die Nachwelt sicher dankbar zu den vielen anderen bleibenden Verdiensten von Franz Heger rechnen wird.

Eine sehr gute Sammlung von 73 Nummern, unter denen die meisten wichtigen Typen vertreten sind, besitzt das Rautenstrauch-Joest-Museum in Köln; viele hervorragend gute Stücke, im ganzen 51 Nummern, sind nach Frankfurt a. M. gelangt; die anderen deutschen Sammlungen sind arm an Benin-Altertümern: München, Karlsruhe und Freiburg i. B. haben zusammen 45 Stücke; was sich sonst in kleineren Museen und in Privatbesitz in Deutschland befindet, dürfte — von der Sammlung Hans Meyers abgesehen, die schon bei Leipzig mitgezählt ist — auf rund 50 Nummern einzuschätzen sein.

In England zählte ich im Britischen Museum 280 meist erlesen schöne Stücke. Aber auch General Pitt-Rivers, dieses hervorragende Sammelgenie, hat noch in den letzten Jahren vor seinem Tode seine großen Mittel unter anderem auch dazu benutzt, Benin-Altertümer zu kaufen, und hat eine Sammlung von 227 Nummern hinterlassen, die nach ausdrücklicher letztwilliger Verfügung nicht nach dem seinen Namen tragenden Museum in Oxford kommen durfte, sondern auf seinem Landsitze Rushmore, Salisbury, ganz abseits vom gewöhnlichen Reiseverkehr, aufgestellt bleiben muß. Einzelne sehr schöne Stücke haben Halifax, Liverpool und Oxford. Mit dem was sonst in England und im Ausland in kleineren Museen, in Privatbesitz und bei Händlern vorhanden ist, schätze ich diesen Bestand auf rund[1]) 300 Nummern; von drei großen Privatsammlungen hatte ich mit gütiger Erlaubnis der Eigentümer (Admiral Rawson, Kapitän G. le C. Egerton und Kapitän C. Campbell) alle wichtigen Stücke photographieren lassen; auch sonst bin ich allen Mitteilungen über zerstreute Benin-Stücke in England nachgegangen und meine, daß nicht ein einziges einigermaßen bedeutendes Stück meiner Registrierung entgangen sein dürfte. Leiden besitzt 98 Nummern.

Die anderen europäischen Museen sind, soweit mir bekannt geworden ist, fast ganz ohne Anteil an der Benin-Beute geblieben; es ist bezeichnend für den Tiefstand ethnographischer Arbeit in Frankreich, daß nur verschwindend wenige Benin-Stücke nach dem Trocadero oder sonst in ein französisches Museum gelangt sind; auch Italien besitzt nur aus alter Zeit einige Elfenbeinschnitzwerke, die, wenn nicht aus Benin selbst, so doch aus einem nahe verwandten Kulturkreis stammen. Rund 40 Stücke kenne ich aus St. Petersburg und aus den skandinavischen Museen, 12 aus Basel.

Recht gering ist auch der Anteil der amerikanischen Museen an guten Vertretern der alten Benin-Kunst. Nur Chicago hat eine Anzahl hervorragender Stücke, im ganzen 33 Nummern. Das in vielen seiner Abteilungen so überaus reiche und vorbildliche Natural History-Museum in New York ist im allgemeinen an afrikanischen Dingen sehr arm und so ist auch sein Bestand an Benin-Altertümern recht unbedeutend. Ich sah dort nur: vier große alte geschnitzte Zähne, sehr stark verwittert, mit den üblichen Darstellungen ohne besondere Bedeutung, zwei Bronzeköpfe ohne Plinthe, etwa in der Art des hier Taf. 61, Fig. 3 abgebildeten Stückes, ein schönes altes Zeremonialschwert von dem später als »Ebere« zu beschreibenden Typus, zwei zylindrische Armbänder aus Elfenbein, eines stark beschädigt, mit Köpfen von Europäern, das andere ungewöhnlich stark abgeschliffen, offenbar durch Jahrhunderte getragen, mit ganzen menschlichen Figuren, einige kleine Halsglocken und im übrigen nur ganz schlechtes modernes Zeug, das in keiner Art eine Vorstellung von der wirklichen Benin-Kunst geben kann; im ganzen gegen 20 Stücke. Außerdem stehen da im Benin-Schrank noch zwei sehr große aber ganz besonders schlechte neue Figuren aus Elfenbein, die sicher nicht aus Benin, sondern aus dem Innern, vielleicht von der Uëlle-Gegend stammen.

So läßt sich der gesamte Bestand an Benin-Altertümern, soweit er gegenwärtig wissenschaftlicher Forschung zugänglich ist, auf rund 2400 Nummern schätzen. Zur Unterstützung für mein Gedächtnis hatte ich schon 1898 begonnen, in der Art und im Format des Berliner Zettelkataloges alle mir in öffentlichen und privaten Sammlungen erreichbaren Stücke aus Benin jedes für sich auf ein besonderes Quartblatt zu skizzieren oder möglichst genau zu beschreiben. Wo Abbildungen vorhanden waren oder ad hoc beschafft werden konnten, wurden sie auf das betreffende Blatt geklebt. Die schönen illustrierten Kataloge von W. D. Webster und anderen Händlern waren mir dabei ebenso wertvoll als das freundliche Entgegenkommen aller Kollegen an den auswärtigen und an den deutschen Museen. Auf solche Weise entstand im Laufe der Jahre ein richtiges *Corpus antiquitatum Beninensium*, das nach Abschluß meines Buches in den Besitz des Berliner Museums übergehen und hoffentlich auch in Zukunft weitergeführt und benutzt werden wird.

Ursprünglich waren die Zettel natürlich nach den einzelnen Sammlungen geordnet, so daß ich neben dem Zettelkatalog des Berliner Museums auch über fast oder wirklich gleichwertige Kataloge der übrigen Sammlungen verfügte. Dann stellte sich aber das Bedürfnis ein, die einzelnen Zettel zunächst nach der Art der Gegenstände zu ordnen, um so ohne Zeitverlust jede einzelne Gruppe von Altertümern mit einem

---

[1]) Eine genauere Schätzung ist ganz unmöglich, weil sehr viele Stücke und auch ganze Sammlungen ihren Besitzer mehrfach in kurzen Zwischenräumen gewechselt haben. So ist z. B. die große Sammlung, die J. C. Stevens zum 10. 4. 1900 mit einem gedrucktem Kataloge zur Auktion brachte, damals fast en bloc in die Hände von W. D. Webster übergegangen, der sie mit seinen älteren Beständen untermischte und mit einem neuen Katalog sofort wieder in den Handel brachte. Die großen und wichtigen Stücke sind natürlich leicht zu identifizieren, aber es würde unmöglich und sicher auch nicht lohnend sein, alle die zahlreichen kleineren und belanglosen Stücke, wie etwa die wenig verzierten Armreifen, die neuen Dolche und den übrigen späten Kleinkram, der da mit unterlief, restlos zu verfolgen. Andererseits glaube ich, daß mir kaum ein einziges wirklich wichtiges Stück ganz entgangen oder etwa von mir doppelt gezählt worden sein könnte.

Sehr zahlreiche Stücke aus englischem Privatbesitz, die ich für die Zwecke dieses Buches habe photographieren lassen dürfen, fand ich später in den Katalogen und in den Läden englischer Händler und dann in unseren deutschen Museen wieder. Solche Stücke erscheinen natürlich dreimal in meinen Listen, aber es war an der Hand der Photographien immer leicht, sie auf ihrem Wege zu verfolgen und für die Bestandaufahme sicherzustellen.

Blick umfassen zu können. Dabei war es natürlich sehr einfach, z. B. alle Zähne mit Flechtbändern zusammenzulegen, oder alle großen rund gegossenen Figuren usw., aber sehr bald ergaben sich die ja auch sonst bei jeder Art von schematischer Einteilung unvermeidlichen Schwierigkeiten und Kollisionen. War es selbstverständlich, unter den Platten zunächst die mit Europäern zu einer Gruppe zu vereinigen, so erschien es fast als unmöglich, die vielen Hunderte von Platten mit Eingeborenen in logischer Weise in eine Anzahl von Gruppen zu verteilen. Ich entschloß mich schließlich, dies rein mechanisch nach der Zahl der dargestellten Personen zu tun und dann die so erhaltenen Gruppen je nach den Kopfbedeckungen oder nach einzelnen Attributen weiter zu gliedern.

So bin ich schließlich zur Aufstellung von 64 Hauptgruppen gelangt, denen nun ebensoviele Kapitel dieses Buches entsprechen werden. Ich habe mich nicht leichtsinnig zu einer solchen rein schematischen Einteilung des Buches entschlossen, sondern mit heißem Bemühen verschiedene andere Wege versucht, sie aber schließlich immer als ungangbar wieder verlassen müssen. Besonders hatte ich gehofft, mich bei der Anordnung, wenn schon nicht der Zettel, so doch bei der des Buches mehr nach dem Inhalt der einzelnen Altertümer, als nach ihrer Form und ihrem Material richten zu können. So wäre es z. B. sicher das von vornherein logisch Gegebene, alle Altertümer sacralen oder religiösen Inhalts als solche zusammenzufassen; aber jeder Versuch dazu scheiterte an der Lückenhaftigkeit unserer bisherigen Kenntnisse über das innere Leben der Bewohner von Ober-Guinea. Selbstverständlich ist der Mann, der Welse statt der Beine hat und daher von zwei Begleitern gestützt werden muß, ein dämonisches Wesen — aber von dem Manne, der zwei Welse in den Händen hält, nicht anders als ob er sie verkaufen wollte, kann das Dämonische höchstens nur aus seiner Tracht geschlossen werden, die mit der des anderen, sicher dämonischen, Mannes übereinstimmt, und so würde es auch hier bei dem vollständigen Mangel einer Tradition nicht ohne große Unsicherheit abgegangen sein. In ähnlicher Weise bin ich z. B. nicht imstande, für die mehrfach vorkommende Darstellung einer Schlange, die einen Menschen verschlingt, auch nur mit einiger Sicherheit zu erkennen, ob es sich bei diesem Motiv um eine rein naturalistische Beobachtung handelt oder um die mythische Vorstellung einer Höllenschlange, bei der man obendrein noch an europäische Beeinflussung zu denken haben würde. Derartige Schwierigkeiten wiederholten sich so oft, daß ich schließlich doch bei der rein mechanischen Gruppierung verblieb.

Auch die Zahl der Gruppen, oder richtiger die engere oder weitere Fassung der einzelnen Gruppen ist, wie offen eingestanden werden soll, eine ganz willkürliche. So ist hier eine Gruppe von Platten mit je drei Eingeborenen aufgestellt worden; es wäre vielleicht logischer gewesen, von vornherein die Platten, auf denen die drei Leute ungefähr gleichgroß und gleichbedeutend dargestellt sind, von jenen zu trennen, bei denen es sich eigentlich nur um einen Würdenträger handelt, der von zwei kleinen Leuten oder von zwei Knaben begleitet wird. Ebenso könnte man bei den Platten mit je zwei Eingeborenen solche, bei denen die zwei Leute »gleichstehend« erscheinen, und andere, auf denen eigentlich nur ein Mann mit einem Begleiter (Schwertträger usw.) dargestellt ist, von vornherein trennen. In ähnlicher Art ist natürlich auch die Gruppe anfechtbar, in der alle »hohen« Armbänder zusammengefaßt sind; man hätte geradesogut in eine Gruppe nur die gegossenen, in eine andere nur die genieteten, in eine dritte nur die aus Elfenbein einreihen können; ebenso ist es sicher ganz unlogisch, in die Gruppe der niedrigen Armbänder auch das große Ringgeld mit einzubeziehen — ich habe es trotzdem getan, weil es auch kleine Geldringe gibt, die sich von wirklichen Armringen nicht unterscheiden lassen. So sind vielfach im Laufe der Arbeit einzelne Gruppen sehr viel umfassender geworden, als sie ursprünglich gedacht waren; sie sollen im Texte des sie behandelnden Abschnittes nach Bedarf wieder in Untergruppen zerlegt werden; für die allgemeine Einteilung schien es mir richtig, die Zahl der Hauptgruppen und demgemäß die der Abschnitte des Buches nicht allzusehr anschwellen zu lassen. Jede weitere noch erwünschte Gliederung kann dann in der Art von Untergruppen usw. leicht durchgeführt werden.

Auf S. 12/13 gebe ich hier eine tabellarische Gesamtübersicht, die nach Museen und nach Gruppen geordnet ist. Sie läßt auf den ersten Blick erkennen, wie viel Stücke von einzelnen Typen oder Gattungen im ganzen und in den einzelnen Museen vorhanden sind. Auf diese Übersichtstabelle habe ich keine geringe Mühe verwendet — sie ist trotzdem nicht ganz einwandfrei. So einfach es scheint, die Anzahl der in den verschiedenen Museen befindlichen Stücke jeder einzelnen Gruppe genau anzugeben, so unmöglich wird das, sobald da auch nur eine geringe Zahl von Bruchstücken mit in die Rechnung zu setzen kommt.

Allgemeine Übersicht

Es befinden sich in:	Berlin	Cöln	Dresden	Frankfurt a. M.	Hamburg	Leiden	Leipzig	London¹)	Pitt-Rivers	Stuttgart	Wien	Rest	Summe
1. Platten mit Darstellungen von Europäern	23	1	4	1	3	1	2	14	5	2	4	5	65
2. Platten mit je einem Eingebornen	84	3	14	3	10	5	7	94	14	28	21	39	322
3. Platten mit je zwei Eingebornen	12	—	3	—	2	—	5	13	5	3	4	8	55
4. Platten mit je drei Eingebornen	15	—	2	—	2	—	4	31	2	—	—	3	59
5. Platten mit vier und mehr Eingebornen	5	—	3	1	1	—	1	13	6	—	1	3	34
6. Platten mit Bäumen und mit Darstellungen unter Bäumen	2	—	1	—	1	—	1	1	1	—	—	1	8
7. Platten mit Tieren und Tierköpfen	45	5	5	2	4	4	1	25	—	7	11	9	118
8. Platten mit Waffen, Blashörnern, Tierdecken, Schädeln, Früchten usw.	12	1	2	1	2	—	—	8	1	1	1	2	31
9. Platten mit Rosetten, Monden usw.	10	—	—	—	—	—	—	—	—	—	—	—	10
10. Platten in Form eines Wappenschildes	1	—	1	—	—	—	1	2	1	—	—	1	7
11. Große Rundfiguren aus Erz, Menschen	13	2	5	—	2	—	—	3	9	1	3	—	38
12. Kleinere Rundfiguren aus Erz, Menschen und Tiere	4	—	2	1	4	3	3	—	1	1	2	8	29
13. Gruppen mit Rundfiguren auf Sockel, auch Sockel mit und ohne Figuren	11	1	3	—	1	—	3	2	2	—	1	—	24
14. Teile von solchen Gruppen und einzelne abgebrochene Figuren	8	2	—	1	8	4	—	2	4	2	1	8	40
15. Späte Figuren und Gruppen, auch späte Hähne und andere Vögel	10	—	6	5	2	6	5	—	3	6	2	27	72
16. Große Rundfiguren von Leoparden aus Erz	3	—	1	—	—	—	1	—	1	—	—	1	7
17. Rundfiguren von großen Hähnen aus Erz	2	1	1	1	3	1	3	1	1	—	1	5	20
18. Große Schlangenköpfe	4	—	1	—	1²)	—	1	—	—	1	2	1	11
19. Große Köpfe mit »Bügeln« usw.	12	1	2	1	2	—	3	1	1	2	2	5	32
20. Weibliche Köpfe mit Haube	12	2	1	—	—	2	3	—	2	1	1	4	28
21. Andere große Köpfe mit Plinthe	6	—	2	1	—	—	2	—	—	1	—	1	13
22. Andere große Köpfe ohne Plinthe	2	—	—	—	1	1	—	1	1	—	—	1	7
23. Porträtartige Köpfe	11	—	1	1	2	1	1	3	5	—	3	2	30
24. Abweichende und vereinzelte Typen von Köpfen (auch von Tieren)	4	—	2	—	4	—	3	1	3	—	—	1	18
25. »Turbanartige Gewinde« auf Plinthen	3	—	1	—	1	—	1	—	—	2	1	1	10
26. Glocken und Schellen	26	4	14	4	13	4	5	1	13	2	8	21	115
27. Anhänger in Form menschlicher Masken	7	3	3	—	8	4	3	5	5	—	1	10	49
28. Anhänger in Form von Tierköpfen, Tieren usw.	8	1	5	—	8	1	2	—	—	2	2	15	44
29. Schildartige Anhänger	11	5	12	—	4	3	2	2	5	—	3	3	50
30. Hohe Armbänder, Metall und Elfenbein	15	9	9	7	6	3	4	7	7	1	6	8	82
31. Niedrige Armbänder, Ringgeld usw.	34	8	12	3	17	13	2	2	14	—	10	11	126
32. Halsschmuck, Kopfschmuck, Fingerringe	2	—	2	—	2	1	3	1	8	—	—	8	27
Übertrag ...	417	49	120	33	114	57	72	233	120	63	91	212	1581

¹) Die für London angegebenen Zahlen konnte ich zuletzt 1912 vergleichen; sie dürften sich seither kaum wesentlich geändert haben.
²) Hamburg besitzt auch ein Stück vom Leib einer solchen großen Schlange, das einzige überhaupt bekannt gewordene.

ler Benin-Altertümer.

Es befinden sich in:	Berlin	Cöln	Dresden	Frankfurt a.M.	Hamburg	Leiden	Leipzig	London	Pitt-Rivers	Stuttgart	Wien	Rest	Summe
Übertrag ...	417	49	120	33	114	57	72	233	120	63	91	212	1581
33. Perlen aus Stein, Korallen, Glas usw.; Beilchen aus Stein und Erz	8	5	5	—	—	—	—	2	1	—	8	8	37
34. Signal- und Doppelglocken, Rasseln ..	2	1	1	—	1	—	—	—	4	—	—	4	13
35. Klangstäbe (?) mit Ibis	2	1	1	—	1	1	2	—	1	—	1	5	15
36. Gefäße aus Erz	14	—	7	1	15	6	1	2	14	1	3	10	74
37. Mankala	—	—	1	—	2	—	1	—	2	—	—	—	6
38. Lampen	—	—	—	—	2	—	—	—	3	—	—	3	8
39. Schreine, »Cisten« und dergl.	1	—	—	—	—	—	—	—	1	—	—	—	2
40. Schlüssel	3	—	2	—	1	—	—	—	1	—	—	8	15
41. Repoussierte Arbeiten	—	1	1	—	—	1	—	—	2	1	1	8	15
42. Fächer, Wedel, Kämme und Haarnadeln	13	—	5	6	—	3	—	1	6	—	3	17	54
43. Runde Scheiben	1	—	—	—	—	—	—	—	1	—	—	2	4
44. Schwerter, Dolche und Messer	9	3	6	2	11	5	1	—	20[3]	—	5	18	80
45. Speere und Speerspitzen	5	—	1	—	2	—	—	1	1	—	—	5	15
46. Hammer, Zangen, Nägel, Klopfer, Äxte und dergl.	—	—	2	—	—	—	—	—	1	—	—	3	6
47. »Stamm- und Fetischbäume«	14	2	4	1	3	2	1	1	9	4	4	2	47
48. Zeremonialgeräte in Form von Glocken, Blashörnern usw.	4	—	1	—	3	—	—	—	1	—	—	2	11
49. »Tanzstäbe« aus Messing	5	2	1	1	2	3	—	2	6	1	2	3	28
50. Verzierte Elefantenzähne	15	1	4	2	5	2	5	4	2	5	9	9	63
51. Blashörner aus Elfenbein	4	1	•3	—	4	2	—	2	•4	—	5	4	29
52. Andere Schnitzwerke aus Elfenbein und Holz	9	—	3	—	5	4	1	15	7	—	15	5	64
53. Elfenbeinschnitzwerke für Europäer ...	7	—	—	—	—	2	—	8	—	1	—	—	18
54. Runde Stühle mit Schlangen, Bronze und Holz	2	—	1	—	1	—	—	—	1	—	—	—	5
55. Kästchen aus Elfenbein und Holz	8	—	—	1	4	2	2	3	3	—	4	2	29
56. Geschnitzte Stäbe aus Holz und Elfenbein, »Scepter« und dergl.	2	—	4	1	1	1	—	—	—	—	3	3	15
57. Geschnitzte Kokosschalen	7	—	—	—	2	—	—	—	2	—	—	3	14
58. Geschnitzte Bretter, viereckige Stühlchen, geschnitzte Kisten, Türen usw.	2	—	3	1	3	—	1	3	4	—	1	5	23
59. Sogenannte »Richtblöcke«, Truthühner, Holzköpfe	5	1	3	—	2	3	—	1	4	—	1	4	24
60. Geschnitzte Masken und Kopfbedeckungen	—	—	—	—	—	—	—	—	3	—	—	—	3
61. Geschnitzte Ruder	4	2	—	1	6	2	—	—	1	—	—	2	18
62. Gewebte Zeuge, Amulette, Kleidung, Panzerhemd usw.	—	—	—	1	—	—	—	1	—	—	6	2	10
63. Verschiedenes	14	4	2	—	2	2	—	1	1	4	4	20	54
64. Alte, aus Europa eingeführte Gegenstände	3	—	1	—	4	—	—	—	1	—	1	10	20
Summe (S. E. E. O.):	580	73	182	51	196	98	87	280	227	80	167	379	2400

3) Diese Zahl ist so groß, weil P. R. eine Anzahl von anderwärts stammender Waffen irrtümlich als Benin-Stücke aufführt. Es ist sehr unwahrscheinlich, daß diese Waffen jemals in Benin waren, außer nach den Angaben der Händler.

Da ist der Willkür sofort Tür und Tor geöffnet. Der Ordnung wegen muß ich daher hier erklären, wie ich vorgegangen bin:

Wertvolle Bruchstücke, selbst wenn sie wesentlich kleiner sind, als etwa die Hälfte der Platte, von der sie stammen, wurden als voll gezählt; wertlose, von denen wir z. B. in Berlin eine ganze Kiste voll haben, die mit den zwei großen Sendungen aus Lagos eingelangt sind, wurden dagegen völlig ignoriert. Bruchstücke in beliebiger Zahl, die hier zu einer Platte zu vereinigen gelang, zählen selbstverständlich nur als eine Nummer. Hingegen wurden in einigen Fällen die beiden Hälften einer Platte doch als zwei Nummern gezählt; das ist scheinbar ganz unlogisch, schien mir aber doch durch die Sachlage gefordert. Es gibt nämlich einzelne Platten, die von vornherein in zwei Hälften, einer oberen und einer unteren, gegossen worden waren. Solche zusammengehörige Hälften befinden sich, wie ich im Laufe meiner Arbeit feststellen konnte, getrennt in Berlin, Hamburg, London und Wien. Ich habe dann dafür gesorgt, daß von diesen Stücken Abgüsse gemacht und zwischen den beteiligten Museen ausgetauscht wurden, so daß diese ganz besonders großen und schönen Stücke nun in jedem dieser Museen in vollständiger Ergänzung vorhanden sind Aber die einzelnen Hälften sind schon wegen ihrer Schönheit und Größe in der ziffermäßigen Nachweisung des Bestandes der betreffenden Museen überall als ganze Nummern registriert gewesen und mußten daher auch in meiner Zusammenstellung so gezählt werden.

Ein weitere Fehlerquelle liegt darin, daß einzelne breite Platten mit zwei Figuren derart in der Mitte der Länge nach entzweigebrochen sind, daß die Hälften jetzt ganz wie selbständige Platten mit je einer Figur wirken. In einem Fall konnte ich die beiden Bruchstücke direkt aneinanderpassen; sie wurden selbstverständlich nur als eine Nummer registriert. In einigen Fällen zeigte sich bei einer kleinen Platte mit nur einer Figur einer der seitlichen Ränder mit einer verzierten Falzleiste versehen; das ließ, da schmale Platten niemals solche umgebogene Seitenränder haben, mit vollständiger Sicherheit darauf schließen, daß es sich um die Hälfte einer breiten Platte mit zwei Figuren handle. In einigen anderen Fällen besteht, obwohl beide Ränder einer schmalen Platte mit einer Figur ungefalzt sind, doch mindestens der Verdacht, daß nur die Hälfte einer breiten Platte vorliegt. Aber wo ein sicherer Nachweis oder ein direktes Aneinanderfügen der beiden Hälften nicht möglich ist, müssen solche Stücke naturgemäß als getrennte Nummern registriert werden. So ist die Anzahl der Platten mit je einem Eingeborenen in Wirklichkeit vielleicht um etwa sechs oder sieben Nummern geringer und dafür die der Platten mit je zwei Eingeborenen vielleicht um drei oder vier größer, als in der allgemeinen Übersicht nachgewiesen erscheint, aber diese Ungenauigkeit ist gegenüber der Wahrscheinlichkeit, daß eine sehr große Anzahl von Stücken überhaupt völlig verloren oder bisher nicht aufgefunden ist, numerisch natürlich ganz bedeutungslos. Im übrigen ist bei der Beschreibung der einzelnen Stücke von Fall zu Fall stets auf den Befund besonders hingewiesen worden.

Hier ist wohl auch der Platz, hervorzuheben, daß wir gegenwärtig nicht den geringsten Anhaltspunkt dafür haben, wie groß etwa die Anzahl der noch in Benin befindlichen älteren Gußwerke ist und wieviel Stücke da etwa wieder eingeschmolzen worden waren. Es ist zum mindestens auffallend, daß wir im ganzen elf Köpfe von großen Schlangen kennen und nur ein einziges Stück von einem Schlangenleibe. Wenn auch die alte Angabe, daß diese Schlangen 30 Fuß lang gewesen seien, übertrieben sein mag, so muß man doch mindestens 10 bis 12 Stücke von der Größe des in Hamburg befindlichen auf je eine Schlange rechnen. Da kaum anzunehmen ist, daß man etwa die Köpfe von Schlangen auf Vorrat gegossen habe und die Leibstücke nur auf Bestellung, kommt man zu der Meinung, daß es ursprünglich in Benin mindestens hundert Stücke von Schlangenleibern in der Art und Größe des Hamburger Stückes gegeben haben müsse. Von allen diesen ist uns nur eines bekannt geworden. Daraus könnte man schließen, daß auch was wir sonst aus Benin kennen, etwa nur den hundertsten Teil von dem beträgt, was einmal im alten Benin vorhanden gewesen. Ich hielte das freilich für einen argen Trugschluß, schon weil wir mit der Möglichkeit rechnen müssen, daß gerade diese verhältnismäßig kunstlosen und zugleich schweren Schlangenleiber mit Vorliebe als Material für neue Arbeiten verwendet und daher umgeschmolzen wurden, wenn etwa durch den Verfall eines Bauwerkes eine der großen Schlangen überflüssig geworden war.

Jedenfalls sehe ich vorderhand keine Möglichkeit, zu einer sicheren Anschauung über den Umfang der ursprünglichen Benin-Kunst zu gelangen, genau so, wie wir einstweilen nur das Ende, nicht den Anfang dieser Kunst kennen. Früher oder später müssen ja doch in Benin ernsthafte und regelrechte wissenschaftliche Ausgrabungen unternommen werden, von denen wir sicher noch reiche Ausbeute und vielleicht auch große Überraschungen erwarten können — inzwischen müssen wir das vorhandene Material nehmen, wie es ist, und müssen trachten, aus ihm so viel als möglich zu lernen; je mehr wir uns seiner Lückenhaftig keit bewußt bleiben, um so geringer ist die Gefahr, bei unserer Bearbeitung in allzugroße Irrtümer zu verfallen.

In diesem Sinne wird hier zunächst der Bestand der Berliner Sammlung eingehend beschrieben; dabei werden aber die zugehörigen Stücke der anderen Sammlungen so ausgiebig zum Vergleich herangezogen, daß dieses Buch ebensogut als ein Repertorium der ganzen uns gegenwärtig erreichbaren alten Benin-Kultur dienen kann.

Es liegt nahe, die Beschreibung mit den schon der Zahl nach so weit überwiegenden Gußarbeiten zu beginnen und da zuerst die Platten und unter diesen wiederum zunächst die mit Darstellungen von Europäern vorzunehmen, weil diese fast allein eine sichere Datierung ermöglichen. Vorher aber seien noch einige allgemeine Bemerkungen über Stil, Technik, Material und Erhaltungszustand dieser Gußarbeiten eingeschaltet. Dabei halte ich mich nahezu wörtlich an meine Ausführungen gelegentlich der Beschreibung der Karl Knorrschen Sammlung in Stuttgart (XVII. und XVIII. Jahresber. des Württ. Vereins für Handelsgeographie, 1900), die jetzt nicht mehr im Handel ist und aus der ich daher mit gütiger Erlaubnis der Direktion des Linden-Museums auch eine große Anzahl von Textbildern in diesem Buche erneut zum Abdruck bringen werde.

Der Stil der Erzarbeiten aus Benin ist rein afrikanisch, durchaus und ausschließlich ganz allein afrikanisch. Hier von assyrischen oder phönizischen Formen reden, wie dies besonders in der ersten Zeit nach ihrem Bekanntwerden von seiten einiger allzu begeisterten Dilettanten geschehen ist, heißt einfach beweisen, daß man weder diese kennt, noch die moderne afrikanische Kunst. Die Berliner Sammlung besitzt eine große Reihe von modernen afrikanischen Köpfen und Figuren; unter diesen ist vielleicht die schönste von allen die hier Taf. 127 abgebildete Porträtfigur eines Baluba-Herrschers, die uns Stabsarzt Wolf, der Genosse H. v. Wißmanns, 1885 geschenkt hat. Betrachtet man an dieser Figur alles, was an ihr eigentümlich ist, vor allem auch ihre Fehler, die völlig falschen Verhältnisse, das zwar besonders liebevolle, aber auch durchaus übertriebene Betonen der dem europäischen Künstler unwesentlich erscheinenden Einzelheiten der Kleidung, Bewaffnung und Tätowierung und dagegen die völlig schematische Behandlung der Gesichtszüge und die flüchtige, rohe Behandlung der Füße und Hände, so wird man an dieser einen Figur mehr über das Wesen der Negerkunst lernen können, als aus langen theoretischen Abhandlungen. Aber sobald wir diese eine Figur und die vielen Hunderte, die ihr verwandt sind, ohne sie ganz zu erreichen, als rein afrikanisch erkennen, so müssen wir auch den Stil aller Benin-Kunstwerke als durchaus afrikanisch bezeichnen.

Wenden wir uns nun zur Betrachtung der Technik dieser Kunstwerke, so gelangen wir zu einem der wichtigsten Abschnitte unserer Untersuchung. Diese Benin-Arbeiten stehen nämlich auf der höchsten Höhe der europäischen Gußtechnik. Benvenuto Cellini hätte sie nicht besser gießen können und niemand weder vor ihm noch nach ihm, bis auf den heutigen Tag. Diese Bronzen stehen technisch eben auf der Höhe des überhaupt Erreichbaren. Es handelt sich bei fast sämtlichen mir bekannt gewordenen Stücken um sogenannten Guß in verlorener Form, also um das, was die Italiener *cera perduta*, die Franzosen *cire perdue* nennen. Vielen der Leser wird dieses bei uns übrigens bereits in der reinen Bronzezeit geübte Verfahren bekannt sein, wenn nicht aus praktischer Erfahrung, so doch aus Goethes Benvenuto Cellini. Gleichwohl sei hier kurz angegeben, daß bei dieser Technik zuerst ein Wachsmodell hergestellt werden muß, das genau so aussieht, wie der später zu gießende Gegenstand. Wo es sich nicht um flache Platten, sondern um runde oder hohle Gegenstände handelt, wird erst ein Kern aus Ton geformt und um diesen herum dann die dünne Wachsschicht des Modells; in der unverrückbaren Sicherung dieses Kernes liegt eine der größten Schwierigkeiten des Verfahrens. Auch überall da, wo aus der Fläche größere Figuren halbrund vortreten, sehen wir sie in Benin hohl gegossen, nicht etwa, um Wachs oder Bronze zu sparen, wie irrigerweise mehrfach angegeben wird, sondern nur, um eine möglichst gleichmäßige Dicke der ganzen Bronzeschichte, also damit eine gleichmäßige Erkaltung der Masse zu sichern und dadurch ungleichmäßiges Zusammenziehen und die Bildung von Rissen oder von unbeabsichtigten Einziehungen und Vertiefungen zu vermeiden. Derartige Grübchen kann man vielfach bei modernen Gußarbeiten, z. B. bei gewissen Grabplatten aus Messing sehen, die in der Regel an zwei Stellen der Kehrseite knubbenartige Vorsprünge haben, die für die Einfügung in den Grabstein nötig sind. Solchen ganz eng umschriebenen starken Verdickungen der Platte entsprechen auf der Bildseite häufig kleine eingesunkene Dellen, die an sich meist nicht weiter stören, gewöhnlich übersehen werden und vom rein technischen Standpunkt aus sogar sehr lehrreich sind.

Ist das Wachsmodell fertig, so wird es ganz mit einem Mantel aus einer möglichst feinkörnigen geschlemm-
ten Masse umgeben, die bei uns gegenwärtig im wesentlichen aus Ziegelmehl und Gipsbrei besteht. Jedenfalls muß sie starr werden und ganz austrocknen können. Dann werden Luftlöcher und trichterförmige
Stellen für den Einguß angebracht, und zwar tunlichst immer an solchen Stellen, die später nicht sichtbar
sind, also zunächst auf den Kanten der Platten oder auf der Unterseite der runden Bildwerke. Läßt
man dann das Wachs am Feuer ausschmelzen, so erhält man eine völlig nahtlose Hohlform, die man nur
mit flüssigem Erz auszugießen und dann nach dem Erkalten zu zerschlagen braucht, um einen wirklichen
Bronzeguß nach dem Wachsmodell zu erhalten. Es liegt in der Natur der Sache, daß die Praxis dieses
Verfahrens nicht so einfach ist als die Theorie, und daß selbst jahrelange Erfahrung nicht immer ausreicht,
vor Fehlgüssen zu sichern. Wie groß und fast unberechenbar die Schwierigkeiten dieser Technik sind,
ist bei uns in weiteren Kreisen auch den technisch sonst nicht Gebildeten durch Cellinis Gespräche mit
dem Herzog bekannt geworden, würde aber auch durch bloßes Nachdenken oder etwa durch Betrachtung
der Preise zu erschließen sein, die heute für Arbeiten in Bronzeguß gefordert und bezahlt werden.

Gewöhnlich wird das Erz in besonderen Tiegeln geschmolzen und mit Hilfe von Trichtern in die
Form gegossen. Gerade aus Westafrika kennen wir aber mehrfach eine abweichende Technik. Da wird
an die Form von vornherein ein zweiter Behälter aus Ton angebaut, der das zu kleinen Stücken zerschla-
gene Metall aufnimmt und mit der Form durch eine Anzahl von Röhren verbunden ist; kommt dann

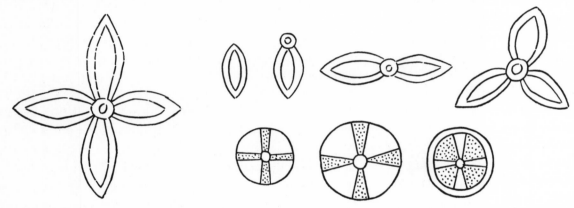

Abb. 11. Schematische Darstellung der Blumenmuster usw., mit denen der Grund der Beninplatten verziert ist. W. Gr.

der ganze Doppelklumpen ins Feuer, so wird gleichzeitig mit dem Schmelzen des Metalls auch die Form
sehr stark erhitzt und so zur Aufnahme der Speise vorbereitet. Es ist einleuchtend, daß dadurch und wohl
auch durch das ganz allmähliche und langsame Eindringen des Metalls auch die entlegensten Ecken und
Winkel der Form mit größerer Sicherheit gefüllt und die Bildung von Luftblasen und anderen Gußfehlern
verhindert wird. Das Berliner Museum besitzt unter den vielen Schätzen, die Prof. Ankermann von
seiner Reise in Kamerun 1908 mitgebracht hat, eine derartige Form, die in der Mitte eingeschnürt ist,
sonst aber weder ein Loch für den Einguß, noch Löcher für das Entweichen der Luft aufweist. Diese
sind wohl dadurch überflüssig geworden, daß der Ton stark mit dünnen Pflanzenfasern durchmengt ist,
durch deren Verbrennung die Form sehr porös wird.

Im übrigen ist das Kunstwerk mit dem Gusse noch lange nicht beendet; so wie es aus den Trümmern
der Form herausgeschält wird, ist es mit der rauhen »Gußhaut« bedeckt und mit zahlreichen Unregelmäßig-
keiten behaftet, die auch bei sonst tadellos gelungenem Gusse eigentlich so gut wie unvermeidlich sind.
Außerdem werden gewisse feinere Einzelheiten und Flächenverzierungen niemals schon im Wachsmodelle
zum Ausdruck gebracht, weil sie im Gusse viel zu ungleichmäßig kommen würden — es beginnt also nach
Vollendung des Rohgusses erst die weitere Arbeit des Ziselierens und die Behandlung mit Feilen, Hämmern
und Punzen aller Art. Auch diese Arbeiten sind bei den Benin-Bronzen mit größter Sorgfalt und Vir-
tuosität durchgeführt, und von einigen unserer Platten sagt mir ein erfahrener Fachmann, daß er sechs,
acht Wochen und länger an einem Stücke zu tun gehabt hätte. Außerdem bezeichnen die Fachleute den
oft fast runden Charakter der Reliefs als besonders auffallend und wundern sich über die üppige, oft geradezu gesucht ausschweifende Anwendung von unterschnittenen Details, die natürlich auch schon den
Guß selbst wesentlich erschwert. Aber immer ist es die mühevolle Durchführung der Ziselierarbeit, die
uns mindestens ebenso erstaunlich erscheint, als die absolute Meisterschaft in der Beherrschung der Guß-

technik. Unter den vielen Hunderten von Benin-Bronzen, die ich in Händen gehabt habe, sind nur

einige wenige ganz ohne jede Ziselierung; die meisten von diesen sind im Guß mißlungen, anscheinend, weil das Metall nicht gereicht, die Form ganz zu füllen oder weil sich der Kern verschoben hatte; sie sind deshalb unvollendet geblieben und wohl zum Wiedereinschmelzen bestimmt gewesen; bei einigen anderen Stücken, besonders bei mehreren großen Köpfen von der Art der hier in Kap. 19 ff. zu beschreibenden, ist die Ziselierung nicht ganz durchgeführt und beschränkt sich mehr auf die vorderen Partien, während die Hinterseite noch die ursprüngliche Gußhaut behalten hat; aber auch das sind Ausnahmen und außerdem Stücke, die schon einer etwas späteren Zeit anzugehören scheinen; — bei der großen Mehrzahl der Stücke ist die Ziselierung durchaus gleichmäßig zu Ende geführt und spricht für ein sehr verfeinertes Kunstgefühl oder für das Gewicht, das auf gute Arbeit gelegt wurde.

Abb. 12. Grabplatte des Kurfürsten Friedrich des Sanftmütigen, 1412—1464, nach Donadini und Aarland, Die Grabdenkmäler der Erlauchten Wettiner Fürsten, El. Folio. Leipzig 1898. Etwa 1/8 d. w. Gr.

Bei sämtlichen überhaupt bekannten Platten ist zunächst der flache Grund, von dem sich die Figuren abheben, nachträglich, d. h. nach dem Gusse durch Punzierung mit einer Art Blumenmuster bedeckt worden, das hier besonders deutlich auf den Tafeln 1, 3, 4, 5, 6, 23 und mehreren anderen wiedergegeben und S. 16 Abb. 11 auch schematisch dargestellt ist. In der Regel besteht dieses Muster aus Blumensternen, bei denen vier spitzelliptische, doppeltkonturierte Blätter an den äußeren von zwei kleinen konzentrischen Kreisen angesetzt sind. Manchmal haben diese Sterne nur drei Strahlen und, wenn es der gegebene Raum gerade verlangt, auch nur zwei — so etwa zwischen zwei dicht nebeneinander stehenden Menschen oder zwischen den Beinen einer Figur. Ab und zu kann man sogar einmal nur ein Blumenblatt angesetzt finden, wie z. B. zwischen der Hauptfigur von Taf. 23 und dem kleinen neben ihm stehenden Bläser in der rechten unteren Ecke, wo über einer zweiblättrigen Blüte gerade nur noch für eine einblättrige Raum vorhanden war. Ebenso kann man auf Taf. 1 zu beiden Seiten der Armbrust auch nur je einen einstrahligen Blütenstern dargestellt finden. Untersucht man eine größere Anzahl von Platten, entdeckt man sogar auch einmal ein loses Blatt ohne den zugehörigen Blütenboden oder, noch seltener, nur diesen, aber ohne die Blätter. Der Raum zwischen all diesen Blüten ist mit dichtstehenden einzelnen Punkten ausgefüllt, die oft ganz systemlos, oft wieder in parallelen Reihen angeordnet, aber immer in annähernd gleicher Dichte einzeln mit einer spitzen Punze eingeschlagen sind.

Entstehung und Bedeutung dieser Art von Behandlung des Hintergrunds sind uns nicht bekannt; fast möchte man annehmen, daß man sich einen wirklichen Teppich als Hintergrund der Figuren dachte. Jedenfalls denkt man bei solcher Behandlung der Fläche zunächst an einen Zusammenhang mit gemusterten Geweben, und da läge nichts näher, als ein Vergleich mit den bekannten Nürnberger und anderen deutschen Grabplatten aus Bronze oder Messing, auf denen der Hintergrund durch einen kostbaren gepreßten Samtstoff oder Brokat meist mit Granatapfelmuster gebildet erscheint. Besonders schöne Platten dieser Art sind die des Kurfürsten Friedrich des Sanftmütigen († 1464) und die des Kurfürsten Ernst († 1486); aber auch die anderen Grabplatten der Wettiner Fürsten auf der Burg von Meißen werden auf Nürnberger Künstler zurückgeführt, einige auf Peter Vischer selbst, andere wenigstens auf seine

Abb. 13. Nürnberger Grabplatte, Bronze 1564. Der Hintergrund ist als ein an Ringen befestigter Vorhang mit Blumenmuster behandelt. Nach Gerlach-Bösch, Die Bronze-Epitaphien der Friedhöfe zu Nürnberg, Taf. 38. 3.

Werkstatt. Da das große Werk von Donadini und Aarland, in dem sie veröffentlicht sind, schon wegen seines unhandlichen Formates (60×88 cm) schwer zugänglich und kaum bekannt ist, gebe ich hier in Abb. 12 eine Probe, die trotz der Verkleinerung noch eine gute Vorstellung von der Art des Originals vermittelt. Die Abb. 13 gibt eine Nürnberger Grabplatte mit ähnlicher Behandlung des Hintergrundes wieder. So scheint der Gedanke an Nürnberger Einfluß nahegerückt.

Ebensogut aber könnte man an die metallenen und mit Email verzierten Buchdeckel denken, die vom 13. Jahrhundert an in Limoges in großen Mengen hergestellt, mit Evangelien und Gebetbüchern über die ganze christliche Welt verbreitet wurden und mit Portugiesen und Holländern sicher auch nach Benin gelangt sind. Proben solcher Buchdeckel sind hier Abb. 14 bis 17 wiedergegeben.

Eine dritte Möglichkeit liegt natürlich in der Annahme einer in Benin bodenständigen, von fremden Einflüssen ganz unberührten Entwicklung eines verzierten Hintergrundes. Schon das Bedürfnis, kleine Unebenheiten und Gußfehler zu verdecken, könnte den ersten Anlaß hierzu gegeben haben und ebenso die Erfahrung, daß ein einheitlicher Hintergrund die dargestellte Figur zu ruhigerer Wirkung bringt. Einstweilen also und ehe uns Platten aus einem früheren Stadium der Beninkunst bekannt werden, tut man sicher gut, die Frage offen zu lassen, ob für die Musterung des Plattengrundes ein fremder Einfluß vorliegt oder bloße Konvergenz.

Sehr viel seltener als jenes Blumenmuster, im ganzen unter je 200 Platten kaum einmal, kommt eine Art Radmuster mit vier Speichen zur Beobachtung. In einigen Fällen sind dann die Speichen selbst punktiert, in anderen die Flächen zwischen ihnen; dann ist der »Radkranz« doppelt konturiert, sonst nur durch eine einfache Kreislinie angedeutet, wie das auch in der schematischen Skizze hier S. 16 wiedergegeben ist. Diese Skizze zeigt auch, was übrigens auch auf mehreren der Lichtdrucktafeln ebensogut wie auf den Originalen zu sehen ist, daß sehr verschieden große Punzen verwandt wurden; neben den ganz spitzen für die Punkte gab es welche, deren Schneide bis zu 3 mm breit war und dann immer schmälere, bis zu etwa 0,5 mm; die meisten Punzen hatten eine gerade Schneide; es gab aber auch welche mit gebogener, die etwas weniger als einen Halbkreis umfaßten und hauptsächlich für den' inneren Kreis des Blütenbodens verwandt wurden.

Die Punzierung ist durchweg mit viel Sorgfalt und Geschicklichkeit durchgeführt; Fehlschläge sind selten, kommen aber ab und zu auch bei besonders schönen Platten vor; so sieht man auf Taf. 23 mehrere Fehlschläge bei der Blüte am linken Rand, unter dem Speerschaft; dieselbe Platte zeigt übrigens auch auf dem einzigen Blatt, das den rechten Rand berührt, sechs nicht weiter motivierte Gruppen von je vier Punkten, die aussehen, als ob sie der Arbeiter nur aus Zerstreutheit, wie im Halbschlaf, dahin gesetzt hätte. Mit Punzen sind auch die Verzierungen an den Speeren, Schwertern und Schilden sowie an den Lendenschurzen eingeschlagen und mit etwas stärkeren Meißeln die Furchen zwischen den einzelnen Perlen des Halsschmuckes, der ursprünglich im Guß nur aus übereinander liegenden Wülsten gebildet war.

Wie der Grund der Platten, so ist auch die ganze Oberfläche der Figuren selbst höchst sorgfältig überarbeitet; besonders in den Gesichtern ist ein hoher Grad von

Abb. 14. Buchdeckel der Sammlung Astaix, Limoges, 13. Jahrh., mit einem sitzenden Heiligen auf Rankengrund. 29,5 cm hoch, nach Rupin, l'œuvre de Limoges, Paris 1890.

Abb. 15. Buchdeckel im Musée de Cluny, mit einem sitzenden Apostel, Email auf Kupfer, 13. oder 14. Jahrh., 30 cm hoch, nach Rupin, l'œuvre de Limoges, Paris 1890.

Vollendung erreicht. Dasselbe gilt von der Bearbeitung der Rundfiguren und auch von den Hähnen und Geparden; bei diesen ist das Gefieder und die Zeichnung der Flecken meist nur durch Punzierung zum Ausdruck gebracht. Daß zu alledem Punzen und andere Werkzeuge aus Eisen nötig waren, wird mir von allen Technikern, die ich darüber befragen konnte, mit voller Sicherheit angegeben. Das Material der meisten Platten ist, wie ich mich selbst überzeugt habe, so hart, daß selbst ganz harte Stahlpunzen nur ein sehr langsames Arbeiten gestatten. Ich möchte an dieser Stelle auf die vielen Kontroversen verweisen, welche die Prähistoriker durchgefochten haben, als es sich darum handelte, zu entscheiden, ob die feinen Verzierungen an alten Bronzen ohne eiserne Punzen hergestellt worden sein konnten. Übrigens sind auch heute noch die Laien über die Härtegrade verschiedener Arten von Bronze meist sehr wenig orientiert. Wichtige Angaben hierüber finden sich bei A. Krupp: Die Legierungen, p. 210, und in einer kurzen Mitteilung von M. v. Schwarz in der »Prähistor. Zeitschrift« II, p. 421 ff. Da ist gezeigt, daß besonders durch einen Zusatz von 8—10 % Zink die Härte der Bronze so beträchtlich gesteigert werden kann, daß sie selbst mit unseren besten modernen Stahlwerkzeugen kaum mehr zu bearbeiten ist. Auch durch eine Steigerung des Zinngehaltes kann die Härte der Bronze beträchtlich erhöht werden. Legierungen mit 20 % Zinn sind mit dem Taschenmesser kaum zu ritzen; es gibt sogar Zusammenstellungen von Bronze, die so hart und widerstandsfähig sind, daß sie wie Stahl zu Feilen verarbeitet werden können. So besteht eine Genfer »Kompositionsfeile« aus 62 % Kupfer, 20 % Zinn, 10 % Zink, 8 % Blei und für eine von Vogels Kompositionsfeilen ist ein Kupfergehalt von 61,5 % festgestellt mit 31 % Zinn und 8,5 % Blei. Ganz verkehrt ist hingegen die vielfach bei Laien noch vorhandene Vorstellung, daß durch Glühen und Abschrecken in kaltem Wasser, ähnlich wie bei Stahl, so auch bei Bronze besondere Härte erreicht werden kann. Die Fachleute wissen, daß durch ein solches Verfahren die Bronze im Gegenteil besondere Weichheit und Dehnbarkeit erlangt.

Die Geschichte beider Techniken, sowohl der des Gießens in verlorener Form als der des Ziselierens, kann ich an dieser Stelle nicht erörtern; ich darf aber daran erinnern, daß sie in Europa schon in prähistorischer Zeit bekannt waren, daß wir sie durch das ganze klassische Altertum verfolgen können und daß sie dann durch Cellini vielleicht zu ihrer größten Blüte kamen, daß sie aber um diese Zeit auch sonst in Italien, Deutschland und Frankreich zu großer Meisterschaft entwickelt wurden. Weniger allgemein bekannt ist aber, daß der Guß in verlorener Form heute noch in ganz Guinea geübt wird. Jedes größere ethnographische Museum besitzt Proben von Aschanti-Goldgewichten oder größere Figuren und ganze Gruppen, die in der gleichen Art aus Messing gegossen und dann, allerdings meist sehr roh, mit Feilen und Punzen überarbeitet sind. Es ist freilich richtig, daß diese oft mit der Herkunftsangabe Yoruba zu uns gelan-

Abb. 16. Emaillierter Buchdeckel der Sammlung Brambilla in Pavia, Limoges, 13. Jahrh., nach Rupin, l'œuvre de Limoges, Paris 1890.

Abb. 17. Buchdeckel aus dem Museum von Nevers, Limoges, 13. Jahrh., nach Rupin, l'œuvre de Limoges, Paris 1890.

genden größeren Figuren und Gruppen nicht viel Anziehendes haben, aber es gibt doch auch unter ihnen wenigstens einige Stücke, die einen feineren Formsinn verraten und sowohl künstlerisch als technisch über die große Masse der ähnlichen Stücke weit emporragen. Andererseits sind gerade unter den kleineren sogenannten Goldgewichten der Aschanti zahlreiche, ganz vorzüglich gearbeitete Stücke bekannt, die von allen Sachverständigen bewundert werden; R. Zeller, Bern, hat ihnen eine wertvolle Monographie gewidmet, die unter dem Titel: »Die Goldgewichte von Asante« als III. Beiheft zum Baeßler-Archiv 1912 erschienen ist. Die Berliner Stücke sollen im 67. Kapitel dieses Buches beschrieben werden, ich möchte aber schon hier mit großer Bestimmtheit erklären, daß ein unmittelbarer Zusammenhang der gegenwärtigen Bronze- oder Messingtechnik von Oberguinea mit der alten Benin-Kunst als eine völlig ausgemachte Sache zu gelten hat. Die moderne Gußtechnik in Westafrika ist gegenwärtig ganz unabhängig von irgendwelchem europäischen Einfluß; nur das Material, Kupfer, Zinn, Zink, Blei, sowie Messing und allerhand andere, mehr oder weniger ungleichmäßige und willkürliche Legierungen werden heute noch, ebenso wie schon seit Jahrhunderten, aus Europa, meist aus Deutschland, früher wohl aus Spanien, eingeführt — als Draht, als Stangen und Barren, aber auch in der Form von »Geldringen«, den sogenannten *manilla's* [1]).

[1]) Vergl. später, Kap. 31, ebenso Dapper, Afrika, Amsterdam 1670, S. 499.

Die alte Benin-Kunst, so wie wir sie jetzt seit 1897 kennen gelernt, hat also ihre nächsten Verwandten in den modernen Arbeiten der Aschanti und von Dahome; auch an überleitenden Stücken fehlt es nicht, so daß wir wohl eine ununterbrochene Übung durch mehrere Jahrhunderte annehmen müssen; ebenso unterliegt es gar keinem Zweifel, daß auch die eigentliche große Kunst von Benin selbst nicht die Leistung einiger weniger Jahre gewesen sein kann. Sowohl die sehr große Zahl der erhaltenen Kunstwerke als auch ihr höchst ungleicher Wert lassen es durchaus ausgeschlossen erscheinen, daß wir es hier mit der Arbeit eines einzelnen Mannes, etwa gar eines einzelnen Europäers, zu tun haben, der zufällig an den Hof des Königs von Benin gekommen wäre; es geht vielmehr aus einer einfachen Betrachtung der vorhandenen Kunstwerke hervor, daß es sich um eine lange Entwicklung handelt, um die Arbeit einer ganzen Schule, die vielleicht mehrere Menschenalter hindurch tätig war. Nur über die früheren Stadien dieser Entwicklung möchte es geraten erscheinen, sich gegenwärtig nur mit großer Vorsicht zu äußern. Hat sich die Gußtechnik von Benin aus eigenen, unscheinbaren Anfängen zu der großartigen Höhe erhoben, die wir jetzt anstaunen, oder liegt hier eine fremde, etwa eine portugiesische oder italienische, vielleicht gar eine deutsche Anregung vor? Ich bin sehr weit davon entfernt, mich hier nach der einen oder nach der anderen Richtung entscheiden zu wollen, aber ich möchte doch nicht unterlassen, hier so ganz nebenbei an unseren Nürnberger Landsmann Beheim zu erinnern, den Freund von Columbus, der 1484 Diego Cao als »königlicher Kosmograph« nach Oberguinea begleitete. Wir wissen, daß diese Reise bis an die Kongomündung führte, und daß am südlichen Kongoufer eine Steinsäule aufgestellt wurde mit dem portugiesischen Wappen und dem Wahrspruch des Prinzen Heinrich des Seefahrers: *Talent de bien faire.* Seit 1485 führte denn auch der König von Portugal den Titel Herr von Guinea. Jedenfalls würden die großen und kühnen Seefahrten, die im 15. Jahrhundert von Portugal aus unternommen wurden, reiche Gelegenheit geboten haben, an der Guineaküste westeuropäische Motive zu verbreiten oder auch eine westeuropäische Technik einzuführen.

Neben Westeuropa wird man aber den Osten niemals aus den Augen verlieren dürfen, wenn man sich über die Wanderungen der Gußtechnik und der Bronze unterrichten will. Indien natürlich, das lange Zeit als die Heimat der Bronze galt, kann heute nicht mehr als solche in Betracht kommen. Vor hundert Jahren hatten sich freilich unter dem Einflusse der großartigen sprachwissenschaftlichen Entdeckungen, die uns die Kenntnis der indogermanischen Spracheinheit brachten, abenteuerliche und phantastische Vorstellungen von Indien entwickelt, als sei es die Heimat aller Kultur gewesen, und noch vor vierzig Jahren glaubten nicht nur die französischen Prähistoriker, daß, wie jegliches andere Kulturgut, so auch die Bronze aus Indien zu uns gekommen sei. Heute wissen wir das besser; heute wissen wir, daß die indische Kultur noch in ihren allerersten Anfängen lag, als die großen ägyptischen und babylonischen Kulturen schon im Verlöschen waren und daß es überwiegend westasiatischer Einfluß gewesen war, der befruchtend auf den Geist einiger von den ungezählten Millionen der ganz primitiven und kulturarmen dunklen dravidischen Urbevölkerung eingewirkt hatte, genau wie noch heute das ganze indische Kunsthandwerk derart von dem in Persien abhängig erscheint, daß es oft kaum möglich ist, ein einzelnes Stück mit Sicherheit als persisch oder als indisch zu erkennen.

Dagegen kennen wir Bronzen von vollendeter Technik und von kaum je erreichter Schönheit schon aus dem alten Reich in Ägypten und aus der Frühzeit von Babylonien, gleich wie uns ein Zufall auch aus einer der ältesten Schichten von Troja eine richtige und noch unversehrte »verlorene Form« erhalten hat. Ebenso ist uns die Technik des altägyptischen Bronzegusses durch Darstellungen auf Wandgemälden bis in alle Einzelheiten bekannt [1]. Nun wäre sicher nichts leichter, als sich vorzustellen, wie allmählich im Laufe der Jahrtausende diese Technik des Gusses in verlorener Form quer durch Afrika wanderte und so auch nach der Küste von Ober-Guinea gelangte. Jedenfalls hält die moderne Ethnographie noch sehr viel ausgedehntere Wanderungen gerade auch in Afrika für durchaus gesichert [2]. Auch über das Mittelmeer, über Spanien und Marokko könnte die Bronzetechnik nach dem tropischen Westafrika gekommen sein, wie ja ganz zweifellos die Karawanenwege durch die große Wüste nicht erst seit gestern existieren, sondern schon durch Jahrtausende begangen waren, ehe die Gelehrsamkeit unserer Zeit sie entdeckte.

Aber noch sind wir ganz unwissend darüber, ob der Guß in verlorener Form wirklich von

---

[1] Siehe besonders die Bilder in dem berühmten Grabe des Rekhmara, unweit von Luxor, aus dem 15. vorchr. Jahrh; cfr. P. E. Newberry, The life of Rekhmara, Westminster 1900. Einen kleinen Ausschnitt habe ich in der Z. f. E. 1909, S. 28 reproduziert; man sieht da die Schmelztiegel, die Schalengebläse und die Gußform für eine Tempeltür mit zahlreichen Eingußtrichtern.

[2] Hier sei nur an die hamitischen Wanderungen erinnert, mit denen das hamitische Rind, die Spiralflechttechnik und die hamitische Grammatik bis nach dem Süden von Afrika gelangt sind.

einem Zentrum aus sein gegenwärtig so großes Verbreitungsgebiet erobert hat. Sicher setzt ja der Bronzeguß in seiner höchsten Vollendung, wie wir ihn aus dem alten Orient, aus Europa und aus dem tropischen Westafrika kennen, eine vielfältige und überaus schwierige Technik voraus, die sich nur an der Hand vielhundertjähriger Erfahrung entwickeln konnte, — aber seine ersten Anfänge sind so einfach und eigentlich selbstverständlich, daß sie leicht an vielen Orten und zu verschiedenen Zeiten unabhängig voneinander entdeckt oder auch nur gefunden werden konnten: gleicht doch der Guß in verlorener Form in letzter Linie durchaus einem Vorgange, der ganz ohne jedes Zutun von menschlicher Hand millionenfach von der Natur selbst durchgeführt wird.

Wenn wir sehen, daß Kaolin in der äußeren Form von Feldspat auftritt, oder Malachit in der von Rotkupfererz, oder Brauneisenerz in der von Eisenkies, und wenn wir alle die Dutzende von anderen Erscheinungen dieser Art betrachten, die von den Mineralogen als Pseudomorphosen bezeichnet werden, so erkennen wir als das eigentliche Wesen dieser sonderbaren Bildungen immer die Ausfüllung eines durch Verwitterung oder Auslaugung oder sonst wie natürlich entstandenen Hohlraums durch einen neuen Stoff, der so die Form annehmen mußte, die ihm durch das Verschwinden seines Vorgängers gegeben war. In diesem Sinne ist also auch jedwede Versteinerung als eine Pseudomorphose anzusprechen und als solche mit einem in verlorener Form gegossenen Kunstwerk unmittelbar zu vergleichen. Selbst an Übergängen zwischen echten, d. h. natürlichen Pseudomorphosen und den Kunstwerken, bei denen ein Wachsmodell durch einen Erzguß ersetzt wird, fehlt es nicht. Allgemein bekannt sind ja die schönen, wenn ich nicht irre, meist aus Neapel kommenden Briefbeschwerer mit einer »über Natur« geformten Eidechse aus Bronze und ebenso finden sich unter den Goldgewichten der Aschanti zahlreiche Käfer, Heuschrecken, Krebsscheren, Erdnüsse u. dgl. aus Messing, die auch direkt über Natur geformt, also künstliche »Pseudomorphosen« im engeren Sinne des Wortes sind.

Sir Ralph Moor und Mr. Roupell haben im November 1897 einige intelligente Benin-Leute über die Geschichte ihres Landes ausgefragt und über das Ergebnis ihrer Bemühungen an das For. Off. in London berichtet. Read und Dalton konnten (Antiquities p. 4) diesen Bericht abdrucken und so allgemein zugänglich machen; unter den vielen wertvollen Dingen, die er enthält, findet sich die Notiz, unter dem König Esiga sei ein »weißer« Mann, Ahammangiwa, nach Benin gekommen, der Gußarbeiten für den König gemacht und auch Eingeborene in dieser Kunst unterrichtet habe. R. D. geben diese Aussage ganz ohne Kommentar wieder, und auch ich würde es für sehr unvorsichtig halten, zu einer solchen Angabe Stellung zu nehmen, ehe wir von einem wirklichen Kenner westsudânischer Lautverschiebungs-gesetze erfahren, wie ein heute »Ahammangiwa« gesprochenes Wort im 16. Jahrhundert ausgesehen hat: Es ist ja nicht ganz undenkbar, daß wir uns dann vor eine weniger uneuropäisch klingende Namens-form gestellt finden, die vielleicht sogar wirklich an Behama-Matina oder sonst an den großen Nürn-berger erinnert. Einstweilen aber erscheint es mir richtiger, eine solche durch Vermittlung von vielleicht nur allzu gefälligen Dolmetschern gewonnene Angabe nicht allzu hoch einzuschätzen. Die meisten Neger sind an sich so höflich und zuvorkommend und zugleich so klug, daß sie ihre Antworten gerne so ein-richten, wie sie ihrer Meinung nach erwartet werden; persönlich glaube ich wirklich, daß ein einigermaßen gerissener farbiger Dolmetscher aus jedem seiner Landsleute innerhalb von wenigen Minuten die feier-liche Versicherung erlangen könnte, daß sein leiblicher Vater eigentlich ein Weib gewesen sei. Ebenso habe ich ein tief eingewurzeltes Mißtrauen gegen die unmittelbare »historische Überlieferung«. Aus eigener Erfahrung weiß ich, daß schon 1870 in manchen kärntnerischen Dörfern jegliche Erinnerung an die französische Herrschaft von 1809 bis 1814 völlig erloschen war. In einem kleinen Gebirgsdorf unweit von Millstatt sah ich 1870 noch ein von einem französischen Tabaksverschleiß stammendes Schild mit dem französischen Adler an einem Hause hängen — aber nicht ein einziger Mensch im ganzen Dorfe kannte den Zusammenhang, und wer immer in der Gegend etwas von Französisch-Illyrien wußte, der hatte es in der Schule gelernt, aber nicht von seinen Eltern erzählen gehört; und doch waren damals noch genug Leute am Leben, die in Kärnten selbst als »citoyens« und unter dem Code Napoléon zur Welt gekommen waren. Natürlich wird man gern zugeben, daß bei schriftlosen Völkern der historische Sinn ungleich lebhafter und das Erinnerungsvermögen sehr viel besser ist, als bei europäischen Gebirgsbauern — aber es würde mir bis auf weiteres doch schwer fallen, die Erzählung von Ahammangiwa ganz ernst zu nehmen.

So muß die Frage nach dem wirklichen Ursprung der Gußtechnik von Benin einstweilen noch offen bleiben; in der Tat scheint es mir auch zunächst von völlig untergeordneter Bedeutung zu sein, ob sie sich unter fremdem Einfluß oder aus sich selbst heraus entwickelt habe — unendlich viel wichtiger scheint mir die Erkenntnis, daß wir überhaupt in Benin für das 16. und 17. Jahrhundert eine einheimische große und monumentale Kunst kennen gelernt haben, welche wenigstens in einzelnen Stücken an die zeitgenössische europäische Kunst ebenbürtig heranreicht und dabei mit einer Technik vergesellschaftet ist, die überhaupt auf der Höhe des Erreichbaren steht. Gerade gegenüber der noch immer in manchen Kreisen herrschenden Geringschätzung des Negers als solchen scheint mir ein derartiger Nachweis auch eine Art von allgemeiner und moralischer Bedeutung zu haben. Daß es sich aber hier wirklich um eine einheimische Kunst handelt, und daß die uns gegenwärtig vorliegenden Benin-Bronzen wirklich von afrikanischen Negern entworfen und ausgeführt wurden, das halte ich für völlig ausgemacht.

Wer da noch zweifeln möchte, braucht nur hier die Tafeln 1—6 und die Textabbildungen 27—60 gründlich anzusehen. Auf allen diesen Platten sind Europäer in der Tracht des 16. Jahrhunderts dargestellt, aber Tracht und Bewaffnung aller dieser Europäer sind durchaus mißverstanden; niemals hat es in Europa solche Beinkleider gegeben, niemals solche Wämse mit Knöpfen ohne die entsprechenden Knopflöcher, niemals solche Spieße und Schwerter. Eine derartige Behandlung der europäischen Tracht schließt mit positiver Sicherheit die Annahme aus, daß sie von einem europäischen Künstler herrührt, und zwingt uns zu der Erkenntnis, daß es sich hier um die Schöpfung einheimischer Meister handelt, denen die europäische Tracht nur oberflächlich und vom Sehen bekannt war. Ich würde auf diese Beobachtung keinen Wert legen, wenn sie vereinzelt wäre — aber ich kenne 65 Benin-Platten mit Darstellung von Europäern, und bei jeder einzelnen kann die gleiche Beobachtung von neuem gemacht werden; Tracht und Bewaffnung sind stets völlig mißverstanden, und auch das übertrieben lange und schlichte Haar und die fast stets bis zur Karikatur übertrieben große, schmale und hochrückige Nase lassen klar erkennen, daß es sich um die Arbeit von Künstlern handelt, denen der Europäer als solcher fremdartig war. Dies fällt um so schwerer ins Gewicht, als auf den Platten, auf denen Neger dargestellt sind, deren ganze Kleidung und Bewaffnung stets mit geradezu peinlicher Sorgfalt und Treue behandelt ist. Überhaupt kann in dieser Beziehung das tatsächliche Verhältnis vielleicht am besten so formuliert werden, daß auf allen bisher bekannten Kunstwerken aus Benin der Neger stets so dargestellt wird, wie er ist, der Europäer aber stets so, wie er scheint. Dafür gibt es übrigens eine glänzende Analogie in der japanischen Kunst: Auch die ganz großen japanischen Holzschneider und Maler sind niemals imstande gewesen, einen Europäer auch nur einigermaßen richtig darzustellen; wo immer sie es versuchen, gelingt ihnen stets nur eine Karikatur.

Die Beststellung dieses Befundes ist deshalb wichtig, weil er entscheidend für die Frage ist, ob die Benin-Platten von farbigen oder von weißen Künstlern modelliert wurden. Das letztere wird nämlich immer und immer wieder von neuem behauptet, zumeist von jenen, welche den »schwarzen Wilden« eine solche Kunstfertigkeit überhaupt nicht zutrauen. Dieser Meinung gegenüber müssen wir mit der größten Entschiedenheit gerade auf die stilistischen Unterschiede in der Behandlung der Europäer und der Neger in der ganzen Benin-Kunst hinweisen. Der Vergleich lehrt, daß die Benin-Platten unmöglich von europäischen Künstlern herrühren können und daß sie, wie ja auch sonst aus ihrem Stil hervorgeht, nicht nur ihrem Fundort, sondern auch ihrem Ursprung nach durchaus afrikanisch sind.

Ich habe diese Überzeugung vom ersten Augenblick meiner Bekanntschaft mit diesen Bronzen gehabt, und sie hat sich seither trotz mehrfach aus den Kreisen meiner Freunde geäußerten Bedenken immer mehr und mehr gefestigt. Besonders zwei Einwürfe, die mir wiederholt gemacht wurden, kann ich hier nicht unerwähnt lassen. Der eine betrifft das Vorhandensein von Europäerdarstellungen auf zahlreichen Benin-Bronzen, der andere betont die zweifellos europäischen und sogar direkt heraldischen Motive, die an einigen Benin-Altertümern zur Verwendung gekommen sind. Ich kann diese beiden Einwürfe als berechtigt nicht gelten lassen. Mit genau demselben Rechte könnte einer die Darstellung eines holländischen Admirals auf einem alten japanischen Lackkasten herausgreifen und aus ihr nachweisen, daß die japanische Lacktechnik aus Holland stammt; mit demselben Rechte auch würde ein Zweiter nachweisen können, daß die Porzellantechnik aus Brandenburg stammt, weil er zufällig auf einem alten chinesischen Teller das Wappen einer Brandenburger Familie gesehen hat. In beiden Fällen würden unwesentliche Beeinflussungen für wesentliche gehalten und dadurch an und für sich einfache und leicht zu erklärende Tatsachen völlig mißverstanden worden sein. In gleicher Weise liegt auch für Benin die Gefahr von Trugschlüssen sicher nahe genug, aber ich glaube, daß auch da die genauere Erwägung der tatsächlich vorhandenen und bekannten Beziehungen die Gefahr beseitigen oder wenigstens verringern würde.

Wissenschaftlich ist übrigens die Frage, wie groß oder wie gering der europäische Einfluß auf die Entwicklung der Gußtechnik von Benin gewesen sein mag, nur von ganz geringer Bedeutung im Vergleiche mit den großartigen Aufschlüssen, die wir aus den Benin-Altertümern für die Völkerkunde früherer Jahrhunderte gewinnen. Wie in einem großen ethnographischen Prachtwerke und mit fast photographischer Treue sehen wir da die Benin-Leute des 16. und 17. Jahrhunderts vor uns, greifbar und in wahrhaft monumentaler Form. Darin liegt für uns der große Wert dieser Altertümer und nicht in einer technischen Spezialfrage.

Das Material der Bronzen ist schon dem äußeren Ansehen nach ein sehr wechselndes. Fast scheint es, als ob die Legierungen hergestellt wurden, wie es sich eben traf, entweder ungleichmäßig, willkürlich und unordentlich, oder doch mindestens in einer Art von hilflosem Anschluß an die im Tauschhandel eingehenden Barren und Ringe von stets wechselnder Beschaffenheit. Genaue Analysen sollen im 66. Kapitel dieses Buches mitgeteilt werden, hier habe ich nur festzustellen, daß sie in der Regel neben viel Kupfer nur sehr wenig Zinn, aber dafür viel Zink und Blei ergeben haben. Die Bezeichnung »Bronze« für die so verschiedenen Legierungen, die in Benin zur Verwendung gekommen sind, trifft daher im strengen chemischen Sinne des Wortes so gut wie niemals zu; sie ist aber einmal in der Benin-Literatur eingebürgert, und ich habe sie daher in den meisten Fällen beibehalten, wenn nicht etwa schon der Augenschein für Messing sprach. In manchen Fällen habe ich, um mich weniger bestimmt auszudrücken, das Wort »Erz« gewählt, von der Anschauung ausgehend, daß wenigstens die Alten auch zink- und bleihaltige Legierungen als *aes* = Erz bezeichnet haben; wenn aber im folgenden doch überwiegend von »Bronze« die Rede sein wird, so soll das immer nur im Sinne des Aussehens, nicht in dem der chemischen Analyse verstanden werden. Außerdem darf ich hier wohl darauf aufmerksam machen, daß ein so erfahrener Fachmann wie M. von Schwarz auch Legierungen, die sich so weit von der »legitimen« Zusammensetzung des Kanonengutes und der Glockenspeise entfernen, wie die oben erwähnten, also Legierungen mit etwa 10 % Zink und 8,5 % Blei, noch unbedenklich als Bronze bezeichnet. Damit ist selbstverständlich auch ein Vorwurf erledigt, der schon bald nach ihrem Bekanntwerden gegen die Bezeichnung der Benin-Legierungen als Bronze erhoben wurden. Es scheint mir vielmehr ganz selbstverständlich zu sein, daß wir auch künftig ganz unbedenklich von Benin-Bronzen werden reden dürfen, ohne uns einer dilettantischen Ungenauigkeit schuldig zu machen.

Den alten Erzgießern von Benin war es sichtlich in erster Linie um eine dauerhafte Legierung mit nicht allzuhohem Schmelzpunkt zu tun; auf besondere Härte und Zähigkeit haben sie anscheinend weniger Gewicht gelegt. Wo es sich um sehr dünne und lange Stücke handelte, wie etwa bei den in Kap. 47 zu beschreibenden »Fetischbäumen«, da haben sie es aber verstanden, erst einen Kern aus Eisen zu schmieden und diesen dann mit Erz zu überfangen, um so die Zähigkeit des Eisens mit der Dauerhaftigkeit des Erzes zu verbinden. Außerdem aber haben sie vielfach, so bei dem maskenförmigen Gürtelschmuck, bei Armbändern und auch bei den Köpfen, die verschiedenen Farben von Kupfer, Messing und Eisen in durchaus künstlerischer, fein gefühlter und wirkungsvoller Art zu verwerten gewußt. So sind bei den Köpfen die Augensterne fast durchweg aus Eisen eingesetzt, was ihnen einen ganz besonderen Reiz verleiht.

Bei einem sonst sehr zuverlässigen und gerade auch um unsere Kenntnis der Benin-Altertümer verdienten Autor findet sich mehrfach wiederholt die Angabe, die Benin-Köpfe seien aus Eisen hergestellt. Diese falsche Angabe ist wahrscheinlich darauf zurückzuführen, daß bei einigen Köpfen die eisernen Augensterne so stark verrostet sind, daß wirklicher Eisenrost auch auf die Umgebung der Augen übergegriffen hat.

Die Erhaltung fast sämtlicher Stücke kann als nahezu tadellos bezeichnet werden; freilich haben nur wenige eine schöne grüne Patina; dafür liegt aber bei den meisten über der dünnen und oft nur graugrünen unscheinbaren Oxydschicht ein überaus zarter und duftiger Überzug von fest anhaftendem feinem Lateritstaub, der an die Haut von Pfirsichen oder Pflaumen erinnert und einen durchaus ästhetischen Eindruck macht. Einige unwesentliche Beschädigungen sind offensichtlich erst während des Transportes nach Europa entstanden, hingegen ist die große Mehrzahl der Platten einmal in auffallend roher Art mit großen Nägeln durchstoßen worden. Ich bin nie darüber zu wirklicher Klarheit gelangt, wann eigentlich die Platten diese rohe Behandlung erfahren haben. Nach den älteren Berichten waren sie auf den Pfeilern befestigt, die das Dach des königlichen Palastes getragen hatten; damit stimmt gut überein, daß eine nicht geringe

Anzahl der Platten an den Längsseiten, also rechts und links, schmale umgebogene Falze hat, als ob ein großer rechteckiger Holzpfeiler mit ihnen hätte umkleidet werden sollen. Nun scheint es mir aber völlig undenkbar, daß dieselben Leute, die Hunderte von Platten in liebevoller und sorgfältiger Weise modelliert, gegossen, gepunzt und ziseliert hatten, sie dann so roh und unregelmäßig mit großen eisernen Nägeln sollten durchstoßen haben. Ich möchte vielmehr vermuten, daß die Platten ursprünglich nur mit übergreifenden Haken an den Pfeilern befestigt gewesen waren, die keinerlei Spur an den Platten hinterließen. Dann, vielleicht Generationen später, könnte man die Platten von den Pfeilern entfernt und anderweitig, aber wohl wiederum zur Verkleidung von Pfeilern oder als Wandschmuck, verwendet haben. Aus dieser Zeit würden die großen, oft runden, oft viereckigen Löcher stammen, die wir bei so vielen Stücken finden.

Abb. 19.

Abb. 20.

Abb. 20 A. Vergrößerter Ausschnitt aus Abb. 20. Nach einer Phot. von Erdmann, Benin 1897.

Abb. 19 und 20. Plastisch verzierte Innenräume. Benin 1897. Erdmann phot.

Und eine noch sehr viel rohere Behandlung haben diese Platten erfahren, als man sie auch da nicht mehr haben wollte und gewaltsam entfernte. Wo da die Nägel allzufest saßen, hat man sich nicht gescheut, die Ecken und Kanten auszubrechen, so daß einzelne Platten jetzt fast an einen mit roher Gewalt zerbrochenen Kistendeckel erinnern. Von dieser Mißhandlung abgesehen, sind die Stücke trotz ihres zweifellos hohen Alters von rund drei Jahrhunderten erstaunlich gut erhalten; man könnte fast annehmen, daß sie dann wieder sorgfältig oder gar pietätvoll behandelt wurden. Wie bereits erwähnt, hat man einen großen Teil der Platten wirr aufeinandergehäuft in einem verödet aussehenden Raume des königlichen Palastes gefunden, der vielleicht eine Art von vergessener »Kunstkammer« war. Anscheinend waren sie da den schädlichen Einflüssen der Außenwelt schon durch mehrere Generationen entrückt gewesen.

Einige wenige Platten haben eine völlig andere Patina als die große Menge, einige sind sogar ganz blank nach Berlin gekommen und fangen erst jetzt an, etwas nachzudunkeln; diese waren vermutlich unter

Wasser gelegen, jene vielleicht in feuchter Erde; inhaltlich und stilistisch gehören sie aber durchaus in den großen Kreis der übrigen, so daß sie mit ihnen als gleichaltrig gelten müssen.

Wie gleich im Beginne von Kap. 1. ausgeführt werden soll, stammen die Platten mit Darstellungen von Europäern aus dem 16., einige vielleicht erst aus dem frühen 17. Jahrhundert. Aus stilistischen Gründen muß man auch die große Menge der übrigen Platten derselben Zeit zuschreiben. Hingegen kennen wir einige andere Bronzen aus Benin, die wahrscheinlich älter, andere, die sehr viel jünger sind; von einigen nehme ich sogar an, daß sie erst nach der Zerstörung von Benin, also nach 1897, hergestellt sind, vermutlich um der regen Nachfrage nach »Benin-Altertümern« zu genügen; sie sind an sich wenig erfreulich, dürfen aber in diesem Buche doch nicht ganz unberücksichtigt bleiben; sie sollen in Kap. 15 beschrieben werden. Einstweilen sei hier noch darauf hingewiesen, daß die Lust an künstlerischer Betätigung in Benin bis in unsere Tage hinein lebendig geblieben ist. Durch einen ganz besonders glücklichen Zufall konnte Herr Erdmann 1897 einen modernen Benin-Künstler sogar bei der Arbeit selbst photographieren. Das lehrreiche Bild ist hier Fig. 18 wiedergegeben. Ähnliche große Reliefs scheinen in Benin vielfach zum Schmucke von Innenräumen gedient zu haben; zwei, die vielleicht Elefanten darstellen, sind auf der S. 3, Fig. 3 abgebildeten Fassade eben noch zu erkennen; andere sieht man auf den hier Fig. 19 u. 20 abgebildeten Wandflächen. Diese beiden Bilder sind nach technisch leider ganz verunglückten Negativen hergestellt; es schien mir aber gleichwohl richtig, sie rein mechanisch reproduzieren zu lassen und sogar auf jede Art von Ausflickung zu verzichten, um ihren wissenschaftlichen Wert nicht abzuschwächen.

Geringeres Gewicht lege ich dabei auf das Relief auf dem Pfeiler Abb. 19 zwischen dem linken und dem mittleren Europäer; da scheint in mehrfacher Lebensgröße ein menschlicher Kopf von so großer Schönheit und in so gutem Stile dargestellt zu sein, daß man mit der Möglichkeit einer Illusion rechnen muß, die ein bloßer Zufall zuwege gebracht haben kann, ähnlich wie ferne Bergketten uns wie ein menschliches Profil oder wie ein liegender Löwe erscheinen können. Daß die Originalnegative unter der tropischen Hitze so sehr gelitten haben, ist doppelt beklagenswert; aber ich hielte es für Unrecht, deshalb auf eine Wiedergabe der nun sicher niemals mehr zu ersetzenden Bilder zu verzichten. So große Sorgfalt ich sonst auch auf die bildnerische Ausstattung dieses Buches verwandt habe, so muß doch in diesem Falle das ästhetische Gefühl hinter dem wissenschaftlichen Interesse zurückstehen. Von diesem Gesichtspunkte aus habe ich hier auch noch die Abb. 21 mit aufgenommen, die eine technisch leider auch ganz mißlungene Aufnahme eines Mauerrestes wiedergibt; die große Schlange und besonders das vollendet schöne Mäanderornament verdienen aber auch in einer so schlechten Wiedergabe festgehalten zu werden, da eine gute jetzt nicht mehr zu beschaffen ist; der Mauerrest war schon 1897 arg zerstört; er ist seither schon ganz verschwunden, und eine andere Aufnahme dürfte kaum gemacht worden sein.

Abb. 18. Benin-Künstler eine Gruppe von Europäern modellierend.
Erdmann phot. 1897.

Abb. 21. Rest einer zerstörten Lehmmauer im Königspalaste.
Benin 1897. Erdmann phot.

1. Kapitel.
Platten mit Darstellungen von Europäern.
(Hierzu Taf. 1 bis 6 und die Abb. 22 bis 56.)

Die Besprechung der Benin-Altertümer beginnt zweckmäßig mit den in Erz gegossenen Platten als den jedenfalls der Zahl und vielleicht auch ihrer wissenschaftlichen Bedeutung nach hervorragendsten Stücken der ganzen Gruppe; unter den Platten wiederum müssen diejenigen, auf denen Europäer dargestellt sind, den Vortritt haben, nicht etwa weil sie in künstlerischer oder technischer Beziehung die anderen überragen, sondern aus einem rein praktischen Grunde: Den meisten übrigen Benin-Altertümern gegenüber haben wir kaum eine Möglichkeit, sie chronologisch unterzubringen; dagegen gestatten die Platten mit Europäern durch deren Tracht und Bewaffnung eine recht genaue Zeitbestimmung. Armbrust, Handkanonen und Luntenflinten könnte man gut noch in das ausgehende 15. Jahrh. setzen, aber die Jagdspieße und die Trachten passen besser in das frühe 16.; dabei ist es ziemlich gleichgültig, ob es sich wirklich, wie meist angenommen wird, nur um Portugiesen handeln kann, oder ob auch andere Europäer in Frage kommen können; wir wissen nämlich, daß gerade damals die wechselseitigen Beziehungen der Höfe sehr rege waren und daß daher der Zeitunterschied zwischen den mittel- und den westeuropäischen Moden eher nach Jahren als nach Jahrzehnten zu bemessen sein dürfte.

Auch ein anderer Faktor erschwert die Zeitbestimmung nur scheinbar; schon in der Einleitung wurde darauf hingewiesen, daß die farbigen Künstler zwar ihr eigene Tracht und Bewaffnung mit bewundernswerter Treue auf den Platten dargestellt haben, daß sie aber den europäischen Kleidern und Waffen völlig verständnislos gegenüberstanden: sie haben die Europäer dargestellt nicht wie sie waren, sondern wie sie von weitem zu sein schienen. Aber auch die so entstandene Schwierigkeit ist nicht unüberwindlich; es ist in der Regel sogar ganz leicht, die einzelnen Formen aus dem Afrikanischen ins Europäische zurückzuübersetzen. Die Benin-Künstler haben sich eben durchweg bemüht, das, was sie zu sehen glaubten, möglichst getreu nachzubilden, ganz anders als wie etwa europäische Künstler früherer Jahrhunderte, die sich bei der Zeichnung von Tracht und Bewaffnung der Afrikaner die unerhörtesten Freiheiten erlaubten und mit souveräner Geringschätzung der einheimischen Formen den Leuten entweder europäische oder reine Phantasietrachten andichteten und ihnen ganz sinnlose Speere oder alberne »Amorbogen« in die Hand gaben. Während es also in der Regel ganz unmöglich ist, aus den Holzschnitten der alten Reisewerke eine richtige Vorstellung von der materiellen Kultur der Eingeborenen zu bekommen, können wir aus den Europäern der Benin-Kunst meist ganz leicht auf die wirklichen Europäer schließen, sobald wir es nur fertigbringen, unbeeinflußt von dem fremdartigen Stil die alte Formen so zu sehen, wie sie wirklich gewesen sind.

Gehen wir nun aber in diesem Sinne an die Betrachtung der Europäerplatten aus Benin, so vergessen

wir plötzlich die kindliche Unbeholfenheit der Wiedergabe, und wie mit einem Zauberschlage fühlen wir
uns in die große Zeit von Kaiser Maximilian I. und von Albrecht Dürer versetzt und die schönsten
Bilder aus dem Weißkünig, Teuerdank und Freydal werden vor unseren Augen wieder lebendig.
Ganz besonders drängen sich hier Maximilians eigene Erzählungen aus seines und seines Vaters Leben
auf und da wiederum vor allem anderen seine Schilderung der romantischen Brautfahrt seines Vaters [1]).

Friedrich III., 1440—1493, geb. 1415, hatte beschlossen, um die Hand der Prinzessin Eleonora von
Portugal anzuhalten, und schickt im Sommer 1452 eine glänzende Gesandtschaft an den König nach Lissabon. Die Gesandten reisen über die Schweiz, Savoyen, Toulouse, Montpellier, Narbonne, Perpignan (»wo
man holz und stro mit der Wag kauft«), Barcelona (»ibi venduntur homines ut bestiae«), Saragoza
(mit drei Feiertagen in jeder Woche »für die haiden = Sarracenen am Freytag, die juden am sambstag
und am sonntag die cristen«), Burgos, Leòn, Ponferrada und Coimbra nach »Ulixbanna«. Dort, in Lissabon, erregt ihre Ankunft und ihr Begehr keine geringe Freude.

Schon die kaiserlichen Gesandten selbst mit ihren langen »gelben« Locken und ihrem köstlichen
Schmuck erregen Bewunderung; ebenso ihre Kleidung; denn in Portugal trägt man weite lange Kleider,
»das nit gesehen möcht werden, wie ainer von leib geschickt was; aber die botschaft truegen ire klaider
vast eng nach dem laib eingezogen und mit ander schickung ganz herlichen; deshalben waren ir gerate
leib, damit sy got und die natur begabt het, gesehn«.

Die Eltern der Prinzessin und sie selbst willigen natürlich ein und es kommt zu einer schier end-
losen Reihe von Festlichkeiten jeder Art, die kulturhistorisch sehr interessant sind und deren genaue Schilderung man am bequemsten bei Strobl l. c. p. 110 ff. nachsehen kann. Nur als Probe, zugleich auch für
das köstliche Latein jener Zeit, zitiere ich wörtlich einen Satz: »Deinde venit elephas magnae staturae
et fuit una factura, gerens super se turrim cum fortiliciis de lignis constructam, in qua steterunt quatuor
tubicinatores et quatuor parvi Aethiopes cum lanceolis et arundinibus magnis (großen mör-rören) qui
projecerunt ad populum cum pomis pomeranzenibus.« Aber auch alle diese Festlichkeiten gehen zu Ende,
und die Prinzessin verläßt mit ihrem Hofstaat (drei Gräfinnen, 24 auserwählten Jungfrauen, drei Witwen,
einer richtigen virago, einem Arzt, einem Beichtvater usw.) zu Schiff die Heimat; 500 Personen waren auf
diesem Schiffe, aber im ganzen bestand ihr Gefolge mit Einschluß der Gesandtschaft des Kaisers aus
3000 Mann mit entsprechend viel Pferden, Maultieren usw., auf einer Flotte von zehn Schiffen.

Die Fahrt ging über Gibraltar; in Ceuta ging die Prinzessin mit ihren Frauen an Land und blieb
da drei Tage, »dann sy was vast plöd worden von dem faren auf dem mör«. Im Garten des Palastes dort
pflanzt sie ein Bäumchen zum Gedächtnis. »Ibique erat pomus, quae habebat ita longa et lata folia, quod
domina imperatrix cuidam puero sex annorum ex duobus foliis pallium quasi ad terram fecit.« Die
Reise geht dann weiter nach Valencia und Mallorca; bald nachher kommt so schlechtes Wetter, daß »alle
menschen in denselben scheffen rein plöd worden und allermaist die jung Kunigin und ir zart junkfra-
wen«; dann kommt ein Gefecht mit Seeräubern, ein kurzer Aufenthalt in Marseille, mit einem furchtbaren
Sturm dort, bei dem alle Ankerketten brechen, und ein dritter Aufenthalt im Hafen von Grimaldo. Am
26. Dez. (1452) brechen sie von da wieder auf, haben bei Nizza abermals einen Zusammenstoß mit Seeräubern, fahren nach Korsika und dann nach Italien. Da sie den Hafen Thalomonis, wo der Kaiser sie
erwarten sollte, wegen Sturm nicht erreichen konnten, landeten sie am Tage Mariae Reinigung (2. Febr.
1453) in Livorno, von wo die Prinzessin einen der Gesandten nach Florenz sandte, um dem Kaiser ihre
Ankunft zu melden.

Friedrich war inzwischen zu Weihnachten 1452 von St. Veit in Kärnten aufgebrochen und durch
Friaul über Treviso, Padua, Rubigo und Ferrara nach Florenz gereist. Nach einer überaus feierlichen
Begrüßung in der Stadt Hohensyn reisen die Brautleute dann gemeinsam nach Rom, wo Friedrich vom
Papst zum Kaiser gekrönt und in St. Peter getraut wird.

So sehen wir zwischen Benin, Portugal und Deutschland eine feste Brücke geschlagen, und wir werden
uns nicht zu wundern brauchen, wenn uns auf den Bronzetafeln von Benin die Europäer in einer Tracht

---

[1]) Lanckmann v. Falckenstein, desponsatio et coronatio serenissimi domini Friderici imperatoris tertii et ejus
augustae dominae Leonorae. Augsburg 1503 und eine zweite Quelle: Der ausszug von Teutschen landen gen Rom / des durch-
leuchtigsten großmächtigsten Fürsten / und hern-hern Friedrich des Römischen Künigs / zu empfahen die Kayserlichen Cron
und sein gema/helschafft zu vermäheln mit einem allerliebsten / gemahel Junckfrawen und frawen Leonora ge/borne Künigin
von Portugal (Augsburg 1503). Beide Quellen ausführlich bearbeitet von Joseph Strobl, Studien über die literarische Tätigkeit Kaiser Maximilians I., Berlin, Georg Reimer, 1913.

entgegentreten, die uns aus den Holzschnitten Albrecht Dürers und seiner Zeitgenossen sowie aus dem Leben Maximilians I. längst bekannt ist. Wir verstehen so das enganliegende Wams und den fast einer Fustanella gleichenden Faltenrock und verstehen vor allem die kuriose Jagdhaube, die achtmal auf Benin-Platten in genau derselben Art erscheint, wie wir sie von der Feld- und Jagdtracht des jungen Weißkünigs und seiner Leute kennen.

Von Platten mit Europäern sind mir im ganzen 65 bekannt geworden, von denen 22 dem Berliner Museum gehören; der leichteren Übersicht teile ich sie nach der Art der Bewaffnung und Ausrüstung oder nach ihren Attributen usw. in zwölf Gruppen, denen sich als dreizehnte eine letzte anschließt für die seltenen und ganz eigenartigen Platten, auf denen nur große Köpfe von Europäern dargestellt sind. Nicht mit aufgenommen sind in dieses Kapitel und in die nachstehende schematische Übersicht jene Platten, auf denen als Hauptpersonen Eingeborene auftreten, neben denen aber Brustbilder oder Köpfe von Europäern in derselben Art erscheinen, in der wir sonst auf vielen Platten Fische, Krokodil- oder Pantherköpfe oder auch nur Rosetten oder Halbmonde als »Beizeichen« angebracht finden. Ich vergleiche diese Brustbilder von Europäern den *busti* der Archäologen, denen wir manchmal auf antiken Vasenbildern begegnen, und werde sie später in einem anderen Zusammenhange behandeln. Hier in Kap. 1 sollen nur die 65 Platten beschrieben werden, die in der nachstehenden schematischen Übersicht verzeichnet sind.

Europäer	Berlin	Cöln	Dresden	Frankfurt a. M.	Hamburg	Leiden	Leipzig	London	Pitt-Rivers	Stuttgart	Wien	Rest	Summe
A mit Armbrust	1	—	—	—	—	—	1	1	—	—	—	—	3
B mit Handkanonen, Luntenflinten usw.	4	—	2	—	1	1	—	4	1	—	—	1	14
C mit Spießen usw., ohne Schwerter	2	1	—	—	—	—	—	—	1	—	—	—	4
D mit Spießen usw. und mit Schwertern	1	—	—	—	1	—	1	4	—	—	2	—	9
E mit Schwertern allein	3	—	—	—	—	—	—	—	—	—	1	—	4
F mit Schwertern usw. und mit Stöcken	1	—	1	—	—	—	—	1	—	—	—	—	3
G mit Stöcken	4	—	—	1	1	—	—	—	—	1	—	3	10
H mit Ringgeld	2	—	—	—	—	—	—	1	1	1	1	—	6
I mit runder Scheibe	1	—	1	—	—	—	—	—	—	—	—	—	2
J ohne Waffen, Stöcke usw.	3	—	—	—	—	—	—	—	—	—	—	1	4
K berittener Europäer	—	—	—	—	—	—	—	—	1	—	—	—	1
L große Jagddarstellung	1	—	—	—	—	—	—	—	—	—	—	—	1
M Platten mit Köpfen von Europäern	—	—	—	—	—	—	—	3	1	—	—	—	4
Summe	23	1	4	1	3	1	2	14	5	2	4	5	65

A. Europäer mit Armbrust.

[Hierzu die Taf. 1 und die Abb. 22 und 23.]

Wenn ich die Beschreibung der Platten mit Europäern mit denen beginne, welche eine Armbrust tragen, bin ich mir wohl bewußt, daß die chronologische Anordnung, welche einem solchen Vorgang zugrunde zu liegen scheint, trügerisch ist. Wir wissen, daß in Europa nicht nur die Armbrust, sondern auch die Pfeilbogen sich sehr viele Jahrzehnte lang neben den Handkanonen, Hakenbüchsen und Luntenflinten aller Art erhalten haben. Es liegt mir deshalb sehr fern, die Benin-Platten, auf denen Europäer mit einer Armbrust abgebildet sind, für älter zu halten als etwa diejenigen, auf denen Europäer mit Handkanonen oder Hakenbüchsen abgebildet sind; wenn ich gleichwohl die Platten mit Armbrust zuerst bespreche, so geschieht dies nur aus einer allgemeinen kulturhistorischen, nicht aus einer chronologischen Betrachtung heraus.

Ich kenne drei Platten, auf denen Europäer mit einer Armbrust dargestellt sind, eine in Berlin, hier auf Taf. 1 abgebildet, eine in London (R. D., XIV, 1) und eine dritte, welche am 10. 4. 00 bei Stevens in London zur Auktion kam und jetzt in Leipzig ist; ich gebe hier Abb. 22 eine Vergrößerung der leider sehr unvollkommenen Abbildung aus dem Auktionskatalog, die übrigens ein Spiegelbild gab, das hier wieder umgekehrt ist, also die richtige Ansicht gibt; das Londoner Stück ist hier Abb. 23 direkt aus dem Tafelwerk von Read und Dalton entlehnt.

Die Berliner Platte, III. C. 8352, zeigt in genauer Vorderansicht einen Mann mit auffallend schmalem spitzovalen Gesicht, langem schlichtem bis an die Schultern reichendem Haupthaar und langem leicht welligem

Kinnbart; Backen und Lippengegend sind unbehaart, d. h. geschoren. Den Kopf bedeckt eine hohe, runde Sturmhaube mit breiter Krempe; unter einem glatten ärmellosen Wams mit drei Knöpfen, denen keine Knopflöcher entsprechen und das unten mit einem Riemen festgehalten ist, wird ein langer reich-verzierter faltiger Rock getragen, der bis in die Kniegegend reicht; zu ihm gehören wohl auch die Ärmel, die vom Armausschnitt des Wamses bis fast an die Handgelenke reichen; vom Ellbogen abwärts sind sie anders gemustert, so daß sie in Wirklichkeit vielleicht nur halblang waren und bis zum Ellbogen reichten, während der Rest dann auf Hemdärmel zu beziehen wäre. In ähnlicher Weise reichen die Beinkleider nur wenig unter die halbe Unterschenkelhöhe; dann werden verzierte Strümpfe sichtbar. Die Füße stecken in glatten Halbschuhen.

In der halb erhobenen Rechten hält der Mann eine einfache Armbrust, deren feinere Mechanik der Künstler nicht angedeutet hat; die gesenkte Rechte hält an den Beinen einen Vogel, wohl die Jagdbeute. Vom Gürtel hängt eine große dreizinkige Spanngabel (cric oder cranequin) herab; unter dem Gürtel läuft eine gedrehte dicke Schnur, an der ein kurzer breiter Dolch getragen wird.

Von den vier Ecken der Platte ist die linke obere durch die Armbrust und die rechte untere durch den er-beuteten Vogel mehr weni-ger ausgefüllt; die beiden anderen Ecken sind, an-scheinend nur, um eine Art Gleichgewicht herzustellen und um leeren Raum zu vermeiden, je mit einem Krokodilkopf geschmückt. Die Platte mißt 19 × 35 cm, von der linken oberen Ecke ist ein kleines, von der linken unteren Ecke ein größeres Stück abgebrochen, das Bildwerk ist nirgends beschädigt und von tadel-loser Erhaltung.

Die Londoner Platte

Abb. 22. Europäer mit Armbrust, Spanngabel und Schwert. Nach dem Auktionskatalog von J. C. Stevens, 10. 4. 1900; jetzt in Leipzig. Der Grund der Platte ist mit Radmustern verziert. Vgl. Abb. 59 auf S. 50.

Abb. 23. Europäer mit Armbrust, drei Bolzen und Spanngabel. Brit. Mus., nach R. D. XIV, 1.

zeigt einen anscheinend sehr viel jüngeren wahrscheinlich noch nicht ausgewachsenen Mann, bartlos und mit ovalem, im Verhältnis zur Körperlänge auffallend großem Gesicht und sehr langem schlichtem Haupthaar. Unter dem fast halbkugeligen Hut oder Helm ist etwas wie ein breites Stirn-band, wohl die Kante einer gestrickten Kappe sichtbar. Sonst gleicht die Tracht des Mannes im allgemeinen der auf der Berliner Platte, nur ist der Faltenrock sehr viel kürzer; der Wams hat weder Knöpfe noch Knopflöcher. Die Linke hält eine auf der Schulter aufruhende Armbrust, deren Bogen deut-lich reflex ist und sich so einer guten europäischen Form mehr annähert, als der auf dem Berliner Stücke. Der Rest der zum Teil abgebrochenen Schnur ist gedreht und auffallend stark. Von den drei in der Rechten gehaltenen Bolzen hat einer eine drehrunde konische Spitze, der zweite eine sehr breit meißelförmige, der dritte eine umgekehrt kegelförmige, die mit einer kreisrunden Fläche abschließt und ganz an manche moderne Vogelpfeile aus Westafrika erinnert. Alle drei Bolzen haben gleichmäßig eine sehr breite, verhält-nismäßig kurze Flugsicherung, die bei R. D. als »Fiederung« beschrieben ist; meinerseits möchte ich eher an Leder oder an dünne Holzbrettchen denken. Die am Gürtel befestigte Spanngabel hat nur zwei Zinken und keinen Stiel; ob ein solcher etwa nachträglich abgebrochen ist, habe ich nicht feststellen können.

Die Leipziger Platte ist wesentlich schmäler, als die beiden anderen; der Mann hat auffallend breit-ovales Gesicht mit spitzem Kinn, von dem ein sich dann in ganz unwahrscheinlicher Art verbreitender, übertrieben langer Bart ausgeht. Die Tracht ähnelt der auf der Berliner Platte; über der rechten Schulter hängt ein schmales Tragband für einen Degen, dessen Griff der Mann mit der Linken erfaßt. In der erhobenen Rechten hält er eine Armbrust mit auffallend langem Stiel; am Gurt hängt eine sehr lange Spanngabel mit zwei Zinken.

Diese drei Platten liefern einen monumentalen und, wie ich glaube, unanfechtbaren Beweis für die Richtigkeit der alten, von Bastian und mir schon lange vor der Wiederentdeckung Benins vertretenen Annahme, daß die bekannte ungeschickte Armbrust der Fan-Völker keine einheimische Erfindung darstellt, sondern als entartete Nachahmung mißverstandener europäischer Vorbilder zu betrachten ist.

B. Europäer mit Feuerwaffen.

[Hierzu Taf. 2, Taf. 3 B und die Abb. 27 bis 37.]

In die zweite Gruppe der Benin-Platten mit Europäern fallen vierzehn Stücke, auf denen die dargestellten Leute mit Hakenbüchsen, Handkanonen, Luntenflinten und ähnlichen Schießgewehren ausgerüstet sind; auf die nähere Unterscheidung dieser Feuerwaffen gehe ich hier lieber nicht ein, schon weil die technischen Einzelheiten auf den Platten durchaus nur unklar wiedergegeben sind. Außerdem scheint mir auch bei den modernen Waffenforschern eine ziemliche Verwirrung in der Terminologie dieser ältesten Handfeuerwaffen zu herrschen.

Je vier dieser Platten sind in Berlin und in London, zwei in Dresden, je eine in Freiburg i. B., in Hamburg, in Leiden und bei Pitt Rivers.

Die Berliner Stücke sind unter III C. 8348—8351 katalogisiert und stammen aus der Sammlung H. Bey. Die erste von diesen Platten ist hier Taf. 3 B abgebildet, die drei anderen auf Taf. 2. Besonders diese drei erinnern auf das allerlebhafteste an den Kreis um Kaiser Max sowie an Albrecht Dürer und seine Zeitgenossen. Der faltige Rock und die nur das Obergesicht mit den Lippen freilassende Feldhaube (»Gugel«) mit dem unten gezackten Rande würden allein schon hinreichen, diese Stücke genau zu datieren, auch wenn die Helme und die primitiven Schießgewehre nicht schon an sich eine sichere Zeitbestimmung ermöglichen würden.

Abb. 24. Kaiser Maximilian I. um 1496. Holzschnitt von Hans Burgkmair d. Ält., geb. 1473, gest. 1552, Augsburg. Illustration aus dem Weißkunig. Man beachte den Faltenrock des Kaisers und seine Feldhaube (»Gugel«).

Unangenehm fällt bei diesen Platten die knieweiche Haltung der verkürzten und verkrümmten Beine auf. Sie ist wohl als eine ungeschickte Wiedergabe der Art des Stehens beim Schießen mit halbgebeugten Knien aufzufassen. Unerfreulich ist auch bei der sonst so schönen Platte Taf. 2 B die Behandlung der Beinkleider. Man möchte an die Zeit zurückdenken, aus der sich in den meisten europäischen Sprachen die Pluralform für dieses Kleidungsstück noch bis auf den heutigen Tag erhalten hat, an die Zeit also, in der die Beinkleider zwei getrennte Schläuche waren, die unabhängig voneinander in der Hüftgegend befestigt wurden. So ist dann vielleicht auch das weitere schwimmhosenartige Kleidungsstück zu verstehen, das auch vielfach auf anderen Platten (vgl. Taf. 5 B—D und Taf. 6 D) wiederkehrt.

Die meisten der dargestellten Europäer tragen über dem langen Faltenrock ein enganliegendes Wams mit ganz kurzen Ärmeln, in der Regel mit Knöpfen ohne die zugehörigen Knopflöcher. Nur auf drei Platten (s. hier Taf. 2 B u. C, sowie das Abb. 28 reproduzierte Londoner Stück) tragen die Leute einen kurzen, auf den Seiten offenen, anscheinend aus Leder hergestellten ponchoartigen Überwurf oder

Panzer, von dem ich fast annehmen möchte, daß er auf einheimische, d. h. Benin-Vorbilder zurückgehen könnte. Auf einigen Platten sind mit großer Naturtreue auch die zu dem Schießgewehr gehörigen Lunten

dargestellt, am schönsten auf der Berliner Platte Taf. 2 C, wo der Jäger sie eben anbläst, offenbar um sie besser in Glut zu bringen. Drei von den Berliner Platten haben nur unwesentliche Beschädigungen an den unteren Ecken und am unteren Rand. Etwas mehr hat die Platte Taf. 3 B gelitten, von der nicht nur links oben eine große Ecke, sondern der ganze untere Rand mit den Füßen fehlt. Von der sonst sehr gut erhaltenen Platte Taf. 2 A fehlt der ganze lotrecht abgebrochene linke Rand. Die Figur selbst ist dabei nicht zu Schaden gekommen; auch ist anzunehmen, daß mit dem glatten Hintergrund nichts mehr als die beiden Eckrosetten verloren gegangen sind, die vermutlich denen der rechten Seiten entsprochen hatten.

Verhältnismäßig roh und jeder Wahrscheinlichkeit nach von einem anderen Künstler als die drei auf Taf. 2 abgebildeten Platten, ist das vierte Berliner Stück III. C. 8348 auf Taf. 3 B. Da fällt vor allem die ganz monströse Prognathie des Gesichtes, die ungeheure Nase und die sehr dicke Oberlippe auf. Auch

Abb. 25. Bote mit gelappter »Gugel«. Holzschnitt von Hans Schäufelein aus dem Leben Kaiser Maximilian I. (Teuerdank, um 1507.)

ist die Hakenbüchse ohne alle Einzelheiten wiedergegeben.

Die vier Londoner Stücke, R. D. XII. 6, XIII. 5, XIII. 6, und eine in dem großen Werke von R. D. noch nicht veröffentlichte, erst später in das B. M. gelangte Platte sind hier Abb. 27 bis 29 und 32 reproduziert. Von diesen ist das erste dadurch auffallend, daß es eine fast ganz reine Vorderansicht eines

bartlosen Mannes mit links geschultertem Gewehr gibt. Der nach innen gekrümmte hakenartige Kolben würde erraten lassen, daß die Büchse dem Beschauer die obere Seite mit dem Schlosse zuwendet; doch scheint es, als ob die untere Seite mit Putzstock und Spitzröhrchen dargestellt sei. Die Lunte ist um das linke Handgelenk gewunden. Die kurzen, unter dem Wams sichtbaren Ärmel sind anders gemustert als der lange Faltenrock.

Die zweite Londoner Platte, vgl. hier Abb. 28, erinnert sehr an die Berliner, Taf. 2 B; sie hat statt des Wamses jenen eben erwähnten ponchoartigen Panzer, die gleiche am unteren Rande gezackte »Gugel« und dieselbe schußbereite Stellung. An den Schuhen sind richtige, dicke Sohlen angedeutet. Das Seitengewehr ist dolchartig kurz, mit sorgfältiger Verzierung an Griff und Parierstange. In der rechten unteren Ecke ist als Jagdgehilfe ein geschecktes Tier mit Schellenhalsband sichtbar, bei R. D. als »Hund« erklärt, wahrscheinlich ein Jagdgepard, wenn anders meine angesichts der Originalplatte geschriebene Notiz zutrifft, daß die Pupille spaltförmig ist. Die etwas unscharfe Abbildung gestattet keine sichere Entschei-

Abb. 26. Drei Landleute, einer mit der gelappten Feldhaube (Gugel); nach einem Kupferstich von Albrecht Dürer.

Abb. 28. Jagender Europäer.
Nach R. D. XIII, 5. ¼ d. w. Gr.

Abb. 29. Europäer mit Brustgehänge. Brit. Mus.
Nach R. D. XIII, 6.

Abb. 31. Jagender Europäer.
Dresden 16063. Nach der Abbildung bei Webster.

Abb. 27. Europäer mit Hakenbüchse.
Brit. Mus., nach R. D. XII, 6.

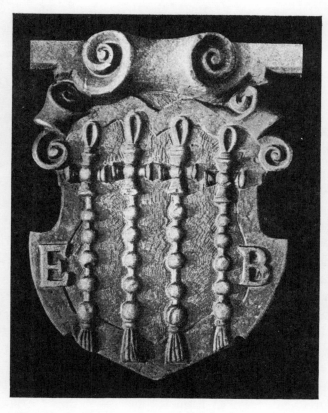

Abb. 30. Bronzetafel, Nürnberg, 16. Jahrh.; nach Gerlach-Bösch,
Die Bronze-Epitaphien der Friedhöfe zu Nürnberg, Taf. 37. 3.

Abb. 32. Europäer mit Hakenbüchse. Brit. Mus. Mit der rechten unteren Ecke ist vermutlich
ein Jagdgepard mit abgebrochen.

Veröffentlichungen a. d. Kgl. Museum f. Völkerkunde.

5

dung; jedenfalls ist die Darstellung von Hunden der Beninkunst sonst völlig fremd, während Panther oder Leoparden zu ihren beliebtesten Vorwürfen gehören.

Von großer Schönheit ist die dritte Londoner Platte, die hier Abb. 29 reproduziert ist. Da hat der Jäger einen runden, wohl aus Filz zu denkenden Hut mit schmaler Krempe, der oben, wie es scheint, mit einer flach aufliegenden Feder geschmückt ist; auch er hält das Gewehr fast schußbereit in der Linken und die der Pfanne genäherte Lunte in der Rechten. Der reich ausgestaltete Schwertgriff läßt an ein spanisch-maurisches Vorbild denken. Recht ungewöhnlich und in Benin sonst nur noch durch die schöne, hier Abb. 31 reproduzierte Dresdener Platte vertreten, ist der Brustschmuck des Mannes; er besteht aus neun fast gleich langen Gehängen, die wir uns wohl aus geflochtenen Schnüren oder Lederstreifen zu denken haben. Vier ähnliche Gehänge kenne ich von einer alten Nürnberger Grabtafel, die bei Gerlach-Boesch, Bronze-Epitaphien der Friedhöfe zu Nürnberg, Taf. 37/3, abgebildet und hier Abb. 30 wieder-

Abb. 33. Europäer mit Hakenbüchse; früher Webster, jetzt Dresden 16094. Auch für diese Platte gilt die Vermutung, daß mit der r. u. Ecke ein Jagdgepard abgebrochen ist.

Abb. 34. Europäer mit Hakenbüchse. Nach Hagen, Altertümer von Benin I. Taf. IV, 2. Etwa ¹/₅ (¹⁰/₅₃) d. w. Gr.

Abb. 35. Europäer mit Handkanone. Leiden 1243/34, vergrößert nach M. I. 1, etwa ¹/₃ d. w. Gr. (Maße des Bruchstücks: 17 × 28 cm.)

gegeben ist; ihre Erklärung freilich ist Herr Boesch uns schuldig geblieben. Ich werde später zu zeigen haben, wie eine bestimmte Helmform in Benin auf den Doktorhut der 1307 gegründeten Universität von Coimbra zurückgeht, der dort seine groteske Form bis auf den heutigen Tag bewahrt hat. Zu der alten Doktortracht von Coimbra gehört aber auch ein Überwurf mit sehr reichen Schnur- und Hängeschmuck an Borten, Tressen, Fransen und Quasten. Vielleicht ist also auch der Hängeschmuck auf unseren Benin-Platten auf eine ähnliche alte Tracht zurückzuführen.

Die vierte Londoner Platte ist nach einer mir von der Leitung der ethnogr. Abteilung des Brit. Museums gütigst überlassenen Photographie hier Fig. 32 abgebildet. Der Jäger ist bartlos, mit langen schlichten Haaren, die beiderseits bis weit unter die Höhe der Achsel herabhängen; ungewöhnlich ist vor allem die Verzierung des gelappten unteren Randes der »Gugel«. Die langen, bis zu den Handgelenken reichenden Ärmel sind mit rhombischen Feldern, in deren Mitte je ein Punkt eingeschlagen ist, genau so verziert, wie die kurzen Beinkleider, also wohl aus einem gleichgemusterten Zeug zu denken.

Von den beiden Dresdener Stücken kann ich hier mit gütiger Erlaubnis der Direktion nach mir früher von W. D. Webster überlassenen Photographien kleine und ganz vorläufige Abbildungen geben, nicht ohne aus diesem Anlasse die Hoffnung auszusprechen, daß uns das Dresdener Museum recht bald mit einer würdigeren und seinen großen Traditionen entsprechenden Publikation nicht nur dieser beiden schönen Stücke, sondern seines ganzen großen Bestandes an kostbaren Benin-Altertümern erfreuen möge. Die hier Fig. 31 abgebildete Platte Dresden 16 063 (früher Webster 8984) schließt sich in vielen Einzelheiten eng an die Londoner an, die hier Fig. 29 reproduziert ist; Hut, Feder, Halskrause, Brustgehänge, Luntenflinte und anderes sind ganz übereinstimmend; verschieden ist eigentlich nur die Orientierung des Kopfes, der auf der Dresdener Platte fast in reiner Seitenansicht erscheint, und die Haltung der Schießwaffe. Auch ist die Londoner Platte sehr breit, die Dresdener ungewöhnlich schmal; statt der Rosetten hat die Dresdener Platte aber zu Füßen des Jägers einen kleinen Geparden.

Die zweite Dresdener Platte, D. 16 094, hier Fig. 33 abgebildet, fällt in mehreren Beziehungen etwas aus der Reihe der übrigen Darstellungen von Europäern heraus. Die wohl aus Blech zu denkende runde Kopfbedeckung mit einem kleinen kugligen Knopf am Scheitel hat die sonst ganz schmale, nicht einmal fingerbreite Krempe, die eigentlich nur eine Versteifung des Randes bildet, vorn in der Mitte in auffallend geringer Ausdehnung schirmförmig aufgebogen und verbreitert; die am unteren Rande gelappte »Gugel« scheint hinten nicht, wie sonst die Regel, über den Kopf gezogen, sondern nur um den

Abb. 36. Sitzender Jäger mit Trombon. Nach P. R. 361; vorher bei Webster (21. 1899, 163. 7301).

Abb. 37. Europäer mit Hakenbüchse. Museum in Freiburg i. B.

Hals, so daß sie, ähnlich wie auf der hier Fig. 28 abgebildeten Londoner Platte, mehr einem breiten Halstuch zu vergleichen wäre. Allerdings ist da auch eine andere Auffassung möglich: Was bei diesen Platten als langes Haupthaar erscheint, ist vielleicht ein zum Helme gehöriger Nacken- und Wangenschutz aus Leder, wie auf unserer Taf. 2 B u. C. Dann würden natürlich auch ganz richtige Jagdhauben oder Gugeln anzunehmen sein. Das glatte Wams hat nicht nur auf der linken Seite eine Anzahl von Knöpfen, sondern ist vorn auch durch Schnüre oder Haken zusammengehalten, die freilich so völlig verständnislos wiedergegeben sind, daß es ganz unmöglich ist, die Art der ursprünglichen Einrichtung zu erschließen. Am unteren Rande wird das Wams nicht, wie sonst meist durch einen schmalen glatten Gurt, sondern durch eine großgliedrige Kette zusammengehalten. Das Schwert hat einen ungewöhnlich langen Griff mit nach unten gebogenen Parierstangen; sein unteres Ende ist abgebrochen. Auch die rechte untere Ecke der Platte ist weggebrochen; aus der Form der Bruchfläche könnte man fast schließen, daß sie wie bei der eben erwähnten anderen Dresdener Platte auch durch einen kleinen Geparden ausgefüllt gewesen war.

Die Hamburger Platte, C. 2304, ist hier (Fig. 34) nach Taf. IV. 2 in K. Hagens »Altertümer von Benin« I. Hamburg 1900 erneut abgebildet. Sie ist ungewöhnlich schmal (16,2 cm bei einer Höhe von 41,2) und mit auffallend ungeschickter Raumeinteilung, so daß unten eine fast 10 cm hohe leere Fläche bleibt, während oben der Helm des Jägers bis an den Rand reicht. Am Gürtel hängt eine rundliche Tasche und hinter ihr ein Jagdmesser.

5*

Ganz schmal (17,0 cm) ist auch die Platte 1243/34 des Museums in Leiden; wie die hier nach M. Taf. I Fig. 1 reproduzierte Abbildung 35 erkennen läßt, ist die Platte stark beschädigt; oben ist gerade noch der Helm des Jägers erhalten, unten ist sie fast der ganzen Breite nach in einer Höhe mit dem unteren Rande des Faltenrockes abgebrochen. Auffallend ist an diesem Stücke besonders die ganz über jegliches Maß übertriebene Prognathie des schnauzenartig vorspringenden Gesichtes, sowie die Füllung des Grundes mit »Rädern« statt mit Blumensternen. Beides findet sich ebenso bei der hier auf S. 50 zu beschreibenden Platte Dresden 13597, so daß es nahe liegt, beide Platten demselben Künstler zuzuschreiben. Am linken Rande der Platte ist ganz unten an der Bruchstelle noch der Rest einer nicht mehr mit voller Sicherheit erkennbaren Darstellung erhalten; M. erwähnt ihn überhaupt nicht und hat ihn wohl übersehen. Ich selbst habe die Platte zweimal in Händen gehabt, einmal ehe sie nach Leiden kam und dann dort; beide Male habe ich unabhängig notiert, daß »Hinterkopf und Ohr eines Leoparden oder Geparden«, also eines Jagdgehilfen, noch erhalten seien. Ich bin auch jetzt noch dieser Meinung.

Die dreizehnte der in diesen Kreis gehörigen Platten ist hier Fig. 36 nach P. R. 361 reproduziert. Sie zeigt einen sitzenden bartlosen Mann mit auffallend großer, schmaler und hoher Nase und ungewöhnlich langem schlichtem Haar. Die unten gezackt und mit einem Ziersaum versehene »Gugel« verliert sich hinten, wie ein Halstuch, unter das lange Haupthaar. Die Hakenbüchse ist trombonartig gegen die Mündung etwas verbreitert und wird leicht gesenkt gehalten. Der Versuch, den Mann sitzend darzustellen, kann kaum als gelungen bezeichnet werden.

Die vierzehnte und letzte unserer Platten mit Schießgewehren ist hier, Abb. 37, nach einer Photographie wiedergegeben, die ich der Direktion des Museums in Freiburg, Baden, verdanke. Sie ist die einzige, die ich nicht selbst gesehen habe, und ich war lange im unklaren darüber, ob der bedenklich gekrümmte Gegenstand in der rechten Hand des Mannes wirklich als Schießwaffe anzusprechen sei. Kollege R. Martin, den ich anläßlich seiner zufälligen Anwesenheit dort bitten konnte, das Original darauf hin genau zu betrachten, schrieb mir, daß er auch an eine Schießwaffe denke. Das wird auch von Prof. Wingenroth, dem Leiter der Sammlung, bestätigt.

Diese Platte ist besonders durch eine einzelne Rosette bemerkenswert, die sich unmittelbar unter dem Schwertende, in der Nähe des rechten Randes, aber nicht, wie man erwarten würde, in der Ecke findet. In der Regel sind derartige Rosetten ja nur zur Ausfüllung eines sonst leeren Raumes angebracht. Man würde die Rosette also von vornherein an einer ganz anderen Stelle, d. h. viel tiefer unten, vermuten. Leider ist ein großes Stück vom oberen Rande der Platte weggebrochen, ebenso fehlt die linke untere Ecke, so daß man über die Art der Anbringung etwaiger anderer Rosetten im dunkeln bleibt.

C. Europäer mit Stangenwaffen.

[Hierzu Taf. 4 A und B, sowie die Abb. 38 und 39.]

Eine Anzahl von Benin-Platten zeigt Europäer mit allerhand Spießen und anderen Stangenwaffen. Ähnlich wie ich das mit den Luntenflinten usw. gehalten habe, verzichte ich auch bei diesen Stangenwaffen von vornherein auf jeden Versuch einer exakten Bezeichnung, und zwar auch wieder einerseits, weil sie die europäischen Formen meist nur sehr ungenau wiedergeben, und anderseits, weil es auch für die europäischen Stangenwaffen meiner Meinung nach bisher an einer wirklich befriedigenden Terminologie mangelt. Worte wie Gläfe, Helmbarte, Hippe, Korseke, Partisane, Pike, Ranseur, Runca, Spetum, Sponton, Sturmgabel und manche andere werden da, wie ich fürchte, so oft nicht mit der nötigen Kritik gebraucht, daß ich sie wenigstens an dieser Stelle lieber ganz vermeiden möchte und einfach nur von Spießen oder Stangenwaffen reden und im übrigen auf die Abbildungen verweisen will. Dabei wage ich nicht einmal zwischen sicheren Jagdwaffen und anderen Spießen zu unterscheiden, die vielleicht am ehesten als »Polizeiwaffen« zu deuten wären. Hingegen scheide ich aus einem rein äußeren Grunde die hier in Frage kommenden Benin-Platten in zwei Gruppen: eine, in der die Europäer nur mit einem Spieße dargestellt sind, und eine zweite, in der sie außer mit dem Spieße auch noch mit einer Art Schwert oder Degen ausgerüstet sind. Nur die erstere Gruppe wird in diesem Abschnitte besprochen werden, die zweite in dem folgenden Abschnitte D. So haben wir hier nur vier Stücke zu behandeln, von denen zwei in Berlin, eines in Köln und eines bei Pitt Rivers sich befinden.

Die Berliner Stücke III C. 8357 und 8358 sind hier Taf. 4 A und B abgebildet. Auf der ersteren Platte trägt der Mann den uns bereits bekannten langen Faltenrock, zu dem wohl auch die eng anliegenden, bis über das Handgelenk reichenden Ärmel gehören. Den Oberkörper bedeckt ein glatt anliegendes, vorne offenes Wams mit fünf Knöpfen ohne Knopflöcher. Der Kopf ist mit einem runden hohen, wohl aus Filz oder Leder zu denkenden Hut bedeckt, unter dem oben noch ein schmaler Streifen einer anderen Kopfbedeckung sichtbar wird. Der Mann hat langes, bis an die Schulter herabreichendes, ganz schlichtes Haupthaar, rasierte Backen, langen, unten rundlich abgestutzten gewellten Kinnbart und langen, beiderseits S-förmig herabhängenden Schnurrbart. Ob er in der Hand eine vielleicht umflochten zu denkende Flasche oder etwa einen Lederbeutel hält, wage ich nicht zu entscheiden. Die Platte ist ausgezeichnet erhalten, hat aber, da die Gußspeise nicht reichte, sehr ausgedehnte, im übrigen nur wenig störende Gußfehler, denen freilich der ganze rechte Fuß zum Opfer gefallen ist.

Die zweite Berliner Platte (Taf. 4 B) zeigt einen ungefähr gleichgekleideten Mann, der aber einen mit runden Scheiben verzierten, wohl aus Eisen zu denkenden Helm trägt und den mächtig großen Kinnbart unten wagrecht beschnitten hat. Auch hat sein Wams auf beiden Seiten in der Schultergegend

einen vorspringenden rundlichen Lappen, wie uns solche manchmal auf den Panzern der Eingeborenen von Benin begegnen, vergl. z. B. Taf. 31 D und Taf. 67. Den Spieß in seiner Rechten könnte man als Dreizack oder besser als Fischspeer bezeichnen. Seine unsymmetrische Darstellung ist vielleicht als Versuch einer perspektivischen Behandlung aufzufassen. Dem Spieß auf der linken Seite entspricht in den beiden rechten Ecken oben und unten je eine große Rosette.

Die hier Abb. 38 reproduzierte Platte des Kölner Museums ist der eben beschrie-

Abb. 38. Europäer, anscheinend mit einem mißverstandenem Dreizack. Köln. Früher H. Bey 66.

Abb. 39. Europäer mit einer Art Jagd- oder Polizei-Spieß. P. R. 247.

benen Berliner sehr ähnlich. Sie war auch mit derselben Sendung (H. Bey) ursprünglich nach Berlin gelangt und ist von mir als Doublette abgegeben worden. Die eiserne Stirnhaube ist etwas niedriger und anders verziert, als wie auf dem Berliner Stück. Das glatte Wams hat richtige Ärmel, die etwa das obere Drittel des Oberarms bedecken, die Knöpfe sind in größerer Zahl, also dichter aneinander stehend und nicht wie gewöhnlich als erhabene Scheiben, sondern als vertiefte Kreise angedeutet. Auffallend ist aber vor allem der Spieß mit seinen drei ganz kurzen Zacken. Ich vermute, daß seine Darstellung sich von dem ursprünglichen europäischen Original recht weit unterscheidet, und kann mir jedenfalls nicht gut vorstellen, daß jemals ein Europäer einen Spieß mit derart kurzen und stumpfen Zacken getragen hat.

Die vierte hierher gehörige Platte, die ich hier nach P. R. 247 reproduzieren darf, siehe Abb. 39, zeigt einen bartlosen Mann mit langem, schlichtem Haar und rundem, fast krempenlosem Topfhelm. Das glatte Wams ist vorn mit drei richtigen Haken und Ösen geschlossen. Der dreigeteilte Spieß ist sehr sorgfältig behandelt. Hingegen wirken die dicken und unbeholfen gebildeten Augenlider fast wie Brillen, und auch die Lippen sind sehr unförmig geraten. Im Text heißt es denn auch bei P. R. »this figure has very thick lips, but might ·not be negro«. Natürlich handelt es sich um einen ganz einwandfreien Vollbluteuropäer.

D. Europäer mit Stangenwaffen und mit Degen oder Schwertern.

[Hierzu Taf. 3 C und die Abb. 40—46.]

In unsere vierte Gruppe (Europäer mit Spießen und Schwertern oder Degen) gehören im ganzen neun Stücke, von denen sich vier in London, zwei in Wien und je eines in Berlin, Hamburg und Leipzig befinden. Dabei sind zwei zusammengehörige halbe, aber ursprünglich schon getrennt gegossene große Stücke, von denen sich eines in London und eines in Wien befinden, als ganze Stücke gerechnet, während der in Berlin befindliche Abguß dieser beiden halben Stücke natürlich überhaupt nicht mitgezählt ist.

Unter den Londoner Stücken ist das hier Abb. 40. reproduzierte, R. D. XII, 1, zweifellos schon wegen seiner Nebenfiguren das merkwürdigste. Der genau in Vorderansicht dargestellte Europäer hat, was übrigens auch sonst ab und zu auf den Benin-Platten vorkommt, unter dem glatten Wams noch zwei Kleidungsstücke, von denen die verzierten Ärmel des einen bis zum Ellenbogen, die glatten Ärmel des andern bis zum Handgelenk reichen. Als Kopfbedeckung dient eine niedrige Sturmhaube mit schmaler Krempe, die mit erhabenen Ringen längs des größten Umfanges und mit strahlenförmig von der Mitte ausgehenden niedrigen kurzen Wülsten verziert und rechts wie links je mit einer großen Hahnenfeder geschmückt ist. Sehr auffallend und nicht gut verständlich ist die Behandlung des langen, schlichten, bis weit über die Schultern herabfallenden Haares. Da ist beiderseits mitten zwischen den langen, das Haar darstellenden Linien je ein glatter, bandartiger Streifen mit einer Reihe von konzentrischen Kreisen angebracht, den R. D. in ihrer sonst sehr sorgfältigen Beschreibung nicht erwähnen und wohl übersehen haben. Es ist schwer, sich mit solcher Behandlung von Haaren abzufinden. An wirkliche Bänder zu denken, scheint mir ausgeschlossen; auch bloße gedankenlose Spielerei ist nicht wahrscheinlich; so bleibt noch die Vermutung, als seien die zu beiden Seiten des Gesichtes herabhängenden Dinge, die wir bei den Europäern der Benin-Kunst bisher immer als langes schlichtes Haar aufgefaßt haben, überhaupt nicht immer Haar, sondern, wenigstens in einzelnen Fällen, zum Helm gehörige Wangenschutzplatten aus Blech oder Leder. Eine solche Deutung würde auch die sonst schwer verständlichen Darstellungen zwanglos erklären, bei denen, wie z. B. bei den Fig. 32, 33, 34, 36 und 51, abgebildeten Stücken die Gugel anscheinend vom Haupthaar überdeckt wird.

Links unten steht neben diesem großen Europäer ein kleiner Begleiter mit einer Art Hakenbüchse und einem von der rechten Schulter an einem Tragband herabhängenden Schwert. R. D. bezeichnen ihn als Europäer. Er hat richtige Beinkleider, aber einen (im Sinne der Benin-Kunst) ganz uneuropäischen Rock, und ich möchte ihn eher für einen eingeborenen Diener als für einen Europäer halten. Hingegen finden sich in der linken oberen und in der rechten unteren Ecke ganz zweifellos die Oberkörper von je einem Europäer dargestellt, von denen der obere einen viereckigen flachen Gegenstand, vielleicht eine Art Schiffszwieback (?), mit stark gewulsteten Rändern und mit einem in der Mitte aufgelegten großen Ring hält, während der untere etwas wie eine Frucht in den weit geöffneten Mund zu schieben scheint. Ich vergleiche diese uns in der Benin-Kunst recht häufig begegnenden Europäer, die sich mit ihrem Oberkörper wie durch einen Schlitz in einem Vorhang in die Bildfläche schieben, mit den vielfach auf alten Vasenbildern erscheinenden *busti* der Archäologen und werde im Kapitel 2 auf diese sehr merkwürdige Erscheinung noch ausführlicher zu sprechen kommen. Hier möchte ich nur auf den großen halben Geldring aufmerksam machen, der am rechten Rande der Platte die Lücke zwischen Unterarm und Schwert ausfüllt. R. D. scheinen ihn übersehen zu haben, da sie ihn in ihrem Text nicht erwähnen. Ich bin nicht sicher, ob von dem ganzen rechten Rand dieser Platte nicht ein gleichmäßig etwa zwei Querfinger breites Stück abgebrochen ist, dann würde sowohl der Europäer in der rechten untern Ecke vollständig sein, als auch der Geldring. Übrigens gibt es eine Benin-Platte (vergl. hier Abb. 65), auf der zweifellos von vornherein vier halbe solche Geldringe dargestellt sind.

Die zweite hierher gehörige Londoner Platte, R. D. XII, 3, reproduziere ich hier Abb. 41 nur wegen der ganz ungewöhnlichen glockenförmigen Kopfbedeckung und die dritte, R. D. XII, 5, Abb. 42, wegen des besonders großen und komplizierten, freilich völlig mißverstandenen Schwertkorbes, der an spanisch-maurische Formen erinnert.

Von seltener Schönheit und von ganz eigenem Reize ist die hier Fig. 43 nach dem Berliner Gips abgebildete Doppelplatte, von deren Original sich die obere Hälfte in London, die untere in Wien befindet. Beide Stücke sind von vornherein getrennt gegossen. Das obere ist 39,3, das untere 39,5 cm hoch. Beide sind 37 cm breit. Offenbar hat der Gießer nicht gewagt, eine so hohe Platte in einem Stück zu gießen.

Die beiden Hälften, von denen die untere übrigens an allen vier, die obere an drei Ecken abgestoßen ist, passen in den Linien des Rockes und des Schwertes nicht völlig genau aneinander. Trotzdem nehme ich bis auf weiteres an, daß beide Stücke tatsächlich zueinander gehören und daß nicht etwa die beiden Hälften ihre richtige Ergänzung ursprünglich je in einem andern Stück gefunden hatten, das bisher nicht aufgetaucht ist. Solche kleine Unstimmigkeiten sind durchaus im Wesen der Gußtechnik begründet. Sicher darf auch die Tatsache, daß oben Fische, unten Krokodilköpfe als Beizeichen erscheinen, nicht gegen die unmittelbare Zusammengehörigkeit der beiden Plattenhälften geltend gemacht werden, denn genau die gleiche Anordnung findet sich mehrfach auf einzelnen vollständigen Platten, so bei unserer Nummer III C. 8277.

Der dargestellte Europäer hat ein auffallend langes eiförmiges Gesicht, das bis auf den großen gewellten Kinnbart rasiert ist. Die Kopfbedeckung bildet ein niedriger Buckelhelm. Die Rechte hält einen schlanken Spieß, die Linke ein in etwas unbeholfener Weise ganz ohne Wehrgehenk dargestelltes Schwert.

Abb. 40. Europäer mit kleinem Begleiter, der eine Hakenbüchse trägt. Links oben und rechts unten »busti« von Europäern, am r. Rand ein halber Geldring. Nach R. D. XII, 1.

Abb. 41. Europäer mit ungewöhnlich hoher Kopfbedeckung. R. D. XII, 3.

Abb. 42. Europäer mit eigenartig stilisierten Dreizack und mit spanisch-maurischem Degenkorb. R. D. XII, 5.

Die beiden oberen Ecken sind mit je einem Fisch-, die beiden unteren mit je einem Krokodilkopf ausgefüllt. Der Grund beider Plattenhälften ist übereinstimmend nicht wie sonst mit einem Blumenmuster, sondern mit vierspeichigen radartigen Scheiben verziert. Nur unten links von dem Speerschaft, wo für die ganzen Räder kein Platz gewesen wäre, sind sie durch eine doppelte Schlangenlinie ersetzt, die sich parallel mit dem Schaft bis an dessen unteres Ende hinzieht. In diesem Zusammenhang darf vielleicht schon jetzt darauf hingewiesen werden, daß auf einer anderen Doppelplatte, die einen Eingeborenen darstellt, aber sicher von demselben Künstler herrührt, eine wirkliche Schlange als Beizeichen erscheint.

Schon oben, bei Besprechung der Platte Leiden 1243/34, die hier Fig. 35 abgebildet ist, wurde auf die Platte Dresden 13597 (hier Fig. 59) hingewiesen; diese beiden Platten haben unter sich nicht nur das »Radmuster« gemein, sondern auch verschiedene stilistische Eigenschaften, so daß man sie gern demselben Künstler zuschreiben möchte. Da auch bei unserer großen Doppelplatte der Grund mit einem solchen Radmuster verziert ist, läge es vielleicht nahe, bei ihr gleichfalls an denselben Künstler oder wenigstens an dieselbe Werkstatt zu denken. Ich wage aber nicht, einen solchen Zusammenhang auch nur mit einiger Sicherheit anzunehmen; auf jenen beiden kleinen Platten sind die bartlosen Gesichter in Seitenansicht und mit maßlos übertriebener Prognathie dargestellt; hier steht der Mann in reiner Vorderansicht da,

mit Kinnbart und ohne wesentliches Vortreten des Kaugerüstes; nur die sonst selten vorkommende übergroße Schlankheit des Rumpfes könnte für eine solche Gemeinsamkeit des Ursprungs ins Treffen geführt
werden.

Die Taf. 3 c abgebildete Berliner Platte III C, 8355 zeigt in voller Vorderansicht einen Mann mit
ganz glattem Wams und langem Faltenrock, unter dem noch Beinkleider sichtbar werden, die etwa bis
in halbe Höhe der Unterschenkel reichen. Ein Fuß ist abgebrochen, der andere scheint in einem hohen
glatten Schuh zu stecken. Unter dem Wams, das in der Schultergegend mit stark aufgewulsteten Rändern

Abb. 43. Große, in zwei Stücken gegossene Platte,
Europäer mit Spieß und Schwert. Original der oberen
Hälfte in London, R. D. XII, 2, das der unteren Hälfte
in Wien, 64718. Vollständiger Gipsabguß Berlin
III. C. 12503; 37 × 78,8 cm. Etwa 1/5 (10/55) d. w. Gr.

abgeschlossen scheint, ist zunächst ein Ärmelpaar dargestellt, das etwa bis in Ellenbogengegend reicht und mit
Rhombenfeldern verziert ist, in die je ein Punkt eingeschlagen. Darunter wird ein zweites Paar Ärmel sichtbar,
die bis an das Handgelenk reichen und in derselben Weise
wie die Beinkleider mit schrägen Streifen verziert sind, von
denen abwechselnd immer einer glatt, der andere punktiert
ist. Von der rechten Schulter hängt ein Wehrgehenk mit
einem Schwert herab, an dessen Griff der Mann seine linke
Hand anlegt. In der Rechten hält er einen langen und sehr
ungewöhnlich aussehenden Spieß mit breiter, anscheinend
durchbrochener Spitze. Wenigstens scheint es, als ob man
durch eine große Lücke im Blatt den punktierten Hintergrund der Platte erblicken würde. Der Mann hält den
Spieß kurz unterhalb der Spitze an der auffallend langen
Dülle; jedenfalls sieht man etwas unterhalb der Faust zwei
übereinander liegende Wülste, die den Eindruck machen,
als sollten sie eine Verstärkung des Düllenrandes darstellen. Ungewöhnlich ist an dieser Waffe auch eine
Krümmung des Schaftes, die allerdings möglicherweise
ursprünglich nicht beabsichtigt gewesen, sondern vielleicht
erst nachträglich entstanden sein kann und mit dem
großen Loch, das man hart neben dem Schaft in den
Grund der Platte eingetrieben hat, in Zusammenhang
stehen könnte.

Die Platte Hamburg C. 2946, die hier Fig. 44 abgebildet ist, zeigt einen ganz ähnlichen Mann, auch mit dem
gleichen Topfhelm, der am Scheitel und an den Seiten je
durch einen linsenartig flachen Buckel verziert ist. Auch
die Barttracht ist dieselbe und ebenso die gesamte Kleidung. In der Rechten hält er einen dreiteiligen Spieß, in
der Mitte mit einer kleinen rhombischen Spitze, während
auf den Seiten ganz ungewöhnlich lange, stark gebogene
Widerhaken herabhängen, ähnlich wie bei gewissen Korseken. Vermutlich beruht auch die Kürze der mittleren
Spitze nur auf ungenauer Wiedergabe des europäischen Originals. In den rechten Ecken oben und unten ist je eine
Rosette angebracht, wohl als eine Art Gegengewicht gegen den mit dem linken Rand ungefähr parallel
laufenden Spieß.

In diese Gruppe gehören schließlich noch zwei ganz besonders schöne Platten, von denen die eine in
Leipzig, die andere in Wien sich befindet. Sie sind beide untereinander so ähnlich, daß sie leicht miteinander verwechselt werden könnten. Ich habe die beiden Platten deshalb in freilich nur ganz kleinem Maßstab hier nebeneinander gestellt, nur um einen unmittelbaren Vergleich zu ermöglichen, nicht etwa um
einer großen und würdigen Veröffentlichung dieser hervorragenden Stücke vorzugreifen. Der einzige
wesentliche Unterschied in den beiden Platten scheint mir in der Kopfbedeckung zu liegen. Der Leipziger
Mann hat einen hohen, oben runden und in einem flachem Knopf endigenden Helm, unter dessen Rand

noch eine Schädelhaube sichtbar ist, während die Kopfbedeckung des Wiener Mannes oben mehr hutartig abgeflacht erscheint. Aber auch diese zeigt, wie ich aus meinen vor dem Original gemachten Notizen sehe, was freilich aus der kleinen und leider mit einem unzulänglichen Apparat schräg von unten gemachten photographischen Aufnahme nicht hervorgeht, oben eine leichte Rundung und einen flachen Knopf, ganz ähnlich wie auf der Leipziger Platte. Auf dieser ist auch das Wams mit vier großen runden Knöpfen ausgestattet, auf der Wiener Platte mit drei. Der Helm der Leipziger Platte hat auf der linken Seite einen aufrecht stehenden Federbusch und vor ihm noch drei leicht gebogene Federn. Auf der Wiener Platte ist an derselben Stelle nur ein aufrecht stehender, in fünf Reihen abgestutzter, nach oben zu stark verbreiterter Federbusch dargestellt. Die Leipziger Schwertscheide hat einen langen Schuh, der unten in eine konische Spitze endigt, während das lange, deutlich abgesetzte Ortband der Wiener Platte unten mit einem mehrbuckligen Knauf abgeschlossen ist. Sonst sind beide Platten bis auf die zufälligen Verschiedenheiten in der nachträglichen Beschädigung wohl durchaus gleich. Am rechten Rand sind drei große Geldringe angebracht, am linken zwei. Bei beiden Platten reicht die Spitze des sponton-ähnlichen Dreizacks etwas in die Öffnung des oberen Geldringes, während der Schaft über die Mitte des unteren hinweggeführt ist. Diese Geldringe sind wohl nicht als bloße gelegentliche Beizeichen aufzufassen, sondern dürften in innerem Zusammenhang mit dem dargestellten Manne stehen.

Abb. 44. Europäer mit Spieß und Schwert. Hamburg. C. 2946.

Abb. 45. Europäer mit Spieß und Schwert, Wien 64799. Etwa ¹/₉ d. w. Gr. (Nach einer ungenügenden Vorlage, nur zum Vergleiche mit der nebenstehenden Leipziger Platte.)

Abb. 46. Europäer mit Spieß und Schwert, Leipzig, früher Webster Kat. 24, Abb. 25, Nr. 9755 A. Etwa ¹/₈ d. w. Gr. (35,6 × 45,8 cm.)

Zweifellos handelt es sich bei beiden Platten um eine porträtmäßige Darstellung eines und desselben Mannes und um das Werk desselben Künstlers. Dafür spricht auch eine Einzelheit in der Tracht, die mir unter allen den anderen Darstellungen von Europäern in der Benin-Kunst sonst nur von einer einzigen Platte bekannt ist. Es hängt nämlich von der Schultergegend hinten jederseits ein glattes, fast handbreites Band herab, das hinter dem Oberarm sichtbar wird, beiderseits unter den Ellenbogen bis nahe an den Gurt herab reicht und zum Wams gehört, wie aus Taf. 6 C zu ersehen ist. Beiden Platten sind auch je zwei Quasten gemeinsam, die in der Mitte des Gurtes von der Schnalle herabhängen und in solcher Art sonst niemals auf Benin-Platten erscheinen, also auch ihrerseits die beiden Platten als Porträts einer ganz bestimmten Persönlichkeit charakterisieren.

E. Europäer mit Schwertern, Degen u. dgl.

[Hierzu Taf. 3 A, 4 C und 6 D.]

Als fünfte Gruppe der Platten mit Europäern fasse ich die Stücke zusammen, auf denen Europäer mit Schwertern, Degen und dergleichen ohne weitere Attribute dargestellt sind. Ich kenne im ganzen nur vier solche Platten, drei in Berlin und eine in Wien. Auf allen sind bärtige Männer mit dem typischen langen Faltenrock, glatt anliegendem Wams und runden niedrigen Helmen dargestellt, nur auf der Berliner Platte III C. 8353, die hier Taf. 6 D abgebildet ist, hat der Mann einen hohen Hut, der wohl aus Filz zu denken ist. Diese Platte ist auch sonst dadurch merkwürdig, daß auf ihr noch zwei weitere, etwas kleinere Europäer erscheinen, die von der Hauptfigur je an einer Hand geführt werden. Diese beiden sind bartlos und anscheinend jung, so daß es naheliegt, an die Darstellung eines Vaters mit seinen Söhnen zu denken. Die beiden kleineren Begleiter haben keinen Faltenrock, sondern über den knapp anliegenden Beinkleidern jenes schon erwähnte schwimmhosenartige Kleidungsstück. Beide Figuren sind im übrigen durchaus symmetrisch dargestellt, was sich sogar bis auf die Knöpfe am Wams erstreckt, die der eine auf der rechten, der andere auf der linken Seite hat.

Der auf der Platte III C. 8356 (hier Taf. 4 C) abgebildete Mann hat einen langen gewellten, unten vollkommen wagrecht abgeschnittenen Kinnbart und keinen Schnurbart. Das wie üblich an einem von der rechten Schulter herabhängenden Wehrgehenk getragene Schwert, ist sehr kurz und mit arg mißverstandenen, mondförmig nach unten gebogenen Parierstangen versehen. Reich ausgestaltet, aber wohl auch mißverstanden, ist der Griff des Schwertes auf unserer Platte III C. 8354, Taf. 3 A.

Sehr merkwürdig ist die Wiener Platte, die dort unter Nr. 64697 inventarisiert ist und ursprünglich die Nummer Webster 5861 getragen hatte. Sie ist ungewöhnlich sorgfältig ziseliert, aber stark beschädigt. Es fehlt die rechte obere Ecke und ein Stück vom rechten Rand, außerdem aber auch das ganze untere Drittel der Platte, wobei nicht mit Sicherheit zu entscheiden ist, wie eigentlich dieses große Stück verloren gegangen ist. Ich hatte ursprünglich sogar den Eindruck, als ob das vorhandene Stück, ähnlich wie die beiden Seite 39 beschriebenen Plattenhälften, für sich gesondert gegossen worden, so daß ich auch von dem fehlenden Stück angenommen hatte, daß es von vornherein absichtlich getrennt gegossen sei. Bei wiederholter Untersuchung der Platte bin ich aber von dieser Ansicht abgekommen und vermute jetzt, daß es sich um einen zufälligen Bruch handelt, bei dem dann nachträglich durch eine ganze Serie von Meißelhieben und durch Abschleifung nachgeholfen und so versucht wurde, eine gerade Bruchlinie zu schaffen. Vielleicht hatte man beabsichtigt, das an sich so schöne und wohl als besonders wertvoll empfundene Stück durch Guß eines Zusatzstückes wieder zu ergänzen.

Abb. 47. Europäer mit Stock und Schwert. Mit der rechten Ecke ist vermutlich ein zweiter Krokodilskopf abgebrochen. Zwischen Faltenrock und Stock ein eingepunzter Europäerkopf. R. D. XII, 4.

F. Europäer mit Schwertern und mit Stöcken.
[Hierzu Taf. 3 C und Abb. 47.]

Die sechste Gruppe umfaßt drei Platten, auf der Europäer mit Schwertern und dergleichen und mit Stöcken dargestellt sind. Es ist das die Berliner Platte III C. 8368, die hier Taf. 3 C abgebildet ist, die Dresdener Platte 16062 und die Londoner Platte R. D. XII, 4. Von der Berliner Platte fehlt mit der rechten oberen Ecke beinahe ein Fünftel des ganzen Stückes, mit der Kopfbedeckung und mit den Haaren der linken Seite. Auch hat die Platte unterhalb des Faltenrocks zwischen den Beinen einen ausgedehnten Gußfehler. Sie ist besonders merkwürdig durch den Verschluß des glatten Wamses. Da sind einerseits zwei Knöpfe ohne Knopflöcher vorhanden, außerdem aber drei Spangen, die die glatten Ränder des Wamses miteinander verbinden, ohne daß mit Sicherheit zu erkennen wäre, ob sie als Schnüre oder etwa als Metallhaken aufzufassen wären. Unter der obersten dieser Spangen verläuft der Riemen des von der rechten Schulter herabhängenden Wehrgehenkes. Der lange gerade Stock, den der Mann in der Rechten hält, hat in ungefähr regelmäßigen Abständen sechs ringartige Anschwellungen, die fast aussehen, als ob sie aufgeschobene Metallringe darstellen sollten. Vermutlich handelt es sich aber doch nur um ungeschickt wiedergegebene Internodien etwa eines Bambusstockes.

Die Dresdener Platte ist der Berliner recht ähnlich; auch bei ihr fehlt ein großes Stück vom oberen Rand mit einem Teil des Helms. Von dem Schwert ist nur der Griff dargestellt und auch dieser in starker Verkürzung. Statt der Knöpfe finden sich auf der rechten Seite des Wamses vertiefte runde Dellen.

In mehr als einer Beziehung ist die Londoner Platte, R. D. XII. 4, hier Fig. 47, bemerkenswert. Vor allem hat das Schwert einen sehr reich ausgestalteten Korb und völlig mißverstandene Parierstangen. Zwischen dem Stabende und dem Kopf des Mannes erscheint als Beizeichen ein Krokodilkopf so nahe an den Stab herangerückt, daß er ihn mehrfach berührt, was also von der allgemeinen Regel abweicht, daß derartige Beizeichen meist nur der Raumausfüllung wegen da sind und keine weitere Bedeutung haben. Ganz ungewöhnlich ist auch die Barttracht des Mannes mit seinem langen ganz schlichten Kinnbart und mit kurzem gleichfalls schlichtem Backenbart. Ober- und unterhalb der Lippen ist das Gesicht rasiert. Völlig ohne mir bekannte Analogie ist aber der Grund der Platte, der an einer einzelnen Stelle (zwischen Stab und Faltenrock) in genau derselben Technik wie sonst auf dieser und anderen Platten das übliche Blumenornament eingepunzt ist und daher leicht zu übersehen, einen stilisierten Europäerkopf in Vorderansicht zeigt.

G. Europäer mit Stöcken.

[Hierzu Taf. 3 C, 4 D und 5 A, sowie die Abb. 48—52.]

Zu einer siebenten Gruppe habe ich die Platten vereinigt, auf denen Europäer mit Stöcken ohne weitere »Embleme« dargestellt sind. Von solchen kenne ich im ganzen zehn Stücke: vier in Berlin, je eins in Frankfurt a. M., in Hamburg und in Stuttgart, sowie drei aus Katalogen von Händlern und von Auktionen, ohne daß mir bekannt wäre, wohin sie später gelangt sein mögen. Drei der Berliner Stücke sind hier Taf. 3 E, Taf. 4 D und Taf. 5 A abgebildet.

Von besonderer Schönheit ist die erste von diesen, III C. 9947 (früher Webster 6809). Sie zeigt einen Mann mit typischem Faltenrock, glattem, enganliegendem ärmellosem Wams, unter dem ganz glatte, also ungemusterte, bis an das Handgelenk reichende Ärmel sichtbar werden. Der lange Kinnbart sowie der fast bis in die Höhe der Achsel herabhängende Schnurrbart ist stark gewellt.

Die Augen sind in der Gegend der unteren Lider sehr weit zurückliegend gebildet, so daß sie nach unten zu sehen scheinen, nicht nach vorn, wie sonst in Benin die Regel. Daß hier eine bewußte Hervorhebung eines individuellen Zuges vorliegt, also eine porträtmäßige Charakterisierung und nicht etwa bloßer Zufall, halte ich für durchaus gesichert.

Unter dem hohen, mit geschweiftem schmalen Rand versehenen, rechts und links je mit einer kleinen flachen kreisrunden Scheibe, oben mit einer Hahnenfeder geschmückten Helm von der Form einer Kesselhaube ist noch ein Stück einer anliegenden Schädelkappe sichtbar. Das Wams ist mit einem Gürtel zusammengehalten, an dem mit einer gedrehten Schnur ein kleiner Dolch befestigt zu sein scheint. Die halberhobene Rechte trägt einen drehrunden Stock, der nur mit seiner unteren Hälfte der Platte fest aufliegt, sonst aber ganz frei gegossen ist. Ein kleines Stück vom oberen Ende scheint abgebrochen; doch ist für eine Speerspitze oder etwas dieser Art nicht Raum genug vorhanden; auch würde man dann einen Steg angebracht haben; von einem solchen fehlt aber jede Spur, so daß mit einiger Sicherheit anzunehmen ist, daß der Mann auch ursprünglich nur einen Stock, nicht aber einen Spieß in der Hand gehalten hat. Die vier Ecken der breiten Platte sind je mit einer großen achtstrahligen Rosette in hohem Relief geschmückt. Beide seitlichen Ränder sind umgefalzt.

Die Platte III C. 8362 (Taf. 4 D) zeigt einen ganz besonders breitspurig ausgefallenen Mann mit sehr langem gewellten Bart und einem schmalkrempigen runden, vorn jederseits mit einem flachen Höcker geschmückten Helm. Das glatte Wams hat deutlich aufgewulstete Ärmellöcher.

Auf unserer Platte III C. 8367 (Taf. 5 A) sehen wir einen, wie es scheint, älteren aber ganz rasierten Mann, den typischen Mynheer, mit hohem runden Filzhut, der durch eine dicke gedrehte, unter das Kinn laufende Schnur festgehalten wird. Er trägt einen kurzen Faltenrock, unter dem noch das mehrfach erwähnte schwimmhosenartige Kleidungsstück sichtbar ist. Von den drei großen Knöpfen des glatten Wamses ist der oberste in auffällig mißverstandener Weise bis auf die Schulterhöhe gerückt. Während der Mann sich mit der Rechten auf seinen Stock zu stützen scheint, hält er in der gesenkten Linken einen viereckigen, ungefähr handgroßen Gegenstand, vielleicht eine Ledertasche mit einem Bügel.

Von der vierten Berliner Platte, III C. 8365, ist nur hervorzuheben, daß der unten freilich abgebrochene Stock oben fast bis in Stirnhöhe reichte, also ungewöhnlich lang war, wenn er überhaupt auf dem Boden aufgesetzt dargestellt gewesen sein sollte.

Ein kleines, aber sehr schönes hierher gehöriges Bruchstück ist Nr. 8135 des Museums in Frankfurt am Main. Ich kannte es schon 1904, als es Nr. 30 der Sammlung Strumpf, Hamburg war. Erhalten sind, neben einem kleinen Stück vom Grund der Platte, Kopf, Oberkörper und Arme eines Mannes, der mit seinem sehr langen, unten wagrecht abgeschnittenen Kinnbart, hängendem Schnurrbart und rasierten Backen an die Berliner Platte III C. 8358, Taf. 4 B erinnert. Das Wams ist an zwei Stellen durch Schnüre, Spangen oder Haken zusammengehalten, ähnlich wie bei unserer Platte III C. 8368, Taf. 3 D

Abb. 48. Europäer mit Stock. Hamburg, C. 2868, früher Webster 24/1900, 59. Nr. 9364.

Abb. 49. Europäer mit Stäbchen. Stuttgart, ¹/₅ d. w. G. (Früher H. Bey 119.)

Abb. 50. Europäer mit Stöckchen. Webster 9363.

und bei der Platte Fig. 51. Den Kopf bedeckt ein niedriger Hut oder Helm mit schmaler aufgewulsteter Krempe. Die Rechte hält mit fast wagrecht erhobenem Unterarm einen dicken drehrunden Stab, die Linke greift mit vier Fingern in das Wams. Vom Gürtel abwärts fehlt der Rest der Figur; da die Schwerter und Degen auf den Benin-Platten regelmäßig mit dem Griffe über den Gürtel hinaufreichen, ist es ganz unwahrscheinlich, daß auf dieser Platte auch noch ein Degen dargestellt war. Ich habe das Bruchstück daher unbedenklich in die Reihe der Platten aufgenommen, auf denen die Europäer nur mit einem Stocke ausgerüstet sind.

Die Platte Hamburg C. 2868, hier Fig. 48 abgebildet, zeigt einen bärtigen Mann mit einem ähnlichen zylinderartigen Hut wie bei unserer Platte Taf. 5 A, nur ist das sehr lange Sturmband nicht gedreht, wie auf der Berliner Platte, sondern glatt. In sicher mißverstandener Weise ist es unter dem Kinn ohne einen Schieber, Knoten oder dergleichen eng zusammengeführt und hängt dann als Doppelschleife, unten mit der linken Hand gefaßt, noch bis gegen die Mitte des Oberkörpers herab. Hinter dem Bande ist in der Kinngegend eine halbrunde glatte Scheibe angelegt, natürlich der Bart, obwohl keine einzelnen Haare angedeutet sind. Der lange Faltenrock ist ungewöhnlich reich gemustert.

Die Platte Stuttgart 5042, hier Fig. 49 reproduziert, zeigt einen bartlosen Mann mit bis zur Achselhöhle fallendem, schlichten Haar. Er trägt einen runden Hut mit ganz schmaler, kaum fingerbreiter Krempe, den wir uns wohl aus Filz oder Leder vorstellen müssen, ein glattes Wams ohne Knöpfe und einen langen Faltenrock. Die Rechte hält ein kurzes dünnes Stäbchen, die Linke ist abgebrochen. Diese Platte war ursprünglich als H. Bey 119 nach Berlin gelangt; ich habe sie zugleich mit einer großen Zahl anderer Benin-Altertümer als »Doublette« abgegeben, um für den Erlös eine andere Benin-Sammlung kaufen zu können, zu deren Erwerbung sonst Mittel nicht vorhanden waren.

Aus einem Katalog von Webster und unter seiner Nummer 9363 kenne ich die hier Fig. 50 abgebildete Platte, über deren gegenwärtigen Verbleib ich nicht unterrichtet bin. Sie zeigt einen ungewöhnlich schlanken und lebhaft bewegten Mann mit wagrecht geschnittenem Kinnbart und langem hängenden Schnurrbart. Er hat einen mit zwei Längsleisten und drei Buckeln verzierten Helm, glattes Wams mit sicher als dellenartige Vertiefungen gebildeten Knöpfen und mit verhältnismäßig langen, fast bis zur Mitte der Oberarme reichenden glatten Ärmeln, aus denen dann noch die üblichen bis an das Handgelenk reichenden, mit schrägen, abwechselnd glatten und punktierten Streifen verzierten inneren Ärmeln herausreichen;

Abb. 51. Europäer, Webster 29/1901, 45 Nr. 11391 (früher J. C. Stevens, 12. 2. 1901, Nr. 133).

Abb. 52. Zwei Europäer, Auktion von Dr. W. J. Ansorge, London 1909, Nr. 141. Etwa ¼ d. w. Gr. (28 zu 42 cm.)

in der gleichen Art sind auch die langen Beinkleider gemustert. Unterhalb von einer glatten wulstartigen Schnur am unteren Rande des Wamses liegt noch eine Art Gürtel, der aus vier geflochtenen Schnüren zu bestehen scheint. Den Stock in der Rechten hält der Mann wie einen Marschallstab. Am Ringfinger der linken Hand scheint, soweit ich nach der Abbildung erkennen kann, ein Ring dargestellt zu sein.

Ganz eigenartig ist Websters zweite Platte 11391, hier Fig. 51, nach Nr. 45 des Katalogs 29 von 1901 wieder abgebildet. Sie zeigt einen bartlosen Europäer mit sehr hohem schmalen Gesicht, einer kegelförmigen Sturmhaube und einem glatten Wams, das ähnlich wie bei unserer Taf. 3 D abgebildeten Stück durch drei Querstangen zusammengehalten wird. In der Linken trägt der Mann an einem kurzen Bügel einen unten abgerundeten Beutel, der wohl dem auf unserer Taf. 5 A abgebildeten zu vergleichen ist. Auffallend ist bei dieser Platte besonders die Art, in der das ganze Untergesicht bis an den Rand der Oberlippe wie durch ein hohes Halstuch verhüllt ist, das sich unter dem lang herabhängenden Haupthaar verliert. Es liegt nahe, hier an eine völlig mißverstandene Jagdhaube oder Gugel zu denken, wie wir solche z. B. von den drei Platten auf unserer Taf. 2 kennen, die in Wirklichkeit aber meist auch die Haare zu bedecken pflegten. Ich habe aber schon darauf hingewiesen, daß auf manchen Benin-Platten mit Europäern der farbige Künstler anscheinend das traditionelle lange Haupthaar mit zum Helm gehörigen

Wangen-Schutzklappen verwechselt hat und daß es auf einigen Platten ganz unmöglich ist, zu entscheiden, ob der Künstler lange Haare oder Wangenklappen hat darstellen wollen.

Diese zwar unten unvollständige, sonst aber ausgezeichnet schöne und merkwürdige Platte ist mir zuerst aus dem Auktionskataloge von J. C. Stevens vom 12. 2. 1901 bekannt geworden, wo es unter Nr. 313 von ihr heißt, sie hätte »formed part of the Government loot at the capture of the king of Benin's palace, and was sold last year in Benin City by public auction on behalf of the Government«. Dieselbe Platte erscheint dann noch im selben Jahre als Eigentum von W. D. Webster in seinem Kataloge Nr. 29 vom Jahre 1901 als Nr. 45 (11391). Nach der dort gegebenen Abbildung ist hier Fig. 51 hergestellt. Über das weitere Schicksal der Platte bin ich nicht unterrichtet.

Den Schluß dieser Reihe bildet die ausgezeichnet schöne Platte, von der ich hier nach einer Zinkätzung im Auktionskatalog der Sammlung Dr. W. J. Ansorge, 1909, hier Fig. 52, eine Abbildung geben kann. Derartige Reproduktionen von Zinkätzungen sind naturgemäß technisch immer sehr unbefriedigend, und meine Abbildung wird dem Original daher sicher nicht entfernt gerecht, aber die Platte ist doch so ungewöhnlich, daß ich auf ihre Abbildung in diesem Buche nicht verzichten zu dürfen glaubte. Sie zeigt zwei bärtige Männer, einen großen und einen kleinen, Hand in Hand, beide mit Helmen und langem schlichten Haar, den großen mit einem unten wagrecht abgeschnittenen, den kleinen mit einem rundgeschnittenen Bart, den großen mit Schnurrbart, den kleinen mit rasierter Oberlippe. Beide haben glattes Wams, der große mit sechs, der kleine mit drei Knöpfen, wie üblich, ohne Knopflöcher. Beide haben lange Faltenröcke, unter denen rhombisch gemusterte Beinkleider sichtbar werden. Diese sind in der Mitte ihres unteren Randes bei beiden Leuten gleichmäßig in ungewöhnlicher Art in der Mitte etwas »aufgeschnabelt«. Der größere Mann hält in der Rechten einen mannshohen Stock, der oben verbreitert und mit einem nadelöhrartigen großen Loch versehen ist. An seinem Gürtel scheint ein kleines Blas- oder Pulverhorn befestigt zu sein. Der kleinere Mann hat am Gürtel einen kurzen Dolch und trägt in der Linken eine kolbenförmige Henkelflasche mit langem Hals. Der freie Raum oberhalb des kleineren Mannes wird von einem mit dem Kopf nach oben gewendeten Fisch ausgefüllt, der einen mehrfach gekrümmten Wurm im Maul hält. Im gedruckten Text des Auktionskatalogs sind die beiden Männer als »Portuguese travellers, father and son« bezeichnet, wobei wohl der kleinere Mann als der Sohn, der größere als der Vater gedacht ist. Allerdings wirkt bei näherer Betrachtung eigentlich der kleinere Mann nicht unwesentlich älter als der große. Ich möchte mich jedenfalls über das verwandtschaftliche Verhältnis zwischen diesen beiden Leuten nicht aussprechen, darf aber vielleicht erwähnen, daß die ganze Platte mich lebhaft an eine Zeichnung erinnert, die vor einigen Jahrzehnten in einem hiesigen Witzblatt veröffentlicht war und zwei sehr bekannte griechische Diplomaten darstellte, Vater und Sohn Rhangabe, von denen der Vater wirklich ganz ungewöhnlich klein, der Sohn ebenso ungewöhnlich groß war. Auf jener Zeichnung waren sie, ich erinnere mich nicht mehr, in welchem Zusammenhange, in griechisch-albanesischer Nationaltracht mit der Fustanella dargestellt, so daß die beiden Diplomaten wirklich in höchst auffallender Weise den zwei Europäern auf unserer Benin-Platte glichen. Ich würde die Erwähnung einer solchen scherzhaften Zeichnung an dieser Stelle kaum für angebracht halten, wenn ich nicht eine allgemein ethnographische Bemerkung an sie knüpfen könnte: Ich habe nie mit Sicherheit etwas über Alter und Ursprung der albanesischen Fustanella erfahren können. Wenn es aber im allgemeinen richtig ist, daß Bauernkostüme und Nationaltrachten meist nur lokale Überlebsel einer alten städtischen Kleidermode sind, so schiene es mir vielleicht der Mühe wert, darüber nachzudenken, ob nicht die Fustanella der Nordgriechen und Arnauten in irgendeinem Zusammenhange mit der Jäger- und Rittertracht zur Zeit des Kaisers Maximilian stehen könne.

H. Europäer mit Ringgeld.
[Hierzu Taf. 5 C und D, sowie die Abb. 53—58.]

In einer achten Gruppe habe ich die Platten zusammmengefaßt, auf denen Europäer dargestellt sind, die Geldringe halten. Ich kenne deren sechs: zwei in Berlin, je eine im Britischen Museum, bei Pitt Rivers, in Stuttgart und in Wien.

Die Berliner Platten sind hier Taf. 5 C und D abgebildet. Die erstere, III C. 7656, zeigt in reiner Vorderansicht einen Mann mit hohem Hut, rasiertem Gesicht und langem, bis an die Schulter herabreichendem, schlichtem Haupthaar. Er trägt über dem langen Faltenrock ein enganliegendes Wams, das vorn in der Mitte mit drei hakenartigen Verschlüssen versehen ist, über deren wirkliche Natur ich keine Vermutung wage. Die langen, bis an das Handgelenk reichenden Ärmel, die unter dem Wams sichtbar werden, sind in der gleichen Weise gemustert wie der lange Faltenrock. Unter diesem sind eben noch richtige Beinkleider sichtbar mit Rauten, in deren Mitte je eine kleine flache Delle eingepunzt ist. Um der besonders dicken Lippen und der hakenförmigen Nase willen gebe ich hier, Fig. 53, auch eine Abbildung des Gesichts in Seitenansicht; ebenso gebe ich als Anhalt für die Zeitbestimmung des hohen Hutes hier, Fig. 54, einen Ausschnitt aus einer 1515 datierten Zeichnung von Albrecht Dürer. Der Mann hält in jeder Hand einen jener großen Geldringe, die am Schlusse von Kapitel 31 näher besprochen werden sollen. Ein solcher aus der Berliner Sammlung ist hier Taf. 104 A abgebildet. Etwas abweichend von der üblichen Behandlung des Hintergrundes sind auf dieser Platte alle Blütensterne zweiblättrig, auch wo, wie z. B. links vom Kopfe, noch für ein drittes Blatt Raum gewesen wäre. Rechts vom Kopfe findet sich sogar neben der zweiblättterigen Blüte eine, die nur ein einziges Blatt hat. An beiden Füßen sind die Zehen deutlich sichtbar; der Mann muß also barfuß gedacht sein.

Abb. 53. Reine Seiten-
ansicht des Kopfes der
Platte Berlin, III. C. 8367
auf Taf. 5 A.

Abb. 54. Aus einer der Randzeichnungen
Albrecht Dürers zum Gebetbuche des Kaisers
Maximilian I., jetzt in der Kgl. bayer. Staats-
bibliothek, München. Signiert und datiert:
A. D. 1515.

Abb. 55. Europäer mit einem
Geldring (*manilla*). P. R. 360.
Etwa 1/4 d. w. Gr.
(18 × 37 cm.)

Sehr eigenartig ist Tracht und Haltung des Mannes auf der zweiten Berliner Platte III C. 8360, Taf. 5 D. Der Mann trägt ein enganliegendes glattes Wams mit vier Knöpfen auf der rechten Seite, denen vier Schnurösen auf der linken entsprechen. Das Wams wird unten durch einen fast handbreiten, glatten aber mit rundlich gewulsteten Rändern versehenen Gürtel zusammengehalten, unter dem noch ein ganz schmaler und etwas rudimentärer Faltenrock dargestellt ist. Unter diesem erscheint, ungewöhnlich groß, die mehrfach erwähnte, ganz glatte, aber mit einem geflochtenen Zopfmuster eingefaßte »Schwimmhose« und unterhalb dieser die bis wenig über das Knie reichenden eigentlichen Beinkleider, die anders gemustert sind als die Hemdärmel und der Faltenrock. Der Mann trägt einen hohen Hut, ähnlich dem auf der vorerwähnten Berliner Platte, unter dem aber diesmal keine Spur des sonst bei den Benin-Europäern in der Regel so üppigen langen Haupthaares sichtbar ist. Auch das Gesicht erscheint, von dem langen welligen Kinnbart abgesehen, glatt rasiert. Der mit etwas gespreizten und knieweichen Beinen stehende Mann hält in der Linken einen großen Geldring, in der Rechten einen kurzen Stab.

Auch die Platte P. R. 360, hier Abb. 55 reproduziert, zeigt einen Mann mit hohem Hut und schmaler Krempe, im Gesicht rasiert und auch ohne jede Andeutung von Haupthaar. Er trägt das übliche glatte Wams, auf dem rechts fünf große runde Knöpfe sichtbar sind, während ein sechster wohl durch die an-

liegende Hand verdeckt zu denken ist; der lange Faltenrock ist ähnlich gemustert wie die bis an das Handgelenk reichenden Ärmel.   Die rechte Hand hält einen Geldring.

Die Abb. 56 wiedergegebene Platte Stuttgart 5366 zeigt einen Mann, dessen Tracht dem auf
der hier Taf. 5 D abgebildeten Berliner Platte sehr ähnlich ist.   Der Gürtel ist freilich etwas schmaler
und der unter ihm erscheinende Teil des Faltenrocks um ein weniges länger, aber immer noch sehr viel
kürzer, als er sonst meist auf den Benin-Platten und auf den deutschen Zeichnungen der Dürer-Zeit erscheint.

Die unter dem Faltenrock noch sichtbare »Schwimmhose« ist reich mit einer Art Flechtband und

Abb. 56.   Europäer mit Geldring, Stuttgart 5366, früher H. Bey 74.
Etwa ³/₈ d. w. Gr. (30 × 40 cm.)

einem Augenmuster verziert; die
eigentlichen Beinkleider, die fast
bis an die Knöchel reichen, haben
ein Rautenmuster mit je einem in
der Mitte eingepunzten Punkt, wie
es so oft auf den Kleiderstoffen
der »Benin-Europäer« erscheint,
das aber genau ebenso auch auf
vielen alten Buchdeckeln von Limoges gefunden wird — vgl. hier
Fig. 16 auf S. 20.   Abweichend
von den bisher erwähnten Europäern mit Geldringen trägt der
Mann keinen hohen Hut, sondern
einen niedrigen, wohl aus Blech
zu denkenden Helm. Er hat langes
Haupthaar und langen Kinnbart,
ist aber sonst im Gesicht rasiert.
Die Linke hält einen großen Geldring, die Rechte greift in den Bart.
In allen vier Ecken findet sich je
eine große Rosette.   Die Platte hat
unterhalb der Füße des Mannes
einen wenig störenden Gußfehler
und leichte Beschädigungen an der
linken oberen und linken unteren
Ecke, ist aber sonst von vorzüglicher Erhaltung.   Sie sowohl, als
die sofort zu beschreibende Wiener Platte sind mit der H. Bey-
Sammlung ursprünglich nach Berlin gelangt, aber von uns dann
an die befreundeten Museen überlassen worden.

Die Platte Wien 64735 ist
hier Fig. 57 abgebildet. Der Mann
trägt einen wohl aus Metall zu denkenden Helm mit ausgezackter Krempe, der an zwei Stellen mit kleinen
erhabenen Ringen verziert ist.   Das glatte Wams hat auf der linken Seite vier große, mit einem vertieften Kreise geschmückte Knöpfe.   Der bis über die Knie herabreichende Faltenrock ist anders
gemustert als wie die langen Ärmel und die kurzen Beinkleider.   Am Gürtel ist ein Hakenverschluß
angedeutet.   Jede der herabhängenden Hände hält einen Geldring.   Das Berliner Museum besitzt einen
Abguß dieser Platte, als III C. 8361.

Ganz schlecht ist London in dieser Gruppe vertreten.   Die hier Fig. 58 abgebildete Platte stammt
wohl aus einer späteren Erwerbung und ist bei R. D. daher nicht abgebildet.   Sie machte mir schon, als ich
sie in London zuerst sah, einen sehr minderwertigen Eindruck, und auch jetzt glaube ich, daß sie einer
wesentlich jüngeren Zeit angehört als die große Menge der übrigen Benin-Platten und vielleicht überhaupt

nur als moderne Nachbildung zu betrachten ist. Sie hat auch zahlreiche Gußfehler und ist nicht einmal im Gesicht sorgfältig überarbeitet. Nur die Behandlung des Untergrundes ist etwas weniger sorglos und erinnert noch an die gute alte Zeit. Sehr ungewöhnlich und so weit ich sehe ohne Analogie in der ganzen Benin-Kunst ist die Behandlung des Bartes durch ein System von sich kreuzenden Strichen. Der Mann hält, ähnlich wie auf der unserer Platte Taf. 5 D in der Rechten einen Stock und in der Linken einen Geldring, hat aber keinen Hut, sondern einen Helm.

Unter den sechs Platten, auf denen Leute mit Ringgeld dargestellt sind, sind zwei, eine der beiden Berliner und die Wiener Platte, auf denen die Leute in jeder Hand einen Geldring halten, auf der Platte P. R. wird nur in der Linken ein solcher Ring gehalten, auf den drei übrigen in der Rechten. Auf drei Platten haben die Leute sehr lange Faltenröcke, auf den drei anderen so kurze, daß darunter die »Schwimmhose« sichtbar wird. Auf drei Platten schließlich, auf den zwei Berliner und auf der von P. R., tragen die Leute hohe Hüte, auf den drei anderen niedrige Helme. Es ist bei der Beschreibung von Benin-Altertümern mehrfach angegeben worden, daß die Europäer mit Helmen Portugiesen, die mit Hüten Holländer seien, daß jene in das 16., diese in das 17. Jahrhundert gehören. Ich habe niemals einen zwingenden Grund für die Richtigkeit dieser Meinung erfahren. Insbesondere habe ich niemals einen wesentlichen Zeitunterschied zwischen den Platten mit Helmen

Abb. 57. Europäer mit zwei Stücken Ringgeld. Wien 64735, früher H. Bey 134. Abguß in Berlin III. C. 8361. Etwa ¹/₅ d. w. Gr. (30 × 48 cm.)

Abb. 58. Europäer mit Geldring, etwa ¹/₅ d. w. Gr. Brit. Museum; späte, ganz schlechte Arbeit.

und denen mit Hüten wahrnehmen können. Auch aus der Reihe von Platten mit Leuten, die Ringgeld tragen, läßt sich kein Anhaltspunkt für einen solchen Zeitunterschied ableiten. Die Londoner Platte muß ausscheiden, da sie vermutlich modern ist, aber die fünf anderen Platten gehören aus stilistischen Gründen durchaus in ein und dieselbe Zeit und können kaum um mehr als höchstens einige Jahrzehnte auseinanderliegen.

I. Europäer mit runden Scheiben.
[Hierzu Taf. VI B und die Abb. 59.]

Zu einer neunten Gruppe habe ich die Platten zusammengefaßt, auf denen Europäer dargestellt sind, die zwischen sich einen scheibenförmigen Gegenstand halten. Ich kenne nur zwei solche Stücke: eines in Berlin, das andere in Dresden. Das Berliner Stück III C. 7654 ist hier Taf. VI B abgebildet. Es zeigt zwei nahezu völlig gleich dargestellte Europäer, beide in Vorderansicht mit langem, glattem Wams, Faltenrock, langen Beinkleidern und mit Ärmeln, die bis an das Handgelenk reichen und in sonst der Benin-Kunst wohl fremder Weise mit runden, glatten Kreisen auf punktiertem Grunde verziert sind. Beide haben große, runde Helme, am Scheitel und an den Seiten mit kleinen, flachen Buckeln, zwischen denen sich beiderseits ein erhabener Längsstreifen von vorn nach hinten hin zieht. Beide Leute haben drei Köpfe auf ihrem Wams, und zwar diesmal nicht symmetrisch, wie etwa bei den Begleitern des Mannes auf Taf. VI D, sondern beide auf der linken Seite des Randes. Der rechtsstehende Mann trägt ein kurzes Schwert an einem von der rechten Schulter herabhängenden glatten Bande, der linksstehende hat einen kurzen, hornartigen Gegenstand am Gürtel befestigt. Das ist, soviel ich sehen kann, der einzige Unterschied zwischen diesen beiden Leuten. Sie halten zwischen sich je mit einer erhobenen Hand einen runden, scheibenartigen Gegenstand mit verziertem Rand und glattem, innerem Feld, vielleicht einen großen, importierten Messingteller. Zwischen den Füßen der beiden Leute befindet sich eine Rosette, und zwei solche haben auch die unteren Ecken der Platte ausgefüllt, von denen eine abgebrochen ist, aber an der Bruchfläche noch deutlich ihren alten Rand erkennen läßt.

Abb. 59. Zwei Europäer mit einer Scheibe oder flachen Schüssel? Dresden 13597, früher Webster, Kat. 29, 1901, Abb. 137. Der Grund mit Rädern. Vgl. Abb. 22 auf S. 30 und Abb. 35 auf S. 34.

Die Platte Dresden 13597 ist hier Fig. 59 abgebildet. Auch sie zeigt zwei Europäer, die mit erhobenen Händen eine Scheibe zwischen sich halten. Die beiden Leute sind in Vorderansicht dargestellt, nur ihre Köpfe sind einander zugewendet und fast in reiner Seitenansicht abgebildet. Sie tragen jeder ein glattes, langes Wams, vorn etwas weiter geöffnet als in Benin gewöhnlich, diesmal vollkommen symmetrisch, der eine mit fünf großen, runden Knöpfen auf dem linken, der andere mit ebensoviel auf dem rechten Rand. Hingegen hat der rechtsstehende Mann einen sehr langen, der linke einen ganz kurzen Faltenrock, unter dem noch die übliche »Schwimmhose« sichtbar ist. Der Grund der Platte ist nicht mit den für Benin sonst so bezeichnenden Blumensternen ausgefüllt, sondern mit dem sehr viel seltener vorkommenden Radmuster, genau wie auf der hier Fig. 35 abgebildeten Platte Leiden 1243/34. An jene Platte erinnern auch die so ganz eigenartig prognathen, und wenn ich einen Dialektausdruck gebrauchen darf, »verknautschten« Gesichter der beiden Leute. Es scheint mir durchaus sicher, daß jene Leidener und die Dresdener Platte von demselben Künstler herrühren.

J. Europäer ohne Waffen, Stöcke u. dergl.
[Hierzu Taf. 5 B und 6 A und C.]

Ganz ohne Attribute dargestellte Europäer kenne ich nur auf vier Platten, von denen sich drei in Berlin befinden, während die vierte aus der Berliner Sammlung (H. Bey 174) nach St. Petersburg vertauscht wurde. Die Berliner Stücke sind hier Taf. 5 B und Taf. 6 A und C abgebildet. Die erste von diesen, III C. 8359, zeigt in Vorderansicht einen Mann mit hohem Filzhut und glattem, anliegendem Wams mit kurzen Ärmeln. Unter dem Faltenrock ist eine glatte »Schwimmhose« sichtbar, und unter dieser kurze Beinkleider aus demselben Stoff oder mindestens in derselben Art mit abwechselnd glatten und punktierten Streifen verziert, wie der Faltenrock und die langen Ärmel. Das Wams ist durch einen breiten Gurt mit stark gewulsteten Rändern zusammengehalten; ein anderer Verschluß ist nicht dargestellt. Beide Ränder des Wamses zeigen je zwei nicht in gleicher Höhe liegende Knöpfe, ohne daß weiter eine Verschlußmöglichkeit angedeutet wäre. Ganz besonders auffallend sind an dieser Platte die drei großen, glatten, mit einem Randwulst gezierten Buckel an jeder der beiden Längsseiten. Sie sollen wohl Nagelköpfe darstellen, sind aber schon von vornherein mit der übrigen Platte gegossen.

Die zweite Berliner Platte, III C. 8366, Taf. 6 A, zeigt zwei durchaus bis in alle Einzelheiten gleichgekleidete Männer in Vorderansicht mit Helmen, langem Kinnbart und sonst rasiertem Gesicht. Der eine faßt mit der Rechten die linke Hand des andern, während die beiden freien Hände mit den Fingerspitzen vorn in das Wams gesteckt sind. Auch bei dieser Platte geht, wie auf der Taf. 6 D abgebildeten, die Symmetrie so weit, daß der eine Mann seine Wamsknöpfe auf der rechten, der andere auf der linken Seite hat.

Sehr viel bewegter ist die dritte Berliner Platte III C. 8363, Taf. 6 C. Leider ist sie stark beschädigt, doch ist immerhin noch soviel von ihr erhalten, daß nichts Wesentliches vermißt wird. Sie zeigt zwei Leute in fast reiner Seitenansicht, die sich in freundlicher Weise begrüßen, wobei der rechtsstehende Mann mit seiner Linken allerdings nicht die Hand, sondern den Oberarm des andern zu ergreifen scheint, während er mit der Rechten seinen breitkrempigen Hut tief gesenkt hält. Die rechte Hand des andern Mannes ist mit dem ganzen Vorderarm abgebrochen, vermutlich hat auch sie einen ähnlichen Hut festgehalten. Beide Leute tragen am Kopf anscheinend noch eine ganz eng anliegende Haube mit einem leicht gewulsteten Rand, wohl das, was man um jene Zeit in Süddeutschland ein Hirnhäubel zu nennen pflegte.

Die glatten Wämser haben, was sonst in Benin nur sehr selten zur Beobachtung kommt, eine Art von niederem Stehkragen, der leicht gewulstet und unter dem Rand mit einer Reihe eingeschlagener Kreise verziert ist. Von dem kurzen Wamsärmel des rechtsstehenden Mannes hängt hinten ein langer, breiter Lappen herunter, der uns in sehr erfreulicher Weise das Verständnis der etwas längeren, bandartigen Streifen auf den beiden am Schluß des Abschnittes D, S. 41, beschriebenen und Fig. 45 und 46 abgebildeten Platten des Mannes mit den fünf Geldringen erleichtert.

In der Mitte des oberen Randes der Platte, noch etwas zwischen die Köpfe der beiden Männer herabreichend, ist eine große, sechsteilige Rosette angebracht. Eine andere, etwas kleinere ist am linken Rand erhalten; ihr entsprach sicher auch eine auf dem fehlenden rechten Rande. Die Platte ist uns in zwei getrennten Bruchstücken zugegangen, die wir erst hier aneinandergefügt haben. Mehrere ausgedehnte Gußfehler lassen an die Möglichkeit denken, daß die Platte als mißlungen absichtlich zerbrochen wurde, und daß die zum Wiedereinschmelzen bestimmt gewesenen Stücke nur durch einen ganz besonders glücklichen Zufall auf uns gekommen sind.

Auch die jetzt in St. Petersburg befindliche Platte, früher H. Bey, 174, ist stark beschädigt; dem in seiner Vorderansicht dargestellten Manne fehlen die Beine und ein Teil des Faltenrockes; auch der ganze obere Rand der Platte ist weggebrochen; doch ist der mit einem flachen Topfhelm bedeckte Kopf noch wohl erhalten. Das Gesicht ist bartlos, lang oval, sehr groß, von langem, schlichtem Haupthaar eingerahmt; beide Vorderarme sind leicht erhoben, die Hände jederseits an den Rand des nicht ganz geschlossenen glatten Wamses angelegt. Unterhalb der rechten Schulter ist ein so ausgedehnter Gußfehler, daß man daran denken könnte, die Platte sei absichtlich zerbrochen worden.

K. Reitender Europäer.
[Hierzu Abb. 60 und 61.]

Die einzige bisher bekannt gewordene Benin-Platte mit der Darstellung eines reitenden Europäers ist in den Besitz von General Pitt-Rivers gelangt und auf Taf. 22 seines Buches als Fig. 129 abgebildet; nach dieser schon an sich sehr wenig befriedigenden Zinkätzung ist dann die nebenstehende Fig. 60 mechanisch reproduziert. Die in ihrer Art sehr bemerkenswerte Platte würde sicher eine gute Wiedergabe in Lichtdruck und in großem Maßstabe verdienen, die vorhandene Abbildung ist für die meisten Einzelheiten ganz unzureichend. Der in nahezu reiner Seitenansicht dargestellte Kopf macht fast den Eindruck von Porträtähnlichkeit; der Rumpf erscheint in reiner Vorderansicht, die Beine sind wiederum von der Seite gesehen. Anscheinend reitet der Mann auf europäische Art; es sieht wenigstens so aus, als würde das rechte Bein erst hinter dem Bauche des Tieres sichtbar; doch ist die Darstellung gerade an dieser Stelle der Platte besonders unbeholfen, und die Wiedergabe ist so ungenügend, daß es nicht möglich ist, mit voller Sicherheit zu erkennen, ob nicht vielleicht doch beide Beine auf derselben Seite des Tieres gedacht sind, wie das der Reitart der Eingeborenen entsprochen hätte. Der Reiter hat mit der Linken die Zügel gefaßt, mit der Rechten hält er einen kurzen Spieß (»ranseur«), der hier, Fig. 61, so gut wiederzugeben versucht ist, als die undeutliche Abbildung der Platte bei P. R. gestattet. Der Schaft ist wie torquiert gedrechselt und scheint in einen birnförmigen Knopf zu endigen; die langdreieckige Spitze hat an der Wurzel zwei sehr stark zurückgebogene, sichelförmige Haken.

Abb. 60. Europäer auf einem Maultiere (oder Pferde?) reitend; hinter ihm zwei Tiere, wohl Jagdgeparden. Repr. nach P. R. 129. »No tribal marks . . ., this figure does not appear to be negro.« Etwa ²/₉ d. w. Gr.

Abb. 61. Schematische Skizze des Speeres auf der in Fig. 60 abgebildeten Platte.

Das Reittier hat ein reich verziertes Zaumzeug mit flachen Ringscheiben und ein Kopfgestell aus Riemen und geflochtenen Schnüren. Als Zügel dient ein gedrehter Strick. Der Hals ist in seiner ganzen

Länge mit einem sehr breiten Bande aus gezöpften Streifen bedeckt, aus dem in geringen Abständen runde Schellen befestigt sind; nach unten hängt eine große, runde Glocke herab. P. R. meint, das Pferd scheine zu galoppieren, was nicht die in Benin übliche Gangart sei.

Hinter dem Tiere sind zwei kleine Katzen dargestellt, die wir trotz ihrer sehr kurzen Beine wohl als Jagdgeparden werden ansprechen müssen; sie schreiten nicht in der Richtung des Reiters, sondern sind mit dem Kopfe nach oben parallel zum rechten Seitenrande der Platte dargestellt, also »steigend« im Sinne der Heraldiker. Es würde an sich gewiß nahe liegen, diese auffallende Anordnung auf bloße Unbeholfenheit des Künstlers zurückzuführen, und ebenso wäre es vielleicht möglich, diese beiden Geparden als bloße »Beizeichen« aufzufassen, die ähnlich wie die Rosetten, Krokodilköpfe, Fische usw. nur in ganz losem oder gar keinem Zusammenhange zu der Hauptfigur stehen — es scheint aber eine besondere Eigenheit der Benin-Kunst gewesen zu sein, die großen Katzen »steigend« zu bilden. Im Kapitel 7 sollen gleich zu Anfang einige Platten beschrieben werden, auf denen Panther oder Leoparden dargestellt sind, die man zunächst ohne weitere Überlegung sicher als »schreitend« auffassen würde, aber diese Platten würden dann quer und nicht, wie alle anderen Benin-Platten, hoch sein. Außerdem haben die meisten breiteren Benin-Platten rechts und links einen umgebogenen Falz (vgl. z. B. hier die Abbildungen Taf. 4 D, 7, 9, 11, 17 D, 18 E usw.); niemals aber finden wir einen solchen Falz auf dem oberen oder dem unteren Rande, so daß über die richtige Orientierung jener Platten mit Panthern kaum ein Zweifel sein kann; ich werde auf dieses Verhältnis noch zurückkommen; hier mußte es nur angedeutet werden, um die Orientierung der beiden Katzen auf unserer Platte zu erklären.

L. Große Platte mit Jagdscenen.

[Hierzu Abb. 62.]

Völlig eigenartig und ohne jede mir bekannte Analogie ist die große Platte, III C. 27 485, die das Berliner Museum erst 1908, also 11 Jahre nach dem Fall von Benin, von H. E. Rogers in London erworben hat. Wo sie in der Zwischenzeit verborgen war, ist mir unbekannt geblieben. Sie zeigt auf dem üblichen Hintergrund aus gepunzten Blumensternen in einer Umrahmung, die durch eine Schlingpflanze gebildet erscheint, von der mehrfach Zweige und Äste in das Innere der Platte ragen, zwei große Raubtiere und fünf Europäer. Die beiden Tiere, von denen das eine etwas unterhalb der Mitte wagerecht nach rechts schreitet, das andere in der Nähe des oberen Plattenrandes, auch in reiner Seitenansicht nach links gewandt ist, sind untereinander nahezu vollständig gleich gebildet. Sie erinnern im allgemeinen an den typischen Panther oder Leoparden der Benin-Kunst, haben die gleichen großen Eckzähne, dieselben Schnurrhaare und dieselben blattartig geformten Ohren mit winklig gestellten Rippen. Aber sie haben in der Schultergegend und bis fast an die Zehen der Vorderfüße herabreichend eine starke, aus einzelnen, hakenartig geformten Haarbüscheln bestehende Mähne, und auch die Hinterbeine sind mit einer gleichartig behandelten Mähne dargestellt. Der Körper beider Tiere ist durchaus punktiert, aber die glatten, sonst kreisrunden Flecken sind durchweg zu dritt zusammengeflossen. Völlig eigenartig ist auch der Schweif, der bei beiden Tieren zwar, wie sonst häufig bei den Panthern der Benin-Kunst, schon gleich bei der Wurzel nach vorn umgebogen, aber an seinem Ende in höchst merkwürdiger Weise dreigeteilt ist. Dabei kann man unmöglich etwa an einen mißlungenen Versuch denken, eine Art Quaste darzustellen, wie bei einem Löwenschweif. Man wird vielmehr unwillkürlich an einen dreizehigen Vogelfuß erinnert; besonders bei dem oberen Tier sieht es in der Tat vollkommen so aus, als ob hier am Ende jeder dieser drei »Zehen« ein Endglied mit einer Kralle gebildet wäre. Das kann natürlich Zufall sein, aber man wird trotzdem sagen müssen, daß es solche Tiere, also Panther mit derart zusammenfließenden Flecken, mit Mähne an der Schulter und an den Beinen und mit einem dreiteiligen Schwanz nicht gibt, daß man es also mit bewußt als solchen dargestellten Fabeltieren zu tun hat.

Die fünf Europäer sind alle gleichmäßig nur in der Art der mehr erwähnten »Busti«, d. h. mit Kopf und Oberkörper wie aus Schlitzen in einem Vorhange herausragend, dargestellt. Alle fünf sind in voller Seitenansicht, die vier unteren nach rechts, nur der fünfte oberste nach links gewandt. Sie haben alle niedrige, mit großen, breiten Buckeln und mit je einer Feder geschmückten Helme, glattes Wams mit drei Knöpfen ohne Knopflöcher und etwas wie eine mißverstandene Gugel oder wenigstens ein Halstuch, dessen unterer Teil den Schultern aufliegt, dessen oberer vom Hinterhaupt bis zum Munde verlaufend, das ganze Kinn bedeckt, während zwischen diesen beiden Teilen das lange, schlichte Haupthaar herabhängt. Zwei von diesen Europäern haben kurze Hakenbüchsen, zwei andere halten in der rechten Hand je ein Schwert; nur der fünfte ist unbewaffnet. Dieser hält dafür mit der rechten Hand den Schweif des oberen Fabeltieres nahe an seiner Wurzel fest, während der zweite Europäer, der mit der Rechten ein Schwert hält, mit seiner Linken das linke Hinterbein desselben Tieres gefaßt hält. Das untere Tier wird in gleicher

Weise an seinem rechten Hinterbein von der linken Hand eines Mannes gehalten, dessen rechte ein Schwert trägt. Auch eine derartige Jagdübung ist unwirklich und fabelhaft.

Auf irgendeinen Versuch, diese Platte zu deuten, muß naturgemäß verzichtet werden. Es liegt aber nahe, zu denken, daß dem Künstler irgendwelche fabelhaften Tiere vorgeschwebt haben, die in einem Lianendickicht von gleichfalls fabelhaften Europäern lebend gefangen werden. Andererseits könnte man sich freilich auch vorstellen, daß die fünf Europäer einfach aus Platzmangel und um zugleich das Dickicht anzudeuten, in dem sie sich bewegen, in der Art der »busti« nur mit dem Oberkörper aus dem Hintergrunde emportauchen. Eine solche Auffassung würde auf die Entstehung der »busti« in der antiken Vasenmalerei ein bemerkenswertes Streiflicht werfen.

Abb. 62. Große Platte mit Jagdscenen. Berlin III. C. 27 485. Etwa ¹/₃ d. w. Gr. (38 × 55 cm.) Gewicht 8,3 Kil.

Anhangsweise sei hier noch ein kleines Bruchstück einer Platte erwähnt, das mir nur aus einem Katalog von Webster (29, 1901; Fig. 62 Nr. 11405) bekannt ist. Es zeigt eben nur den Kopf eines Europäers mit langen Haaren und mit einem ziemlich hohen, oben abgerundeten Hut und ein kleines Stück vom oberen Rand einer Platte. Der Katalog gibt die Höhe des Bruchstückes mit 9,5 cm an. Wo sich der Rest dieser Platte befindet, ist mir nicht bekannt.

Gleichfalls anhangsweise habe ich hier einige Platten zu erwähnen, die in verschiedenen englischen Auktionskatalogen mit Unrecht als »Europäer darstellend« bezeichnet wurden. So führt der Katalog von J. C. Stevens vom 10. April 1900 unter Nr. 112 eine Platte auf, die einen »Portugiesen mit Stab« darstellen soll. Es ist aber völlig sicher, das die Platte einen typischen breitnasigen Eingeborenen zeigt, mit dem charakteristischen, aus vielen Perlenreihen bestehendem Halsschmuck. Die Veranlassung, den Mann als Europäer zu deuten, bildete wohl der lange, anliegende, bis etwa über die Knie reichende, vorne geschlossene Rock; aber ein solches Kleidungsstück kommt mehrfach bei Eingeborenen, niemals aber bei den Europäern der Benin-Kunst vor. Außerdem läßt die mir vorliegende Photographie trotz ihrer Kleinheit mit voller Sicherheit erkennen, daß die ganze linke Hälfte des Rockes punktiert, die ganze rechte aber glatt gelassen ist. Ähnliches findet sich ab und zu bei Kleidungsstücken von Eingebornen, niemals

Abb. 63. Eingeborener mit Bart und mit ungewöhnlicher Haartracht; vergrößert nach einer Phot. im Auktions-Katalog von J. C. Stevens, 10. 4. 1900, Nr. 111. Dort als Portugiese bezeichnet. Dieselbe Platte ist auch bei Webster, 27, 84/82, als Nr. 9917 abgebildet; man erkennt dort sogar die drei Ziernarben über jedem Auge. Auch ist die Haartracht deutlicher wiedergegeben; sie entspricht etwa der auf der Platte Taf. 34 C. Etwa 1/5 d. w. Gr.

aber bei europäischen Kleidern. Freilich wird man hier an die allerdings höchst eigenartige Tracht holländischer Waisenmädchen denken müssen, die noch heute Kleider tragen, die zur einen Hälfte rot, zur andern Hälfte schwarz sind. Es ist nicht ganz ausgeschlossen, daß holländische Händler ein eingebornes Waisenkind in solcher Weise eingekleidet haben; aber auch ein anderer Zusammenhang wäre nicht ganz abzuweisen. Die nahen Ewhe kennen einen Dämon der Zwietracht, der mit einer zur Hälfte weißen, zur Hälfte roten Kopfbedeckung zwischen zwei Freunden hindurchgeht; diese geraten dann in Streit, weil der eine behauptet, daß die Kappe des Fremden weiß war, während der andere darauf besteht, sie rot gesehen zu haben.

Im selben Katalog von J. C. Stevens finden wir unter Nr. 111 eine andere Platte aufgeführt, deren Abbildung ich hier Fig. 63 reproduziere. Der Katalog bezeichnet sie als »Portuguese with beard«. Der Mann hat aber nackten Oberkörper mit der ganz typischen Benin-Tätowierung und ist mit den beiden echten und unverkennbaren Benin-Schurzen bekleidet. Allerdings hat er einen langen Kinnbart und eine Haartracht, die man bei der Undeutlichkeit der Wiedergabe am ehesten vielleicht mit der Perücke der englischen Richter vergleichen könnte; doch ist diese Ähnlichkeit sicher nur zufällig. Auch ist sein Gesicht um eine kleine Spur schmäler, als das von Eingebornen gewöhnlich dargestellt wird, aber die Nase ist breiter als der Mund, so daß sicher kein Grund vorliegt, den Mann für einen Europäer zu halten. Immerhin wirkt sein Gesicht und seine Haartracht so eigenartig, daß es mir richtig schien, eine Abbildung der Platte hier aufzunehmen.

Andere, im Handel als »Europäer darstellend« bezeichnete Platten verdanken diese Angabe lediglich dem Barte der dargestellten Leute; dem gegenüber genügt es, zu wissen, daß ab und zu auch Neger mit recht ansehnlichen Kinnbärten vorkommen, sowohl in Wirklichkeit, als, wie wir gelegentlich sehen werden, auch in der Benin-Kunst. Vermutlich handelt es sich dabei um einen Rest alter nordafrikanischer Blutmischung; aber solche Leute sind deshalb doch, sowohl nach ihren anderen anthropologischen Eigenschaften als auch nach ihrer sozialen Stellung, durchaus als Neger zu bezeichnen. Aus dem benachbarten Togo ist eine ganze Anzahl von Familien bekannt, die Bruce, Quist, van Lare, d'Almeida und andere, die wirklich etwas weißes Blut haben, und in denen häufig einzelne Männer durch ihren Bartwuchs, manchmal auch durch ungewöhnliche Intelligenz ausgezeichnet sind — aber niemand denkt daran, in ihnen etwas anderes zu sehen, als eben Neger. So werden wir also auch die Benin-Platten mit Darstellungen von bärtigen Negern da besprechen, wo sie allein hingehören, bei den Platten mit Eingebornen.

M. Platten mit Köpfen von Europäern.
[Hierzu die Abb. 64—66.]

Auf vier Platten sind Köpfe von Europäern dargestellt. Drei von diesen Platten sind im Brit. Museum; die vierte, anscheinend nur zur Hälfte erhalten, ist in den Besitz von Pitt-Rivers gelangt. Nach dem

Kontinent scheint keine einzige dieser eigenartigen und mit besonderer Sorgfalt hergestellten Platten ihren Weg gefunden zu haben. Die drei Stücke des Brit. Museums sind hier, Abb. 64—66, nach R. D. verkleinert wiedergegeben; doch sei ausdrücklich auf die Originale oder wenigstens auf die Abbildungen bei R. D. verwiesen, die manche Einzelheit deutlicher erkennen und die ungewöhnliche Schönheit der Stücke besser würdigen lassen, als die kleinen Abbildungen, die hier nur der wissenschaftlichen Vollständigkeit wegen gebracht werden. Von der ersten der Londoner Platten gibt es übrigens eine große und sehr gute Zinkätzung im »Globus« Bd. 72, 1897.

Die Platte hatte damals noch die Nummer 79 als eine der rund 300 Platten, die Sir Ralph Moor nach London gesandt hatte. Das Zinko ist, wie mir der Verlag mitteilt, mit den übrigen alten Zinkstöcken eingeschmolzen worden, sonst würde ich es hier zum Abdruck bringen. Von der vierten Platte, P. R. 289, ist, wie ich annehme, nur die obere Hälfte erhalten; sie dürfte ursprünglich gleich den hier Fig. 64 und 66 abgebildeten Londoner Platten, zwei Köpfe, einen über dem anderen, gezeigt haben. Sämtliche Köpfe auf diesen Platten sind in genauer Vorderansicht dargestellt, ohne die geringste Andeutung des Halses oder einer Aufhängevorrichtung.

Auf der ersten der drei Platten des Brit. Museums, hier Fig. 64, sehen wir übereinander zwei unter sich nahezu vollständig gleichartige Köpfe mit spitzovalem Gesicht, langem und fast kreisrund geschnittenem Kinnbart und mit starkem, derart in diese Rundung eingepaßtem Schnurrbart, daß man beim ersten Anblick unwillkürlich an einen italienischen Türklopfer erinnert wird. Die Backengegend ist rasiert. Die Kopfbedeckung macht den Eindruck eines leicht dreifach gelappten Metallhelmes mit schmaler wag-

Abb. 64 bis 66. Platten mit Köpfen von Europäern, nach R. D. XIII, 1 bis 3.
Etwa ¹/₆ d. w. Gr.

rechter Krempe und mit flachen kreisrunden Buckeln. Unter dem Helm ist eine Art Stirnband sichtbar, aber es verläuft nicht über, sondern unter dem lang herabhängenden schlichten Haar, so daß man wiederum, ähnlich wie bei den hier, S. 38 erwähnten Platten auf die Vermutung kommen könnte, als wären die beiderseits vom Helm herabhängenden längsgestreiften Massen überhaupt gar nicht als Haupthaar aufzufassen, sondern als zum Helm gehörige Schutzklappen. Ein ganz gleichartiges Stirnband ist auch auf dem Kopfe der Platte P. R. 289 dargestellt. Da ist aber das Verständnis noch dadurch ganz besonders erschwert, daß die beiderseits unter dem Helm herabhängenden, gewöhnlich als schlichtes Haupthaar gedeuteten Massen sich in der Mitte der Stirne berühren, was an sich gegen die Auffassung als Wangenschutzklappen sprechen würde. Andererseits sind die »Haare« ganz deutlich über das Stirnband hinwegziehend dargestellt. Das Gesicht dieses Mannes ist auffallend hoch und schmal.

Die hier Fig. 66 abgebildete Platte zeigt zwei ganz ähnliche Köpfe; nur sind sie nicht mit Helmen, sondern mit wohl aus Filz zu denkenden Hüten bedeckt.

Die dritte Londoner Platte (Fig. 65) zeigt nur einen Kopf, mit einem Helm, der ungefähr an die von Fig. 64 erinnert, aber nur ganz undeutlich gelappt und in der Mitte auch auf jeder Seite nicht mit erhabenen Buckeln, sondern mit eingepunzten konzentrischen Kreisen verziert ist. Oben und unten ist rechts und links je die Hälfte eines großen Stückes Ringgeld dargestellt. Es muß offen bleiben, ob da nur eine bizarre Künstlerlaune vorliegt, oder ob nicht wirklich auch halbe Geldringe im Handel waren, wofür ja gerade aus Afrika vielfache Analogien vorliegen würden.

Die wichtigste Frage, die sich angesichts dieser vier Platten mit Köpfen von Europäern aufdrängt, ist sicher die, ob sie als Portraits von Lebenden zu betrachten sind oder etwa als abgeschlagene Köpfe. Es ist klar, daß eine sichere Beantwortung dieser Frage von unmittelbar geschichtlichem und kulturhistorischem Interesse wäre, weil sie uns einen monumentalen Aufschluß über das wirkliche Verhältnis geben würde, in dem die Europäer des 16. Jahrhunderts zu den Eingebornen von Benin standen. In der Regel nimmt man, und ich glaube eigentlich mit Recht an, daß dieses Verhältnis im allgemeinen freundschaftlich und ungetrübt war. Es gibt aber einige Benin-Altertümer, die anscheinend auch einen anderen Schluß zulassen. Zunächst käme da die hier Taf. 82 abgebildete große Berliner Gruppe III C. 8168 in Betracht; sie zeigt einen mit einer Kette gefesselten Eingebornen, auf den ein in sehr kleinem Maßstab geformter Europäer mit einer Flinte anlegt. Diese Gruppe macht durchaus den Eindruck, als ob sie zeigen wolle, was für ein elender kleiner Kerl eigentlich dieser Europäer sei, der seine Macht in solcher Weise gegen einen der Großen des Landes mißbrauche. Ebenso ist es zum mindesten auffallend, daß viele der Europäer, die als »Busti« in den Ecken von Platten mit Eingebornen dargestellt sind, aus einem Kruge trinken, als ob man sie als Trinker, ja man kann wohl sagen, als Betrunkene, kennzeichnen wollte. Diese Auffassung wird noch bestärkt durch die ganz eindeutige Darstellung auf dem Deckel einer Elfenbeinbüchse, die hier in Kapitel 55 abgebildet werden soll. Da ist zu sehen, wie zwei betrunkene Europäer handgemein sich am Boden wälzen und wie zwischen ihnen die unverkennbare vierkantige holländische Schnapsflasche liegt. Es scheint mir schwer, gerade diese Darstellung mit der Annahme besonderer Freundschaft und Hochschätzung der Eingebornen den Europäern gegenüber in Einklang zu bringen. Anderseits sind freilich auf mehr als einem halben Hundert Platten Europäer anscheinend in würdiger oder mindestens in nicht gehässiger Weise dargestellt.

Über die Art der Verwendung der vier Platten mit Köpfen von Europäern kann kaum ein Zweifel bestehen. Auf unserer hier Taf. 40 abgebildeten Platte III C. 8377, die sicher einen der Eingänge in den königlichen Palast zeigt, sind vier Pfeiler dargestellt, die das Vordach tragen. Auf jedem dieser Pfeiler befinden sich vier Köpfe von Europäern. Sie sind nicht entfernt so schön und sorgfältig modelliert und ziseliert wie die großen Köpfe auf den Platten, aber das liegt am Maßstab und vielleicht auch daran, daß diese Platte einer etwas späteren Zeit angehört, als wie die Platten mit den großen Köpfen. Jedenfalls liegt es nahe, bei diesen Köpfen an unsere Platten zu denken und sich vorzustellen, daß an einem der Palasteingänge, vielleicht etwa an dem für Europäer bestimmten, Bronzeplatten mit Europäerköpfen befestigt waren. Bedenklich ist bei dieser Auffassung allerdings, daß zwischen den Köpfen nichts sichtbar wird, was man irgendwie als Trennung zwischen einzelnen Platten auffassen könnte. Dafür scheinen mir nur zwei Möglichkeiten einer Erklärung vorzuliegen: entweder hat der Künstler vergessen, die Trennungsstriche zwischen den einzelnen Platten anzubringen, oder aber die Köpfe sind nicht als auf Platten befindlich zu denken, sondern als direkt auf den Pfeilern befestigt — dann also wohl nicht als gegossene, sondern als wirkliche, abgeschlagene Köpfe. Das Brit. Museum besitzt eine der unseren im großen und ganzen sehr ähnliche, gleichfalls einen Palasteingang darstellende Platte, mit völlig gleichartiger Architektur und mit der gleichen Staffage von zwei bewaffneten Wächtern und zwei Läufern. Auf den Pfeilern aber sind nicht Köpfe, sondern je vier ganze Figuren dargestellt, die ganz ohne jeden Zweifel als richtige Bronzeplatten aufzufassen sind und Eingeborne darstellen. Man erkennt deutlich Leute mit einer mitraförmigen Kopfbedeckung, Höckrige mit Stäben, Leute mit Trommeln usw., so daß wirklich auf jedem dieser vier Pfeiler je vier richtige Benin-Platten anzunehmen sind. Nun sind aber auch zwischen diesen Platten Trennungsstriche nicht vorhanden. Ein anderer Grund, der gegen eine Auffassung unserer Köpfe als abgeschlagene zu sprechen scheint, ist das Fehlen jeder Andeutung einer Schnur, an der sie etwa aufgehängt sein könnten. Auch daß sie alle ausnahmslos mit Helmen bedeckt sind, wäre zum mindesten sehr auffallend, da man doch mit einiger Sicherheit annehmen könnte, daß von abgeschlagenen Köpfen auch die Helme abfallen. Weniger entscheidend für unsere Frage ist vielleicht die Tatsache, daß alle diese Köpfe ohne Ausnahme, die großen auf den einzelnen Platten sowohl, wie die kleinen auf den Pfeilern in genauer Vorderansicht gebildet sind. Auch das scheint ja zunächst dafür zu sprechen, daß es sich um Köpfe von Lebenden handelt, da man sich wohl niemals mit abgeschlagenen Köpfen die Mühe gibt, sie in genauer Vorderansicht zu orientieren, aber dieses Argument verliert an Gewicht, wenn man bedenkt, daß es dem eingebornen Künstler offenbar unendlich viel leichter fällt, solche Köpfe in genauer Vorderansicht zu bilden, als in irgendwelchen anderen Ebenen, wie sie sich beim Aufhängen von abgeschlagenen Köpfen notwendig einstellen müßten. In diesem Sinne war ich in meinem Ms. von 1898 zu der Annahme gelangt, daß es sich bei diesen vier Platten um Köpfe von Enthaupteten handeln dürfte. »Wir wissen aus zeitgenössischen Berichten«, heißt es da wörtlich, »daß die Beziehungen der Eingebornen zu den fremden Kaufleuten nicht immer freundlicher Natur waren, und auch aus einigen der jetzt bekannt gewordenen Benin-Altertümer geht hervor, daß die Benin-Leute oft mit Haß und Verachtung auf die weißen Wilden herabblickten und auch herabzublicken berechtigt waren. Die Annahme, daß auf diesen Platten die Köpfe von Enthaupteten gleichsam als dauernde Trophäe dargestellt wurden, hat deshalb viel für sich.« Jetzt, 18 Jahre später, möchte ich mich weniger schroff aussprechen. In portugiesischen und vielleicht auch in holländischen Archiven mögen sich wohl Berichte erhalten haben, aus denen wir sicheren Einblick in diese Verhältnisse gewinnen könnten — einstweilen wird man nach den jetzt bekannten Denkmälern sich dahin entscheiden dürfen, daß es sich um Portraits von Lebenden handelt und nicht um abgeschlagene Köpfe. Maßgebend für diese Auffassung scheint mir vor allem das Fehlen der Trennungsstriche zwischen den ganz einwandfreien Platten auf der Londoner Darstellung eines Palasteinganges. Ohne die Kenntnis dieses gerade wegen seiner Ähnlichkeit mit dem Berliner doppelt wichtigen Stückes würden wir zu einem non liquet gelangen müssen.

2. Kapitel.

Platten mit je einem Eingeborenen.

[Hierzu die Tafeln 7 bis 43 und die Abb. 67 bis 370.]

Unter den rund 2400 bisher überhaupt bekannt gewordenen Benin-Altertümern befinden sich über 700 Platten und fast die Hälfte von diesen, 322, also mehr als ein Siebentel, genauer 13,4% der Gesamtzahl von Benin-Altertümern besteht aus Platten, auf denen je ein Eingeborener dargestellt ist. Daß diese große Zahl hier aus rein formalen Gründen in ein einziges Kapitel zusammengefaßt wird, erscheint vielleicht unzweckmäßig und jedenfalls unlogisch, wenn man sieht, daß einige andere Kapitel dieses Buches sich im ganzen nur mit zwei oder drei Stücken beschäftigen. So mag dieses Kapitel wohl zwanzig- und dreißigmal umfangreicher ausfallen, als manches andere, aber es wird in übersichtlicher Weise von vornherein in einzelne Abschnitte zerlegt werden; auch wird später durch ein möglichst vollständiges Register dafür gesorgt sein, daß die einzelnen Platten im Texte leicht aufgefunden werden können.

Außerdem aber soll, um bei der Beschreibung die sonst unvermeidlichen Wiederholungen zu vermeiden, zur Ersparung von Raum und Zeit eine Reihe von allgemeinen Bemerkungen vorausgesandt werden, die sich nicht nur auf Tracht und Bewaffnung der Eingeborenen beziehen, sondern auch einige Eigenschaften der Platten als solche behandeln. Dabei beginne ich mit der

Größe der Platten.

Schon bei der Beschreibung der Tafeln mit Europäern waren uns deren stark wechselnden Dimensionen aufgefallen; entsprechend der wesentlich größeren Zahl der Platten mit Darstellungen von Eingeborenen sind da die Schwankungen noch ungleich größer. Zwar habe ich nicht für alle einzelnen, in den auswärtigen Sammlungen befindlichen Platten ganz genaue Größenangaben, aber ich glaube, daß mir keine nach der einen oder der anderen Richtung extremen Maße entgangen sein dürften; so kann ich sagen, daß die Breiten der Benin-Platten zwischen 16 und 40 cm schwanken und ihre Höhen zwischen 27 und 55. Ebenso wechselnd ist auch das Verhältnis zwischen Breite und Höhe der einzelnen Platten; mehrere sind nahezu quadratisch; unsere schöne Platte III. C. 8370, Taf. 31 B, scheint ursprünglich sogar etwas breiter als hoch gewesen zu sein; doch sind ihre Ränder leider so beschädigt, daß darüber kein ganz sicheres Urteil möglich ist. Die meisten Platten aber sind wesentlich höher als breit; dabei schwankt das Verhältnis genau so stark, wie etwa in irgendeiner Sammlung moderner Bilder; Proportionen, die sich um 2 zu 3 oder um 3 zu 4 gruppieren, scheinen zu überwiegen, aber auch ganz schmale und verhältnismäßig sehr hohe Platten kommen ab und zu vor. So hat unsere Platte III. C. 8261 auf Taf. 18 (Mann mit hohem geflochtenen Helm) 19,5×48,5 cm und unsere Platte III. C. 10 880 auf Taf. 31 (Mann mit Schwert und Bogen) gar nur 16 cm auf 44,5, so daß bei diesen zwei Platten die Breite etwa 40 und 28% der Höhe beträgt. Ob für solche extreme Verhältnisse bloße Künstlerlaune als Ursache anzunehmen ist, oder die Notwendigkeit, eine durch äußere Umstände bestimmte Fläche auszufüllen, läßt sich kaum entscheiden. Wir wissen, daß die Platten zunächst zur Verkleidung von Pfeilern gedient haben; doch ist nicht ausgeschlossen, daß vielleicht einmal auch eine ganze Wandfläche mit ihnen bedeckt wurde. Im ersten Falle muß ihre Breite von der Dicke der Pfeiler abhängig gewesen sein; im zweiten mag manchmal der Wunsch bestanden haben, eine bestimmte Fläche restlos zu bedecken. An einen solchen Wunsch könnte man z. B. gerade bei der zuletzt erwähnten Platte (III. C. 10 880) denken, bei der ober- und unterhalb der Figur des Bogenträgers noch so viel leerer Raum vorhanden ist, daß der Künstler das Bedürfnis hatte, ihn durch Anbringung je einer großen Rosette weniger auffallend erscheinen zu lassen.

Daß ganz große Platten in zwei Hälften gegossen wurden, ist bereits S. 14 erwähnt worden; eine dieser Platten, die einen Europäer darstellt, ist S. 40 abgebildet, die zweite, die vermutlich ein Gegenstück zu ihr bildet und uns einen Eingeborenen mit mitra-förmiger Kopfbedeckung zeigt, wird in Abschnitt L dieses Kapitels besprochen werden. Beide Platten sind rund 37 cm breit und 76 cm hoch.

Ebenso wie Breite und Höhe ist auch die Dicke der Platten sehr schwankend; im allgemeinen wächst mit der zunehmenden Größe der Fläche auch die Dicke; doch fallen manchmal recht große Platten durch geringe Dicke auf und umgekehrt. In einzelnen Fällen scheint es, als ob durch mangelhafte Sicherung des Gußkernes die Platte dicker geraten wäre, als eigentlich beabsichtigt gewesen; jedenfalls sind mir mehrfach Platten von besonderer Dicke aufgefallen, bei denen die »Speise« nicht gereicht hatte, so daß große glattrandige Defekte in der Gegend der Eingußstelle vorhanden sind. Die meisten Platten sind gegen 3 mm dick, andere kaum 2; bei manchen Stücken erreicht die Stärke aber 9 und 10 mm. Mit zunehmender Dicke steigt natürlich auch das Gewicht rasch an; so können auch mittelgroße Platten 5 kg und darüber wiegen.

Auf S. 14 ist bereits erwähnt, daß manche Platten auf beiden Längsseiten, also rechts und links, einen rechtwinklig abgebogenen Falz haben. Auch dieser ist stets sorgfältig geglättet und trägt immer ein einfaches Flechtband. Es ist klar, daß aus der Breite zwischen den Falzen auf die Stärke der Pfeiler geschlossen werden kann. Die Erwartung, daß diese sehr gleichmäßig war, trifft indes nicht zu. Ich habe Aufzeichnungen über die »innere Plattenbreite« von 59 gefalzten Stücken der Berliner Sammlung; am häufigsten, bei 22 Stücken, findet sich zwischen den Falzen eine, auf ganze Centimeter abgerundete Breite von 29 cm; eine solche von 28 cm ist zehnmal, eine von 30 cm siebenmal vertreten; fünfmal wurden 33 cm gemessen und je viermal die Breiten von 38 und 39 festgestellt; 31 und 34 cm sind je zweimal, 32, 36 und 37 cm sind nur je einmal vertreten.

Die Rückseite der Platten

ist niemals glatt; immer ist, wie S. 15 angedeutet, die Figur hohl gegossen, so daß jede Platte auf der Kehrseite eine Höhlung zeigt, die den rohen Umrissen der Figur entspricht; es wurde also, ehe mit dem Auftragen des Wachsmodelles auf die glatte Grundfläche begonnen wurde, noch ein Kernstück aufgelegt. Davon ist man auch bei ganz kleinen und flachen Figuren kaum jemals abgewichen. Hingegen war bei den kleinen Beizeichen (Rosetten, Krokodilköpfen, Halbmonden, Fischen usw.) die Technik schwankend; manchmal sind sie ohne Kern nur im Wachsmodell geformt worden, so daß ihnen auf der Kehrseite der Platte keine Vertiefung entspricht; meist aber sind auch sie hohl. Die Wiener Sammlung besitzt eine Platte (Nr. 64 660), auf der unten die Rosetten hohl gegossen sind, während oben ein Halbmond nur im Wachsmodell geformt war. In Kap. 65, das von den Beizeichen handelt, werde ich auf diese Platte noch zurückkommen; im übrigen gelangen derartige kleine Willkürlichkeiten nur selten zur Beobachtung, da die Platten meist nur von vorne betrachtet werden können und weil ihre Hinterseite bei der üblichen Art der Aufstellung in der Regel auch selbst den eigenen Beamten der betreffenden Sammlung nur mit unverhältnismäßigem Aufwand von Zeit und Mühe sichtbar gemacht werden kann.

Aus diesem Grunde sind wir auch über eine andere Einzelheit, die auf der Kehrseite mancher Platten beobachtet werden kann, nur ganz mangelhaft unterrichtet. Unter den insgesamt 209 Platten der Berliner Sammlung haben 22 auf der hinteren Fläche, unabhängig von den durch die Kernstücke bedingten Vertiefungen, noch allerhand in erhabenen Linien gebildete Zeichen; einmal habe ich das auf der Platte Fig. 67 vorhandene Flechtband gesehen; sonst kenne ich nur einfachere Zeichen. So ist Fig. 68 eine schematische Skizze der Kehrseite unserer Tafel III. C. 8479 wiedergegeben, deren vordere Fläche auf Taf. 47 D abgebildet ist; da sieht man neben der großen Vertiefung für die Schlange selbst und den vier kleineren für die ungefähr halbkugeligen Erhöhungen in den Ecken, noch beiderseits von der Schlange, parallel mit den Langseiten der Platte, je eine lange erhabene Linie von etwa 1 mm Breite und Höhe. Ganz ähnliche Linien kommen auch auf den Platten III. C. 8446 und 8279 vor; wahrscheinlich waren sie auch auf der Platte III. C. 8395, deren Rand freilich auf einer Seite abgebrochen ist. Nur auf einer Langseite findet sich eine solche gerade Linie bei der Platte III. C. 8390, während wir auf der Platte III. C. 8401 nur eine wagerechte Linie am unteren Rande der Platte finden.

Abb. 67 a, b. Vorder- und Hinteransicht einer Beninplatte. Etwa ¹/₃ d. w. Gr.

Eine unregelmäßige Kreislinie wie in Fig. 69 kommt auf zwei Platten vor, und auf je einer habe ich einen konzentrischen Kreis (Fig. 70), eine Schwertklinge (Fig. 71) und die nicht zu deutenden Zeichen gesehen, die hier als Fig. 73 und als Fig. 74 abgebildet sind. Auf sieben Platten finden sich Zeichen von der Art der Fig. 77 bis 80 abgebildeten. Ich vermute, daß sie als menschliche Arme aufzufassen sind; jedenfalls finden sich ganz ähnliche Zeichen sehr häufig unter den Verzierungen der Lendenschurze, auf die wir in einem anderen Zusammenhang, S. 63, noch zurückkommen werden; da sieht man alle möglichen Übergänge von wirklichen Armen bis zu bumerangähnlichen Figuren. Die Vorstellung freilich, daß, wie bei Fig. 78, Finger, und noch dazu teilweise überzählige, auch an das Schulterende des Armes gesetzt werden, oder daß ein Ding, wie ein Steckkamm, mit sechs Zähnen (Abb. 79), einen menschlichen Arm vorstellen soll, wird den meisten Laien einfach grotesk erscheinen; nur der Fachmann, dem ähnliche Entwicklungsreihen aus dem Formenschatz primitiver Völker bekannt sind, wird begreifen, daß man bei diesen Zeichen an die Möglichkeit denkt, sie auf einen menschlichen Arm zurückzuführen. In vier Fällen sind diese Zeichen mit der konkaven Seite nach unten angebracht; auf einer Platte findet sich das Zeichen doppelt vor, eines auf jeder Längsseite und mit der konkaven Seite nach außen orientiert; auf einer sechsten Platte erscheint es zweimal und auf einer siebenten einmal nach oben gewendet. Das vielleicht einer Pfeilspitze zu vergleichende Zeichen Fig. 81 findet sich auf zwei Platten und der Pfeil Fig. 82 auf einer.

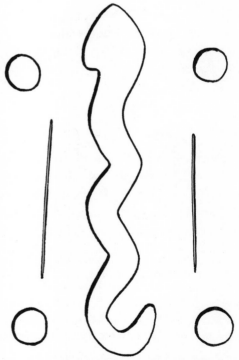

Abb. 68. Schematische Ansicht der Rückseite von Platte III. C. 8479; für die Bildseite vgl. Taf. 47 D.

8*

Die Art der Platten, auf denen diese Zeichen gefunden werden, ergibt sich aus der Beschriftung der Abbildungen. Es erscheint mir nicht möglich, einen Zusammenhang zwischen der Darstellung auf der Vorderseite und den Zeichen auf der Hinterseite zu finden.

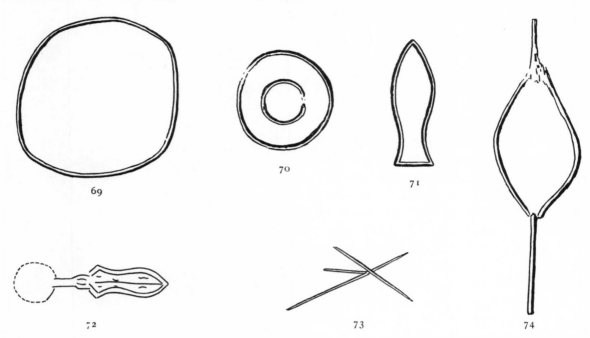

Abb. 69 bis 71 und 73, 74. Künstlerzeichen(?) oder Versatzmarken(?) auf der Hinterseite der Platten III. C. 8353 (Europäer, Taf. 6 D), III. C. 8435 (Krokodil, Taf. 36 A), III. C. 8454 (Glocke, Taf. 49 H), III. C. 7656 (Europäer mit Ringgeld, Taf. 5 C) und III. C. 8389 (Eingeborener mit Querhorn, Taf. 39 B). Abb. 72. Eingepunzte Marke in der Form eines Zeremonialschwertes (*ebere*) auf der Hinterseite eines schildförmigen Anhängers III. C. 9953, mit einer Frau, die eine Glocke schlägt. ¹/₁ d. w. Gr.

Vielleicht wird jemand, der über die Personennamen im heutigen Benin oder über das Vorkommen von Versatzmarken bei den Handwerkern dort und in der Nachbarschaft unterrichtet ist, sich einmal über diese Zeichen äußern; ebenso wäre es vielleicht lohnend, die Kehrseiten der Platten in den anderen Museen daraufhin zu untersuchen; einstweilen müssen wir uns auf die bloße Feststellung dieser Zeichen

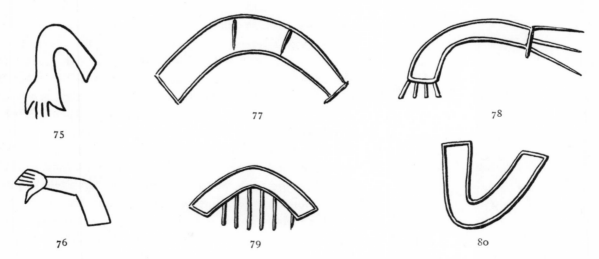

Abb. 75 und 76. Stilisierte Arme, eingepunzt auf Lendentücher der Platten III. C. 8402 (Mann mit Glocke, Taf. 38 A) und III. C. 8279 (Mann mit Rassel, Taf. 39 A). Abb. 77 bis 80. Stilisierte Arme von der Hinterseite der Platten III. C. 8427 (Ibis, Taf. 45 E), III. C. 8415 (Mann mit Stab, Taf. 18 D), III. C. 8432 (Krokodilkopf, Taf. 46 F) und III. C. 8214 (Eingeborener mit Quer-horn, Taf. 39 C). W. Gr. B. Ankermann delin.

beschränken und können allenfalls noch die Möglichkeit andeuten, sie als Künstlerzeichen oder etwa als Versatzmarken zu betrachten.

In diesem Zusammenhang mag noch erwähnt werden, daß zwar nicht auf Platten, aber auf den schildförmigen Anhängern, die im Kapitel 29 beschrieben werden sollen, verhältnismäßig häufig auf

der Kehrseite ein schwertförmiges Zeichen gefunden wird, wie eines hier, Fig. 72, zum Vergleiche abgebildet wurde. In allen, mir bekannten Fällen ist es aber auf das fertig gegossene Stück nachträglich
eingepunzt worden, erscheint also vertieft, während auf den großen
Platten die oben beschriebenen Zeichen ausnahmslos mitgegossen
sind und erhaben erscheinen.

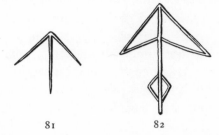

Helme und andere Kopfbedeckungen, Schwerter, Bogen, Stäbe
und Stöcke aller Art, Musikinstrumente, Rasseln, Klappern u. dgl.,
auffallende Haartrachten und ungewöhnliche Kleidungsstücke werden
in besonderen größeren Abschnitten dieses Kapitels behandelt werden,
da sie sich vorzüglich zum Ausgange für die Teilung der Platten in
verschiedene Gruppen eignen; hier seien vorweg nur einige ganz
typische, immer wiederkehrende Dinge besprochen, damit sie später,
im weiteren Texte, nur mit kurzen Schlagworten bezeichnet werden
können, so die Tätowierung, die Schurze, die Gürtel, die Panzer, die
Speere, die Schilde, die Haartracht, der Halsschmuck und die Zierperlen.

81   82

Abb. 81 und 82. Pfeilspitze (?) und Pfeil,
Künstlerzeichen (?) oder Versatzmarke (?)
von der Hinterseite der Platten III. C. 8372
(Zwei Eingeborene mit befiederten Schurzzipfel, Taf. 27 C) und III. C. 8394 (Krieger
mit Speer und Schild, Taf. 8 B). W. Gr.
B. Ankermann delin. 1898.

Die typische Tätowierung

der Benin-Leute des 16. Jahrhunderts besteht im wesentlichen aus je drei senkrechten Ziernarben über
jedem Auge und aus fünf langen, dünnen Streifen am Rumpfe. Für die Narben an der Stirne sind die
Tafeln 22, 26, 28, 32, 33, 35, 36, **37**, 38 und 41 zu vergleichen und verschiedene Abbildungen im
Texte dieses Kapitels sowie die Köpfe auf Taf. 59, 61 B u. C usw. Es zeigt sich, daß sie manchmal ein
bißchen länger, manchmal etwas kürzer sind, einmal näher dem inneren, ein anderes Mal näher dem
äußeren Augenwinkel, bald dicht aneinander, bald etwas mehr voneinander entfernt stehen, bald etwas
dicker, bald etwas dünner, hier rechteckig, dort eher spindelförmig, immer aber so durchaus charakteristisch sind, daß sie als ein ganz sicheres Kriterium der Benin-Leute gelten können — selbst dann, wenn die
Anzahl der einzelnen Narbenstriche von der Regel abweicht; so zeigt die hier Fig. 84 abgebildete Platte sowie

der große Kopf Taf. 62 auf jeder Seite
vier Striche und einer der beiden sonst
ganz gleichen Köpfe auf Taf. 57 jederseits nur einen einzigen. Sehr auffallend
ist eine große runde Scheibe zwischen
den beiden Strichgruppen, also mitten
auf der Stirne, auf der schönen Platte
Taf. 32 und auf zwei Platten mit auch
sonst völlig gleichartig ausgestatteten
Figuren im Brit. Museum; ich werde
auf sie in dem Abschnitt über die
untypischen Tätowierungen noch zu
sprechen kommen. Hingegen muß hier
noch eine, allerdings verhältnismäßig
seltene, zweite Art von typischer Tätowierung erwähnt werden: zwei nebeneinander gesetzte, lange, gerade, senkrechte
Striche in der Mitte der Stirne, gerade
über der Nasenwurzel. Sie kommen
sowohl allein vor, wie z. B. auf dem
schönen Mädchenkopf Taf. 51 oder neben
den anderen Stirntätowierungen, wie
auf den Köpfen Taf. 52 C und Taf. 55,
auf einem der Köpfe von Taf. 56, auf

Abb. 83. Eingeborener mit den
typischen Ziernarben auf der
Stirne und am Rumpfe. Stuttgart, 5369. Etwa 1/5 d. w. Gr.

Abb. 84. Benin - Mann mit vier Ziernarben über jedem Auge. Stuttgart, 5389.
Etwa 1/4 d. w. Gr.

zwei von den vier Köpfen der Taf. 61 und auf beiden Köpfen von Taf. 63. Auf unseren Reliefplatten
kommt diese Art der Tätowierung wohl niemals zur Beobachtung, vielleicht weil der Maßstab der Platten

für ihre technische Wiedergabe nicht ausreicht: Diese Tätowierungen sind nämlich in Wirklichkeit völlig flach und deshalb niemals wie die Ziernarben durch erhabene Leisten zum Ausdruck gebracht, sondern stets nur durch eingelegte Eisenstreifen. Bei dem Kopfe Taf. 51 sind diese Streifen durch Rost zerstört und ganz verschwunden, bei den auf Taf. 55 und 56 abgebildeten Köpfen sind sie anscheinend schon früh verloren gegangen, während sie auf den beiden Taf. 54 abgebildeten Köpfen in solcher Art oxydiert sind, daß der Rost auch auf die benachbarten Stellen der Bronze übergreift und sich ohne scharfe Grenze in der lateritbraunen Patina der ganzen Stücke verliert. Vor Einsetzen des Rostens müssen diese eisenblauen Einlagen auf der braunen Bronze ganz besonders künstlerisch und zugleich auch sehr naturwahr gewirkt haben; jedenfalls kann kein Zweifel darüber bestehen, daß Einlagen mit Eisenstreifen eigentliche Tätowierung im engeren Sinne des Wortes vorstellen, bei der die tätowierten Stellen auf einer nicht allzu dunklen Haut blau erscheinen; im Gegensatz dazu sind die in Benin sehr viel häufigeren, reliefartig vorspringend gegossenen Zeichen als richtige Ziernarben, d. h. als künstlich hervorgerufene »Keloïde« aufzufassen. Daß beide Arten von Tätowierung gleichzeitig und nebeneinander auf demselben Individuum vorkommen, ist sonst eher selten, im allgemeinen finden wir echte, d. h. durch Eintragen von schwarzem Farbstoff in das Gewebe der Kutis oder Lederhaut entstandene und durch das trübe Medium der Epidermis bläulich wirkende Tätowierung bei den helleren Rassen und Ziernarben bei den dunkleren. Diese Scheidung hat auch ihren guten Grund; die Pigmentschicht liegt nämlich zwischen Epidermis und Cutis und ist bei den dunklen Rassen ganz undurchsichtig; bei der Tätowierung aber muß der schwarze Farbstoff (gewöhnlich wird Ruß, Kohlenstaub oder Schießpulver genommen) in die Cutis selbst hineingebracht werden, wenn sie dauerhaft sein soll. Je dunkler also die Haut von Natur aus ist, um so weniger wird von einer gewöhnlichen Tätowierung überhaupt etwas zu merken sein; deshalb sehen wir, wie bei den wirklich dunklen Völkern, soweit sie überhaupt tätowieren, das Einbringen von Farbstoff meist unterbleibt und durch die Reliefnarben oder »künstlichen Keloïde« ersetzt wird.

Nun ist gerade die Küstenbevölkerung von Ober-Guinea im allgemeinen sehr dunkel; da aber seit unvordenklichen Zeiten immer wieder etwas Haussa- oder Fulbe-Blut einsickert, fehlt es niemals an einzelnen heller gefärbten Individuen, die mit recht gutem Erfolge auch mit Farbe tätowiert werden können; auch weiß ich aus mündlichen Mitteilungen der Togo-Leute, die 1896 auf der Kolonial-Ausstellung in Berlin waren, daß manchmal auch bei sehr dunkler Haut noch Ruß oder Schießpulver in die Tätowier- schnitte eingerieben wird, nicht nur, »weil die andern es auch so machen«, sondern auch weil die Narbe dann besonders schön und glänzend wird. So besitze ich in meiner Lehrmittelsammlung auch einen mir mit Haut und Haaren in Weingeist zugegangenen Kopf aus Togo mit sehr typischen Tätowierungen, die sich hellbraun und glänzend von der matten und dunkelbraunen Haut abheben; an einer Stelle aber, an der wegen ungenügender Einwirkung des Alkohols die Epidermis sich von der Cutis abgelöst hat, erscheint die gleiche Art der Tätowierung genau so rein blau auf weißem Grund wie bei irgendeinem hellen Europäer.

Diese Art der Tätowierung wurde nun auch in Benin angewandt, zunächst für die Striche in der Mitte der Stirne. Auf einigen Platten aber, so bei den auf Taf. 22, 35 E und 41 F abgebildeten, sieht man in der Mitte des Gesichtes, vom Haarrand bis zur Nasenspitze, einen oben etwa fingerbreiten, nach unten zu etwas verschmälerten Streifen, der sicher auf eine derartige Tätowierung zu beziehen ist, bei der es auf Farbenwirkung ankam. Bei den in größerem Maßstabe gehaltenen maskenartigen Anhängern, die in Kap. 27 beschrieben werden sollen, ist dieser Streifen manchmal sogar aus Kupfer und in die Bronze des übrigen Gesichtes eingelegt.

Ebenso typisch wie die Ziernarben über den Augen sind fünf vertiefte Striche auf dem Rumpfe, die wir niemals bei Benin-Männern vermissen, wenn sie mit unbedecktem Oberkörper erscheinen. Von diesen fünf Linien beginnt die mittlere genau in der Mitte zwischen den Brustwarzen und zieht senk- recht über den Nabel hinab bis zur Symphyse; zwei seitliche beginnen jederseits bei den Brustwarzen und ziehen in leicht nach hinten konvexem Bogen, etwas oberhalb des Nabels wieder ein wenig diver- gierend bis etwa in die Gegend der Leistenbeuge; bei einigen der nackt dargestellten Jungen, aber nicht bei allen, verlaufen diese Linien noch ein wenig über die Leistenbeuge hinaus auf die Schenkel. Ein weiteres Paar beginnt jederseits in der Gegend der Achselhöhle und verläuft ganz gerade oder manch- mal nach hinten etwas konvex bis zum Beckenkamm. Diese fünf Linien sind auf sämtlichen Platten zu sehen, auf denen der Oberkörper unbekleidet dargestellt ist und ebenso auf den Rundfiguren, vgl.

die Tafeln 18, 19, **24**, 33, 36 u. a. Die Angabe bei de Bry (India orientalis p. 143), »auch schneiden
sie in ihrem Leib von der Achsel an bis ungefähr an die Weych oder in die Mitte drey große lange Schnitt
auf beyden Seyten« beruht sicher auf einer Ungenauigkeit: Es sind immer nur fünf Schnitte, nicht sechs.

Etwas abweichend von der allgemeinen Regel sind einige Platten mit Leuten, die zwar auf dem
Rumpfe, aber nicht auf der Stirne tätowiert sind (Taf. 33 A und B, Taf. 35 A sowie Taf. 41 A und B).
Wenigstens ein Teil dieser Leute macht einen ausgesprochen jugendlichen oder knabenhaften Eindruck,
so daß man an die Möglichkeit denken kann, die Tätowierung des Rumpfes sei in Benin schon in sehr
jungen Jahren vorgenommen worden, die des Gesichtes aber erst später, etwa im Zusammenhang mit
den Pubertäts-Zeremonien. Wie und wann gegenwärtig in Benin tätowiert wird, ist mir nicht bekannt.
Die große Gruppe, die hier auf Taf. 79 abgebildet ist, gehört vermutlich einer etwas späteren Zeit an,
als die große Mehrzahl der Platten; da ist der mittlere Schnitt bei den zwei Begleitern nach oben bis an
den Hals geführt, bei der Hauptfigur aber so geteilt, daß er zwischen Hals und Nabel ein langes und
zwischen Nabel und Schurz ein kurzes, spindelförmiges Feld einschließt, genau wie bei den Rundfiguren
von unbekleideten Frauen der Benin-Kunst, bei denen dafür manchmal, wie z. B. auf der Taf. 70 abgebildeten, die beiden seitlichen Streifen zu einer nach hinten konkaven mondsichelartigen Figur vereinigt sind.

Soviel an allgemeinen Bemerkungen über die typische Tätowierung der Benin-Leute; die Platten
mit abweichenden Formen sollen in Abschnitt W dieses Kapitels beschrieben werden. Wenden wir uns
nun zu der Kleidung, so haben wir zunächst

die Schurze

zu behandeln. Von einigen Darstellungen nackter oder nur mit einem Gürtel geschmückter Jungen abgesehen, erscheinen die Benin-Leute auf den Platten fast ausnahmslos mit Hüft- oder Lendenschurzen
bekleidet. In drei oder vier Fällen sieht es so aus, als ob nur ein einziges Tuch um die Hüften geschlagen
wäre; ganz selten scheinen auch drei solche Tücher übereinander getragen worden zu sein — in der Regel
sehen wir zwei Schurze, von denen der untere von der linken Seite her angelegt und nach rechts gelegt
wird, der obere aber von rechts her angelegt und, den unteren teilweise deckend, nach links oben geführt wird. So ergibt sich auf allen Platten, auf denen überhaupt Leute mit Lendentüchern dargestellt
sind, fast ohne eine einzige Ausnahme immer das gleiche starr festgehaltene Schema, daß der untere
Schurz, mit seinem freien Saume, etwas unter Kniehöhe wagrecht von einem Beine zum anderen zieht,
während der obere rechts um ein weniges tiefer hinabreicht, um dann mit dem unteren Saume in diagonaler Richtung nach links oben zu verlaufen.   So erscheint die Hüftgegend bis unter die Knie in der
Vorderansicht stets gleichmäßig durch zwei Schurze bedeckt, die unten durch eine wagrechte, leicht
im stumpfen Winkel geknickte Linie abgegrenzt und voneinander durch eine von rechts unten nach
links oben ansteigende Linie getrennt sind. Dabei ist das dem oberen Schurz angehörige rechte Feld
immer etwas größer, als das linke.

In manchen Fällen sind beide Schurze völlig gleichartig gemustert, wie z. B. auf den Taf. 9, 12
und 20 B abgebildeten Platten; häufiger sind sie sehr ungleich, so bei den zwei Schildhaltern auf Taf. 24,
bei den Platten auf Taf. 25 B und 25 D, 26 D, 26 E, 27 A, 27 C usw. Über den Stoff, aus dem diese
Schurze hergestellt wurden, ist es schwer, sich ein Urteil zu bilden; jetzt ist eine richtige Baumwolltechnik
über den ganzen Sudân verbreitet; auch Ziegenwolle wird vielfach versponnen, aber wir wissen nicht,
wie das vor drei Jahrhunderten war und wann etwa die Technik des Spinnens und Webens an die Guinea-
Küste gelangt ist. Es steht fest, daß in einzelnen ostafrikanischen Landschaften, wie z. B. bei den Nyam-
wezi, das Rindenzeug erst vor kaum zwei oder drei Jahrzehnten durch eingeführte Baumwollstoffe verdrängt wurde, aber es wäre voreilig, daraus auf westafrikanische Verhältnisse zu schließen. Wir wissen
nicht einmal, in welcher Technik die reiche Musterung der alten Benin-Zeuge ausgeführt wurde, ob sie
eingewebt, eingestickt oder etwa nur aufgedruckt war und ob es sich um einheimische Arbeit oder um
fremden Import handelte; nur daß neben Blumensternen, halbmond- und arm- oder bumerangähnlichen
Figuren sowie zierlichen Flechtbändern auch Köpfe von Europäern und von Eingeborenen eine große
Rolle in dem Ornamentenschatz dieser Lendentücher spielen, lehrt auch die flüchtigste Durchsicht jeder
größeren Benin-Sammlung oder etwa unserer Tafeln 7, 9, 11, 12, 15, 18, 19, 22, 23 usw.   Daneben
sind rein geometrische Muster, wie z. B. auf den Schurzen der Taf. 24 abgebildeten Platte, verhältnismäßig selten. In Kapitel 68 werde ich u. a. auch auf die alten Handelsbeziehungen von Benin eingehen

und zeigen, wie ausgedehnt diese waren. Einstweilen gebe ich hier in den Abb. 85 bis 104 Proben von den Köpfen, wie sie auf den Schurzen einiger der Berliner Platten erscheinen. Besonders die Serie 85 bis 96 ist lehrreich zugleich auch für die Art, in der ursprünglich naturalistisch gesehene Vorbilder durch

Abb. 85 bis 96. Stilisierte Köpfe von Europäern, eingepunzt auf Lendentüchern der Platten III. C. 8279 (Taf. 39 A), 8404, 7651, 8279, 8054, 9394, 8280, 8375 (92 und 93), 7651, 8387 und 8263. Vergrößert. B. Ankermann delin. 1898.

fortgesetzte Stilisierung und Vereinfachung allmählich verändert werden. Von den letzten Bildern dieser Reihe würde sicher niemand, der sie einzeln sehen würde, auf die Vermutung kommen, daß sie Köpfe von bärtigen Menschen mit Helmen und mit langen Haaren vorstellen sollen, und doch ist ihre Deutung

Abb. 97 bis 104. Köpfe z. T. von Negern, eingepunzt auf Lendentücher der Platten III. C. 8393, 8417, 8402, 8371 (100 und 101), 8054, 8391 und 8208. B. Ankermann delin. 1898. Abb. 105. Stilisierte Arme von dem Lendentuch der Platte III. C. 8375. B. Ankermann delin. Vgl. die Abb. 75 und 76.

durch den Zusammenhang völlig gesichert. Nur ob diese eigenartigen »Abkürzungen« schon auf den wirklichen Lendentüchern vorhanden waren oder ob erst der Ziseleur für sie verantwortlich ist, läßt sich nicht mit gleicher Sicherheit angeben, ehe nicht feststeht, wo und in welcher Technik die Schurze hergestellt und verziert wurden.

Eine nicht geringe Zahl dieser Tücher oder Schurze ist in schmalen Streifen gemustert, die in Wirklichkeit etwa handbreit waren; das erinnert an die Zeuge, die gegenwärtig vielfach in Westafrika gewebt und hauptsächlich durch Haussa-Händler vertrieben werden.   Soviel ich weiß, hat Nachtigal als Erster diese Streifen, *gabaga*, beschrieben und (»Sahara und Sudân« I. 459, 690; II. 671; III. 56, 265, 306 und 322) mitgeteilt, daß sie zu großen wie Mühlsteine aussehenden Scheiben aufgerollt, auch als Geldersatz dienen. Ich denke an die Möglichkeit, daß wenigstens ein Teil der Benin-Schurze aus solchen einheimischen oder im Binnenhandel erworbenen Streifen ebenso zusammengenäht war, wie etwa die Toben der Haussa.

Andere Schurze sind aus Pantherfell geschnitten, andere mit glatten oder mannigfach verzierten und gekräuselten »Volants« oder auch mit Quasten ge-schmückt, andere wiederum sind völlig glatt und nur durch eine Borte mit Flecht-band und Fransen verziert; glatte Oberschurze sind mehrfach auf den Taf. 36 abgebildeten Platten zu sehen, glatte Unterschurze auf Taf. 17 B und 38 B. Manchmal sind auch beide Schurze glatt, dann aber durch verschiedenartige oder ungleich breite Kanten oder Borten als verschieden ge-kennzeichnet. Die Leute mit solchen glatten Schurzen machen in ihrer übrigen Ausrüstung durchaus nicht etwa den Eindruck einer untergeordneten Stellung; man wird also daran denken müssen, daß diese unver-zierten Tücher aus kost-baren, von auswärts einge-führten Stoffen, wohl aus Samt und Seide hergestellt oder in besonderer Weise gefärbt waren. Häufig er-scheinen glatte und auch ge-musterte Oberschurze durch Bänder gehalten und belebt, die einzeln oder zu zweit ungefähr parallel mit dem unteren Saume verlaufen und sich unter dem Gürtel verlieren.   Auf manchen dieser Platten ist dann ver-

Abb. 106. Mann mit Querhorn; der obere Lendenschurz zu einem niedrigen Zipfel ausge-zogen. Stuttgart, 5363. Etwa 1/3 d. w. Gr.

sucht worden, eine Art Faltenwurf dadurch anzudeuten, daß ein kleiner Zipfel vom Rande des Schurzes hoch genommen und über das Band geschlagen wird; auf unseren Tafeln 25 C, 28 B, 28 F, 32 und 33 E ist zu sehen, wie unbeholfen und ungeschickt diese Versuche meist ausgeführt sind. Diese hängenden Zipfel erinnern in ihrer Form (nicht in ihrer Lage) und sicher völlig unbeabsichtigt manchmal so sehr an einen Penis, daß sie der Kürze wegen hier künftighin einfach als »P.-Zipfel« bezeichnet werden sollen. Es muß aber betont werden, daß da nur eine ganz zufällige Ähnlichkeit und lediglich eine ungeschickte Stilisierung eines gerafften Randzipfels vorliegt.   Besonders groß und deutlich ist ein solcher »P.-Zipfel« auf der Fig. 183 abgebildeten Platte. Wesentlich besser wirkt eine solche Drapierung, wenn der Künstler sich darauf beschränkt, nur ein Stück einer Fransenborte etwas zu raffen, wie z. B. auf unserer Taf. 37 abgebildeten Platte, und ähnlich auf einer Platte des Museums in Leiden, die hier Fig. 248 reproduziert ist. Ganz gut wirkt ein solcher Zipfel auch, wenn er unter dem Gürtel durchgezogen und dann nach vorne übergeschlagen dargestellt ist, wie z. B. auf den Taf. 26 D und Fig. 325 abgebildeten Platten.

Diese selbe Platte zeigt daneben in sehr lehrreicher Art ein frühes Stadium einer höchst eigenartigen Mode. An gut einem Drittel aller Platten mit Darstellungen von Eingeborenen erscheinen nämlich die oberhalb der linken Hüfte zusammengezogenen Enden des Oberschurzes zu einem langen, steifen Zipfel vereinigt, der längs der linken Körperseite bis Schulter- oder gar Scheitelhöhe hochragt. Diese an sich schon bizarre Tracht scheint gerade in der Blütezeit der Benin-Kunst dann noch stilistisch übertrieben worden zu sein, so daß uns auf vielen Platten ein zunächst ganz rätselhaftes Gebilde auffällt, das denn auch wirklich mehrfach von voreiligen Autoren verkannt und in schier unglaublicher Weise mißdeutet worden ist. Mehrere haben von »Bogen und Köcher« gesprochen und einer beschreibt den Zipfel sogar als »Elefantenrüssel«. Vorsichtiger war jener englische Gelehrte, der bei einer Platte ähnlich der hier Taf. 27 C abgebildeten, von »barbed objects of unknown use« sprach. Ähnliche, wie es scheint mit Vogelfedern geschmückte Schurzzipfel kommen bei einer bestimmten Gruppe von Eingeborenen ganz regelmäßig vor und sollen in Abschnitt N θ dieses Kapitels zusammenfassend beschrieben werden. Hier genügt es, das Vorkommen dieser gesteiften Schurzenden überhaupt festzustellen und dabei die Art ihrer Entstehung zu beleuchten. Ursprünglich hat man in Benin, wie anderswo, die Enden der Hüftschurze einfach übereinandergesteckt; dann deckte man den ganzen oberen Rand der Lendentücher mit einem besonderen Gürtel und fand es dabei bequem, die Enden dieser Tücher zu einem Bausch zu verknoten, der über den oberen Rand des Gürtels hinausragte und so das lästige und sonst nicht immer zu vermeidende Herabgleiten der Schurze mit großer Sicherheit verhinderte. Dieses Stadium ist auf der bereits erwähnten Platte Taf. 26 D festgehalten; doch ist auch hier das wirkliche Verhältnis zwischen Gürtel und Bausch nicht mehr ganz klar wiedergegeben; besonders hoch und dabei oben noch ganz stumpf ist er auf der Platte Taf. 39 D, während er sich auf der hier Fig. 106 abgebildeten Platte schon der späteren spitzen Form nähert, wie sie z. B. auf den Taf. 16 A, 22, 34 A, 38 A, 39 E abgebildeten und zahllosen anderen Platten mehr oder weniger stark stilisiert wiedergegeben ist. Kurze Zipfel mit »Federn«, die den Übergang zu den bereits erwähnten Formen in der Art des Schurzes auf Taf. 27 C bilden, können auf den Tafeln 32 und 37 verglichen werden.

Wie das Mißverständnis mit »Bogen und Köcher« entstehen konnte, begreift man leicht, wenn man Platten vor sich hat, wie z. B. die hier Taf. 12 und 13 abgebildeten; da ist der unmittelbare Zusammenhang zwischen dem eigentlichen Schurz und dem Zipfel durch den Unterarm verdeckt, so daß er leicht übersehen werden kann. Hartnäckige Zweifler freilich können erst durch Platten, wie z. B. die Taf. 22 abgebildete, bekehrt werden, bei der das Lendentuch ganz breit und offenkundig in den Schulterzipfel übergeht; eindeutig ist in dieser Beziehung auch die Platte Taf. 20 B, auf der sowohl das Lendentuch als seine Verlängerung in sonst nicht häufig wiederkehrender Art ganz mit Federn bedeckt sind. Dabei bleibt freilich noch immer offen, mit welchen technischen Mitteln eine derartige Versteifung des Lendenschurzes und seiner Fortsetzung erreicht wurde; daß wenigstens das letzte Ende stark eingedreht wurde, geht aus sehr zahlreichen Darstellungen hervor; ob aber daneben eine Versteifung durch eine Art Stärke oder durch Draht erfolgte, erhellt weder aus den Platten selbst, noch aus irgendwelchen mir bekannten literarischen Quellen. In der Nähe des oberen Endes und in der Hüftgegend hat der Zipfel sehr oft je ein Paar Quasten, zwischen denen dann seiner ganzen Länge nach in der äußeren Randfalte kugelähnliche Gegenstände liegen, wie Erbsen in der Schote. Sie sind besonders schön auf Taf. 15 zu sehen. Manchmal, wie z. B. auf Taf. 20 A, ist von diesen Kügelchen abwechselnd immer eines glatt gelassen, das andere sorgfältig punktiert. Ich vermag sie nicht zu deuten. Ebenso muß es bis auf weiteres unentschieden bleiben, was überhaupt von diesen hochaufragenden Zipfeln wirkliche Tracht war und was lediglich Stil der Künstler. Immerhin braucht man sich nur an die großen gesteiften Kopftücher mancher französischer oder belgischer Klosterschwestern zu erinnern oder an die unter dem Einflusse von Berlin WW. immer größer und steifer werdenden Hauben der Spreewälder Kinderfrauen, um auch die Schurzzipfel der alten Krieger von Benin etwas weniger abenteuerlich zu finden, als man zunächst glauben möchte.

Von dem unteren Rand der Lendentücher ist oben bereits gesagt worden, daß er manchmal durch eine Borte mit Fransen (»Besenborte« der Schneider) abgeschlossen ist; ungleich häufiger ist eine Ein-

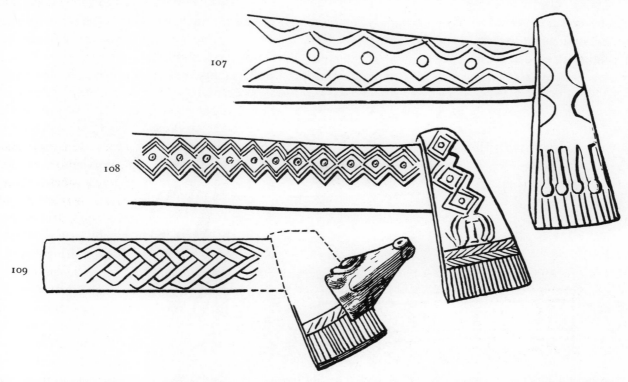

Abb. 107 bis 109. Schematische Skizzen der Gürtel auf den Platten III. C. 8387 (Eingeborener, der eine menschliche Figur wie eine Glocke anschlägt, Taf. 38 D), III. C. 8280 (Mann mit Rassel. Taf. 39 E) und III. C. 8390 (Mann mit glockenförmigem Helm Taf. 20 B). W. Gr. B. Ankermann delin. 1898.

Abb. 110. Schematische Skizze des Gürtels auf der Platte III. C. 8422 (Nackter Junge, einen Schemel tragend, Taf. 35 A). W. Gr. B. Ankermann delin. 1898.

fassung mit einer Art Anstoßschnur, die fast ausnahmslos so aussieht, als wenn große zylindrische Perlen an ihr aufgereiht wären. Oft sind diese Perlen abwechselnd glatt und punktiert, vielleicht um verschiedene Farben anzudeuten; manchmal wechseln auch ganz kurze mit den langen Perlen ab.

9*

Nach oben zu werden die Lendentücher fast ausnahmslos durch

Gürtel

abgeschlossen und gehalten. Kein einziger ist im Original auf uns gekommen, so daß wir über ihre wirkliche Beschaffenheit nur mangelhaft unterrichtet sind. Die wichtigsten Formen sind hier Fig. 107 bis
113 nach Platten der Berliner Sammlung abgebildet. Vermutlich waren sie in der Regel aus steif ge-
fütterten gewebten Zeugen hergestellt, manche wohl aus Leder. Einige scheinen nur durch festes An-

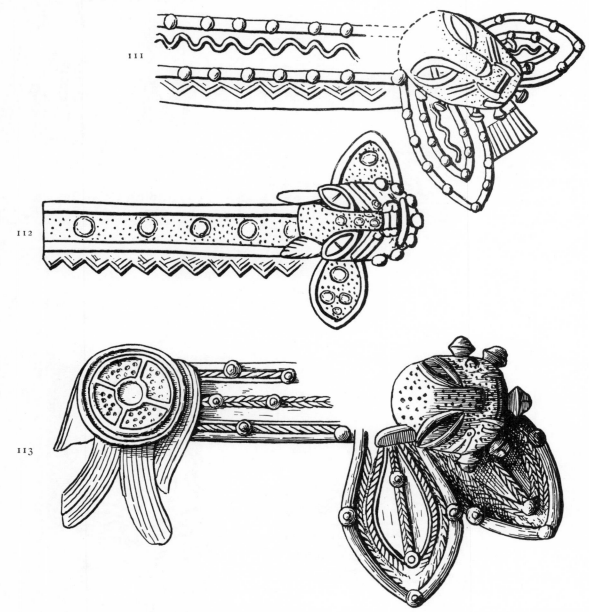

Abb. 111 bis 113. Schematische Skizzen der Gürtel auf den Platten III. C. 7651 (Mann mit *ebere*, Taf. 18 F), III. C. 8208 (Würdenträger mit vier Begleitern, Taf. 19 A) und III. C. 8263 (Mann mit *ebere*, Taf. 25 C). W. Gr. B. Ankermann delin. 1898.

legen und Durchziehen des freien und dann nach außen herabhängenden Endes befestigt worden zu
sein; dieses war, wie die Abbildungen 107 bis 109 zeigen, mit Fransen geschmückt; andere waren
vielleicht mit einer richtigen Schleife gebunden; doch ist es (vgl. die Abb. 110 bis 113) wahrscheinlich,
daß diese Schleife ein für allemal festgenäht war, wie unsere genähten Halsbinden, und daß der wirkliche Verschluß hinter der großen Schleife versteckt war.

Vielfach ist an der Schleife noch eine etwa handgroße Maske aus Bronze befestigt, meist einen
Pantherkopf darstellend; Schleifen und Masken liegen stets auf der linken Seite, dagegen ist rechts
nicht selten eine runde Scheibe am Gürtel befestigt, von der Haarbüschel herabzuhängen scheinen.
Näheres über den Schmuck der Gürtel wird im Abschnitt I dieses Kapitels zu sagen sein; einige

Masken selbst sind auf den Tafeln 96 und 97 abgebildet und sollen in den Kapiteln 27 und 28 beschrieben werden; doch ist schon hier festzustellen, daß bei einer bestimmten Gruppe von Leuten, anscheinend dämonischer Art, menschliche und tierische Masken und manchmal zwischen ihnen stolaartige Bänder zu dritt oder zu fünft vom Gürtel selbst herabhängen.

Der Oberkörper ist nur sehr selten mit einem langen Rock, einem Hemd oder einer kurzärmeligen Jacke bekleidet; in weitaus den meisten Fällen ist er entweder nackt oder mit einem

Panzer

bedeckt. In seiner einfachsten Form ist uns ein solcher auf der Taf. 49 B abgebildeten Berliner Platte erhalten: ponchoartig, mit einem kreisrunden Ausschnitt für den Hals und kleinen Einschnitten für den Kopf, vorne und hinten abgerundet, in der Mitte beiderseits mit halbrunden Vorsprüngen für die Schultern, das Ganze mit einem starken Wulst eingefaßt. Diese Darstellung würde an sich schwer verständlich sein und ist auch wirklich von manchen als Stichblatt und von anderen als Metallbarren gedeutet worden. Ihre richtige Auffassung ergibt sich mit voller Sicherheit aus unserer Taf. 67 abgebildeten Rundfigur, von deren Panzer hier Fig. 114 eine schematische Skizze gegeben ist. Derart ganz einfache glatte Panzer sind aber selten gewesen; die Benin-Krieger erscheinen auf den Platten in der Regel mit reich geschmückten, oft auch mit sehr überladenen Panzern ausgerüstet. Doch muß man von den einfachen Formen ausgehen, wenn man die anderen verstehen will. Halten wir uns in diesem Sinne etwa an die Taf. 10 B abgebildete Platte, so sehen wir, wie die beiden Hälften des Panzers, die vordere und die hintere, durch Schnüre oder Bänder vor seitlichem Ausweichen geschützt sind. Auf dieser Platte wird das durch zwei dicke drehrunde Schnüre besorgt, von denen die obere unmittelbar unter den Achselhöhlen, die untere etwa handbreit tiefer um den Leib geführt ist. Die obere ist in der Mitte etwas ausgebuchtet, um die Schnur für die vom Halse herabhängende Glocke durchzulassen; an ihr ist in der Regel auch das Schwert befestigt, dessen Scheide so oft unter der linken Achselhöhle sichtbar ist. Die untere Schnur hat niemals etwas zu tragen und dient ausschließlich nur der besseren Sicherung des Panzers gegen seitliche Verschiebung. Auf sehr vielen anderen Platten sehen wir die untere Schnur noch weiter nach unten gerückt, so daß

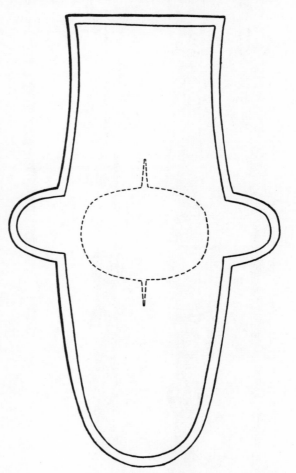

Abb. 114. Schematische Skizze des Panzers der auf Taf. 67 abgebildeten Rundfigur III. C. 9948. B. Ankermann delin. 1898.

dann noch Platz für ein breites Band wird, das etwa in der Höhe der Brustwarzen liegt und manchmal vorne geschlossen wird, während die Schnüre immer auf der Rückenseite verknotet oder sonst vereinigt zu denken sind. Dieses Band ist in einzelnen Fällen glatt und nur durch zwei Randwülste eingefaßt, in anderen reich verziert.

Die Panzer sind wohl durchweg aus Leder, Fellen oder Häuten hergestellt gewesen; nach einigen Platten könnte man auch an Eisen denken, wie ja auch sonst richtige eiserne Panzer mehrfach aus dem westlichen Sudân in unsere Sammlungen gelangt sind, aber die bereits oben erwähnte, hier Taf. 49 B abgebildete Platte, die einen typischen Benin-Panzer flach ausgebreitet zeigt, ist für die Annahme eines biegsamen und nachgiebigen Stoffes durchaus zwingend. Auch gibt es eine nicht geringe Zahl von Platten, auf denen wirkliche Pantherfelle, ohne weitere Zubereitung, nur gegerbt und mit dem nötigen Ausschnitt für Hals und Kopf versehen, als Panzer getragen erscheinen. Die auf Taf. 15 abgebildete Platte, die beiden Platten auf Taf. 16 und die Platte Taf. 17 C geben typische Beispiele hiefür und lassen zugleich die monumentale Einfachheit erkennen, mit der ein solcher Panzer nur mit einem einzigen Band festgehalten wurde, das unmittelbar unter der Achselhöhle verlief. Die beiden Enden dieses Bandes sind gleichmäßig mit einem Flechtband und mit langen Fransen geschmückt und vorne einfach übergeschlagen. Selbstverständlich hängt der Kopf des Felles stets nach vorne, und ebenso ist leicht zu verstehen, daß die Ohren, oft auch die Augenlöcher, die Nase und die Schnurrhaare dekorativ hervorgehoben werden. Bei diesen Panzern sind in der Regel auch die Füße des Felles mit beibehalten worden. Das Hamburger Museum besitzt aber eine Platte, die einen solchen Panzer aus einem Leopardenfell in genau denselben, an ein Meßgewand erinnernden Umrissen herausgeschnitten zeigt, die uns von der Berliner Platte Taf. 49 B bekannt sind; die Zeichnung des Felles ist durch eng punktierte Kreislinien angedeutet; Augen, Rachen und Schnurrhaare treten reliefartig vor, die kleinen Ohren treten sogar frei aus der Bildfläche heraus.

Wurden nun im alten Benin zweifellos sehr häufig wirkliche Leopardenfelle als Panzer getragen, so scheint es doch, als ob die Mehrzahl der Panzer aus anderen Fellen und Häuten hergestellt worden sei, auf denen dann in »Appliqué-Technik« die Augen, Ohren usw. der Leoparden aus Fell- oder Lederstreifen aufgenäht wurden. Ganz vereinzelt wurden auch zwei Panzer übereinander getragen. So zeigt die schöne Berliner Rundfigur auf Taf. 67 unter dem völlig glatten und schmucklosen, nur mit einem aufgewulsteten Rand versehenen Panzer noch einen zweiten aus wirklichem Leopardenfell, dem aus dem Rachen und von den Beinen kleine rundliche Schellen herabhängen.

Unter dem Panzer wird, soviel ich sehe ausnahmslos, eine kurzärmelige, mannigfach gemusterte Jacke getragen, wie am einfachsten aus unseren Tafeln 12, 13, 15 und 16 entnommen werden kann.

Die verschiedenartigen Kopfbedeckungen und Helme sowie die Schwerter sollen in den Abschnitten L und R dieses Kapitels ausführlich behandelt werden; hingegen kann das Wenige, was über die Speere und die Schilde zu sagen ist, hier vorweggenommen werden.

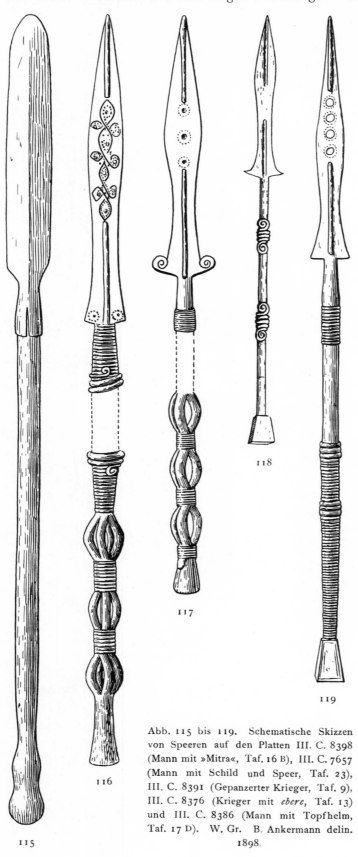

Abb. 115 bis 119. Schematische Skizzen von Speeren auf den Platten III. C. 8398 (Mann mit »Mitra«, Taf. 16 B), III. C. 7657 (Mann mit Schild und Speer, Taf. 23), III. C. 8391 (Gepanzerter Krieger, Taf. 9), III. C. 8376 (Krieger mit *ebere*, Taf. 13) und III. C. 8386 (Mann mit Topfhelm, Taf. 17 D). W. Gr. B. Ankermann delin. 1898.

Die Speere,

die auf den Benin-Platten sehr häufig in den Händen der Krieger gehalten werden, lassen sich in vier Gruppen bringen. Unter diesen ist die durch die Abb. 115 vertretene Form weitaus am seltensten vertreten. Dieser Speer hat ein auffallend großes, breites Blatt mit ganz stumpf abgerundeter Spitze und mit einer so kurzen Dülle, daß wohl mit einer Ungenauigkeit des Künstlers gerechnet werden muß. Der drehrunde Schaft ist nur wenig über anderthalbmal so lang als die Spitze und am Ende in der Art eines in der Mitte etwas eingezogenen Kolbens erweitert.

Häufiger ist eine Form mit lang ausgezogener, schilfblattähnlicher Spitze und mit einem höchst eigenartigen Schaft, für den ich auf die Abbildungen 116 und 117 verweise; er wirkt, als ob er aus Metall wäre und aus drei oder vier Stäben bestünde, die an den Enden zusammengeschweißt, in ihrem Verlaufe aber an einigen Stellen mit Draht überwickelt und in den Zwischenräumen gestaucht wären, so daß ei- oder spindelförmige, hohle Anschwellungen entstehen. Natürlich kann ein solcher Schaft auch aus Holz geschnitzt werden, er würde aber sicher sehr gebrechlich sein. Die Spitzen haben eine stark ausgesprochene Mittelrippe und sind mit gepunzten Linien, Kreisen, Punkten usw. sorgfältig verziert. Der Speer Abb. 116 macht den Eindruck, als könnte die Spitze mit einem Dorn in den Schaft versenkt sein; für die anderen Speere läßt sich aber mit einiger Sicherheit annehmen, daß die Spitze mit einer Dülle auf den Schaft gesteckt wurde. Nur die Speere mit dem durchbrochenen Schaft waren vielleicht überhaupt ganz aus Metall, Eisen oder Messing, wofür es nicht nur aus Benin, sondern auch sonst aus Westafrika Analogien gibt, die in Kapitel 45 besprochen werden sollen.

Die dritte Form, siehe Abb. 118 und 119, hat ähnliche schilfblattförmige Spitzen, aber unten am Schaft Verdickungen von der Form einer abgestumpften, vierseitigen Pyramide, die fast so aussehen, als ob man den Speer aufrecht in einen kleinen Sockel gesteckt hätte, um ihn frei aufstellen zu können. Ein großer Teil des Schaftes ist in engen Spiraltouren umwickelt; einer dieser Speere hat, ähnlich wie der Fig. 116 abgebildete, eine spiralige Umwicklung mit einem flachen Bande, das seinerseits wieder, ganz wie bei Stücken der Hallstätter Periode, an beiden Enden in eine kleine Schneckenspirale

Abb. 120 bis 124. Schematische Skizzen von Speeren auf den Platten III. C. 8393 (Mann mit *eberc* und Speer, Taf. 7), III. C. 10879 (Mann mit »Mitra«, Taf. 16 A), III. C. 8404 (Mann mit Topfhelm, Taf. 17 C), III. C. 8394 (Mann mit hohem Helm, Taf. 8 B) und III. C. 8442 (Mann mit Helm aus Krokodilhaut, Taf. 10 B). W. Gr. B. Ankermann delin. 1900.

ausgeht. Ich darf in diesem Zusammenhange vielleicht daran erinnern, daß ich schon vor langen Jahren wiederholt auf die vielfachen Einflüsse hingewiesen habe, die schon in vorhistorischer Zeit aus den Mittelmeerländern bis nach dem westlichen Sudân gedrungen zu sein scheinen.

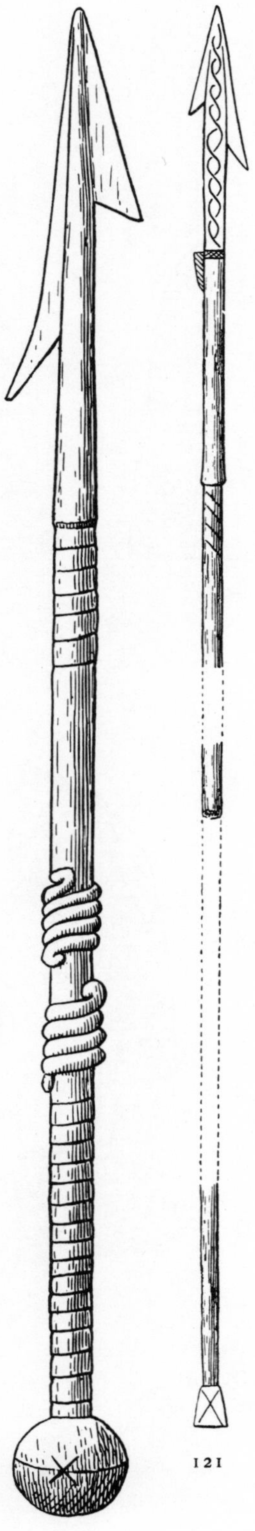

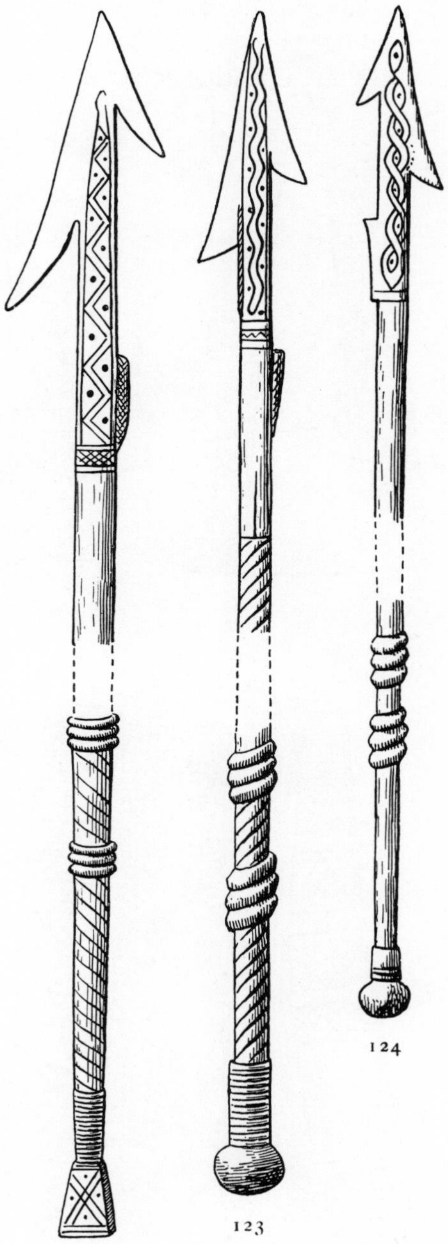

Die vierte Form endlich ist, wie die Abbildungen 120 bis 124 zeigen, durch zwei große und plumpe Widerhaken ausgezeichnet. Der Schaft ist fast durchweg mit Bandspiralen umwickelt und am Schuh-

ende mit einer kugeligen oder mit der selben abgeschrägt pyramidalen Auftreibung versehen, die eben
für die Speere der dritten Form beschrieben wurde. Die große Mehrzahl dieser Stücke hat eine ganz
eigenartige »Nase«, die nahe der Spitze, unterhalb der Widerhaken, im Bereiche der Dülle, vorspringt.
Ich kenne keine moderne Analogie für diesen merkwürdigen Vorsprung und vermag auch nicht, ihn zu
erklären.

Viel einheitlicher als die Speer sind im alten Benin

die Schilde

gewesen. Von ganz ver-
schwindend seltenen Aus-
nahmen abgesehen, die von
Fall zu Fall bei Besprechung
der einzelnen Bildwerke hervorgehoben werden sollen,
haben wir es hier nur mit
einer einzigen Art zu tun,
deren Form auf den Tafeln
8, 9, 10, 11, 15, 17, 19, 23,
24, 26 und 40, sowie aus
zahlreichen Textbildern dieses Bandes zur Genüge hervorgeht. Es sind dünne,
leicht gewölbte Tafeln, ungefähr so hoch und so breit
als der Rumpf eines er-
wachsenen Mannes; die beiden Längsseiten sind fast
gerade, leicht nach einer
Seite hin konvergierend;
von den Schmalseiten ist
die längere gerade oder ganz
leicht ausgebogen, die kürzere giebelförmig mit einem
um 130⁰ schwankenden
Scheitelwinkel, der manchmal gerundet ist. Welche
von den zwei Schmalseiten
als die obere, welche als die
untere bezeichnet werden
soll, ist unsicher; auf den
Platten erscheint ungefähr
gleich oft einmal die breitere, einmal die schmälere
Seite nach oben gehalten;
auf den Abbildungen 125

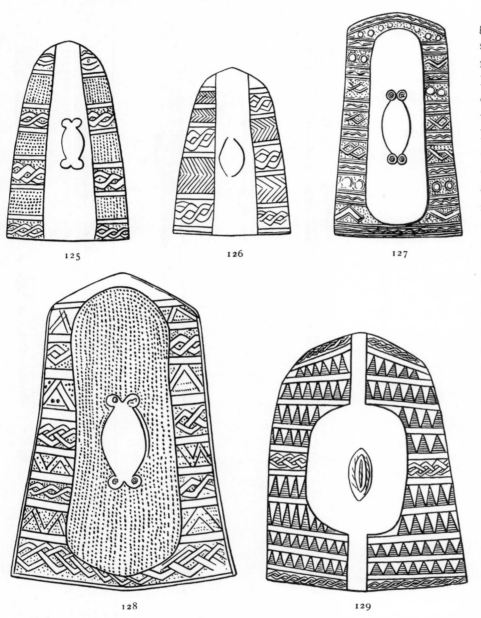

125   126   127

128   129

Abb. 125 bis 129. Außenseiten von Schilden auf den Platten III. C. 8373 (Taf. 21 B), III.
C. 8370 (Taf. 31 B), III. C. 8208 (Taf. 19 A), III. C. 7657 (Taf. 23) und III. C. 8386 (Taf. 17 D).
W. Gr. B. Ankermann delin. 1900.

bis 130 sind die Schilde alle gleichmäßig mit dem schmäleren Ende nach oben angeordnet — nur der
leichteren Übersicht halber, also ganz willkürlich, ohne Rücksicht auf die Orientierung der Stücke auf
den Platten.

Von den Originalen selbst scheint mir kein einziges sich bis auf unsere Zeit erhalten zu haben. Nicht
einmal Bruchstücke, etwa von Beschlägen, sind bekannt geworden. Hoffentlich wird in nicht allzu ferner
Zeit eine wissenschaftliche Untersuchung in Benin selbst durchgeführt werden, die auch über diese Frage
noch Aufschluß bringt, einstweilen haben wir nicht einmal über das Material, aus dem diese Schilde bestanden, eine sichere Vorstellung. Gegenwärtig scheinen Schilde in Benin und in den nächsten Nachbar-
ländern ganz unbekannt und durch Einführung von Feuerwaffen längst verdrängt zu sein; auch scheint

es mir gefährlich, aus den Schildtypen, die gegenwärtig in entfernteren Gebieten noch erhalten sind, auf die alten Formen von Benin zu schließen — so beschränke ich mich auf die bloße Vermutung, daß

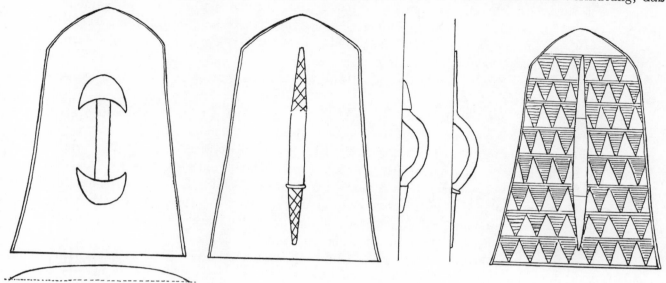

Abb. 130. Schematische Zeichnungen von Benin-Schilden, Ansichten von innen und Schnitte, nach Platten in Berlin und Hamburg. G. Kilz delin. 1916.

diese Schilde aus Leder waren; auf ihrer Vorderseite waren sie durchweg durch eine schmälere Platte verstärkt, über deren Form die Abbildungen 125 bis 129 Aufschluß geben; sie erscheint auf den Bild-

Abb. 131. Benin-Mann mit Schild und Speer. Hamburg C. 2328, nach Hagen 1900, II/3. Etwa ¹/₅ d. w. Gr. Die Verzierung der Innenfläche des Schildes ist Abb. 130 rechts schematisch wiedergegeben.

Abb. 132. Eingeborener mit *ebere* und Schild. Hinter dem Arme mit dem Schilde ist vor dem aufragendem Schurzzipfel noch ein kurzes Schwert in unsymmetrischer Scheide und mit dem Griffe nach unten gewandt dargestellt. Nach Webster, 21, 1899, Fig. 162. Jetzt Dresden, 16089.

werken meist glatt, ab und zu einmal auch punktiert, niemals aber so reich verziert, wie die übrige Schild-fläche; schon deshalb muß an ein anderes Material, vielleicht Holz oder Metall, gedacht werden. Aus Metall bestand dann wohl auch der niemals fehlende, längliche Schildbuckel. Doch muß mit der Möglichkeit gerechnet werden, daß die zwei äußeren Schichten (Versteifungsplatte und Schildbuckel) schon im Benin des 16. Jahrhunderts nicht mehr wirklich vorhanden, sondern nur mehr durch verschieden-artige Verzierung, vielleicht auch Bemalung, angedeutet waren, und daß so der Schild nur aus einem einzigen Lederstück bestand, dessen Verzierung ganz in gepreßter Technik durchgeführt war. Man ge-langt zu dieser Annahme durch das vollständige Fehlen auch nur der geringsten Andeutung von Nieten, mit denen die Beschläge doch am Leder befestigt gewesen sein müßten. Bei der peinlichen Sorgfalt, mit der sonst die Benin-Kunst auch belanglose Kleinigkeiten wiedergibt, scheint das Fehlen solcher An-deutungen immerhin beachtenswert.

Die Verzierungen der Schilde sind stets in Querstreifen angeordnet, von denen schmale und ganz glatte mit breiteren abwechseln, die mit verschiedenartigen Flechtbändern und Dreieckmustern oder auch nur durch Punktierung verziert sind. Gewöhnlich scheinen diese Streifen unter der Verstärkungs-platte glatt durchzulaufen; nur bei dem Fig. 126 abgebildeten Schilde sind sie »verworfen«. In der Regel ist auf den Platten nur die Vorderseite sichtbar; auch wenn die Schilde in bewundernswerter Beherr-schung der Gußtechnik völlig frei, oft mehrere Zentimeter weit von dem Grunde der Platte weggestreckt sind, werden sie meist mit ihm parallel gehalten, so daß trotz der starken Überschneidung von ihrer Rückseite nicht viel zu sehen ist. Auch in den nicht ganz seltenen Fällen, in denen (vgl. die Tafeln 15, 24 u. a.) die Schilde ungefähr senkrecht zur Plattenfläche gehalten werden, ist auf der Innenseite kaum mehr als der Handgriff wirklich durchgearbeitet, die Fläche selbst aber glatt gelassen; nur auf sehr wenigen Platten entfernt sich die Haltung der Figur so weit von dem üblichen Schema, daß dem Beschauer die Innenfläche der Schilde voll zugewandt ist. Zwei dieser Platten sind hier Fig. 131 und 132 abgebildet. Eine dritte siehe bei P. R. Fig. 131. Nach den Originalen in Hamburg und in Dresden habe ich notiert, daß die Verzierung des ersteren Stückes aus acht Querstreifen besteht, die ganz mit glatten und schraf-fierten Dreiecken ausgefüllt sind. Bei der Dresdener Platte, wie bei der von P. R., wechseln Querstreifen mit verschiedenartigen Flechtbändern und mit gröberer und feinerer Punktierung miteinander ab. Eine schematische Skizze des Hamburger Schildes findet sich hier, Fig. 130, rechts; die ganz schmalen, glatten Streifen, die genau wie auf der Vorderseite der Schilde auch auf ihrer Hinterseite die gemusterten breiten Streifen voneinander trennen, sind auf dieser Skizze weggelassen, um ihren rein schematischen Charakter noch besser zu betonen. Aus den übrigen, unter dieser Nummer vereinigten Skizzen ist zu sehen, wie die stark gebogenen Holzgriffe in, wohl aufgenäht zu denkenden halbmond- oder kugelförmigen Taschen stecken. Wenden wir uns nun zum

Halsschmuck,

so finden wir uns vor eine große Mannigfaltigkeit und vor ganz bizarre Moden gestellt. Nur die typisch immer wiederkehrenden Formen sollen hier vorweg beschrieben werden, die vereinzelten später im An-schlusse an die Bildwerke, bei denen sie sich fanden. Eine ganz besonders auffallende und an sich un-verständliche Form von unsymmetrischem Halsschmuck wird im Abschnitt Y dieses Kapitels näher besprochen.

Der auf den Benin-Platten am häufigsten wiederkehrende Halsschmuck besteht aus einer großen Anzahl von Schnüren mit großen zylindrischen Perlen. Wie aus den Tafeln 15, 18, 19, 20, 23, 24 usw. hervorgeht, laufen diese Schnüre nicht nur um den Hals, sondern auch über das Kinn; oft reichen sie bis zu den Lippen, manchmal bis zur Nase, so daß man begreift, wie ein sehr gelehrter Autor sie über-haupt nicht als Perlenschnüre, sondern als richtige Gesichtsschleier aufgefaßt wissen will. Dabei denkt er natürlich an die Tücher, mit denen Kabylen und andere Nordafrikaner sich das Gesicht verhüllen oder an die Ful, die wegen der gleichen Sitte von ihren Arabisch redenden Nachbarn den Namen *el mu-lathemin* (die Verschleierten) erhalten haben. Ich bin der Letzte, der die große Bedeutung nordischen Einflusses auf die Entwicklung der sudânischen Kultur verkennen würde, aber hier möchte ich doch mit aller Entschiedenheit sowohl den rein lokalen Charakter dieses Schmuckes betonen, als auch die Tatsache, daß es sich bei dieser Verhüllung des Halses und Untergesichtes ganz zweifellos um Perlen handelt, nicht um ein gewebtes Zeug. Ich kenne keine einzige, hierher gehörige Platte aus Benin, bei der nicht mit der größten Sorgfalt jede einzelne Perle als solche genau gekennzeichnet wäre.

Die Anzahl der Schnurreihen wechselt von drei oder vier bis vierzig und darüber; sie ist auf den großen, rundgegossenen Köpfen — vgl. die Tafeln 59, 61 und 62 — meist viel größer als auf den Platten, vermutlich weil diese Köpfe einer etwas späteren Zeit angehören, in der kleinere Perlen bevorzugt waren.

Wie diese Perlen eigentlich aufgereiht waren, ob auf einzelne Fäden oder auf eine einzige lange Schnur, geht aus den Bildwerken nicht hervor. Auf keinem einzigen findet sich auch nur eine Andeutung eines Verschlusses; auch durchbohrte Stege, die doch sonst vielfach bei primitiven Völkern, in der Südsee sowohl, als in Afrika angewandt werden, um übereinander liegende Reihen von Perlen in Ordnung zu halten, sind nirgends angedeutet. So haben wir bei diesen ungeheuerlichen Mengen von Perlenschnüren sicher mit einer nicht geringen stilistischen Übertreibung zu rechnen; andererseits freilich wissen wir aus zeitgenössischen Berichten, daß wirklich im alten Benin große Mengen von Korallen- und anderen Perlen getragen wurden.

Der König pflegte Schnüre mit Perlen als Auszeichnung zu verleihen und ließ einmal jährlich, gegen das Ende der Regenzeit, seinen ganzen Vorrat von Perlen auf einen Haufen bringen und mit dem Blute eines Sklaven besprengen, der dann als Opfer für den Perlen-»Juju« geköpft wurde. So haben wir in den Halsperlen nicht nur bloßen Schmuck zu sehen, sondern, wenigstens in einzelnen Fällen, sicher auch Gegenstände von kultischer Bedeutung. Inwieweit die letztere etwa auf Perlen aus Korallen oder aus harten Steinen oder aus Glas beschränkt war, ist unbekannt; wir wissen nur, daß echte rote Korallen schon in sehr früher Zeit in Benin getragen wurden, und daß noch 1897 der König buchstäblich mit Korallen bedeckt war, als er sich den Engländern unterwarf. Über die sog. Aggry-Perlen und ihren Zusammenhang mit Benin habe ich 1898 in der Z. f. E., Verh. S. 147, geschrieben; was über diese und über die »blauen Korallen« der alten Berichte wirklich feststeht, soll in dem der Geschichte von Benin gewidmeten Kapitel 68 zusammengestellt werden. Hier, wo es sich nur darum handelt, eine möglichst knappe Beschreibung der Bildwerke einzuleiten, können wir auf eine Untersuchung über das Material der Perlen verzichten. Hingegen ist es erwünscht, eine kurze Bezeichnung für die Perlenschnüre zu finden, die wir als in so ungeheuren Mengen um Hals und Kinn der Eingeborenen gelegt ständig zu erwähnen haben werden. Pitt-Rivers nennt sie mit Benutzung eines Dialektwortes für die übermodernen, steifen Stehkrägen sehr treffend »choker« = Würger. Ich würde dieses, an unser »Vatermörder« erinnernde Wort auch in meinem deutschen Text gern benutzen, da ein zweites gleich kurzes und zugleich treffendes wohl kaum gefunden werden kann, scheue aber die Einführung eines neuen Fremdwortes gerade in einer Zeit, in der wir sonst so sehr auf die Reinhaltung unserer Sprache bedacht sind. So werde ich in diesem Bande von »Kropfperlen« reden; mit diesem Worte bezeichnet man in Süddeutschland ganz allgemein und ohne dabei viel an Struma oder sonst an einen krankhaft verdickten Hals zu denken, jenes noch heute vielfach, besonders in Bayern und Salzburg getragene Schmuckstück, das aus einer großen Zahl von übereinander liegenden Halskettchen oder Schnüren mit Perlen besteht, und das durchaus dem entspricht, was wir auf den alten Bildwerken von Benin in solcher Fülle dargestellt finden.

Von den zu diesen Schnüren verwandten Perlen ist, wie es scheint, nicht eine einzige in ein europäisches Museum gelangt; sie waren zylindrisch und, soweit man nach dem Maßstab der Platten schließen kann, etwa 30 mm lang bei einem Durchmesser von 10 oder 11 mm; daß sie auf den großen Köpfen, die vielleicht jünger sind, kleiner dargestellt werden, ist schon erwähnt. Der hier Taf. 63 B abgebildete Kopf hat übrigens spindelförmige Perlen statt der zylindrischen, die sonst die allgemeine Regel sind. Die »Kropfperlen« einer einzelnen Figur sind untereinander meist gleich; es gibt aber vielfach Ausnahmen, wie auf Taf. 12, 20 A, 21 B, 26 B, 34 B und 38 E, bei welchen die oberste Reihe aus quergerippten (oder »geriefelten«) oder wohl eher aus sehr viel kleineren Perlen besteht, die zwar denselben Durchmesser, aber eine viel geringere Höhe haben, als die großen. Nicht ganz selten werden statt der »Kropfperlen« nur einzelne Schnüre mit Perlen getragen, die dann sehr wechselnde Form und Größe haben können; die größten, die ich kenne, liegen um den Hals der Mittelfigur der auf Taf. 22 abgebildeten Platte.

Ab und zu kommt unter den »Kropfperlen« noch ein breites, aus 4—5 Schnüren mit etwas kleineren Perlen bestehendes Gehänge zum Vorschein (vgl. Taf. 27 C und 36 E), das fast bis zum Nabel reicht. Häufiger ist die Verbindung eines derartigen Gehänges mit einer unmittelbar unten anschließenden Schnur großer spindelförmiger Perlen; noch häufiger ist die Kombination mit zwei solchen Schnüren, die am

Abb. 133. Figur von einer Platte, besonders reicher Halsschmuck, glatter Oberschurz. Etwa $1/5$ d. w. Gr. Brit. Museum. Gehört vielleicht zu der Platte Wien, 64681, die jedenfalls, wenn dies auch in der Beschreibung von 1916 nicht bemerkt ist, noch eine zweite Figur gehabt haben muß.

oberen und am unteren Rande des Gehänges verlaufen, wie auf der hier Fig. 133 abgebildeten Platte. Manchmal erscheinen diese Schnüre auch mit den anderen untermischt zu einem ganz breiten Gehänge vereinigt, wie z. B. bei dem links stehenden Mann auf Taf. 19 B. Im Rahmen des Abschnittes X dieses Kapitels soll das Vorkommen dieser spindelförmigen Perlen noch näher besprochen werden.

Ähnliche Gehänge werden auch bandelierartig schräg von der linken Schulter nach der rechten Weiche hin getragen, wie die Tafeln 19, 20 B, 39 u. a. zeigen. Nur ganz ausnahmsweise (bei Leuten, die Gefäße tragen, vgl. Taf. 32) scheint ein solches Bandelier für sich allein umgekehrt angelegt zu sein, also so, daß es von der rechten Schulter nach links herabhängt; wohl aber sind zwei derartige Bandeliere, die sich in der Gegend der Magengrube kreuzen, verhältnismäßig häufig, vgl. Taf. 20 A, 22 u. a.

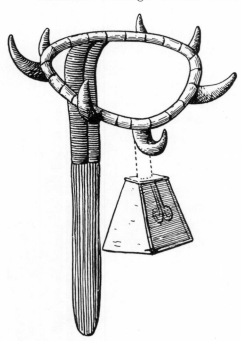

Schließlich ist noch ein weiterer, ganz besonders eigenartiger Halsschmuck zu erwähnen, der auf den Benin-Platten sehr häufig vorkommt. Er besteht aus einem flachen, fast zwei Querfinger breiten Lederringe, auf dem ringsum eine Anzahl, meist 8 bis 9, nach oben gerichtete Eckzähne von Panthern befestigt sind. Die Zwischenräume sind häufig durch je eine oder zwei aufgenähte Kauri-Muscheln ausgefüllt. In fast genau zwei Dritteln aller Fälle hängt von diesem Ringe vorn noch eine große, viereckige Glocke herab, wie z. B. aus den Abbildungen auf Taf. 7 bis 17 zu sehen ist, während z. B. auf Taf. 18, die nach ganz anderen Gesichtspunkten zusammengestellt ist, sich fünf Platten mit Halsringen ohne solche Glocke vereinigt finden. Dabei zeigt sich, daß ganz ausnahmslos alle Leute, die irgendeine Art von Panzer (oder Federhemd) tragen, auch die Glocke am Ringe besitzen, während der Ring ohne Glocke nur von

Abb. 134. Schematische Skizze des Halsschmuckes der großen, auf Taf. 67 abgebildeten Rundfigur. B. Ankermann delin.

Ungepanzerten getragen wird. Dieser Befund ist leider nicht eindeutig; es ist möglich, daß der Halsring mit Pantherzähnen eine Auszeichnung darstellt, und daß zu ihm noch die Glocke als ein höherer Grad »verliehen« wird; ebensogut kann man sich aber vorstellen, daß der Halsring mit Glocke einfach nur zur vollen Ausrüstung eines gepanzerten Kriegers gehörte, daß aber die Glocke nur zum Panzer, also gleichsam zur »großen Uniform« getragen wurde und wegblieb, wenn der Panzer nicht getragen wurde. Von vornherein läge es sicher nahe, diesen höchst auffallenden Schmuck als »Auszeichnung« aufzufassen und in seinen Besitzern hohe Würdenträger zu vermuten. In solcher Auffassung wird man bestärkt, wenn man auf Platten, wie z. B. der Taf. 23 abgebildeten, den großen Gepanzerten mit Schild und Speer daherschreiten sieht, wie einen miles glo-

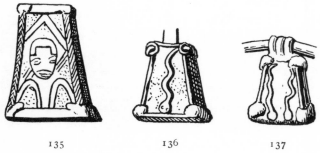

135   136   137   138

Abb. 135 bis 138. Viereckige Glocken vom Halsschmuck auf den Platten III. C. 8054, 8375, 8376 und 8373. B. Ankermann delin.

riosus, von seinem Schwertträger und von zwei Jungen begleitet, die sein Nahen durch Glocken und Trompeten ankündigen. Aber andere, sicher noch weit größere Würdenträger, wie z. B. der feierlich von zwei Begleitern gestützte Mann auf Taf. 20 A oder gar erst der große, reitende Häuptling auf Taf. 24, den zwei Begleiter stützen und über dessen Haupt zwei andere schützend ihre Schilde hochhalten, haben überhaupt kein solches Halsband mit Pantherzähnen, sondern der eine die früher schon erwähnten breiten, über der Brust sich kreuzenden Gehänge, der andere die lang herabhängenden Schnüre mit kleinen zylindrischen und großen spindelförmigen Perlen. So werden wir kaum fehlgehen, wenn wir eher in diesen Hängeschnüren als in den Halsringen mit Pantherzähnen, wenn schon nicht »Auszeichnungen« in unserem Sinne, so doch Würdezeichen ganz besonderer Art erkennen.

Inzwischen scheint zu dem Halsschmuck mit Pantherzähnen, neben der vorne anzuhängenden Glocke, auch noch ein langer Tierschweif zu gehören, der hinten den Rücken entlang herabhängt. Da die gepanzerten Krieger auf den Platten immer nur in Vorderansicht dargestellt sind, bleiben wir für die Kenntnis der Ansicht von hinten auf einige wenige Rundfiguren angewiesen. Außerdem gibt es zwei Platten, beide im Brit. Museum, die uns diesen Halsschmuck in seiner ganzen Vollständigkeit ausgebreitet zeigen; sie werden in einem anderen Zusammenhang in Kapitel 8 beschrieben und abgebildet werden. Einstweilen gibt hier Fig. 134 eine schematische Skizze des Schmuckes nach unserer, bereits S. 69 erwähnten großen Rundfigur auf Taf. 67. Er weicht von der üblichen Form allerdings etwas ab, da die Pantherzähne nicht auf einem ledernen Reifen, sondern an einer Schnur mit zylindrischen Perlen befestigt sind, aber die Zeichnung gibt doch, besonders in Zusammenhang mit den eben erwähnten zwei Platten, ein anschauliches Bild des ganzen Schmuckes, von dem wir bisher nur die vordere Hälfte kennen gelernt haben.

Am Schlusse dieser Einführung bleiben noch einige Worte über die

Haartracht

zu sagen. Weitaus die Mehrzahl der von der alten Benin-Kunst dargestellten Eingeborenen hat zwar Helme und andere Kopfbedeckungen aller Art; auch sind die vielen besonders auffallenden und ungewöhnlichen Arten, das Haar zu behandeln, Gegenstand eines besonderen Abschnittes (J) dieses Kapitels, so daß hier nur die häufigen und typisch wiederkehrenden Formen besprochen werden. Da ist vorerst festzustellen, daß die natürliche Haarbildung der Neger, die kleinen »Pfefferkörner« (fil-fil der Araber), die kurzen Zottelchen und der dichte krause Filz, niemals naturalistisch wiedergegeben sind; selbst die ganz langen, oft bis zur Schulter herabhängenden Zotteln sind in der Regel ohne Andeutung irgendeiner Struktur einfach als glatte Wülste gebildet. Wirkliche Sorgfalt ist nur auf die Wiedergabe der sehr zahlreichen geflochtenen langen und kurzen, dicken und dünnen Zöpfchen verwendet (vgl. z. B. die Abbildungen auf Taf. 33 und 37), ebenso auf die häufig in verschiedenen Mustern glatt rasierten Stellen, wofür Taf. 41 mehrfache Proben gibt; hingegen ist das gewöhnliche verfilzte Kraushaar immer nur ganz schematisch in der Art von in langen Reihen schuppen- oder dachziegelartig parallel nebeneinanderliegenden kleinen Wülsten gebildet[1]. Die Stirnecken sind manchmal ausrasiert, was nicht selten den Eindruck macht, als sei dahinter nicht das wirkliche lebende Haar, sondern eine Perücke dargestellt. Solche kommen ja heute vielfach im tropischen Afrika vor, wir haben aber keinen sicheren Grund, sie auch für Benin anzunehmen. Ein sehr gelehrter Autor meint, daß die schematische Behandlung der Haare in Benin so weit gehe, daß die Haartracht in manchen Fällen wie ein mit großen, zylindrischen Perlen bedeckter Hut oder Helm wirke; dem muß ich durchaus widersprechen; es unterliegt für mich nicht dem allergeringsten Zweifel, daß in solchen Fällen stets wirkliche, aus Perlen bestehende oder mit solchen bedeckte Helme oder Kappen gemeint sind. Zur Erläuterung verweise ich auf die drei Abbildungen auf Taf. 34; rechts und links haben wir Leute mit natürlichen Haaren vor uns; die beiden Leute auf der mittleren Platte aber haben wir uns als mit Perlhelmen bedeckt zu denken.

Wenden wir uns nach dieser allgemeinen Einführung zur Beschreibung der einzelnen Platten, so ist es zweckmäßig, sie nach besonders auffallenden Eigenschaften oder Attributen von vornherein in eine größere Zahl von Gruppen zu teilen. Diese sind hier dann im Interesse möglichster Übersichtlichkeit nach einzelnen Schlagworten in den Überschriften in der folgenden Art alphabetisch geordnet:

[1] In Bd. 46, 1916 der Mitt. d. Wiener A. G. p. 137 beschreibt F. Heger eine ganz gleichartige Haartracht als »haubenförmige Kopfbedeckung, welche aus sieben übereinanderliegenden Streifen zusammengesetzt ist, von denen die beiden unteren Streifen jedoch nicht über die Stirn reichen, sondern an beiden Seiten in schiefem Winkel eingeschnitten sind. Jeder dieser Streifen ist wieder aus radial verlaufenden kurzen erhabenen Stäbchen zusammengesetzt«. Eine gleiche Haartracht wird p. 141, unten, als »korbförmige Kopfbedeckung« beschrieben, die »aus einigen übereinanderliegenden Schichten von vertikal angeordneten erhabenen Streifen (zylindrische Perlen in vertikaler Stellung)« besteht. Gleichwohl glaube ich an meiner alten Deutung festhalten zu dürfen, daß auf diesen und auf einer nicht geringen Zahl von anderen Benin-Platten das wirkliche Haupthaar in schematischer Stilisierung dargestellt ist; dafür scheint mir besonders der Ausschnitt für die Stirne von ganz entscheidender Bedeutung. Negerhaar ist überdies in kleinem Maßstab plastisch sehr schwer wiederzugeben und führt leicht zu schematischer Behandlung. Ähnlich hat auf einem Fresco in der Arena zu Padua Giotto das Fließ der Schafe stilisiert; vgl. auch die Schafe auf dem Relief vom Sarkophage Constantius III. in Ravenna.

A. Eingeborene mit Bärten.	N. Musikanten.
B. Leute mit Bogen.	O. Nackte Jungen.
C. Platten mit »busti«.	P. Platten mit Reitern.
D. Leute dämonischer Art.	Q. Leute mit Schemeln.
E. Leute mit Fächern.	R. Schwertformen.
F. Leute mit Gefäßen, Schalen, Schüsseln u. dgl.	S. Leute mit Schwert und Schild.
G. Leute mit Geldringen.	T. Leute mit Speer und Schild.
H. Leute mit Glocken an der Schwertscheide.	U. Leute mit Stäben, Stöcken u. dgl.
I. Gürtelschmuck.	V. Leute mit Taschen und Bündeln.
J. Auffallende Haartrachten.	W. Tätowierte.
K. Leute mit Hammer.	X. Leute mit ungewöhnlicher Tracht.
L. Verschiedene Helmformen.	Y. Leute mit unsymmetrischem Halsschmuck.
M. »Kleine Leute«.	Z. Verwachsene.

TZ. Platten mit ganz ungewöhnlichen Einzelheiten.

Bei solcher Einteilung wird naturgemäß eine und dieselbe Platte mehrmals erwähnt werden, sobald sie nach mehr als einer Richtung bemerkenswert ist. So wird z. B. der bärtige Musikant auf Taf. 37 mit seiner ganz absonderlichen Haartracht an drei verschiedenen Stellen zitiert werden; das mag als schwerfällige Mehrbelastung erscheinen, bedeutet aber in Wirklichkeit eine wesentliche Zeitersparnis bei der Beschreibung und gestattet vielfach einen Schluß auf die Bedeutung einzelner Attribute; zwar liegt es im Wesen der Sache, daß Altertümer eines schriftlosen Volkes beschrieben, aber nicht erklärt werden sollen, aber eine systematische Beschreibung führt in vielen Fällen ganz von selbst zur Erklärung, ohne daß dabei der reale Boden rein objektiver Beobachtung verlassen zu werden braucht. Die Platten mit zwei und mehr Eingeborenen werden als solche in den späteren Kapiteln 3 bis 5 beschrieben werden, aber es war vielfach geboten, Einzelheiten von ihnen schon in diesem Kapitel zum Vergleiche heranzuziehen.

A. Eingeborene mit Bärten.

Auf S. 54 ist eine Platte mit einem Eingeborenen abgebildet, der seines Bartes wegen von den Händlern als »Portugiese« bezeichnet worden war: Tatsächlich sind die Nigritier im Gegensatze zu den meisten Europäern durch einen so spärlichen Bartwuchs ausgezeichnet, daß man begreift, wie der Laie einen bärtigen Mann, auch wenn er sonst durchaus negerhaft aussieht, nicht von vornherein als Neger erkennt. Es ist hier nicht der Platz, auf die Ursachen solcher Bartarmut einzugehen, aber es mag angedeutet sein, daß wir Neger mit einigermaßen ansehnlichen Bärten sehr viel häufiger in Nordafrika, in den Vereinigten Staaten und in Brasilien finden, als in den eigentlichen Negerländern Afrikas, in denen, wenigstens in früheren Jahrhunderten, die Gelegenheit zur Vermischung mit Europäern sehr viel seltener war. Damit soll natürlich nicht entfernt gesagt sein, daß jeder bärtige Neger einen Europäer zum Vater habe, aber es scheint, als ob europäisches und ebensogut natürlich auch arabisches oder Berber-Blut noch in großer Verdünnung, d. h. nach sehr vielen Generationen einen günstigen Einfluß auf das sonst so spärliche Bartwachstum der Nigritier ausüben würde. Außerdem erscheint der Bart bei den Negern, wenn überhaupt, so doch sehr viel später, als bei uns. Ich kenne keine brauchbare Statistik für diese Verspätung, aber ich habe den persönlichen Eindruck, daß man wie bei uns von einem »Männerbart«, so bei Negern von einem »Greisenbart« sprechen müßte.

Gehen wir von diesem Gesichtspunkt aus an die Betrachtung der Benin-Platten mit bärtigen Männern, so finden wir bei diesen keinerlei Andeutung weder von fremder Abstammung, noch etwa von Zugehörigkeit zu einem fremden Volke; dagegen machen die meisten den Eindruck von Leuten in weit vorgerückten Lebensjahren. Das gilt sicher von dem Barden auf unserer Taf. 37, aber auch von der Mehrzahl der bärtigen Krieger. So glaube ich, daß es nicht Suggestion ist, wenn ich die beiden Männer auf den hier Fig. 139 und 140 abgebildeten Platten für morose alte Leute halte. Das gilt ebenso von dem Manne Taf. 10 B, von dem Manne mit dem Geldring, R. D. XXI, 1, der im Abschnitt G dieses Kapitels besprochen werden soll, und von dem Leidener Manne mit dem Bogen, hier Abb. 145. Für einen alten Diener möchte ich auch den Mann halten, der einen Schemel trägt (Berlin III. C. 20830, vgl. Abschnitt Q dieses Kapitels). Ebenso scheint der Fig. 63 abgebildete angebliche »Portugiese« eine Schüssel zu tragen, wäre dann also wohl auch als Diener und als älterer Mann aufzufassen. Alt scheint auch der Mann auf der Wiener Platte Nr. 64 688, auf die ich im Abschnitt R bei Besprechung der Leute mit schilfblattförmigen Schwertern noch zurückkommen werde. Gleiche Schwerter haben auch die beiden bärtigen Alten auf den Platten R. D. XXIV, 4 und P. R. 10, die jeder ein Bündel mit Strophantus-Früchten auf dem Kopfe tragen, vgl. Abb. 187 und 188. Alt ist auch der bärtige Mann auf der Platte Leipzig H. M. 13 mit den fünf Pfeilfiederungen auf dem Helme, vgl. hier die Abb. 291.

Ganz in Einklang damit steht der Befund auf den Platten mit mehr als einem Eingeborenen. Da sehen wir zunächst, wie auf vier von den sechs Platten mit Kampfszenen (siehe Kap. 5 E) die Sieger bärtig sind, vermutlich weil es sich da um einen bestimmten historischen Vorgang handelt, bei dem der Sieg wirklich von einem älteren Führer erstritten worden war. Ferner gibt es eine Anzahl von Platten vom Typus der hier Taf. 19 A abgebildeten, auf denen ein Würdenträger von zwei gepanzerten Begleitern

Abb. 139. Bärtiger Krieger mit Bogen, mit ungewöhnlichem Panzer und mit ganz besonders kurzen Lendentüchern. Nach R. D. XX, 3.

Abb. 140. Bärtiger Krieger mit Schild und Speer (dieser teilweise abgebrochen). H. Bey 355, dann im Besitze von G. R. Hans Meyer. Oberes Stück der unten beschädigen Platte. Etwa ¼ d. w. Gr.

gestützt wird, und andere, auf denen ein großer Häuptling zu Fuß oder beritten von Gepanzerten begleitet wird, die Schilde über seinen Kopf halten; diese Platten werden in den Abschnitten B, C und D von Kapitel 5 beschrieben werden, hier sei nur festgestellt, daß diese Begleiter fast immer bärtig sind, — ganz als ob die Sorge für die Sicherheit und das Wohlergehen des jungen Fürsten nur besonders erprobten alten Kriegern anvertraut werden könne. Bärtig sind auch fast durchweg die kleinen Bogen-schützen, die im Hintergrunde mehrerer Platten im Gefolge der Häuptlinge erscheinen; bärtig ist einer von zwei Bogenschützen auf einer großen Platte, P. R. 130, die hier Fig. 280 reproduziert wird; bärtig ist auch einer der beiden Männer auf der Platte P. R. 3, vgl. hier Abb. 324, der genau so absonderlich gekleidet ist, wie sein Nachbar, der einen Schemel trägt, so daß es nahe liegt, alle beide etwa als »Hofbedienstete« aufzufassen. Noch sind hier zwei ausgezeichnete Platten in Leipzig zu erwähnen (früher Webster 9769 und 9489), die in Abschnitt H dieses Kapitels in einem anderen Zusammenhang unter Fig. 181 und 182 abgebildet werden sollen. Auf der einen sind zwei bärtige Männer dargestellt, auf der anderen ist von drei Männern einer bärtig und zugleich durch sein in langen Zotteln herabhängendes Haupthaar bemerkenswert. Er macht einen geradezu senilen Eindruck. Schließlich sei hier auch noch an die bärtigen Köpfe erinnert, die sich häufig auf den Lendenschurzen von Eingeborenen eingepunzt finden; vgl. Fig. 97—104 und Abb. 179. Wenigstens einige von diesen sind mit voller Sicherheit als Köpfe von Eingeborenen anzusprechen, auch wenn sie nicht alle durch die übliche Stirn-Tätowierung noch besonders als solche kenntlich gemacht sind.

B. Eingeborene mit Bogen.

Es gibt etwa zwei Dutzende von alten Benin-Bildwerken mit Eingeborenen, die einen Bogen tragen oder halten. Seine wesentlichen Formen sind hier, Abb. 141 und 142, zusammengestellt; von der

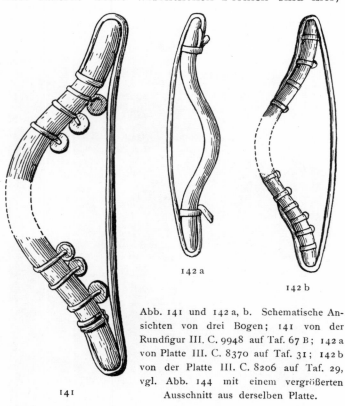

142 a

142 b

Abb. 141 und 142 a, b. Schematische Ansichten von drei Bogen; 141 von der Rundfigur III. C. 9948 auf Taf. 67 B; 142 a von Platte III. C. 8370 auf Taf. 31; 142 b von der Platte III. C. 8206 auf Taf. 29, vgl. Abb. 144 mit einem vergrößerten Ausschnitt aus derselben Platte.

141

schönsten, überhaupt bekannten Platte mit einem Bogen ist ein leicht vergrößerter Ausschnitt hier, Abb. 144, wiedergegeben. Wegen der ausgesprochen reflexen Form hatte ich den Benin-Bogen ursprünglich für »zusammengesetzt« gehalten und dabei an ägyptische oder vorderasiatische Beziehungen gedacht. Bei allen Benin-Bogen, soweit sie überhaupt Einzelheiten erkennen lassen, erscheint die Sehne ausnahmslos über die Stirnenden des Bogens zurückgeführt; wie sie eigentlich befestigt ist, geht nirgends mit Sicherheit hervor; eine Durchbohrung nahe den Enden ist wahrscheinlich, aber an keinem einzigen Stücke wirklich nachzuweisen. Unklar ist auch die vielfache Umwicklung der meisten Stücke, und erst recht unklar sind die sechs Röllchen (?) an dem Fig. 141 abgebildeten Bogen; aber die Sehne ist nirgends als gedrehte Schnur gebildet (wie etwa die gleich dicke Sehne der europäischen Armbrust, Abb. 23, S. 30), sondern stets bandartig flach und glatt, so daß es naheliegt, an einen Rotan-Streifen zu denken. Daher scheint es mir jetzt geboten, den alten Benin-Bogen unmittelbar an den der innerafrikanischen Pygmäen anzuschließen, so sehr auch sonst die materielle Kultur dieser beiden Gruppen auseinandergeht. Das Brit. Museum besitzt zwei moderne Bogen aus Benin, 28 und 34 Zoll, also 71 und 86 cm lang, die R. u. D. (Antiquities p. 25) auch mit Pygmäenbogen vergleichen, mit Rotan-Sehnen und vergifteten

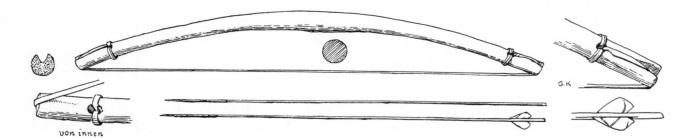

Abb. 143. Bogen und Pfeile der Abongo-Pygmäen. Museum f. Völkerk., Berlin; Oskar Lenz *loco legit*. Etwa ¼ d. w. Gr.

Pfeilen mit Blattfiederung. So scheint sich da die alte Form nicht wesentlich verändert durch drei Jahrhunderte erhalten zu haben. Fig. 143 ist einer der beiden Bogen abgebildet, die Oskar Lenz von den Abongo-Pygmäen an das Berliner Museum eingesandt hat. Sie sind nur 45 und 51 cm lang und also wohl die kleinsten überhaupt bekannten Bogen. Die zugehörigen Pfeile sind 38 cm lang und vergiftet, teilweise mit Blattfiederung, teilweise ohne Flugsicherung.

Daß der Bogen in Benin zunächst Jagdwaffe war, erhellt aus zahlreichen Bildwerken, in denen Jäger dargestellt sind; aber ganz gleiche Bogen finden wir auch in der Hand von Leuten, die einen durchaus kriegerischen Eindruck machen, oder im Gefolge von Kriegern erscheinen. Einen Unterschied zwischen Jagd- und Kampfbogen vermag ich nicht nachzuweisen; beide sind ausnahmslos sehr kurz dargestellt; mit Zugrundelegung der Rumpf- oder der Extremitätenlänge ihrer Träger würde man ihre Länge auf 60 bis höchstens 70 cm schätzen können. Vermutlich war es diese geringe Größe, die Pitt Rivers veranlaßt hat, bei der Beschreibung seiner Fig. 130 in allzugroßer Vorsicht nur von »objects resembling bows« zu sprechen; die kleinen, flachen Köcher, die beide Leute auf dieser Platte vorne am Leibe mit einer dicken Schnur festgebunden haben, sind freilich so undeutlich, daß er sie ganz übersehen durfte. Um so deutlicher erkennen wir einen gleichartigen, wohl geflochten zu denkenden Köcher auf der Berliner Platte, Taf. 31 D; auch er ist vorne an der linken Körperseite mit einer Schnur festgebunden; der Jäger auf unserer Platte Taf. 29 trägt seinen Köcher an einem breiten Bande am Rücken. Sonst finden sich Köcher auf den Benin-Platten meist vorne auf der Brust getragen.

Regelmäßig hingegen erscheint auf dem linken Handgelenk ein rundliches Kissen festgebunden, das zum Auffangen der rückprallenden Bogensehne dient. Ich habe solche Kissen schon 1897 in den »Beiträgen zur Völkerkunde d. D. S.« beschrieben und abgebildet. Sie sind bei den Wute aus sehr steifem Leder und hohl, sonst in der Regel aus weichem Leder, aber dicht mit Haaren vollgestopft. So waren sie sicher auch im alten Benin. Irgendwelche Vorrichtungen zum Spannen sind auf den Platten nicht nachzuweisen; daß sie trotzdem nicht ganz fehlten, werden wir bei der Beschreibung der Elfenbeingefäße feststellen können.

Abb. 144. Vergrößerter Ausschnitt aus der Platte III. C. 8206, Taf. 29. Die falsche Lage der oberen Hälfte der Bogenschnur ist vermutlich durch eine Beschädigung des Wachsmodelles vor dem Gusse zu erklären.

Die Pfeile erscheinen auf den verhältnismäßig wenigen Platten, auf denen sie überhaupt dargestellt sind, stets ganz auffallend kurz und plump, mit mächtigen Spitzen, fast durchweg mit zwei breit aufsitzenden, symmetrischen Widerhaken. Die Flugsicherung ist niemals so behandelt, als bestünde sie aus Federn, sondern macht immer den Eindruck, als sei ein langoval zugeschnittenes, dickes Blatt durch einen Schlitz im Schafte hindurchgeschoben. In dieser Beziehung sind die drei Jäger auf unserer Taf. 30 und die vier ihr auf das nächste verwandten Platten in Dresden, Hamburg, Leipzig und London ganz besonders lehrreich. Von einer Kerbe ist nirgends eine Andeutung vorhanden; höchstens bei dem Pfeile auf dem Sockel der Taf. 70 abgebildeten großen weiblichen Figur könnte man an eine solche denken, aber auch da scheint nur eine zufällige Beschädigung eine Art von ganz seichter Kerbe vorzutäuschen.

Die wichtigsten, hierher gehörigen Platten sind auf den Tafeln 29, 30 und 31 zusammengestellt. Von großer Schönheit ist auch die Platte Leiden 1243/18, die schon bei M. II, 3 abgebildet ist, von der ich aber hier, Fig. 145, nach einer anderen Aufnahme eine etwas größere Abbildung gebe, hauptsächlich wegen der eigenartigen Umwicklung der Bogenenden und um auf das ganz ungewöhnlich schöne, schilfblattförmige Schwert aufmerksam zu machen, sowie auf die große, runde Glocke, die von der Schwertscheide herabhängt; diese selbst ist allerdings durch die linke Hand zum größeren Teil verdeckt, aber

man erkennt sie dafür um so deutlicher auf allen Platten unserer Taf. 31, immer in genauer Vorderansicht und stets mit der kleinen, geflochtenen Schnur, die auch auf unserer Taf. 49 F mit so großer Treue
wiedergegeben ist und dazu dient, das in der Scheide versorgte Schwert vor dem Herausgleiten zu schützen.
Diese Art, von der unter der linken Achsel getragenen Schwertscheide gerade nur den Eingang in strenger
Vorderansicht zu zeigen, kehrt übrigens auch auf sehr vielen anderen Benin-Platten wieder; doch darf
nicht unerwähnt bleiben, daß ein sonst um unsere Kenntnis der Benin-Altertümer besonders verdienter
Mann den Zusammenhang ganz verkennt und von einem unter der Achsel getragenen Gegenstand

spricht, »like a despatchcase« oder bei einer anderen
Platte »like a book under left arm«. Auch deutsche
Kollegen beschreiben den »Gegenstand«, ohne ihn als
Schwertscheide zu erkennen, bald als »kleine rechteckige
dicke Tafel«, bald als »dünnen viereckigen Gegenstand« usw.

Der Leidener Platte ganz ähnlich ist eines der vier
Benin-Stücke in Kopenhagen, das auch aus dem Besitze
von Webster stammt und in seinem Kataloge 18 von 1899,
Fig. 68, als Nr. 6461 abgebildet ist; das Schwert ist
wesentlich breiter und in der Nähe des Griffes jederseits
mit vier symmetrischen Einbauchungen versehen; auch
wird der Bogen nicht am Vorderarm, sondern am Oberarm getragen, und die Lendenschurze sind glatt; sonst
dürften die beiden Platten im ganzen und in den meisten
Einzelheiten untereinander übereinstimmen. Ähnliche
Helme haben auch die beiden Leute auf der Platte
P. R. 130, und der Mann auf unserer Platte Taf. 31 D,
der auch das schilfblattförmige Schwert mit der Leidener
Platte und mit unseren Platten auf Taf. 31 A und C gemein hat, so daß ein gewisser, aber freilich nicht aus-
schließlicher Zusammenhang zwischen dieser Helmform,
dem Schilfblattschwert und dem Bogen nicht zu übersehen ist.

Einige der in diesen Kreis gehörigen Platten werden,
da sie zwei und mehr Figuren aufweisen, um an dem aufgestellten Schema festzuhalten, in den folgenden Kapiteln
noch einmal erwähnt werden; hier sind nur noch wenige
Einzelheiten an den Taf. 31 A und C abgebildeten Platten
zu beschreiben. Die erstere zeigt einen augenscheinlich
noch sehr jugendlichen Mann, ohne Stirnnarben, aber
mit mächtig langen, den ganzen Kopf wie eine Perücke
bedeckenden Haarzotteln; einige von diesen sind zu Zöpfen
geflochten und mit großen, zylindrischen Perlen beschwert.
Um den Hals liegt nur eine ganz dünne Schnur; hingegen
tragen beide Vorderarme mehrfache Armbänder, der linke

Abb. 145. Bärtiger Eingeborener mit Bogen, Leiden
1243/18 = Marquart II/3; früher Webster 9488.
¹/₃ d. w. Gr.

auch noch das bereits erwähnte Schutzkissen. Der Oberkörper ist unbekleidet und zeigt die typische
Tätowierung, beide Schurze sind glatt und mit einer gezopften Borte und einem Fransensaum eingefaßt.
Das Schwert wird mit der Spitze nach oben gehalten, aber bezeichnenderweise nicht am Griff, sondern
am Anfange der Klinge, die wir uns an dieser Stelle stumpf und mehrfach eingebaucht zu denken
haben, gleichwie auf der hier bereits erwähnten Platte in Kopenhagen.

Durch Form und Inhalt gleich eigenartig ist unsere Platte III. C. 10 880; wie die Abbildung auf
Taf. 31 C zeigt, ist sie ganz ungewöhnlich schmal und hoch (16 × 44 cm) und hat, um die oben und unten
gleich großen, leeren Räume zu füllen, in deren Mitte je eine jener Rosetten, die wir sonst meist nur an
den Ecken mancher Platten finden. Völlig ungewöhnlich ist auch die Tracht des sicher noch sehr jugend-
lich zu denkenden Kindes. Es hat eine Art Poncho aus Pantherfell, das vorne mit dem Kopfende bis
fast in Kniehöhe reicht, hinten also vermutlich angestückt war; unter ihm ist unten eben noch der Rand

eines glatten, hemdartigen Kleidungsstückes sichtbar. Von den Schultern und von dem Achselgurt hängen zahlreiche, bandartige Streifen aus Pantherfell herab, die mit Schellen endigen. Den Kopf bedeckt eine glatte, fast halbkugelige Kappe (Helm?), unter der jederseits ein langer, mit einer zylindrischen Perle beschwerter Haarzopf erscheint, von denen der linke so eng geflochten ist, daß er fast wagrecht absteht. Ähnliche Topfhauben und auch ähnliche übermäßig lange, ponchoartige Panzer aus Leopardenfell, aber andere Schwerter, haben auch die zwei Bogenträger Taf. 31 B und der gleichfalls einen Bogen haltende Mann auf der Hamburger Platte C. 2329, die hier Fig. 171 abgebildet werden wird.

Daß kleine, bärtige Leute mit Bogen häufig auch als Nebenfiguren und im Hintergrunde von großen Platten erscheinen, ist bereits erwähnt worden. Typisch für dieses Vorkommen ist unsere Platte III. C. 8056 auf Taf. 24 mit dem Bogenträger in der rechten oberen Ecke und die ähnlich angeordnete Platte III. C. 8054 auf Taf. 11. Von einer verwandten, vermutlich noch viel größer und figurenreicher gewesenen Platte ist nur eine Ecke erhalten, die sich jetzt unter der Nummer C. 2869 in Hamburg befindet. Das schöne und wertvolle Bruchstück ist hier Fig 146 nach Hagens Bericht für 1900 erneut abgebildet. Es war zuerst im Auktionskatalog von J. C. Stevens vom 10. 4. 00 als »splendid Bronze plaque, representing a Ju-Ju-play« aufgeführt und kurze Zeit nachher, schon mit richtiger Bezeichnung, in Websters Katalog 27, Fig. 84, Nr. 9926 gut veröffentlicht. Auf die beiden Trommler, neben denen rechts noch eine Speerspitze sichtbar ist, werde ich im Abschnitt N dieses Kapitels zurückkommen; hier interessiert uns nur der Bogenträger mit seinen ganz kurzen Beinen und dem mächtigen Kopfputz. Die Proportionen dieses Männchens sind schwer zu verstehen; sein Bogen, der doch sicher nicht größer zu denken ist als die übrigen Benin-Bogen, würde ihm von den Zehen bis zur Nasenspitze reichen, aber auch wiederum vom Kinn bis zur obersten Feder seines Kopfputzes. Es scheint nicht gut möglich, solches Mißverhältnis einfach nur auf Ungeschick oder auf Sorglosigkeit des Künstlers bei Behandlung einer Nebenfigur zurückzuführen; viel eher wird man es auf einen hochgradigen Fall von Achondroplasie beziehen; daß Zwerge am Hofe des Königs von Benin gehalten wurden, ist ausdrücklich bezeugt; auch besitzt die Wiener Sammlung zwei große Rundfiguren, die wahre Schulfälle dieser Mißbildung darstellen. So werden wir auch hier an pathologischen Zwergwuchs denken dürfen, obwohl der Mann ganz bekleidet ist und man sich keine auch nur annähernd sichere Vorstellung über seine relativen Körpermaße machen kann. Wie zum Hohne hat man ihn in einen Panzer gesteckt und ihm den Halsring mit Zähnen und Glocke umgelegt, den sonst nur die Krieger tragen. Der Zipfel seines Lendenschurzes reicht weit über seine Scheitelhöhe, und auch sein vorn mit einer großen, rundlichen Scheibe geschmückter Helm ist nach Form und Größe fast ohne Analogie in der ganzen Benin-Kunst. Unter der linken Achsel fällt ein riesiger Schwertknauf auf, unter ihm ein ganz kleiner, längsgestreifter Köcher mit Deckel und unter diesem eine zur Schwertscheide gehörige Glocke. Der lange Gegenstand, der auf der andern Seite, parallel mit dem rechten Arm herabhängt, hat ungefähr die Form einer Schwertscheide (vgl. Taf. 49 F), muß aber anders zu deuten sein, da Schwertscheiden niemals an dieser Stelle getragen werden. Ganz besondere Aufmerksamkeit verdient auch in diesem Zusammenhange die wegen der *busti* im nächsten Abschnitte, S. 88 Fig. 160, abgebildete Platte mit drei Kindern, von denen das mittlere einen Bogen trägt. Das interessante Stück ist bei R. D. unter Nummer XV. 3 ausführlich beschrieben worden, aber die gelehrten Kollegen haben den durchaus kindlichen Charakter der drei Figuren anscheinend ganz übersehen. Daran, daß die beiden Begleiter des Bogenträgers Kinder sind, kann wohl niemand zweifeln; doch auch dieser selbst macht einen durchaus kindlichen Eindruck. Natürlich wäre es töricht, etwa eine genaue Altersbestimmung versuchen zu wollen; es genügt, auf das Kindliche und Kindische der ganzen Gruppe aufmerksam zu machen. Freilich tragen alle drei Jungen Schwerter, wie Erwachsene, aber es ist klar, daß sie nur »Soldaten spielen«, wobei der mittlere, dessen

Abb. 146. Bruchstück von der linken oberen Ecke einer großen Platte; zwei Trommler und ein zwerghafter Mann mit Bogen. Hamburg, C. 2869. Nach Hagen, etwa ¹/₃ d. w. Gr. (13 × 26 cm.)

Hemd vom Hals bis zu den Knien ganz mit Schellen (und Amuletten?) behängt ist, sichtlich den großen Würdenträger markiert, der von einem Krieger und einem Eilboten begleitet wird.

Fassen wir zusammen, was sich aus der Betrachtung der Bildwerke ergibt, so sehen wir, daß der Bogen im alten Benin die herrschende Jagdwaffe ist, daß er aber im Kampfe keine wesentliche Rolle spielt; zwar sehen wir ihn auch ab und zu bei richtig gepanzerten Kriegern, aber, wie es scheint, nur bei ganz jungen und bei alten Leuten, sowie bei verwachsenen Zwergen, niemals bei Leuten mit den vielen Schnüren von Halsperlen, nur einmal bei einem Manne, der von Querhornbläsern begleitet wird.

C. Platten mit „*busti*".
[Hierzu Taf. 21 und 23, sowie die Abb. 40 und 147 bis 165.]

Auf sehr vielen Benin-Platten erscheinen, meist in den Ecken, Sterne, Halbmonde, Krokodilköpfe und andere »Beizeichen«. Diese werden im Kap. 65 beschrieben. Hier soll eine besonders merkwürdige

Abb. 147. Platte mit *busti*, nach R. D. XVI, 2. Die beiden Europäer halten jeder einen Gegenstand, der als Metallplatte, Spiegel, Rassel usw. gedeutet wurde, vielleicht Zwieback. Vgl. Abb. 40 auf S. 40.

Abb. 148. Platte mit *busti*, nach R. D. XVI, 1. Die beiden Europäer halten jeder eine Art Sponton und sind durch die verdrehten Hälse und schief gehaltenen Köpfe bemerkenswert. Ähnliche, manchmal noch gesteigerte Schiefstellung wird häufig bei den alten Elfenbeinschnitzwerken von Benin beobachtet.

Abb. 149. Platte mit *busti*, von denen einer beschädigt; der andere hält eine runde Scheibe mit konzentrischen Kreisen, wohl entsprechend den rechteckigen Gegenständen in Abb. 147. Für das Federhemd vgl. die Tafeln 14 und 27 B, und die Abb. 357. Nach R. D. XXI, 2.

Abb. 150. Platte mit *busti*, nach P. R. 4. Vgl. die sehr ähnliche Platte Taf. 23. Die Europäer halten »tablets or books«, vgl. Abb. 147 und 153.

Abb. 151. Platte mit *busti*, nach R. D. XVI, 4. Von den beiden Europäern hält der eine einen Geldring; der andere führt einen rundlichen Gegenstand (Flasche, Frucht?) zum Munde (oder zur Nase). Etwa 1/6 d. w. Gr.

Abb. 152. Platte mit *busti*, nach R. D. XVI, 3. Die beiden Europäer halten jeder einen Geldring. Der Krieger in der Mitte hat reich geschmückten Panzer und besonders sorgfältig ziselierten Oberschurz. Von seinen kleinen Begleitern bläst der eine auf einem gedrehten, also wohl von einer Antilope stammenden Querhorn, der andere hält zwei Glocken.

Abb. 153. Platte mit *busti*, nach R. D. XV, 2. Von den beiden Europäern hält der eine ein rechteckiges Täfelchen, vgl. Abb. 147 u. 150, der andere faßt mit der rechten Hand an seinen Bart. Etwa 1/4 d. w. Gr.

Abb. 154. Platte mit einem *busto*, nach R. D. XV, 1. Der in ungewöhnlicher Art bis über die Hüften aus dem Hintergrund emporgetauchte Europäer scheint eine Flasche (?) an den Mund führen zu wollen. Etwa 1/4 d. w. Gr.

Abb. 155. Platte mit *busti*, nach Webster 8817. Die Europäer halten jeder einen Stab, der eine in der Linken, der andere in der Rechten. Etwa 1/5 d. w. Gr. Jetzt in Dresden.

Abb. 156. Mann mit einem Rasselgefäß. Drei *busti*. Berlin III. C. 27506. Etwa 1/4 d. w. Gr. Vgl. Abb. 161.

Gruppe von Platten zusammengefaßt werden, auf denen »Beizeichen« ganz anderer Art erscheinen, richtige »Büsten« von Europäern, die wie aus der gemusterten Grundfläche der Platten herausgehoben erscheinen und genau wie Menschen wirken, die sich mit dem Oberkörper durch einen engen Schlitz in einem Vorhange hindurchgearbeitet haben. Unsere auf Taf. 23 in einem großen Maßstabe reproduzierte Platte III. C. 7657 läßt ebenso wie die Platte III. C. 8364 auf Taf. 21 A die Art dieser »Büsten« besonders deutlich erkennen, aber auch auf allen anderen in diesen Kreis gehörenden Platten ist stets zu sehen, daß diese Europäer sich durch ein scharf umrissenes, wie mit dem Messer geschnittenes Loch aus dem Hintergrunde gleichsam herausgeschoben haben.

Da wir über die Bedeutung dieser Bildwerke ganz unwissend sind, muß ich mich darauf beschränken, sie ihrer äußeren Form nach in eine Gruppe für sich zusammenzufassen. Auch gebe ich Abbildun-

Abb. 157. Ausschnitt aus der »Orestes-Vase« nach Baumeister. Als *busti* links Pylades und rechts Klytämnestra.

gen aller mir erreichbaren Stücke in der Hoffnung, daß so vielleicht ein anderer in den Stand gesetzt sein möchte, aus der Form auf den Inhalt zu schließen und so ihre Bedeutung zu erkennen. Von den 24 mir bekannten Platten dieser Gruppe sind 12 im Brit. Museum, 3 in Berlin, 2 bei Pitt Rivers und in Hamburg; von vieren weiß ich nicht, wo sie sich zurzeit befinden; unter diesen ist eine, die ich nie gesehen habe und von der ich nur aus einer kurzen Notiz [1]) in einem Auktions-Kataloge Kenntnis habe. Es gibt kaum ein deutsches Wort, das sich mit dem Begriffe dieser sonderbaren »Beizeichen« decken würde; ich folge daher dem Beispiele der klassischen Archäologen, die gleichartige oder wenigstens ähnliche Dinge als »busti« bezeichnen. Auf Vasen, aber auch sonst vielfach auf antiken Denkmälern kennt man büsten-artig abgegrenzte Halb- oder Viertelfiguren, die wiederholt Gegenstand gelehrter Untersuchung gewesen sind. Als Prototyp für diese Gruppe gebe ich hier, Fig. 157, die sehr bekannte Darstellung auf der berühm-

---

[1]) Sammlung Dr. W. J. Ansorge, 1909: »Warrior with spear in his right hand and a shield in his left. In the top corners are two halffigures, one holding a long necked gourd to his mouth, the other holding a stick over his shoulder. $11^1/_2 \times 16^1/_2$ inches« (29 × 42 cm).

ten Orestes-Vase. Da sieht man vor dem pythischen Dreifuß, in einem Netz aus Wollbinden den eiförmigen Omphalos, die heilige Mitte der Erde. Davor kniet Orestes; links steht Apollo an einem mit Binden und Votivbildern (?) geschmückten Lorbeerbaum, rechts, auf den Speer gestützt, Athene. Hinter dem Dreifuße, und weil von diesem unten gedeckt; nur als halbe Figur gemalt, steht eine Erinys, die den Orestes mit geschwungener Schlange bedroht, links eine zweite Erinys, die vor dem Blicke Apollos zurückweicht. In den oberen Ecken aber erscheinen als »busti« rechts Klystämnestras Schatten und links des Orestes treuer Freund Pylades. Die Darstellung ist durchaus klar und eindeutig; man würde sie verstehen, auch ohne Kenntnis der Verse 179—234 in den Eumeniden des Aeschylos, zu denen sie fast wie eine bewußte Illustration wirkt.

Ἔξω, κελεύω, τῶνδε δωμάτων τάχος
χωρεῖτ᾽, ἀπαλλάσσεσθε μαντικῶν μυχῶν ..... usw. bis:
Ἐγὼ δ᾽ ἀρήξω τὸν ἱκέτην τε ῥύσομαι
δεινὴ γὰρ ἐν βροτοῖσι κἀν θεοῖς πέλει
τοῦ προστροπαίου μῆνις, ὅς προδῷ σφ᾽ ἑκών.

Abb. 158. Platte mit *busti*, nach R. D. XVI, 6. Etwa ¹/₅ d. w. Gr.   Abb. 159. Platte mit *busti*. Hamburg, C. 2894.

So kann über den Inhalt der Darstellung und besonders auch über die Bedeutung der *busti* kein Zweifel sein; nur über ihre Entstehung als Kunstform scheint es mir schwer, zu einem sicheren Urteil zu kommen. Man kann verstehen, daß die hinter dem Dreifuß auftauchende Erinys nur als Halb-(oder Drittel-)Figur sichtbar ist, und man begreift, warum die dem Schattenreich entstiegene Klytämnestra nur wie eine Büste auf der Bildfläche erscheint — aber Pylades, der doch weder im Beginne der Szene, die im delphischen Tempel spielt, anwesend ist noch am Schlusse, im Tempel der Athene, wie kommt er auf das Bild? Als Pendant zum Schatten der Klystämnestra? Da hätte es eine weitere von den 12 Rachefurien ebensogut getan; oder verfiel der Künstler auf Pylades nur, um dessen treue Freundschaft mit dem Vetter und Schwager zu feiern? Auch ein anderes schönes Vasengemälde aus dem Museum in Neapel sei hier nach Baumeister, S. 770, erwähnt. Es zeigt Kadmos, der den Drachen erschlägt, mit Athene als Schutzgöttin und mit der Stadtgöttin Thebe, außerdem erscheinen als Halbfiguren der Feuergott Ismenos und eine Quellnymphe.

Es steht mir nicht zu, mich in unfruchtbaren Vermutungen über die Entstehung der *busti* in der griechischen Kunst zu verlieren; hier genügt es, die antiken *busti* überhaupt zum Vergleiche heranzuziehen: die Art ihrer Entstehung als Form kann uns hier gleichgültig sein, wenn wir nur ihren Inhalt kennen. Den *busti* der Benin-Kunst stehen wir leider ganz unwissend gegenüber. Ihre Form gleicht durchaus der antiken, aber über ihren Inhalt wissen wir gar nichts; und auch die vollständige Übereinstimmung der Form stellt uns wieder einmal vor das große Problem der Konvergenz. Sicher können wir uns vorstellen, daß gleiche Gehirnorganisation und gleiche Gedankengänge einen antiken Vasenmaler und zwei Jahrtausende später einen Benin-Neger veranlaßt haben, unabhängig voneinander und trotzdem in völlig übereinstimmender Art, *busti* zum künstlerischen Ausdruck verwandter Vorstellungen heran-

Abb. 161. Mann mit einem Rasselgefäß; vgl. Abb. 156. Drei *busti* (oder Köpfe?) von Europäern. Nach R. D. XIII, 4. Etwa ¹/₅ d. w. Gr.

Abb. 160. Platte mit drei Kindern, vgl. S. 83. Oben zwei *busti*, nach R. D. XV, 3. Etwa ¹/₃ d. w. Gr.

Abb. 162. Bruchstück einer Platte mit einem *busto*. Nach Webster 29. 1901. Fig. 121. 11700. ¹/₂ d. w. Gr.

zuziehen. An sich ist es aber ebensogut möglich, daß wir es hier mit dem Fortleben einer alten Tradition zu tun haben. Mehrfach habe ich seit Jahren auf Kultureinflüsse hingewiesen, die schon in frühhistorischer Zeit aus Nordafrika nach dem Sudân gelangt waren, und auch bei Besprechung des hier Taf. 64 abgebildeten Kopfes werde ich in Kap. 24 die Möglichkeit eines Zusammenhanges mit dem Kulte des Zeus Sabazios zu erwähnen haben.

Inzwischen können die folgenden Feststellungen vielleicht etwas zum Verständnis der Benin-*busti* beitragen:

1. Niemals erscheinen Eingeborene als *busti*, stets nur Europäer.
2. Nur einmal erscheinen *busti* auf einer Platte mit einem Europäer, sonst — von dem unsicheren Bruchstück Abb. 162 abgesehen — immer nur auf Platten mit Eingebornen. Das verliert

freilich etwas an Nachdruck, wenn man die im Verhältnis zu den Platten mit Europäern sehr große Zahl der Platten mit Negern vergleicht. Man sollte logischerweise nicht sagen, daß die »Halbfiguren« auf Platten mit Eingeborenen 21- oder 22mal häufiger vorkommen als auf Platten mit Europäern, sondern muß logischerweise rechnen, daß unter den uns bekannten 56 Platten mit Europäern nur eine *busti* zeigt und daß unter den 478 erreichbaren Platten mit Eingebornen 21mal *busti* beobachtet werden, also auf je 23 Platten eine. Immerhin würden auch nach solcher Rechnung die »Halbfiguren« auf Platten mit Eingeborenen mehr als doppelt so häufig vorkommen als auf solchen mit Europäern.

Abb. 163. Schlachtung eines Rindes. Rechts oben ein *busto* eines Europäers mit einer Schießwaffe. Nach P. R. 369. Etwa 1/6 d. w. Gr.

3. Die Köpfe erscheinen, auch wenn der Oberkörper in Vorderansicht dargestellt ist, fast immer von der Seite gesehen; einige Male sieht man ein schwaches Dreiviertelprofil; volle Vorderansicht zeigen nur die beiden grotesken Männchen auf der Platte Fig. 148 und einer der *busti* auf der Fig. 153 abgebildeten Platte, während der ihm in der andern Ecke entsprechende reine Seitenansicht zeigt — ein höchst auffallender Verzicht auf die gerade in der Benin-Kunst sonst mit so großer Hartnäckigkeit durchgeführte Symmetrie.

4. Die *busti* sind durchweg flacher und weniger sorgfältig gearbeitet als die Hauptfiguren. In vielen Fällen, z. B. Fig. 154, 158 und B. M. 11 und B. M. 199, muß ihre Ausführung als schlecht, nachlässig, roh und lieblos bezeichnet werden. Manchmal möchte es fast scheinen, als ob sie nicht nach der Natur, sondern nach Bildern, etwa von Spielkarten(!) modelliert worden wären.

Die Attribute der einzelnen *busti* verteilen sich in nachstehender Art:

a) Rechteckige glatte Täfelchen: zweimal bei der Fig. 50 abgebildeten Platte.

b) Rechteckige Täfelchen mit umwalltem Rande und mit eingeschriebener, umwallter, kreisförmiger Fläche: je einmal bei 40 und bei 153, beidemal bei 147.

c) Kreisrundes Täfelchen mit umwalltem Rande und mit mehreren konzentrischen Kreisen bei 149, mit glatter Innenfläche bei 162, ähnlich auch bei 164.

Abb. 164. Würdenträger mit Hängeschmuck aus kleinen zylindrischen und großen eiförmigen Perlen. Unten *busti* mit runden umwallten Scheiben, ähnlich wie Fig. 149 und 162. Nach R. D. XV, 6. Etwa 1/4 d. w. Gr.

Abb. 165. Würdenträger mit drei bärtigen Begleitern und zwei kleinen nackten Jungen; links oben ein schießender Europäer als *busto*; rechts, neben dem Kopfe des mittleren Würdenträgers ein gepanzerter Gefolgsmann, bärtig, mit Bogen und Köcher. Nach einer Platte im Besitze von Admiral Rawson. Etwa 1/6 d. w. Gr. (53 cm hoch.)

d) Rechteckiges Täfelchen, mit einem Zopfband eingerahmt, darin eine Art Blütenstern; an beiden Schmalseiten je eine aus drei Winkelhaken bestehende Schlangenlinie: zweimal auf der Platte Taf. 21 A. (Die Erhaltung der beiden Täfelchen ist nicht ganz gleich: Auf dem linken hat man zunächst den Eindruck, als könnte eine Schildkröte dargestellt sein; der rund eingefaßte Blütenstern wirkt wie der Leib einer solchen, der mittlere von den drei Winkelhaken der Schlangenlinie wirkt je wie Kopf und Schwanz, und die vier seitlichen hält man dann für die Füße. Erst bei ganz genauer Betrachtung des Täfelchens auf der andern Seite und bei wechselnder Beleuchtung des Originals gelangt man zur Aufgabe der »Schildkröte«.) In der andern Hand halten die Leute je einen Stock.

e) Geldringe: bei 151, zweimal bei 152, zweimal auf Taf. 23 und drei halbe Geldringe auf der nicht veröffentlichten Platte des Brit. Mus. Alte Nummer (Sir Ralph Moor) 11.

f) Sponton: zweimal bei 148.

g) Schießgewehr: einmal bei 163, vielleicht auch bei 165?

h) Stöcke, an einem Ende gehalten und über die Schulter gelehnt wie bei d: zweimal bei 155, dabei halten beide Figuren die freie Hand mit ausgestrecktem Zeigefinger mit solcher Geste vor sich, als ob sie zur Ruhe oder zum Stillschweigen mahnen wollten. Zweimal auf Taf. 21 A, wobei die Leute, wie unter d) erwähnt, in der andern Hand ein verziertes Täfelchen halten. Auch eine der beiden *busti* der Ansorge-Platte hält nach der Beschreibung einen Stock geschultert.

i) Trinkend sind dargestellt: beide *busti* auf der Taf. 23 abgebildeten Platte, einer auf der Ansorge-Platte und vermutlich je einer auf den Platten Fig. 151 und 154.

k) Anscheinend essend: die beiden Leute auf 160, die untere Halbfigur auf Abb. 40 und alle vier *busti* der nicht veröffentlichten Platte des Brit. Mus. Nr. 199.

l) Nichts scheinen die drei Halbfiguren auf Abb. 156 zu tun, und auch der in Vorderansicht dargestellte Mann in der linken Ecke von 153 scheint nur seinen Bart zu krauen.

m) Fast nur die Köpfe sind dargestellt, je zweimal auf den Platten, die hier Fig. 158, 159 und 161 abgebildet sind. Bei der letzteren Platte würde man überhaupt kaum an *busti* denken, sondern eher an Köpfe, wie sie mehrfach als bloße Beizeichen erscheinen (so z. B. auf einer schönen Platte Dresden 16184, auf einer andern in Leipzig, früher Webster Kat. 29, 1901, Nr. 79 u. a.; vgl. hier das Kapitel 65). Diese Köpfe entsprechen sicher den großen Köpfen von Europäern auf den hier Fig. 64 bis 66 abgebildeten Platten und haben mit den *busti* nichts gemein. Bei der Platte auf Fig. 161 nun könnte man die Köpfe zunächst vielleicht auch nur als bloße Beizeichen und nicht als *busti* auffassen, besonders da sie in der Halsgegend nicht scharf vom Hintergrund abgesetzt sind, aber sie haben doch einen sicheren Hals und sind in Profil, während die als bloße Beizeichen aufzufassenden Köpfe immer ohne Hals und in reiner Vorderansicht dargestellt sind; entscheidend für die Einreihung dieser Platte ist freilich erst ein Vergleich mit der hier Fig. 156 abgebildeten, auf der die *busti* in ganz typischer Art dargestellt sind. Die Hauptfiguren auf den beiden Platten sind einander aber so ähnlich und stimmen in allen Einzelheiten derart überein, daß man sie für Porträts ein und derselben Person halten möchte, und also auch für die Beifiguren nicht gut andere als bloß quantitative Unterschiede annehmen kann; in ihrem ganzen Wesen wird man sie als gleichartig betrachten müssen.

Hingegen ist im Brit. Mus. nach einer von mir 1900 gemachten Notiz unter der Nummer 75 (der von Sir Ralph Moor stammenden Serie) mitten unter den Stücken, die ich wegen der *busti* in eine besondere Gruppe zusammenfasse, auch die bei R. D. XV. 5 abgebildete Platte mit einem gepanzerten Krieger ausgestellt, die in der linken oberen Ecke den behelmten Kopf eines Europäers, in den drei andern Ecken je eine Rosette zeigt. Ich würde es nicht für richtig halten, diesen Kopf als *busto* zu betrachten, und rechne ihn zu den »Beizeichen«, genau wie z. B. die drei Europäerköpfe in den Ecken der schönen, jetzt in München befindlichen Platte Webster 4948. Auch das kleine, aber vollständige Figürchen eines behelmten Europäers auf der Platte R. D. XV. 4, hier Fig. 350, kann nicht zu den *busti* gerechnet werden. Es steht in der Reihe der Benin-Altertümer völlig vereinzelt da und bildet eine Klasse für sich; vermutlich kann es mit den kleinen Begleitern, die wir oft auf Platten mit mehreren großen Eingebornen im Hintergrunde angebracht finden, verglichen werden. Dagegen dürfte zu den *busti* noch ein Kopf und ein Arm (?) eines anscheinend schießenden Europäers zu rechnen sein, der sich auf der

Fig. 165 abgebildeten Platte von Admiral Rawson befindet. Aber er ist so undeutlich, daß ich fast Bedenken trage, ihn hier abzubilden und mitzuzählen.

Die in diesem Abschnitt C besprochenen Platten sind hier lediglich nur mit Bezug auf ihre *busti* zusammengefaßt worden und scheinen im übrigen kaum etwas miteinander gemein zu haben; vier haben ausgesprochen »dämonischen« Charakter, zwei zeigen Leute mit Klappern; die andern dargestellten Personen gehen in ihren Attributen, Kopfbedeckungen und Waffen weit auseinander, so daß es unmöglich scheint, irgend etwas zu finden, was sie außer den *busti* noch unter sich gemein haben. Sie werden daher an jenen Stellen noch einmal zu erwähnen sein, an die sie ihren wichtigsten Attributen nach gehören. Die Hoffnung, früher oder später doch noch einen greifbaren Zusammenhang zwischen den Hauptfiguren und den *busti* finden zu können, braucht deshalb nicht aufgegeben zu werden.

D. Platten mit Darstellungen „dämonischer" oder sakraler Art.
[Hierzu Taf. 43 und die Abb. 166 bis 170.]

Die beiden Neger auf den Taf. 43 A und C abgebildeten Platten der Berliner Sammlung scheinen kaum etwas von sakralem oder dämonischem Charakter an sich zu haben, und ein naiver Beobachter würde sie wahrscheinlich für Fischhändler halten. Für den Kundigen aber trennt ihre Tracht sie schon auf den ersten Blick von der großen Menge der übrigen Platten und läßt sie mit Sicherheit einer kleinen Gruppe von Bildwerken einreihen, an deren dämonischer Art nicht zu zweifeln ist.

Jene beiden Berliner Platten haben die Nummern III C 8418 und 8419. Unmittelbar an sie anzuschließen sind die ihnen ganz ähnlichen Platten Dresden 16 083, Stuttgart 5399 (hier Abb. 166) und R. D. XVII 3, diese letztere mit nach unten offenen Mondsicheln in beiden oberen Ecken. Sonst sind diese fünf Platten untereinander fast bis zum Verwechseln gleich. Sie haben unter sich gemein:

1. Hemdartige Jacke mit langen Ärmeln, ganz mit vertikal gestellten, großen, zylindrischen Perlen benäht.

2. Einfacher Schurz von der Form eines oben abgestutzten Kegelmantels, unten mit einem breiten Flechtband abgeschlossen.

3. Helm mit sehr hohem, zylindrischem Stab oder »Pickel«, in genau gleicher Art wie die Jacke mit Perlen benäht, oben mit einer großen, spitzeiförmigen Perle, von der einige kurze, dünne Perlenschnüre herabhängen.

4. Sieben bis acht Reihen »Kropfperlen«.

5. Schmaler Gurt mit einer Reihe quergestellter Perlen, von denen drei oder vier schildförmige Lappen oder Masken herabhängen.

6. Ein Halsgehänge mit vier oder fünf Perlschnüren, an dem vorn in der Gegend der Magengrube eine sehr große, eiförmige Perle befestigt ist.

7. Der in strenger Vorderansicht dargestellte Mann hat die Arme leicht gehoben, so daß der Daumen bis zur Gürtelhöhe reicht, und hält in jeder Hand einen Wels (Malapterurus Beninensis Murr.) am Schwanzende fest, so daß der Kopf nach unten herabhängt.

Diesen Übereinstimmungen gegenüber fallen die Unterschiede kaum wesentlich ins Gewicht. So ist bei einer der beiden Berliner Platten und bei der Dresdener das breite Flechtband am unteren Rande des Schurzes schon im Wachsmodell sorgfältig plastisch modelliert, bei den drei andern Platten erst nach dem Gusse eingepunzt. Bei der Berliner Platte III C 8419 hängen von der Hüftschnur drei menschliche Masken herab, jede mit vielen Schellen; bei der zweiten Berliner und bei der Stuttgarter Platte sind diese Masken kleiner und weniger deutlich, bei der ersten Platte sicher, bei der zweiten wahrscheinlich als Pantherköpfe aufzufassen; von jeder hängen drei langgestielte runde Schellen herunter. Auf der Dresdener und auf der Londoner Platte aber finden sich statt dieser Masken nur je vier lappenförmige, mit Perlen überzogene Anhänger. Auf der Berliner Platte Taf. 43 A hat der Mann keine Armbänder, auf den andern vieren ist der Vorderarm mit hohen, zylindrischen »Stulpen« geschmückt. Auf der Dresdener Platte hat der Schurz über dem Flechtband einen breiten Streifen mit einem sorgfältig eingepunzten, langhaarigen Europäerkopf zwischen großen Blumensternen; auf den andern Platten ist er mit einem Ketten- oder Schuppenmuster verziert. Etwas abweichender ist nur die Londoner Platte. Auf dieser haben wir zunächst in beiden oberen Ecken als Beizeichen je eine nach unten offene Mondsichel; dann hat der Mann vorn auf seinem Helm übereinander noch drei quergestellte, große, zylindrische Perlen; ebenso hat er

einen reicheren Perlschmuck auf der Brust; da hängen von jeder Schulter bandelierartig je fünf bandartig zusammengelegte Perlschnüre herab, an denen, wo sie sich vorn kreuzen, die sonst am Halsschmuck
angebrachte große, eiförmige Perle befestigt ist; nach Analogie mit einigen später zu besprechenden Rundfiguren kann man vermuten, daß eine gleiche große Perle auch am Rücken an der Kreuzungsstelle dieser
Bänder angebracht war. Über diesen Bandelieren hängt von den Schultern noch ein drittes ähnliches
Band herab, auch aus vier Perlschnüren bestehend, aber nur bis in die Gegend der Magengrube reichend.

Diese Unterschiede treten gegen die oben aufgezählten Übereinstimmungen so stark zurück, daß
man in den Leuten, die auf jenen fünf Platten dargestellt sind, wenn nicht eine und dieselbe Person, so
doch die Träger einer bestimmten Würde erblicken darf. R. D. bezeichnen sie ohne weiteres als König;
jedenfalls sind ihre Attribute sonst sehr selten in ähnlicher Art vereinigt und nur bei Leuten, die den
Mittelpunkt kultischer Verehrung zu bilden scheinen. Ich selbst habe sie früher unter dem Namen »Welsgott« registriert, halte es aber jetzt für vorsichtiger, sie einstweilen nur
sub titulo »Malapterurus-Mann« zusammenzufassen.

Dämonisch erscheint dieser Mann erst auf den hier Fig. 167 und 168
abgebildeten Platten des Brit. Museums; auf der einen hängen die beiden
Welse mit den Schwanzflossen in nicht sicher zu erkennender Verbindung
am Gürtel, so daß die Arme freigeworden sind und der Mann in jeder
Hand einen Panther schwingen kann; auf der andern aber sind die Beine

Abb. 168. Malapterurus - Mann, mit
Welsen statt der Beine. R. D. XVII, 1.
Etwa ¹/₆ d. w. Gr. Vgl. mit dieser Dar-
stellung die Fig. 298 abgebildete Zere-
monialglocke, auf der ein Mann in gleicher
Art Welse statt der Panther schwingt.

Abb. 166. Malapterurus - Mann.   Abb. 167. Malapterurus - Mann, in jeder
Stuttgart, 5399. Etwa ¹/₅ d. w. Gr.   Hand einen Panther schwingend. R. D.
                                              XVII, 2. Etwa ¹/₆ d. w. Gr.

des Mannes durch die Welse ersetzt. Die Platte ist unten leider unvollständig, aber man kann nicht
daran zweifeln, daß er von vornherein ohne Beine dargestellt war; es wäre zwischen den Welsen kein
Platz mehr für sie, und auch nach unten langt der Raum eben noch für zwei Rosetten, die wir nach dem
Beispiel der Fig. 167 abgebildeten auch für diese Platte annehmen können. Hingegen ist es nach einer
älteren, vor dem Original gemachten Notiz von mir nicht ausgeschlossen, daß zwischen den beiden
Welsen noch das Kopfende einer Schlange zum Vorschein gekommen war, ähnlich wie auf der wappen-
schildförmigen Platte auf Taf. 43 E und auf zahlreichen Schnitzereien in Elfenbein, von denen später die
Rede sein wird. Auf dem Original dieser Platte ist auch besser wie auf der Abbildung die typische
Narbentätowierung der Stirn zu erkennen. Das ist nicht ganz unwichtig, denn auf allen andern Platten
dieses Kreises sitzt der Helm so tief, daß man von der Stirn nichts sieht und daß sonst man im unklaren
bleiben würde, ob diese dämonischen Wesen auch tätowiert gedacht wurden oder nicht.

Dieser dämonische Mann mit den elektrischen Fischen statt der Beine wird nur ganz ausnahmsweise stehend oder für sich allein abgebildet. Als Dämon würde er sicher auch ohne Beine und auf den
Welsen stehen können, aber es entspricht dem alten, durch mehrere Berichte früherer Reisender überlieferten Ceremoniell von Benin, daß die ganz Vornehmen, der König, die großen Würdenträger usw.

sich dem Volke in der Regel nur gestützt zeigen dürfen; so erscheint die Darstellung auf der Berliner Platte III C 8416, hier Taf. 43 D abgebildet, in einem besonderen Licht. Auch hier sehen wir den »Malapterurus-Mann« in genau derselben Tracht wie auf den fünf zuerst erwähnten Platten und mit Welsen statt der Beine; aber er wird an Händen und Ellenbogen von zwei knienden Begleitern gestützt, nicht etwa weil er keine Beine hat, sondern als Gegenstand besonderer, wohl kultischer Verehrung; unter ihm sind zwei Panther ausgestreckt, gleichfalls mit Halsbändern, wie jene, welche auf den Fig. 163 und 164 abgebildeten Platten von dem »Malapterurus-Mann« geschwungen werden. Auf Taf. 44 C ist eine Platte abgebildet, die einen solchen Panther in größerem Maßstabe zeigt; sein Halsband besteht aus neun Reihen von zylindrischen Perlen, auf die noch eine Reihe von großen, runden Schellen folgt. Wir haben es also mit zahmen, nicht mit wilden Panthern zu tun; immerhin scheinen sie kein ganz harmloses Spielzeug, genau wie die Welse auch, von denen schon Dapper p. 487 berichtet: »Zitterfisch, davon desselben gantzer arm, der es anrührt, zu zittern und zu böben beginnet.«

Abb. 169. Dämonischer Mann mit »Halskleinod«, von zwei sonst gleich gekleideten Begleitern gestützt. »Räder« als Verzierung des Hintergrundes. Zwischen der mittleren und der rechten Figur ist noch einer der ursprünglichen Bronzenägel erhalten, punktiert, um zum Hintergrund zu passen. Nach R. D. XVIII, 3. Etwa ¼ d. w. Gr.

Abb. 170. Dämonischer Mann, von zwei Begleitern gestützt, ähnlich der Fig. 169 abgeb. älteren Platte. Nach einer Abb. im »Globus«. Dieselbe Platte war vorher in London Ill. News und nachher in Bull. Liverpool Mus. I, 1898, p. 51 abgebildet und damals im Besitz des Brit. Mus. gewesen, ist aber bei R. D. nicht erwähnt. Etwa ¼ d. w. Gr.

Daß diese Panther nicht etwa zu irgendwelchen Schaustellungen akrobatischer Art dienen sollen, sondern zu Kulthandlungen, geht zur Genüge aus unserer Taf. 15 abgebildeten Platte hervor, auf der ein kostbar bekleideter Würdenträger ein solches Tier mit seinem Schilde sorgsam vor der Sonne zu schirmen scheint.

Zu der hier Taf. 43 D abgebildeten Berliner Platte gibt es ein völlig gleichartiges Gegenstück im Brit. Museum, R. D. XVII 4. Es ist lehrreich, zu sehen, wie auf beiden Platten durchaus übereinstimmend die knienden Begleiter, die den »Malapterurus-Mann« stützen, und dieser selbst bis auf zwei Einzelheiten gleich ausgestattet sind; sie haben den gleichen ganz ungewöhnlichen Helm, das gleiche Perlhemd, den gleichen Schurz, den gleichen Halsschmuck; aber der Mann in der Mitte trägt um den Hals das uns schon bekannte Perlengehänge und an der Hüftschnur Schildchen mit Krokodilköpfen, während seine Begleiter statt dieser nur schildförmige, mit Perlen benähte Lappen haben. Solche hat aber auch der oben erwähnte Malapterurus-Mann auf der Platte Dresden 16 083. Wir werden daher diesen Unterschied im Hüftschmuck nicht für wesentlich halten dürfen. Von ganz wesentlicher Bedeutung aber ist offenbar die große eiförmige Perle, die das eigentliche und ausschließliche Attribut des Mannes mit den

Welsen ist. Wir können uns vorstellen, daß sie, aus echter roter Koralle geschnitten, schon wegen ihrer Größe sehr kostbar war und als wirkliches »Kleinod« galt.

In diesem Zusammenhang seien auch die beiden Platten erwähnt, die hier, Abb. 169 und 170, zum Vergleiche gegenübergestellt sind. Sie liegen in ihrer Entstehungszeit vermutlich um mehrere Jahrzehnte auseinander und stammen keinesfalls von demselben Künstler, laufen aber inhaltlich durchaus parallel. Auf beiden sehen wir drei bis in die letzten Einzelheiten untereinander gleichgekleidete Leute, von denen der mittlere mit dem »Kleinod« ausgezeichnet ist und in der typischen Art von seinen beiden Begleitern gestützt wird. Die Ähnlichkeit der Tracht besonders der drei Leute von Abb. 170 mit der, die wir als bezeichnend für den »Malapterurus-Mann« und seine Begleiter festgestellt haben, ist in die Augen springend; sie kann als vollständige Übereinstimmung bezeichnet werden; was auf der Fig. 169 abgebildeten älteren Platte von diesem Typus abweicht, ist im wesentlichen durch den strengeren Stil bedingt; die Mühe des Künstlers war in erster Linie auf die Köpfe gerichtet, alles andere, die Tracht, vor allem auch die Füße, waren ihm unwichtig und wurden als Nebensache behandelt. Nur zwei Abweichungen sind festzustellen, die sicher nicht durch den Stil bedingt sind, sondern als wesentlich für die ältere Tracht gelten müssen: die einfachen Lappen statt der gegossenen Masken am Gürtel und die diskreten zwei Perlenschnüre um den Hals statt der aufdringlichen »Kropfperlen«. Im ganzen werden wir nicht umhin können, auch diese beiden Platten auf den typischen »Malapterurus-Mann« zu beziehen, auch wenn von den Welsen selbst nichts zu sehen ist.

Hingegen lehrt ein Blick auf die beiden Abb. 167 und 168, daß unser eiförmiges »Kleinod« unter Umständen durch drei quergestellte große, zylindrische Perlen auf dem Helme ersetzt werden kann. Den gleichen »vicariirenden« Ersatz kann man auch bei den Fig. 158 und 159 abgebildeten Platten feststellen, sowie bei der Platte R. D. XVII 5. Diese unterscheidet sich von jenen beiden hauptsächlich nur durch das Fehlen der *busti*. Der von seinen beiden knienden Begleitern gestützte Mann in der Mitte sitzt auf einem runden Schemel und hat große Panthermasken von seinem Hüftgurt herabhängen, während die Begleiter statt diesen etwas kleinere, schildförmige Anhänger mit einem Frosche haben. Sonst ist die Tracht aller drei Leute völlig gleich, nur hat der sitzende Mann die gleichen drei großen Perlen auf dem Helme wie auf den Abb. 158 und 159. In einem Falle, siehe Abb. 151, treten zu diesen drei quergestellten Perlen in der Mitte noch je eine schräggestellte auf jeder Seite, ein Mehr an Auszeichnung, dem auch eine besondere Musterung auf den Perlhelmen der beiden knienden Begleiter entspricht. Allerdings sind uns auf einer Reihe von Platten Leute mit sehr hohen, aus Flechtwerk bestehenden Helmen erhalten, die (vgl. Taf. 18 A, B und C) mit einer noch größeren Anzahl ähnlicher quergestellter Perlen geschmückt sind. Vielleicht sind diese Perlen aus Stein oder sonst aus einem andern, weniger kostbaren Material; jedenfalls gehören die Träger dieser Helme in einen völlig andern Kreis. Sie sollen im Abschnitt L dieses Kapitels besprochen werden und wurden hier nur erwähnt, um einem Mißverständnis vorzubeugen.

Auf den Fig. 158 und 159 abgebildeten Platten hatte der in der Mitte sitzende Mann einen Hammer in der Hand, der jetzt freilich zum größten Teil abgebrochen ist. Nur ein Stück seines unten mit einer kreisrunden Platte versehenen Griffes ist erhalten; wir sehen ihn aber ganz auf der Abb. 151. Damit lernen wir ein neues wichtiges Attribut kennen, das im Abschnitt K dieses Kapitels ausführlich behandelt werden soll. Es erscheint auf einer Reihe von Platten verwandter Art sowie auf zahlreichen Rundfiguren und hat zweifellos gleichfalls sakralen Charakter. Er hat zwar die Form des im westlichen Sudân verbreiteten gewöhnlichen Schmiedehammers, erscheint aber in der Hand dieser ganz mit Korallen bedeckten Leute als ein dämonisches Attribut, genau wie das neolithische Steinbeil, dem wir in der Benin-Kunst so oft begegnen. Ich habe auf diese Zusammenhänge schon 1901 in meiner Bearbeitung der Stuttgarter Sammlung hingewiesen. Das neolithische Steinbeil in der Hand des Königs ist der ihm vom Himmel überkommene »Fetisch«, mit dem er das Herz seiner Feinde erzittern macht. Gleichwie aber das Blitzbündel des Zeus im Donnerkeil des Königs von Benin einen Nachfolger gefunden hat, genau so sehen wir auch im elektrischen Malapterurus und im Hammer nur verschiedene Formen für denselben Begriff, den stammelnden Ausdruck für das Unbegreifliche und Übernatürliche.

In diesem Sinne dürfen wir den Mann mit den Zitterwelsen in seinen wechselnden Verkörperungen nicht schlechthin als »König« ansprechen. Er ist in erster Linie ein dämonisches Wesen, und wo er uns als irdischer Herrscher entgegenzutreten scheint, ist er immer zugleich dämonisch mit jener Verquickung natürlicher und übernatürlicher Eigenschaften, die für den König im tropischen Afrika genau so typisch ist als z. B. im alten Orient, wo auch der Priesterkönig oft göttliche Attribute hat und wo es oft ganz unmöglich ist, Herd und Altar, Palast und Tempel scharf zu trennen.

E. Leute mit Fächern.

[Hierzu Taf. 26 A und die Abb. 171 bis 173.]

Der Gebrauch von Fächern ist in warmen Ländern an sich so selbstverständlich, daß wir sie da überall auch bei primitiven Völkern finden, in den feuchten Tropen vielleicht noch häufiger als in trockenen Landschaften, in denen durch die an sich raschere Verdunstung die künstliche Bewegung der Luft weniger dringend erwünscht ist.   So finden wir Fächer ganz allgemein im tropischen Afrika so gut wie auf den Inselgruppen Ozeaniens auch in der Hand von Männern, während sie bei den europäischen Kulturvölkern ein vorwiegend weibliches Attribut sind und oft mehr dem Schmuckbedürfnis als dem nach Kühlung dienen.

In Benin haben sich Fächer noch bis auf die Gegenwart in derselben Form erhalten, die uns durch die Bildwerke des 16. Jahrhunderts überkommen ist.   Es sind sehr große, kreisrunde, an einen kurzen, drehrunden Handgriff befestigte Fellscheiben, oft mit aufgenähtem Zierat aus buntem Zeug und mit einer Schleife am Griffe zum Anhängen.   Die Berliner Sammlung besitzt auch einen alten Benin-Fächer aus Bronze, der vermutlich nur reines Zeremonialgerät war, was vielleicht auch für den allein auf einer Platte dargestellten Fächer Taf. 49 A anzunehmen ist.   Die vielen andern Fächer, die uns sonst auf Benin-Denkmälern erhalten sind, finden wir niemals bei Männern, sondern ganz ausnahmslos nur bei Frauen und bei kleinen Jungen.   Bei den Frauen erscheinen sie als wirklicher Gebrauchsgegenstand, oft als einzige »Bekleidung«, die dann, wie z. B. aus Taf. 83 bei den »Hofdamen« der Königin zu

Abb. 171.   Zwei Jungen, der größere mit Schwert und Bogen, der kleinere mit Fächer. Vgl. Taf. 31 B.   Nach Hagen, A. v. B. I. Taf. IV, 1. Etwa ¹/₅ d. w. Gr. (29,4 × 41,5 cm.) Vgl. die Platte Fig. 198. Auch auf dieser erscheint als Nebenfigur ein kleiner nackter Junge mit einem Fächer.

Abb. 172.   Krieger mit zwei Jungen, davon einer mit Querhorn, der andere mit Fächer. Nach Webster 29. 1901. Abb. 75.   Jetzt in Leipzig.   Etwa ¹/₅ d. w. Gr.

ersehen ist, einen Hüftschurz ersetzt; bei den kleinen Jungen aber haben sie symbolische Bedeutung: sie kennzeichnen den in der Regel ganz nackten Jungen als Boten oder als Schnelläufer, der, durch keinerlei Kleidung gehindert, immer für Aufträge und Botschaften seines Herrn bereit sein soll.

Am klarsten kommt dieses Verhältnis bei zwei Platten zum Ausdruck, die einen der Eingänge in den königlichen Palast darstellen; von diesen Platten ist die Berliner hier auf Taf. 40 abgebildet, die Londoner bei R. D. XIX 3.   Beide zeigen übereinstimmend zu beiden Seiten des Aufganges je einen Wächter mit Schild und Speer und einen ganz nackten Jungen mit einem Fächer aus Pantherfell.   Dieselben vier Personen erscheinen für sich allein und losgelöst von aller Architektur noch ein drittes Mal auf einer ganz besonders schönen und sorgfältig überarbeiteten Platte, R. D. XXIII 6, aus der ich einen Ausschnitt in Abschnitt W dieses Kapitels, Abb. 354, vergrößert reproduziere.   Auch da sind die Fächer aus Pantherfell.

Von Platten, auf denen ähnliche kleine, nackte Jungen mit einem Fächer im Gefolge großer Krieger erscheinen, erwähne ich die hier auf Taf. 11 und auf Taf. 19 A abgebildeten sowie die Platte R. D. XIX 1. Diese drei Platten und einige ihnen verwandte zeigen gleichmäßig einen großen Würdenträger zwischen zwei in der Regel bärtigen Begleitern, und unter den Armen der Hauptfigur zwei kleine Jungen, der eine mit einem Fächer, der andere mit dem Schwerte des Würdenträgers und mit einem Gegenstand in der rechten Hand, den man für ein zusammengefaltetes »Taschentuch«, vielleicht wirklich für ein *Su-*

darium, für ein Tuch zum Abwischen des Schweißes, halten möchte. Auch auf den Platten dieses Typus sind die Fächer meist so mit in Kreisen angeordneten Punkten versehen, daß man sicher Pantherfell als Material anzunehmen hat.

Anders punktiert, wohl um Rinderfell vorzustellen, ist der Fächer in der Hand des grotesken Jungen auf der hier Fig. 160 abgebildeten Platte mit den drei Kindern. Wir werden auf diesen Jungen mit seiner abenteuerlichen Haartracht, seinem Halstuch und seinen vielen andern merkwürdigen Dingen noch wiederholt zurückkommen; hier interessiert uns nur sein Fächer mit der diesmal besonders deutlichen Schleife am Ende des Griffes.

Ab und zu, aber selten, finden wir bei den Jungen mit Fächern auch Gürtel oder sogar richtige Lendenschurze. Beides, die typischen Schurze und einen ganz breiten Gürtel, dessen Masche ihm bis über die Achselhöhle reicht, hat der kleine Junge auf der Berliner Platte, die Taf. 31 B abgebildet ist. Er steht zwischen den zwei schon S. 83 erwähnten, spielerisch angezogenen, größeren Jungen, die kleine Bogen und große Schwerter schwingen und wie die Schlittenpferde mit Schellen behangen sind. Zwischen ihnen schwingt der kleine Junge mit den drei neckisch wippenden Zöpfen seinen Fächer hoch und scheint vor Freude darüber zu hüpfen, daß er wie ein Erwachsener gekleidet ist und mitspielen darf.

Abb. 173. Bote oder Läufer mit symbolischem Fächer. Hamburg, C. 2385. Nach Hagen, A. v. B. I. Taf. III, 4.   Etwa ¼ d. w. Gr. (38 cm hoch.)

Sicher in den gleichen Kreis gehört die Hamburger Platte C 2329, die ich hier Abb. 171 nach Hagen reproduzieren darf. Auch da ist der größere Junge in gleicher Art wie zum Spiele mit Schwert und Bogen, Schellenhemd und topfartigem Helm mit lang herabhängenden Bändern ausgestattet. Der kleinere Junge mit dem Fächer hat drei Lendenschurze und einen Gürtel mit großer Masche.

Ganz ungewöhnlich ist die Kleidung eines etwas größeren, sehr schlanken Jungen auf der hier Fig. 172 nach Webster abgebildeten Leipziger Platte; er hat keine Lendenschurze, nur einen breiten, sehr eng anliegenden Gurt mit lang herabhängenden Fransen, so daß er leidlich bekleidet wirkt. Sein zur linken Schulter erhobener Fächer scheint dem Griffe gerade gegenüber einen kurzen Fortsatz zu haben, der auf unserer Abbildung leider recht undeutlich ist. Am Original wirkt er wie gedreht oder geflochten; man erkennt da aber auch, daß er überhaupt nicht zum Fächer gehört, sondern zu einem selbständigen Gegenstand in der Form eines kurzen Stabes, der hinter dem Fächer mit derselben Hand gehalten wird, dessen Bedeutung aber unbekannt ist.

Wir haben bisher nur die Jungen mit Fächern erwähnt, die so häufig als Nebenfiguren in Begleitung von Kriegern oder auch von größeren Jungen erscheinen. Es gibt aber auch zwei Platten, die eine in Berlin, die andere in Hamburg, auf denen sie selbständig und für sich allein dargestellt sind. Die Berliner Platte III C 8423 ist hier Taf. 26 A abgebildet; leider ist sie beschädigt; es fehlt auch der Kopf des Jungen, nur zwei große, spindelförmige Perlen, die zwei seiner herabhängenden Zöpfe beschwert haben, sind auf der Brust sichtbar. Der Rumpf hat die typischen fünf Ziernarben. Um beide Handgelenke liegen glatte Reifen mit rundem Querschnitt; ähnliche mit schraubenartig verzierten Enden sind um die Vorderarme gelegt; etwa 16 Schnüre mit kleinen, zylindrischen Perlen liegen über den Fußknöcheln. Dann hat der Junge noch eine Hüftschnur aus einer Reihe von großen, lang ei- oder spindelförmigen Perlen, die mit kleinen, rundlichen abwechseln — sonst ist er splitternackt. Der linke Arm ist gesenkt, der rechte leicht im Ellbogengelenk gebeugt. Die rechte Hand hält einen Fächer aus Pantherfell, kreisrund wie immer, aber mit breitem, aufgewulstetem Rand. An der dem Griffe gegenüberliegenden Seite des Randes sind nebeneinander fünf Vogelfedern befestigt.

Die Hamburger Platte C 2386 ist hier Fig. 173 abgebildet; auch sie ist mehrfach beschädigt, doch ist der Kopf des Jungen erhalten, der so die Berliner Platte in erwünschter Weise ergänzt; er ist unbedeckt, mit in übergreifenden Lagen wie Dachziegel schematisch nebeneinandergelegten Haarlöckchen und mit den üblichen Stirnnarben. Um Hals und Kinn sieben Reihen »Kropfperlen«, wie sie nach der Form der Bruchfläche auch für die Berliner Platte anzunehmen waren. Auch die zwei mit großen Perlen beschwerten Zöpfe, die Armbänder und die Lendenschnur stimmen durchaus überein; nur an den Unterschenkeln treten zu den Knöchelschnüren noch bis an die Knie reichende Wadenbänder. Die Haltung der Arme ist auf beiden Platten die gleiche; gleich ist auch der Fächer, doch hat er nur vier Federn statt der fünf in Berlin. Über die Bedeutung dieser Federn kann man kaum im Zweifel sein. Sicher vergrößern sie die Oberfläche und damit die praktische Leistung; gleichwie aber die Fächer in der Hand dieser meist gar nicht oder nur wenig bekleideten Jungen, die wir als Boten und Läufer betrachten, an sich nur symbolisch aufzufassen sind, so wird man auch ihren gelegentlichen Federschmuck nur symbolisch verstehen und etwa mit den Flügeln an den Fersen Merkurs vergleichen dürfen — und dies ohne Gefahr, zu unterlegen, wo man nicht auslegen kann.

F. Leute mit Gefäßen.
[Hierzu die Taf. 32 und 34, sowie die Abb. 174 bis 176.]

Ich kenne zwölf Platten mit Leuten, die Gefäße, Schalen, Schüsseln, Kannen, Deckelbüchsen und dergleichen halten oder tragen; von diesen sind fünf im Brit. Museum, vier in Berlin und eine in Leipzig; über den Verbleib der zwei andern, die in den Katalogen von Webster abgebildet sind, habe ich nichts erfahren. Die vier Berliner Platten sind hier auf den Tafeln 32 und 34 abgebildet, drei von den fünf Londoner Stücken sind nach den Tafeln von R. D. hier Fig. 172 bis 174 reproduziert; für die fünf übrigen Platten genügt eine Beschreibung. Vermutlich sind auf sämtlichen Platten Diener dargestellt, und zwar, da wenigstens einige der Leute richtige Helme und »Kropfperlen« haben, Diener des königlichen Haushaltes.

Auf fünf Platten (Taf. 32, Abb. 174 und 175, sowie Webster, Kat. 24, 1900, Fig. 26, Nr. 9757 und Webster, Kat. 18, 1899, Fig. 73, Nr. 5857) sind im ganzen acht Leute mit einer höchst eigenartigen Haartracht dargestellt, über die man sich am leichtesten aus unserer Taf. 32 unterrichtet. Die Haare sind vorn zu zwei großen Hörnern zusammengebunden, hinten und an der Seite zu langen Zöpfen geflochten, die mit zylindrischen Perlen abgeschlossen sind. Wir werden auf diese auffallende Art von Haartracht auf S. 122 wieder zurückkommen; einstweilen sei nur erwähnt, daß man sie, freilich ohne ausreichenden Grund, für weiblich erklärt hat. Diese acht Leute, die mit ihren kurzen Beinen und dem langen Rumpf durchaus den Eindruck von halbwüchsigen Jungen, nicht von Erwachsenen machen, haben untereinander auch jene sonst nicht weiter beobachtete Art der Tätowierung gemein, die hier bereits S. 71 gestreift wurde, eine kreisrunde Scheibe in der Mitte der Stirn, zwischen den typischen drei Narbenstrichen; ferner haben sie alle nackten Oberkörper, die gewöhnlichen zwei Schurze, aber mit einem überhängenden Zipfel, breitem Gurt mit großer Masche und eine einfache Halsschnur. Außerdem haben sie alle acht, was sonst, soviel ich mich erinnere, nicht vorkommt, ein aus drei oder vier Schnüren bestehendes Band von der rechten Schulter quer über den Rumpf nach der linken Hüftgegend herabhängen, wo es sich unter dem Gürtel verliert — scheinbar ohne etwas zu halten oder zu tragen. Die hierher gehörige Platte Webster 9757 hat zwei solche Figuren; eine dritte muß abgebrochen sein, da das erhaltene Stück nur 24 cm breit, am linken Rande aber gefalzt ist, also (vgl. S. 58) wesentlich breiter gewesen sein muß; von den erhaltenen Figuren hat die rechte (ursprünglich also mittlere) zwar beide Vorderarme abgebrochen, aber man sieht aus den Stümpfen und aus einem Gußstege, daß sie genau wie die andern ein Gefäß mit beiden Händen vor sich hergestreckt gehalten hat; die linke Figur trägt nichts, hat aber dafür zwei Dolche (»short swords« steht im Katalog, vielleicht sind es nur Küchenmesser!) quer über die Hüften hängen, und zwar an einem richtigen schmalen Tragbande, das auch von der rechten Schulter schräg über den Rumpf herabhängt. Diese eine Figur hat also zwei ganz gleichartige solche Bänder parallel miteinander von rechts oben nach links unten ziehen, das Tragband für ihre zwei Messer und jenes andere, das sie mit den sieben übrigen Figuren dieser Gruppe gemein hat. Bei der peinlichen Sorgfalt, mit der die alte Benin-Kunst solche an sich unscheinbare Einzelheiten behandelt, wird man das bandelierartig getragene Band aller dieser acht jungen Leute für ein bestimmtes, ihnen eigentümliches Rangabzeichen halten müssen. Es verläuft vorn von der rechten Schulter nach links unten, wie sonst immer nur das Tragband für das Schwert, während derartige Perlgehänge sonst ausnahmslos immer nur von links oben nach rechts unten getragen werden — offenbar, um mit dem Tragband nicht in Kollision zu kommen.

Auch die zweite der in diesen Kreis gehörigen Platten Websters, Nr. 5857, ist stark beschädigt;

beide Vorderarme sind abgebrochen; auch fehlt in großer Ausdehnung die rechte untere Ecke.   In jeder der erhaltenen Ecken ist eine Rosette von etwa 65 mm Durchmesser, also von ungewöhnlicher Größe.   Die Platte mißt 35 × 51 cm und ist auf beiden Seiten gefalzt.   Ähnlich große Rosetten hat auch die hier Fig. 175 abgebildete Platte des Brit. Museums mit 34 × 52 cm.   Es liegt nahe, beide Platten, auch wenn sie in der Größe nicht völlig übereinstimmen, als zusammengehörige Gegenstücke zu betrachten.

Eine Gruppe für sich bildet die hier Fig. 176 abgebildete Platte durch die Haartracht der drei Jungen; sie haben jeder in der Schläfengegend beiderseits ein spiralig eingerolltes und in eine frontale Ebene orientiertes Zöpfchen.   Für die von ihnen gehaltenen Gefäße sei auf die Abbildung verwiesen.

Auf einer Leipziger Platte (früher Webster 9487), die im Hause von G. R. Prof. Dr. Hans Meyer verwahrt wird, haben zwei von den drei Leuten Perlhelme und »Kropfperlen«; sie halten jeder eine flache Schale mit Deckel; die dritte Figur, sichtlich ein halbwüchsiger Junge, hat unbedeckten Kopf mit kurzem Negerhaar und zwei ungleich große Halsschnüre mit Perlen; sie hält in beiden Händen eine fast kugelige Kürbisflasche mit sehr kurzem Hals.

Die hier nicht reproduzierte Platte R. D. XXVIII 5 zeigt drei unter sich fast völlig gleiche Jungen

Abb. 174. Platte mit drei Eingeborenen, von denen zwei eine Schale mit einem eiförmigen Gegenstand (steifem Brei?) halten, vgl. Taf. 32; der dritte hält ein ähnliches Gefäß, aber mit großem Fuß und mit einem Deckel, der vier Vorragungen hat. Nach R. D. XXVIII, 1.

Abb. 175. Platte mit einem Eingeborenen, der anscheinend ein Gefäß in der Form eines Ochsen- oder Antilopenkopfes trägt, vgl. Taf. 122. Da eine Deckelfuge nicht gut angedeutet ist, erscheint auch ein wirklicher Tierkopf nicht völlig ausgeschlossen. Nach R. D. XXVIII, 3. Etwa 1/5 d. w. Gr.

Abb. 176. Drei Knaben, je ein Gefäß mit vier henkelartigen Vorsprüngen, eine flache Schale und eine Henkel-kanne haltend. Nach R. D. XXVIII, 2. Etwa 1/6 d. w. Gr.

ohne Kopfbedeckung mit in der gewöhnlichen Art stilisiertem Kraushaar und jederseits mit einem langen, dünnen, durch eine dicke, spindelförmige Perle beschwerten Zöpfchen, mit zwei ungleichen Halsschnüren, nacktem Oberkörper, breitem, glattem Gürtel mit langen Fransen am Ende und mit Schurzen, die durch aufgenähte Lappen und Quasten verziert sind.   Der mittlere hält ein Gefäß gleich dem des rechten Jungen in Abb. 174, der rechte hält ein Horn oder einen kleinen Elephantenzahn, der bis über den Rand mit Beeren oder Körnern gefüllt zu sein scheint; der linke trägt nichts und hat beide Arme gesenkt.

Ganz ähnlich behandelt ist der einzelne Junge auf der Platte R. D. XXVIII 4.   Er trägt in der Rechten, am Maule so gefaßt, daß zugleich auch der Deckel gesichert ist, eines jener schönen Gefäße in der Form eines Antilopenkopfes, wie ein solches hier Taf. 122 abgebildet ist.   Außer der typischen Benin-Tätowierung hat er noch jederseits auf den Oberarmen vier schräg von außen oben nach innen unten ver-laufende Reihen von Punkten, ähnlich wie etwa der Junge auf Taf. 35 E.

Für die drei noch übrigen Berliner Platten ist den Abbildungen auf Taf. 34 kaum noch viel beizu-fügen.   Die erste, III C 8411, zeigt einen Jungen, der mit beiden Händen ein bauchiges Gefäß mit ver-ziertem, leider teilweise abgebrochenem Hals auf dem Kopfe festhält.   Sein mit sehr stark konventionell stilisierten Europäerköpfen verzierter Schurz hat einen bis an die Schulterhöhe reichenden Zipfel der längs seiner Außenkante mit neun lang herabhängenden Gegenständen, wahrscheinlich Vogelfedern, versehen ist. Solche sind sonst sehr selten, ich kenne sie nur noch auf den Platten vom Typus der Taf. 27 C und Taf. 36 abgebildeten, bei denen man früher einmal an »Boten« gedacht hat.

Nur die Taf. 34 B abgebildete Platte III C 8211 bedarf noch eines kurzen Hinweises. Einzig in ihrer Art zeigt sie zwei Leute mit Perlhelmen und »Kropfperlen« einander gegenüber, kniend, beide ungefähr im Dreiviertelprofil, der eine eine flache Schale haltend, in die der andere aus einem Flaschenkürbis etwas einzugießen im Begriff ist; dieser ist am Halse umflochten und hat auch eine Schlinge für den Daumen. Die Seitenansicht, in der beide Figuren gezeigt sind, bringt es mit sich, daß man an den Perlhelmen Einzelheiten erkennt, die sonst meist übersehen werden, so besonders die an den Seiten und hinten in gleichen Abständen vom Rande herabhängenden Schnüre mit langen Perlen. Ganz sonderbar und auf den ersten Blick arg irreführend ist die Behandlung des Schurzknotens bei der rechts knienden Figur; zwischen den beiden herabhängenden, sorgfältig verzierten Enden des Gürtels sieht man nach unten zwei fast eiförmige Lappen hängen; nach oben aber ragt ein kurzer, dicker, zylindrischer Körper mit abgerundetem Ende; diese drei Gebilde gehören zweifellos dem in diesem Falle ganz glatten Oberschurze an, und das nach oben ragende entspricht sicher dem Zipfel, der bei so vielen Benin-Leuten bis zur Schulter und noch höher gesteift ist, aber es erscheint mir ganz unmöglich, auch aus dieser Seitenansicht und trotz ihrer sorgfältigen Behandlung zu einem wirklichen Verständnis der Art zu kommen, in der die Benin-Leute den oberen Lendenschurz befestigt haben; auch aus der Taf. 32 in fast reiner Seitenansicht reproduzierten Platte läßt sich da kein Aufschluß gewinnen; man sieht nur, wie der obere Schurz hinter der großen Gürtelmasche zu einem etwas höheren Zipfel aufgebauscht ist, kann aber nicht erkennen, wie das eigentlich gemacht wurde, und bleibt auch über die Natur der fünf an der hinteren Kante des Zipfels befindlichen Körper im unklaren.

Als Nummer 13 wäre hier vermutlich noch eine weitere Platte zu nennen, die bereits früher erwähnt und in Fig. 63 abgebildet ist. Sie zeigt einen bärtigen Eingeborenen, der anscheinend eine kleine flache Schale trägt; aber ich habe das Stück nicht selbst gesehen und die vorhandenen Abbildungen sind zu schlecht, als daß sich mit Sicherheit sagen ließe, was der Mann eigentlich in den Händen hält.

G. Eingeborene mit Geldringen.
[Hierzu die Abb. 177 und 178.]

Während Ringgeld auf sechs Platten in der Hand von Europäern erscheint, siebenmal von *busti* gehalten wird und einmal auch als Beizeichen auf der Platte Fig. 65 mit dem großen Europäerkopfe vorkommt, gibt es nur zwei Platten, auf denen Eingeborene mit Geldringen dargestellt sind. Beide befinden sich im Brit. Museum und sind hier nach den Abbildungen bei R. D. reproduziert. Fig. 177 zeigt uns einen bärtigen Mann, mit der Rechten auf einen langen, anscheinend oben und unten mit dickem Draht umwickelten Stock gestützt und in der Linken eine *Manilla* haltend; er hat nackten Oberkörper, glatte Lendenschurze mit ungewöhnlich großem »Hängezipfel«, breiten Gürtel mit aufgewulsteten, verzierten Rändern und einen einfachen Halsring. Sehr auffallend ist seine Haartracht; sie besteht aus einer großen Anzahl von parallel miteinander in sagittaler Richtung angeordneten, etwa kleinfingerdicken, drehrunden Wülsten, von denen abwechselnd immer jeder zweite durch eine gleichdicke,

Abb. 177. Bärtiger Mann mit einem Geldring. Nach R. D. XXI, 1. 1/6 d. w. Gr.

Abb. 178. Eingeborener Kaufmann (»Fiador«) mit zwei Begleitern, die Geldringe tragen. Nach R. D. XXI, 6. Etwa 1/6 d. w. Gr.

13*

lange, zylindrische Perle abgeschlossen ist; R. D. lassen die Möglichkeit offen, daß es sich auch um eine eng anliegende, halbkugelige Kappe handeln könne; wir werden S. 122 ff auf diese Frage noch zurückkommen. Als Beizeichen erscheinen in drei Ecken Fische, alle mit dem Kopfe nach oben und mit dem Rücken nach links, also unter Verzicht auf die sonst meist auch für die Beizeichen streng innegehaltene Symmetrie. Die vierte Ecke wird durch das untere Ende des Stabes ausgefüllt.

Die Fig. 178 abgebildete Platte zeigt drei Leute, die in ihrer Tracht dem eben beschriebenen Manne sehr nahekommen; nur haben sie ganz ungewöhnliche, hutförmige Helme, die seitlichen mit Wangenklappen und sehr breitem Sturmband (R. D. sprechen, wie ich glaube, mit Unrecht von »collars of some stiff material round the neck«), der mittlere mit einer langen, durch einen großen, verstellbaren Schieber gehaltenen Hutschnur. Dieser stützt sich mit der Rechten auf einen langen Stock, der oben in einen Krokodilkopf mit einem quergestellten Fisch ausgeht. Seine beiden Begleiter halten jeder in der etwas erhobenen linken Hand je zwei Geldringe und in der gesenkten rechten je einen. Dieser wird von R. D. in ihrer Beschreibung der Platte nicht erwähnt; man kann ihn leicht übersehen, weil er in starker Verkürzung dargestellt ist; es ist aber doch nötig, darauf hinzuweisen, daß jeder dieser beiden Händler d r e i Geldringe trägt. Den Mann in der Mitte werden wir wohl als das Haupt der »Fiadors« anzusehen haben, von denen in den älteren Reiseberichten mehrfach gesprochen wird. Sein Abzeichen ist der eigenartige Stock; diesen, den gleichen hutförmigen Helm mit dem breiten Sturmband und die gleiche Tracht werden wir noch auf zwei andern Platten (Abb. 253 und 254) wiederfinden und den Träger als dieselbe Person oder wenigstens als den Inhaber der gleichen Würde erkennen.

P. R. erwähnt das Vorkommen eines Geldringes noch auf einer weiteren Platte — aber wohl mit Unrecht. Es handelt sich um seine Platte 7, die bis fast in die letzten Einzelheiten unserer hier Taf. 24 abgebildeten Platte III C 8056 und der Platte Dresden 16 136 gleicht. Auf allen diesen drei Platten sehen wir einen großen Würdenträger, vielleicht den König selbst, reitend, auf jeder Seite von einem Jungen gestützt und außerdem von zwei alten Kriegern mit hoch erhobenen Schildern vor der Sonne beschirmt. Das Reittier wird auf allen drei Platten gleichmäßig von einem ganz kleinen Kerlchen an einem Halfterband geführt, dessen Ende hakenförmig gebogen ist. Bei der Berliner und bei der Dresdener Platte kann man mit einwandfreier Sicherheit sehen, daß dieses hakenförmige Ende mit einem Geldring nichts zu tun hat. Für die Platte P. R. 7, die ich nicht selbst gesehen habe, muß allerdings nach der Abbildung zugegeben werden, daß jener Haken eine Art von Ähnlichkeit mit einer *Manilla* hat; vermutlich ist das nur eine ganz zufällige und nicht beabsichtigte Übereinstimmung; an sich wäre es jedenfalls nicht leicht einzusehen, warum man auf einer so figurenreichen Platte gerade dem kleinen Kerlchen, der das Pferd am Halfter führen muß und also ohnehin ein schwieriges und verantwortungsvolles Amt hat, in dieselbe Hand auch noch einen schweren Geldring zu tragen gibt.

H. Leute mit Glocken, Masken usw. an der Schwertscheide.

[Hierzu Taf. 10 D, 25 E, 28 A, 33 E und 35 C, sowie die Abb. 154, 160 und 179—187.]

Daß Glocken, menschliche und tierische Masken, sogar ganze Rundfiguren von Panthern vielfach an den Gürteln und an den Schwertscheiden befestigt wurden, wird schon bei ganz flüchtiger Betrachtung einer größeren Anzahl von Benin-Platten offenkundig. Bei genauerem Zusehen ergibt sich aber, daß man zwischen Gürtelschmuck einerseits und dem Behange an der Mündung der Schwertscheide andererseits ganz streng zu trennen hat. Der viel abwechslungsreichere Gürtelschmuck wird erst im nächsten Abschnitt, I, zur Besprechung kommen; in diesem Abschnitte, H, sollen nur die Platten mit Hängeschmuck an der Schwertscheide behandelt werden.

Für die breiten Tanz- oder Zeremonialschwerter mit dem großen Ring am Griffe (*ebere* nach Cyril Punch) scheint es Scheiden überhaupt niemals gegeben zu haben. Nur zu den verschiedenen Schwertern, die man mehr oder weniger zutreffend als »schilfblattförmig« bezeichnet, sowie zu den unsymmetrischen sogenannten »Richtschwertern« (*ada* nach Cyril Punch) gehören regelmäßig Scheiden, für deren Form ich am besten auf Taf. 49 D und F sowie auf die Abbildungen in Abschnitt R dieses Kapitels verweise.

In einzelnen seltenen Fällen werden unsymmetrisch geschweifte Scheiden parallel mit dem Schurzzipfel und mit dem Ortband nach oben (!) getragen; in der Regel aber sind sie an einem oft reich verzierten Wehrgehänge so befestigt, daß sie sehr hoch wagrecht unter die linke Achselhöhle zu liegen kommen, wobei dann ihre spaltförmige Öffnung genau nach vorn sieht. Da auf den meisten Platten die Figuren in

Abb. 179 und 180. Krieger mit großer geriefelter Glocke an der Schwertscheide. Stuttgart 5397. $^1/_3$ und etwa $^1/_6$ d. w. Gr.

Abb. 181. Zwei bärtige Eingeborene, einer verkrüppelt, der andere mit einer großen geriefelten Glocke an der Schwertscheide. Nach Webster 24. 1900, Fig. 91. 9769. Jetzt Leipzig. Etwa $^1/_6$ d. w. Gr. (35 × 53).

Abb. 180.

Abb. 179.

Abb. 182. Drei Eingeborene; der Bärtige mit einer großen Glocke an der Schwertscheide, der Dritte mit einem kleinen runden Schemel (vgl. Abschnitt Q dieses Kapitels). Nach Webster 24, Fig. 56. 9489. Jetzt Leipzig. $^1/_4$ d. w. Gr. (37 × 42).

Abb. 181.

reiner Vorderansicht dargestellt sind, so ist vom Schwert, wenn es in der Scheide versorgt ist, nur der Griff sichtbar, der wie ein langgestielter Knopf aus der Fläche emporragt, übrigens in vielen Fällen abgebrochen ist. Die leere Scheide aber erscheint als ein unter der linken Achsel liegendes, lotrecht orientiertes, ungefähr rechteckiges Gebilde mit einem vertikalen Schlitz und fast immer mit der kleinen, geflochtenen Schleife, die den festen Sitz des Schwertes in der Scheide sichern soll. Ein Blick auf Taf. 10 D oder 33 E sowie auf die Abb. 179/80, 182/3 und 185/6 genügt, um jeden Zweifel an der Richtigkeit dieser Deutung auszuschließen; trotzdem haben mehrfach gelehrte Kollegen diese Schwertscheide mit großer Konsequenz verkannt und mißdeutet, wie bereits S. 82 erwähnt.

Abb. 183. Ausschnitt aus einer schmalen und hohen Platte, Webster 6244. Junge mit Topfhelm und reichem Wehrgehänge. An der Schwertscheide hängt eine lange dütenförmige Glocke mit verstärktem Rande mit rhombischem Querschnitt.

Abb. 184. Krieger mit ungewöhnlichem Federhelm. Nach Webster 8804; jetzt in Dresden. Von der Schwertscheide hängt ähnlich wie bei der Fig. 183 abgebildeten Platte eine dütenförmige Glocke herab. Beiden Platten ist auch ein besonders großer »P.-Zipfel« gemein.

α)   An diesen so dargestellten Schwertscheiden hängen nun sehr häufig große, bauchige, runde Glocken, wie deren mehrere auch im Original auf uns gekommen sind, vgl. die Abbildungen auf Taf. 95. Viereckige Glocken aber, wie sie auf Taf. 94 abgebildet sind, werden stets nur um den Hals, niemals an der Schwertscheide getragen, ebenso wie auch niemals eine runde Glocke als Halsschmuck verwendet erscheint. Besonders typische Platten mit runden Glocken als Behang der Schwertscheide sind auf den Tafeln 10 D, 13, 17 B, 28 B und F, 33 C und E abgebildet. Sehr lehrreich sind auch die Fig. 179—182, vor allen 179, wo in größerem Maßstab und in halber Seitenansicht die Art der Befestigung dieser Glocken besonders gut zu erkennen ist.

     In den gleichen Zusammenhang mit diesen zehn Platten gehören u. a. noch: 11. die prachtvolle

Platte Dresden 16 136, früher Webster 8803, hier Fig. 319, auf welcher die beiden bärtigen Begleiter des Reiters mit großen, runden Glocken an der Schwertscheide ausgestattet sind; 12. die Platte Dresden 16 091 mit einer längsgeriefelten Glocke; 13. die Platte Hamburg C 2302 mit einer ähnlichen, etwas schlankeren Glocke (vgl. Abb. 202); 14. Die Platte R. D. XXIV 6; 15. die Platte P. R. 264; 16. die Platte Webster 7302; 17. die Platte Leipzig H. M. 13, früher Webster 6601; 18. die Platte R. D. XX 3; 19. die Platte Leiden 1263/18, vgl. hier Abb. 145; 20. die Platte P. R. 254, vgl. Abb. 279, und, 21. die Platte Berlin III. C, 8253; nur liegt auf der Abbildung Taf. 35 c die Glocke leider im Schatten, so daß sie da leicht übersehen wird; auf dem Original ist sie sehr deutlich. So sind hier im ganzen einundzwanzig Platten mit runden Glocken an der Schwertscheide aufgeführt; vergleicht man diese untereinander, so fällt auf, daß die große Mehrzahl der dargestellten Personen nackten Oberkörper und bloßen Kopf, meist mit mächtigen Haarwülsten, hat; nur sieben unter einundzwanzig Platten zeigen uns Leute mit Helmen und Panzern. Das ist vielleicht Zufall, darf aber doch nicht ganz unerwähnt bleiben. Die Glocken sind

Abb. 185 a, b, c. Einzelheiten der Platten III. C. 8415, 8330 und 8445; a und b mit je einem dütenförmigen Anhänger (Schelle oder Glocke, b vielleicht Blashorn??) an der Schwertscheide. Bei c hängt an dieser eine wohl aus Bronze zu denkende Maske eines Widders, von der nur die Hörner, die Ohren und die langen Haare am Scheitel und Hinterkopf plastisch ausgearbeitet sind, das Gesicht aber flach gehalten ist.

meist in der Nähe des Randes etwas eingezogen; einige tragen eine Schnurverzierung; die auf der Platte Taf. 28 B hat in sorgfältiger Technik ein *ebere* eingepunzt.

β)   Außer diesen sicheren, großen, runden Glocken erscheinen auf andern Platten an der Schwertscheide andere, sehr viel schlankere Gegenstände, etwa von Dütenform, die wohl auch als Glocken anzusprechen sind, von denen aber, wie es scheint, nur drei Stücke im Original auf uns gekommen sind. Sie waren vielleicht auch sehr viel seltener und mögen in der Regel wohl aus Eisen, nicht aus Bronze gewesen sein, was übrigens auch von der Mehrzahl der eben beschriebenen bauchigen Rundglocken gelten dürfte. Auch von diesen sind uns nur auffallend wenige, im ganzen neun oder zehn Stücke aus Bronze wirklich erhalten geblieben, während von den viereckigen Glocken, die um den Hals getragen wurden und die alle aus Bronze gewesen waren, im ganzen gegen hundert Stücke in unsere Museen gelangt sind.

Von diesen dütenförmigen Glocken nun, die meist genau so wie sonst die bauchigen, an einer ganz kurzen Schnur unmittelbar an der Schwertscheide befestigt waren, geben die auf den Tafeln 18 D, 28 D und 35 D abgebildeten Platten III. C. 8415, 8380 und 8271 sowie die Textbilder 183 und 185 eine wohl ausreichende Vorstellung; nur die Abbildung 184 zeigt, wie einmal ausnahmsweise fast die ganze Breite eines Schildes zwischen dem Schwertknaufe und der Mitte der Glocke liegt. Eine wie der Anfang eines Antilopenhorns torquierte, aber sonst auch langdütenförmige Glocke dieser Art kenne ich von einer jetzt in Leipzig befindlichen Platte, die vom Britischen Museum als Doublette abgegeben worden ist und noch die Nummer 281 der 1897 von Sir Ralph Moor nach London gesandten Serie trägt. Ähnliche Drehungen weisen auch die Glocken auf der Platte P. R. 16 und auf einer schönen Platte in Stuttgart I. C. 4669 auf. In den gleichen Kreis gehört eine jetzt in München befindliche Platte (früher Webster, 6240); hier trägt ein kleiner, nackter Begleiter eines gepanzerten Kriegers das Schwert seines Herrn; neben allerhand kleinen Schellen oder Glöckchen wohl europäischer Herkunft hängt von der Scheide eine lange, dütenförmige Glocke herab.

Υ)

Abb. 186. Schwert der Fan; an der Scheide hängen Schellen, ein Fell, ein Stück Horn und ein Beutelchen mit Medizin. M. f. V. Leipzig.

In diesem Zusammenhange sind schließlich auch die beiden Platten R. D. XVIII 4 und R. D. XXIV 5 zu erwähnen, die hier in Fig. 221 und 222 abgebildet werden sollen. Auf beiden Platten hängen von den Schwertscheiden der Schildhalter dieselben langen »Düten« herab, die ich für nichts anderes als für Glocken halten kann. Im ganzen gibt es kaum halb so viele Platten mit dütenförmigen, als solche mit bauchigen Glocken. In Kap. 26, das von den im Originale erhaltenen Glocken handelt, soll auf dieses Verhältnis näher eingegangen werden.

Auf einigen wenigen Platten sind Leute dargestellt, von deren Schwertscheide gleichzeitig beide Arten von Glocken, die runden bauchigen und die dütenförmigen, herabhängen. Besonders schön ist das auf der Fig. 160 nach R. D. XV 3 vergrößert abgebildeten Platte zu sehen, wo sowohl der mittlere als der auf seiner linken Seite stehende Junge mit dem glatt rasierten Kopfe beide Glockenarten an ihren Schwertern hängen haben, während der rechts stehende nur mit der dütenförmigen ausgestattet ist. Auch auf der Platte P. R. 3 (vgl. Abb. 324) haben der mittlere und der rechts stehende Mann jeder beide Glocken, der links stehende aber nur eine, und zwar die dütenförmige.

Nicht ganz unterdrückt darf hier die Frage werden, ob einzelne dieser dütenförmigen Anhänger nicht vielleicht auch als kleine Blashörner aufzufassen wären. Ein solches Bedenken schwebte wohl auch R. D. vor, wenn es bei der Beschreibung von XV 3 (hier Abb. 160) heißt, daß alle drei Jungen »bell-shaped-objects« unter dem Schwert haben. Damit sind sicher unsere dütenförmigen Stücke gemeint, denn die bauchigen Glocken finden sich auf dieser Platte nur bei dem mittleren und bei dem links stehenden Jungen und scheinen von R. D. überhaupt nicht beachtet worden zu sein. Jedenfalls ist es gut, im Auge zu behalten, daß in einem Gebiet, das mehrfach auch sonst Beziehungen zum alten Benin hat, bei den Fan-Stämmen im Süden von Kamerun, noch vor wenigen Jahrzehnten ganz regelmäßig allerhand klingende und andere Dinge, auch große Schneckengehäuse und dergleichen, an die Schwertscheide gehängt wurden. Das Berliner Museum besitzt eine sehr große Anzahl solcher Schwerter, die aber wie andere ungezählte Kostbarkeiten unserer Sammlung seit vielen Jahren wegen Raummangel weggestaut und völlig unzugänglich sind. So hat Professor Weule für die hier zum Vergleich nötige Abb. 186 ein Stück aus der Leipziger Sammlung gütigst für mich photographieren lassen.

Auf der Berliner Platte III. C. 8444 (vgl. Taf. 17 B) erscheint neben den zweierlei Glocken noch ein dritter Gegenstand, anscheinend eine kleine Flasche mit sehr schlankem Hals, vielleicht aus Metall, wie die beiden Stücke P. R. 135 und 267, vielleicht auch ein ausgesucht schöner und künstlich geformter Flaschenkürbis.

δ)   Ungleich seltener als die einfachen runden und auch als die dütenförmigen Glocken erscheinen an der Schwertscheide maskenförmige Anhänger. Sie waren wohl aus Bronze und kaum wesentlich von den menschlichen Masken unterschieden, die wir im nächsten Kapitel als Gürtelschmuck kennen lernen werden; nur haben sie von der Kinngegend noch eine kleine, runde, längsgerippte Glocke herabhängen. Ich kenne nur fünf Platten mit solchen Anhängern:

1. Berlin, III. C. 8264, Taf. 28 A. Da hängt zu beiden Seiten der Maske noch je eine dicke, anscheinend mit Federn verzierte Schnur herab. Das Schwert wird an einem breiten Schulterband mit stark gewulsteten glatten Rändern getragen, von deren unterer Seite dicke, schellenförmige Troddeln mit Federn herabhängen. Auf der rechten Schulter erscheint ein Aufsatz, ähnlich wie auf der Fig. 291 abgebildeten Platte.

2. Sir Ralph Moor 112. Jetzt an mir nicht bekannter Stelle, hier Fig. 189 abgebildet.

3. London, R. D. XV 1. Hier wegen des *busto* bereits Fig. 154 abgebildet.

4. London, R. D. XXIII 3. Vgl. die Abb. in Kap. 3. Von zwei unter sich sonst völlig

Abb. 187. Bärtiger Mann, ein Bündel mit Früchten von Strophantus gratus auf dem Kopfe tragend. Von der Schwertscheide hängt ein Pantherschädel mit einer runden Glocke herab. Nach R. D. XXIV, 4. Etwa 1/6 d. w. Gr.

Abb. 188. Bärtiger Mann, ein Bündel mit Früchten von Strophantus gratus auf dem Kopfe tragend. Von der Schwertscheide hängt eine menschliche Maske und eine runde Glocke herab. Nach P. R. 10. Etwa 1/6 d. w. Gr.

gleichen, grotesk aussehenden Leuten mit hohen Korbhelmen und überladenen Panzern hat der rechts Stehende einen Pantherschädel an der Schwertscheide hängen, der andere eine menschliche Maske, deren ganzes Gesicht in der denkbar abenteuerlichsten Weise mit mystischen Emblemen bedeckt ist. Die Abbildung bei R. D. wird diesem höchst merkwürdigen Stücke nicht entfernt gerecht, ebenso wie eine im Britischen Museum im Original vorhandene Anhängermaske gleicher Art bei R. D. XI 2 nur ganz ungenügend abgebildet ist. Ich werde im Kap. 27 auf diese Anhänger noch zurückkommen; einstweilen verweise ich auf den anscheinend verwandten Berliner Kopf auf Taf. 64 und auf ähnliche Stücke, die ich mit dem Kulte des Zeus Sabazios in, wenn auch natürlich nur entfernten und mittelbaren Zusammenhang bringen zu dürfen glaube.

Abb. 189. Junge mit kurzen perlbeschwerten Zöpfchen in den Stirnwinkeln. An der Schwertscheide hängt eine menschliche Maske mit geriefelter Glocke. Diese Platte kannte ich als Nr. 112 der Sendung von Sir Ralph Moor an das Brit. Mus. Wo sie sich zur Zeit befindet, ist mir unbekannt. Vgl. III. C. 8264, Taf. 28 A mit einer ähnlichen Maske.

5. Rushmore. P. R. 10, hier Fig. 188. Das ist eine jener Platten, bei deren Beschreibung die Schwertscheide als »object, resembling a despatch case« bezeichnet wird. Doch ist der wirkliche Zusammenhang völlig klar. Die Platte ist übrigens ein schönes Gegenstück zu der hier Fig. 187 abgebildeten, auf der an der gleichen Stelle ein Pantherschädel erscheint. Beide Leute haben die gleiche Haartracht, halten ein schönes, schilfblattförmiges Schwert in der Rechten und stützen mit der Linken ein auf dem Kopfe getragenes Bündel mit (wie ich mit A. Engler annehme) Früchten von Strophantus gratus. Die englischen Beschreiber sind allerdings zurückhaltender und sprechen nur, der Eine von »a bundle of objects«, die Anderen nur von »a bundle«.

ε)   Noch seltener sind Platten, auf denen statt der menschlichen Masken P a n t h e r s c h ä d e l von der Schwertscheide herabhängen.   Ich kenne nur drei solche, eine in Berlin, zwei in London.   Berlin besitzt aber drei solche Anhänger im Originale, all drei aus Bronze; sie werden im Kap. 28 beschrieben werden; hier haben wir uns nur mit den Platten zu beschäftigen:

1. Berlin, III. C. 8277, Taf. 25 E (Ankauf aus der Sendung von Sir Ralph Moor an das Brit. Museum, alte Nr. 2).   Unbedeutend aussehender Junge mit der üblichen schindelartig stilisierten Haartracht, zwei ganz kurze mit großen, eiförmigen Perlen beschwerte Zöpfchen in den Stirnwinkeln, zwei Schnüre mit Perlen um den Hals, nackter Oberkörper, breites Tragband für das Schwert, dieses mit unverhältnismäßig großem und plumpem Griff; von der Scheide hängt, mit den Zähnen nach unten, ein Pantherschädel; zwischen den Eckzähnen ist eine runde Glocke eingehängt.   Als Beizeichen in den oberen Ecken Krokodilköpfe, in den unteren Fische, diese mit den Köpfen nach unten und symmetrisch so orientiert, daß die Rücken nach außen liegen.

2. London, R. D. XXIV 4, hier Abb. 187: Das oben bereits erwähnte schöne Gegenstück zu P. R. 10, Abb. 188.   Daß im beschreibenden Texte zu dieser Platte der Pantherschädel als »ox-head mask« bezeichnet wird, geht auf eine irrtümliche Auffassung der schönen Londoner Platte R. D. XXXII 2 zurück, die auf Ochsenschädel bezogen wird, während sie in Wirklichkeit zwei Pantherschädel zeigt, deren große Eckzähne von R. D. irrtümlich als Ochsenhörner gedeutet wurden.

3. London, R. D. XXIII 3.   Die oben als Nr. 4 erwähnte Platte mit den zwei grotesk aussehenden Leuten.   Daß hier auf ein und derselben Platte e i n Mann ein solches Gehänge mit einem Pantherschädel und der zweite, sonst bis in die allerletzten Einzelheiten völlig gleich ausgerüstete Mann ein Gehänge mit einer menschlichen Maske trägt, ist ebenso bezeichnend wie der vollständige Parallelismus zwischen den zwei Fig. 187 und 188 abgebildeten Platten.   Es zeigt, daß beide Arten von Gehängen analoge Bedeutung haben.   Andererseits ergibt ein Vergleich der beiden Platten mit den Leuten, die ein Bündel mit Strophantus-Früchten tragen, daß auf die Verschiedenheit der Beizeichen kaum großes Gewicht zu legen sein dürfte.

ζ)   Ein einziges Mal findet sich als Anhänger an einer Schwertscheide statt des Pantherschädels ein P a n t h e r k o p f oder eine Panthermaske, auch mit einer unten angehängten Glocke.   So ist einer der kleinen Jungen auf der Platte P. R. 179 ausgerüstet, die hier Fig. 189 A reproduziert ist.   Gibt schon die kleine Autotypie bei P. R. nur eine ganz ungenügende Vorstellung von dieser schönen und wichtigen Platte, so gilt das natürlich erst recht von der naturgemäß technisch minderwertigen Wiedergabe der ursprünglichen Zinkätzung; immerhin glaubte ich, bei dem großen wissenschaftlichen Interesse, das sich an die Platte knüpft, das ästhetische Bedenken unterdrücken und auf die Reproduktion nicht verzichten zu sollen.   Die Platte ist, wie schon das Augenmaß lehrt, etwas breiter als hoch (38,6 : 37,2, wenn der angegebene Maßstab genau ist), stimmt aber im Stil und in der Komposition mit den zwei im nächsten Abschnitt S. 108 ff. zu beschreibenden Platten III. C. 8208 und R. D. XIX 1 derart überein, daß man wohl alle drei auf denselben Künstler wird zurückführen dürfen.   Aus der Verschiedenheit der Kopftracht und der Tätowierung würde dann weiter zu schließen sein, daß es drei individuell verschiedene, wenn auch unter sich im Range gleichstehende Würdenträger waren, die auf diesen drei Platten dargestellt sind.

η)   Gleichfalls nur ein einziges Mal erscheint ein W i d d e r k o p f als Anhänger an einer Schwertscheide.   Wir sehen ihn auf der Platte Berlin III. C. 8445, Taf. 8 D und Abb. 185.   Er ist sehr flach, nur die Hörner sind nahezu rund gebildet.   An ihrer Wurzel sind die Ohren ebenso auffallend klein angedeutet wie auf dem schönen, Taf. 97 B abgebildeten Berliner Original einer solchen Widdermaske.

θ)   Schließlich sind hier noch einige Platten zu erwähnen, auf denen Panthermasken und anderes anscheinend nur in einer Art P o s a m e n t i e r a r b e i t auf einer Unterlage aus Leder oder Pantherfell als Schmuck der Schwertscheide vorkommen.   Die weitaus schönste Vertretung findet diese Gruppe in der Berliner Prachtplatte III. C. 7657, Taf. 23 sowie in der ihr verwandten Platte P. R. 4, die wegen der *busti* hier Fig. 150 reproduziert ist, freilich nach einer ungenügenden Vorlage und in einem für diese Einzelheiten nicht ausreichendem Maßstabe.   Etwas deutlicher sind diese Schmuckstücke bei den zwei schildtragenden Begleitern auf der großen Reiterplatte P. R. 7/8 zu sehen, aus der hier Abb. 320 ein Ausschnitt reproduziert ist; an jedem der drei Lappen ist eine runde Glocke befestigt.   Ein ähnlich mit einem Pantherkopf verzierter Lappen mit drei solchen Glocken oder Schellen hängt auch neben der dütenförmigen Glocke auf der hier Fig. 183 abgebildeten Platte von der Schwertscheide herab.   In diesen Kreis gehört endlich auch das anscheinend in derselben Technik ausgeführte Gehänge auf der Hamburger Platte C. 2423, hier Abb. 249, doch ist da kein Pantherkopf dargestellt, eher vielleicht eine Schlange.

I. Gürtelschmuck.
[Hierzu Taf. 17—20 und Abb. 190—196.]

α) Im vorigen Abschnitt sind maskenartige und andere Gehänge besprochen, die am Eingang der Schwertscheide befestigt, in der linken Weichengegend über dem Beckenkamm herabhängen. An fast genau derselben Stelle, aber nicht mit ihnen zu verwechseln, finden sich auf über zwanzig andern Platten Panthermasken, die nichts mit einem Schwert oder mit einer Schwertscheide zu tun haben, sondern lediglich als Schmuck des Gürtels oder zur Sicherung seines Verschlusses dienen. Wie dieser Verschluß im einzelnen bewerkstelligt wurde, ist an den Platten nirgends zu sehen. Die beiden Abbildungen 111 und 112 auf S. 68 zeigen, wie diese Masken der Gürtelschleife einfach aufzuliegen scheinen. Zwei schöne Originale solcher Masken aus Bronze und eines aus Elfenbein sind hier auf Taf. 97 C, E und D abgebildet. Sie werden mit vielen andern in Kap. 28 näher beschrieben werden. Da wird sich auch zeigen, daß verschiedenartig auf der hohlen Hinterseite angebrachte Ringe und Ösen zur Befestigung der Stücke dienten. Einstweilen genügt zu einer ersten Orientierung über diesen eigenartigen Schmuck ein Blick auf die Taf. 18. Im einzelnen gehören in diesen Kreis die nachfolgend aufgeführten Platten:

Abb. 189 A. Würdenträger mit Panthermaske am Gürtel. Der den runden Schemel tragende kleine Begleiter mit dem teilweise glatt geschorenen Scheitel hat eine Panthermaske mit Glocke an der Schwertscheide (nicht am Gürtel, wie im Texte bei P. R. gesagt wird). Reproduziert nach P. R. 179. ¼ d. w. Gr.

1. Berlin, III. C. 8212, Taf. 18 A.
2. Berlin, III. C. 8261, Taf. 18 B.
3. Berlin, III. C. 8260, Taf. 18 C.
4. Berlin, III. C. 8255, Taf. 18 E.
5. Berlin, III. C. 7651, Taf. 18 F.
6. London, R. D. XXVII 4.
7. Leipzig, Doublette aus der Sendung von Sir Ralph Moor, alte Nr. 146; ganz ähnlich der Platte auf Taf. 18 F, nur mit drei nach unten offenen Mondsicheln statt der drei Rosetten.

8. Wien, 64 663, fast genau gleich der Platte Taf. 18 E, nur ohne Rosetten.

9. Wien, 64 691, ähnlich der Platte Taf. 18 E, aber mit Krokodilköpfen statt der Rosetten in den beiden unteren Ecken.

10. Dresden, 16 058, ähnlich der Platte Wien 64 691, nur breiter und besser erhalten. Auch mit einer Rosette rechts oben und zwei Krokodilköpfen in den unteren Ecken.

11. Das hier Fig. 252 abgebildete Bruchstück Berlin, III. C. 8487, das vermutlich in der Art unserer auf Taf. 18 abgebildeten Platten zu ergänzen ist.

12. Rushmore, P. R. 13, fast bis in die letzten Einzelheiten mit unserer Platte Taf. 18 A übereinstimmend, nur hat der Mann 5 statt 4 Querreihen von zylindrischen Perlen auf seinem Korbhelm.

13. Rushmore, P. R. 1, mit zwei unter sich vollkommen gleichen Leuten, genau wie der Mann auf unserer Platte Taf. 18 E, nur mit etwas breiterem Bandelier, ohne Rosetten.

14. Rushmore, P. R. 225, Mann ohne Perlen auf dem einfachen Korbhelm und auch ohne Kropfperlen, aber mit einem Begleiter, der mit Schild und Speer ausgerüstet ist. Er gleicht sonst durchaus dem Mann auf der nächsten Platte.

15. Stuttgart, 5405, hier Abb. 191: einfacher Korbhelm, keine Kropfperlen.

14*

16. Berlin, II. C. 8208, hier Taf. 19 A. Diese ausgezeichnet schöne und große Platte zeigt einen Mann, der im wesentlichen dem auf Taf. 18 E gleicht, aber mit 4 Begleitern dargestellt ist. Von diesen sind die beiden größeren unter sich völlig gleich; sie haben Helme, die mit Kauri-Schnecken und mit einem frontal gestellten Federkranz geschmückt sind. Sie haben Panzer aus Leopardenfell, Halsband mit großen Zähnen und Glocke, reich verzierte Lendenschurze mit hoch aufragendem Zipfel sowie Schild und Speer. Beide haben links in der Schläfengegend, unter dem Helm hervortretend, ein schnecken- artig aufgerolltes Haarzöpfchen von der Art, die wir später als Prinzenlocke zu beschreiben haben werden.

Abb. 190. Würdenträger mit Panthermaske am Gürtel. Vergrößert nach R. D. XIX, 1. Die durch viele Einzelheiten wichtige Platte wird auch in den Abschnitten J, L, N, O, T, W und X dieses Kapitels erwähnt werden. Sie stammt vermutlich von dem- selben Künstler, wie die Berliner Platte Taf. 19, A und wie P. R. 179, hier Abb. 189 A, mit denen sie inhaltlich und stilistisch große Ähnlichkeit hat. Vgl. auch Kapitel 5 dieses Bandes.

Sie sind im übrigen so weit symme- trisch, daß nur der eine den Speer in der Rechten und den Schild in der Linken hält, während der andere, offenbar nur der Sym- metrie wegen, die beiden Stücke wie ein »Linkser« in der unrechten Hand hält. Zwischen der Mittel- figur mit der Panthermaske am Gürtel und seinen beiden großen Begleitern steht jederseits ein nackter Junge. Der eine hat nur den, wie ich annehme, symboli- schen Fächer, der ihn als Boten und Schnelläufer kennzeichnen soll; der andere trägt um die Schulter das Schwert seines Herrn und in der rechten Hand einen Gegenstand, den ich als zusammen- gefaltetes *sudarium* auffassen zu dürfen glaube. Der Junge mit dem Fächer hat die übliche, dach- schindelartig stilisierte Haartracht, der andere eine mächtige, median- sagittal verlaufende Haarleiste auf dem im übrigen kahlgeschorenen Scheitel.

17. London, R. D. XIX/1, vgl. hier Abb. 190. Diese Platte stimmt mit der eben beschriebenen Berliner in wesentlichen Dingen überein, nur ist sie um mehrere kleine Figuren reicher, die, weil im Hintergrunde gedacht, am obe- ren Rande verteilt sind. Da sind zunächst zwei Jungen, jeder auf einem Querhorn blasend, von denen das eine vielleicht aus Bronzeblech zu denken, das andere gedreht, also wohl als Antilopenhorn aufzufassen ist. Über dem Ebere der Mittelfigur steht ein weiterer Junge mit einem Speerbündel, und über seinem Kopfe ist noch ein Fuß eines Menschen zu sehen; außerdem paßt das Fig. 146, S. 83 abgebildete Hamburger Bruchstück C. 2869 in die linke obere Ecke. So ergibt sich für diese Platte eine sonst in Benin nicht erreichte Größe von 38 × 70 cm und eine Gesamtzahl von 16 Personen, von denen 11 vorhanden, 5 mit großer Sicherheit zu ergänzen sind.

Sonst unterscheidet sich diese von der Berliner Platte nur dadurch, daß die Hauptperson außer den üblichen fünf Längslinien am Rumpfe noch an den Oberarmen und zu beiden Seiten der Mittellinie ober- halb des Nabels in Liniengruppen angeordnete Tätowierung aufweist. Außerdem sind die beiden neben ihr stehenden Jungen vertauscht, so daß der mit dem Fächer zur Linken und der andere mit der Crista, dem Schwert und dem *sudarium* zur Rechten steht. Auch sind diese beiden Jungen am ganzen Körper, mit Ausnahme des Kopfes, der Hände und der Füße, mit einem einheitlichen Rautenmuster tätowiert oder bemalt.

18. Rushmore, P. R. 179. Mit den beiden eben beschriebenen Platten auf das engste verwandt, vgl. S. 107 und Abb. 189 A, ist diese Platte besonders auch dadurch interessant, daß sie neben der Panthermaske auf dem Gürtel der Hauptfigur auch eine sonst niemals wiederkehrende solche Maske als Schmuck der Schwertscheide eines der kleinen Begleiter zeigt. Den drei zuletzt erwähnten Platten ist weiter noch gemeinsam, daß die Hauptperson in der Mitte mit der halberhobenen Rechten ein Ebere hält, während die Linke den Speer des links von ihm stehenden Mannes gefaßt hält.

Die bisher aufgezählten achtzehn Leute mit einer Panthermaske am Gürtel haben alle ohne Ausnahme in der Rechten ein Ebere und unterscheiden sich im übrigen untereinander eigentlich nur durch die Art ihrer Kopfbedeckung, die in einigen Fällen ein einfacher geflochtener Korbhelm ist, in anderen ein solcher mit quergestellten, großen, zylindrischen Perlen, in einigen Fällen ein Perlhelm mit radiärgestellten, spindelförmigen Perlen oder mit einer sagittalen Crista, und einmal ein hoher Helm aus langhaarigem Fell. Durchaus in dieses Schema fügt sich auch einer der drei Leute auf der Platte

Abb. 191. Mann mit Korbhelm und *ebere*. Am Gurtband eine Panthermaske. Stuttgart 5408. Etwa ⅓ d. w. Gr.

19. Berlin, III. C. 8055, Taf. 19 B. Hingegen hat der neben ihm, in der Mitte, dargestellte Mann mit ihm zwar den in der Art eines Pantherfells gemusterten Oberschurz und die verhältnismäßig seltene Tätowierung auf den Oberarmen und zu beiden Seiten der Linea alba gemein, aber er hat den rechten Arm gesenkt und trägt das Ebere in der Linken. Auch seine Kopfbedeckung ist in seiner für Benin sonst recht ungewöhnlichen Art geflochten. Ebenso ist sicher nicht Zufall, daß er kein Bandelier hat, ein Mangel, den er nur mit einem einzigen der zwanzig bisher in diesem Zusammenhang erwähnten Leute teilt, mit dem Manne auf der Platte Wien 64 691. Alle andern haben ein von der linken Schulter an die rechte Hüfte herabhängendes Bandelier mit Schnüren von zylindrischen Perlen; nur die Zahl der nebeneinander liegenden Schnüre schwankt zwischen zwei und elf. Die Platte III. C. 8055 (Taf. 19 B) ist außerdem auch dadurch bemerkenswert, daß nicht ohne weiteres klar ist, wer von den drei dargestellten Leuten die Hauptperson ist. In der Regel bringt es ja die im alten Benin mit so großer Konsequenz durchgeführte Symmetrie des Bildwerkes mit sich, daß der eigentliche Würdenträger in der Mitte steht und seine Begleiter an den Seiten untergebracht sind. In diesem Falle aber scheint es mir durchaus sicher, daß die Hauptperson am rechten (vom Beschauer linken) Rande der Platte steht und durch das ganz besonders reiche, einen großen Teil des Rumpfes bedeckende Halsgehänge mit zylindrischen und spindelförmigen Perlen gekennzeichnet ist, während die beiden andern Leute mit der Panthermaske am Gürtel und dem Ebere als seine Begleiter aufzufassen sind. Völlig aus der Reihe der übrigen hierher gehörigen Platten fällt

20. Berlin, III. C. 8262, Taf. 38 c. Auf dieser Platte sehen wir einen Mann mit hohem Korbhelm, aber ohne Ebere, mit einer großen Glocke in der Linken, die er mit einem in der Rechten gehaltenen Stäbchen anschlägt.

So ist es nicht ganz leicht, aus den Platten etwas Sicheres über die soziale Bedeutung der Panthermasken zu ermitteln. Die drei Leute auf den Tafeln 19 A und Abb. 189 A und 190 sind zweifellos große Würdenträger, da sie mit einem so ansehnlichen Gefolge von Begleitern auftreten, aber der Mann auf der eben unter Nr. 20 erwähnten Platte, der eine Glocke anschlägt, dürfte wohl nur als ein bescheidener Musikant zu gelten haben. Er, der Mann auf der Wiener Platte 64 691 und der mittlere von den drei Leuten auf der Berliner Platte Taf. 19 B, sind übrigens in der ganzen Gruppe der hier besprochenen Leute mit Panthermasken am Gürtel die einzigen, die kein Bandelier haben. Einige weitere Platten, auf denen anscheinend gleichfalls Panthermasken am Gürtel vorkommen, übergehe ich, weil sie belanglos sind oder wegen der undeutlichen und unsicheren Ausführung der Panthermasken.

β)   Auf etwa einem Dutzend Platten kommen am Gürtel flache, k r e i s r u n d e   S c h e i b e n vor, über deren Natur und Zweck ich einstweilen noch ganz unwissend bin.   Sie sind immer rechts über dem Beckenkamm angebracht, manchmal in einer rein sagittalen Ebene, also mit ihrer Fläche genau nach rechts gewandt, manchmal etwas nach vorn gerückt, so daß sie auch in reiner Vorderansicht gut zur Geltung kommen.   Über ihr Aussehen unterrichten die Bilder Taf. 35 C und D sowie die Abbildungen 113, 160, 181, 184, 192, 193, 194, 324, 324 A und 325.   Ihr äußerer Rand ist immer etwas gewulstet; meist ist ihr noch eine zweite kleinere Scheibe konzentrisch aufgelegt, einige Male auch mit gewulstetem Rande. Diese Scheiben waren wohl aus buntem Leder oder sonst aus einem vergänglichen Material, nicht aus

Abb. 192.   Junge mit Speerbündel, großer runder Glocke an der Schwertscheide, Jagdtasche und mit runder Scheibe am Gürtel.   Vergrößerter Ausschnitt aus R. D. XXIV, 6.   Etwa ¹/₃ d. w. Gr.   Das Original hat Rosetten auch in den unteren Ecken.

Abb. 193.   Ausschnitt aus einer großen Platte mit einer Figur und sechs Rosetten.   Scheibe am Gürtel, P.-Zipfel, Glocke an der Schwertscheide, Wehrgehänge aus Pantherfell und außerdem reich verziertes und mit Schellen u. dgl. überladenes »Bandelier«.   (Vergrößert aus R. D. XXV, 3.)

Bronze, da sich sonst wenigstens einige Reste von ihnen erhalten haben würden, was nicht der Fall scheint. Mit wenigen Ausnahmen hängen von ihren seitlichen Rändern zwei lange Haarbüschel herab.   Die wichtigeren Stücke sind im folgenden beschrieben:

1. Berlin, III. C. 8253, Taf. 35 C.   Junge mit auffallend wulstartig stilisierter Haartracht, »Prinzenlocke« (siehe S. 125 ff), überladenem Wehrgehänge mit vielen Schellen, Schwert unter der linken Achsel und einem niedrigen Schemel.   Die Scheibe ist, wohl in bewußter Anlehnung an die Verzierung des Gürtels, mit einem sehr stark gewulsteten Rande versehen und hat keinerlei Behang von Haarbüscheln.

2. Berlin, III. C. 8271, Taf. 35 D.   Nackter Junge, der mit beiden Händen einen niedrigen runden Schemel hält.   Topfhelm, jederseits ein mit einer spindelförmigen Perle beschwerter Zopf. Verziertes Wehrgehänge.   An der Schwertscheide hängt eine lange, dütenförmige Glocke und eine verzierte Platte mit Posamentierarbeit und Schellen.   Der Gürtel ist ungewöhnlich reich verziert; von der runden Scheibe ist in der Vorderansicht nur ganz wenig zu sehen; von der Seite betrachtet, erscheint sie wie ein vierspeichiges Rad, von dem Schellen und Tierschweife herabhängen.

3. Berlin, III. C. 20 830, Abb. 324 A.   Ungewöhnlich große Platte (38 × 54 cm), beiderseits ge-

falzt. Bärtiger **Mann**, Haare in dicken Wülsten geordnet, zwei mit zylindrischen Perlen beschwerte Zöpfe. Mit beiden Händen einen diesmal besonders hohen und schlanken, runden Schemel haltend, der auf der Mantelfläche in der Art eines Pantherfells gemustert und wohl auch wirklich mit solchem überzogen zu denken ist; die Naht ist längs der ganzen Höhe des Schemels sichtbar. Der Gürtel ist an den Rändern und in der Mitte gewulstet, ebenso die runde Scheibe, von deren Seiten vorn und hinten je ein langes Haarbüschel herabhängt. Drei Lendenschurze; P-Zipfel.

4. Webster 8804, jetzt Dresden, Abb. 184. Der nackte Junge mit dem Ebere hat Gürtel und Scheibe fast genau gleich wie der eben beschriebene Mann, Abb. 324 a.

5. Webster 9769, jetzt Leipzig, Abb. 181. Beide bärtigen Männer haben, was freilich die kleine und (nur um den Verwachsenen zu zeigen) nach einer ungenügenden Vorlage gemachte Abbildung kaum erkennen läßt, ähnliche Scheiben mit Haarbüscheln. Bemerkenswert sind die drei verschiedenen Schurze, von denen der oberste glatt und etwas unbeholfen gebildet ist, so daß er auch auf dem Original beinahe wie ein flaches Metallbecken wirkt, das vom Gürtel herabhängt.

6. London, R. D. XV 3. Wegen der *busti* schon S. 88, Fig. 160 abgebildet. Der nackte Junge mit dem Fächer und der grotesken Haartracht hat einen reich verzierten Gürtel mit einer Scheibe, die auf der Abbildung völlig wie ein sehr langhaariges Affenköpfchen wirkt; das ist aber nur Zufall und durch den kleinen Maßstab bedingt; ich habe vor dem Original notiert, daß die Scheibe als Rad mit sechs Speichen gebildet ist und am Rande vier kleine Buckel hat, von denen zwei an die Enden der obersten und der untersten Speiche gesetzt sind, die zwei andern zwischen die Enden der seitlichen Speichen, so daß die Linien, die das eine mit dem andern Paar verbinden, ein Kreuz darstellen würden. Von oben und von den Seiten der Scheibe jederseits ein langes, leicht gewelltes Haarbüschel.

Abb. 194. Mann mit *ebere*. Am Gürtel eine runde Scheibe mit zwei lang herabhängenden Haarbüscheln. Wien 64 690, Heger 17, früher Sir Ralph Moor 21 und Webster 5029. Etwa ¹/₈ d. w. Gr. (36 × 50 cm).

7. London, R. D. XXIV 6, hier Abb. 192. Junge mit *fasces* und schlankem Schilfblattschwert. Haare als Wülste, mit zylindrischen Perlen. Von der linken Schulter hängt an einem schmalen Bande eine Tasche nach rechts herab und von der rechten an einem Bande mit weit vorragenden Schellen (??) und ungewöhnlich langen Fransen die unter der linken Achsel geborgene Schwertscheide, mit einer großen, runden Glocke und mit der so oft wiederkehrenden gedrehten Schnur (vgl. Taf. 49 F) zur Sicherung des Schwertes. Drei verschiedene Lendenschurze, von denen der mittlere wie ein Pantherfell gemustert ist; zum oberen gehört ein großer P-Zipfel. Die runde Scheibe mit gewulstetem Rande und mit einem stark vortretenden ὄμφαλος hat von oben herabhängend jederseits ein langes, leicht gewelltes Haarbüschel und, was sonst nicht vorkommt, unten zwei kurze, dicke Quasten, die wie Eicheln in eine Art Becher gefaßt sind.

8. London, R. D. XXV 3, hier Abb. 193. Mann mit ganz ungewöhnlich breiter Negernase; Topfhelm mit drei Federn, unter ihm erscheint jederseits ein kleines, mit einer zylindrischen Perle beschwertes Zöpfchen. Oberhalb des Halsbandes mit den Pantherzähnen ist ein höchst eigenartiger, anscheinend in viele lotrechte Falten gelegter Kragen sichtbar. Reiches Wehrgehänge mit vielen Schellen; an der Schwertscheide hängt eine große, verz erte Glocke. Die Gürtelscheibe ist diesmal mit einem vollständigen Kranze von herabhängenden Fransen geschmückt. Großer P-Zipfel.

9. London, Brit. Museum, nicht veröffentlicht, alte Nr. 199 der Sendung von Sir Ralph Moor, hier wegen der *busti* bereits auf S. 90 unter K. erwähnt. Die Gürtelscheibe ist umwallt und hat die üblichen zwei Haarbüschel; in ihrer Mitte eine kleinere, gleichfalls umwallte Scheibe, dicht punktiert, während die Punkte auf der größeren Scheibe weniger dicht stehen.

10. Wien, 64 690 (ursprünglich Sir Ralph Moor 21, dann Webster 5029), hier Fig. 194; schöne, 36 × 50 große, auf beiden Seiten gefalzte Platte. Mann mit dachziegelartig stilisierten Haaren, Kropfperlen, Halsband mit Pantherzähnen, Bandelier mit zwei Reihen von zylindrischen Perlen. Der obere Schurz aus Pantherfell, der untere mit einem sorgfältig eingepunzten Europäerkopf. Ebere. Die runde Gürtelscheibe hat einen Rand mit Dreieckmustern; die übrige Fläche wird von einem großen Stern mit neun Zacken ausgefüllt, von denen eine im Gusse verunglückt ist. An ihrem unteren Rande zwei lange,

stark divergierende Haarbüschel.   Die Rosetten in den Ecken sind auffallend ungleich; die zwei oberen haben nur sieben und acht Strahlen, die zwei unteren bei ungefähr gleicher Größe fünfzehn und achtzehn. Auffallend ist die Tätowierung der Stirne: statt der üblichen drei Streifen über jedem Auge ist jederseits nur ein entsprechend breiterer angelegt.

γ)   Auf zwei Platten finden sich die gleichen Scheiben auf der rechten Seite wie sonst, aber zusammen mit Pantherköpfen, die wie immer auf der linken Seite angebracht sind.

1. Berlin, III. C. 8263 (früher Sir Ralph Moor 142), Taf. 25 c, siehe auch Abb. 113.   Hoher, geflochtener Helm, Kropfperlen, Halsband mit Pantherzähnen, Ebere, Bandelier mit zwei Reihen zylindrischer Perlen, drei Lendenschurze.   Tätowierung an den Oberarmen und unterhalb der Magengrube.

2. Leipzig, M. f. Völkerkunde (Doublette der Berliner Sammlung, H. Bey, 29): Bis in die letzten Einzelheiten mit der eben erwähnten Berliner Platte übereinstimmend, nur ohne die Tätowierung an den Oberarmen und in der Magengrube.

δ)   Die nachfolgend verzeichneten Platten zeigen Männer, auf deren Gürtel ein ganzer kleiner Panther befestigt ist, vgl. die Abbildungen 238 bis 240. Solche Panther waren aus Bronze und sind uns mehrfach erhalten geblieben; sie sollen in Kap. 12 beschrieben werden.   Die Leute mit diesem eigenartigen Gürtelschmuck haben auch außerdem eine Anzahl von sonst seltenen und auffallenden Attributen, so daß sie mit Sicherheit als eine geschlossene Gruppe zu erkennen sind; vor allem sind ihre beiden Lendenschurze ganz mit im Relief gegossenen (nicht mit später eingepunzten) Federn und Halbmonden bedeckt.

1. Eigentümer zur Zeit unbekannt, Abb. 239. Mann mit Glockenhelm, Kropfperlen, Halsband mit Zähnen, Bandelier mit acht Reihen zylindrischer Perlen, Ebere, Tätowierung auch an den Oberarmen und an der Magengrube.   Beide Schurze in der oben angegebenen Art mit Federn und nach oben offenen Mondsicheln bedeckt.   Zwei kleine Begleiter, der eine mit zwei Glocken, der andere mit einem gedrehten Querhorn.   In der sonst leeren Ecke rechts oben eine Rosette.

2. London, R. D. XXIII 5, hier Abb. 238.   Mann fast völlig dem auf der vorigen Platte gleichend, nur hat sein Bandelier bloß zwei Reihen von Perlen, auch hat er nur die überhaupt für Benin typische Tätowierung mit den fünf Längsstreifen.   Keine Begleiter, in jeder Ecke eine Rosette.

3. London, R. D. XXII 1.   Drei Männer nebeneinander in gleicher Stellung, jeder mit einem erhobenen Ebere in der Rechten.   Zwei von diesen gleichen durchaus dem hier unter Nr. 1 beschriebenen Manne auf der Platte Fig. 239, nur hat der in der Mitte stehende ein Bandelier mit zwei, der rechts stehende eines mit sieben Reihen von Perlen.   Der links stehende dritte Mann hat hingegen einen geflochtenen Helm von der Art des in Fig. 236 abgebildeten, einen ganz vereinzelt vorkommenden Schurz mit kleinen gepunzten und mit einem Punkt in der Mitte versehenen Kreisen und, wie es scheint, einen nur flüchtig angedeuteten Pantherkopf am Gürtel; er gehört also in eine ganz andere Gruppe von Würdenträgern.

4. London, R. D. XXII 5.   Unten abgebrochene Platte durchaus vom Typus der Berliner Fig. 239, nur etwas weniger gut gearbeitet; sonst mit ihr in allen Einzelheiten — auch in der Ausstattung der beiden musizierenden Begleiter — vollkommen übereinstimmend.   Das Ebere ist weniger steil gehalten, so daß neben ihm noch eine Rosette Platz gefunden hat.   Auch ist das Querhorn stärker gekrümmt als gewöhnlich und an der Schallöffnung mit einem glatten, wohl aus Bronze zu denkenden Reifen in der Form eines Serviettenringes eingefaßt oder verlängert.

5. London, R. D. XVIII 6.   Gruppe wie auf der Platte Abb. 239, aber durch zwei weitere Begleiter vermehrt, große, bärtige Männer mit Schild und Speer von dem häufig wiederkehrenden Typus, wie er z. B. auf unserer Taf. 11 erscheint.   Genau wie dort hat die Mittelfigur mit ihrer linken Hand den Speer ihres Nachbarn ergriffen.

6. Rushmore, P. R. 18. Abb. 240.   Mann vom gleichen Typus wie die übrigen dieser Gruppe mit einem kleinen, nackten Begleiter, der eine Büchse in der Form eines Antilopenkopfes trägt.

Daß diese kleinen Panther wirklich zum Gürtel gehören, ist ganz zweifellos; daß sie »upon the extended end of the waist-cloth«, d. h. auf dem hochragenden Zipfel des Lendenschurzes liegen, wie einmal gesagt wird, ist rein zufällig; sachlich haben sie mit dem Lendenschurz nichts zu tun; sie liegen auf dem Gürtelschluß, genau wie die früher beschriebenen Pantherkopfmasken — unsicher ist nur die soziale Stellung der Leute, die durch diesen Gürtelschmuck und die so ganz eigenartigen Schurze mit Federn und Halbmonden ausgezeichnet sind.

ε)   Ein einziges Mal erscheint ein Widderkopf als Gürtelschmuck auf einer Platte: Berlin, III. C.

8439, Taf. 17 A. Da sehen wir einen Mann mit Korbhelm und Ebere, um den Hals den üblichen Schmuck mit den Pantherzähnen, aber statt der Kropfperlen eine Schnur mit ungewöhnlich großen, zylindrischen Perlen. Besonders auffallend ist diese Platte auch durch ihre Beizeichen: an Stelle der Rosetten hat sie in drei Ecken — die vierte ist durch das Ebere ausgefüllt — große, erhabene Blütensterne mit vier lanzettförmigen Strahlen, eine Form, für die es in der ganzen Beninkunst nur eine einzige und auch nur entfernte Analogie gibt: eine Platte im Bankfield-Museum, Halifax, die hier Fig. 296 reproduziert ist; sie hat ähnliche Blütensterne, aber mit einer kleinen Rosette in der Mitte und ohne Längsrippen auf den einzelnen Blumenblättern. Ebenso sei hier an die S. 106 erwähnte Berliner Platte Taf. 8 D erinnert, mit einem von der Schwertscheide herabhängenden Widderkopf; es sind das, soviel ich weiß, die einzigen zwei Platten, auf denen Widderköpfe vorkommen.

ζ) Krokodilköpfe kommen, wie wir später sehen werden, auf Platten sacraler oder dämonischer Art nicht ganz selten als Schmuck anscheinend am unteren Rande von aus Perlen hergestellten hemdartigen Kleidern vor, ich kenne aber nur drei Platten nicht sacraler Art, auf denen ein einzelner Krokodilkopf am Gürtel erscheint:

1. Berlin, III. C. 8390, Taf. 20 B, vgl. auch Abb. 109. Mann mit Glockenhelm, Ebere, vierreihigem Bandelier; beide Schurze mit Federn und nach oben offenen Mondsicheln, aber in gepunzter Technik, nicht wie bei den eben unter δ 1 bis 6 erwähnten Platten im Relief gegossen; der Oberschurz mit bis über Schulterhöhe aufragendem Zipfel. Zwei kleine Begleiter mit Topfhelmen, der eine mit Querhorn und flach anliegendem poncho-artigen Oberkleid, der andere mit zwei Glocken, Panzer und Glocke am Halsband mit Pantherzähnen.

2. London, R. D. XXII 3, hier Fig. 283 abgebildet. Große Gruppe; in der Mitte ein Mann mit rechteckigem Helm, Hemd und beide Lendenschurze ganz mit Federn bedeckt, diese mit nach oben offenen Mondsicheln, jener mit nach unten sich ringelnden Schlangen geschmückt. Zwei große Begleiter mit Schild und Speer, zwei kleine mit Glocken und mit Querhorn.

3. Wien, 64 717 (früher Webster 5890). Mit der Londoner Platte bis fast in die letzten Einzelheiten übereinstimmend, sicher von demselben Künstler gemacht, vielleicht auch denselben Würdenträger, sonst sicher einen Mann in genau der gleichen Stellung darstellend. Die einzigen Unterschiede sind wohl die, daß auf der Wiener Platte die beiden großen Begleiter bärtig sind, auf der Londoner bartlos und daß auf dieser die Kopfbedeckung des mittleren Mannes vorne sechs, auf jener nur vier Querreihen von zylindrischen Perlen hat. Alle wesentlichen Einzelheiten sind genau gleich, so besonders die sonst nur ganz selten vorkommenden, anscheinend aus Ketten gebildeten Schmuckringe an den Unterschenkeln. Jedenfalls steht die Abb. 283 mit einem Ausschnitte aus der Londoner Platte ganz gut auch für die Wiener.

η) Die am häufigsten vorkommenden Formen von verzierten Gürteln sind bereits auf S. 67 skizziert; auch ganz glatte gibt es, die dann meist mit einer schön geschmückten Endkante oder mit einer langen Fransenborte abgeschlossen sind. Ganz ungewöhnlich sind quergestellte Schleifen oder Spangen, wie auf der später, Fig. 325 abzubildenden Platte.

θ) Besondere Erwähnung verdienen im Anschlusse hieran noch glatte Gürtel, unter denen sich in vier bis sechs Reihen angeordnete Schnüre mit zylindrischen Perlen hinziehen; sie finden sich auf den folgenden Platten:

1. Berlin, III. C. 8056, Taf. 24. Da ist, von sieben Begleitern (einer abgebrochen) gefolgt, ein großer Würdenträger dargestellt, reitend, mit vier solchen Perlschnüren unter dem Gürtel. Ebensoviele ähnliche Schnüre hat er quer über die Stirn gelegt, eine Kombination, die wir gleich noch auf vier weiteren Platten finden werden.

2. Dresden, 16 136 (früher Webster 8803), hier Fig. 319. Große Prachtplatte, der vorigen sehr ähnlich, mit einem berittenen Würdenträger, der vier oder fünf solche Perlschnüre um die Mitte und vier auf der Stirn hat.

3. Rushmore, P. R. 7, ein Ausschnitt hier Fig. 320 reproduziert. Ähnlicher Würdenträger, beritten, mit sieben Begleitern. Vier Schnüre unter dem Gürtel und auf der Stirn.

4. London, R. D. XIX 2, Fig. 322, Würdenträger zu Pferde, mit drei Begleitern; er hat drei Perlschnüre unter dem Gürtel und ebensoviele auf der Stirn.

5. London, R. D. XV 2, wegen der *busti* Fig. 153 abgebildet. Einzelner Mann, vier Reihen Perlen unter dem Gürtel, keine auf der Stirn.

6. London, R. D. XV 6, wegen der *busti* Fig. 164 abgebildet, einzelner **Mann**, sechs **Reihen Perlen** unter dem Gürtel, vier auf der Stirn.

7. London, R. D. XVIII 4 und

8. London, R. D. XXIV 5, zwei einander sehr ähnliche Platten, vgl. Fig. 221 und 222, **beide einen** großen Würdenträger darstellend, über den zwei Jungen Schilde halten und dem zwei kleinere Jungen einen Schemel und ein Schwert tragen. Beide Würdenträger haben der eine fünf, der andere sechs Perlschnüre unter dem Gürtel, keine auf der Stirn.

9. London, R. D. XXX 4. Einzelner **Mann** mit einem Stab in der Rechten. Vier Reihen Perlen unter dem Gürtel, keine auf der Stirn.

10. Leiden, 1164 1. Ganz ähnlicher Mann mit einem Stabe, fünf Gürtel-, drei Stirnschnüre.

11. Berlin, III. C. 27 507, siehe Abb. 306. **Mann** mit Rasselkugel und unsymmetrischem Halsschmuck; sechs Gürtel- und vier Stirnschnüre.

So finden wir diesen eigenartigen Schmuck viermal bei Berittenen, je zweimal bei andern großen Würdenträgern, über die Schilde gehalten werden, auf Platten mit *busti* und bei Leuten mit Stäben, aber nur einmal bei einem Manne, der zwar einen eigenartigen Halsschmuck hat, aber sonst nicht als eine sehr bedeutende Persönlichkeit besonders gekennzeichnet ist; immerhin scheint es, als ob die Perlschnüre unter dem Gürtel als Würdezeichen aufgefaßt werden könnten.

K r o k o d i l k ö p f e und auch m e n s c h l i c h e M a s k e n, zu dritt, seltener zu viert von einer Lendenschnur oder einem Gürtel herabhängend, finden wir bei mehr als einem Dutzend Platten, aber ganz ausschließlich nur bei solchen von der Art, die ich S. 91 ff. als »dämonisch« oder sacral zusammengefaßt und beschrieben habe. Es lohnt nicht, sie hier noch einmal einzeln aufzuführen, doch sei auf die Taf. 43 und auf die Abbildungen 158/9 auf S. 87 sowie 166 bis 170 auf S. 92 und 93 verwiesen. In denselben Kreis gehören auch die Berliner Platte III. C. 8205, Taf. 20 A und die mit ihr bis in die letzten Einzelheiten übereinstimmende Platte R. D. XVIII 5, wenn auch bei diesen beiden Platten der sacrale Charakter nicht ohne weiteres ersichtlich ist, sondern gerade erst aus dem Schurze des in der Mitte stehenden Mannes und aus den Krokodilköpfen mit einiger Wahrscheinlichkeit erschlossen werden kann. Ob diese Köpfe zu dritt oder zu viert vorhanden sind und ob sie mit lang vom Gurte herabhängenden Borten abwechseln oder ob solche Borten fehlen, scheint ohne

1)

Abb. 195. Ausschnitt aus einer Platte mit drei Figuren, deren mittlere von den zwei seitlichen gestützt wird. Die im Ausschnitt fehlende rechte Figur gleicht der linken bis in die letzten Einzelheiten. Vergrößert nach R. D. XVI 5. Vgl. die sehr ähnliche Platte, S. 93, Abb. 170; auf dieser hat der Mann mit dem Hammer ein »Kleinod« um den Hals hängen, es fehlen ihm aber die drei großen quergestellten Perlen auf der Kopfbedeckung.

besondere Bedeutung zu sein. Hingegen dürften die menschlichen Masken einem höheren Range entsprechen als die Krokodilköpfe; wenigstens gibt es mehrere Platten, auf denen der in der Mitte stehende oder sitzende Mann menschliche Masken hat und die ihn stützenden Begleiter nur Krokodilköpfe. Ebenso sehen wir auf den beiden Platten Taf. 20 A und R. D. XVIII 5, daß nur der Mann in der Mitte durch Krokodilköpfe auf dem runden Schurze ausgezeichnet ist, während seine Begleiter die gewöhnlichen zwei Lendenschurze der »Laien«, den zu diesen gehörigen Gürtel und keine Krokodilköpfe haben.

Ganz besonders schön sind unsere Anhänger auf der Platte R. D. XVI 5, von der deshalb hier

Fig. 195 ein vergrößerter Querschnitt reproduziert ist. Der Mann in der Mitte, mit den drei großen Perlen auf dem Helme und mit dem Hammer in der Rechten hat drei Masken, die wir wegen der langen, hohen Nasen und der schlichten Haare mit voller Sicherheit als Masken oder Gesichter von Europäern ansprechen können; die beiden Begleiter, die ihn stützen, haben Krokodilköpfe.

Über die Art, in der diese Masken und Köpfe befestigt waren, ist es nach den erhaltenen Darstellungen nicht möglich, zu einem ganz sicheren Schluß zu kommen. Auf den meisten Platten sieht es so aus, als wären sie auf dem unteren verstärkten Saum des Perlhemdes befestigt. An sich wäre das nicht ganz unmöglich, aber das An- und Ausziehen eines engen und schon an sich durch die vielen Perlen sehr schweren Gewandstückes würde durch die am Rande befestigten großen Masken in überaus lästiger Weise erschwert worden sein. Deshalb ist die Fig. 158 abgebildete Platte von besonderer Bedeutung; da haben die beiden knienden »Priester« ein etwas kürzeres Perl-  hemd als sonst, und der Raum zwischen dem unteren Rande des Hemdes und dem oberen des Schurzes wird anscheinend durch einen glatten Gürtel ausgefüllt, von dem die Krokodilköpfe herab- hängen. So wird man wenigstens vermuten können, daß auch alle die andern Köpfe und Masken nicht, wie es sonst den Anschein hat, auf dem Perlhemd, sondern auf einem besonderen Gürtel be- festigt waren.

κ)   Ganz selten, nur auf den nachfolgend verzeichneten fünf Platten, finden sich Gürtel mit Tierschweifen:

1. Berlin, III. C. 8265, Taf. 41 F. Da die Platte links einen Falz hat und nur 25 cm breit ist, kann man mit Sicherheit sagen, daß an ihrem rechten Rande rund ein Drittel der ursprünglichen Breite, also eine ganze Figur, fehlt. Die Ergänzung ergibt sich mit voller Sicherheit aus der hier unter Nr. 2 zu beschreibenden Platte R. D. XXII 6: Neben einem verwachsenen Manne standen ur- sprünglich zwei untereinander durchaus gleiche, anscheinend sehr jugendliche Leute vom Typus der hier Fig. 196 abgebildeten Figur und mit einer flaschenförmigen Klapper oder Rassel.

2. London, R. D. XXII 6, hier Fig. 308 abgebildet, genau der vorigen Platte gleichend, nur vollständig erhalten.

3. London, R. D. XXVI 3, hier Abb. 196.

4. London, R. D. XIII 4 ⎫ diese beiden Platten wegen der *busti*
5. Berlin, III. C. 27 506 ⎭ hier bereits Fig. 160 u. 156 abgebildet.

Über die Art der Tierschweife ist es schwer, zu einem ganz sicheren Urteil zu gelangen; man wird natürlich zunächst an Pferde- schweife denken, aber auf einigen Platten, so gerade auf der hier Fig. 196 in etwas größerem Maßstabe wiedergegebenen, stimmt die Ziselierung, wenigstens der oberen Hälfte der Schweife, nicht gut mit dieser Diagnose überein; doch kann man da vielleicht eine bloß spielerische Behandlung annehmen; ungleich schwieriger noch ist es, sich eine Vorstellung über die Gürtel selbst zu bilden. Sie be-

Abb. 196.   Junge mit ungewöhnlichem Hüftgurt; am ganzen Körper tätowiert oder bemalt; in der Linken eine gestielte vier- kantige Rassel haltend. Nach R. D. XXVI 3.

stehen vorn anscheinend aus Kettengliedern in der Form von stark vorragenden, runden oder kahn- förmigen Näpfchen oder Schellen.

Auf allen fünf Platten haben diese dargestellten Jungen in ganz gleicher Art mit der Linken eine flaschenförmige Klapper oder Rassel, so daß es naheliegt, sie für Tänzer zu halten und wegen der Tier- schweife für Bauchtänzer in der Art der türkischen *kitschek*. Dieselbe Gruppe von Platten wird in toto noch in den Abschnitten J, δ und N, μ erwähnt werden, was allein schon beweist, daß es sich da um eine einheitliche und »uniformierte« Gesellschaft handelt; hier wäre nur noch festzustellen, daß diese Jungen alle statt der sonst in Benin üblichen mehrfachen Lendenschurze einen gleichmäßig rund zugeschnittenen Schurz von der Form eines kurzen Frauenrockes tragen, der unten mit einem Flechtband abgeschlossen und im übrigen sehr sorgfältig und durchaus symmetrisch mit menschlichen Köpfen usw. verziert ist.

15*

λ) Noch seltener schließlich sind Gürtel, von deren unterem Rande in seiner ganzen Ausdehnung dicht nebeneinander lange kegel- oder dütenförmige Glocken oder Schellen herabhängen:

1. Berlin, III. C. 8426, Taf. 25 B. Ungewöhnlich häßlicher Junge mit sehr breiter Nase und vorgeschobenem Kaugerüst. Schwert mit abgebrochenem Griff, aber mit besonders sorgfältig ausgeführter »Sicherungsschleife« an der linken Seite an einem über die rechte Schulter herabhängenden Bandelier.

2. Freiburg i. Br. Ausgezeichnet schöne Platte, früher Webster 11660; halbwüchsiger Junge mit einem Aufschlag-Idiophon in der Form eines Ibis. Abb. 300. Vgl. die Beschreibung in Abschnitt N, ε.

3. Leipzig. Berliner Doublette (H. Bey 70) hier Abb. 220.

J. Auffallende Haartrachten.

[Hierzu die Tafeln 22, 23, 24, 28, 32, 33, 35, 37, 38 und 41, sowie die Abb. 197—226.]

Die schier unübersehbare Mannigfaltigkeit der Haartrachten im alten Benin versuche ich durch Einteilung in zehn Gruppen etwas übersichtlicher zu machen. Natürlich kann ein solcher Versuch niemals restlos befriedigen und wird in diesem Einzelfalle dadurch erst recht bedenklich, daß wir bei unseren Platten nur nach dem äußeren Scheine urteilen und nicht, wie beim Lebenden in das wirkliche Wesen eindringen können. So gehen für manche Haartrachten die Meinungen der Autoren weit auseinander. Einer spricht beständig von einer »hauben- oder korbförmigen Kopfbedeckung mit zylindrischen Perlen in vertikaler Stellung« oder von einer »eng anliegenden Kappe«, wo ich nur stilisiertes Negerhaar sehe, und ein anderer hält umgekehrt eine aus großen zylindrischen Perlen hergestellte Kappe für stilisierte Haare. Eine ernsthafte Schwierigkeit ist aber durch »Kopfbedeckungen« gegeben, wie sie z. B. Taf. 18 F oder 39 A und Fig. 230/1 abgebildet sind. Der harmlose Betrachter wird hier selbstverständlich richtige Helme mit einer medianen Kammleiste erblicken und etwa an die bekannten Helme der Duala von Kamerun oder an die unvergleichlich schönen Helme von

Abb. 197 a, b. Helmartig wirkende Haartrachten der N t u m (Südkamerun), mit Benutzung des lebenden Haares hergestellt und mit Kauri - Schnecken sowie mit Messingnägeln, Glasperlen und Porzellanknöpfen verziert. III. C. 21 319 und 21 318, Sammlung von Hauptmann Oskar Förster, dem das Berliner Museum eine größere Zahl ähnlich bizarrer Haartrachten aus derselben Gegend verdankt, die von den Leuten für ihn hart an der Kopfhaut abgeschnitten und im Museum auf Gipsköpfe gesetzt wurden.

Hawaii denken. Ich kann mir sogar gut vorstellen, daß auch ein sonst sehr kenntnisreicher Ethnograph, wenn er westafrikanische Haartrachten nicht an Ort und Stelle studiert hat, auf die Angabe, daß hier überhaupt keine Helme, sondern — Haartrachten vorliegen, nur mit einem mitleidigen Lächeln reagieren dürfte. Und doch gibt es noch heute bei den N t u m völlig verwandte Haargebäude, die durchaus wie Helme wirken, von denen wir aber wissen, daß sie mit Benutzung der lebenden Haare hergestellt sind, und daß man sie mühsam mit der Schere von der Kopfhaut lostrennen muß, wenn man sie abheben will. Die nebenstehenden Abbildungen 197 a, b sind nach Originalen im Berliner Museum hergestellt, die lebende Ntum sich für etwas Geld und gute Worte haben abschneiden lassen und die ich hier im Museum auf bemalte Gipsköpfe gesetzt habe. Wer das nicht weiß, würde diese Haartrachten sicher für Helme halten, und niemand dürfte ihm daraus einen Vorwurf machen.

So bin ich mir durchaus der Schwierigkeiten bewußt, die einer Analyse mancher Haartrachten auf unseren Benin-Platten entgegenstehen, aber ich halte es doch für richtig, eine Einteilung wenigstens zu versuchen, und werde die wichtigsten Typen in der folgenden Reihenfolge besprechen:

α) Crista (d. h. median-sagittaler Haarkamm) auf frisch rasiertem Scheitel.

β) Crista auf unrasiertem Kopf.

γ) Dachziegel- oder schindelartige Stilisierung des natürlichen Haares.

δ) Doppelseitige »Schnecken«, d. h. spiralig aufgerollte Zöpfchen in der Schläfengegend.

ε) Ganz oder größtenteils rasierter Kopf.

ζ) Hörnerartige Haartrachten.

η) Kappenähnliche Tracht.

θ) »Prinzenlocke«.

ι) Rasierte »Schneisen«.

κ) Wülste und Zöpfe.

α) Leute mit einem sagittalen Haarkamm auf sonst rasiertem Scheitel; die besten Beispiele hierfür sind die folgenden:

1. Berlin, III. C. 8054, Taf. 11. Auf dieser schönen und figurenreichen Tafel hat der kleine, nackte Junge mit dem Schwert und dem *sudarium* auf dem sonst ganz kahlen Schädel eine besonders hohe und breite Crista.

2. Berlin, III. C. 8412, Taf. 28 E. Alleinstehender älterer Junge. Ein großer Teil des Kopfes ist rasiert; zu beiden Seiten der Stirn sind kleine, rechteckige Haarfelder stehen geblieben; von den Schläfen hängen rechts zwei, links, was nicht bedeutungslos ist (siehe später S. 129 ad vocem Prinzenlocke), drei lange, geflochtene und mit Perlen beschwerte Zöpfe herab; sonst ist bis auf den sagittalen Kamm alles rasiert.

3. Berlin, III. C. 8413, Taf. 33 D. Ähnlicher Junge, aber in der Schläfengegend jederseits nur ein dicker Zopf; die Crista etwas niedriger und breiter.

4. Berlin, III. C. 7655, Taf. 33 E. Der kleine Junge mit dem Querhorn neben dem Manne mit der mächtigen Perücke hat seinen Kopf fast ganz rasiert; nur in der Schläfengegend ist jederseits ein Zöpfchen geflochten. Die mediane Crista ist ungewöhnlich schmal und hoch.

5. Berlin, III. C. 8402, Taf. 38 A. Mann, der eine Glocke mit einem Stäbchen anschlägt. Ganz besonders schöner und deutlicher, hochaufragender Zipfel des oberen Lendenschurzes. Die Glocke ist samt dem größten Teile des Stäbchens weggebrochen; erhalten ist nur ein ungewöhnlich großer Gußsteg, der die Glocke mit dem obersten Stück des Schurzzipfels verbunden hatte. Leider ist auch der Kopf beschädigt und verbogen, man sieht aber noch die auffallend breite Crista.

6. London, R. D. XV 3, hier wegen der *busti* schon Fig. 160 abgebildet. Da hat der kleinste von den drei Jungen die schönste und merkwürdigste Kammleiste, die man sich nur vorstellen kann, ein wahres Meisterwerk eines Haarkünstlers: auf dem ganz kahl rasierten Scheitel ruht völlig frei schwebend nur auf einigen »Pfeilern« ein dünner, etwa zwei Querfinger breiter Haarkamm. Es ist klar, daß zur Herstellung eines solchen Bogens das lebende Haar nicht reichen konnte und daß fremdes Material, vielleicht harte Grasstengel oder etwas derart mit hineinverflochten werden mußte; auch wurde das Ganze wohl noch mit einer harzigen Masse steif und haltbar gemacht.

7. London, R. D. XIX 1, hier Fig. 190. Ähnlich wie auf der eng verwandten, eben unter Nr. 1 aufgeführten Berliner Platte auf Taf. 11 hat auch hier der kleine, nackte Junge, der das Schwert seines Herrn und ein *sudarium* trägt, eine Kammleiste auf dem glattrasierten Scheitel. Von der Schläfengegend hängt jederseits ein langer, dünner, mit einer großen, zylindrischen Perle beschwerter Zopf bis fast zu den Brustwarzen herab.

8. London, R. D. XIX 2, hier Fig. 322; die beiden Jungen, die den reitenden Würdenträger stützen, haben beide gleichmäßig die typische Crista, kleine, behaarte Rechtecke zu beiden Seiten der Stirn und jederseits einen langen, mit einer spindelförmigen Perle beschwerten Zopf.

9. Rushmore, P. R. 4, hier wegen der *busti* bereits Fig. 150 reproduziert; der kleine, nackte Junge, der das ihn an Länge übertreffende Ebere seines Herrn trägt, hat eine hohe Crista auf dem anscheinend sonst kahlen Scheitel. Auf der fast gleichartigen Berliner Prunkplatte III. C. 7657, Taf. 23, hat derselbe Junge eine noch größere Crista, aber auf dem nicht geschorenen Kopfe.

10. Dresden, 16 136, hier Fig. 319 nach Webster 8803 abgebildet. Da hat der nackte Junge, der das Schwert seines Herrn trägt, eine ganz abweichend gestaltete Crista. Sie besteht aus drei hintereinander gesetzten Paaren von kegelförmigen Hörnern auf dem sonst geschorenen Scheitel.

So sind es fast durchweg Kinder oder sonst nicht ganz erwachsen aussehende junge Leute, die mit einer solchen Crista ausgestattet sind. Allein nur der Glockenschläger Taf. 38 A dürfte wohl als erwachsen anzusprechen sein.

β)   Leute mit sagittaler Crista auf ungeschorenem Kopfe sind wesentlich seltener; das hängt wohl damit zusammen, daß eine solche Crista, deren Herstellung doch immerhin sehr viele Mühe und Zeit kostete, im besten Falle nur einige Wochen hielt, bis sie durch das Weiterwachsen der sie haltenden Haare locker und unansehnlich wurde und sich von dem übrigen behaarten Kopf nur wenig abhob; wenn das »Kunstwerk« richtig bewundert werden sollte, mußte es sich von dem blanken, täglich frisch geschorenen Scheitel abheben.   Ich kenne nur wenige Platten, bei denen auf diese Wirkung verzichtet wurde:

1. Die eben zum Vergleiche mit Nr. 9, Rushmore, erwähnte Berliner Platte Taf. 23.

2. Webster 6240, jetzt in München: Gepanzerter Krieger mit Topfhelm, Schild und Speer, neben ihm

ein kleiner, nackter Junge mit dem Schwerte seines Herrn und dem *sudarium.* Er hat außer der normalen Behaarung des Kopfes noch eine hohe Crista und jederseits einen langen, mit einer großen zylindrischen Perle beschwerten Zopf.

3. London, R. D. XXI 2, hier wegen der *busti* bereits Fig. 149 reproduziert. Der kleine Begleiter des Würdenträgers mit dem langen Federhemd, der das Ebere und ein Speerbündel trägt, hat neben der üblichen Haartracht noch eine schmale Crista.

4. Webster 29 1901, Nr. 11 392 (gegenwärtiger Standort mir nicht bekannt), hier Fig. 198 nach dem Websterschen Kataloge abgebildet: Neben dem Manne mit dem einen Zopf rechts und den zweien links steht ein kleiner, nackter Junge mit der gewöhnlichen Haartracht und mit einer hohen, schmalen Crista. In der Rechten hält er einen Fächer, von dessen kreisrunder Scheibe freilich vorn ein Stück abgebrochen ist, so daß er vielleicht nicht immer auf den ersten Blick als solcher erkannt wird; bei genauer Betrachtung sieht man aber trotz des kleinen Maßstabes sogar die für die Benin-Fächer typische Art der Befestigung der Lederscheibe an dem Griff. Hier sind anhangsweise noch zwei Platten mit einer Crista völlig anderer Art anzugliedern:

5. Freiburg i. Br., Städt. Museum, siehe Abb. 305, Platte mit zwei unter sich durchaus gleichen Männern mit kegelförmiger Rassel; sie haben unabhängig von der dachziegelartig stilisierten Haartracht eine median-sagittale Crista aus großen, radiär gestellten Perlen, die wohl an das lebende Haar geknotet zu denken sind; bei einer der beiden Figuren, im Ausschnitt hier Abb. 305 wiedergegeben, ist die unterste dieser Perlen abgebrochen.

Abb. 198. Mann mit an den Seiten besonders stark behaarter und daher sehr schmal wirkender Stirne. Der neben ihm stehende Junge hält einen Fächer, von dessen kreisrunder Scheibe ein Stück ausgebrochen ist. Etwa ¹/₃ d. w. Gr. Nach Webster 29. 1901, Nr. 11392.

γ)

6. Rushmore, P. R. 11, 12. Große Platte mit einer fast genau gleichen, einzelnen Figur dieser Art, mit einer Rosette in jeder Ecke. P. R. gibt auch eine Ansicht schräg von der Seite, auf welcher die Crista deutlicher zu sehen ist als auf der Vorderansicht.

Daß eine dachziegel- oder schindelartige Stilisierung der Haartracht sehr oft mit einer richtigen Kopfbedeckung verwechselt wird, habe ich bereits oben gesagt. Ich glaube, daß ein Blick auf die Taf. 25 B und E, 26 D, 33 A und B und 34 E genügen wird, um zu zeigen, welche Art von Haartracht ich da meine. Als besonders lehrreich erwähne ich hier noch die Platt Webster 29, 1901, Fig. 81, Nr. 11 663 von der hier Abb. 199 ein vergrößerter Ausschnitt gegeben ist, die beiden Stuttgarter Platten, die hier Fig. 200 und 201 reproduziert sind und die als Berliner Doublette nach Leipzig gelangte Platte H. Bey 139, die wegen des Flechtknotens auf der Rückseite hier schon Fig. 67 abgebildet wurde. Des großen Maßstabes wegen sei noch auf die Abb. 354 hingewiesen mit dem stark vergrößerten Ausschnitt aus der Platte R. D. XXIII 6. Die Zahl der in diesem Zusammenhang aufzuführenden Platten könnte noch sehr vermehrt werden, aber sie genügt zur Prüfung der Sachlage. Wer noch an die Möglichkeit denken sollte, daß es sich doch um richtige abnehmbare Kopfbedeckungen handelt, der möge die Taf. 33 D und F sowie Taf. 41 A und B abgebildeten Platten ansehen und sich fragen, was wohl die auf

dem sonst rasierten Kopf zu beiden Seiten der Stirn befindlichen rechteckigen, gemusterten Flächen bedeuten mögen, wenn nicht Haare. Sie sind genau so dachziegel- oder schindelartig stilisiert wie die Kopf-
haare auf den oben angeführten Platten und müssen daher als durchaus beweisend anerkannt werden.

Hingegen scheint es mir wichtig, sich darüber ein ganz sicheres Urteil zu bilden, ob die scharfen
Stirnwinkel, die wir bei den meisten der hierher gehörigen Platten an der Haargrenze finden, der Wirklichkeit entsprechen oder ob sie nur als »Stil« zu erklären sind, oder ob man etwa eine schärfere Herausarbei-
tung des Haarrandes durch das Schermesser annehmen soll. Eine »Verschönerung« des Kopfes durch ganzes
oder teilweises Rasieren ist ja auch sonst in Afrika sehr verbreitet und auch für Benin vielfach bezeugt; so läge
die Annahme nahe, daß man auch die Stirngrenzen mit dem Schermesser zu verschönern sich bemüht hat. Im
übrigen scheint man bisher der natürlichen Haargrenze bei den Afrikanern noch sehr wenig Aufmerksamkeit

geschenkt zu haben, wie sie ja auch bei den Europäern
noch lange nicht die wissenschaftliche Würdigung gefunden hat, die sie zweifellos verdient. Die Form und
Ausdehnung der unbehaarten Stirn ist zwar in den letzten
Jahren für die rein praktischen Zwecke des Erkennungs-
dienstes und für das, was die Kriminalisten »Portrait
parlé« nennen, eifrig studiert worden, aber die Rassen-
anthropologie hat sich mit ihr noch sehr wenig be-

Abb. 199. Mann mit ähnlicher Haarbildung wie der Fig. 198
abgebildete. Ausschnitt aus einer Abb. der Platte Webster 29.
1901, 81, Nr. 11663.

Abb. 200 und 201. Berliner Doubletten (H. Bey 289 und
94) jetzt Stuttgart 5385 und 5400.

schäftigt; metrische Untersuchungen liegen da meines Wissens überhaupt noch nicht vor. Ebenso
hat sich noch niemand ernsthaft mit der Frage beschäftigt, ob die großen Schwankungen in der Stirn-
form, die innerhalb eines geographisch oder politisch einheitlichen Gebietes gefunden werden, rein individueller Natur sind oder auf alte Rassenmischungen zurückgehen. Mein persönlicher Eindruck ist,
daß gerade im westlichen Sudân sehr niedrige Stirnen sowie sehr kleine und scharf ausgeschnittene Stirn-
randwinkel viel häufiger gefunden werden als bei den andern Afrikanern, während besonders die Masai
und die Somali durch sehr hohe und breite Stirnen mit gerundeten Winkeln ausgezeichnet sind. In
diesem Zusammenhange möchte ich auf die Tafeln in meinen »Beiträgen zur Völkerkunde der deutschen
Schutzgebiete« (Berlin, D. Reimer, 1897) aufmerksam machen. Da ist z. B. der mittlere Mann auf Taf. I
durch eine ganz unerhört schmale und niedrige Stirn ausgezeichnet, ebenso der obere Mann auf Taf. II;
dieser zeigt außerdem noch in sehr drastischer Weise, wie die seitliche Begrenzung der unbehaarten Stirn
durch eine ganz scharfe und gerade von oben nach unten und vorn gerichtete Linie gegeben ist, die mit
dem oberen Haarrand einen kaum mehr als etwa 50° messenden Winkel einschließt. In der Vorderansicht

stimmt die Stirn dieses Mannes, von der ich weiß, daß ihre Abgrenzung gegen den behaarten Kopf rein natürlich und durch kein Schermesser verändert war, durchaus mit den extremsten Formen auf unseren Benin-Platten überein. So haben wir selbst für Stirnen wie etwa die des Jungen in Fig. 199 nicht nötig, an künstliche Eingriffe oder an stilistische Übertreibung der natürlichen Form zu denken.

Noch wäre hier hervorzuheben, daß es auf unseren Platten fast durchweg ganz junge, teilweise noch nicht ausgewachsene Leute sind, die mit ihrer natürlichen Haartracht und ohne Kopfbedeckung dargestellt sind. Die zwei Jungen auf Taf. 33 A und B haben sogar noch nicht einmal die Ziernarben auf der Stirn, von denen wir vermuten, daß sie vielleicht im Anschluß an die Pubertätszeremonien gesetzt werden; allerdings gibt es eine Platte, Dresden 16 606 (Webster Kat. 29, Fig. 25), mit zwei nebeneinanderstehenden ganz nackten kleinen Jungen, deren Haartracht durchaus an die auf der Abb. 199 erinnert, die aber schon die Stirnnarben haben, obwohl sie anscheinend sehr viel jünger sind als die Taf. 33 A und B abgebildeten Leute.

δ)   Beiderseits in der Schläfengegend zu »Schnecken« aufgerollte, gedrehte oder geflochtene Zöpfchen finden wir bei zwei verschiedenen Gruppen von Benin-Platten:

1. bei Knaben, die Gefäße tragen, vgl. R. D. XXVIII 2, hier Fig. 176 abgebildet;

2. bei Leuten mit den eigenartigen Gürteln mit Tierschweifen, die hier im Abschnitt I κ, S. 115 beschrieben sind und in der Linken flaschen- oder kolbenförmige Rasseln halten, vgl. Taf. 41 F sowie die Abb. 160, 196 und 308. Sie sind immer in einer frontalen Ebene, also abstehend, orientiert, nicht anliegend, wie ähnliche Schnecken jetzt manchmal bei uns von Mädchen und jungen Frauen getragen werden.

ε)   Ganz oder zum größeren Teil geschorene Köpfe finden wir auf den nachfolgenden Platten.

1. Berlin III. C. 8371, Taf. 22: Zwischen zwei kleineren Begleitern, die jeder einen Hammer halten (vgl. S. 133 ff.), steht ein Mann mit zwei sich auf der Brust kreuzenden Bandelieren, in der Rechten einen Stab, in der Linken ein Schwert haltend, und durch einen ungewöhnlich breiten und hohen, reichverzierten Lendenschurzzipfel ausgezeichnet, der bis über Augenhöhe reicht. Sehr auffallend ist, neben einer Halsschnur mit den gewöhnlichen zylindrischen, eine zweite mit ganz besonders großen, in der Mitte verdickten und etwas knieartig gebogenen Perlen. Von der Mitte der Stirn bis zur Nasenspitze zieht ein schmaler Streifen, der wohl auf wirkliche Tätowierung mit Ruß zu beziehen sein dürfte. Der vollkommen kahlgeschorene Schädel trägt auf dem Scheitel einen ganz kleinen, anscheinend geflochtenen, trichterförmigen Tutulus (vgl. Abb. 292).

2. Dresden, 16 139, hier nach einer Photographie von Webster wegen der *busti* schon Fig. 155 abgebildet. In der Mitte dieser schönen und nach vielen Richtungen hin bemerkenswerten Platte steht derselbe Mann, wie auf der eben beschriebenen Berliner; nur hat er diesmal die üblichen Kropfperlen statt der eigenartigen Schnur am Halse seines Berliner Ebenbildes; auch ist sein kahler Kopf ganz sichtbar, da der trichterförmige Tutulus von einem seiner größeren Begleiter in der Hand gehalten wird; der zweite von diesen trägt einen langen, dünnen Stab. Von den zwei kleineren Begleitern trägt der eine auf dem Kopf einen runden Schemel, der andere gleicht durchaus den beiden Begleitern des Würdenträgers auf der eben beschriebenen Berliner Platte, vor denen er nur das um den Hals getragene Kreuz voraus hat, das diesen fehlt. Als Curiosum sei zu dieser Platte bemerkt, daß ein amerikanischer Kollege bei ihrer Beschreibung den Schurzzipfel der Mittelperson als »carved elephant trunk« beschreibt, »apparently attached to his dress behind«, und seine von einem der Begleiter am Rande gehaltene Kopfbedeckung als Glocke. Zu dieser »Glocke« gehört auch ein »knocker«, den derselbe Begleiter tragen soll. Es ist schwer zu finden, was auf dieser Platte der Kollege für einen »knocker« gehalten haben mag; vielleicht den oberen Rand des runden, von dem kleinen Jungen auf dem Kopfe gehaltenen Schemels.

3. Berlin, III. C. 8374, Taf. 31 D. Der eine der nackten Jungen mit Querhorn hat seinen Kopf nahezu völlig geschoren; übriggeblieben sind nur kurz hinter der Bregma-Gegend eine etwa groschengroße, behaarte Stelle und zwei rechteckige Felder zu beiden Seiten der Stirn.

4. Berlin III. C. 8413, Taf. 33 D. Mit ähnlichen Feldern und zwei langen Zöpfen in der Schläfengegend sowie mit einer sagittalen Kammleiste.

5. Berlin, III. C. 8414, Taf. 33 F. Nackter Junge; auf der Scheitelhöhe ein kaum groschengroßer Rest von Behaarung; kleine Felder zu beiden Seiten der Stirn; hinter diesen jederseits ein Zopf, sonst völlig kahl geschoren.

6. Berlin, III. C. 8422, Taf. 35 A. Nackter Junge, der einen ungewöhnlich hohen Schemel aus

Rindenbast trägt. Der Kopf ist fast völlig geschoren, nur zu beiden Seiten der Stirn ist ein viereckiges Feld stehen geblieben, aus dessen hinterstem Teile sich jederseits je ein langer Zopf entwickelt.

7., 8., 9. und 10. Berlin, III. C. 8410, 8409, 8256 und 8265, Taf. 41 A, B, C und F. Vier untereinander eng verwandte Platten; verwachsene Jungen anscheinend mit hochgradiger »Hühnerbrust«, Stäbe in der Rechten oder in beiden Händen haltend. Der Kopf ist in verschieden starker Ausdehnung geschoren; stehen geblieben ist immer ein Schopf auf der Scheitelhöhe, der von einem trichterförmigen Geflecht[1]) bedeckt wird, ferner in wechselnder Ausdehnung ein Feld zu beiden Seiten der Stirn und — höchst auffallend — ein ganz schmaler Streifen, der genau median von der Scheitelhöhe bis zur Haargrenze herabreicht. Außerdem haben die Jungen auf den zwei Platten Taf. 41 A und C noch typische »Prinzenlocken« und der auf Taf. 41 F lange, gedrehte und mit Perlen beschwerte Zöpfe.

11. Hamburg, C. 2303, Abb. 203, in denselben

Abb. 202. Nackter Junge mit grotesker Haartracht; unter der linken Achsel ein Schwert mit von der Scheide herabhängender Glocke. Hamburg C. 2302, nach Hagen, A. v. B. I, Taf. II, 1.

Abb. 203. Verwachsener Junge mit »Hühnerbrust«. Von dem in der Rechten gehaltenen Stab und von dem Tutulus auf dem geschorenem Scheitel sind mit dem oberen Rande der Platte große Stücke abgebrochen. Hamburg, C. 2303, nach Hagen, A. v. B. I, Taf. III, 3.

Abb. 204. Verwachsener Zwerg mit »Hühnerbrust«, in der Linken drei Stäbe haltend, in der Rechten einen. Nach einer Photographie in Privatbesitz. Standort des Originals zurzeit unbekannt.

Kreis gehörige Platte, beschädigt, in der erhobenen Rechten ein Stab; die Linke an die Magengrube gehalten.

12. Standort unbekannt, Abb. 204. Gleichartige Platte, ein Stab in der Rechten, drei nebeneinander gehaltene Stäbe in der Linken. Große Prinzenlocke.

13. Hamburg, C. 2302, Abb. 202, nach Hagen, A. v. B. I, Taf. II 1, nackter Junge, nur mit einem Gürtel, einem Schwertgehänge, einer Halsschnur und mit zwei breiten Armbändern ausgestattet.

[1]) Eine gute Analogie für diese Haartracht sind die Haarkörbchen aus Neu-Guinea, besonders vom Augusta-Fluß, von denen das Berliner Museum große Serien besitzt; vgl. die schöne Abbildung bei Neuhauß, Deutsch-Neu-Guinea. Berlin, D. Reimer. Bd. II, Taf. 277.

Das Genitale anscheinend abgemeißelt. Besonders wichtig ist die Haartracht: Rings um den Kopf ein Kranz von mit Perlen beschwerten Zöpfen, links eine »Prinzenlocke«, der ganze Scheitel geschoren bis auf einen kegelförmigen Haarschopf genau an der Stelle, an der sich auf den eben unter Nr. 6 bis 11 angeführten Platten das Haarkörbchen erhebt. Ein solcher Schopf und diese geflochtenen Körbchen ergänzen und bedingen sich gegenseitig; die Körbchen würden auf dem sonst rasierten Scheitel keinen Halt finden, und der Schopf bekommt seine Form nur durch das Körbchen, in das er gleichsam hineinwächst und das immer wieder von neuem um ihn herum gedreht und auf ihn festgestülpt werden muß.

14. London, R. D. XXII 6, hier Fig. 308 reproduziert: Neben den zwei bereits erwähnten Leuten mit doppelseitigen »Schnecken« und gestielten Rasseln steht ein Verwachsener in langem Hemd, gleich den hier Nr. 6 bis 11 Beschriebenen, in jeder Hand einen Stab haltend. Auch seiner Haartracht nach gehört er durchaus in diesen Kreis: von der Stirn bis zum Scheitel ist ein nach oben sich verjüngender Streifen glattgeschoren.

ζ)   Hörnerartige Haartracht findet sich auf den folgenden Platten:

1. Berlin, III. C. 8382, Taf. 32, Mann, mit beiden Händen eine runde Schale mit Fufu haltend. Von einem großen Teile der behaarten Kopfhaut sind die Haare herangeholt, zusammengezogen und zu zwei nach vorn ragenden, wie Kuhhörner aussehenden Gebilden umschnürt.

2. London, R. D. XXVIII 1, hier Fig. 174, Platte mit drei ähnlichen Figuren, von denen zwei die gleichen gefüllten Schalen tragen wie auf der eben erwähnten Berliner Platte. Auch die Hörner ihrer Haartracht haben ähnliche Form, nur sind sie aus je vier auch einzeln umschnürten Strähnen zusammengesetzt, deren runde Querschnitte an dem nicht ganz spitzen Ende der Hörner sichtbar werden. R. D. erwähnen bei Beschreibung dieser Platte die Meinung eines Captain Heneker, daß durch eine derartige Haartracht Frauen bezeichnet würden. Natürlich schließen sie sich dieser Meinung nicht an, aber sie lehnen sie auch nicht ab. Andere halten die mit einem langen Hemde bekleideten verwachsenen Leute vom Typus der auf Taf. 41 A, B und C abgebildeten für weiblich, sicher auch mit Unrecht, was sich einwandfrei aus der Platte Taf. 41 D und E ergibt; da ist der Oberkörper unbekleidet, und man kann daher sehen, wie weit die Brustwarzen von dem Höcker entfernt sind.

3. London, R. D. XXVIII 3, hier Fig. 175, Mann mit derselben Haartracht, einen Rinderkopf (oder wahrscheinlich ein Deckelgefäß in der Form eines solchen Kopfes) haltend.

4. Webster, Kat. 24, Fig. 26, Nr. 9757, gegenwärtiger Standort unbekannt, zwei Leute mit gleicher Haartracht, eine dritte Figur ist abgebrochen und nicht evident. Von den beiden erhaltenen hat die eine an einem Gehänge zwei Messer, deren Scheiden miteinander durch eine breite Brücke verbunden sind; die andere scheint mit beiden vorgestreckten Armen ein Gefäß gehalten zu haben; dieses und die Hände sind abgebrochen.

Ähnliche Haartrachten haben sich in der Nachbarschaft von Benin noch bis heute erhalten. In meinen Beiträgen zur Völkerkunde der deutschen Schutzgebiete (Berlin, D. Reimer, 1897) habe ich einige solche abgebildet, die ich dank dem Entgegenkommen des Verlegers hier reproduzieren darf. Sie zeigen, daß sich richtige Hörner ganz allmählich aus weniger auffallenden Trachten entwickeln können, und daß man zu ihrer Erklärung nicht nötig hat, auf Tierhörner oder gar auf europäische Teufelsmasken zurückzugreifen.

η)   Auf einer Anzahl von Platten finden sich kappenähnliche Trachten, bei denen man es zunächst gern offen lassen möchte, ob es sich um eine wirkliche Kappe oder um eine eigenartige Haartracht handelt. Wenn man sich an die mancherlei Kopfbedeckungen aus den Haussa-Ländern erinnert, die oft ganz mit kleinen Täschchen u. dergl. bedeckt sind, die Koran-Sprüche und andere Amulette enthalten, so wird man leicht der Versuchung unterliegen, eine ganze Anzahl von Benin-Platten in diesem Sinne zu deuten. So wird man z. B. bei dem Kopfe von Taf. 28 c ohne Zaudern erklären, daß er eine regelrechte Kappe trägt, die mit Amuletten usw. benäht ist. Betrachtet man die Platte aber näher und bemerkt, wie ihr vorderer Rand durchaus mit der typischen Haargrenze der Stirne zusammenfällt, so wird man wieder bedenklich. Ebenso ist es bei den Platten dieser Art meist unmöglich zu sagen, ob die langen Zöpfe etwa unter der »Kappe« entspringen oder ob sie ihren Ursprung von ihr selbst nehmen, was dann die Frage im Sinne einer gewachsenen und festsitzenden Haartracht und gegen die Annahme einer abnehmbaren Kopfbedeckung entscheiden würde.

An sich ist übrigens die Frage praktisch bedeutungslos; so erinnere ich mich, einmal in Luxor zwei wandernde Bettelmusikanten gesehen zu haben, die eine tanzende Ziege und einen Affen produzierten und aus Timbuktu zu stammen vorgaben; sie sahen dem hier Fig. 211 abgebildeten Straßensänger aus Marokko zum Verwechseln ähnlich, besonders auch was ihre Haartracht angeht. Ich war damals ganz überzeugt davon, daß beide richtige Perücken hätten, und versuchte nach der nötigen Anfreundung, eine dieser Perücken abzuheben, um zu sehen, wie sie eigentlich gearbeitet war; zur großen Freude der

205 206 207

208 209 210

Abb. 205—210. Haartrachten von Frauen aus Akkrah, Goldküste; reproduziert aus v. Luschan, Beiträge zur Völkerkunde der deutschen Schutzgebiete. Berlin 1897. D. Reimer (Ernst Vohsen).

beiden freundlich grienenden Strolche erwies sie sich als festsitzend und angewachsen. Zugleich versicherte aber der eine, ich hätte nur nicht stark genug angezogen; wenn man sich etwas anstrenge, könne man die Perücke doch abheben, was er mir für einen Franken gerne zeigen wolle. Tatsächlich fing er an, scheinbar aus Leibeskräften an den Haaren seines Kameraden zu ziehen — bis ihm wirklich die ganze Perücke in den Händen blieb. So hatte ich für ein kleines Silberstück ad oculos demonstriert bekommen, daß gleiche Brüder nicht immer gleiche Kappen haben, und daß von zwei sich scheinbar völlig gleichenden

Perücken die eine festgewachsen, die andere abnehmbar sein könne. Auch der Vorteil der abnehmbaren Haartracht wurde mir damals an Ort und Stelle erklärt und durch ein richtiges Experiment erläutert, indem die guten Leutchen im Handumdrehen ein stark qualmendes Feuer anmachten und die Perücke darüber hielten, bis die Läuse nur so herabregneten, »was mit den festsitzenden Haaren nicht ginge, weshalb bei diesen die Läuse mit der Hand gefangen werden müßten«.

Dafür gibt es übrigens eine vollständige Analogie auf den Fidschi-Inseln; auch da gibt es mächtige Perücken, zum Schutze gegen die tropische Sonne sowohl, als gegen Keulenschläge, aber einige lassen ihr Haar natürlich so lange wachsen, andere machen sich künstliche Perücken; und auch für die Fidschi-Inseln wird das bequeme Ausräuchern des Ungeziefers ganz ausdrücklich als der Vorzug der abnehmbaren Perücken angegeben. So ist die Frage, ob auf einigen Benin-Platten abnehmbare Kappen oder nur eigenartige Haartrachten dargestellt sind, eigentlich belanglos, und ihre Untersuchung vielleicht nicht das Papier wert, auf dem sie gedruckt ist, aber ich will der Vollständigkeit wegen die hier in Betracht kommenden Platten doch einzeln aufführen:

Abb. 211. Gnaui, Straßensänger aus Marokko mit *karkaba* (Kastagnetten aus Eisen).

1. Berlin, III. C. 8405, Taf. 28 C. Junge mit schwer überladenem Wehrgehänge, von dem acht lange, mit Glocken beschwerte Bänder herabhängen und mit drei verschiedenen Lendenschurzen, von denen der oberste ganz glatt ist. Am Kopfe anscheinend eine Kappe mit rechteckigen Feldern und mit schwer verständlichen wulstigen Erhöhungen in jedem einzelnen Feld. Jederseits ein langer Zopf, links außerdem eine »Schnecke«; rechts ist die ganze Ecke der Platte weggebrochen, so daß sich nicht angeben läßt, ob der linken Schnecke auch rechts eine solche entsprochen hat.

2. Berlin, III. C. 7655, Taf. 33 E. Mann mit Schwert und mit Glocke an der Schwertscheide. Der Kopf ist mit langen Haarwülsten bedeckt; an der Haargrenze oberhalb der Stirne befindet sich ein Querwulst, vielleicht eine Schnur, vielleicht

212

213

Abb. 212 und 213. Jungen mit kappenähnlicher Kopftracht. Stuttgart 5394 und 5376. Berliner Doubletten, H. Bey 349 und 175. Etwa $^2/_7$ d. w. Gr.

der Rand einer Perücke, vielleicht nur ungeschickte Stilisierung — das Ganze ebenso unklar, wie die Haartracht des Mannes von Fig. 211.

3. Berlin, III. C. 8369, Taf. 27 A. Der Junge, der den blinden Mann führt, hat anscheinend eine mit großen zungenförmigen Lappen besetzte Kopfbedeckung. Aber deutlicher als auf den meisten anderen Platten dieser Reihe entwickelt sich auf ihr jederseits ein langer Zopf, so daß es min-destens für diesen einen Fall nahe liegt, nicht an eine Kappe, sondern an eine barocke Haartracht zu denken.

4. Hamburg, C. 3555, siehe Abb. 214, große Platte mit um-gefalzten Rändern, Junge mit der gleichen Kopftracht. Nicht zufällig ist wohl, daß er mit dem Jungen auf der Berliner Platte 28 C den gleichen Halsschmuck gemein hat, zunächst eng um den Hals anliegend einige Schnüre von kleineren, und dann unter diesen, schon zum Teile den Schultern aufliegend, eine Schnur von größeren zylindrischen Perlen. Hagen (Bericht für 1902) teilt mit, daß diese Platte ungewöhnlich dick ist, 7,8 Kilo wiegt und auf der Rückseite ein ⚶förmiges Zeichen zwischen den Beinen hat, das in den Tonkern eingeritzt war. Es entspricht also den von mir S. 59 ff. erwähnten Künstlerzeichen oder Ver-satzmarken. Von der Kopftracht sagt Hagen, daß sie »vielleicht aus Leder oder aus weichem Zeug« bestanden haben könne, und daß die reihenweise angenähten Zipfel wohl Federn, kaum Lappen oder Amulette, bedeuten sollen. Ich habe die Platte auf das hin mehrfach angesehen und kann nur zu einem non liquet kommen. Sicher scheint nur, daß diese »Zipfel« oder »Lappen« bei sämtlichen hier aufgezählten Platten dieser Gruppe völlig gleich aussehen; was für eine gilt, würde für alle gelten müssen.

Abb. 214. Junge mit kappenähnlicher Kopf-tracht gleich der auf den Abb. 212 und 213. Große, rechts und links gefalzte Platte. Ham-burg, C. 3555. Nach Hagen. 29,4 × 45,6 cm. ⅕ d. w. Gr.

5. Leipzig, früher Webster, 24, 1900 Nr. 9489, hier Abb. 182. Von den drei Leuten auf dieser Platte hat der mit dem niedrigen runden Schemel die gleiche unklare Haartracht; ebenso auf der Platte:

6. London, R. D. XXI 4, hier Fig. 353 der mittlere von den drei grotesken Jungen in der oberen Reihe, der gleichfalls einen solchen run-den Schemel trägt (nicht etwa wie R. D. meinen, »a small handdrum«, denn solche Trommeln gibt es nicht, während solche Schemel, wie in Abschnitt U dieses Ka-pitels näher ausgeführt werden soll, sehr häufig sind).

7. 8. Stuttgart 5394 und 5376 (Ber-liner Doubletten aus der H. Bey-Samm-lung, Nr. 349 und 175), vgl. die Abb. 212 und 213. Beschädigte Platten mit durch-aus gleichartigen Köpfen, der letztere ohne die üblichen Ziernarben über den Augen[1]).

Unter dem Namen »Prinzenlocke« werden hier eine Anzahl von Haartrachten zusammengefaßt, die unter sich das ge-

θ) Abb. 215 a. Hoher Priester, Mem-phis, 19. Dyn. Berlin, Äg. Abt. 12410.

Abb. 215 b. Gott Chons, 19. Dyn. Museum, Kairo.

___

[1]) In meiner Beschreibung der Knorrschen Sammlung, 1901, habe ich diese beiden Platten als Fig. 25 und 26 abgebildet und dabei von Kopfbedeckungen aus weichem Zeuge gesprochen, auf die reihenweise kleine Lappen oder Amulette aufgenäht schienen. Damals, vor 16 Jahren, habe ich auch zu den hier Fig. 351, 200 und 201 (dort Fig. 20, 28 und 30) abgebildeten Platten gemeint, daß die Annahme einer Perücke »fast unabweisbar« sei; heute glaube ich, daß wir doch nur an natürliche, ungeschickt stilisierte Haartracht zu denken haben.

mein haben, daß vom linken Scheitel oder von der linken Schläfengegend ein Zopf herabhängt, für den es auf der rechten kein Gegenstück gibt. Die Platten mit einer solchen Darstellung sind so häufig, daß es ganz unmöglich ist, an Zufall oder an bloße Willkür des Künstlers zu denken; man muß vielmehr annehmen, daß da eine ganz bestimmte und sehr verbreitete Sitte festgehalten wurde. Für eine solche kenne ich keine andere Analogie, als jene Haartracht, die von den Ägyptologen als Prinzen- oder als Kinderlocke bezeichnet wird. Unter den Denkmälern, die uns aus dem alten Ägypten überkommen sind, gibt es eine ganze Anzahl, auf denen Kinder und auch Erwachsene einen solchen Zopf unsymmetrisch auf der rechten Seite haben; über die wahre Bedeutung dieser Tracht gehen die Meinungen der Ägyptologen auseinander; und ebensowenig vermag ich etwas über den inneren Sinn der ana

Abb. 216. Sitzbild eines Mannes, Saqqara,
A. R. 5 Dyn. Rechts hockt die Frau,
links steht der Sohn mit der Prinzenlocke.
Berlin 10123. $^1/_5$ d. w. Gr.

logen Tracht im alten Benin zu sagen; wenn ich für diese den Namen wähle, der für die altägyptische üblich ist, so tue ich das zunächst nur im Sinne einer Abkürzung, um die Sache, die ich meine, mit einem Worte bezeichnen zu können und sie nicht immer wieder von neuem definieren zu müssen. Dabei liegt es mir ganz fern, mit der Adoptierung des Wortes etwa zugleich ausdrücken zu wollen, daß zwischen der Prinzenlocke in Ägypten und der in Benin ein unmittelbarer Zusammenhang besteht. Einen solchen würde ich auch dann nicht als völlig gesichert annehmen, wenn die ägyptische nicht immer auf der rechten und die von Benin immer auf der linken Seite getragen worden wäre. Aber ebensowenig schiene es mir gestattet, aus diesem Grunde einen solchen Zusammenhang etwa von vornherein ablehnen zu wollen: Das Wesentliche scheint mir die Tatsache eines unsymmetrischen Zopfes zu sein, während es nur von untergeordneter Bedeutung ist, ob er rechts oder links getragen wird. Wird auch jedesmal innerhalb der einen und der anderen ethnographischen Provinz starr an der einmal üblichen Sitte festgehalten, so kann man sich doch gut vorstellen, wie im Laufe einer rund zweitausendjährigen Wanderung quer durch Afrika irgend einmal rechts und links hätten verwechselt werden können. An sicheren Beispielen für eine solche Verwechslung wäre in der Völkerkunde kein Mangel. So sehen wir, wie im polynesischen Kulturkreis auf einzelnen Inselgruppen die Männer besonders reich tätowiert werden, auf anderen die Frauen. Daß dabei das Wesentliche immer die Tätowierung als solche ist, kommt auch im Sagenschatz der Polynesier klar zum Ausdruck, wenn es in Samoa von Taema und Tilafainga, den Schutzgöttinnen der Tätowierkünstler, heißt, sie seien von Fidschi nach Samoa geschwommen, um dort das Tätowieren einzuführen, und mit dem Rate, während des ganzen Weges immer zu singen: »E tatâ fafine, ‘ae tu‘u tane« (tätowiert die Frauen, nicht aber die Männer). Aber auf dem langen Wege verwirrten sie ihren Auftrag und erreichten schließlich in Samoa das Ufer, singend: »Tatâ tane, ‘ae tu‘u fafine« (tätowiert die Frauen nicht, aber die Männer).

Die Abbildungen 215 und 216, deren Vorlagen ich der Güte meines Kollegen Heinrich Schäfer verdanke, geben eine gute Vorstellung von der altägyptischen Prinzenlocke; die von Benin ist etwas vielgestaltiger; von ihr kann man im wesentlichen zwei verschiedene Arten unterscheiden, mehr oder weniger steif abstehende und schneckenförmig eingerollte. Als eine dritte Form würden sich dann jene Haartrachten anschließen, bei denen links zwei Zöpfe vorhanden sind, rechts nur einer. Diese Form ist sicher sehr viel weniger eindrucksvoll als die beiden anderen, und es ist leicht, sie ganz zu übersehen; sie kommt aber so häufig vor, daß sie doch verdient, beachtet zu werden; außerdem werden wir sie in den Kapiteln 19 ff. bei einer großen Zahl von runden Köpfen wiederfinden.

Die wichtigsten Platten der ersten Gruppe sind die folgenden:

1. Berlin, III. C. 8374, Taf. 31 D. Von den beiden Begleitern des großen Kriegsmannes mit dem schönen Köcher hat der zu seiner Rechten seine Haare zu dicken Wülsten geordnet, daneben aber links

217

218

Abb. 219. Junge mit »Prinzenlocke«, nach R. D. XXIV, 3. Für den Ring auf der rechten Schulter vgl. Abb. 217.

Abb. 217. Vergrößerter Ausschnitt aus der Platte R. D. XXIV, 2. Über den Ring auf der rechten Schulter vgl. Abb. 219 und den Abschnitt TZ am Ende dieses Kapitels.

Abb. 218. Ausschnitt aus der Platte Stuttgart 5386. Die ganze Platte ist abgebildet bei v. Luschan, K. Knorrsche Sammlung, 1901.

Abb. 220. Mann mit Prinzenlocke, Museum f. Völkerkunde, Leipzig. (Berliner Doublette, H. Bey 70.)

220

weit abstehend einen langen, stramm gedrehten Zopf, der am Ende mit einer zylindrischen Perle beschwert ist.

2. Berlin, III. C. 8253, Taf. 35 c. Junge mit kleinem runden Schemel, großer, von der Schwertscheide herabhängender Glocke und mit einer Scheibe am Gürtel. Haartracht ähnlich der auf der vorigen Platte, nur ist der unsymmetrische Zopf etwas kürzer und am Ende mit einer etwas längeren zylindrischen Perle beschwert.

3. London, R. D. XXIV 2. Schöne große Platte mit einer nach unten offenen Mondsichel in jeder

Ecke; in Abb. 217 ist hier ein vergrößerter Ausschnitt reproduziert. Kleiner Junge; an einem mit sehr zahlreichen Schellen überladenen Gehänge zwei Messer in miteinander verbundenen Scheiden wie bei Webster 24, 9757. Die Haare sind in parallele Wulste angeordnet, die alle mit langen zylindrischen Perlen beschwert sind, so daß die ganze Stirn dicht mit Perlen behängt ist. In der Schläfengegend jederseits ein ganz kleines Zöpfchen mit einer spindelförmigen Perle, die bis an die Backenknochen reicht. Außerdem hängt links ein ganz langer, am Ende mit einer langen zylindrischen Perle beschwerter gedrehter Zopf herab, der mit sieben in einer Reihe senkrecht auf ihm befestigten zylindrischen Perlen geschmückt ist.

4. Rushmore, P. R. 254. Siehe die Abb. 274. Mann mit Ebere und Ada.

5. Rushmore, P. R. 264. Mann mit einem Schwert von ungewöhnlicher Form.

6. Stuttgart, 5386 (Nr. 291 der Berliner H. Bey-Sammlung), die ganze Platte ist als Fig. 24 in meinem Berichte über die Knorrsche Sammlung abgebildet; hier, Fig. 218, gebe ich nur einen vergrößerten

Abb. 221 und 222. Würdenträger mit Stab, von zwei Begleitern mit Prinzenlocke »beschirmt«; im Hintergrunde zwei nackte Jungen, von denen einer den Schemel, der andere das Schwert seines Herrn trägt. R. D. XVIII, 4 und XXIV, 5, zwei nebeneinander fast ganz gleiche Platten; hier zum Vergleiche nebeneinander gesetzt; von der zweiten Platte ist der Raumersparnis wegen nur ein Ausschnitt gegeben.

Ausschnitt mit dem Kopfe. An diese sechs Platten reihe ich nun unmittelbar die weiteren mit eingerollter Locke an:

7. Berlin, III. C. 8393, Taf. 7. Mann mit sehr hohem Helm, Ebere und Speer.

8, 9. Berlin, III. C. 8404 und 8386, Taf. 17 C und D. Zwei untereinander nahe verwandte Platten, Krieger mit einer Art Topfhelm, der durch eine sagittale Schiene verstärkt scheint.

10. Berlin, III. C. 8440, Taf. 38 B. Zwei Glockenschläger.

11. London, R. D. XXI 5, Gruppe, in der Mitte ein Mann mit langem Federhemd und mit sehr hohem Helm, zu seiner Linken ein fast gleichgroßer Mann mit Schild und Speer, Helm mit frontalem Federkranz; dieser hat eine Prinzenlocke; zur Rechten ein kleiner Junge mit Querhorn.

12. London, R. D. XXIV 3, hier in Fig. 219 reproduziert.

13. H. Bey 70, siehe Abb. 220.

14, 15. London, R. D. XVIII 4 und XXIV 5, siehe die Abb. 221 und 222, zwei untereinander bis fast in die letzten Einzelheiten übereinstimmende Platten: In der Mitte ein Würdenträger mit einem reichen Halsgehänge, in der Rechten einen Stab haltend, zwei Jungen mit eingerollten Prinzenlocken halten Schirme über ihn; neben ihm stehen noch zwei Kinder, das eine mit seinem Schwert, das andere mit einem runden Schemel. Diese beiden Platten sind für die richtige Würdigung der Prinzenlocke deshalb besonders wichtig, weil die Jungen, die den Schild halten, die Locke stets nur auf der linken Seite haben, obwohl sie sonst durchaus symmetrisch gebildet sind, wie ja auch sonst die Benin-Kunst auf fast absolute Symmetrie der Nebenfiguren großen Wert legt. Das geht so weit, daß, wenn ein Würdenträger von zwei Kriegern mit Schild und Speer begleitet wird, einer dieser Krieger regelmäßig den Speer mit der Linken und den Schild in der Rechten fassen muß. Daß trotzdem bei sonst ganz symmetrischen Figuren die Prinzenlocken unsymmetrisch stets nur auf der linken Seite erscheinen, zeigt, daß es sich hier um eine wesentliche und wichtige Sache handelte, gegen die sogar das Bestreben nach Symmetrie zurückstehen mußte.

16. London, R. D. XXX 6. Harfenspieler mit ganz eigenartiger Kopfbedeckung und einer aus vier Reihen von Kaurischnecken bestehenden Stirnbinde. Siehe den vergrößerten Ausschnitt, Fig. 317.

17. Rushmore, P. R. 179, ausgezeichnet schöne und wichtige Platte, hier wegen der Pantherkopfmaske an einer Schwertscheide schon Fig. 189 A reproduziert: Würdenträger mit Ebere zwischen zwei Kriegern mit Schild und Speer; diese sind mit Ausnahme der Lendenschurze und der Prinzenlocken durchaus symmetrisch; neben dem Würdenträger, zwischen ihm und den Kriegern noch zwei Kinder, das eine mit einem runden Schemel und mit barock ausrasiertem Kopf, das andere mit einem Querhorn.

18. Rushmore, P. R. 248, Trommler mit ungewöhnlich hohem Helm mit verzierter Querplatte; siehe Abb. 223.

19. Platte, zurzeit mit unbekanntem Standort, siehe Abb. 204.

20. Wien, 64 734 (Berliner Doublette, Nr. 176 und 320 der H. Bey-Sammlung). Krieger mit Speer und Schild und mit einem Topfhelm wie auf den eben unter 8 und 9 aufgeführten Berliner Platten auf Taf. 17 C und D.

21 bis 32. Zwölf weitere Platten: Leute mit mitra-förmigen Helmen. Mit diesen Helmen sind richtige Prinzenlocken stets und ohne eine einzige mir bekannte Ausnahme verbunden. So ist es zur Vermeidung von unnützer Wiederholung zweckmäßig, diese Platten hier nur zu erwähnen und auf ihre Beschreibung, sub tit. Kopfbedeckungen, sowie auf die hier eingeschalteten Abbildungen 224 und 225 zu verweisen.

Eine weitere Gruppe von »Prinzenlocken« ist schließlich durch solche Haartrachten gegeben, bei denen von unter sich gleichen Zöpfen links zwei vorhanden sind, rechts nur einer. Von den vielen Proben, die hiefür verzeichnet werden könnten, seien hier nur die folgenden aufgeführt:

Abb. 223. Trommler mit Prinzenlocke; Helm mit Roßschweifen. Nach P. R. 248.

33. Berlin, III. C. 8403, Taf. 26 D, drei dünne, nicht beschwerte Zöpfe, von denen der rechts wohl nachträglich durch Bruch etwas verkürzt wurde.

34 bis 36. Berlin, III. C. 8279, 8280 und 8275, Taf. 39 A, E und F. Drei unter sich recht ähnliche Platten mit Leuten, die eine kugelförmige Rassel halten und in der Schläfengegend neben Schnüren mit zylindrischen Perlen rechts einen und links zwei lange Zöpfe haben, die, mit großen spindel- oder eiförmigen Perlen beschwert, über die Schulter herabhängen.

37. Berlin, III. C. 27 507, Abb. 306, ähnliche Platte, nur hat der Mann mit der Rassel keinen Helm, sondern ein breites Stirnband mit Perlen.

38. Halifax, Bankfield-Museum; siehe L. R. Great Benin, p. 155, drei gleiche, lange und sehr dünne Zöpfe, von L. R. nur als »curious method of hairdressing« beschrieben.

39. Hamburg, C. 2386, hier Fig. 311 reproduziert, Mann mit Rasselbrett (?), drei Zöpfe wie auf den eben sub 34 bis 37 aufgeführten Berliner Platten.

40. Leiden, 1164/1, bei M. nicht abgebildet, hier Fig. 347 nach einer Originalphotographie. Ausgezeichnet schöne Platte. Mann mit Stab. Drei Zöpfe gleich denen auf den Berliner Platten 34—37.

41. Leipzig, hier Fig. 67. Mann mit (abgebrochener) Glocke, drei dünne, mit großen Perlen beschwerte Zöpfe.

42. London, R. D. XXIX 4, hier Fig. 307, Mann mit Rassel, gleich dem auf unserer Taf. 39 E.

43. London, R. D. XIX 1, hier Fig. 190; der Würdenträger in der Mitte hat links einen, rechts zwei mit ungewöhnlich großen zylindrischen Perlen beschwerte Zöpfe.

44. London, R. D. XV 2, hier Fig. 153, Zöpfe wie auf unserer Taf. 39 E.

45. Städtisches Museum, Freiburg i. B. Desgl., siehe Abb. 305.

46. Stuttgart (früher als Doublette des Brit. Museums, Sir Ralph Moor 158), ähnlich der Berliner Platte, Taf. 39 A. Mann mit Rassel.

Abb. 224 und 225. Würdenträger mit mitra-förmiger Kopfbedeckung: 224 Ausschnitt aus einer jetzt in München befindlichen Platte, früher Webster 6252, nach J. Brinckmann in »Dekorative Kunst«, Bd. II, S. 84; 225 Bruchstück. Berlin, III. C. 8441.

47. Wien, 64 682, große Platte, Mann mit reichem Halsgehänge und mit breitem Stirnband aus Perlen. Drei mit großen eiförmigen Perlen beschwerte lange Zöpfe.

So sehen wir Prinzenlocken bei etwa 9% aller Leute, die uns auf Benin-Platten erhalten sind, und müssen daraus auf die große Verbreitung dieser Haartracht im alten Benin schließen.

[1]   Unter dem der Forstwirtschaft entnommenen Worte »Schneisen« fasse ich hier eine Reihe von Haartrachten zusammen, deren Wesen darin besteht, daß aus der normalen Behaarung schmale Streifen herausgeschnitten und kahl geschoren werden. Zusammen mit der schon an sich oft schwer verständlichen Stilisierung des natürlichen Haarwuchses ergeben solche »Schneisen« oft höchst barocke Typen. Die besten Vertreter dieser Gruppe sind:

1. Berlin, III. C. 8256, Taf. 41 3. Verwachsener Mann, in jeder Hand einen Stock haltend.

2. Berlin, III. C. 8265, Taf. 41 F. Platte mit zwei Männern (ein dritter ist abgebrochen), der eine mit fast unmittelbar nebeneinander liegenden, der andere mit zwei weit voneinander abgerückten, symmetrisch zur Mittelebene gelegten Schneisen.

3. Berlin, III. C. 27 506, wegen der *busti* schon Fig. 156 abgebildet, Mann mit kolbenförmiger Rassel, fast genau mit dem zweiten der eben erwähnten Männner auf Taf. 41 F übereinstimmend.

4. Freiburg i. B. Ausgezeichnet schöne Platte mit zwei untereinander fast völlig gleichen Männern mit kugelförmigen Rasseln, bereits S. 118 unter β 5 erwähnt, vgl. Abb. 305, mit zwei ganz kurzen Schneisen und einer Stirnbinde aus vier Reihen von Perlen. Eine sonst völlig gleichartige Platte P. R. 11/12 zeigt einen einzelnen solchen Mann, auch mit Stirnband, aber ohne Schneisen. Im übrigen ist die Ähnlichkeit der Leute so groß, daß man aus ihr auf die geringe »soziale« Bedeutung der Schneisen schließen kann.

5. London, R. D. XIII 4. Wegen der *busti* schon Fig. 161 abgebildet, Mann mit kolbenförmiger Rassel.

6. London, R. D. XXII 6, hier Fig. 308 reproduziert, Platte mit drei Personen, von denen die beiden mit den flaschenförmigen Rasseln und mit doppelseitigen Schnecken auch Schneisen haben.

7. London, R. D. XXIII 2, hier Fig. 206 reproduziert; der das Ebere vor sich haltende Begleiter hat zwei sehr weit voneinander abliegende Schneisen. Die unregelmäßige Linie, die ungefähr oberhalb der Nasenwurzel beginnt und parallel mit dem Ebere-Rand sich hinzieht, ist unbeabsichtigt und durch einen Sprung im Wachsmodell bedingt. Deshalb erscheint auch die ganz besonders große zylindrische Perle, die quer über dem Stirnband liegt, wie gebrochen.

8. London, R. D. XXV 1, hier Fig. 297. Zwei unter sich gleiche Würdenträger, von denen der zur Rechten eine ganz besonders reich verzierte Zeremonialglocke hält.

9. London, R. D. XXVI 3, hier Fig. 196. Abermals ein Mann mit flaschenförmiger Rassel. Bei der großen Dicke der Haarschicht wirken die breiten ausgeschorenen Schneisen ganz besonders grotesk.

κ)   In eine letzte Gruppe vereinige ich hier solche Trachten, bei denen das Haar zu Wülsten angeordnet ist, die gewöhnlich sehr sorgfältig gedreht und regelmäßig nebeneinander geschichtet sind, manchmal aber wirr und unordentlich aussehen und dann eher als Zotten oder Zotteln zu bezeichnen wären. Nicht selten sind sie mit zierlich geflochtenen Zöpfen kombiniert, die in der Regel am Ende mit

Abb. 226. Vergrößerter Ausschnitt aus der Platte Berlin, III. C. 8406, vgl. Taf. 31 A. Auf der linken Schulter wird ein kleiner Schießbogen getragen, der mit dem oberen umflochtenen Ende einen der langen gedrehten Zöpfe verdeckt.

einer zylindrischen, spindel- oder eiförmigen Perle beschwert sind. Manchmal sind solche Wülste locker und etwas wellig, manchmal ganz gerade und so dicht aneinander gepackt, daß man unwillkürlich an das von Lauff geprägte Wort »Sardellensträhne« erinnert wird, auch wenn man sich darüber klar ist, daß der Dichter dabei an ein völlig schlichtes Haar dachte, während wir es in Benin mit einem ursprünglich krausen Haar zu tun haben. Es ist an sich nicht leicht, das kurze krause Negerhaar in solche lange Wülste zu formen, und besonders die stark stilisierten Darstellungen der Benin-Kunst würden kaum zu verstehen sein, wenn wir nicht wüßten, wie noch heute vielfach in Afrika, besonders auch im nahen Dahome, die Leute ihre Haare ähnlich behandeln und sich in stundenlanger Arbeit bemühen, jeden solchen einzelnen Wulst durch Hin- und Herwalzen zwischen den flachen Händen in die gewünschte Form zu bringen; auf der Kolonial-Ausstellung in Brüssel 1910 sah ich einmal etwa ein Dutzend Frauen vom Senegal im Kreise hocken und sich eine die andere in solcher Art verschönern. Die folgenden Platten zeigen typische Formen dieser Wülste:

1. Berlin, III. C. 8385, Taf. 28 B, zahlreiche, teilweise gedrehte, teilweise gezöpfte Wülste, links ein einzelner, besonders dicker; median-sagittal eine richtige »Abteilung«.

2. Berlin, III. C. 8380, Taf. 28 D. Lange, gerade, dicht nebeneinander herabhängende Wülste, abwechselnd immer je einer bis an den oberen und je einer bis an den unteren Rand der Stirn reichend.

In der Schläfengegend jederseits ein kleines, mit einer zylindrischen Perle beschwertes Zöpfchen, hinter diesem je ein sehr großer, tauartig gedrehter und nach unten sich verjüngender Zopf, in gleicher Weise von einer langen Perle abgeschlossen.

3. Berlin, III. C. 8381, Taf. 28 F. Von einer deutlichen medianen Abteilung hängen nach beiden Seiten sichelförmig gebogene, dicke, runde Haarwülste. Unter ihnen kommt zu beiden Seiten der Stirn je ein schön geflochtener Zopf zum Vorschein, links noch ein dritter, etwas größerer — also eine sichere »Prinzenlocke«.

4. Berlin, III. C. 8406, Taf. 31 A, siehe auch Abb. 226. Ganz ähnlicher Kopf, nur ohne die mediane Abteilung; die meisten Wülste mit einer zylindrischen Perle gleichen Durchmessers abgeschlossen, ebenso die drei Zöpfe. Die beiden symmetrischen von diesen Zöpfen sind auch an ihrem Beginne mit einer quergestellten zylindrischen Perle geschmückt.

5. Berlin, III. C. 8379, Taf. 33 C. Ähnlicher Kopf, aber mit medianer Abteilung.

6. Berlin, III. C. 7655, Taf. 33 E. Ähnlicher Kopf; die Haartracht lebhaft an die klassische Schilderung von Sir Richard Burton (A Mission to Gelele, King of Dahome, I, 225), wo er vom Haare eines der großen Würdenträger am Hofe des Königs, Po-su, sagt: »His wool, worn longer than usual, stands upright in little tufts and pigtails, like a thrum mop«.

7. Berlin, III. C. 8253, Taf. 35 C, vier Reihen von dachziegelartig übereinander gelagerten Reihen von kurzen dicken Wülsten. In den Stirnecken jederseits ein ganz kurzes Zöpfchen, am Ende mit einer Perle in der Form eines sechsseitigen Prismas; außerdem eine Prinzenlocke mit langer runder Perle.

8. Berlin, III. C. 8207, Taf. 37. Besonders künstlerische Platte, einen bärtigen Sänger darstellend, der eine (abgebrochene) Glocke schlägt. Sehr lange Haarwülste, links mit drei nebeneinander stehenden Federn geschmückt; zwei symmetrische Zöpfe und ein dritter größerer — Prinzenlocke.

9. Berlin, III. C. 8440, Taf. 38 B. Zwei untereinander völlig gleiche Glockenschläger. Lange, diesmal flüchtig und nachlässig gearbeitete Haarwülste; bei beiden auf der linken Seite eine richtige Prinzenlocke in der Form einer eingerollten Schnecke.

10. Berlin, III. C. 8266, Taf. 41 D (Sir Ralph Moor l. l. Nr. 160). Ungewöhnlich wichtige und lehrreiche Platte, vgl. die Abschnitte Z und TZ dieses Kapitels: Verwachsener Zwerg mit eng anliegenden langen Haarwülsten, von denen jeder zweite mit einer zylindrischen Perle von gleichem Durchmesser abgeschlossen ist; außerdem an den Schläfen je ein geflochtener, mit einer großen zylindrischen Perle beschwerter Zopf.

11. Berlin, III. C. 20 830, siehe Abb. 324 A. Bärtiger Diener mit ähnlicher Haartracht, einen auffallend hohen Schemel tragend.

12. Dresden, 16 136, hier nach Webster 8803 in Abb. 319 reproduziert. Große Platte mit einem Reiter. Die beiden bärtigen Begleiter, die Schilde über ihm halten, haben lange, schwach sichelförmig gebogene, eng anliegende Haarwülste mit medianer Abteilung und jederseits einen ungewöhnlich weit nach vorn gerückten Zopf mit einer spindelförmigen Endperle.

13. Hamburg, C. 2869. Auf diesem hier wegen des Mannes mit dem Bogen schon Fig. 146 abgebildeten Bruchstücke hat einer der Trommler eine besonders bezeichnende Haartracht mit dicht nebeneinander gerade herabhängenden Wülsten; drei von diesen, einer in der Stirne und je einer etwa über der Mitte der Augen sind mit zylindrischen Perlen behängt.

14. Leipzig, früher Webster, 24, 9489; vgl. hier Abb. 182; von den drei auf dieser Platte dargestellten Leuten hat der eine, der wie betrunken aussieht, statt der sonst meist üblichen Wülste unregelmäßige Zotteln, aber auch eine Prinzenlocke, an deren Ursprung eine Feder gesteckt ist.

15. London, R. D. XXI 2. Siehe Abb. 149. Der kleine Junge mit dem Querhorn hat eine Haartracht genau wie die beiden bärtigen Männer auf der hier Fig. 319 abgebildeten Dresdener Reiterplatte.

16. London, R. D. XXI 4. Siehe Abb. 353. Die beiden seitlichen Nebenfiguren auf dem oberen Teile dieser grotesken Platte tragen ihr Haar in drei Reihen von sehr kleinen und sorgfältig geordneten Wülsten, von denen etwa jeder dritte mit einer Perle beschwert ist.

17. London, R. D. XXIV 6, hier Fig. 192 reproduziert. Zwei Reihen von langen, dicht nebeneinander hängenden Wülsten, von denen jeder fünfte mit einer Perle endet; ganz ausnahmsweise hängen auf dieser Platte die Perlen etwas über die Linie herab, mit der die unbeschwerten Wülste abschneiden. Sonst ist die Regel, daß die beschwerten und die nicht beschwerten Wülste in einer geraden Linie abschneiden.

18. Rushmore, P. R. 7, hier Abb. 320. Die beiden bärtigen Schildhalter haben ganz lange, dicht

nebeneinanderliegende Wülste, die wie Zigarren wirken und vom Scheitel bis zum Augenhöhlenrand der Stirn herabreichen; auf dem mittleren ruht weit oben eine zylindrische Perle. Von der Schläfengegend hängt jederseits eine solche Perle herab.

19. Stuttgart, 5386; von dieser schönen Platte, die als Doublette der H. Bey-Sammlung unter Nr. 291 von Berlin nach Stuttgart gelangt ist und von der ich Fig. 24 meiner Bearbeitung der Sammlung Knorr eine Abbildung gegeben habe, reproduziere ich hier Fig. 218 nur den Kopf; ähnlich wie bei dem Fig. 226 abgebildeten erinnern die hängenden Wülste an eine große Scheuerquaste. Außer zwei symmetrischen kleineren Zöpfen ist links noch — als Prinzenlocke — ein sehr viel größerer Zopf vorhanden, alle drei mit je einer großen, zylindrischen Perle beschwert.

20. Wien, 64 688, große und schöne Platte, Sir Ralph Moor l. l. 1897, Nr. 68. Ganz glatte Wülste, fast genau gleich der Haartracht der beiden schildhaltenden Begleiter auf der hier Fig. 320 abgebildeten Platte von P. R. Der Auffassung Hegers (»einfache, korbförmige Kopfbedeckung mit vertikal nach unten gehenden erhabenen Streifen«) kann ich mich nicht anschließen. Ebenso darf ich hier der Ordnung wegen vielleicht bemerken, daß die »kleine, rechteckige, dicke Tafel« die Schwertscheide ist. Auch ist ein Teil der Platte nicht »ausgebrochen«, sondern, wie die glatten Ränder zeigen, von vornherein durch einen Gußfehler ausgeblieben. Interessant ist, daß rings um diesen Defekt sich noch eine Anzahl kupferner Nägel erhalten hat, die offenkundig zur Befestigung eines inzwischen wieder verloren gegangenen Ersatzstückes gedient haben. Diesen kleinen Nachtrag zu den ausgezeichneten Beschreibungen, die Heger von den Wiener Benin-Altertümern gegeben hat, kann ich hier nicht einfügen, ohne ihm auch an dieser Stelle für die gütige Liberalität zu danken, mit der er mir seine Schätze auch für das intime Studium zugänglich gemacht hat.

K. Leute mit einem Hammer.
[Hierzu Taf. 22, 26 E, 43 B, 68, 84 und 85, sowie Abb. 227 und 228.]

α)   Auf S. 84 und S. 87 dieses Bandes sind Fig. 151, 158, 159 Platten zweifellos »dämonischer« oder sacraler Art abgebildet, auf denen ein zwischen zwei knienden Begleitern sitzender Mann einen Hammer in der Rechten hält; S. 94 habe ich dann bereits angedeutet, daß dieser Hammer zwar dem gewöhnlichen Schmiedehammer des westlichen Sudân gleicht, aber doch als ein dämonisches Attribut aufzufassen ist. Er gehört sicher in eine Reihe mit dem neolithischen Steinbeil, das wir im alten Benin vielfach als Kultgegenstand dargestellt finden. Eine vierte, ganz ähnliche Platte ist bei R. D. XVII 5 abgebildet.

5, 6. In denselben Kreis gehören zwei weitere Platten, eine in London, R. D. XVI 5, von der ich wegen der schönen Gürtelmasken hier schon S. 114 Abb. 195 einen nach dem Lichtdruck vergrößerten Ausschnitt reproduziert habe, und eine andere, die mir nur aus einem Kataloge von Cross, Liverpool, bekannt ist. Diese beiden Platten stimmen untereinander auf das engste überein und sind, soweit die etwas minderwertige Abbildung des Stückes von Cross ein Urteil zuläßt, kaum anders als durch die Form ihrer kleinen, zufälligen Beschädigungen unterschieden. Auf diesen zwei Platten stehen nun alle drei Männer gleichmäßig nebeneinander, während auf jenen vier der mittlere sitzt und die zwei seitlichen knien; aber hier wie dort wird er von seinen Begleitern gestützt und hat vor ihnen auch die drei großen, quergestellten Perlen auf dem Helm und die schöneren Gürtelmasken voraus. So haben wir also im ganzen sechs Platten, jede mit drei Männern, von denen der mittlere einen Hammer hält, und auch zwei andere Attribute, die großen Helmperlen und die besseren Gürtelmasken vor ihnen voraus hat. Sonst aber sind die seitlichen Begleiter genau so gekleidet wie der Mann in ihrer Mitte; sie haben die Perljacke, den Schurz von der Form eines kurzen Frauenrockes und den Perlhelm mit dem hochragenden zylindrischen Stab oder »Pickel«, genau dem auf S. 91 unter Punkt 1 bis 3 für die Leute »dämonischen« Wesens aufgestellten Typus entsprechend.

β)   Wir gelangen nunmehr zu einer zweiten Reihe von Platten, die im allgemeinen denen der ersten verwandt zu sein scheinen. Da haben die Leute zwar auch noch die typische Perljacke und den richtigen Helm genau wie die andern, aber statt des ringsum geschlossenen Schurzes haben sie die offenen Lendentücher, wie sie sonst in Benin üblich sind. In diese Reihe gehören die folgenden Platten:

1. Frankfurt a. M., 4277. Mann, in allen wesentlichen Dingen durchaus dem Fig. 228 abgebildeten entsprechend; nur ist die Platte dadurch vor allen andern dieser Gruppe ausgezeichnet, daß der Mann auf seinem Helm nicht nur die drei großen, quergestellten Perlen hat, wie z. B. der Fig. 228 abgebildete,

sondern zu ihnen noch zwei schräge, genau wie der zwischen zwei knienden Begleitern sitzende Mann hier Fig. 151 auf S. 84.

2. London, R. D. XXVI 4. Ausgezeichnet erhaltene schöne Platte, vgl. die nach dem Lichtdruck hergestellte Vergrößerung, Fig. 228.

3. Rushmore, P. R. 262, 3. Stark beschädigte Platte vom gleichen Typus. Da P. R. auch eine Seitenansicht gibt, kann man deutlicher als auf der Abb. 228 erkennen, wie der vorgestreckte »so-called key«, also der Hammer, um die ganze Länge des Vorderarmes aus der Plattenfläche herausragt und durch zwei lange, dicke Gußstege mit ihr verbunden ist. Individuell ist auf dieser Platte der Schlagteil des Hammers (oder um bei P. R.s Vergleich zu bleiben, der Bart des »Schlüssels«) ganz ungewöhnlich lang. Von dem Helm ist der »Pickel« abgebrochen, kann aber nach dem ganzen Inhalt der Platte und der Form der Bruchflächen mit voller Sicherheit als ursprünglich vorhanden angenommen werden.

4. Berlin, III. C. 8417, Taf. 43 B. Große, 30 × 49 cm messende Platte mit zwei untereinander völlig gleichen Männern, die in ihrer ganzen Ausstattung durchaus mit den eben unter 1 bis 3 aufgeführten Männern übereinstimmen, und die auch jeder einen Hammer in der vorgestreckten Rechten halten.

5. Dresden, 16 087, früher Webster, 21, 1899, Fig. 212. Auf dieser Platte stehen drei Männer nebeneinander, jeder genau wie der auf unserer Ab. 228, jeder einen Hammer haltend. Konnte man aber von den im allgemeinen ähnlichen Platten 5 und 6 sagen, daß der Mann in der Mitte etwas mehr als ein primus inter pares sei, so ist hier klar, daß er weniger ist als ein solcher und nur ein medius inter pares. Das zeigt einerseits, welche Wichtigkeit die alten Benin-Leute auch scheinbar unbedeutenden Einzelheiten der Tracht beimaßen, und mahnt andererseits zu äußerster Vorsicht bei jedem Deutungsversuche. Durfte man bei den Platten der Reihe α an den von zwei Priestern gestützten Donnergott denken, so verbietet sich für die Darstellungen der Reihe β jeder Gedanke an die göttliche Natur des Mannes mit dem Hammer von selbst. Die bloße Vorstellung, daß der mächtige Donnergott So, Sogblé oder Khebioso der Ewe, der Shango der Yoruba in dreifacher Auflage nebeneinander auf einer Platte erscheint, wäre ebenso absurd als wollte man sich Merodach oder Zeus Keraunios oder Jupiter tonans dreimal nebeneinandergestellt auf demselben Bildwerke denken.

So werden wir uns nach andern Möglichkeiten umsehen müssen und gelangen dann ganz von selbst zu der Frage, ob Leute, die einen Schmiedehammer halten, nicht als Schmiede aufzufassen seien. Die Antwort ist nicht ganz so leicht, als man denken könnte, und sie wird noch schwieriger dadurch, daß vielfach im westlichen Sudân die Schmiede eine Sonderstellung vor allen andern Handwerkern einnehmen und ab und zu fast dämonischen Charakter haben. Inzwischen sei schon hier daran erinnert, daß auf einem der schönsten Denkmäler, das uns die Benin-Kunst überhaupt hinterlassen, auf dem erzenen Prunkstuhl, der in Kap. 54 näher beschrieben werden soll, neben dem Hammer auch richtige Zangen und ein Blasebalg, also zweifellose Embleme des Schmiedehandwerks, dargestellt sind.

γ)   Neue Rätsel gibt uns die dritte Gruppe von Leuten auf, die einen Hammer tragen. Sie ist durch die folgenden Stücke vertreten:

1. Berlin, III. C. 8407, Taf. 26 E und Abb. 227. Bei diesem Manne und ebenso auch bei allen andern Männern dieser Gruppe ist die Perljacke und der für die beiden ersten Gruppen typische Helm verloren gegangen, ebenso wie der runde Rock schon bei der zweiten Gruppe verschwunden ist. Dieser Mann trägt einen runden Hut oder Helm mit ganz schmaler Krempe und eine Art Poncho, der ringsum zu breiten, flachen Fransen geschnitten und nach unten stark verschmälert ist; etwa in der Höhe der Brustwarzen geht von diesem »Poncho« auf jeder Seite ein flaches Band aus, das vermutlich am Rücken verknotet zu denken ist. In der Rechten trägt der Mann einen mit einem Spiralmuster geschmückten Stock, oben mit einem scheibenförmigen, runden Knopf, in der Linken den Hammer. Von den Mundwinkeln gehen jederseits drei erhabene Linien aus, die nach hinten auseinanderweichen. Man könnte an Tätowierung denken, aber es wird sich später zeigen, daß Schnurrhaare eines Panthers gemeint sind.

2. Berlin, III. C. 8371, Taf. 22. Hier wird ein Würdenträger, der zweifellos mit dem auf unserer Abb. 155 dargestellten eng verwandt, d. h. social identisch ist, von zwei kleineren Leuten begleitet, die dem eben unter 1 beschriebenen Manne fast durchaus gleichen; der einzige Unterschied dürfte in der Verzierung des ponchoartigen Gewandes mit in Schleifen gewundenen Bändern sein, während der »Poncho« des Taf. 26 E und Fig. 227 abgebildeten Mannes glatt ist.

3. Dresden, 16 139, hier Abb. 155; einer der beiden kleinen Begleiter (der andere trägt einen Schemel) hat die vier für diese Gruppe typischen Attribute — Hut, Stock, Hammer, Schnurrhaare — und noch ein

fünftes, das wenigstens einem Teile der hierher gehörigen Bildwerke eigentümlich ist, ein vom Halse an einer Schnur auf die Brust herabhängendes Kreuz — vielleicht der portugiesische Christus-Orden.

4 bis 9. Sechs große Rundfiguren, alle vom Typus der hier Taf. 68 abgebildeten; von diesen sind zwei in Berlin, zwei bei P. R., eine in Dresden und eine in Wien; sie werden in Kap. 11 näher beschrieben werden; hier genügt, festzustellen, daß sie überhaupt vorhanden sind und die eben erwähnten fünf Attribute aufweisen.

10 bis 17. Acht Gruppen mit Rundfiguren, anscheinend feierliche Umzüge darstellend, in denen u. a. auch die uns hier beschäftigenden, durch die fünf Attribute ausgezeichneten Leute, und zwar immer paarweise, auftreten. Vgl. die Taf. 84 und 85 sowie den Text in Kap. 15.

So ist für unsere Reihe γ hervorzuheben, daß von den ihr zugehörenden 17 Stücken nur auf zweien die Leute kein Kreuz auf der Brust tragen, und daß auf allen 17 der Hammer in der linken Hand gehalten wird, während auf den 6 Stücken der Gruppe α und den 5 Stücken der Gruppe β die Leute den Hammer in der Rechten halten. Das ist sicher kein Zufall, da wir bei der Aufstellung unserer Gruppen nur die Attribute überhaupt und besonders die Tracht berücksichtigt haben. Wenn sich nun zeigt, daß alle die Leute mit Perljacke und Stabhelm keine Schnurrhaare haben und den Hammer in der Rechten, daß aber die Leute mit einer andern Tracht und mit Schnurrhaaren ihn in der Linken führen, so wird klar, daß die Schöpfer dieser Bildwerke sich dabei eines wirklich vorhandenen Gegensatzes

Abb. 227. Ausschnitt aus der Platte Berlin, III. C. 8407, von der Seite gesehen. Vgl. Taf. 26 E.

Abb. 228. Mann mit Hammer von wahrscheinlich sacraler Bedeutung. Nach R. D. XXVI, 4.

bewußt gewesen sein müssen. Welcher Art dieser gewesen sein mag, ist uns freilich einstweilen noch völlig unbekannt. Etwas Licht fällt auf ihn aus der Betrachtung einer vierten Gruppe von Platten, mit denen dieser Kreis seinen Abschluß findet.

δ)   In Kapitel 10 werden verschiedene Bildwerke im Zusammenhange beschrieben werden, die ihrer äußeren Form nach an europäische Wappenschilde erinnern. Unter diesen müssen drei schon hier erwähnt werden:

1, 2. London, Brit. Museum, B. M. 1 und 2. Zwei schildförmige Platten, beide von je 7 verschiedenartig gestalteten »Fenstern« durchbrochen. Vgl. die Abbildungen in Kap. 10, nach Photographien, die mir von der Leitung des Brit. Museums gütigst überlassen wurden.

3. Rushmore, P. R. 14. Schildförmige Platte, der von mir ad interim mit B. M. 2 bezeichneten zum Verwechseln ähnlich. Diese drei Stücke gehören zweifellos unter sich auf das engste zusammen; ebenso sind sie ihrer Technik nach an die Platten anzureihen, da die auf ihnen dargestellten Personen

genau wie auf den Platten behandelt sind und fast rund aus dem in der bekannten Weise mit Blütensternen verzierten Grunde heraustreten. Was die Schildform bedeutet, was die eigenartigen »Fenster« meinen, wie und wo diese Stücke getragen oder befestigt waren oder zu was sie gedient haben, ist unbekannt. Hingegen ist hier für uns wichtig, daß die beiden Personen auf dem ersten dieser Schilde, B. M. 1, durchaus und in allen Einzelheiten mit den Leuten unserer Gruppe β übereinstimmen, die Personen auf den zwei andern Schilden aber mit den Leuten der Gruppe γ, 3 bis 17. Es sind also auf dem ersten Schilde Leute dargestellt mit Perljacke und Perlhelm, die den Hammer in der Rechten führen, und auf den zwei andern Schilden Leute mit Hut, Poncho, Kreuz und Schnurrhaaren, die den Hammer in der linken und einen Stock in der rechten Hand halten. So erscheint bei diesen gefensterten Schilden in sehr lehrreicher und bedeutungsvoller Art etwas inhaltlich Zusammengehöriges formell getrennt und zugleich auch etwas durch die Form Getrenntes inhaltlich vereinigt.

L. Die wichtigsten Formen von Helmen und anderen Kopfbedeckungen.

[Hierzu Taf. 7 bis 31, 38 und 39, sowie Abb. 229 bis 295.]

Ähnlich wie bei den Haartrachten empfiehlt es sich auch bei den Helmen und andern Kopfbedeckungen, den Stoff von vornherein in einzelne Gruppen zu gliedern. Daß diese nicht immer leicht voneinander abzugrenzen sind und daß es unmöglich ist, sie in eine logisch einwandfreie Reihenfolge zu bringen, versteht sich von selbst. Trotzdem gelingt es nur auf diese Weise, einen sicheren Überblick über die einzelnen Formen, über ihre Häufigkeit und über die Art ihrer Kombination mit verschiedenen andern Attributen zu gewinnen. Die Besprechung erfolgt in der nachstehenden Reihenfolge:

α) Einfach netzförmige Hauben mit Perlen;
β) Median-sagittale Kammleisten;
γ) Helme mit frontal gestelltem Federbesatz;
δ) Geflochtene Helme;
ε) Glockenförmige Helme;
ζ) Hohe Helme mit Platten;
η) Hutförmige Helme;
θ) Jagdhelme;
ι) Helme mit Kaurischnecken;
κ) Helme mit Krokodilhaut;
λ) Mitraförmige Helme;

μ) Geflochtene Helme mit in Querreihen angeordneten großen, zylindrischen Perlen;
ν) Helme mit radiär gestellten, spindelförmigen Perlen;
ξ) Helme mit quergestellter Platte;
ο) Rechteckige Helme;
π) Helme mit Stäben oder Pickeln;
ρ) Topfhelme;
σ) Tutulus- oder trichterähnliche Formen;
τ) Trommelförmige Helme;
υ) Lederkappen;

φ) mit spindelförmigen Perlen bedeckte Helme.

α)   Einfache, ungefähr halbkugelförmige Perlhauben, netzartig aus zylindrischen Perlen hergestellt, unten mit einem glatten Rande von etwas größeren solchen Perlen finden sich auf den folgenden Platten:

1. Berlin, III. C. 8254, Taf. 36 E. Mann mit Tasche aus Pantherfell, die er an einem über die rechte Schulter gehängten Riemen trägt und mit beiden Händen festhält.

2. Berlin, III. C. 8372, Taf. 27 C. Platte mit zwei nahezu völlig gleich ausgestatteten Männern, mit auffallend hohen, bis fast zur Schulterhöhe reichenden Schurzzipfeln, von deren äußerem Rand 8 verschiedenartig gemusterte, spitz lanzettförmige Gegenstände (Vogelfedern?) herabhängen. Nur der zur Linken stehende Mann hat die einfache Perlhaube; ebenso trägt er an einem von der linken Schulter herabhängenden Riemen eine Tasche aus Pantherfell, die er auch ebenso mit beiden Händen hält wie der eben unter Nr. 1 erwähnte Mann. Sein Nachbar hat unbedeckten Kopf, schindelartig stilisierte Haare und eine Stirnbinde. Er hat keine Tasche, hält aber in der Rechten etwas wie ein gefaltetes »Schweißtuch«.

3. London, R. D. XXII 4. Ausgezeichnet schöne Platte, von der hier Abb. 229 ein nach dem Lichtdrucke vergrößerter Ausschnitt gegeben wird: gleiche Kappe, gleiche Tasche, gleicher Schurzzipfel wie der zur Linken stehende Mann auf der eben unter Nr. 2 beschriebenen Berliner Platte.

4. Rushmore, P. R. 2. Große Platte mit zwei nebeneinanderstehenden, unter sich ganz gleichen Männern mit genau denselben Attributen wie auf den andern Platten dieser Gruppe: einfache Perlhaube, mit beiden Händen gehaltene Tasche aus Pantherfell und die hohen Schurzzipfel (»barbed objects of unknown use behind left shoulders«). 33 × 47 cm, auf beiden Längsseiten gefalzt.

So finden wir diese einfache und völlig schmucklose Perlhaube im Bereich der ganzen, uns zurzeit bekannten Benin-Kunst überhaupt nur viermal und in jedem einzelnen Falle gleichmäßig kombiniert mit einer rechteckigen Umhängetasche aus Pantherfell. In Kap. 8, in dem die Platten behandelt werden, auf denen einzeln und in großem Maßstabe einzelne Waffen, Panzer, Querhörner, Tierdecken, Fächer usw. dargestellt sind, wird auch eine Platte der Wiener Sammlung mit einer genau gleichen Tasche abgebildet werden; zu was diese Form von Taschen eigentlich gedient hat, ist nicht mit Sicherheit anzugeben. Da die Taschen der Jäger und die der Sammler von Früchten usw. völlig anders aussehen, wird man wenigstens an die Möglichkeit denken müssen, sie mit »Briefboten« in Zusammenhang zu bringen. War auch die Hauptmasse der Bevölkerung im alten Benin sicher schriftlos, so ist es doch andererseits nicht unwahrscheinlich, daß schreibkundige mohammedanische Händler schon damals bis an die Küste von Ober-Guinea vorgedrungen waren. Ebenso kennen wir noch aus den letzten Jahrzehnten und aus der nächsten Nachbarschaft von Benin scharfsinnigen Schriftersatz, in dem durch Boten Meldungen über Todesfälle und Leichenfeiern sowie über kriegerische Unternehmungen usw. versandt worden. Außerdem haben doch sicher auch die in Benin anwesenden Europäer ihre Briefe vielfach durch Eingeborene befördern lassen.

In der Auffassung der Leute mit solchen Taschen als »Briefboten« könnte man sich noch durch die weitere Betrachtung bestärkt finden, daß 4 von den 5 Männern, die einfache Perlhauben und derartige Taschen aus Pantherfell haben, zugleich auch durch die höchst eigenartigen, oben unter Nr. 2 beschriebenen Schurzzipfel ausgezeichnet sind, von denen Vogelfedern (?) herabhängen. Völlig gleichartige Schurzzipfel finden sich auch bei einer sehr großen Zahl von Leuten, vgl. Taf. 36 und Abb. 309, die einen rechteckigen Gegenstand in der erhobenen Rechten halten, ganz als wollten sie schon von weitem einen Brief zeigen, den sie überbracht haben. Tatsächlich sind diese Gegenstände früher mehrfach, auch von mir, für »Briefe« erklärt worden und sind es vielleicht auch wirklich. Da könnte man sich nun vorstellen, daß man den Boten rein symbolisch, um ihre Schnelligkeit anzudeuten, Vogelfedern an dem Schurzzipfel als Attribut beigegeben, etwa wie die Alten Merkur, den Götterboten, mit Schwingen an den Fersen, dargestellt haben. Es ist aber ebensogut möglich, diese rechteckigen Gegenstände als tamburinartige

Abb. 229. Mann mit Umhängetasche (?) oder Musikinstrument (?) aus Pantherfell. Vergrößerter Ausschnitt aus R. D. XXII, 4. Die Platte hat auch links, symmetrisch, oben einen Panther-, unten einen Krokodilkopf. Die Ecken sind beschädigt. Etwa ¹/₃ d. w. Gr.

Geräte und die »Taschen« aus Pantherfell als Rasseln aufzufassen; beide Formen sollen daher im Abschnitt N dieses Kapitels unter den Musikinstrumenten aufgeführt werden.

β) Ad vocem »median-sagittale Kammleisten« wird hier eine Anzahl von Platten zusammengefaßt, auf denen Leute mit einer typischen Crista erscheinen, die unmittelbar an den Kamm auf antiken Helmen erinnert und ebenso an unsere modernen Dragonerhelme oder an die schönen Helmformen von Hawaii. Typische Vertreter dieser Tracht sind Abb. 230 und 231 nach Berliner Originalen in Federzeichnung wiedergegeben. Dabei muß es völlig unsicher bleiben, ob es sich bei den Platten dieser Gruppe um wirkliche Helme oder um bloße Haartracht handelt. Der Laie wird selbstverständlich nur an Helme denken können; wer aber mit westafrikanischen Haartrachten vertraut ist, wird sich darüber klar sein müssen, daß derartige Gebilde ebensogut aus dem lebenden Haar hergestellt werden konnten und tatsächlich oft genug hergestellt worden sind. Ich brauche da nur auf die Fig. 197 a, b abgebildeten Haartrachten der Ntum zu verweisen, die jeder Laie ohne weiteres für richtige Helme erklären würde. Ebenso sind hierfür die Haartrachten heranzuziehen, die S. 117 ff. sub J α zusammengestellt sind und die uns eine richtige Haarleiste auf einem sonst völlig kahl rasierten Schädel zeigen, bei dem an eine Kopfbedeckung nicht entfernt zu denken ist — vgl. den grotesken Jungen Abb. 160 oder den kleinen Jungen mit dem Sudarium, Abb. 190, und die beiden Begleiter des Reiters, Abb. 322.

Im einzelnen soll hier nicht untersucht werden, ob es sich bei allen in diese Gruppe gehörenden Platten um Helme oder ausschließlich nur um Haartrachten handelt, oder ob etwa auf einigen Platten Helme, auf andern Haartrachten dargestellt werden sollten; ich begnüge mich, die einzelnen Platten hier nachzuweisen:

1. Berlin, III. C. 7651, Taf. 18 F, vgl. auch Abb. 231; Mann mit Ebere, Bandelier und mit Pantherkopfmaske am Gürtel.

2. Berlin, III. C. 8279 (früher Brit. Mus. 167, Sir Ralph Moor l. l. Taf. 39 A, vgl. Abb. 230, Mann mit Rasselkugel und mit Bandelier; in jeder Ecke ein Krokodilkopf.

3. Berlin III. C. 8275 (früher Brit. Mus. 198, Sir Ralph Moor l. l.), Taf. 39 F, Mann mit Rasselkugel und mit Bandelier; alle vier Ecken stark beschädigt, in beiden rechten noch Reste eines Krokodilkopfes.

4. Kopenhagen, früher Webster, 21, 1899, Fig. 39, Nr. 6803; drei unter sich fast gleiche Leute mit Rasselkugeln; doch haben nur die beiden seitlichen eine mediane Crista; der mittlere Mann hat einen hohen Tutulus.

5. Leipzig, H. Meyer, früher Brit. Mus. 146, Sir Ralph Moor l. l., Mann mit Ebere; schöne Panthermaske am Gürtel, in drei Ecken eine nach unten offene Mondsichel.

6. London, R. D. XV. 4, hier Abb. 350. Verwachsener Mann mit Stab; als Beizeichen vier nach unten offene Mondsicheln und ein kleiner Europäer.

7. London, R. D. XXVI, 5. Schmales Bruchstück, anscheinend von einer Platte mit drei Figuren: verwachsener Mann mit Ärmelhemd und mit Stäben.

8. London, R. D. XXIX, 5. Vgl.

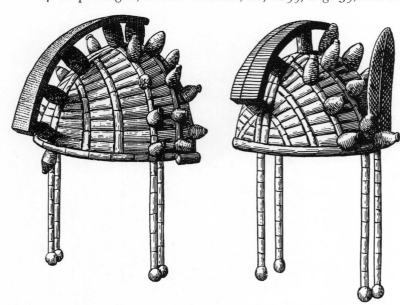

Abb. 230 und 231. Schematische Skizzen von Kopfbedeckungen (oder Haartrachten!!) nach den Berliner Platten III. C. 8279 und 7651. Vgl. die Taf. 39 A und 18 F. Ankermann delin. 1899.

den Ausschnitt, Abb. 362. Platte mit drei Leuten, die denen auf der eben erwähnten Platte 4 in Kopenhagen durchaus gleichen; auch hier hat der mittlere Mann statt der Crista einen hohen Tutulus. Ebenso hat er mit jenem auch den unsymmetrischen Halsschmuck gemein.

9. London, R. D. XXX 4. Mann mit Stab in der Rechten.

10. Stuttgart, früher Brit. Museum 158, Sir Ralph Moor l. l. Mann mit Rasselkugel; Bandelier; zwei Ecken abgebrochen, wahrscheinlich war eine Rosette in jeder der vier Ecken gewesen.

11. Wien, 64 664, früher Brit. Mus. 159, Sir Ralph Moor l. l. Mann mit Ebere und mit dem üblichen reich verzierten Panzer mit dem typischen Pantherkopf in Applikationstechnik (von H. als »eine Art Bauchmieder« bezeichnet).

12. Wien, 64 665, früher Brit. Mus. 277, Sir Ralph Moor l. l. Zwei gleichgroße Leute mit langen, dünnen Stäben; der links stehende Mann hat einen »Helm«, der mit einigen radiär gestellten, spindelförmigen Perlen und mit einer Feder verziert ist, der rechts stehende hat die mediane Kammleiste und ein breites Halsgehänge.

13. Wien, 64 716, früher Webster 5859. Platte mit zwei untereinander fast gleichen Männern; aber nur der rechts stehende hat eine Kammleiste, der andere hat die einfache, dachziegelartig stilisierte Haartracht und ein Stirnband mit 5 Querreihen langer, zylindrischer Perlen. Als Beleg für die Sorgfalt, mit der in Benin auch ganz unwesentliche Einzelheiten behandelt werden, sei hier noch erwähnt, daß die obere Fläche des die eigentliche Kammleiste darstellenden Bügels allein nur bei dem hier unter Nr. 3 aufgezählten Berliner Stücke glatt gelassen ist. Auf allen anderen Platten erscheint sie in verschiedener

Art gemustert, entweder einfach punktiert, wie auf dem Fig. 230 abgebildeten Sücke, oder wie Fig. 231 zeigt, in zwei durch eine Längslinie getrennten Streifen quergestrichelt, oder in Schachbrett- oder andern Mustern verziert.

Gänzlich anders sind die median-sagittalen Kammleisten auf zwei andern Platten beschaffen:

14. Freiburg i. B. Vgl. Abb. 305. Zwei unter sich gleiche Leute mit Rasselkugel. Beide haben die natürliche Haartracht mit der üblichen dachziegelartigen Stilisierung und mit zwei schmalen »Schneisen«.

Stirnbinde mit 4 Perlschnüren. Die Kammleiste besteht aus etwa einem Dutzend großer, spindelförmiger Perlen, die aufrecht stehend in der Medianlinie hintereinander befestigt sind, und zwar anscheinend mit dem lebenden Haar.

15. Rushmore, P. R. 11, 12. Große Platte mit einem einzelnen Manne, der den beiden auf der soeben aus Freiburg erwähnten Platte in allen Einzelheiten gleicht.

γ) Als Helme mit frontal gestelltem Federbesatz bezeichne ich Kopfbedeckungen vom Typus der hier Fig. 232 bis 234 abgebildeten, wobei ich mir ganz klar darüber bin, daß wir über die Zusammensetzung oder den Aufbau dieser Helme einstweilen nichts Sicheres wissen. Vermutlich bestanden sie aus zwei Lederplatten, von denen

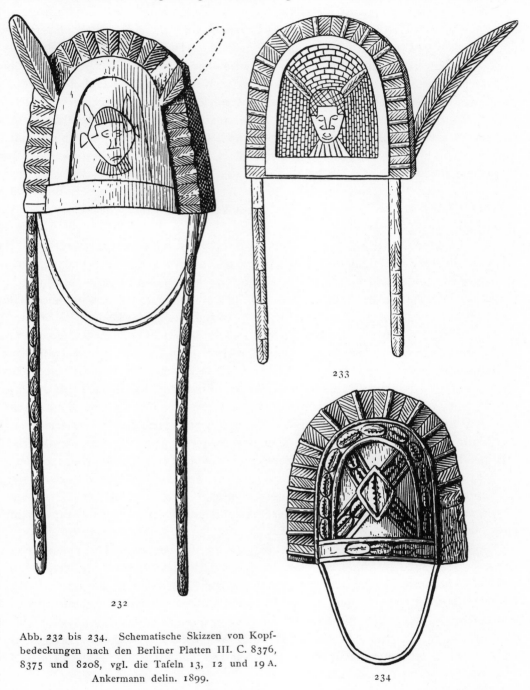

233

232

Abb. 232 bis 234. Schematische Skizzen von Kopfbedeckungen nach den Berliner Platten III. C. 8376, 8375 und 8208, vgl. die Tafeln 13, 12 und 19 A. Ankermann delin. 1899.

234

die hintere glatt, die vordere durch aufgenähte Lederstreifen versteift und manchmal mit Kaurischnecken, manchmal auch durch eingeschnittene oder gepreßte Verzierungen in der Form von menschlichen Gesichtern verziert waren. Da, wo die beiden Platten sich in einem frontalen, quer von einem Ohr zum andern laufenden Bogen berühren, findet sich ein Kranz von dicht nebeneinander stehenden, gleichmäßig gestutzten Federn. Meist hängt auch von beiden Seiten eine dicke, rundum mit Federn geschmückte Schnur herab; ausnahmslos gehört zu diesen vermutlich recht schweren und dabei etwas labilen Helmen ein Sturmband; auch auf dem Fig. 233 abgebildeten ist auf der Platte ein solches deutlich sichtbar und nur auf der Zeichnung aus Versehen weggeblieben. Im folgenden sind nur die wichtigsten der hierher gehörigen Platten aufgeführt.

1. Berlin, III. C. 8054, Taf. 11. Große Prunkplatte, Würdenträger mit zwei großen und vier kleinen Begleitern. Die beiden großen haben diese Helme (aber ohne die herabhängenden Schnüre) und Prinzenlocken.

2. Berlin, III. C. 8375, Taf. 12, siehe auch Abb. 233. Ungewöhnlich sorgfältig ziselierte Platte, Würdenträger mit Ebere und mit Panzer aus Leopardenfell, von zwei Querhornbläsern begleitet. Auf dem inneren Felde seines Helmes ein Negerkopf mit zwei in das Haar gesteckten Federn auf einem Grunde, der anscheinend auf eine Stickerei mit großen, zylindrischen Perlen schließen läßt.

3. Berlin, III. C. 8376, Taf. 13, siehe auch Abb. 232. Mann mit Ebere, unter der linken Achsel ein Schwert mit runder Glocke an der Scheide. Die seitlich vom Helm herabhängenden Schnüre sind besonders lang. Außer dem ringsum laufenden frontalen Federbesatz ist jederseits noch eine etwas größere, ungestutzte Feder eingesteckt (von denen die linke nachträglich abgebrochen ist). Im vorderen Felde des Helmes ist ein bärtiger Negerkopf roh eingepunzt oder eingeschnitten.

4. Berlin, III. C. 8208, Taf. 19 A, siehe auch Abb. 234. Würdenträger mit schönem Pantherkopf am Gürtel, zwischen zwei gleichgroßen, bärtigen Begleitern mit Speer und Schild und mit zwei nackten Jungen. Die bärtigen Begleiter (mit Prinzenlocke) haben die hier besprochenen Helme, reich mit Kaurischnecken verziert.

5. Leipzig, Hans Meyer, früher Berlin Nr. 107 der Sammlung H. Bey; siehe die Abb. in Kap. 4. Würdenträger mit Ebere; zwei Begleiter mit hohen, befiederten Schurzzipfeln. Auf dem Helm ein bärtiger Negerkopf.

6. London, R. D. XV 5; vgl. die Abb. in Kap. 65. Ganz untypische Platte; die vordere Scheibe des Helmes, der sonst durchaus in den hier behandelten Kreis zu gehören scheint, wirkt nicht wie Leder, sondern eher wie ein Metallrahmen, in den ein engmaschiges Drahtnetz gespannt ist. Der Mann hat ein Ebere in der Rechten, unter der linken Achsel ein Schwert mit von der Scheide herabhängender runder Glocke, und auf jeder Schulter einen rundlichen Gegenstand mit einem Blatte. Oberhalb der linken Hüftgegend sind da, wo man die beiden Enden des hier verknoteten Gürtels zu sehen erwartet, zwei voneinander verschiedene Gürtelenden sichtbar, während rechts ganz unverständlicherweise noch ein drittes solches Ende weit nach außen absteht; vgl. die Platte R. D. XV 1, Abb. 154. Ebenso trägt der Mann zwei, wenn nicht sogar drei Panzer übereinander, zuunterst einen aus Pantherfell mit stark gewulsteter Kante und darüber einen aus irgendeinem glatten, nicht gemusterten Fell; auf diesem aber liegt hoch oben, unmittelbar unter der zum Halsschmuck gehörigen Glocke noch das Kopfstück einer Pantherdecke. Besonders auffallend ist auf dieser Platte aber das Auftreten eines Europäerkopfes in Vorderansicht mit anscheinend bewußt grotesker, übertrieben großer, vorspringender Hakennase.

7. London, R. D. XIX 1; siehe Abb. 190. Auf dieser ungewöhnlich figurenreichen und in vielen Beziehungen besonders wichtigen und lehrreichen Platte, die hier schon S. 108 in anderem Zusammenhange erwähnt ist, sind die beiden großen bärtigen Begleiter der Hauptperson mit solchen Helmen ausgestattet.

8. London, R. D. XXI 3, siehe Abb. 357. Die beiden seitlichen Begleiter eines gepanzerten Mannes, der — anscheinend in kultischer Handlung — mit beiden Händen ein becherförmiges Gefäß hält, haben gleiche Helme mit völlig glattem und unverziertem Vorderstück; sie halten jeder eine Art Peitsche (?) in der erhobenen Rechten und ein Messer in der Linken, aber nur der eine hat den üblichen Panzer usw., der andere ist mit einem bis fast an die Knöchel reichenden Federhemd bekleidet.

9 und 10. London, R. D. XXII 3 und Wien, 64717, früher Webster 5890. Zwei untereinander fast bis in die letzten Einzelheiten gleiche Platten; auch da sind es die beiden Begleiter eines Würdenträgers, die solche Helme haben.

11. Sammlung von Admiral Rawson, hier Fig. 165. Wiederum die zwei Begleiter.

12. Rushmore, P. R. 179, siehe Abb. 189 A. Gleichfalls die zwei großen Begleiter.

In diese Gruppe gehören vielleicht auch der Helm des kleinen bärtigen Mannes im Hintergrunde der eben unter Nr. 11 aufgeführten Sammlung von Admiral Rawson und der des Zwerges auf dem Hamburger Bruchstücke C. 2869, vgl. die Abbildungen 165 und 146. Aber bei beiden ist das Vorderstück abweichend geformt, bei dem einen nach unten verjüngt, also hufeisenförmig, bei dem andern nahezu kreisrund. Es scheint mir daher richtiger, hier von diesen beiden Stücken abzusehen. Hingegen ist sicher bemerkenswert, daß nur drei von den zwölf oben einzeln aufgeführten Platten die Leute mit unseren Helmen als Hauptpersonen zeigen, auf den neun andern werden sie von den großen Begleitern eines in der Mitte stehenden Würdenträgers getragen, darunter achtmal von Kriegern mit Schild und Speer, die meist auch bärtig und mit der »Prinzenlocke« ausgezeichnet sind.

δ) Verhältnismäßig selten sind geflochtene Helme; sie sind in der Regel stumpf kegelförmig; oben abgerundet, anscheinend aus feinem Stroh geflochten, meist mit abwechselnd breiten und sehr schmalen, horizontalen Bändern, von denen die ersteren in einfachen Fischgrätenmustern verziert sind; an der linken Seite ist am Rande, gewöhnlich zugleich mit einigen Perlen, eine Feder befestigt. Nachstehend sind einige dieser Formen aufgezählt:

1. Berlin, III. C. 8439, Taf. 17 A. Mann mit Ebere, Halsband mit Zähnen, Bandelier, am Gürtel eine Widderkopfmaske.

2. Berlin, III. C. 8263 (Sir Ralph Moor l. l. 142), Taf. 25 C, siehe auch die Zeichnung des Helmes, Abb. 235 und die des Gürtels, Abb. 113; Mann mit Ebere, Halsband mit Zähnen, Bandelier.

3. Berlin, III. C. 8264 (Sir Ralph Moor l. l. 115), Taf. 28 A. Mann mit Ebere, reich verziertem Wehrgehänge und mit einer menschlichen Maske an der Schwertscheide.

4. Berlin, III. C. 8262 (Sir Ralph Moor l. l. 46), Taf. 38 C. Mann, eine Glocke anschlagend.

5. Leipzig, früher Brit. Museum (Sir Ralph Moor l. l. 12). Mann mit Ebere und Bandelier, unter der linken Achsel ein Dolchmesser in Scheide, der Griff senkrecht aus der Bildfläche herausragend.

6. London, R. D. XV 1, hier Fig. 154. Mann mit Ebere; Halsband mit Zähnen, Panzer. Busto.

7. London, R. D. XX 1. Junge mit reich geschmücktem Wehrgehänge, links ein Bündel mit drei Speeren schulternd.

8. London, R. D. XXIII 3, vgl. die Abb. in Kap. 3. Zwei grotesk aussehende Leute mit Ebere und den bereits S. 105 erwähnten Anhängern an der Schwertscheide, vgl. auch R. D. XXVII 3.

9. Stuttgart, 5397

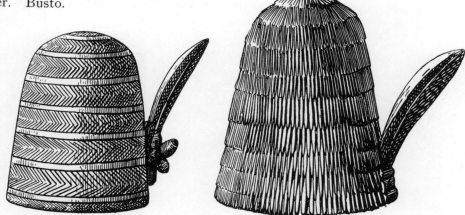

Abb. 235 und 236. Schematische Skizzen von geflochtenen Kopfbedeckungen nach den Berliner Platten III. C. 8263 und 8055, vgl. die Tafeln 25 C und 19 B. Ankermann delin. 1899.

(früher Berlin, Doublette aus der H. Bey-Sammlung, Nr. 50), siehe Abb. 179. Mann mit Ebere; unter der linken Achsel ein Dolch mit Glocke an der Scheide.

10. Stuttgart, 5363 (früher Berlin, Doublette aus der H. Bey-Sammlung, Nr. 55), siehe Abb. 106, Mann, auf einem Querhorn blasend.

11. Stuttgart, 5375 (früher Berlin, Doublette aus der H. Bey-Sammlung, Nr. 170), siehe die Abb. 15 auf S. 40 meiner Beschreibung der Sammlung Knorr.

Im Anschluß an diese unter sich einheitlichen, wie aus Stroh geflochtenen Helme sind hier einige andere zu erwähnen, die in einer ganz andern Technik und aus einem sehr viel gröberen, etwa Weidenruten ähnlichem Material geflochten sind. Ich kenne nur die drei folgenden Stücke:

12. Berlin, III. C. 8055, Taf. 19 B, siehe auch die Abb. 236 und die Beschreibung der Platte in Kap. 4.

13. London, R. D. XXII, 1. Vgl. die Beschreibung in Kap. 4.

14. London, R. D. XXVII, 1. Vgl. Kap. 3.

Gleichfalls anhangsweise sind hier einige weitere Platten anzureihen, auf denen mit nach unten gerichteten Federn ganz bedeckte Helme dargestellt sind. Nach Analogie mit einigen modernen Kopfbedeckungen aus andern Gegenden ist es wohl gestattet, sich diese Helme aus Flechtwerk zu denken, das man nachträglich mit Federn benäht hat. Ich kenne nur die drei folgenden Stücke:

15. Dresden, 16137, früher Webster 8804, hier Fig. 184, nach einer Photographie von Webster abgebildet.

16. Liverpool, vgl. Fig. 108 bei Ling Roth, »Great Benin«, und

17. Rushmore, R. R. 131, zwei untereinander sehr ähnliche Platten, auf denen ein Würdenträger von zwei großen Begleitern mit Schilden beschirmt wird und zwei kleine Jungen Speerbündel und ein

Ebere tragen. Vgl. die Beschreibung beider Tafeln in Kap. 5. Beides sind ausgezeichnet schöne Platten, die bald in großem Maßstabe und in guter Technik zu veröffentlichen sehr verdienstvoll wäre.

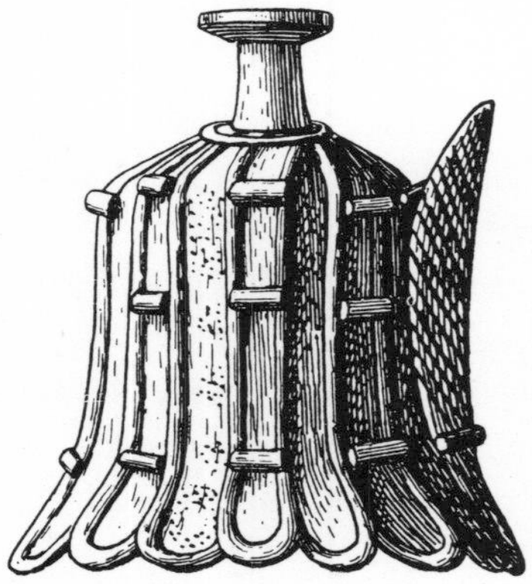

ε)

Abb. 237. Schematische Skizze eines glockenförmigen Helmes nach der Berliner Platte III. C. 8390, vgl. die Taf. 20 B. Ankermann delin. 1899.

Glockenförmige Helme nenne ich eine Reihe von Kopfbedeckungen vom Typus der hier Fig. 237 abgebildeten. Sie kommen in Benin nicht ganz selten vor und waren mir lange Zeit völlig unverständlich; auch daß sich im Brit. Museum seit Jahrzehnten eine ähnlich geformte, geflochtene Kopfbedeckung vom Zambesi befindet, konnte zur Aufklärung nichts beitragen. Erst als ich 1909 ganz zufällig in Cambridge anläßlich der Darwin-Feier, zu der die Professoren »im Ornat« zu erscheinen gebeten waren, portugiesische Kollegen sah, wurden mir diese alten Benin-Helme mit einem Male verständlich. Professoren und Studenten von Coimbra tragen noch heute dieselbe Tracht, wie zur Zeit der Gründung dieser Universität, 1307 oder, nach einer andern Quelle, schon 1288, und so ist es nicht zu verwundern, wenn derartige Kopfbedeckungen schon vor vielen Jahrhunderten sowohl an den Zambesi als nach Benin gelangten und da und dort dann von den Eingeborenen selbständig weiter entwickelt wurden. Dabei braucht man nicht einmal notwendig anzunehmen, daß es wirklich Akademiker waren, die solche Glockenhüte selbst nach den Kolonien gebracht haben; sie können ebensogut als Tauschware nach Afrika gekommen sein, ähnlich wie noch heute abgelegte Zylinder nach der Gold-

Abb. 238. Mann mit glockenförmigem Helm und mit einem Panther als Gürtelschmuck. Vergrößerter Ausschnitt aus R. D. XXIII, 5.

Abb. 239. Würdenträger ähnlich dem Fig. 238 abgebildeten, auch mit einem Panther am Gürtel. Standort des Originals zur Zeit unbekannt.

küste gehen und wie 1670 Dapper »*Papen hoeden*« als Tauschartikel für Arder, also für das unmittelbare Nachbarland von Benin, anführt. Die Abbildungen 242 und 243 geben Photographien wieder, die ich der Güte eines Kollegen in Coimbra verdanke; ihr Eindruck bleibt aber hinter der Wirklichkeit noch weit zurück, da die Helme und die Umhänge der verschiedenen Fakultäten durch sehr grelle, bunte

Farben voneinander geschieden sind; in ähnlicher Weise werden wir uns natürlich auch sonst die Kleidung der Benin-Leute farbig bewegt zu denken haben.

Unter den Platten mit Helmen dieser Art zähle ich die folgenden auf:

1. Berlin, III. C. 8390, Taf. 20 B und Abb. 237.

2. London, R. D. XVIII 1, siehe Abb. 241; Platte strengeren Stiles, mit radähnlichen Scheiben im Hintergrunde statt den üblichen Blütensternen; vgl. S. 39 unten sowie die Abb. 35, 43, 50, 265 und 299. Beide Lendenschurze der Hauptfigur sind mit Federn bedeckt, denen nach oben offene, wohl aus glänzendem Metall zu denkende Mondsicheln aufruhen. Der von dem Manne in der Rechten gehaltene Gegenstand wird von R. D. als Keule bezeichnet. Ich kenne keine ähnlichen Keulen aus Westafrika und möchte eher an einen geflochtenen Wedel denken, für welche Auffassung auch ein Vergleich mit dem Wedel zu sprechen scheint, den ich auf der sehr ähnlichen Platte R. D. XXIII 1 erkennen zu dürfen glaube.

3. London, R. D. XVIII 6. Platte ungefähr vom Typus der hier Taf. 19 A abgebildeten. Der Mann hat den Glockenhelm; seine beiden großen bärtigen Begleiter haben Helme, ähnlich den oben unter γ beschriebenen, nur mit ungewöhnlicher Behandlung der vorderen Zierplatte, weshalb sie als untypisch da nicht aufgeführt worden sind.

Abb. 241. Mann mit Glockenhelm und Wedel (?, R. D. haben »a club«); vgl. das von einer ähnlichen Platte stammende Berliner Bruchstück III. C. 12 517, Abb. 299 und das Hamburger Bruchstück C. 3865. Dieses gehört vielleicht sogar zur gleichen Platte, was durch einen Vergleich der Räder des Hintergrundes festzustellen wäre. Verkleinert nach R. D. XVIII, 1.

4. London, R. D. XXII 1. Große Platte mit drei Figuren, von denen die mittlere und die rechts von ihr stehende durchaus unseren Abb. 238 und 239 entsprechen, während die linke einfach gemusterte Lendentücher und einen geflochtenen Helm vom Typus des hier Fig. 236 abgebildeten hat.

5. London, R. D. XXII 5. In der Mitte ein Mann von gleicher Art wie die Fig. 238 und 239 abgebildeten. Zu beiden Seiten kleine Musikanten, ein Junge mit zwei durch eine Kette verbundenen Glocken und ein anderer mit einem stark gebogenen Querhorn.

Abb. 240. Würdenträger ähnlich dem Fig. 238 und 239 abgebildeten. Am Gürtel auch ein kleiner Panther (nicht »a leopard's mask«, wie es im Texte zu der ursprünglichen Abb. heißt). Der nackte Junge neben ihm trägt mit beiden Händen eine Büchse aus Holz oder Elfenbein (nicht »a metal dish«) in der Form eines Antilopenkopfes; vgl. das ähnliche Elfenbeingefäß auf Taf. 122. Repr. nach einer wenig guten Autotypie bei P. R. 18. Etwa ¼ d. w. Gr.

6. London, R. D. XXIII 1. Ähnliche Platte, nur hat der Mann statt der Federschurze die sonst gewöhnlichen Lendentücher und statt des Ebere eine Art Peitsche.

7. London, R. D. XXVIII 5, siehe den nach dem Lichtdruck vergrößerten Ausschnitt, Abb. 238.

8. Rushmore, P. R. 18, siehe hier die Abb. 240, ganz ähnlicher Mann mit einem kleinen, nackten Begleiter, der eine Büchse in der Form eines Antilopenkopfes trägt, wie eine solche hier Taf. 122 abgebildet ist. Die Angabe »leopard's mask hanging on left side« ist ungenau; keine Maske, sondern ein ganzer kleiner Panther schmückt den Gürtel des Mannes.

9. Platte, mit zur Zeit unbekanntem Verwahrungsort; im allgemeinen der hier sub 5 erwähnten Platte R. D. XXII 5 ähnlich, nur ungleich besser erhalten.

Unter den neun hier aufgezählten Platten dieses Kreises ist nur eine einzige, auf welcher die Hauptperson keine Federschurze statt der sonst üblichen zwei Lendentücher hat; einmal kommen zwei solche Leute auf einer Platte vor, so daß wir also auf den neun Platten mit Glockenhelmen neun Leute mit Federschurzen zu verzeichnen haben. Nur bei den hier unter 1 und 2 aufgezählten zwei Platten sind die Federn und Mondsicheln nach dem Guß auf die Lendentücher gepunzt worden, bei den sieben andern Leuten sind sie schon im Wachsmodell fertig gemacht und dann erhaben gegossen; bei allen diesen sieben

Leuten findet sich auch da, wo wir sonst manchmal eine Pantherkopfmaske angebracht finden, ein vollständiger, kleiner Panther als Gürtelschmuck. So liegt hier eine geschlossene Reihe von sieben Leuten

Abb. 242. Akademische Trachten der Universität Coimbra. Wegen der Helme siehe die Abb. 237 bis 241, wegen des Umhanges die Abb. 29 bis 31 auf S. 33 und den zugehörigen Text auf S. 34.

vor, die durch Glockenhelme, plastisch gegossene Federschurze mit Mondsicheln und durch kleine Panther als Gürtelschmuck ausgezeichnet sind und daneben auch Kropfperlen, Zahnhalsband, Bandelier und Ebere unter sich gemein haben. Da sie meist von Musikanten, einmal auch von Kriegern begleitet sind, werden wir sie für nicht ganz unbedeutende Würdenträger halten müssen. Über die Art ihrer Tätigkeit sind wir freilich nicht unterrichtet.

Eine gleichfalls recht einheitliche Gruppe wird durch Krieger mit hohen Helmen gebildet. Diese Helme sind wie ein Zuckerhut nach oben stark verjüngt und vorn mit einer hohen, sich nach der Spitze zu auch verjüngenden Platte versehen, die wir uns wohl aus Eisenblech zu denken haben; jedenfalls ist sie nicht selten deutlich mit richtigen Nieten befestigt und, wenigstens in zwei Fällen, in gepunzter Technik verziert, einmal mit einer rohen, menschlichen Fratze, das zweite Mal mit einem Ebere. In diese Gruppe gehören:

1. Berlin, III. C. 8393, Taf. 7, für Speer und Helm siehe auch Abb. 120 und 245. Zu beiden Seiten des glatten Mittelstückes ist der Helm dicht mit dachziegelartig angeordneten, etwa fingerbreiten Lappen (Leder?) bedeckt, deren unterste Reihe vom Helmrande, also etwa von Augenhöhe, bis an das Kinn reicht. Zwischen diesen Lappen ragt links eine große, am Ende schneckenartig eingerollte Prinzenlocke weit hervor. Im übrigen zeigt nur die Platte einen gepanzerten Krieger, der in etwas steifer und unbeholfener Art in der Rechten ein Ebere, in der Linken einen Speer hält, während ein in

z)

Abb. 243. Akademische Tracht eines Theologen der Universität Coimbra.

der Scheide verwahrtes Schwert unter dem linken Arme sichtbar ist. Der ganze Mann ist unnatürlich schmal und schlank, besonders in der Beckengegend. Auch sonst ist die Platte trotz aller Sorgfalt in den Einzelheiten doch im ganzen eher als steif und ungeschickt zu bezeichnen. Auffallend ist die Verzierung des Panzers mit radartigen Scheiben, die mit den hier mehrfach erwähnten Rädern auf dem Hintergrunde einiger Platten übereinstimmen; ungewöhnlich sind auch die in starkem Relief gearbeiteten Kreise und Schlangenlinien auf den kurzen Ärmeln, die unter den Achselstücken des Panzers sichtbar sind, sowie zwei größere runde Scheiben auf dem Panzer selbst, gleich unter dem Halsschmucke mit den Zähnen.

2—5. Berlin, III. C. 8395, 8394, 8392 und 8445, Taf. 8 A bis D. Vier verwandte Platten, für deren Einzelheiten auf die Abbildungen verwiesen werden kann; für 8 A sei hier nur das unter dem Panzer eben noch sichtbare Gurtband erwähnt, von dessen unterem Rande paarweise angeordnet lange, kegelförmige Schellen herabhängen; bei 8 B ist die unsymmetrische Anordnung der Beizeichen auffallend, und bei 8 C die Fratze auf der mit vier Nieten befestigten Helmplatte. Etwas aus der Reihe fällt 8 D; da macht der Krieger mit dem gesenkten, scheinbar lauschenden Kopf und mit dem ausgestreckten Zeigefinger der halb erhobenen linken Hand einen höchst eigenartigen Eindruck, der mich persönlich immer wieder von neuem an den von halluzinierenden Geisteskranken erinnert. Doch liegt es mir fern, behaupten zu wollen, daß dem Künstler wirklich darum zu tun war, einen solchen Kranken darzustellen; ich will gern die Möglichkeit eines zufälligen Ungeschickes auf seiner oder einer bloßen Suggestion auf meiner Seite zugeben; an sich besteht derartigen Bildwerken gegenüber ja immer die Gefahr, daß der europäische Betrachter etwas in sie hineinlegt oder ihnen unterlegt, wenn er sie auslegen will.

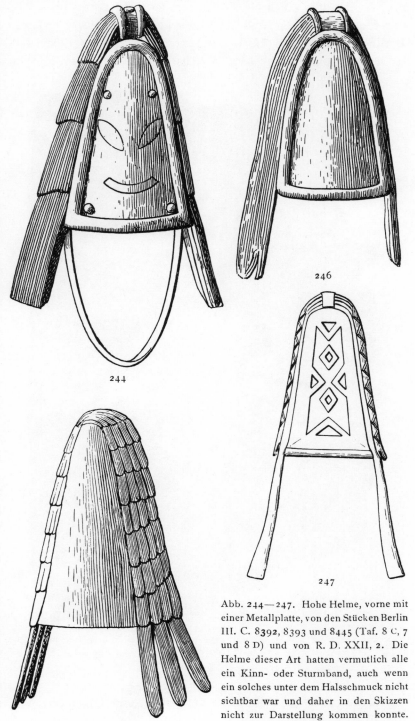

244

245

246

247

Abb. 244—247. Hohe Helme, vorne mit einer Metallplatte, von den Stücken Berlin III. C. 8392, 8393 und 8445 (Taf. 8 C, 7 und 8 D) und von R. D. XXII, 2. Die Helme dieser Art hatten vermutlich alle ein Kinn- oder Sturmband, auch wenn ein solches unter dem Halsschmuck nicht sichtbar war und daher in den Skizzen nicht zur Darstellung kommen konnte. Ankermann delin. 1899.

Inzwischen ist für diese Platte noch die seltene Widdermaske an der Schwertscheide hervorzuheben und der eigenartige, schmale Längsbügel, der sich ähnlich wie bei 8 C oben an den wulstigen Rand der Helmplatte anschließt; vgl. die Federzeichnungen beider Helme, Abb. 244 und 246. Bei beiden dient dieser Bügel dazu, den seitlichen Behang des Helmes festzuhalten. Aus was dieser Behang bei 8 C bestehen mag, weiß ich nicht, bei 8 D (Abb. 246) muß man an Roßschweife denken und dann auch an die Stelle bei Dapper, in der es von Arder heißt, daß die Holländer dort unter andern Tauschwaren auch »witte Peerde-steerten in't vleesch«, also weiße Roßschweife, einführen. In das bunte Bild, das wir uns von

dem Hofleben im alten Benin machen müssen, kommt durch diese Feststellung noch ein neuer, interessanter und unerwarteter Zug.

6. Cöln, früher Doublette der Berliner Sammlung, H. Bey, 342. Diese Platte gleicht der eben unter
Nr. 2 aufgeführten Taf. 8 A abgebildeten Berliner Platte III. C. 8395 fast bis in die letzten Einzelheiten,
nur ist sie unten stark beschädigt; in der Ecke rechts oben läßt sich aus der Form der Bruchstelle noch
mit Sicherheit sagen, daß als Beizeichen eine Rosette gewählt war, nicht die Mondsichel, wie auf der
Berliner Platte. Für die Beizeichen in den unteren Ecken ist keinerlei Anhalt gegeben. Hingegen ist
beiden Platten und ebenso der nächstfolgenden gemein, daß die gepanzerten Krieger mit dem Ebere ihr

Abb. 248. Krieger mit Helm, auf dessen Stirnplatte ein Ebere eingepunzt ist.
Leiden 1243/16. Die Abbildung M. II, 2 ist nach einer weniger guten Photographie hergestellt.

Abb. 249. Krieger mit Panzer in besonders
reicher Posamentiertechnik. An beiden Seitenflächen des Helmes Schlangen. Hamburg,
C. 2423, nach Hagen, A. v. B. 1900, Taf. III, 1.
Etwa ¼ d. w. Gr.

eigentliches Schwert nicht unter der linken Achsel, sondern, mit dem Griffe nach unten, am Gürtel tragen,
so daß es dann dem hochragenden Lendentuchzipfel aufliegt.

8. Hamburg, C. 2423, hier nach Hagen, A. v. B. 1900, III. 1, in Fig. 249 reproduziert. Am Helm
zu den Seiten der glatten Platte je zwei mit den Köpfen nach unten gerichtete Schlangen.

9. Leiden, 1243, 16 = Marquart, II 2. Früher Webster 9467, hier Fig. 248 nach einer Photographie
des Museums neu reproduziert. Die Helmplatte ist mit einem eingepunzten Ebere verziert und mit
sechs Nieten befestigt; oben stehen aus dem niedrigen Querbügel noch drei unter sich gleiche Gegenstände
heraus, die, weil gerade da ein kleines Stück der Platte abgebrochen ist, nicht mit Sicherheit gedeutet
werden können. Vielleicht sind es Federn, vielleicht Flugsicherungen von Pfeilen, vgl. Abb. 291.

10. Leipzig, früher Doublette der Berliner Sammlung, H. Bey, 355. Hier Fig. 140 abgebildet.

11. London, R. D. XXI 2. Hier wegen der »Busti« bereits Fig. 149 abgebildet; Würdenträger mit Schild und Speer, langes Federhemd mit Schellen oder Glöckchen am unteren Saume und am Rande der kurzen Ärmel. Als Begleiter zwei besonders putzige Jungen, der eine mit einem großen Ebere und mit einem Speerbündel, der andere mit einem Querhorn. Die frontale Platte des Helmes ist glatt und mit 6 Nieten befestigt.

12. London, R. D. XXI 5. Völlig untypische Platte. In der Mitte ein Mann mit dem hohen Helm (5 Nieten), mit Kropfperlen und Zahnhalsband und mit langem, eng anliegendem, bis fast an die Knöchel reichendem Federkleide, das unten sowie am Rande der Ärmel dicht mit Glöckchen besetzt ist — genau wie bei dem soeben beschriebenen Würdenträger in Fig. 149. Neben ihm steht zur Linken ein gepanzerter Krieger mit Speer und Schild und mit sehr großer, langer Prinzenlocke, und zur Rechten ein kleiner Junge mit einem Querhorn.

13. London, R. D. XXII 2, hier Abb. 250. Zwei unter sich fast völlig gleiche Leute, mit in geometrischen Mustern verzierten Helmen, vgl. die Abb. 247. Die Lendenschurze mit erhaben gegossenen Federn und Mondsicheln, genau wie bei den Fig. 238 und 239 abgebildeten Platten; aber auch der Ober-

körper und die Arme sind mit einem ähnlich behandelten Hemd bedeckt, dessen unterer Rand fast unmerkbar auf den Lendenschurz übergreift; bei beiden Leuten ist dieses Federhemd statt der Halbmonde mit nach unten gerichteten Schlangen verziert, bei dem links Stehenden mit einfachen, bei dem anderen mit zu zweit verschlungenen. Beide halten ein Ebere in der rechten Hand; unter der Linken ist ein Dolch- oder Schwertgriff sichtbar und neben ihm eine von R. D. nicht erwähnte menschliche Maske, von der nicht sicher ist, ob sie zum Gürtel oder zur Waffe gehört. Beide Leute haben Kropfperlen und Zahn- halsband mit Glocke; un-

Abb. 250. Zwei Personen mit Feder- hemden, von denen das eine mit zu zweit verschlungenen, das andere mit einfachen Schlangen verziert ist. Ver- kleinert nach R. D. XXII, 2. Etwa 1/6 d. w. Gr.

Abb. 251. Krieger mit einem Helm, der an den Seiten mit dachziegelartig befestigten Schuppen versehen ist. Verkleinert nach R. D. XXIX, 6. Etwa 1/6 d. w. Gr.

mittelbar unter den Achselhöhlen verläuft ein strickartig aus drei zusammengesetzten Schnüren mit zylindrischen Perlen gebildetes Band quer über die Brust, ähnlich den Bändern, die sonst den Panzer festhalten. Der Auffassung von R. D., daß von diesem Bande die viereckige Glocke herabhänge, kann ich mich nicht anschließen; diese Glocken gehören stets zu dem Halsband mit den Pantherzähnen; das Brust- band läuft in diesem, wie in sehr vielen andern Fällen, einfach über die Schnur oder über den Riemen hinweg, der die Glocke mit dem Halsband verbindet.

14. London, R. D. XXIX 6; hier Abb. 251. Gepanzerter Krieger, in der Rechten ein Ebere, in der Linken einen Speer haltend; sechs Nieten auf der Helmplatte. Unten zu beiden Seiten der Füße als Bei- zeichen ungewöhnlich große Panthermasken. Von der Schwertscheide scheint, ähnlich wie bei der Fig. 187 abgebildeten Platte, ein Tierschädel mit einer Glocke herabzuhängen, vielleicht der eines Panthers oder (wegen der Kleinheit) der eines Affen; R. D. erwähnen ihn nicht, und auch meine vor dem Original ge- machten Notizen versagen, so daß ich nur nach der kleinen Abbildung bei R. D. urteilen kann, die hier noch weiter verkleinert wiedergegeben ist.

15. Rushmore, P. R. 113/4, sehr große Platte (38 × 52 cm), nur eine Figur, diese fast völlig der Mittelfigur von R. D. XXI 5 gleichend, mit demselben langen Federhemd, die Helmplatte mit sechs Nieten. Der Griff eines kurzen Schwertes ragt aus einem Schlitze des Federkleides heraus, die Linke hält ein Ebere, die Rechte einen Speer, der um die ganze Länge des Vorderarmes von der

Grundplatte abgehoben und mit ihr durch zwölf, also auffallend viele, Gußstege verbunden ist; sechs große Rosetten.

16. Webster 29, 1901, Nr. 28, 11 394, vorher bei Stevens, jetzt unbekannt, wo; 29 × 38 cm. Gepanzerter Krieger, ungewöhnlich schöner und breiter, hochragender Schurzzipfel; in der Rechten ein Ebere, in der Linken ein Speer, dessen Spitze mit der ganzen Ecke der Platte abgebrochen ist; die Angabe »staff in the left« ist also ungenau.

17. Berlin, III. C. 8487; anhangsweise sei hier noch das merkwürdige Bruchstück einer Platte erwähnt, das Fig. 252 abgebildet ist. Ein Mann mit einem ungewöhnlich breiten, aus neun Perlschnüren bestehenden bandelierartigen Schultergehänge, hat einen hohen, anscheinend aus Tierfell zusammengenähten Helm, ohne frontale Platte, nur mit einer Feder geschmückt. Das ist der einzige Helm dieser Art, den ich aus dem alten Benin kenne; vielleicht darf man ihn als eine Art Vorstufe zu dem ähnlich hohen Helm mit frontaler Zierplatte betrachten. Seine Ähnlichkeit mit der aus Pavian- und aus Löwenfell bestehenden Helmen der Masai und der Dschagga beruht vermutlich nur auf Konvergenz, ähnlich wie ja auch zwischen den andern hohen Helmen von Benin und unseren Grenadierhelmen der friderizianischen Zeit kein wirklicher Zusammenhang, sondern nur Konvergenz besteht. Sehr auffallend ist, daß bei diesem Bruchstücke die Kropfperlen lithamartig bis über die Nasenspitze hinauf reichen.

η)

Abb. 252. Bruchstück einer Platte, Berlin III. C. 8487 mit einem ganz ungewöhnlichen Helm aus Fell und mit bis zur Nasenspitze reichenden »Kropfperlen«. Etwa ½ d. w. Gr.

Kopfbedeckungen in Form von runden Hüten mit schmalen Krempen kommen in Benin nur bei zwei Gruppen von Personen vor, einmal bei den S. 134 bereits erwähnten Leuten mit den Schnurrhaaren eines Panthers und dann auf drei Platten, die hier Fig. 178, 253 und 254 abgebildet sind und sicher auch unter sich zusammengehören, da die Leute gleiche oder ähnliche Tracht und eine sonst niemals wiederkehrende Form von Stöcken haben. Über die wahre Natur dieser Hüte ist es schwer, sich eine Vorstellung zu bilden; man kann ebensogut an Leder als etwa an Eisenblech denken.

Die der ersten Gruppe, vgl. Taf. 22, 26 E und Fig. 227 und einen der kleinen Begleiter bei Fig. 155, die wir übrigens auch mehrfach auf Rundfiguren treffen (vgl. Taf. 68 und den zugehörigen Text in Kap. 11), sehen manchmal so aus, als ob sie durchbrochen gearbeitet gewesen wären. Die Hüte der zweiten Gruppe sind mit aufgelegten runden Scheiben, in einem Falle außerdem auch mit Schlangen verziert und haben entweder auffallend breite Sturmbänder oder richtige Wangenplatten. Für die Platte R. D. XXI 6 wird zwar in der Beschreibung von »collars of some stiff material round the neck« gesprochen, ich denke aber, daß es

Abb. 253 und 254. Personen mit eigenartigen Stäben, die von einem Krokodil gekrönt sind. Verkleinert nach R. D. XXIV, 1 und XXV, 4. Etwa ⅙ d. w. Gr.

sich in Wirklichkeit nicht um Halskragen, sondern um breite, steife Bänder handelt, die unterhalb der Wangenplatten vom Hutrande unter das Kinn reichen. So habe ich wenigstens angesichts des Originals notiert, und daran möchte ich auch jetzt noch festhalten, obwohl die Abbildung bei R. D. und auch meine

Reproduktion, Fig. 178, zeigen, daß der Gedanke an einen Halskragen sehr nahe liegt. Gegen eine solche Auffassung scheint mir aber vor allem die Fig. 253 abgebildete Platte zu sprechen; da kann kein Zweifel sein, daß es sich auf dieser um ein richtiges Kinnband handelt. Da die beiden Begleiter des Würdenträgers von Fig. 178 Geldringe tragen, wird man ihn selbst vielleicht für einen einheimischen Kaufmann halten dürfen, und die gleiche Vermutung dann auch auf seine ähnlich gekleideten Landsleute auf den Platten Fig. 253 und 254 ausdehnen dürfen. Im Abschnitt U dieses Kapitels werde ich auf diese drei Platten noch zurückkommen.

θ)   Als Jagdhelme bezeichne ich eine ganz bestimmte Art von Kopfbedeckungen, die ausschließlich nur bei wirklichen Jägern dargestellt sind. Es gibt eine kleine Anzahl von Platten mit zwei oder drei Figuren, die alle durchaus und bis in die letzten Einzelheiten denen unserer Taf. 30 gleichen. Diese Platten sollen in Kap. 4 eingehender besprochen werden; hier muß ich mich auf das Geständnis beschränken, daß ich nicht weiß, aus welchem Material diese Helme eigentlich hergestellt waren. Ich kenne keine auch

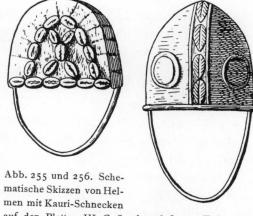

Abb. 255 und 256. Schematische Skizzen von Helmen mit Kauri-Schnecken auf den Platten III. C. 8376 und 8373, Taf. 13 und 21 B. Ankermann delin. 1899.

nur einigermaßen befriedigende Erklärung für ihr fremdartiges Aussehen, und habe auch von unseren allerbesten Afrikakennern immer wieder von neuem die Versicherung bekommen, daß sie niemals etwas Ähnliches gesehen hätten.

ι)

Abb. 257. Vergrößerter Ausschnitt aus der Platte R. D. XXIII, 4. Die vollständige Platte zeigt den Würdenträger zwischen zwei unter sich völlig gleichen Kriegern mit Schild und Speer. Von den kleinen Begleitern hat der eine ein Speerbündel, der andere eine Harfe.

Mit Kaurischnecken verzierte Helme sind im alten Benin nicht ganz selten gewesen, ebenso wie ja auch sonst die an der Swahîli-Küste vorkommenden Kauris schon sehr früh in großen Mengen quer durch Afrika nach dem westlichen Sudân gebracht wurden und da nicht nur als Geldersatz, sondern vielfach auch als Schmuck und sogar zum Überziehen von Schnitzwerken aller Art verwandt werden. Für die Verwendung als Helmschmuck seien hier nur einige Beispiele gegeben, wobei vorausgesetzt wird, daß besonders zwei Formen von Helmen in solcher Weise geschmückt erscheinen, einerseits Helme von dem S. 139 ff. beschriebenen Typus mit frontal gerichtetem Federbesatz und andererseits kappenartige Formen, die möglicherweise in letzter Linie auf eine bestimmte Art der europäischen Mitra zurückgehen. Der ersten Form gehören an:

1. Berlin, III. C. 8054, Taf. 11. Die beiden großen Begleiter des zwischen ihnen stehenden Würdenträgers haben die frontale Platte ihrer Helme mit Kaurischnecken eingefaßt und außerdem noch durch diagonal verlaufende Streifen verziert, auf die Kauris befestigt sind.

2. Berlin, III. C. 8376, Taf. 13 und Abb. 255; ähnlich, aber sehr viel einfacher sind die Helme der zwei kleinen Begleiter des gepanzerten Mannes. Zur zweiten Art gehören:

3. Berlin, III. C. 8373, Taf. 21 B und Abb. 256. Hier hat nur einer der Begleiter einen Helm mit Kaurischnecken, der zweite hat ebenso wie sein Herr einen Helm aus Krokodilhaut. Auf dieser auch sonst eher steifen und nicht ganz auf der Höhe stehenden Platte sind die Kaurischnecken, wie auch die Abb. 256 zeigt, in ungeschickter Art so stilisiert, daß man zu-

nächst eher an Blätter mit ihren Nerven denken könnte. Doch gestattet der sehr ähnliche, auch in durchaus übereinstimmender Art mit zwei seitlichen, kreisrunden Scheiben geschmückte Helm von P. R. 255, der mit deutlichen Kauris geschmückt ist, den Schluß, daß auch auf dem Berliner Helm solche dargestellt sind.

4. London, R. D. XXIII 4, siehe den vergrößerten Ausschnitt, Fig. 257. Die beiden größeren Begleiter haben besonders hohe Helme dieser Art, aber mit doppelten Reihen von Kauris; auch sind die runden Scheiben zu beiden Seiten der mittleren Spange je mit vier kreuzweise gesetzten Schnecken verziert.

5. London, R. D. XXX 6, vgl. den vergrößerten Ausschnitt, Fig. 317. Lautenspieler mit einer ganz ungewöhnlichen, sonst nicht wieder beobachteten Abart dieser Helmform; die ganze Kappe ist mit Kauris besetzt und am Scheitel mit einer steil aufragenden einzelner Feder geschmückt. Anscheinend hat der Mann auch eine aus drei Reihen von Kauris bestehende Stirnbinde, doch gehört diese zum Helme, wie ad vocem Stirnbinden noch gezeigt werden soll; auch sonst ist seine Tracht mehrfach auffallend; sein Panzer ist einfach punktiert, etwa wie man in Benin Pferde- oder Rinderhaut darzustellen pflegte; ebenso hat er drei verschiedene Lendentücher, zu deren oberstem der große l. Zipfel gehört. Unverständlich ist der, wie es scheint, am Gürtel befestigte napfförmige Gegenstand neben der langen Dütenglocke. Was hinter dem linken Oberarm nach außen vorragt, ist wohl der Schwertgriff, den wir freilich sonst auf der andern Seite des Armes, unter der Achselhöhle, zu sehen gewohnt sind.

6. Rushmore, P. R. 255. Auf dieser Platte hat der größere der beiden Männer mit dem Ebere einen geflochtenen Helm, der kleinere eine hohe, mit Kauris besetzte Kappe, ähnlich der Fig. 256 abgebildeten.

7. Rushmore, P. R. 5/6, und 8. London, P. R. XIX 4. Eine der Nebenfiguren auf diesen beiden untereinander nahe verwandten Platten mit Kampfszenen, auf die in Kap. 5 näher einzugehen sein wird, hat einen Helm ähnlich dem des oben unter Nr. 5 aufgeführten Lautenspielers, aber mit ganz besonders sorgfältiger und naturwahrer Ausführung der Kauríschnecken. Doch ließe sich auch auf diesen Platten nicht mit Sicherheit erkennen, ob die scheinbare Stirnbinde vielleicht ein solche ist oder ob sie zum Helm gehört. Für die Lösung dieser Frage muß man auf P. R. 255 und vor allem auf die beiden Stücke zurückgehen, die hier Fig. 256 und 257 abgebildet sind. Diese Formen sind als Kappen mit einer ⊥-förmigen Verstärkung aufzufassen, in deren Ecken beiderseits eine kreisrunde Zierscheibe gesetzt ist. Für diese Formen aber gibt es nur eine einzige Analogie, und die ist durch eine ganz bestimmte Art der europäischen Mitra gegeben, die uns besonders durch die herrliche Marmorbüste des Bischofs Leonardo Salutati von Mino da Fiesole bekannt ist. Bei dieser ist aber der breite Querstreifen am unteren Rande, der bei einigen Beninformen wie ein besonderes Stirnband aussieht, mit voller Sicherheit als ein Bestandteil der Mitra zu erkennen. Freilich ist diese mit Perlen und Edelsteinen geschmückt, aber trotzdem ist die Ähnlichkeit zwischen ihr und den Benin-Stücken so groß, daß es schwer hält, an bloßen Zufall zu denken. Außerdem ist, wie S. 151 ff. gezeigt wird, eine andere Form der westeuropäischen Mitra ganz einwandfrei vielfach in Benin nachgeahmt worden. Wir müssen uns also vorstellen, daß europäische Kopfbedeckungen verschiedener Art schon sehr früh nach Benin gelangt sind, die einen vielleicht als Ehrengeschenk, die andern wohl als Tauschartikel, und daß sie sich da dann selbständig weiter entwickelt haben.

κ)   Helme aus Krokodilhaut kommen im alten Benin in zwei Formen vor, einmal als einfache Kappen, die aus der aufgeweichten und an einigen Stellen eingeschnittenen Haut zusammengebogen und genäht sind, und dann als richtige Helme, bei denen die Kappe noch durch eine quergestellte Metallplatte verstärkt oder wenigstens geschmückt war. Diese letzteren sollen später, S. 159, in einem andern Zusammenhange beschrieben werden; hier gelangen nur die einfachen Formen zur Behandlung. Derartige Kopfbedeckungen gehören zweifellos zu den festesten und widerstandsfähigsten, die es überhaupt gibt, und werden auch an Haltbarkeit kaum von irgendeinem Metallhelm übertroffen; aber sie waren aus dem ungefügen Materiale vermutlich sehr schwer herzustellen und sind deshalb gegenwärtig, soviel ich weiß, nirgends mehr in Afrika in Gebrauch. Hingegen besitzt die Berliner Sammlung aus dem alten Bestande das hier Fig. 259 abgebildete Stück, das zwar ursprünglich ohne nähere Angabe erworben wurde, aber vermutlich aus Ober-Guinea stammt. Freilich ist die zoologische Bestimmung des Schuppenpanzers schwierig und nicht völlig sicher, aber es kann doch mit großer Wahrscheinlichkeit gesagt werden, daß es sich um ein Hautstück von Crocodilus niloticus handelt, und da würde als Ursprungsland doch wohl Benin in Frage kommen, da ähnliche Kopfbedeckungen von dort durch die nachfolgend verzeichneten Platten überliefert sind:

1. Berlin, III. C. 8375, Taf. 12. Ein Würdenträger mit Ebere ist von zwei Jungen begleitet, die untereinander gleichgekleidet sind, beide ein Querhorn blasen und einfache runde Kappen aus Krokodilhaut haben, vgl. Abb. 258 a, ohne Schirm, ohne seitliche Lappen und ohne Federschmuck.

2. Berlin, III. C. 8444, Taf. 17 B. Gepanzerter Mann mit Ebere. Sehr hohe Kappe aus Krokodilhaut, mit zwei kleinen, seitlichen Lappen für die Ohren, links mit einer langen Schmuckfeder.

3. Berlin, III. C. 8373, Taf. 21 B. Ein gepanzerter Würdenträger mit Ebere hat einen Helm aus Krokodilhaut mit kleinen Ohrlappen, die vorn beiderseits durch einen seichten, in der schematischen Skizze, Abb. 258 b, nicht wiedergegebenen Einschnitt von einer auch in Wirklichkeit mehr angedeuteten als greifbar vorhandenen Krempe getrennt wird; an ihrer Basis befindet sich je eine quergesetzte, zylindrische Perle, die links eine Zierfeder festhält. Von den beiden Begleitern des Mannes hat der kleinere Junge mit dem Querhorn eine ganz einfache kleine, runde Kappe aus Krokodilhaut, genau wie die der zwei Jungen von Taf. 12 (vgl. Abb. 258 a).

258 a

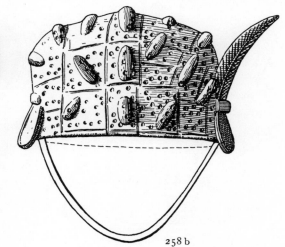

Abb. 258 a, b. Schematische Skizzen von Helmen aus Krokodilhaut von den Platten Berlin III. C. 8375 und 8373, Taf. 12 und 21 B. Ankermann del. 1899.

258 b

4. Frankfurt a. M., 8132. Krieger mit Speer und Schild, Helm aus Krokodilhaut. Zu beiden Seiten je ein Junge, der eine mit zwei Glocken, der andere mit einem Querhorn; ein dritter, etwas älterer Begleiter hält mit beiden Händen ein Ebere hoch. Die schöne Platte (sie war 1904 für 2700 M. angeboten) hat in jeder der vier Ecken eine vielstrahlige Rosette und ist auf beiden Langseiten umgefalzt. Etwa 39 zu 54 cm.

5. Leiden, 1243, 17; früher Webster 9468, bei M. II. 1 abgebildet. Übermäßig schlanker Krieger mit besonders schmalem Becken, ein Ebere haltend. Einfacher Krokodilhelm, links mit einer Feder. Die sehr kleine und schmale Platte mißt nur 20 zu 44 cm.

6. Leipzig. Ungewöhnlich figurenreiche Platte, die in Kap. 5 ad vocem »Kampfszenen« abzubilden und ausführlich zu besprechen sein wird. Die Hauptperson hat einen großen Helm, ähnlich dem Fig. 258 b abgebildeten.

7. London, R. D. XIX 4. Auf dieser, der eben erwähnten Leipziger sehr ähnlichen Platte, für deren Einzelheiten ich gleichfalls auf Kap. 5 verweise, hat nicht nur die Hauptperson einen solchen Helm, sondern auch einer der größeren Begleiter und ein Junge mit einem Querhorn.

λ)

Abb. 259. Kappenförmiger Helm, wahrscheinlich aus der Haut von Crocodilus niloticus. Berlin, ältester Bestand des Mus. f. Völkerkunde; ohne sichere Herkunftsangabe, vielleicht vom oberen Nil, eher vom unteren Niger.

Schon S. 130 habe ich mitraförmige Helme erwähnt; es scheint sicher, daß sie auf europäische Vorbilder zurückgehen; dabei wird man natürlich zunächst an solche aus Portugal zu denken haben. Im 17. Jahrhundert werden bei Dapper »Papenhouden« (»Pfaffenhuethe«) als Tauschartikel für Arder (unmittelbar neben Benin gelegen) ausdrücklich erwähnt. Wir wissen aus zeitgenössischen Bildern, wie solche »Huethe« in der Regel aussahen; daß auch mitraförmige Kopfbedeckungen mit einbegriffen waren, ist nicht sehr wahrscheinlich; jedenfalls wird man sich fragen müssen, ob es in jener frommen Zeit nicht als eine frivole Blasphemie erschienen wäre, richtige Bischofsmützen in die Hände von farbigen Eingeborenen gelangen zu lassen; wahrscheinlicher ist wohl, daß eine einzelne Mitra auf irgendeine Weise einmal nach Benin gelangte und in der Folge dann vielfach kopiert wurde. Über die sociale Stellung der Leute, die im 16. Jahrhundert in Benin eine Mitra trugen, konnte ich zu keiner befriedigenden Anschauung gelangen; ausnahmslos haben sie eine »Prinzenlocke«, und mit seltenen Ausnahmen tragen sie Speer und Schild. Die folgenden Platten sind zu meiner Kenntnis gekommen:

1. Berlin, III. C. 10 645, vgl. hier Abb. 262 und 264. Ich habe dieses schöne Bruchstück bereits

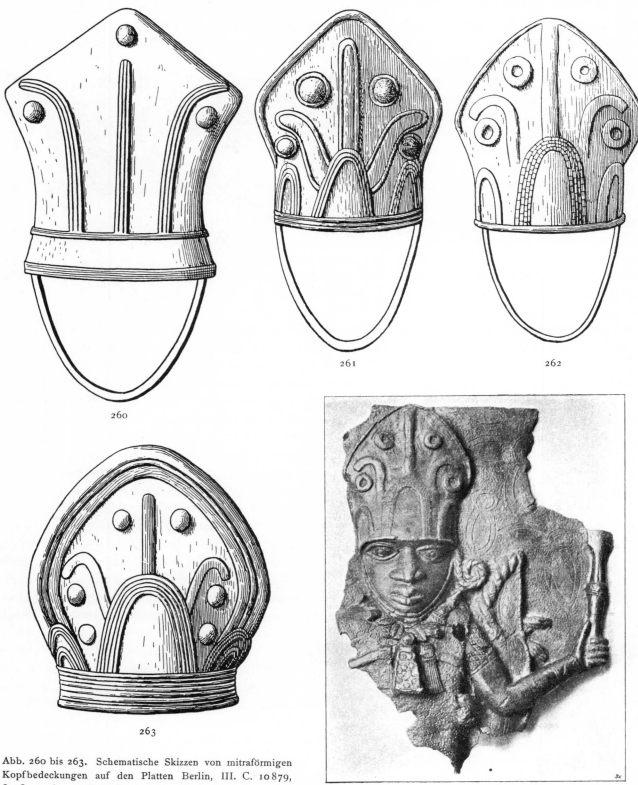

260   261   262

263

Abb. 260 bis 263. Schematische Skizzen von mitraförmigen Kopfbedeckungen auf den Platten Berlin, III. C. 10 879, 8398, 10 645 und 10 874, siehe die Tafeln 16 A, 16 B, Abb. 264 und Taf. 15. Ankermann delin.

Abb. 264. Bruchstück einer Platte, Berlin III. C. 10 645.

1900 im »Globus« Bd. 78, p. 306 ff. veröffentlicht, weil es anscheinend schon 1879, also lange vor der Eroberung Benins, nach London gelangt war; soviel ich weiß, ist es das einzige alte Erzbildwerk aus Benin, das vor dem Falle der Stadt (1897) seinen Weg nach Europa gefunden hat, während wir eine ganze Anzahl von Elfenbeinschnitzereien kennen, die schon seit zwei Jahrhunderten und länger aus Benin oder dessen Nachbarschaft zu uns gekommen sind. Auch das geschnitzte Brett aus Arder, das sich noch heute im städtischen Gewerbemuseum zu Ulm befindet und hier in Kap. 58 abgebildet werden soll, wird schon in dem 1659 gedruckten Katalog der Christoph Weickmannschen Kunstkammer aufgeführt. An der erwähnten Stelle im »Globus« habe ich die Vermutung ausgesprochen, daß der Besitz von Erzarbeiten im alten Benin vielleicht königliches Privileg war, während Schnitzereien in Holz und Elfenbein auch für andere Leute gefertigt werden durften und so schon frühe nach Europa gelangen konnten. Unser Bruchstück habe ich freilich erst 1899 erworben, aber, wie ich im »Globus« damals näher ausgeführt, unter Umständen, welche die Angabe des Verkäufers, als besäße er es seit 1879 und als hätte W. A. Franks es für einen »spanischen Bischof« erklärt, durchaus glaubwürdig erscheinen ließen.

2. Berlin, III. C. 8441, vgl. die Abb. 225 auf S. 130.

3. Berlin, III. C. 10 874, Taf. 15, auch Abb. 263. Ganz ungewöhnliche Darstellung eines Mannes, der mit beiden erhobenen Händen einen Schild hochhält, um mit diesem einen neben ihm liegenden Panther vor der Sonne zu »schirmen«. Das Gesicht und die ganze Kleidung sind mit großer Sorgfalt behandelt und ziseliert; hingegen sind die Arme nachlässig und ungeschickt wie dünne, drehrunde Wülste gebildet. Deutlicher als auf den andern Platten dieser Gruppe ist auf dieser die Bekleidung des Oberkörpers zu studieren. Alle die Leute mit der Mitra tragen eine Art Hemd mit kurzen, nur bis zur Mitte des Oberarms reichenden Ärmeln und über dieses, ponchoartig, ein wirkliches Pantherfell, dessen Kopfende bis an die Beckengegend reicht. Gehalten wird dieses Fell stets nur durch ein einfaches, schmales, glattes Band, das unmittelbar unter den Achseln rund um den Körper geführt ist und dessen mit einer Fransenborte verzierte Enden zu beiden Seiten der von dem Halsschmuck herabhängenden viereckigen Glocke umgeschlagen sind und mehr weniger lotrecht herabhängen. Von dieser typischen Anordnung macht nur die hier schon Fig. 147 abgebildete Londoner Platte R. D. XVI 2 eine Ausnahme; da hat der Künstler anscheinend sein Vorbild oder die Überlieferung mißverstanden; da fehlt das rund um die Brust laufende Band vollkommen, und nur seine Enden kommen zu beiden Seiten der Glocke unter dem Schmuckring mit den Pantherzähnen hervor, etwa wie die Enden einer modernen »Halsbinde«, die in Wirklichkeit gar keine solche ist, sondern eine um den Hals gelegte Binde nur vortäuscht. Es ist natürlich nicht ganz ausgeschlossen, daß solche Täuschung auch schon den alten Beninleuten nicht fremd war, es ist aber sehr viel wahrscheinlicher, daß bei jener Platte nur ein Versehen des Künstlers vorliegt. Im übrigen bestätigt eine solche unwesentliche Ausnahme nur die Regel, nach der gerade die Leute mit der Mitra auch sonst durch eine einheitliche Tracht als unter sich zusammengehörig gekennzeichnet sind. Außerhalb dieser Gruppe kommt die gleiche Art der Befestigung des Pantherfells durch ein einfaches Band nur ganz selten vor, so z. B. bei den zwei Berliner Platten III. C. 8404, Taf. 17 C und III. C. 8208, Taf. 19 A.

Zu dem Panther, der auf unserer Platte in so feierlicher Weise mit einem Schilde »beschirmt« wird, ist hervorzuheben (was wegen ungünstiger Beleuchtung auf der Taf. 15 nicht sofort in die Augen fällt), daß er mit einem Halsband von 6 Reihen zylindrischer Perlen geschmückt ist, das am hinteren Rande noch einen Besatz von kleinen Schellen hat. In ähnlicher Weise sind auch die zwei Panther auf unserer Taf. 43 D ausgezeichnet und ebenso der Panther auf Taf. 44 C. Wir werden kaum irren, wenn wir diese Halsbänder nicht mit denen unserer Schoßhunde vergleichen, sondern sie mit dem anscheinend sakralen Charakter ihrer Träger in Zusammenhang bringen. Von der links mit einem umgefalzten Rande versehenen Platte fehlt rechts ein etwa auf drei Querfingerbreite zu schätzendes Stück. Für eine ganze Figur reicht der Raum nicht aus; was etwa sonst auf dem fehlenden Stücke dargestellt war, dafür fehlt jeder Anhalt; vermutlich war es leer, um so den Eindruck der dargestellten Szene noch zu steigern.

Rein technisch ist diese Platte besonders durch den Schild bemerkenswert, der mit beiden Händen frei gehalten, in seiner ganzen Breite fast senkrecht aus der Fläche der Platte hervorragt. Es mag für den Gießer keine geringe Befriedigung gewesen sein, als er eine so dünne und weit ausladende Lamelle fehlerfrei aus der Form herausschälen konnte.

4. Berlin, III. C. 10 879, Taf. 16 A. Vgl. auch die Abb. 263 und 265. Obere Hälfte einer sehr großen, von vornherein in zwei Stücken gegossenen Platte. Der Grund ist nicht mit den üblichen Blumensternen verziert, sondern mit »Rädern«, wie bei der anscheinend von demselben Künstler stammenden Platte Abb. 43 auf S. 40. Ein nahezu vollkommen gleichartiges Stück befindet sich in London, R. D. XVIII 2. Zu diesen beiden oberen Hälften ist nur eine untere bekannt, die sich in Hamburg befindet. Ich habe den Austausch von Abgüssen veranlaßt, so daß die Platte nun in allen drei Museen in ihrer alten Vollständigkeit studiert werden kann — ebenso wie ich auch die Abformung der zwei zusammengehörigen Hälften

des Fig. 43 abgebildeten Europäers in London und in Wien anregte und so den dortigen Museen eine Ergänzung ihrer Stücke und der Berliner Sammlung einen vollständigen Abguß der kostbaren Platte besorgen konnte.

Unser Taf. 16 A abgebildetes und in Fig. 265 ergänztes Stück ist vor allem durch seinen strengen Stil und den vollständigen Verzicht auf Hervorhebung der Einzelheiten ausgezeichnet; dem entspricht auch das flache Relief, in dem die ganze Platte gehalten ist. Statt des sonst üblichen starken Stoßspeeres hält der Mann in der Rechten drei leichte Wurfspeere. Ganz einzig in ihrer Art ist die Schlange, die, unter

Abb. 265. Aus zwei getrennt gegossenen Stücken zusammengesetzte Platte. Das obere Stück ist in Berlin, III. C. 10 879, vgl. Taf. 16 A, das untere in Hamburg, C. 2434. Gesamthöhe etwa 80 cm, Breite 36,8, also etwa 1/6 (10/56) d. w. Gr.

dem Schildrande vortretend, mit dem Kopfe bis zu den Füßen des Mannes reicht; sie scheint zunächst keine andere Bedeutung zu haben, als die sonst als »Beizeichen« vorkommenden Fische, Krokodilköpfe, Rosetten usw., aber ich kenne keine zweite Platte, auf der eine solche Schlange als Beizeichen dargestellt wäre; nur auf der Fig. 43 abgebildeten Platte mit dem Europäer ist nach außen von dem Speerschaft eine doppelte Schlangenlinie sichtbar, auf die schon S. 39 hingewiesen wurde; sie mag rein zufällig und nur durch die Verkümmerung der Räder in dem beschränkten Raume zwischen Speer und Plattenrand entstanden sein. In ähnlicher Weise ist die Vermutung nicht ganz abzuweisen, daß auch die auf unserer Fig. 265 in Relief erscheinende wirkliche Schlange ihr Dasein nur einer ganz zufälligen Laune des Künstlers verdankt; jedenfalls kann man sich vorstellen, daß der bis in Achselhöhe hinaufreichende und am oberen Schildrande sichtbare Zipfel des Lendentuches den Künstler an den Schwanz einer Schlange erinnert und ihn so veranlaßt haben könnte, am unteren Schildrande eine wirkliche Schlange vortreten zu lassen. Die beiden freien Ecken links unten und rechts oben sind durch je einen Fisch ausgefüllt; beide Fische sind mit den Köpfen nach unten und — unsymmetrisch — mit dem Rücken nach rechts orientiert.

5. Berlin, III. C. 8398, Taf. 16 B, vgl. auch Abb. 115 (Speer) und 261 (Mitra). Auf dem Oberschurz unter andern Verzierungen auch zwei ungewöhnlich aussehende bärtige Köpfe in Vorderansicht; der über die linke Schulter aufragende Zipfel ist breiter wie sonst und in seinem Zusammenhang mit dem Schurz daher besonders deutlich. Das Ebere hat einen sorgfältig geflochtenen Dorn mit zwei in die Fläche des großen Ringes gelegten Spiralen.

6. Hamburg, C. 2434. Die bereits oben erwähnte, gesondert gegossene untere Hälfte zu dem eben unter Nr. 4 beschriebenen Berliner Stücke Taf. 16 A (oder zu R. D. XVIII 2).

7. Hamburg, C. 2328, vgl. die Abb. 130 und 131. Der Grund der Platte ist nahezu ringsum abgebrochen, so daß die vollständig erhaltene Figur fast wie ein rundes Bildwerk wirkt. Von dem ersten Beschreiber ist die Kopfbedeckung nicht als mitraförmig erkannt worden; seine Frage: »Sollte vielleicht die Darstellung eines Schlangenkopfes beabsichtigt sein?« werden wir wohl verneinen dürfen.

8. München, früher Webster 6252, vgl. den Ausschnitt, Abb. 224.

9. London, R. D. XIV 5. Sehr eigenartige Platte mit ganz ungewöhnlicher Raumverteilung. Zwei unter sich völlig gleich ausgestattete Leute mit Mitra, Schild und Speer, Panzer aus Leopardenfell, Kropfperlen und dem üblichen Halsband mit Zähnen und Glocke sowie ein jugendlicher Begleiter mit nacktem Oberkörper sind auf der Platte so verteilt, daß auf der vom Beschauer aus rechten Hälfte der Platte der eine Mann mit der Mitra ganz an den Rand gerückt ist, während auf der andern Hälfte hart am Rande

der Begleiter und neben ihm dann der zweite Mann mit der Mitra steht (⧉), so daß zwischen den beiden gleichen Leuten mit der Mitra ein breiter Raum freibleibt, auf dem beinahe noch Platz für eine vierte Figur wäre. Die Bedeutung dieser Raumeinteilung ist mir nicht klar; es scheint, als ob der Künstler durch sie zum Ausdruck bringen wollte, daß der Begleiter nur zu dem einen der beiden Bewaffneten gehöre; dieser Begleiter hält mit beiden Händen ein zylindrisches, oben offenes, mit Pantherfell überzogenes Gefäß, anscheinend die untere Hälfte eines jener schon erwähnten Schemel, über die im Abschnitt Q dieses Kapitels im Zusammenhang gehandelt werden wird.

10. London, R. D. XVI 2. Diese schöne, große Platte ist wegen der *busti* hier schon Fig. 147 abgebildet. Unter dem Kopfe des ponchoartig getragenen Pantherfells ist noch der untere Rand eines ähnlich geschnittenen Kleidungsstückes sichtbar. Den beiden *busti* an den oberen Ecken entsprechen in den unteren zwei kleine, gepanzerte Begleiter, einer mit einem stark gebogenen Querhorn, der andere mit zwei (jetzt abgebrochenen) Glocken.

11. London, R. D. XVIII 2. Die bereits erwähnte obere Hälfte einer ganz großen, in zwei Stücken gegossenen Platte älteren Stiles. Sie unterscheidet sich von dem Berliner, hier unter Nr. 4 aufgeführten Stücke ganz allein nur durch die Behandlung der drei Speere; diese erscheinen auf der Londoner Platte gegen die Berliner um 180° gedreht, so daß die oberen Widerhaken und die »Nasen« nach innen stehen, während sie auf der Berliner Platte nach außen gewandt sind.

12. London, R. D. XXIII 2. Vgl. die nach dem Licht-

Abb. 266. Würdenträger mit Mitra und kleiner »Prinzenlocke«; begleitet von einem Ebere-Träger und zwei Musikern. Vergr. nach R. D. XXIII, 2. Etwa 1/3 d. w. Gr.

drucke vergrößerte Zinkätzung, Abb. 266. Der Würdenträger mit der Mitra hat eine ungewöhnlich kleine »Prinzenlocke« sowie die üblichen Kropfperlen und das Halsband mit Pantherzähnen, von dem eine vorn mit einem Pantherkopf verzierte viereckige Glocke herabhängt. Dem links bis über Scheitelhöhe aufragenden Zipfel des Lendentuches liegt in sonst niemals gleich deutlich wiederkehrender Weise ein brettartig schmaler, verschnürter, oben abgerundeter Gegenstand auf, den ich nicht deuten kann. Auf dem Kopfe des ponchoartig getragenen Pantherfells sind Augen, Nase, Schnurrhaare und Mund so übertrieben plastisch dargestellt, daß es naheliegt, für das Original an Posamentierarbeit zu denken, mit der die natürlichen Formen noch besonders hervorgehoben werden sollten. Zu beiden Seiten der zum Halsschmuck gehörigen Glocke hängen die diesmal besonders breiten und großen, übergeschlagenen Enden des Bandes herab, das den Panzer in der Höhe der Achselhöhlen zusammenhalten soll. Ein mit dem Würdenträger fast gleich großer Begleiter trägt ein Ebere; er hat nackten Oberkörper, aber ein besonders reiches Halsgehänge, das aus 7 oder 8 Reihen zylindrischer und einer randständigen Schnur mit großen, doppeltkegelförmigen Perlen besteht und fast bis in Nabelhöhe herabreicht; sein Kopf ist unbedeckt, die Haare sind dachschindelartig stilisiert, mit zwei seitlich ausrasierten »Schneisen«; quer über die Stirn zieht eine Binde mit vier Reihen von zylindrischen Perlen, denen in der Mitte eine ganz besonders große derartige Perle quer aufliegt. Durch diese und durch die ganze Haartracht verläuft ein Gußfehler, der auf einen Riß im Wachsmodell zurückgeht. Den großen Würdenträger begleiten außerdem in der üblichen Art zwei Jungen, der eine mit einem (zum Teil abgebrochenen) Querhorn, der andere mit zwei durch eine Kette verbundenen Glocken. Eine kleine Abbildung dieser selben Platte habe ich in meinem kurzen Bericht über die bevorstehende Veröffentlichung der Altertümer von Benin (Z. f. E. 1916) mit aufgenommen.

13. Rushmore, P. R. 180. Ausgezeichnet schöne Platte; der mit Schild und Speer ausgerüstete Mann scheint wie mit großer Wucht aus dem Hintergrunde hervorzustürmen. Daß er den Speer in der Linken und den Schild in der Rechten hält, hat er mit einigen andern Platten dieser Gruppe von »Mitra-

Abb. 267.   Duala, Kamerun.   v. Luschan phot.
Treptow 1896.

trägern« gemein; auf dieser Platte ist das nur auffallender, weil Speer und Schild mit vorgestreckten Armen weit weg vom Körper gehalten werden. Wenn auf einigen Platten dieser Gruppe die Rechte keinen Schild, sondern ein Ebere hält, wird man vielleicht daran denken dürfen, daß dieses ungefüge Zeremonialgerät schwieriger zu handhaben ist als der Speer und deshalb immer in der Rechten gehalten wird, aber es scheint mir unmöglich, auch für diejenigen Platten, auf denen die Rechte nur den Schild zu halten hat, eine sichere Deutung zu geben. Denkt man daran, wie auf vielen Platten mit zwei als Gegenstücke behandelten, unter sich ganz gleichen Kriegern die Symmetrie so weit durchgeführt wird, daß immer nur einer den Speer in der Rechten und der andere ihn in der Linken hält, darf man sich wohl vorstellen, daß manchmal auch ganze Platten als symmetrische Gegenstücke hergestellt wurden. Aber näher läge es, zu denken, daß die alten Benin-Leute Wert darauf legten, ihre großen Krieger als mit beiden Händen gleich geschickt dargestellt zu sehen — ähnlich wie es im Buche Richter, 20. 16, heißt, daß der Stamm Benjamin 700 Mann stellte, »auserlesen, die links waren«, wobei unter »links« selbstverständlich »ambidexter« zu verstehen ist, nicht »Linkser«, wie gewöhnlich falsch und gedankenlos erklärt wird: So viele Linkser kann es im kleinen Stamm Benjamin gar nicht gegeben haben, und außerdem geht es völlig gegen den Sinn der ganzen Stelle, von einer so großen Zahl doch immer etwas minderwertiger Krieger zu reden, während es dem Zusammenhang entspricht, wenn von den Leuten gesagt wird, daß sie mit der Rechten und mit der Linken gleich gut schleudern konnten.

Die mitraförmige Kopfbedeckung dieses Mannes wird als »unusually formed helmet, apparently of metal« beschrieben; an sich ist es natürlich möglich, eine solche Mitra auch aus Blech zu formen, aber es scheint mir nicht wahrscheinlich, daß die alten Benin-Leute das jemals getan haben. Der Speer entspricht völlig meiner Abbildung 122 und zeigt auch die eigenartige »Nase« an der Dülle. Deutlicher wie auf den meisten andern Platten ist auf dieser das unter dem Pantherfell getragene, ähnlich zugeschnittene Unterkleid zu erkennen. Als ungewöhnlich sind schließlich noch die beiden Mondsicheln in den linken Ecken zu erwähnen; sie sind gegenständig dargestellt, so daß die obere nach unten, die untere nach oben konkav ist; sie scheinen also die ähnlich gerundeten Linien des zwischen ihnen gehaltenen Schildes gleichsam zu ergänzen und im übrigen nur ad fugam vacui hingesetzt zu sein, ohne eine innere Bedeutung zu haben.

So ist uns auf zahlreichen Platten eine mitraförmige Kopfbedeckung überliefert, sicher europäischen Ursprungs, aber im 16. Jahrhundert in Benin für eine ganze Gruppe von Eingeborenen typisch; stark degenerierte Ausläufer haben sich mehrfach noch heute in Westafrika erhalten. So sah ich 1896 auf der

Kolonialausstellung Berlin-Treptow die hier Fig. 267 abgebildete Gruppe von Duala-Leuten, leider ohne daß es mir möglich war, etwas über ihre Bedeutung zu erfahren; nur von den Wedeln in den Händen des Mannes mit der eigenartigen Kopfbedeckung hieß es, sie seien »fetish belong bush«. Jedenfalls ist der Vergleich mit der Benin-Mitra des 16. Jahrhunderts sehr lehrreich; diese ist eine Kopie gleichsam aus erster Hand und dem europäischen Vorbilde noch sehr ähnlich, während das Stück von 1896 nur eine recht armselige Karikatur einer Bischofsmütze darstellt.

μ)   Auf Taf. 18 sind oben nebeneinander drei Platten abgebildet, auf denen Eingeborene geflochtene Helme mit in Querreihen angeordneten großen, zylindrischen Perlen tragen. Es sind das: 1. bis 3. Berlin, III. C. 8212, 8261 und 8260. Ferner gehören in diesen Kreis 4. London, R. D. XXVII 4, 5. Rushmore, P. R. 13 und 6. Wien, 64 662. Alle diese sechs Platten sind untereinander auf das engste verwandt und werden am besten gemeinsam beschrieben; von zweien der drei Berliner Stücke (Taf. 18 A und C) ist es übrigens möglich, daß sie zusammengehören und ursprünglich nur eine einzige Platte bildeten; jedenfalls ist das eine auf der linken, das andere auf der rechten Seite gefalzt, so daß sie bei ihrer geringen Breite sicher jedes nur die Hälfte einer großen Platte bilden. Sie passen nirgends unmittelbar aneinander, auch haben wir sie nicht gleichzeitig bekommen, da das eine uns direkt aus Benin zuging und das andere (Sir Ralph Moor, 13) auf dem Umwege über London, aber die Figuren sind gleich groß und könnten ganz gut als wirkliche Gegenstücke auf ein und derselben Platte gestanden haben. Aber auch die andern hier aufgezählten Platten sind nur durch ganz unwesentliche Einzelheiten voneinander verschieden.

Gemeinsam ist ihnen vor allem ein fast zuckerhutförmiger hoher Helm, der nach der Art seiner Ziselierung aussieht, als ob er aus einem dünnen Strohgeflecht bestehen würde, und der mit sehr großen, wagerecht befestigten Perlen geschmückt ist. Auf der Wiener Platte sind diese Perlen eichel- oder doppeltkegelförmig, sonst immer zylindrisch; dreimal sind sie in vier Reihen angeordnet, zweimal in fünf, einmal (Taf. 18 B) sogar in sieben Reihen übereinander. Über ihr Material sind wir nicht unterrichtet, sie können aus wirklichen Korallen, aus Stein oder aus Glas gewesen sein. Auf der Spitze dieses Helmes befindet sich, wie am besten aus der schematischen Skizze, Abb. 268, zu ersehen ist, eine Rosette aus eichel- oder spindelförmigen Perlen; eine ähnliche, die zur Befestigung einer Feder dient, ist stets auf dem linken Rande angebracht. Alle sechs Leute halten in der rechten Hand ein Ebere und haben weiter kein

Abb. 268. Schematische Skizze einer geflochtenen Kopfbedeckung von der Platte Berlin III. C. 8212, Taf. 18 A.

Schwert; alle haben nackten Oberkörper, alle das übliche Halsband mit Pantherzähnen und alle, mit Ausnahme der Wiener Platte, die typischen Kropfperlen; alle haben auf dem unteren, leicht ausgezackten Gürtel eine schöne Pantherkopfmaske, und alle haben bandelierartig von der linken Schulter nach der rechten Beckenkammgegend hängend ein Schmuckstück mit zylindrischen Perlen, meist nur in zwei Reihen, aber auf einigen Platten auch breiter, und dann mit fünf oder mit sieben dicht aneinanderliegenden Schnüren.

Etwas aus der Reihe fällt nur die Wiener Platte, sie ist mit 31,5 cm sehr viel breiter als die andern und hat dementsprechend in den drei (vom Ebere) freien Ecken je eine große Rosette. Daß der auf ihr dargestellte Mann keine Kropfperlen hat, ist bereits erwähnt, ebenso daß die auf dem Helm befestigten Perlen nicht zylindrisch sind, wie bei den andern fünf Leuten. Trotzdem wird man für alle sechs den gleichen socialen Rang oder dieselbe Stellung in der Hierarchie der Hofbeamten annehmen dürfen.

ν)   Eng anliegende Kappen aus einem Geflechte großer zylindrischer Perlen, und wie die Abb. 269 und 270 zeigen, mit einzelnen radiär gestellten, spindelförmigen Perlen besetzt, waren im alten Benin sehr häufig. Allein in der Berliner Sammlung sind sie 13mal vertreten (Taf. 18 E, F, 19 A, B, 20 A, 23, 25 D, 34 B, 38 D und 39 A, D, E, F), und mindestens ebensoviele befinden sich in den anderen Museen, so unter andern auf einer Platte in Leiden (S. 1170, 5 = M. II, 4), die völlig mit den vier Berliner Platten auf Taf. 39 übereinstimmt und vielleicht sogar mit der auf Taf. 39 E abgebildeten ursprünglich eine einzige große Platte gebildet hatte. Im ganzen finden wir diese Helme zehnmal bei »Musikern«, die eine kugelförmige Rassel in Händen halten, und zweimal auf einer Platte in Leipzig (früher Webster, 24, 55, 9487), die Gefäße tragen, also sicher auch nicht einer höheren socialen Schicht angehören. Die ganz gleichen Helme aber finden sich mehrfach auf Berliner Platten und ebenso auf der schönen Londoner,

R. D. XIX. 1, vgl. hier die Abb. 190 auf S. 108, als Kopfbedeckung von Würdenträgern, die mit großem Gefolge dargestellt sind und sicher zu den obersten Hundert am Hofe von Benin gehörten; auch die Anordnung der Perlen in wagerechten oder in schrägen Schichten scheint unwesentlich zu sein. Am unteren Rande, über dem linken Ohr ist stets eine Art Rosette aus vier oder fünf größeren, spindelförmigen Perlen angebracht, hinter der eine einzelne Feder befestigt ist. Einige Male erscheint an derselben Stelle außerdem noch ein aus Perlen (und Draht?) gefertigtes Gebilde angebracht, das ungefähr Flügelform hat (vgl. Taf. 23 und die schematische Skizze, Abb. 270) und vermutlich einen Vorläufer der ähnlichen Gebilde darstellt, die wir später paarweise auf den etwas jüngeren großen Köpfen kennen lernen werden, von denen ein typischer Vertreter auf Taf. 59 abgebildet ist. An den Seiten und wohl stets auch hinten, was freilich auf den meisten in Vorderansicht dargestellten Figuren nicht zu sehen ist, hängen vom unteren Rande dieser Kopfbedeckungen bis etwa in Schulterhöhe Schnüre mit zylindrischen Perlen herunter, die unten mit einer runden Perle abschließen. Daß diese Schnüre auch in der Nackengegend nicht fehlen, ist aus unserer Taf. 34 B abgebildeten Platte zu ersehen.

In mehreren Fällen, so z. B. bei Berlin III. C. 7651, Taf. 18 F, trägt ein solcher Helm auch eine richtige median-sagittale Kammleiste. Derartige Helme sind hier bereits S. 137 besprochen worden; man wird bei ihnen an die Möglichkeit denken müssen, daß sie überhaupt nicht als abnehmbare Kopfbedeckungen, sondern als bizarre Haartrachten aufzufassen sind und mit Benutzung des lebenden Haupthaares hergestellt wurden.

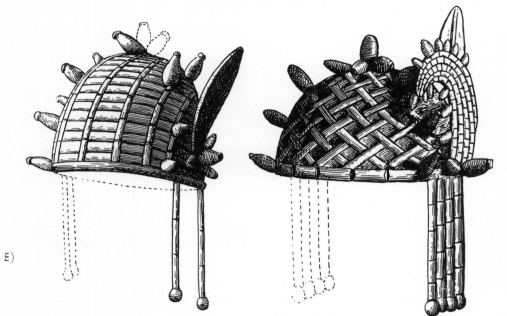

ε)

Abb. 269 und 270. Schematische Skizzen von Helmen, vgl. Berlin III. C. 8208, Taf. 19 A und III. C. 7657, Taf. 23. Der untere Rand des Helmes der ersteren Platte erweist sich bei näherer Betrachtung nicht als glatter Reif, sondern als, wie auf der zweiten, aus zylindrischen Perlen bestehend.

Ungleich häufiger noch sind Helme mit einer quergestellten Platte. Die wichtigsten Typen dieser Gattung, für die ich keine volle Analogie aus dem modernen Westafrika kenne, sind hier

Fig. 271 bis 276 abgebildet; ob diese Platten aus Metall oder etwa aus dickem Leder gemacht waren, ist einstweilen unbekannt; daß sie in vielen Fällen aufgenietet scheinen und in andern eingepunzte Verzierungen haben, dürfte für Metall sprechen; besonders das ganz fein eingepunzte Ebere auf der Helmplatte von Fig. 170 und die dünnen Linien auf der Platte Taf. 10 D sind kaum als in Leder eingepunzt zu denken.

Einige dieser Zierplatten sind nur etwa drei Querfinger, andere einen Spann und darüber hoch; alle sind so lang, daß sie in der Vorderansicht den ganzen unteren Rand des Helms bedecken. Oben sind sie entweder gerade oder in der Mitte stark ausgebaucht; so empfiehlt es sich diese Kopfbedeckungen von vornherein in zwei Gruppen zu teilen, in Helme mit rechteckiger und in Helme mit nach oben ausgebauchter Stirnplatte. Aus der Londoner Platte R. D. XIX 6, auf der solche Helme in Seitenansicht erscheinen, ist zu ersehen, daß gleichartige Bügel oder Verstärkungsplatten auch am hinteren Rande der Helme angebracht waren, so daß beiderseits nur ein schmales Stück über den Ohren freiblieb. Dabei ist der eigentliche Helm aus mannigfach verschiedenem Stoffe gefertigt; einige sind aus Krokodilhaut, andere sind mit Fell überspannt, wieder andere haben sogar Roßschweife, wie schon R. D. richtig erkannt haben (»horse hair plumes«). Andere meiner Vorgänger haben diese Helmbekleidung in seltsamer Weise mißverstanden und reden von einer »die Haartracht der Europäer nachahmenden Perücke« oder sagen, das Haupthaar sei »parted in the middle and hanging down behind«. Daran ist natürlich nicht entfernt zu denken; die Benin-Leute hatten nicht die geringste Veranlassung, ihr Haar schlicht oder straff zu machen; selbst bei einigen Helmen mit sehr grobkörnig erscheinender Oberfläche (vgl. die Abb. 172 und 279 sowie die Tafeln 10 A und 129) darf man nicht an Negerhaar (fil-fil) denken, schon weil wir wissen, daß die Benin-Künstler ihr Haar völlig anders darzustellen pflegten. Diese Helme sehen aus, als ob sie durchaus mit rundlichen Nagelköpfen bedeckt wären; vielleicht liegt da nur eine ungeschickte Stilisierung von sehr grob granulierter Rochenhaut vor, wahrscheinlich waren aber diese Helme wirklich mit Nägelköpfen beschlagen, wie etwa die berühmten geflochtenen Helme aus Unterkrain [1]).

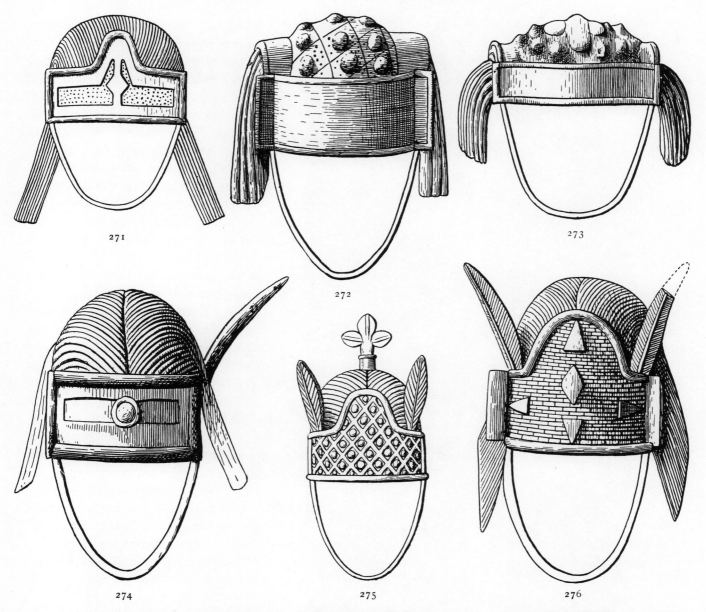

Abb. 271 bis 276. Schematische Skizzen von Helmen mit quergestellten Platten; 271 von London, R. D. XXVII, 2, 275 von Rushmore, P. R. 3, die übrigen Abbildungen nach den Stücken Berlin III. C. 8443, Taf. 10 E, III. C. 8442, Taf. 10 B, III. C. 8374, Taf. 31 D und III. C. 8391, Taf. 9. Ankermann delin. 1899.

Unter den Helmen mit rechteckiger Stirnplatte erwähne ich die folgenden:

1.—3. Berlin, III. C. 8400, 8442 und 8443, Taf. 10, A, B und E. Von diesen drei Platten zeigt die erste einen Trommler; wir werden später, S. 190, wieder auf sie zurückkommen; hier interessiert uns nur

[1]) Das beste Stück dieser Art befindet sich im Wiener Hofmuseum und stammt aus einem Tumulus der jüngeren Hallstätter Zeit in St. Margarethen, Unterkrain. Es ist ein Geflecht aus gespaltenen Haselruten, mit Leder überzogen und dicht mit Bronzescheiben und kleinen Bronzenägeln beschlagen. Ähnliche Helme sind mehrfach auch sonst aus Tumulis in Unterkrain zum Vorschein gekommen, vgl. Ferd. v. Hochstetter in den Berichten der praeh. Kommission der Kais. Ak. d. W., Sitzungsber. der m. n. Kl. 1880, S. 408 und 1884, S. 73, sowie Denkschriften m. n. Kl. der Akademie Wien, 1883, S. 186. Solche Helme tragen auch fünf Fußsoldaten auf einer großen Situla von Bologna.

der Helm mit seiner vollkommen glatten, nur an den beiden Schmalseiten leicht nach vorn gefalzten Stirnplatte und dem wie mit rundlichen Nägelköpfen bedeckten Scheitel. Ganz besonders merkwürdig sind aber die Helme auf den beiden andern Platten, B und E unserer Tafel 10. Beide sind aus Krokodilhaut; die Stirnplatte der einen ist sehr niedrig, nur so hoch wie die Nase des Mannes, die andere viel höher,

etwa so hoch wie die Entfernung zwischen Nasenwurzel und Mundspalte, beide sind an allen vier Rändern mit einer schmalen, erhabenen Kante eingefaßt und an den Schmalseiten leicht eingefalzt. Beide Helme sind an den Seiten durch Haarbüschel geschmückt, die fast bis an die Schulter herabhängen; beide Leute sind gepanzert und haben ein Halsband mit Pantherzähnen und mit der viereckigen Glocke, der eine hält Speer und Schild, der andere streckt beide Arme ungefähr symmetrisch von sich ab; doch ist die Platte so beschädigt, daß nur der Mann selbst erhalten, der Grund aber fast durchweg hart an den Rändern der Figur abgebrochen ist; so läßt sich eben noch sehen, daß der Mann in der Rechten ein Ebere gehalten haben dürfte, aber ich wage nicht einmal eine Vermutung, was der fast symmetrisch erhobene und halb gestreckte linke Arm in der geschlossenen Hand gehalten oder getragen haben könnte. Schematische Skizzen der beiden Helme geben die Abbildungen 272 und 273.

4. Berlin, III. C. 8374, Taf. 31 D. Ausgezeichnet schöne, große Platte (38×47 cm); der Mann in der Mitte trägt in der erhobenen Rechten ein Schwert von Schilfblattform und am linken Vorderarm einen Bogen; um die Mitte ist ein geflochtener Köcher festgebunden, am linken Handgelenk ein rundliches Kissen zum Auffangen der rückprallenden Bogenschnur. Von dem Helm ist in Abb. 274 eine schematische Skizze gegeben; die Stirnplatte hat ringsum einen breiten und hohen Wulst und fast ihrer ganzen Breite nach einen vertieften Streifen, aus dessen Mitte sich eine leicht gewölbte, kreisrunde Scheibe mit umwalltem Rande erhebt. Der Scheitelteil ist mit langem, schlichtem, in der Mitte

Abb. 277. Gepanzerter Krieger, der Helm mit ungewöhnlich hoher glatter Querplatte und mit Roßschweif. Stuttgart 5403, früher Berlin, H. Bey 153; etwa ²/₅ d. w. Gr.

geteiltem Haar besetzt, das beiderseits in langen Büscheln herabhängt. Als Begleiter des Mannes sind zwei Knaben mit Querhörnern dargestellt, der eine mit einer langen »Prinzenlocke«, der andere nackt und mit fast völlig geschorenem Kopfe.

5. Hamburg, Mus. f. Kunst u. Gewerbe, hier Taf. 129. Auf dieser herrlichen Platte, die Justus Brinckmann schon 1897 kurz nach dem Falle von Benin für sein Museum sichern konnte, hat die Hauptfigur einen Helm mit sehr hoher, dicht punktierter und mit vier Nieten befestigter Stirnplatte; der Scheitel-

teil ist mit »Nagelköpfen« bedeckt. Den gleichen Helm haben auch vier von den fünf Begleitern des Mannes.

6. Kopenhagen und 7. Leiden, 1243/18 (M. II. 3). Zwei einander fast bis zum Verwechseln ähnliche Platten, von denen die letztere hier bereits S. 82, Fig. 145, abgebildet ist: Leute mit Bogen und mit Schilfblattschwert. Der Helm ist von dem hier Fig. 274 abgebildeten nicht wesentlich unterschieden, nur ist — wenigstens auf der Leidener Platte — der Scheitel nicht geteilt.

8. London, R. D. XX 3, hier Fig. 139 auf S. 79. Helm ähnlich dem Fig. 274 abgebildeten, aber ohne geteilten Scheitel und ohne die Feder über dem linken Ohr.

9. Stuttgart, 5403, siehe Abb. 277. Helm mit sehr großer, glatter Stirnplatte, in jeder Ecke eine kleine Niete; Scheitelteil mit schlichten Haaren bedeckt; hinter der Stirnplatte rechts und links je eine kurze, aufrecht gesteckte Feder.

10. Stuttgart, 5372, siehe Abb. 278 mit einem Ausschnitte: gepanzerter Krieger, in der Rechten ein Ebere schwingend, die Linke am Griff des unter der Achsel getragenen Schwertes. Helm etwa in der Mitte zwischen den Fig. 272 und 273 abgebildeten Formen stehend, mit Krokodilhaut. Die ganze Platte ist in meinem Bericht über die Knorrsche Sammlung abgebildet. In den beiden unteren Ecken je eine Rosette gleich der rechts oben.

11. Rushmore, P. R. 254, siehe Abb. 279. Gepanzerter Krieger mit einem »Richtschwert« in der Rechten und einem Ebere in der Linken. Helm mit großer Stirnplatte, aus der vorn in der Mitte ein quadratisches, seitlich rechts und links je ein kreisrundes »Fenster« ausgeschnitten ist; vier Nieten in den Ecken; Scheitelteil ganz mit »Nagelköpfen« bedeckt, links eine aufrecht stehende Feder.

Abb. 278. Ausschnitt aus der Platte Stuttgart 5372 (früher Berlin, H. Bey 141). Die ganze Platte (mit je einer Rosette in den unteren Ecken und einer rechts oben) ist in meinem Bericht über die Knorrsche Sammlung unter Fig. 8 abgebildet. Etwa 1/5 d. w. Gr.

12. Rushmore, P. R. 130, siehe Abb. 280. Platte mit zwei unter sich fast vollständig gleichen Leuten, von denen der eine bärtig ist. Beide haben Helme, die durchaus der schematischen Skizze Fig. 274 entsprechen; beide haben auch ungewöhnlich geformte, wie »geflammt« aussehende lange Schwerter sowie Bogen und Köcher. (P. R. spricht nur von »objects resembling bows«, wahrscheinlich weil ihm die Stücke für wirkliche Schießbogen zu klein erschienen waren; die mit einer Schnur um die Mitte befestigten Köcher hat er ganz übersehen.)

Abb. 279. Mann mit Ebere und mit Ada; der Helm mit einer gefensterten Querplatte und anscheinend mit Nagelköpfen; nach P. R. 254.

Abb. 280. Platte mit zwei Kriegern, von denen einer bärtig ist; sonst sind beide völlig gleich ausgerüstet mit Bogen, blattförmigem Schwert, Helm, Panzer, Köcher usw. Etwa 1/5 d. w. Gr. Repr. nach P. R. 130.

In der zweiten Gruppe — Helme mit nach oben ausgebauchter Stirnplatte — sind die folgenden Platten aufzuführen:

13. Berlin, III. C. 8391, Taf. 9 und Abb. 276. Die Stirnplatte ist ganz besonders groß, mit stark gewulsteten, rechts und links aufgekanteten Rändern; ihre ganze Fläche scheint mit quergestellten zylindrischen Perlen besetzt zu sein, die wie richtig versetzte Ziegel angeordnet sind; auf diesen liegen fünf kleine, glatte Plättchen, das mittlere von rhombischer Form, die vier andern in der Form von gleichschenkligen Dreiecken, die mit ihrer Spitze je dem oberen und dem unteren, wie dem rechten und dem linken Rande aufstehen. Der Rest des Helms ist mit langen, schlichten gescheitelten Haaren (von Roßschweifen) bedeckt; rechts und links steckt eine Feder.

14. Berlin, III. C. 8396, Taf. 10 D. Ähnliche Stirnplatte, glatt, mit aufgewulsteten Rändern, in den vier Ecken je ein rundlicher Nietenkopf, in der Mitte einige sorglos eingepunzte Linien, anscheinend als ein menschliches Gesicht zu deuten, mit zwei unsymmetrischen, stark schräg gestellten Augen und zwei übereinander liegenden, nach oben offenen, gebogenen Linien, die je für Mund und Nase stehen würden; damit ist das verwandte, vielleicht von demselben Künstler herrührende Gesicht auf der Stirnplatte von III. C. 8392, Taf. 8 c und Abb. 244 zu vergleichen, das ebenfalls durch extrem mongoloiden Schrägstand der Lidspalte ausgezeichnet ist, aber auch auf einen Panther, nicht auf einen Menschen bezogen werden könnte. Der Besatz mit Roßschweifen ist gescheitelt; links steckt eine Zierfeder. Der voll gepanzerte Mann hält, genau wie der Fig. 279 abgebildete, links ein Ebere, rechts das nach Cyril Punch in Benin »Ada« genannte unsymmetrische große Haumesser oder »Richtschwert«, vgl. Abschnitt R dieses Kapitels, S. 206. Der ihn begleitende Junge mit einer großen »Prinzenlocke« bläst auf einem Querhorn.

15. Berlin, III. C. 8054, Taf. 11. Der von drei Gepanzerten und von drei Jungen begleitete Mann in der Mitte dieser figurenreichen Platte hat einen Helm genau gleich dem Fig. 276 abgebildeten, nur sind die fünf der Stirnplatte aufgelegten Plättchen nicht glatt, sondern durch eng neben- und übereinander eingepunzte wagrechte und vertikale Linien mit zahlreichen kleinen Quadraten bedeckt.

16. Dresden, 16 089, früher Webster 21, 1899, 7300, siehe hier Abb. 132. Gepanzerter Krieger mit Ebere und Schild. Der Helm entspricht durchaus der Skizze in Fig. 276.

17. Halifax, Bankfield Museum, hier Abb. 296 nach Ling-Roth, Great Benin p. 117 reproduziert. Gepanzerter Mann, der eine große Glocke anschlägt; sein Helm hat eine so hoch nach oben ausgebauchte Stirnplatte, daß von dem mit Haaren bedeckten Teile nur ein schmaler Rand zu sehen ist. Die ganze Fläche dieser ringsum aufgewulsteten Platte ist durch nach rechts und links schräg verlaufende Linien in eine große Zahl von rhombischen Feldern geteilt, in deren Mitte je ein rundlicher Knopf sich erhebt; das Original ist wohl in repoussierter Technik zu denken.

18. Leipzig, M. f. V., hier Abb. 172 nach Webster, 29, 1901, reproduziert. Die Stirnplatte, von sehr stark gewulsteten Rändern umgeben, glatt, in der Mitte mit einem aufrecht stehenden, eingepunzten Ebere versehen. Der übrige Helm mit »Nagelköpfen« bedeckt, links eine Zierfeder. Diese Platte ist die dritte in der Gruppe, auf der ein Mann mit Ada und mit Ebere dargestellt ist.

19. London, R. D. XVI 1. Wegen der *busti* hier schon Fig. 148 abgebildet. Der anscheinend sehr jugendliche Krieger hat einen Helm vom Typus des Fig. 276 skizzierten; die Stirnplatte ist mit drei Reihen von kleinen, zylindrischen Perlen geschmückt, die ringsum dem gewulsteten Rande folgen; einige andere Perlschnüre schließen unregelmäßig rhombische Felder ein; in dreien von diesen sind glatte, rhombische Plättchen angebracht; große, weit herabhängende Roßschweife, jederseits eine Zierfeder.

20. London, R. D. XX 2. Große Platte mit zwei dicht nebeneinander stehenden Kriegern mit reich verzierten Panzern, Kropfperlen, Halsband mit Pantherzähnen und Glocke, Speer und Schild; die Speere vom Typus der Abb. 116. Beide Helme entsprechen durchaus der Abb. 276, nur sind die vier um das mittlere rhombische Plättchen der Stirnplatte angeordneten kleineren Dreiecke mit der Spitze nach innen, mit der Grundfläche nach außen orientiert.

21. London, R. D. XX 6. Schwer gepanzerter Krieger, ohne Kropfperlen, aber Halsband mit Pantherzähnen und Glocke, Speer vom Typus der Abb. 123 und Schild; die Stirnplatte des Helmes gleich der von Abb. 257 mit einem vertieften Felde, dessen obere Umgrenzung, der Ausbauchung des umwallten Randes folgend, auch zungenförmig ausgebuchtet ist; Roßschweife ohne Teilung, links eine hohe Zierfeder. In der Schläfengegend beiderseits ein ganz kurzes Zöpfchen, das mit einer großen, spindelförmigen Perle beschwert ist. Zu beiden Seiten des Mannes je ein kleiner Junge mit Querhorn; in den oberen Ecken je eine große Rosette.

22. London, R. D. XXIII 4, vgl. den vergrößerten Ausschnitt Abb. 257; Würdenträger mit zwei

großen und zwei kleinen Begleitern; in der Rechten ein Ebere, die Linke auf den Speer des neben ihm stehenden Mannes gestützt; die drei großen Leute haben gleichmäßig unverzierte Panzer, die nicht wie Leopardenfell gemustert, also aus der Haut eines anderen Tieres hergestellt sind. Von den zwei kleinen Begleitern trägt der eine ein Speerbündel, der andere eine Bogenlaute.

23. London, R. D. XXVII 2. Zwei unter sich fast völlig gleiche Krieger, jeder mit Ebere und Schild, die Panzer nicht aus Pantherfell, aber mit erhaben gegossenen, also wohl in Posamentierarbeit zu denkenden Ohren, Augen, Nasenlöchern, Schnurrhaaren und Mund eines Panthers. Der Helm des rechtsstehenden Mannes ist Fig. 271 skizziert, die Stirnplatte des andern hat nur ein einfaches vertieftes Querfeld mit einer kurzen, in die Ausbuchtung hineinragenden senkrechten Hasta.

24. London, R. D. XXVII 5. Schmale Platte mit einem einzelnen Manne, der fast bis in die letzten Einzelheiten der Hauptfigur von Abb. 257 gleicht; auch der Helm ist derselbe, mit der gleichen einzelnen Feder auf der Höhe des Scheitels. Der Mann hat ein Schwert unter der linken Achselhöhle und ein Ebere in der linken Hand; der rechte Arm hängt lose herab. Unter den reichen, eingepunzten Verzierungen des Oberschurzes fällt das Gesicht eines Eingebornen besonders auf, in reiner Vorderansicht mit einem kleinen Kreise oberhalb der Nasenwurzel. Ähnliche Kreise an derselben Stelle werden wir im Kap. 50 auf einigen großen Elefantenzähnen kennen lernen; inzwischen sei hier an die runde Scheibe auf der Stirn einiger Eingeborenen vom Typus des auf Taf. 32 abgebildeten Mannes erinnert.

25. Admiral Rawson besaß eine große Platte, die mit der Berliner III. C. 8054, Taf. 11, fast in allen Einzelheiten durchaus übereinstimmt und zweifellos von demselben Künstler stammt. Sie ist hier S. 89, Fig. 165, abgebildet. Der einzige wesentliche Unterschied liegt in der kleinen Figur links oben; da hat die Berliner einen Jungen mit Querhorn in Vorderansicht, die Rawsonsche Platte ein wenig deutliches Busto eines Europäers in Seitenansicht. Die Helme der Hauptperson sind auf beiden Platten durchaus gleich und entsprechen vollkommen unserer schematischen Skizze in Fig. 276.

26. Rushmore, P. R. 181. Große Platte; in der Mitte ein Mann mit einer Umhängetrommel, zu beiden Seiten je ein halbwüchsiger Junge mit einer Doppelglocke. Der Trommler hat einen Helm, ähnlich dem in Fig. 223 abgebildeten, mit rhombischen Federn auf der Stirnplatte, aber ohne die repoussierten Buckel.

27. Rushmore, P. R. 248, siehe Abb. 223. Sehr schmale und hohe Platte, etwa 18×48 cm, mit einem Trommler. Die Stirnplatte ist durch anscheinend repoussierte Linien in einzelne rhombische Felder geteilt, die durch je einen repoussierten länglichen Höcker nahezu ausgefüllt sind. Wenn es in einer Beschreibung dieser Platte heißt »hair combed straight and coiled in plaits«, so beziehen sich die drei ersten Worte auf die Roßschweife, die drei letzten auf eine große Prinzenlocke.

28. Rushmore, P. R. 3, siehe Abb. 323 und die Helmskizze 275. Große Platte mit drei Männern, von denen der mittlere einen runden Schemel trägt; dieser und der zu seiner Rechten stehende haben Helme mit einer Stirnplatte wie auf der Abb. 223, aber auf dem Scheitel mit einer kurzen, dicken Tülle, in der ein Dreiblatt steckt. Der dritte Mann hat einen »Topfhelm«. Sonst sind alle drei Leute gleichmäßig schwer gepanzert und haben in der üblichen Art ein Schwert unter der linken Achsel. Da Schemel sonst meist von kleinen oder von halbwüchsigen Jungen und kaum je von freien Erwachsenen getragen werden, liegt es nahe, auch die drei Männer auf dieser Platte für Unfreie, etwa für Hofbedienstete, zu halten.

o)   Ganz ohne moderne Analogie sind die rechteckigen Helme, die sich auf den nachfolgend verzeichneten fünf Beninplatten finden:

     1., 2. Berlin, III. C. 8209, Taf. 14 und III. C. 8397, Taf. 27 B.

     3. London, R. D. XXII 3, hier Fig. 283 reproduziert.

     4. Stuttgart, 5401, hier Fig. 282, von Berlin (H. Bey, 118) als Doublette abgegeben.

     5. Wien, 64 717, früher Webster 5890.

Auf allen diesen fünf Platten findet sich derselbe höchst auffallende, nahezu würfelförmige Helm, der nach einem der Berliner Stücke in Fig. 281 schematisch gezeichnet ist; er hat oben einen Besatz von aufrecht gestellten Federn und scheint im wesentlichen aus Leder bestanden zu haben und mit großen und kleinen, zylindrischen Perlen verziert gewesen zu sein; die aufrechten Kanten sind etwas abgeschrägt, die Ecken mit kleinen Lappen versehen; von den unteren Ecken hängen lange, dicht mit Federn besetzte Schnüre bis etwa in Kniehöhe herab.

Die beiden Berliner und die Stuttgarter Platte sind untereinander fast vollkommen gleich; sie zeigen einen Mann in langem, bis unter die Knie herabhängendem Federhemd mit Ärmeln, die bis zum Ellenbogen reichen. Beide Arme sind halb erhoben, die Rechte hält ein Ebere, die linke Hand ist bis auf den gestreckten Zeigefinger geschlossen. Auf allen drei Platten sind die Leute in ganz gleicher Art auch mit den Kropfperlen, dem Halsband mit den Zähnen und der Glocke, dem hochaufragenden Schurzzipfel und dem in

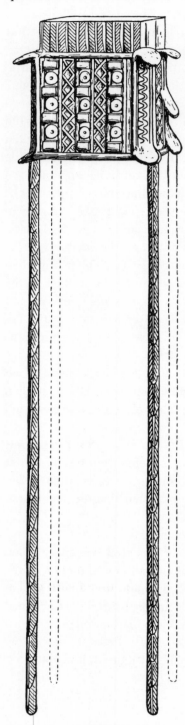

einer unsymmetrischen Scheide geborgenen kurzen Schwerte ausgestattet, das mit dem Griffende nach unten getragen wird. Sowohl die Glocke als wie Schurzzipfel und Schwert kommen durch Schlitze oder Lücken in dem Federkleide zum Vorschein; wir werden daraus wohl schließen dürfen, daß dieses Kleid etwa aus einem weitmaschigen Netz oder aus einzeln herabhängenden Schnüren bestand, die ganz mit Federn benäht waren. Ähnliche Federkleider sind noch heute an der Loangoküste bei Maskenfesten in Gebrauch.

Etwas anders als auf diesen drei Platten sieht das Federkleid auf der Londoner und auf der Wiener Platte aus; da besteht es aus drei getrennten Teilen, einem kürzeren Hemd und zwei Lendenschurzen von der üblichen Form, auch mit dem steil aufragenden Zipfel, alles gleichmäßig mit großen Federn bedeckt, die Schurze außerdem mit zahlreichen kleinen, nach oben offenen Mondsicheln, das Hemd an Brust und Ärmeln mit Schlangen verziert. Auf diesen beiden Platten steht der Mann mit dem viereckigen Helm als Hauptperson in der Mitte zwischen zwei kleinen und zwei großen Begleitern; für alle Einzelheiten verweise ich auf die Abb. 283 sowie auf die ganz besonders eingehende Beschreibung, die Heger (1916, S. 144 ff.) von der Wiener Platte gibt [1]); die Abbildung der Londoner Platte steht auch für die Wiener; soweit ich sehe, sind die einzigen Unterschiede zwischen den beiden Platten die, daß auf der Wiener die beiden großen Begleiter bärtig sind und daß auf der Londoner die zylindrischen Perlen auf der Stirnseite des Helms etwas kleiner und zahlreicher sind als auf der Wiener. Auf beiden Platten hat die Hauptperson als Gürtelschmuck einen »erhabenen, langen Tierkopf«, wie Heger sich vorsichtig ausdrückt; es ist

Abb. 281. Schematische Skizze des rechteckigen Helmes der Platte Berlin III. C. 8209, Taf. 14.

---

[1]) Dabei kann ich allerdings nicht verschweigen, daß ich manche Einzelheiten anders auffasse. So meine ich z. B., daß die viereckige Glocke auch bei diesen beiden Platten, wie sonst immer und ausnahmslos, zum Halsband mit den Zähnen gehört und an diesem befestigt ist, nicht an der gedrehten Perlschnur, die unter den Achselhöhlen um die Brust herumgeführt ist. Freilich scheint die Glocke dieser Schnur unmittelbar anzuliegen und mit dem Halsband keine Verbindung zu haben; doch erkennt man bei näherer Betrachtung, daß überhaupt nur der untere Teil der Glocke sichtbar und daß der obere von dem Federhemd verdeckt ist. Bestätigt wird diese Auffassung durch die eine der eben erwähnten Berliner Platten (Taf. 14) und durch die Stuttgarter Abb. 282. Da ist sehr deutlich zu sehen, daß nur ein Teil der Glocke aus einem Schlitze des Federhemdes vorragt und ganz in der Luft hängen würde, wenn man nicht eine Verbindung mit dem Halsbande annehmen würde — fehlt doch bei diesen zwei Platten die unter den Achselhöhlen um den Leib geführte Schnur vollständig; sie ist nur bei der zweiten Berliner Platte Taf. 27 B vorhanden, zieht bei dieser aber genau so wie bei der Londoner und der Wiener über die Mitte der Glocke hinweg. Wie nahe es übrigens liegt, den richtigen Zusammenhang zu übersehen und eine Verbindung zwischen Glocke und Querschnur anzunehmen, erhellt aus der Beschreibung von R. D. XXII 2 (hier Abb. 250), in der von der Glocke gleichfalls gesagt wird, sie hinge von dem Brustband herab.

Ebenso würde ich bei der Wiener und bei einer großen Zahl ähnlicher Platten, auf denen die Hauptperson zwischen zwei Begleitern mit Speer und Schild steht und sich dabei mit der linken Hand auf den Speer ihres Begleiters zur Linken stützt (vgl. z. B. Taf. 11 oder Abb. 190), niemals daran gedacht haben, daß dieser Speer der Hauptperson angehören und von dem Begleiter nur nebenbei gehalten werden könnte. Eine solche Auffassung würde der vielfach belegten Sitte widersprechen, daß vornehme Leute von ihren Begleitern gestützt werden. Auch wird sie von der Platte P. R. 255 widerlegt, von der zwar gesagt wird, »both figures hold the same spear, point downwards«, auf der aber in Wirklichkeit der Speer nur von dem Begleiter gehalten wird und die geschlossene Faust der Hauptperson, vor dem Speerschaft liegend, nur der Hand des Begleiters aufruht.

Sehr berechtigt ist H.s Fragezeichen, wenn er von den Schnüren, die vom Helme herabhängen, sagt, daß sie »aus einzelnen großen, dicken, zylindrischen Perlen (?) bestehen, welche schräg schraffiert sind« — es sind sicher Federn. Solche hat übrigens auch P. R. verkannt, wenn er bei der Beschreibung seiner Platte 113 von dem Federhemd sagt, es sei »apparently composed of strings of coral«.

ein Krokodilkopf und aus Bronze zu denken, wie sich aus den in Kap. 28 im Zusammenhang beschriebenen Stücken ergibt.

π)   Eine ganz eigenartige Form von Kopfbedeckungen sind die Helme mit hohen zylindrischen Stäben oder »Pickeln«, ganz mit Perlen überzogen und oben noch meist mit einer großen, spitzeiförmigen Perle geschmückt, von der einige kleine Perlschnüre herabhängen, vgl. die Abb. 284 und 285. Diese Helme finden wir ganz ausschließlich nur bei Leuten, denen wir dämonischen oder sakralen Charakter zuschreiben müssen, wie hier S. 91 ff. näher ausgeführt wurde. Ich brauche daher hier nur auf diesen Abschnitt sowie auf die Abb. 151, 158, 159, 166 bis 170 sowie auf Taf. 43 zu verweisen. Es ist nicht unmöglich, daß auch diese Kopfbedeckungen ebenso wie die glockenförmigen Helme, die wir S. 142 ff. besprochen haben, vgl. die Abb. 237 bis 241, auf die alte akademische Tracht von Coimbra zurückgehen.

ρ)   Wenn im folgenden sehr zahlreiche, im ganzen 53 Platten ad vocem »Topfhelme« zusammengefaßt werden, so geschieht das nur mit dem ausdrücklichen Vorbehalte, daß diese Bezeichnung sich auf die Form, nicht auf das Material bezieht; es handelt sich um ungefähr halbkugelförmige, helmartig wirkende »Hüte«, ohne deutliche Krempe, aber am Rande meist etwas gewulstet, ein oder das andere Mal mit einem schmalen Schirm, aber fast immer mit einem scheibenförmigen Knopf in der Scheitelgegend, einmal mit flachen Buckeln an den Seiten, dreimal auch mit einem breiten, median-sagittal verlaufenden bandartigen Beschlag. In solchen Fällen wird man natürlich zunächst an Metall zu denken haben, aber in den meisten andern sind wir über den Stoff, aus dem diese Kopfbedeckungen bestanden, gänzlich unwissend. Einige mögen aus Leder hergestellt gewesen sein, andere vielleicht aus mit Haut überzogenem Flechtwerk, andere aus Filz — wissen wir doch aus den alten Kosmographien, daß »Priesterhüte« und andere europäische Kopfbedeckungen schon vor Jahrhunderten als Tauschartikel nach der Küste von Oberguinea gelangten. Spätere Ausgrabungen werden vielleicht einmal Reste von Metallhelmen ans Licht bringen — einstweilen müssen wir uns hier auf eine bloße Aufzählung der ihrer äußeren Form nach anscheinend zusammengehörigen Stücke beschränken. Einige Typen sind in den Abb. 286 bis 288 schematisch skizziert.

    1. Berlin, III. C. 8404, Taf. 17 c. Ganz besonders gut modellierte und sorgfältig ziselierte Platte. Krieger mit Schild und Speer. Der Helm gleicht dem bei der nächsten Platte zu erwähnenden und Fig. 287 abgebildeten bis in die letzten Einzelheiten; er ist in quadratische, mit schraf-

Abb. 282. Mann mit rechteckigem Helm und Federhemd, Stuttgart, 5401, früher Berlin, H. Bey, 118. Etwa ¹/₅ d. w. Gr.

Abb. 283. Ausschnitt aus R. D. XXII, 3. Nach dem Lichtdrucke auf etwa ²/₇ d. w. Gr. vergrößert. Die beiden gepanzerten Krieger an den Rändern sind auf dem Originale durchaus symmetrisch. Die Platte ist fast identisch mit Wien 64 717 = Webster 5890, nur daß dort die zwei großen Begleiter bärtig sind.

fierten Kanten umrahmte Felder eingeteilt und mit einem breiten, an den Rändern umwallten, in median-sagittaler Richtung verlaufenden Bande verstärkt und macht durchaus den Eindruck, in Metall getrieben zu sein. An dem ponchoartig getragenen Pantherfell sind nur die Ohren von vornherein

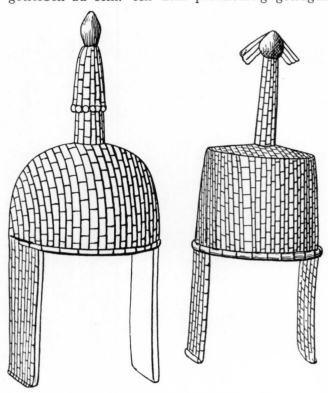

modelliert und daher erhaben gegossen, Nase, Lidspalten und Mund sind nachträglich mit knappen Linien eingepunzt. Besondere Aufmerksamkeit verdient das unter dem Kopfe dieses Felles sichtbare Unterkleid, das anscheinend in ebenmäßigem Faltenwurf über das Lendentuch herabhängt. Sonst ist die Darstellung von Gewandfalten der Benin-Kunst völlig fremd, denn der anscheinend so schöne Faltenwurf auf der hier Fig. 182 abgebildeten Leipziger Platte erweist sich bei näherer Betrachtung als Illusion und wird durch eine Anzahl von Bändern vorgetäuscht, die, mit Schellen beschwert, von einer Art Bandelier herabhängen. So wird man auch dem Faltenwurf unserer Platte ein gewisses Mißtrauen entgegenbringen und sich fragen müssen, ob er nicht auch nur als ganz zufällige Illusion zu gelten hat, besonders wenn man die anscheinend ähnlichen Unterkleider auf Taf. 16 B, den Abb. 131, 147 und 265 sowie bei P. R. 180 zum Vergleich heranzieht; man gewinnt dann den Eindruck, als ob diese Unterkleider am unteren Ende bewußt dem Umrisse des Kopfes und der Vorderbeine des Pantherfelles angeschlossen wären.

Abb. 284 und 285. Schematische Skizzen der Helme von »dämonischen« Personen nach den Platten Berlin III. C. 8417 und 8418, Taf. 43 E und A.

2. Berlin, III. C. 8386, Taf. 17 D. Gepanzerter Krieger mit ganz gleichem Helm, aber ohne Kinnband, vgl. Abb. 287. Ein dritter, sicher ganz gleichartiger Helm aber wieder mit einem Kinnband auf einer Wiener Platte wird hier S. 169 unter Nr. 37 erwähnt werden, inzwischen wird man aus dem Fehlen des Kinnbandes bei einem unter drei sonst zweifellos gleichartigen Helmen folgern müssen, daß das Vor-

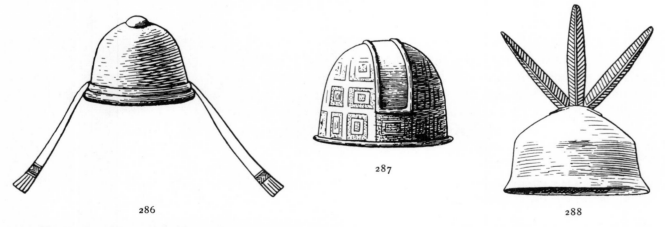

287

286   288

Abb. 286 und 287. Schematische Skizzen nach den Helmen Berlin III. C. 8370 und 8386, Taf. 31 B und 17 D. — Abb. 288. Nach dem Helme der Platte R. D. XXV, 3, siehe Abb. 193 auf S. 110.

handensein oder Fehlen eines Sturmbandes keinen sicheren Schluß auf das Material der betreffenden Kopfbedeckung gestattet.

3. Berlin, III. C. 8415, Taf. 18 D. Glatter, fast halbkugliger »Helm« mit gewulstetem Rand und mit einer flachen, knopfartigen, runden Erhebung am Scheitel.

4. Berlin, III. C. 8408, Taf. 25 A. Ähnliche Kopfbedeckung, ohne den Scheitelknopf.

5. Berlin, III. C. 8276, 26 B. Helm wie bei Nr. 3.

6. Berlin, III. C. 8370, Taf. 31 B. Auf dieser ausgezeichnet schönen Platte mit drei spielenden

Kindern haben die beiden größeren Jungen Helme mit hohem und deutlich abgesetztem Scheitelknauf, die ober dem gewulsteten Rande mit einem Bande umwickelt sind; die Enden dieses Bandes hängen beiderseits symmetrisch bis über die Schultern herab und sind mit einem Flechtband und langen Fransen abgeschlossen.

7. Berlin, III. C. 10 880, Taf. 31 C. Ähnlich ausgestattetes Kind wie auf der vorhergehenden Platte; die Enden des Helmbandes scheinen schon im Wachsmodell abgebrochen zu sein.

8. Berlin, III. C. 8271, Taf. 35 D. Nackter Junge, der einen Schemel trägt. Hoher, rundlicher Helm mit gut abgesetztem Knauf.

9. Berlin, III. C. 8401, Taf. 38 F. Nackter Junge, der eine Doppelglocke mit einem Stäbchen anschlägt. Rings um den Helm läuft unmittelbar oberhalb des gewulsteten Randes ein Besatz von der Länge nach angebrachten Kaurischnecken.

10. und 11. Berlin, III. C. 8389, Taf. 39 B und III. C. 8214, Taf. 39 C. Männer mit Querhorn; der Helm des ersteren hat einen flach kegelförmigen Knauf.

12. und 13. Dresden 16 057 und 16 082. Glatte Helme, der eine mit flachem, der andere mit auffallend hohem und dünnem Knauf. Von

Abb. 289. Zwei unter sich wohl völlig gleiche gepanzerte Krieger. Leipzig. Repr. nach der Abb. bei Webster 29. 1901, Fig. 78.

der letzteren Platte wird wegen ihrer sechs ungewöhnlich großen Rosetten ad vocem »Beizeichen« in Kap. 65 eine kleine Abbildung gegeben werden, der die Fig. 32 im Kat. von Webster 21, 1899 zugrunde liegt.

14. Dresden, 16 084. Gepanzerter Krieger mit Schild und Speer. Der Schild ist in gußtechnisch bewundernswerter Art ganz unterschnitten und um die volle Länge des Vorderarms aus der Grundfläche der Platte herausgerückt. Glatter Helm, ohne Knauf.

15. Hamburg, C. 2329. Vgl. die Abb. 171 auf S. 95. Um den glatten Helm des größeren der beiden Jungen ist ein Band gelegt, dessen Enden beiderseits bis über die Ellenbogen herabreichen. Es ist sicher kein Zufall, daß auf dieser Platte ebenso wie auf den beiden Berliner Stücken Taf. 31 B und C die Kinder mit solchen Helmbändern auch mit einem kleinen Schießbogen und mit einem Schwerte ausgestattet sind.

16. Hamburg, C. 2384, siehe Abb. 290. Platte mit einem gepanzerten Krieger, ähnlich der Berliner, Taf. 26 B.

17. Leipzig, früher Brit. Mus. (Sir Ralph Moor l. l. Nr. 18). Gleichfalls vom Typus der Berliner Platte Taf. 26 B.

18. Leipzig, früher Brit. Mus. (S. R. M. l. l. Nr. 162). Schwer gepanzerter Krieger, der Helm mit großem Knauf, der rechte Arm frei hängend, die linke Hand in der Hüftgegend, am Schwertgriffe.

19. Leipzig, früher Brit. Mus. (S. R. M. l. l. Nr. 22). Ausgezeichnet schöne Platte, ebenso wie die hier unter Nr. 17 angeführte vom Typus der Berliner Platte Taf. 26 B.

20. Leipzig, früher Webster, 24, 1900, Fig. 56, 9489, hier Abb. 182. Platte mit drei unter sich ganz verschiedenen Männern, von denen der mittlere einen auffallend niedrigen Topfhelm hat.

21. Leipzig, früher Webster 29, 1901, Fig. 78; hier Abb. 289.

Abb. 290. Krieger, ähnlich den beiden auf der Leipziger Platte, Abb. 289. Hamburg, C. 2384 nach Hagen, A. v. B. III, 2. Etwa ¼ d. w. Gr.

Große Platte mit zwei unter sich wohl völlig gleichen, gepanzerten Kriegern, etwa vom Typus der Berliner Platte Taf. 26 B.

22. Leipzig, H. M. 13, früher Webster 6601. Große, sehr eigenartige Platte mit matter, brauner Patina, die langes Liegen unter Wasser vermuten läßt; auf jeder Seite drei große Rosetten von etwa Rumpfbreite. Abb. 291 gibt der Raumersparnis wegen nur einen Ausschnitt unter Verzicht auf die Füße und den größten Teil der Rosetten. Den Helm könnte man seiner Form nach vielleicht als »Sturmhaube«

Abb. 291. Ausschnitt aus der großen Platte Leipzig, H. M. 13, früher Webster 6601. An den seitlichen Rändern der Platte finden sich je drei große Rosetten.

bezeichnen; sein Rand ist nicht unwesentlich breiter als bei den andern in dieser Gruppe zusammengefaßten Stücken, so daß man von einer schmalen Krempe reden kann; von dieser ist das der Stirne entsprechende Stück durch zwei seitliche Einschnitte abgetrennt und etwas hochgehoben. Am Scheitel ist eine etwa zehnstrahlige, sternförmige Scheibe aufgelegt, aus deren Mitte divergierend ein Bündel von fünf Gegenständen aufsteigt, in denen ich die Kerbenenden von gefiederten Pfeilen sehen zu dürfen glaube; auch sonst hat diese Platte noch eine Fülle von interessanten und lehrreichen Einzelheiten, so daß sie noch in den Abschnitten R, T und X dieses Kapitels zu erwähnen sein wird.

23. London, R. D. XIX 5. Auf dieser Platte, die in Kap. 5 mit den übrigen Kampfszenen besprochen und abgebildet werden soll, hat der Gefangene auf dem Reittiere einen richtigen Topfhelm, auf dessen vorderer Fläche in sonst nicht wiederkehrender Art ein Dreiblatt angebracht ist. Auch der Gefangene auf der in die gleiche Gruppe gehörigen Platte R. D. XIX 4 hat einen Helm, der trotz seiner Höhe und spitzen Eiform wahrscheinlich doch noch in diesem Zusammenhang zu erwähnen sein dürfte, während der ganz hohe Hut des Siegers auf der Kampfplatte P. R. 5/6 wohl kaum mehr in diesen Kreis gehört.

24. London, R. D. XXI 4. Groteske Platte, die im Abschnitt U dieses Kapitels näher besprochen und Fig. 353 abgebildet werden soll; sie wird hier nur wegen des auffallend hohen Rundhelms eines der Begleiter erwähnt.

25. London, R. D. XXV 2. Platte mit zwei unter sich völlig gleichen, schwer gepanzerten jungen Leuten, von denen jeder in der Linken ein Speerbündel trägt. Die Helme mit deutlich abgesetztem flachen Knauf.

26. London, R. D. XXV 3. Ein vergrößerter Ausschnitt aus dieser Platte ist hier bereits Fig. 193 abgebildet; eine schematische Skizze des mit drei Federn geschmückten Helms gibt die Abb. 288.

27. London, R. D. XXVI 6. Kleine Platte mit einem Manne, dessen Panzer ganz mit Schellen besetzt ist; die Linke hat er auf den Schwertgriff gelegt, die Rechte scheint ein Sudarium zu halten, was auf andern Platten nur bei kleinen Jungen beobachtet wird, die ihren Herrn begleiten. So könnte man auch aus dieser Platte schließen, daß vielleicht manchmal mehrere Platten nebeneinander zu einer zusammengehörigen Szene gehörten, die sonst auf einer einzigen Platte zusammengefaßt war. Der Helm dieses Mannes gleicht durchaus denen der Abb. 289.

28. London, R. D. XXIX 2. Diese Platte mit einem Trommler wird S. 191 beschrieben und

Fig. 314 abgebildet werden; hier ist nur der Helm zu erwähnen, der unmittelbar hinter dem Knaufe mit einer aufrecht stehenden kurzen und sehr breiten Feder geschmückt ist.

29. London, R. D. XV 3. Diese an vielen lehrreichen Einzelheiten ganz besonders reiche Platte mit drei Kindern ist wegen der *busti* hier bereits S. 88, Fig. 160 abgebildet worden. Zwei von den Kindern haben auffallend hohe Topfhelme mit scharf abgesetztem Knauf; der in der Mitte stehende Junge hat um diesen Helm etwas wie ein glattes »Hutband« liegen, wohl eine aus Blech zu denkende Versteifung.

30. München. Gepanzerter Krieger mit Speer und Schild und mit fast halbkugelförmigem Helm. Neben ihm ein kleiner Junge mit einem Sudarium.

31. Stuttgart 5398, vgl. Abb. 318. Mann mit Querhorn. Auf dem runden Helm an Stelle des Knaufes eine aufrecht stehende Feder, ähnlich der von Abb. 315.

32. Rushmore, P. R. 3, vgl. die Abb. 323. Diese Platte ist S. 163 unter Nr. 28 wegen der merkwürdigen Helmform von zwei der dargestellten Personen bereits erwähnt worden und muß hier nur wegen des Topfhelmes der dritten nochmals angeführt werden.

33. Rushmore, P. R. 16. Gepanzerter mit Topfhelm. Vier Rosetten.

34. Rushmore, P. R. 17. Ähnlicher Mann mit Schild und Speer; in den oberen Ecken Rosetten, in den unteren Krokodilköpfe (nicht »horses' heads«, wie es im Texte heißt).

35. Rushmore, P. R. 181. Bereits S. 163 unter Nr. 26 erwähnt; hier kommen nur die Helme der beiden kleinen Begleiter in Betracht; sie sehen sonst aus wie die gewöhnlichen Topfhelme, haben oben einen hohen, schmalen Knauf und nahe am unteren Rande in der Mitte und auf beiden Seiten je eine kleine, runde, erhabene Zierscheibe.

36. Webster 6244, vgl. die Abb. 183 auf S. 102. Typischer Topfhelm.

37. Wien, 64 734. Doublette aus der Berliner Sammlung (H. Bey 176 und 320); ausgezeichnet schöne Platte mit zwar vielen, aber unwesentlichen Defekten; voll gepanzerter Mann mit Speer und Schild; der Helm entspricht durchaus dem auf der S. 166 unter Nr. 2 erwähnten Platte und hat wie dieser ein deutliches Sturm- oder Kinnband.

38 bis 49. Hier wären noch zwölf weitere Platten, alle vom Typus der Taf. 36 A, E, C und F abgebildeten aufzuführen, die alle außer dem Topfhelm noch einen höchst eigenartigen Besatz des Schurzzipfels mit Federn (?) untereinander gemein haben sowie einen quadratischen Gegenstand, den sie alle ganz gleichmäßig in der erhobenen Rechten halten. Diese Platten sollen S. 186 ff. in einem andern Zusammenhange (sub tit. »Rahmentrommeln« beschrieben werden; hier genügt es, sie zu erwähnen.

50 bis 53. Ebenso gehören hierher noch vier Platten mit Musikern, die auf einem langen Querhorn blasen; auch sie sind (vgl. Taf. 39 B und C, sowie Abb. 316) durch eine ganz eigenartige Tracht ausgezeichnet, indem sie ein in große Lappen geschnittenes Pantherfell um die Hüften tragen. Wir werden S. 192 auf diese Platten wieder zurückkommen.

So findet sich auf Beninplatten 53 mal eine Kopfbedeckung vertreten, die manchmal fast halbkugelig, manchmal mehr der stumpfen, selten eher der spitzen Hälfte eines Eies zu vergleichen ist, meist einen flachen Knauf hat, in einigen Fällen auch durch einfachen Federschmuck ausgezeichnet ist, aber im ganzen doch einheitlich zu sein scheint. Ich habe sie, einem älteren Sprachgebrauche folgend, als »Topfhelm« bezeichnet, obwohl manche Heraldiker meist eine völlig andere Form mit diesem Namen belegen, und ich habe auch eingangs schon darauf hingewiesen, daß wir über das Material, aus dem diese Kopfbedeckungen hergestellt wurden, nicht unterrichtet sind. Zweifellos war die Form im alten Benin sehr verbreitet und nicht etwa auf einen einzelnen Stand oder auf bestimmte einzelne Hofämter beschränkt.

σ) Von Kopfbedeckungen in Trichter- und Tutulusform kann man ohne Zwang drei verschiedene Arten unterscheiden; von diesen ist die erste in der schematischen Zeichnung Abb. 292 wiedergegeben, die beiden andern sind richtige *tululi*, die entweder, wie die Abbildungen 156, 196 und 204 zeigen, unmittelbar auf dem behaarten, manchmal teilweise geschorenen Kopf aufsitzen oder aber, wie im Schema Fig. 293, auf einem helmartigen Geflecht aus großen, zylindrischen Perlen. Nur die erste Art verdient wirklich die Bezeichnung einer Kopfbedeckung im engeren Sinne des Wortes, die beiden andern würde man vielleicht zutreffender als Kopfschmuck [1]) bezeichnen; doch scheinen alle drei Arten ihrem Wesen nach untereinander verwandt zu sein und sind deshalb hier zusammengefaßt. Sie bestehen gleichmäßig aus einem feinen, zierlich gemusterten und wahrscheinlich bunt zu denkenden Gras- oder Strohgeflecht. Die

---

[1]) R. D. sprechen von einem solchen *tutulus* als von einem »pillar ornament at the top«.

erste Art sitzt vermöge ihrer trichterartigen Erweiterung wie eine eng anliegende Kappe dem glattge-
schorenen Kopf unmittelbar auf; die zweite kann man sich nur über einen langen, dicken Haarbüschel
gestülpt und von diesem festgehalten vorstellen; die dritte war vielleicht in derselben Weise gehalten
oder irgendwie mit dem helmartigen Geflecht aus Perlen in feste Verbindung gebracht. Die erste Art
ist die seltenste; ich kenne sie nur von den nachfolgend aufgeführten fünf Platten:

1. Berlin, III. C. 8371, Taf. 22. Mann mit gleichmäßig erhobenen Händen, in der Rechten einen
Stab, in der Linken ein Ada (»Richtschwert«) haltend; auf dem völlig kahl geschorenen Kopfe sitzt die
Fig. 292 abgebildete kleine, trichterförmige Kappe. Von beiden Schultern hängen bandelierartig je drei
Schnüre mit zylindrischen Perlen herab, die sich vorn in der Höhe der Brustwarzen kreuzen; der auf-
lagende Zipfel des oberen Lendentuches ist ganz besonders breit, und sein unmittelbarer Zusammenhang
mit dem Lendentuch ungewöhnlich klar. Begleitet ist der Mann von zwei kleineren, unter sich gleichen
Leuten mit Hammer und mit Schnurrhaaren (vgl. S. 134 unten, unter Nr. 2 und Abb. 227).

2. Berlin, III. C. 8278, Taf. 38 E. Mann mit einer Doppelglocke, auf einem runden Schemel sitzend,
dessen typische Naht (vgl. den Abschnitt Q dieses Kapitels S. 199 ff.) genau nach vorn gewandt ist.

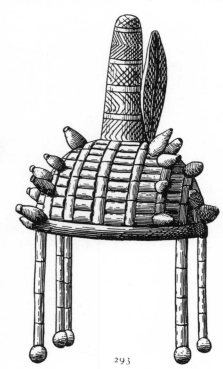

292

Abb. 292 und 293. Sche-
matische Skizzen der
trichterförmigen Kopfbe-
deckung auf der Platte
Berlin, III. C. 8371 Taf. 22
und der Kopfbedeckung
(oder vielleicht der Haartracht!!) auf der Platte
Berlin, III. C. 8387,
Taf. 38 D.

293

3. Dresden 16 139, früher Webster 8817,
hier wegen der *busti* bereits Fig. 155 abgebildet — eine höchst merkwürdige Platte, die
sich inhaltlich unmittelbar an die eben sub Nr. 1
aufgeführte Platte anreiht; sie erscheint um
zwei Begleiter vermehrt, von denen der eine
den Stab, der andere die Kopfbedeckung der
in der Mitte schreitenden Hauptfigur trägt, so
daß ihr kahlgeschorener Kopf jetzt ganz sichtbar geworden ist und seine beiden Hände sich
auf die zwei frei gebliebenen Hände seiner Begleiter stützen können; von den beiden Begleitern, die auf der Berliner Platte mit dem
Hammer und mit Schnurrhaaren ausgestattet
sind, ist auf der Dresdener nur einer übrig geblieben; an Stelle der zweiten ist ein anderer
getreten, der auf dem Kopfe einen runden
Schemel trägt und ihn mit beiden Händen
festhält. Auch auf dieser Platte hat das
Lendentuch der Hauptfigur ähnlich wie auf
der Berliner einen sehr hochragenden Zipfel,

den freilich ein amerikanischer Kollege, der die Platte veröffentlichte, als sie sich noch im Besitze von
Mr. Webster befand, für einen geschnitzten Elefantenrüssel („carved elephant trunk") erklärte, der an
der Kleidung befestigt sei. An Stelle der beiden Rosetten in den oberen Ecken der Berliner Platte hat die
Dresdener die uns aus der Abb. 155, S. 85, bereits bekannten *busti* von Europäern.

4. London, R. D. XXI 4, vgl. Abb. 353. Auch diese Platte scheint eine Weiterentwicklung der
hier unter Nr. 1 und 3 beschriebenen zu sein. Wieder hat die Hauptperson den langen Stab in der
Rechten, die über der Brust gekreuzten Perlengehänge sowie den abenteuerlich diesmal bis zur
Scheitelhöhe ragenden Gewandzipfel, und wiederum trägt einer der Begleiter den runden Schemel;
vermutlich besteht sogar noch ein weiterer Zusammenhang, der zwar an sich, und wenn man
nur die drei Platten kennen und untereinander vergleichen würde, nicht zu erkennen wäre; wenn man
aber weiß, daß die Personen mit Schnurrhaaren und Hammer, die sonst den beiden Begleitern auf Taf. 22
durchaus gleichen, auf andern Platten und auf zahlreichen runden Bildwerken regelmäßig ein Kreuz
um den Hals tragen, so erscheint der Begleiter zur Rechten des Würdenträgers auf der Londoner Platte
mit seinem Kreuze, das ihm an einer übermäßig langen Halsschnur fast bis zum Nabel herabhängt, gleichsam als Stellvertreter jener Personen mit den Schnurrhaaren. Diese Vermutung würde freilich noch etwas
fester begründet sein, wenn die Kreuze in beiden Fällen dieselbe Form hätten. Auf der Londoner Platte
haben wir es mit einem richtigen Malteserkreuz zu tun, die Personen mit den Schnurrhaaren und dem
Hammer tragen aber ein einfaches Kreuz um den Hals — vgl. z. B. die Taf. 68 und 84. Dabei ist es freilich

nicht unmöglich, daß es sich in beiden Fällen um dieselbe Sache handelt, und zwar um verschiedene Formen des portugiesischen Christusordens. Wir wissen, daß dieser schon im frühen 14. Jahrhundert gestiftet wurde, und daß er schon damals ungefähr die Form hatte, die er noch heute hat, aber es ist sehr wahrscheinlich daß diese Form im Laufe der Jahrhunderte mannigfachen stilistischen Schwankungen unterworfen war.

    5. London, R. D. XXVI 2, vgl. den Ausschnitt Abb. 294. Daß auch die auf dieser Platte dargestellte Person mit einem Stabe und dem sonst so seltenen gekreuzten Perlengehänge dargestellt ist, kann nicht gut Zufall sein; außerdem hat sie mit den Hauptpersonen der hier unter Nr. 1, 3 und 4 aufgezählten noch eine höchst eigenartige Tätowierung des Nasenrückens und eines Teiles der Stirn gemeinsam. In allen vier Fällen beginnt ungefähr in der Mitte der Stirn, etwa zwei Querfinger oberhalb der Nasenwurzel, ein fingerbreiter, oben immer ganz gerade abschneidender, leicht erhabener Wulst, der scharf begrenzt und allmählich sich etwas verjüngend bis zur Nasenspitze herabreicht. Natürlich brauchte

man an sich nicht notwendig gerade richtige Tätowierung anzunehmen und könnte auch an Bemalung denken, die ja mehrfach für die Küste von Oberguinea bezeugt ist. Es gibt aber zahlreiche maskenförmige Anhänger aus Bronze, vgl. z. B. vier von den fünf Anhängern auf Taf. 96, auf denen zweifellos dieselbe Sache in sehr viel größerem Maßstabe und darum auch entsprechend deutlicher dargestellt ist. Diese sind aber alle technisch so behandelt, daß bloße Bemalung mit recht großer Sicherheit ausgeschlossen erscheint. Bei manchen dieser Masken ist der ganze Längsstreifen aus einem andern Material eingelegt, bei den anderen durch Punzierarbeit so energisch von der Nachbarschaft abgegrenzt, daß man nur an Tätowierung denken kann.

    Sehr auffallend auf dieser Platte sind die grobmaschig genetzten Ärmel; solche finden sich noch auf zwei andern Platten (Berlin, Taf. 20 A und R. D. XVIII 5), die anscheinend sakraler Art sind. Wir werden sie im Abschnitt X dieses Kapitels näher besprechen. Inzwischen ist hier aber festzulegen, daß von den fünf Personen mit geschorenem Kopf und trichterförmiger Kappe vier auch sonst gleiche Attribute untereinander gemein haben. Ferner halte ich es für völlig sichergestellt, daß auf der Dresdener Platte Stock und Hut von den großen Begleitern nicht »in eigenem Recht« getragen, sondern nur für die Hauptperson getragen werden. Da wir aber andrerseits bereits gesehen haben, daß szenische Darstellungen, die den Inhalt einer einzelnen großen Platte bilden, manchmal auf mehrere kleine Platten verteilt sind, so ergibt sich daraus eine sehr beachtenswerte Schwierigkeit für die Beurteilung vieler Platten mit einzelnen Personen: man kann nicht von vornherein wissen, ob irgendein Attribut, z. B. ein in der Hand gehaltener Stab, der dargestellten Person »im eigenen Recht« gehört, oder ob diese es nur als Diener oder Begleiter ihres auf einer anderen Platte dargestellten Herrn trägt.

Abb. 294. Vergrößerter Ausschnitt aus der Platte R. D. XXVI, 2. Das Original mißt etwa 18 zu 44 cm und hat trotz seiner Schmalheit in jeder Ecke eine Rosette. Etwa $\frac{1}{4}$ d. w. Gr.

    Von der zweiten Form ähnlicher Kopftrachten ist oben gesagt, daß man sich den in gleicher Art geflochtenen Tutulus als über ein langes dickes Haarbüschel gestülpt und von diesem festgehalten denken muß. Ich kenne zwölf Darstellungen dieser Art, die sich auf zwei Gruppen verteilen: die eine umfaßt sieben Personen, alle gleichmäßig mit rachitischer Hühnerbrust, mit langen, bis weit unter die Knie herabreichenden, sorgfältig gemusterten Hemden und mit Stäben; zur zweiten Gruppe gehören auf fünf Platten sechs Personen, die auch ihrerseits wieder ganz gleichmäßig durch höchst eigenartige, mit Roßschweifen geschmückte, rockartige Lendentücher und durch kolbenförmige Rasseln mit Tierköpfen ausgezeichnet sind. Daß diese beiden Gruppen trotz der verschiedenen Tracht doch wieder eng zusammengehören, ergibt sich daraus, daß auf zwei Platten, einer in Berlin und einer in London, Personen aus beiden Gruppen nebeneinander stehen. Zur ersten Gruppe oder Unterart gehören die folgenden Platten:

    6. 7. 8. und 9. Berlin III. C. 8410, 8409, 8256 und 8265, Taf. 41 A, B, C und F; von dieser letzteren Platte gehört nur eine Person in unsere erste Gruppe, die andere in die zweite, ein dritte, die

22*

abgebrochen und nicht vorhanden ist, dürfte nach Analogie mit der gleich unter Nr. 11 zu erwähnenden Londoner Platte der zweiten, also mittleren, Figur völlig gleich gewesen sein.

10. Hamburg, C. 2303, hier Abb. 203 nach Hagen reproduziert.

11. London, R. D XXII 6, hier Fig. 308 abgebildet; wie bei Nr. 9 gehört nur eine Person in diese erste Gruppe, die zwei andern in die zweite.

12. Standort zurzeit unbekannt, hier Fig. 204 abgebildet.

Von diesen sieben Personen halten zwei (Nr. 6 und 10) je einen Stab in der rechten Hand, drei (Nr. 8, 9* und 11) in jeder Hand je einen solchen glatten, langen Stab, eine (Nr. 7, Taf. 41 B) in der Rechten einen an der Spitze gegabelten Stab, und eine (Nr. 12, Abb. 204) drei Stäbe in der Linken und einen in der Rechten. Es ist schwer, sich über die Bedeutung dieser Stäbe eine sichere Meinung zu bilden; da ihre Träger mehrfach mit Leuten vergesellschaftet sind, die Rasseln schwingen, würde es naheliegen, an Takt-stöcke zu denken; daß solche Stäbe auf drei Platten in beiden Händen erscheinen, würde kaum ein zwingender Grund gegen eine solche Auffassung sein; nur daß auf einer dieser Platten neben dem in der Rechten noch drei Stäbe in der Linken gehalten werden, ist bedenklich. Immerhin könnte, wer an solcher Deutung festhalten wollte, sich vorstellen, daß diese drei Stäbe nur vorübergehend getragen und für andere »Dirigenten« bereitgehalten werden. Ich selbst enthalte mich jeden Versuchs einer Erklärung. Hingegen verweise ich auf die bizarre Haartracht, die allen diesen sieben Personen gemeinsam ist; schon ein Blick auf die Taf. 41 und auf die Abb. 203 und 204 zeigt, daß große Teile der Kopfhaut glatt geschoren und nur auf jeder Seite eine scharf rechteckig begrenzte Stelle mit der natürlichen Behaarung belassen ist; von den sieben haben zwei eine richtige »Prinzenlocke«, fünf sind ohne eine solche. Der Streifen in der Mitte des Kopfes, der sich in wechselnder Länge vom vorderen Rande des Tutulus nach unten in der Richtung gegen die Nasenwurzel hin erstreckt, bedeutet vielleicht stehengebliebene Behaarung; wenn aber jemand ihn etwa für Bemalung oder für Tätowierung in Anspruch nehmen wollte, wüßte ich nicht, wie ihn zu widerlegen. Zu dem langen Hemde dieser Leute ist schließlich noch nachzutragen, daß die eng anliegen-den Ärmel alle gleichmäßig bis an die Handwurzel reichen und in derselben Weise gemustert sind wie das Hemd selbst, immer mit wagrechten Streifen, die durch vielfach wechselnde geometrische Zierformen, punk-tierte oder schraffierte Dreiecke, Rhomben, Zickzacklinien und dergleichen ausgefüllt sind. Der untere Rand des Hemdes ist auf einigen Platten mit einer Schnur Perlen besetzt, die abwechselnd glatt und punktiert, also wohl verschiedenfarbig sind, bei andern ist ein glatter oder ein Fransensaum angedeutet.

Womöglich noch einheitlicher sind die sechs Personen der zweiten Unterart:

13. Berlin, III. C. 8265, Taf. 41 F (nur die gegen den Rand der Tafel stehende Person)

14. Berlin, III. C. 27 506, Abb. 156, mit *busti*.

15. London, R. D. XIII 4, hier wegen der *busti* bereits Fig. 161 abgebildet.

16 a, b. London, R. D. XXII 6, siehe Abb. 308, mit zwei Personen dieser Art.

17. London, R. D. XXVI 3, siehe Abb. 196.

Alle diese sechs Personen haben völlig gleichmäßig nicht nur den Tutulus auf dem Scheitel, sondern auch zwei seitliche »Schneisen« in dem vollen, wie üblich schindelähnlich stilisierten Haupthaar und jeder-seits in der Schläfengegend ein zierliches, zu einer flachen, frontal gestellten Schnecke eingerolltes Zöpf-chen. Der Oberkörper ist nackt, nur mit einem Gehänge aus vier bis sechs Reihen zylindrischer Perlen geschmückt, das etwa handbreit über den Nabel herabreicht. Die Lenden bedeckt ein bis zu den Knien reichendes, vollkommen symmetrisch gelegtes Tuch, das wie ein kurzer Frauenrock aussieht und ähnlich wie die unsymmetrischen Schurze, die sonst in Benin die Regel bilden, mit eingepunzten Köpfen, Halb-monden, Sternen usw. sowie mit einer Flechtbandkante verziert ist. Zu diesem Schurz gehört ein Gürtel, von dem völlig symmetrisch zu beiden Seiten drei lange Roßschweife und nach innen von diesen die mit Fransenborten geschmückten Enden des Gürtelbandes herabhängen, wobei zwischen ihnen noch genug Raum übrigbleibt, um in einem breiten Streifen die Musterung des Lendenschurzes zu zeigen. Höchst eigenartig und in seinen Einzelheiten unverständlich ist der Verschluß des Gürtels; er wirkt wie eine große,

---

[1]) Bei dieser Platte, Taf. 41 F, ist der zweite Stab mit dem Vorderarme ganz abgebrochen, man sieht aber noch an zwei Stellen Reste der Gußstege, so daß sein Vorhandensein durchaus gesichert ist; die stark beschädigte Platte muß also ursprüng-lich der Fig. 308 abgebildeten Londoner Platte völlig gleichartig gewesen sein. Nicht sicher zu ergänzen vermag ich dagegen die Platte Nr. 8 dieser Gruppe (Taf. 41 C). Von dieser sind am rechten Rand eine oder zwei Personen abgebrochen; vielleicht waren das auch Leute mit Rasseln, wie auf den zwei eben erwähnten Platten; erhalten ist von ihnen aber nichts als ein mir unver-ständliches, etwa spulenförmiges Gebilde über der Prinzenlocke hart an der Bruchstelle, die gerade da stark verbogen ist.

genau median angelegte Schnalle, liegt aber dem Körper nicht flach an, sondern ragt mit glocken-, schellen- und vogel(??)artigen Gebilden senkrecht aus der Fläche hervor. Zugleich mit den Roßschweifen erweckt ein solcher Gürtel die Erinnerung an gewisse Bauchtänzer des islamischen Orients, die durch ihre uns höchst widerwärtigen Verrenkungen des Unterleibes die Bewunderung und das Entzücken der Einge- borenen erregen. In Anatolien und in Syrien, auch in Ägypten habe ich mehrfach solche in Frauentracht gekleidete Jungen (türkisch *kitschek*) gesehen, die ähnliche Röcke und Gürtel durch ruckweise Bewegun- gen ihrer Bauchwand hochschleudern konnten und damit manche Zuseher zu einer dem Europäer schwer verständlichen Begeisterung und Erregung aufpeitschten. Die Abb. 156 und 196 auf S. 85 und 115 geben eine gute Vorstellung von dieser Tracht und zeigen zugleich besser als die andern Abbildungen die eigen- artig geformte Rassel, die das ständige Attribut aller dieser sechs Personen ist. Wir werden auf diese kolbenartigen Metallgefäße, die oben in einen Tierkopf enden, noch im Abschnitt N η dieses Kapitels und im Kap. 36 zurückkommen.

Wenden wir uns nun zu der dritten Gruppe von Kopfbedeckungen mit einem Tutulus, so sehen wir auf 21 Platten im ganzen 28 Personen mit einer Kopftracht dargestellt, von der hier Fig. 293 eine sche- matische Zeichnung gegeben ist. Anscheinend ist sie ganz einfach aus Perlen zusammengesetzt und von einem geflochtenen Tutulus gekrönt; es ist aber ganz unmöglich, sich über den inneren Bau dieses »Helmes« eine sichere Vorstellung zu bilden. Es ist nicht klar, in welcher Art eigentlich der Tutulus mit dem Perlen- geflecht zusammenhängt, ja es ist nicht einmal sicher, daß es sich um wirkliche Helme handelt; man könnte ebensogut glauben, daß wir es mit künstlichen Haartrachten zu tun haben, in der Art, wie solche bereits S. 116 besprochen wurden und wie sie sich noch heute bei den Ntum erhalten haben und ebenda Fig. 197 abgebildet sind. So müssen wir uns darauf beschränken, nur die äußere Form dieser »Helme« zu beachten und die Art ihrer Verbreitung im alten Benin zu ermitteln, und da zeigt sich, daß 26 von den 28 Personen mit dieser Kopftracht Musiker sind und Glocken, Rasseln und Aufschlag-Idiophone handhaben. Nur die zwei andern scheinen sakraler Art zu sein und gehören jedenfalls in einen völlig andern Kreis. Es sind das die Hauptpersonen auf den beiden schon S. 171 erwähnten Platten Berlin, III. C. 8205 (Taf. 20 A) und London, R. D. XVIII 5. Diese beiden Platten sind untereinander fast gleich und kaum anders als durch ihre kleinen, zufälligen Beschädigungen zu unterscheiden. Die von zwei Begleitern gestützte Hauptperson hat bis auf zwei breite, gekreuzte Bandeliere mit je sechs Schnüren von zylindrischen Perlen nackten Oberkörper, ein wie ein Frauenrock angelegtes Lendentuch und einen schmalen Gurt, von dem abwechselnd Krokodilköpfe und Bänder mit Fransen herabhängen, wie das sonst vorwiegend auf einigen Platten sakraler Art zur Beobachtung kommt, vgl. z. B. die Abb. 158 und 159 auf S. 87. Die beiden Begleiter haben die üblichen doppelten und unsymmetrischen Lendentücher mit dem bis in Schulterhöhe reichenden Endzipfel und haben die hier bereits S. 170 erwähnte Haartracht, die bei flüchtiger Betrachtung leicht mit dem »Helm« der zwischen ihnen stehenden Hauptperson ver- wechselt werden kann; tatsächlich haben sie nur den geflochtenen Tutulus und im übrigen ihr eigenes, schindelartig stilisiertes Haar und eine Stirnbinde mit fünf querverlaufenden Perlschnüren. Auch fehlt ihnen die neben dem Tutulus steckende aufrechte Feder, die ohne Ausnahme bei allen 28 Personen mit dem »Perlhelm« vorhanden ist und bei den Personen mit dem einfachen Tutulus ebenso regelmäßig fehlt. Über die »soziale« Stellung der Leute auf diesen beiden Platten wage ich nicht, eine Meinung zu äußern; um so leichter ist es, in den 26 andern Personen mit unserem »Tutulushelm« Musiker zu erkennen. Es würde sich nicht lohnen, die sämtlichen hierher gehörigen Platten hier einzeln aufzuführen, da wir sie ja doch bei der Besprechung der Musikinstrumente vornehmen müssen. Es genügt, hier festzustellen, daß Personen mit kugelförmigen Rasseln 15mal, Leute mit Doppelglocken 6mal und Leute mit einem Aufschlag-Idiophon 4mal unter ihnen vertreten sind; auf einer weiteren Platte ist der Vorderarm mit dem Musikinstrument, vermutlich einer Rassel, abgebrochen, so daß sie hier nicht eingeteilt werden kann. Nur als Beispiele seien schon hier angeführt: für Leute mit den Rasseln die Platten Taf. 39 D und E, und Ab- bildungen 361 und 362, für die Doppelglocken die Abb. 363 und für die Aufschlag-Idiophone Taf. 38 D sowie die Abb. 302, 303 und 304. Zu der Fig. 360 abgebildeten Platte, die mit in diese Statistik aufge- nommen wurde, möchte ich für alle Fälle schon jetzt darauf hinweisen, daß da die Rassel nicht von dem Manne mit dem Tutulushelm gehalten wird, sondern von einem nackten, also sicher sehr jugendlichen Begleiter; auch ist sie nicht kugelförmig, wie alle andern Rasseln dieser Gruppe, sondern flach; man ist versucht, sich vorzustellen, daß der Künstler sie als zerbrochen in die Hände eines Begleiters gelegt hat; jedenfalls kann kein Zweifel darüber bestehen, daß auch diese Platte durchaus in den Kreis der Musiker mit »Tutulushelm« gehört.

τ)   Trommelförmige Kopfbedeckungen mit Federkrone kenne ich nur von einer einzigen
Platte, Wien 64 796, die hier Fig. 295 abgebildet ist; ganz ähnliche, vielleicht wirklich gleichartige kommen
aber mehrfach auf Rundfiguren von Reitern vor; wir werden sie in Kap. 11 kennen lernen; hier genügt es,
auf Taf. 73 zu verweisen und zu bemerken, daß diese Kopfbedeckungen anscheinend mit den schönen
genetzten Kappen übereinstimmen, in deren Scheitel bei den Fan und im westlichen Kongobecken rote
Papageienfedern sehr kunstvoll eingearbeitet sind. Derartige Kappen können bei Nichtgebrauch umge-
stülpt werden, so daß ihre Innenfläche nach außen sieht, und nehmen dann einen ganz geringen Raum ein,
da alle Federn dicht aneinander liegen; werden die Kappen dann wieder umgedreht, so entfaltet sich auf

ihnen eine erstaunlich große,
völlig regelmäßige Federkrone,
die das Volumen der Kappe
selbst oft um ein Vielfaches überragt und von der man kaum begreift, wie sie vorher in dem
engen Netz Platz gefunden hat.

Auch eine anscheinend aus
Leder gefertigte Kappe dürfte
wohl nur auf einer einzigen Platte
vorkommen, auf der Berliner,
III. C. 8206, die hier Taf. 29 abgebildet ist; sie ist mit einer gedrehten Schnur, die über das Kinn
läuft, festgehalten. Auf dem vergrößerten Ausschnitte Abb. 144,
S. 81 täuscht ein am Grunde der
Platte befindliches Blatt einen
scharfen Stachel vor, der am
Scheitel der Kappe befestigt zu
sein scheint; es ist daher wohl
richtig, ausdrücklich zu bemerken,
daß diese Kopfbedeckung glatt
und nur am Rande etwas aufge-
wulstet sowie in der Schläfengegend durch einige Schnitte gelappt ist.

Gleichfalls vereinzelt, allein
nur auf der Wiener Platte 64 683,
erscheint eine Art Helm, ganz
mit spindel- oder eichel-
förmigen Perlen bedeckt, die
in eng übereinanderliegenden,
wagrechten Reihen angeordnet

Abb. 295. Reiter in ungewöhnlicher Tracht; vermutlich kein Benin-Mann. Wien
64 796. 1/3 d. w. Gr. Vgl. die Rundfigur auf Taf. 73. Diese in ihrer Art einzige
Platte ist auf mein Ansuchen bereits 1901 von Dr. Hein in den Mitt. d. Wiener A. G.
XXXI, S. [129] veröffentlicht worden. Für die leihweise Überlassung des Zinkstockes
bin ich dem Vorstande der Wiener Anthrop. Ges. zu Dank verpflichtet.

sind. In der Scheitelgegend ist eine ganz besonders große, spitzkegelförmige Perle (?) aufrecht-
stehend befestigt; aus kleineren Perlen ist über dem linken Ohr eine Rosette gebildet, in die eine
aufrechte Feder gesteckt ist und von der eine ganz lange Schnur mit einzelnen großen, zylindrischen
Perlen und in eine runde Perle endend bis über den Gürtel herabhängt. Der Träger dieser höchst eigenartigen Kopfbedeckung hält ein Aufschlag-Idiophon, von dem freilich der größere Teil abgebrochen ist;
die Platte wird ad vocem Idiophone noch einmal zu erwähnen sein; hier wäre noch zu bemerken, daß
Heger (1916, S. 147 unter Nr. 23) diesen Helm sehr genau beschreibt, aber ihn »aus größeren konischen
Schneckenschalen« bestehen läßt, ebenso wie er auch sonst vielfach von »Schneckenschalen« spricht, wo
ich Perlen zu sehen glaube. Ebenso darf die weitere, wenn auch recht entfernte Möglichkeit nicht ganz
unterdrückt werden, daß es sich bei dieser Kopftracht überhaupt gar nicht um einen Helm, sondern um
lauter einzelne Haarbüschel handelt, die mit Tonklößen umknetet sind. Solche ganz abenteuerliche Haar-

trachten, die Fülleborn[1]) von den Wakinga veröffentlicht hat, würden im Stile der Beninkunst genau so dargestellt werden wie der »Helm« auf der Wiener Platte.

M. „Kleine Leute".

Unter dieser Überschrift hatte ich bei der ersten Ordnung meiner Benin-Notizen eine große Anzahl von Platten vereinigt, auf denen Personen aus den unteren Schichten dargestellt schienen, Leute ohne besondere Attribute, ohne auffallende Tracht, ohne Waffen usw. Seither sind zweimal neun Jahre vergangen, während welcher die Zahl der da vereinigten Platten ständig abgenommen hat. Heute würde ich einen solchen Abschnitt nicht mehr neu aufstellen, und wenn ich ihn hier überhaupt noch beibehalte, geschieht das sicher nicht aus einem inneren Grunde, sondern ganz allein nur, um mit der einmal gewählten alphabetischen Bezeichnung der einzelnen Abschnitte dieses Kapitels nicht in die Brüche zu kommen. Aus der langen Reihe der ursprünglich hier eingereihten Platten will ich nur einige Beispiele anführen:

1. Berlin, III. C. 8424, Taf. 33 B; interessant wegen der besonders scharf betonten seitlichen Stirnwinkel und wegen des Fehlens der üblichen Ziernarben ober den Augen.

2. Cöln a. Rh., Rautenstrauch-Museum (Berliner Doublette, früher H. Bey 136), auffallend durch eine anscheinend lose ins Haar gesteckte Feder über dem linken Ohr.

3. Dresden, 16 088, siehe die Abbildung bei Webster 21, 1899, Fig. 128, mit zwei an sich eher langweiligen jungen Leuten, die untereinander fast gleich behandelt sind; doch hat der eine links noch eine zweite (also wohl eine »Prinzen«-) Locke, der andere nicht.

4. Halifax, Bankfield-Museum, siehe die Abbildung bei L. R., Gr. Benin, p. 155. Platte mit einer Person, die durchaus der einen auf der eben erwähnten Dresdener Platte gleicht, also mit zwei Zöpfen auf der linken, mit einem auf der rechten Seite; »curious method of hairdressing« sagt L. R.

5., 6. Stuttgart 5400 und 5364 (Berliner Doubletten, H. Bey 201 und 358), hier Fig. 201 und 358 abgebildet. Ähnliche Leute; die letztere Platte sehr auffallend durch ihre bei »kleinen Leuten« und einzelnen Personen ungewöhnliche Größe von 30 × 52,5 cm.

7. Webster 21, 1899, Fig. 40, Nr. 6930. Sehr ähnlich der eben erwähnten Stuttgarter Platte, aber nur 18,4 × 40 cm groß.

N. Musiker.
[Hierzu Taf. 36 bis 39 und 41, sowie Abb. 296—319.]

Unter diesen Titel fällt eine so große Anzahl von Platten, daß allein schon aus dem rein ziffermäßigen Verhältnis ein Schluß auf die Bedeutung der Musik im alten Benin gezogen werden kann. Dabei muß freilich das Wort »Musik« in seinem weitesten Sinne genommen werden, denn einzelne der dargestellten Instrumente sind so primitiv, daß ich lange geschwankt habe, ob die Überschrift für diesen Absatz nicht besser »Musikanten und Lärmmacher« lauten sollte. Aber die vermutlich oft recht lärmenden und nach europäischen Begriffen vielleicht nicht immer »ästhetischen« Geräusche, die mit den uns durch die Bildwerke überlieferten Instrumenten der alten Benin-Kultur hervorgebracht wurden, waren schließlich doch immer rhythmischer Art und sind deshalb als musikalisch zu bezeichnen. In diesem Sinne werden wir also jetzt von den Musikinstrumenten der Benin-Leute handeln und dabei die folgenden Gruppen aufstellen:

α) einfache Glocken,	ε) Aufschlag-Idiophone,	θ) Rahmentrommeln
β) Zeremonialglocken,	ζ) kugelförmige Rasseln,	ι) Trommeln,
γ) Doppelglocken,	η) kolben- oder flaschenförmige	κ) Querhörner,
δ) zwei gleiche Glocken,	Rasseln,	λ) Bogenlauten.

Mit dieser Liste ist die Zahl der im alten Benin gekannten Musikinstrumente wahrscheinlich noch lange nicht erschöpft; es gab da wohl noch eine Anzahl anderer Instrumente, die auf den Bildwerken nicht zur Darstellung gelangt sind und uns daher hier nicht beschäftigen können. Doch verweise ich der Vollständigkeit wegen auf den Abschnitt Musik bei Ling Roth, Great Benin p. 153 ff., der auch recht wert-

---

[1]) »Ethnolog. Notizblatt«, Berlin, Haack, 1901, Bd. II, Taf. IV.

volle Literaturangaben enthält.   Ebenso muß auf den reichen Bestand des Berliner Museums und anderer großer völkerkundlichen Sammlungen an westafrikanischen Musikinstrumenten verwiesen werden sowie ganz besonders auf die ausgezeichnete Monographie von Ankermann im »Ethnolog. Notizblatt« Bd. II, 1901.   Sehr bedenklich ist mir dagegen die Angabe bei Bowdich (Mission to Ashantee), daß die Aschanti ein Instrument »like a bagpipe« gehabt hätten; ebenso ist Bowdichs »rude violin« sicher ein sehr viel einfacheres Saiteninstrument gewesen, das den Namen Geige nicht verdient und nicht mit einem Bogen gestrichen wurde.   Niemand wird freilich B. aus solchen Bezeichnungen einen Vorwurf machen dürfen; die Terminologie der primitiven Musikinstrumente ist ja erst in den letzten Jahren durch die Arbeiten von E. v. Hornbostel und Curt Sachs [1]) geschaffen worden und lag zur Zeit von Bowdich völlig im Argen. Um so dankbarer muß man ihm dafür sein, daß er mehrfach recht genaue Beschreibungen der von ihm gesehenen Instrumente gibt.   So beschreibt er als *bentwa* »a stick bent in the form of a bow and across it is fastened a very thin piece of split cane, which is held between the lips at one end and struck with a small stick; whilst at the other it is occasionally stopped or rather buffed by a thick one; on this they play only lively airs and it owns its various sounds to the lips«.   Ich habe diese Stelle wörtlich hierher gesetzt, weil sie ein typisches Beispiel für die ältere Art solcher Beschreibungen bietet.   Bowdich schreibt nicht immer grammatikalisch richtig; aber auch wenn man davon absehen würde, wäre es doch völlig unmöglich, das Instrument nach seinem Texte zu rekonstruieren, wenn wir nicht aus unseren Museen und aus Abbildungen wüßten, worum es sich handelt.   Natürlich muß der Bogen selbst, nicht die Saite zwischen den Zähnen, festgehalten und die Saite, nicht das Bogenholz, mit dem Stäbchen angeschlagen werden. Dr. Curt Sachs schreibt mir über diese Stelle: »Nur der dünnere Stab schlägt, der dickere ist ein *capotasto* zur willkürlichen Änderung der wirksamen Saitenlänge und somit der Tonhöhe.   Der gleichen Spielart begegnet man an der ganzen Guineaküste mit Einschluß von Fernando Po — übrigens auch als *benta* in Westindien.«

Wesentlich klarer ist B.s Beschreibung der Rasseln als »hollow gourds, the stalks being left as handles; they contain shells or pebbles and are frequently covered with a network of beads; the grimaces with which they are played, make them much more entertaining to sight, than hearing.«   Wie richtig übrigens Bowdich den humoristischen Grundzug der Aschantimusik erkannt hat, geht auch aus der Stelle hervor, in der er von den »Geigenspielern« sagt: »Their grimace equals that of an Italien buffo: they generally accompany themselves with the voice and increase the humour by a strong nasal sound.«

Noch ein weiteres Bedenken terminologischer Art muß hier kurz erwähnt werden; es betrifft solche Instrumente, die in erster Linie als Signal- oder, richtiger gesagt, als Fernsprechapparate dienen; es ist vielleicht nicht ganz logisch, akustische Geräte dieser Art als Musikinstrumente zu bezeichnen; aber eine strenge Scheidung schiene mir nicht nur praktisch undurchführbar, sondern auch erst recht unlogisch, da wir wissen oder wenigstens annehmen, daß dieselben Trommeln und Glocken, die eben als Fernsprechapparate gedient haben, in der nächsten Minute als richtige Musikinstrumente verwandt werden können. Die staunenswerte Differenzierung der Tonhöhen, die das Wesen so vieler westafrikanischen Sprachen ausmacht, bringt es eben ganz mechanisch und automatisch mit sich, daß rein musikalische Instrumente ohne weiteres zur Wiedergabe der menschlichen Sprache und zu ihrer Übertragung auf große Entfernungen benutzt werden können.   Dabei ist es auch nicht immer leicht und oft wohl ganz unmöglich, zwischen echter Fernsprache und bloß verabredeten musikalischen Signalen zu unterscheiden [2]).   Stets aber sind

[1]) v. Hornbostel und Sachs, Systematik der Musikinstrumente, Z. f. E. 1914.   Herrn Dr. Sachs verdanke ich auch die briefliche Mitteilung, daß mit Bowdichs »Instrument like a bagpipe« wahrscheinlich die bei den mohammedanischen Negerstämmen belegte Rückbildung der arabischen Oboe, *zamr*, *ghaida*, gemeint ist, die im Tone tatsächlich sehr an die Sackpfeife erinnert.

[2]) In diesem Zusammenhange ist es vielleicht gut, daran zu erinnern, daß für die Signale der primitiven Völker und für die richtige drahtlose Telephonie, die sie lange vor uns gehabt haben, nicht immer die eigene Sprache benutzt wird, sondern häufig eine fremde.   So hat Westermann gefunden, daß die Togoleute nicht in Ewe, sondern in Tschi trommeln, und Meinhof teilt für Duala mit, daß Trommel- und Sprechsprache ganz verschieden sind.   Bei den Babira im Kongostaate trommelt man in Sprechsprache, wiederholt aber die einzelnen Worte immer wieder, um sie leichter verständlich zu machen, genau wie man etwa bei uns im Gebirge Rufe, die in große Entfernungen dringen sollen, rhythmisch wiederholt.   Daß auch die Trommelsprache im wesentlichen auf dem Rhythmus beruht und daß sie nur in Sprachen mit sehr entwickelter Differenzierung der Tonhöhen möglich ist, steht fest; aber im einzelnen sind unsere Kenntnisse über die akustischen Signale und über die wirkliche Telephonie der primitiven Völker noch recht lückenhaft.   Persönlich vermute ich, daß es sich da vielfach um einen psychologischen Vorgang handelt, ähnlich dem, daß unseren militärischen Signalen Texte von besonders eindringlicher Rhythmik unterlegt werden, wobei der Inhalt selbst ganz gleichgültig sein kann und nur durch seine derbe Komik wirken und im Gedächtnis

die Vermittler dieser Fernsprache und dieser Signale richtige Musikinstrumente und werden deshalb hier in einer Reihe mit den andern musikalischen Instrumenten besprochen:

α)   Einfache Glocken aus Eisen, wie sie heute besonders in Kamerun und den Nachbargebieten sehr häufig sind, scheinen im alten Benin verhältnismäßig selten gewesen zu sein; vermutlich sind nur vier Platten mit Personen erhalten, die eine einfache Glocke mit einem Stäbchen anschlagen, und auch von diesen sind bei zweien die Glocken selbst zum größeren Teile abgebrochen, so daß es nicht völlig sicher ist, ob sie wirklich einfach oder nicht wie auf der Mehrzahl der Platten doppelt gewesen waren. Außerdem gibt es drei Platten, auf die wir in Kap. 8. noch zurückkommen werden, auf denen solche Glocken für sich allein in sehr großem Maßstabe dargestellt sind. Die Originale waren wohl alle gleichmäßig aus zwei Hälften zusammengefalzt mit einem drehrunden Handgriff, der in einen Ring endete; dieser Ring steht bei allen diesen Platten senkrecht auf der Bildfläche und ist daher auf den Abbildungen nicht gut zu erkennen; auf Taf. 49 H ist wenigstens aus dem Schatten auf seine Form zu schließen. Die Falze, in denen die beiden Hälften dieser Glocken zusammengeschmiedet sind, hat man regelmäßig mehrere Querfinger breit über den Rand der Glocke hinausragen lassen, zunächst wohl nur der größeren Haltbarkeit wegen, dann aber vielleicht auch, um außer dem Eigenton der Glocke noch einen zweiten verschiedenen Ton hervorbringen zu können. Deshalb hat man die aus der Schmiedetechnik entstandene Form später auch bei den aus Erz gegossenen und in Elfenbein geschnitzten Glocken beibehalten und die dann technisch bedeutungslos gewordenen Verlängerungen der Falze zu verzierten Knaufen, oft sogar zu menschlichen Köpfen ausgestaltet.

Abb. 296. Glockenschläger, Bankfield-Museum, Halifax. Repr. nach Ling-Roth, Great Benin. Vergl. wegen den Beizeichen III. C. 8439, Taf. 17. A.

In ihrer einfachsten und ursprünglichen Form erscheinen diese Glocken auf den folgenden zwei Platten:

1. Berlin, III. C. 8262, Taf. 38 C. Da hält ein Mann mit geflochtenem Helm und in einer Art Poncho mit ausgefransten Rändern die Glocke in der Linken und schlägt sie mit einem in der Rechten gehaltenen Stäbchen.

2. Halifax, Bankfield-Museum, hier Fig. 296 nach einer Abbildung bei Ling-Roth reproduziert, besonders merkwürdig wegen der blumensternartigen Beizeichen, für die es

haften soll. So wird z. B. in der österreichischen Armee dem Signale, das die Ankunft eines Brigadegenerals anzeigt, der Text unterlegt: »Jessas, Maria, Joseph, der General kommt, der Zwirn, der Zwirn«, wobei »Zwirn« armeedeutsch gleich »Angst« ist. Der entsprechende Text für den Ruf zum Gebet ist ebenso charakteristisch: »Der Vater hat an alten Strumpf verloren, kommts und suchts ihn; suchts, suchts, suchts; hamer schon, hamer schon, hamer schon.« Ebenso der Zapfenstreich: »Gehts z'haus, gehts z'haus, ihr Lumpenhund, ihr freßts 'n Kaiser sein Geld umsonst.« In der griechischen Armee lautet der Zapfenstreich, d. h. der seiner Melodie unterlegte Text: »Θοδώρα, Θοδώρα, ποῦ εἶν' ὁ Θοδωρῆς; — ἄπο κάτο, ἄπο κάτο, ἄπο κάτο τὸ πάπλωμα — εἶναι ὁ Θοδωρῆς« (Theodora, Theodora, wo ist der Theodor? Unter der, unter der, unter der Bettdecke ist der Theodor). Dazu teilt mir Kollege A. Heisenberg gütigst die folgende Variante mit, die er im Griechenlager in Görlitz gehört: »Θοδώρα, Θοδώρα, τὸ πάπλωμα διπλό, Θοδώρα, Θοδώρα, ἃς εἶναι καὶ μονο« (Theodora, Theodora, die doppelte Steppdecke kann meinetwegen auch einfach sein). Gleichfalls Herrn Prof. Heisenberg verdanke ich auch den folgenden Text für den Weckruf am Morgen: »|: Σηκωθῆτε τακτικοί — φᾶτε φασόλια καὶ φακή :| — βράζει βράζει ὁ καφές — καὶ ἀχνίζει ὁ μεζές — τὸ κρασάκι κελαϊδεῖ — φᾶτε φασόλια καὶ φακή« (Steht auf, Soldaten, steht auf, eßt Bohnen und Linsen; es kocht der Kaffee und es dampft die Fleischschüssel, der Wein schäumt, eßt Bohnen und Linsen). So könnte die Zahl der den verschiedenen Armeesignalen von den Soldaten unterlegten rhythmischen Texte noch sehr vermehrt werden; die mitgeteilten genügen, um zu zeigen, wie ich mir das mögliche Verhältnis der Trommelsprache zur gesprochenen Rede denke. Dabei handelt es sich aber bei der Sprechtrommel und sicher auch bei den Querhörnern durchaus nicht immer nur um feststehende Signale, sondern sehr oft auch um völlig improvisierte Rufe, bei denen es nur darauf ankommt, Worte mit möglichst energischem Rhythmus zu wählen, weil die leichter zu trommeln oder zu blasen und auch leichter zu verstehen sind.

In diesem Sinne also, d. h. von den bei uns in den Heeren üblichen Signalen aus, scheinen mir auch die Spielleute, die Trommler und die Querhornbläser, verständlich, von denen sich »die Edelleut zu Benyn« begleiten lassen, wenn sie »zu Hof reyten«: jeder einzelne große Würdenträger hat ein ganz bestimmtes Signal, das ihm allein eigentümlich ist, genau wie auch bei uns die Ankunft eines kommandierenden Generals anders angezeigt wird als die eines Brigadegenerals, und wie ja auch die kaiserlichen Automobile durch einen besonderen Hupenruf schon auf große Entfernungen bemerkbar gemacht werden.

nur eine einzige Analogie auf der Taf. 17 A abgebildeten Berliner Platte gibt; ganz ohne Parallele ist aber die Behandlung der Augen, denen eine richtige Brille vorgesetzt scheint. Zwar sind vielfach auf Benin-Platten die Lidränder etwas ungeschickt stilisiert, so daß sie wie die Fassung eines Brillenglases wirken, aber auf dieser Platte scheinen sie durch einen quer über die Nasenwurzel verlaufenden Steg verbunden zu sein, und auch die gegen die Ohrgegend hin verlaufenden Bügel scheinen nicht zu fehlen. Ich würde mich bestimmter ausdrücken, wenn ich die Platte selbst gesehen hätte; ich kenne sie aber nur aus der Abbildung bei L.-R., der seinerseits nichts von einer Brille erwähnt, obwohl ein Benin-Neger des 16. Jahrhunderts mit einer richtigen Brille immerhin eine besondere Erwähnung verdienen würde; so muß ich mit der Möglichkeit rechnen, daß nur äußere Zufälligkeiten auf dieser Platte eine Brille vortäuschen. Andrerseits hat A. Bastian als letztes Überlebsel früher

Abb. 297. Zwei fast gleich ausgestattete Personen, von denen die rechts stehende eine Zeremonialglocke und das zugehörige Anschlagstäbchen trägt. Verkleinert nach R. D. XXV. 1. Vergl. die Vergrößerung der Glocke, Abb. 298.

portugiesischer Kolonisation an der Loangoküste noch einen alten Neger getroffen, der ihm zu Ehren eine Brille ohne Gläser aufsetzte und ein Buch verkehrt in die Hand nahm.

3. Berlin, III. C. 8402, Taf. 38 A. Mann mit großer sagittaler Haarleiste auf dem sonst fast ganz geschorenen Kopfe. Der über die linke Schulter ragende Zipfel des Lendentuches ist ungewöhnlich breit und deutlich. Er trägt nahe seinem oberen Ende einen großen, dicken Steg für die jetzt größtenteils abgebrochene Glocke, von der nur der Griff erhalten ist; was neben diesem bei flüchtiger Betrachtung für eine kleine zweite Glocke gehalten werden könnte, erweist sich als Daumen.

4. Berlin, III. C. 8440, Taf. 38 B. Platte mit zwei unter sich ganz gleichen Personen, deren höchst eigenartige Haartracht hier bereits S. 132 erwähnt ist. Die Platte fällt auch stilistisch ganz aus der Reihe der übrigen Benin-Platten heraus und ist auffallend wenig überarbeitet. Bei beiden Personen sind die Glocken abgebrochen; nach der Form des erhaltenen Griffes dürften sie einfach gewesen sein. Zum Vergleiche sei hier noch auf die ähnliche Glocke aus Kamerun, Abb. 267, S. XXX, hingewiesen. Das Berliner Museum besitzt eine große Zahl gleichartiger Glocken, darunter eine von den Namdji (Kamerun) aus der Sammlung Strümpell, III. C. 22088; sie ist 112 cm hoch. Eine sehr große Doppelglocke, III. C. 23979, gleichfalls aus Kamerun, von den Bangwa, aus der Sammlung von Stabsarzt Heßler ist 98 cm hoch.

β)   Neben derartigen einfachen Glocken aus Eisen gab es auch glockenförmige Zeremonialgeräte aus Bronze und Elfenbein, die in Kap. 48 zusammengestellt werden sollen. Auf Platten kommen sie, soweit meine Kenntnis reicht, nur ein einziges Mal vor:

London, R. D. XXV 1, hier Abb. 297 verkleinert wiedergegeben. Von zwei unter sich völlig gleich ausgestatteten Personen hält die rechts stehende mit beiden Händen eine sehr reich verzierte Doppelglocke, die wohl aus Bronze gegossen zu denken ist. In der Abb. 298 habe ich versucht, nach dem kleinen Lichtdruck von R. D. die Glocke auf etwa 5/6 ihrer Größe auf der Platte selbst zu vergrößern; das Ergebnis ist nicht sehr befriedigend; immerhin erkennt man die Einzelheiten besser als auf der Original-Abbildung. Die Hauptfläche der Glocke zeigt einen Mann in der uns aus den Abb. 166 bis 170, S. 92 und 93, bekannten sakralen Tracht, der in beiden erhobenen Händen je einen Wels schwingt, ähnlich wie die Personen auf den Fig. 167 und 168 abgebildeten Platten Panther schwingen. Beide Ränder der flachen Glocke sind mit knopfartig vorragenden rundlichen Schellen besetzt, die es verstehen lassen, wie ähnliche Stücke auch als Schlagwaffen aufgefaßt und vielleicht auch wirklich einmal gelegentlich als solche benutzt werden konnten. Nach oben ist die Bildfläche durch ein dreiteiliges Flechtband abgeschlossen; an Stelle der verlängerten Falze (siehe S. 177) sind zwei menschliche Köpfe vorhanden, mit median-sagittaler Kammleiste und anscheinend bärtig (?); vor der großen Glocke befindet sich, ähnlich wie bei der Taf. 105 A abgebildeten, aus demselben Stiele entwachsen, eine zweite, sehr viel kleinere, deren vordere Fläche ganz von einem menschlichen Gesicht eingenommen ist. Der lange, drehrunde Stiel wird unten mit der rechten Hand gehalten; die linke umgreift die beiden Glocken an der Teilungsstelle und hält gleichzeitig auch einen schlanken, runden Stab, wie solche oft zum Anschlagen wirklicher Glocken dienen. Nun geben derartige dick gegossene Zeremonialglocken in der Regel nur einen sehr dürftigen Ton; immerhin liegt es nahe, gerade dieses Stück, wegen des zu ihm gehörigen Stabes, auch zu den Aufschlag-Idiophonen zu zählen, von denen S. 180 ff. unter ε die Rede sein wird.

γ) Typische Musik- und zugleich Signalinstrumente sind die Doppelglocken, bei denen zwei Hohlkörper, ein größerer und ein kleinerer, wie Blumenkelche, einem gemeinsamen Stiele aufsitzen. Die auf uns gelangten Originale sind aus Bronze, vgl. Taf. 105 A und das beschädigte Stück Taf. 105 B. Ob die auf den Platten dargestellten Glocken dieser Form alle aus Bronze waren, oder einzelne auch aus Eisen, muß unsicher bleiben. Einzelne Elfenbeinglocken von gleicher Form sind wohl nur als Prunk- oder Zeremonialgeräte aufzufassen und geben keinen guten Klang. Eiserne Doppelglocken von genau derselben Form wie die im alten Benin sah ich bei einer Duala-Truppe, die in den 8oer Jahren in Berlin und bei einer Aschanti-Gesellschaft, die um 1890 in Wien gezeigt wurde; beide Male wurden sie genau wie wirkliche Sprechtrommeln als Signal- oder Fernsprechapparate demonstriert, dienten aber gleichzeitig auch als gewöhnliche Musikinstrumente. Ganz kleine Nachbildungen solcher Glocken finden sich auch mehrfach unter den bekannten Gewichten[1]), mit denen die Aschanti Goldstaub wiegen. Im folgenden sind die Platten verzeichnet, auf denen Personen mit Doppelglocken dargestellt sind:

1. Berlin, III. C. 8278, Taf. 38 E, die bereits erwähnte sitzende Figur mit der trichterförmigen Kopfbedeckung. (Eine »Doublette« aus dem Brit. Museum, Sir Ralph Moor 274.)

2. Berlin, III. C. 8401, Taf. 38 F, nackter Junge mit Topfhelm.

3. Hamburg, C. 2867, früher Webster 27, Nr. 10 130, nach Websters Abbildung Nr. 67 hier Fig. 363 reproduziert. Von den drei Personen mit völlig gleichartigen Perlhelmen mit Tutulus haben die beiden seitlichen Doppelglocken.

4. London, R. D. XXX 5. Diese Platte und die eben erwähnte Hamburger unterscheiden sich nur dadurch, daß auf der einen die mittlere Person ihre Rassel nach links hält, auf der andern nach rechts.

5. Leipzig, Museum für Völkerkunde, Platte mit zwei Personen, von denen die rechts stehende eine kugelförmige Rassel, die andere eine Doppelglocke hält; bei dieser ist die innere noch sehr viel kleiner, als sie bei den andern Glocken dieser Art schon an sich ist.

6. Eine Platte, die vor etwa einem Jahrzehnt im Handel war und über deren Verbleib ich nicht unterrichtet bin, zeigt zwei unter sich ganz gleich ausgestattete Personen mit Tutulus auf Perlgeflecht und mit ganz besonders sorgfältig verzierten Lendentüchern; genau wie bei der eben erwähnten Leipziger Platte hat der eine Mann eine Rasselkugel, der andere eine Doppelglocke.

Abb. 298. Zeremonialglocke mit der Darstellung eines Mannes, der Welse schwingt. Vergrößert nach R. D. XXV. 1. = Abb. 297. Vergl. die verwandten Darstellungen Abb. 167/8 auf S. 92 dieses Bandes.

7. Rushmore, R. R. 181, große Platte (31 × 43 cm), in der Mitte ein Trommler, zu beiden Seiten je ein Junge mit Doppelglocke (»Both the side-figures hold sistri with two bells upheld in their left hands ...« lautet die in mehr als einer Hinsicht bedenkliche Beschreibung bei P. R.).

8., 9., 10. Berlin, III. C. 8207, Taf. 37; Leipzig, M. f. V., hier Abb. 67 auf S. 59 und Wien 64 660 sind drei Platten, bei denen die Glocken abgebrochen sind; nach der Form der Bruchflächen ist es aber wahrscheinlich, daß es sich um Doppelglocken handelte. Von diesen Platten ist die Berliner durch ganz besonders freie und künstlerische Behandlung des Kopfes ausgezeichnet.

δ) Zwei untereinander gleiche Glocken, von denen jede einzelne so aussieht wie die S. 177 unter α beschriebenen, sind ein sehr häufig wiederkehrendes Attribut auf Platten, die nach einem bestimmten Schema eingeteilt sind: da steht ein großer Würdenträger in der Mitte zwischen zwei kleineren

---

[1]) Vgl. Zeller, R., Die Goldgewichte von Asante, Baeßler-Archiv, Beiheft III. Leipzig und Berlin, Teubner, 1912. Taf. VI, 187, 188 und 189. Drei ähnliche Stücke besitzt auch das Berliner Mus. f. Völkerkunde.

Begleitern, von denen immer der eine mit zwei Glocken, der andere mit einem Querhorn ausgestattet ist. Dabei kommt es ab und zu vor, daß außer diesen drei Personen noch zwei weitere größere Begleiter mit Schild und Speer symmetrisch an die Ränder der Platte gestellt sind, oder auch daß nur eine weitere, also eine vierte Person vorhanden ist, die dann unsymmetrisch an den linken Rand gestellt ist und die übrige in sich symmetrische Gruppe der Hauptperson mit den zwei Musikern etwas nach der Seite verdrängt; dieser weitere Begleiter ist ebenso groß, als sein Herr und hat dessen Ebere zu tragen. Es lohnt nicht, alle die nach diesem Schema hergestellten Platten einzeln anzuführen; es genügt, hier auf die Taf. 20 B, auf die Abbildungen 152, 184, 241, 266, 283 und 299 sowie auf R. D. XVIII 6, XXII 5 und XXIII 1 zu verweisen. Fast ausnahmslos sind die beiden Glocken durch eine kurze Kette mit etwa fünf länglichen Gliedern miteinander verbunden, die auf einzelnen Platten sogar teilweise frei beweglich sind,

Abb. 299. Bruchstück einer großen Platte, auf der ein von zwei Musikern begleiteter Mann dargestellt gewesen sein dürfte. Der Junge (mit auffallend ungeschickter Bildung der Brust) hat vier Strichnarben über dem Auge, statt der üblichen drei. Die Platte hatte Räder statt der Sterne. Berlin. ½ d. w. Gr.

auf andern in hohem Relief der Grundfläche aufliegen. Nur auf dem hier Fig. 299 abgebildeten Bruchstücke fehlt die verbindende Kette. Natürlich wird jede einzelne dieser Glocken immer in je einer Hand getragen und dient abwechselnd auch als Stab, mit dem die andere angeschlagen wird. Es ist mir nicht bekannt, ob derartige Glockenpaare gegenwärtig noch irgendwo in Westafrika gebräuchlich sind; man kann sich aber in jeder Sammlung mit zwei einzelnen Glocken leicht davon überzeugen, daß es möglich ist, die eine mit der andern anzuschlagen. Es gehört aber sicher große Geschicklichkeit und sehr viel Übung dazu, mit ihnen wirkliche Musik zu machen oder verständliche Signale zu geben.

Als Aufschlag-Idiophone bezeichne ich nach dem Rate von Dr. Curt Sachs aus Erz gegossene Figuren von Menschen und von Vögeln, die mit einem Stäbchen angeschlagen werden und mehr oder weniger reine Töne geben; ich hätte sie natürlich als »Klangfiguren« bezeichnet, wenn dieses Wort nicht schon seit E. F. F. Chladni (1756—1827) für die Figuren festgelegt wäre, die auf mit feinem Sande bestreuten schwingenden Platten entstehen. Auch glockenförmige Geräte aus Bronze und aus Elfenbein in der Art des Fig. 298 abgebildeten Stückes könnten bei weiterer Fassung des Begriffes hier noch angeschlossen werden; es schien mir aber richtiger, sie ad vocem Glocken bzw. unter den Schnitzwerken aus Elfenbein aufzuführen. So ist hier nur von Figuren die Rede, die durch Anschlagen mit einem Stäbchen zum Klingen gebracht werden. Unter diesen sind Vögel etwas häufiger als Menschen; auch sind nur von den ersteren einige Stücke im Original erhalten geblieben, vgl. Taf. 106 A, B und Kap. 35, während klingende Figuren in menschlicher Gestalt nicht auf uns gekommen zu sein scheinen und uns nur auf einigen Platten überliefert sind.

Klingende Vogelfiguren kenne ich auf den folgenden Platten: 1. Freiburg i. B. Früher Webster 29, 1901, II 660, Fig. 80, hier Fig. 300 nach einer neuen, besseren Aufnahme abgebildet. Daß der Stab zum Aufschlagen schon von vornherein gebogen war, ist nicht wahrscheinlich; sonst sind dabei Stäbe, auch die zum Anschlagen von Glocken dienenden, immer völlig gerade; so wird man trotz der Sprödigkeit der Beninbronze doch eher an ein nachträgliches Verbiegen zu denken haben. Sehr bemerkenswert aber und recht ungewöhnlich sind die zahlreichen, dicht nebeneinander unter dem Gürtel befestigten dütenförmigen Glocken oder Schellen.

2. London, R. D. XXIX 3, hier Fig. 301 verkleinert wiedergegeben. Drei unter sich recht ähnliche, anscheinend jugendliche Personen, von denen die mittlere nur durch einfachere Fußringe, die ihr zur Rechten stehende durch reichere Verzierung des Lendentuches und einen andern Gürtel, die linke durch andere Stilisierung der Haartracht von ihren Genossen unterschieden ist. Alle drei halten genau wie die Person auf der Freiburger Platte einen »Klangvogel« in der Linken und ein Anschlagstäbchen in der

Rechten. Hier wie dort steht der Vogel auf einer kleinen, kreisrunden, mit einem Flechtband verzierten Platte, der eine ähnliche, noch kleinere auch auf der Kleinfingerreihe der Hand entspricht. Nach unten zu schließt sich an den Handgriff ein drehrundes, kannelliertes, spitz zulaufendes Stück an, das auf der Londoner Platte nur bei der mittleren Person erhalten, bei den zwei seitlichen abgebrochen ist; aus den im Original erhaltenen »Klangvögeln« dieser Art läßt sich schließen, daß dieses unterste Stück nicht aus Bronze, sondern aus einem vergänglichen Material, also wohl aus Holz, war und in den wie eine Dülle gebildeten hohlen Handgriff eingelassen wurde.

3. Rushmore, P. R. 286/7/8; von dieser Platte sind bei P. R. in sehr dankenswerter Art drei Ansichten abgebildet; eine von diesen ist hier Fig. 302 wiedergegeben; sie zeigt sehr gut auch die drei Stege, die neben dem Vorderarm den richtigen Guß des Vogels sicherten. Bei der Reproduktion ist die wenigstens auf der reinen Vorderansicht bei P. R. sehr deutliche Kannellierung des unter dem Handgriffe befindlichen Stückes verschwunden und täuscht sogar eine Art von Querstreifung vor, was hier zur Vermeidung eines Mißverständnisses ausdrücklich bemerkt werden muß. Von

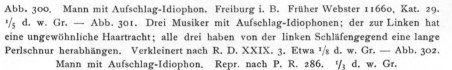

300   301

302

Abb. 300. Mann mit Aufschlag-Idiophon. Freiburg i. B. Früher Webster 11660, Kat. 29. ¹/₅ d. w. Gr. — Abb. 301. Drei Musiker mit Aufschlag-Idiophonen; der zur Linken hat eine ungewöhnliche Haartracht; alle drei haben von der linken Schläfengegend eine lange Perlschnur herabhängen. Verkleinert nach R. D. XXIX. 3. Etwa ¹/₈ d. w. Gr. — Abb. 302. Mann mit Aufschlag-Idiophon. Repr. nach P. R. 286. ¹/₃ d. w. Gr.

der linken Schulter verläuft eine Art Bandelier aus zwei Reihen langer, zylindrischer Perlen zur rechten Hüfte.

4. Wien, 64 683, ursprünglich Sir Ralph Moor 214, dann Webster 5018. Diese ganz außerordentlich schöne und auch durch ihre völlig einzigartige Kopftracht bemerkenswerte Platte würde eine große Abbildung verdienen. Einstweilen sei hier nur auf die ausführliche Beschreibung bei Heger (1916, unter Nr. 23) verwiesen, die ich nur mit wenigen Worten zu ergänzen brauche. Das oberhalb der linken Hand und der kleinen Standscheibe abgebrochene Stück kann nach der Beschaffenheit des vorzüglich schön kannelierten (»gerieften«) unteren Griffendes nur ein »Klangvogel« gewesen sein. Ob die Kopfbedeckung wirklich aus Reihen »von größeren konischen Schneckenschalen« besteht, weiß ich nicht; ich möchte eher an spindelförmige Perlen denken. Völlig unsicher bin ich auch in der Deutung des großen, spitz kegelförmigen Gegenstandes auf dem Scheitel, den H. als große Schneckenschale auffaßt. Über dem linken Ohr ist die typische Rosette, in die eine nach oben ragende Feder gesteckt ist, während nach unten eine lange Schnur mit zylindrischen Perlen bis über den Gürtel herabhängt, die auf den ersten Blick an ein Stück Zuckerrohr mit allerdings sehr kurzen Internodien erinnert. Die gleichen Schnüre finden

sich auch bei allen drei Personen auf der hier Fig. 301 abgebildeten Platte R. D. XXIX 3 und sind auch da, wie bei der Wiener Platte, mit einer runden Perle abgeschlossen.

5. London, R. D. XIV 4. Auf dieser hier Fig. 321, S. 197 abgebildeten Platte mit der reichlich unbeholfenen Darstellung eines Reiters trägt einer der ihn stützenden Begleiter ein Gerät, das wohl auch als vogelförmiges Aufschlag-Idiophon zu deuten sein dürfte. Es ist im Verhältnis zur Größe seines Trägers auffallend groß, auch würde das Fehlen eines Stäbchens zum Anschlagen vielleicht gegen diese Deutung sprechen, aber die Form des Gerätes stimmt mit der unserer sicheren Aufschlag-Idiophone durchaus überein. Ebenso spricht für die Richtigkeit der Deutung die Tracht des Reiters, den wir uns natürlich als den Eigentümer des von dem Diener getragenen Gerätes zu denken haben. Nur wenn die vier bisher erwähnten Platten mit dem gleichen Gerät fehlen würden, könnte man bei dieser an eine Analogie mit der römischen Legionsstandarte denken. Dabei müßte man natürlich den Vogel als Adler auffassen; das tut denn auch P. P. bei der hier Fig. 302 abgebildeten Platte, während R. D. auf ihrer hier Fig. 301 wiedergegebenen Platte »vulture-like birds« erblicken. Ich

303

304

Abb. 303. Aufschlag-Idiophon, Ausschnitt aus der Berliner Platte III. C. 8387, Taf. 38 D. — Abb. 304. Mann mit Aufschlag-Idiophon in Form einer menschlichen Figur. Ausschnitt aus einer großen Platte mit zwei Personen, von denen die zweite, bis auf die letzte Einzelheit gleichgekleidete mit beiden Händen eine kugelförmige Rassel hält. Vergrößert nach R. D. XXX. 3.

selbst sehe keinen Grund, hier an Raubvögel zu denken, und nehme an, daß es sich um dieselbe Ibisart handelt, die vielfach für sich allein und in großem Maßstabe auf Platten dargestellt wird (vgl. Taf. 45) und auf die wir in einem andern Zusammenhange später noch zurückkommen werden.

Diesen fünf »Klangvögeln« stehen nur zwei Aufschlag-Idiophone in der Form einer menschlichen Figur gegenüber:

1. Berlin, III. C. 8387, Taf. 38 D, und in größerem Maßstabe hier Abb. 303. Auf einer oben und unten von einer flachen Scheibe begrenzten Handhabe steht eine in Anbetracht der geringen Größe sehr sorgfältig ausgeführte männliche Person, in der üblichen Tracht mit den zwei Lendentüchern, Kropfperlen mit Tutulus usw. Von der unteren Scheibe hängen mehrere zweigliedrige Ketten herab, an denen kleine, rundliche Schellen befestigt sind.

2. London, R. D. XXX 3. Auf dieser Platte sind zwei nebeneinander stehende, unter sich durchaus gleich ausgestattete Eingeborene dargestellt, der rechts mit einer Kasselkugel, der andere, siehe den Ausschnitt Abb. 304, mit einer kleinen, menschlichen Figur, die mit der eben von der Berliner Platte

beschriebenen in allen wesentlichen Dingen übereinstimmt und auch den Kettenbehang mit ihr gemein hat.

Der Haltung der beschädigten Arme nach könnte man vermuten, daß auch auf der S. 59, Fig. 67 a b abgebildeten Leipziger Platte der Mann ein Schlag-Idiophon gehalten hat; aber es könnte auch nur eine Glocke gewesen sein.

ζ) Kugelförmige Rasseln scheinen im alten Benin sehr beliebt gewesen zu sein, soweit wenigstens die Häufigkeit, mit der sie auf den Platten erscheinen, einen Schluß zuläßt. Auch werden sie schon von den frühesten Reisenden erwähnt, so um 1600 von dem Gewährsmann der Brüder De Bry (India orientalis VI, p. 141). Doch kann man sich weder aus den Beschreibungen noch aus den Bildwerken ein sicheres Urteil über ihre Art machen; sicher ist nur, daß sie umflochten waren. In Togo pflegt man noch heute Kürbisflaschen mit einem lockeren Netz zu umflechten und in die Maschen kleine Wirbel und andere eckige Knochen einzuknüpfen. Beim Schütteln entsteht dann ein sehr scharfes und weithin hörbares Geräusch; ähnlich werden wir

Abb. 305. Mann mit kugelförmiger Rassel, Ausschnitt aus einer Platte mit zwei unter sich fast gleichen Personen. Freiburg i. B.

Abb. 306. Musiker mit kugelförmiger Rassel. Berlin, III. C. 27507, 2/5 d. w. Gr.

uns auch die alten Rasseln von Benin vorstellen dürfen, aber wir wissen nichts Sicheres über das Material, aus dem sie bestanden, und müssen auch mit der Möglichkeit rechnen, daß die Umflechtung nur dazu dienen sollte, die Kugel sicherer greifen zu können und daß die rasselnden Körper, etwa Steinchen, Kauris und dergleichen, sich im Innern befanden. Nur daß wir es da überhaupt mit Rasseln zu tun haben, scheint mir durchaus gesichert; R. D. sprechen freilich nur von »a ball, covered with network, possibly a rattle« und P. R. sogar von »a ball, perhaps a canonball«, aber die Art, in welcher die Personen mit solchen »Kugeln« mehrfach mit ganz einwandfreien Musikanten auf denselben Platten vergesellschaftet sind, würde keinen Zweifel an der Bestimmung dieser rundlichen Körper zulassen, auch wenn wir von den ganz eindeutigen Angaben der frühesten Reisenden absehen dürften, z. B. von der bei De Bry, der von genetzten »Instrumenten« spricht, die rasseln, »als wenn ein Hauffen Welsche Nüß drin wehren, darwider mann mit der Hand klopfte«.

Seite 173 ist bereits erwähnt, daß auf Benin-Platten fünfzehnmal Personen mit dem typischen
»Helm« aus Perlgeflecht und mit einem Tutulus Rasselkugeln halten; sieben andere Personen mit den
gleichen Kugeln haben einen ähnlichen »Helm«, aber mit einer median-sagittalen Leiste, eine hat ein
Stirnband mit Perlen und drei haben ein ähnliches Stirnband sowie außerdem noch eine Art Kamm,
der aus einer Reihe von median-sagittal gestellten großen Perlen besteht. Für die zwei ersten Formen
verweise ich auf die Taf. 39, A, D, E und F und auf die Abb. 307, 361/2/3 und 380; für die dritte Form
ist Abb. 306 zu vergleichen und für die vierte die Abb. 305. So finden wir kugelförmige Rasseln im ganzen
bei 26 Personen [1]), von denen keine einzige einen wirklichen Helm hat. Freilich hat die große Mehrzahl
von ihnen eine helmartige Kopftracht, doch habe ich S. 116 und 173 bereits darauf hingewiesen, daß es
sich sowohl bei den Kopfbedeckungen mit dem sagittalen Kamm als bei denen mit dem Tutulus ver-

Abb. 307.   Mann mit kugelförmiger Rassel, nach R. D.
XXIX. 4.   Etwa 1/5 d. w. Gr.

mutlich nur scheinbar um echte Helme handelt, sondern
wahrscheinlich um absonderliche Haartrachten, bei denen
ein in das lebende Haar eingearbeitetes Flechtwerk aus
Perlen einen abnehmbaren Helm vortäuscht. Wir werden
also wohl annehmen dürfen, daß die Leute mit den
Rasseln und dann wohl auch überhaupt die meisten
»Musiker« eine Kaste oder wenigstens eine soziale Gruppe
für sich bildeten, die von den bewaffneten Kriegern völlig
geschieden war. Mit sehr seltenen Ausnahmen haben sie
eine Art Bandelier aus fünf, sechs und mehr Schnüren
mit zylindrischen Perlen, immer von der linken Schulter
zur rechten Hüfte, gelegt. Dabei ist es bemerkenswert,
daß diese Ausnahmen gerade solche Personen betreffen,
die auch sonst aus der Reihe fallen: es sind zunächst die
Leute mit der ganz ungewöhnlichen Haartracht vom
Typus der hier Fig. 305 abgebildeten, also die zwei Personen auf der Freiburger Platte und die eine auf der
Platte P. R. 11, also die Nummern 24, 25 und 26 der
in der Anmerkung aufgestellten Liste, die da eben wegen
ihrer Haartracht in eine besondere Gruppe zusammengefaßt sind. Diese drei Personen haben statt des
»Bandeliers« ein aus ähnlichen Perlen gebildetes breites,
symmetrisches, bis über die Magengrube fallendes Halsgehänge. Ebenso fällt völlig aus der Reihe eine vierte Per-
son, auf der Platte Berlin 27 507, Abb. 306, die wegen ihrer Haartracht in unserer Liste als Nr. 23 eine Gruppe
ganz für sich allein bildet: sie hat überhaupt kein Perlengehänge, sondern nur eine jener eigenartigen,
unsymmetrischen Halsketten, die im Abschnitt Y dieses Kapitels zusammenfassend behandelt werden
sollen. Die übrigen 22 von den 26 mir überhaupt bekannten Personen mit Rasselkugeln haben das typische
breite Perlengehänge von der linken Schulter zur rechten Hüfte; 7 aber von diesen 22 haben außer diesem
»Bandelier« auch noch die eben angeführte unsymmetrische Halskette; es sind das die in der Liste (An-

---

[1]) Von diesen kommen auf die erste Gruppe (Tutulus auf Perlgeflecht) die folgenden Platten: 1. Berlin, III. C. 8384,
Taf. 39 D. — 2. Berlin, III. C. 8280, Taf. 39 E. — 3. Dresden, 16 064, Abb. 361. — 4. Hamburg, C. 2867, Abb. 363. —
5. Kopenhagen (drei Personen mit Rasseln, nur die mittlere mit Tutulus, die zwei andern mit sagittalem Kamm, also ganz
ähnlich der hier Fig. 362 abgebildeten Londoner Platte R. D. XXIX 5). — 6. Leiden, S. 1170, 5 = M. II. 4, wahrscheinlich
die zu Berlin, III. C. 8280, Taf. 39 E gehörige Hälfte (siehe aber hier Nr. 15). — 7., 8., 9., 10. London, R. D. XIV 3, XXIX 4,
XXIX 5 und XXX 5. — 11. und 12. Wien, 65 064, mit zwei unter sich ganz gleichen Personen. — 13. Stuttgart, 5387, hier
Abb. 364; die Rassel ist abgebrochen, aber mit recht großer Sicherheit anzunehmen. — 14. Zur Zeit unbekannt, wo; sehr schöne
Platte mit zwei unter sich gleichen Personen, die eine mit einer Rassel, die andere mit einer Doppelglocke. — 15. Bruchstück
Webster 19, 1899, 97, 6241, vielleicht in die Mitte zwischen Leiden S. 1170,5 = M. II,4 und Berlin III. C. 8280 Taf. 39 E gehörig.
      Zur zweiten Gruppe (Perlgeflecht mit Crista) gehören: 16. Berlin, III. C. 8279, Taf. 39 A. — 17. Berlin, III. C. 8275,
Taf. 39 F. — 18., 19. Zwei Personen auf der S. 5 angeführten Platte in Kopenhagen. — 20., 21. Zwei Personen auf
der ähnlichen Platte London, R. D. XXIX 5. — 22. Stuttgart, früher Sir Ralph Moor 158.
      Die dritte Gruppe ist nur durch die eine Platte Berlin, III. C. 27 507, Abb. 306, vertreten, die also hier als Nr. 23 gezählt
wird. Zur vierten endlich gehören drei Personen, 24., 25. und 26., auf den zwei Platten Freiburg i. B., Abb. 305, und Rushmore, P. R. 11.

merkung zu S. 184) mit den Nummern 3, 4, 5, 7, 9, 13 und 14 bezeichneten Leute, für die auf die Abbildungen 361 bis 364 und 380 zu verweisen ist. Dreimal, bei den Nummern 4, 5 und 9 der Liste, handelt es sich dabei um Personen, die in der Mitte zwischen zwei gleichgroßen und sonst fast völlig gleich ausgestatteten Begleitern stehen, vor denen sie nur die unsymmetrische Kette voraushaben, die also wohl als eine Art Auszeichnung aufzufassen sein dürfte.

Noch ist hier zu erwähnen, daß ich bei dieser ganzen Aufstellung den nackten Begleiter der Hauptperson auf der hier Fig. 360, abgebildeten Londoner Platte R. D. XIV 3 ganz unbeachtet gelassen habe, obwohl er und nicht diese die Rassel hält. Wie aber schon S. 173 unten bei Gelegenheit der Besprechung der Haartracht des Mannes angedeutet wurde, scheint das rein zufällig zu sein; der nackte Junge hat an sich mit der Rassel nichts weiter zu tun, während der Mann neben ihm genau so ausgestattet ist wie die typischen Rasselschläger. Auch sonst liegt es nahe, anzunehmen, daß auf dieser Platte gleichsam die Außerdienststellung einer zerbrochenen und unbrauchbar gewordenen Rassel dargestellt sein dürfte. Jedenfalls ist sie nicht rund, wie alle andern ihrer Art, sondern sieht wie zusammengequetscht aus; auch ist sie (nach R. D.; ich selbst habe die Platte immer nur hinter einer dicken Spiegelscheibe gesehen) »pierced in a vertical direction«. An der gleichen Stelle (R. D. p. 28) wird von den andern Rasseln gesagt, sie seien »solid«. Ich kann mich dieser Auffassung nicht anschließen. Ich halte es für ganz unmöglich, daß irgendeine dieser Rasseln »solid« ist; außerdem kann man bei 23 von unseren 26 Rasseln bei näherer Betrachtung ganz deutlich erkennen, was freilich meine Vorgänger nicht bemerkt haben, daß der Mittelfinger der rechten Hand in die Rassel hineingesteckt ist, wie um sie zu verschließen und zugleich fester zu fassen. Dies ist trotz der Kleinheit des Maßstabes auch auf den Abbildungen 305, 306, 307 und 361 unschwer zu erkennen. Der Befund ist wohl ganz eindeutig — man müßte denn etwa sich vorstellen wollen, daß im alten Benin die Sitte bestand, ausgesucht gerade den Rasselschlägern einen Teil ihres rechten Mittelfingers zu amputieren.

Abb. 308. Mann mit Stäben, zwei Leute (Tänzer?) mit Rasseln. Nach R. D. XXII. 6. Etwa ⅙ d. w. Gr.

In diesem Zusammenhange muß noch die Platte Wien 65064 erwähnt werden, auf der zwei unter sich wohl völlig gleiche Personen mit Rasseln dargestellt sind. Zu der sehr ausführlichen Beschreibung bei Heger (1916, unter Nr. 31) ist hier noch nachzutragen, daß die netzartige Umhüllung engmaschiger ist als sonst, und daß die Rasseln die Form eines Kürbisses mit einem ganz kurzen Stiel haben. Beide Personen halten den Daumen ihrer linken Hand so auf diesen Stiel, als ob sie eine dort befindliche Öffnung verschließen wollten. So werden wir uns diese Rasseln genau so vorstellen müssen, wie sie Bowdich an der hier S. 176 zitierten Stelle von den benachbarten Aschanti beschreibt, als »hollow gourds containing shells or pebbles and frequently covered with a network of beads«, und tun wohl auch recht, wenn wir uns die von ihm erwähnten Grimassen und den nasalierten Gesang dazudenken.

η) Auf einer kleinen Zahl von Platten[1]) sind Personen mit kolben- oder flaschenförmigen Rasseln dargestellt. Statt einer langen Beschreibung sei auf die Abbildungen 308, 156, 160 und 196 sowie auf Taf. 41 F verwiesen. Die Richtigkeit der Auffassung dieser sehr eigenartigen Gegenstände als Rasseln dürfte kaum zu bezweifeln sein; R. D. sind da zwar sehr viel zurückhaltender und sprechen nur von »a spherical object, the handle of which terminates in an animals head«, aber ich wüßte nicht, wie diese Gegenstände sonst zu deuten wären. Außerdem besitzt die Berliner Sammlung ein kolbenförmiges, langhalsiges Gefäß aus Bronze, das Taf. 72 B abgebildet ist und mit einiger Sicherheit als eine solche Rassel aufgefaßt werden kann, von der nur das obere Ende mit dem Tierkopf abgebrochen ist. Schon die Abbildung zeigt und auf dem Original ist das noch ungleich deutlicher zu sehen, daß der Hals der »Flasche«

[1]) 1. Berlin, III. C. 8265, Taf. 41 F. — 2. Berlin, III. C. 27506, Abb. 156. — 3. London, R. D. XIII 4. — 4. London R. D. XXII, 6, Abb. 308. — 5. London, R. D. XXVI 3, Abb. 196. Auf der Fig. 308 abgebildeten Platte sind neben dem »Dirigenten« (?) zwei ganz gleiche, hierher gehörige Personen dargestellt, und ebenso wäre auch auf der Platte Berlin, III. C. 8265, Taf. 41 E, eine weitere, völlig gleichartige mit großer Sicherheit zu ergänzen — greifbar vorhanden sind aber nur 6 Personen auf 5 Platten.

völlig blank und sehr schön dunkel patiniert ist, während ihr Körper rauh und hell geblieben ist. Dieser
Befund ist nur zu verstehen, wenn man annimmt, daß dieses Gerät durch sehr lange Zeit wie eine Rassel
mit fettigen Händen am Halse gehalten, geschüttelt und so gleichsam poliert wurde.

Wie die Abbildungen zeigen, ist der Körper dieser Rasseln nur in einem Falle, siehe Abb. 196, nahezu
würfelförmig gebildet, in allen andern bauchig, fast wie eine Kugel. Seine Oberfläche ist unverziert, wie
besonders deutlich aus der Abb. 156 ersehen werden kann, oder verziert, und zwar mit menschlichen
Masken, wie auf dem Berliner Original Taf. 72, oder mit Tierköpfen; so habe ich angesichts des Originals
des Fig. 161 abgebildeten Stückes im Britischen Museum einen Antilopenkopf auf dem Körper der
Rassel und einen andern Tierkopf auf dem Ende des Griffes notiert.

Zwei von den fünf Platten dieser Gruppe haben in den Ecken *busti* von Europäern und sind deshalb
hier schon Fig. 156 und
161 abgebildet worden; die
Hauptpersonen auf beiden
Platten haben glatten Körper
mit den typischen Benin-
Narben; hingegen haben die
vier Personen auf den drei
andern Platten den ganzen
Körper (soweit er nicht durch
das Lendentuch bedeckt ist
und ohne das Gesicht, die
Hände und die Füße, also
den Rumpf, die Arme und
die Beine) ganz gleichartig
mit einem eingepunzten rhombischen Muster bedeckt, in
dessen Feldern sich kleine
Kreise befinden. Wir werden
auf diese Leute im Abschnitt
W dieses Kapitels noch
einmal zurückkommen und
wollen einstweilen nicht untersuchen, ob bei ihnen etwa
Tätowierung oder nur ein-
fache Bemalung vorliegt.

Von diesem einen Unter-
schiede in der Behandlung

309

Abb. 309. Mann mit Rahmentrommel (?).
Stuttgart 5382. Etwa 3/10 d. w. Gr. —
Abb. 310. Mann, der in der abgebrochenen
Hand vermutlich eine Rahmentrommel gehalten hatte. Stuttgart 5339. Etwa 3/10 d. w. Gr.

310

der Körperhaut abgesehen, sind sämtliche sechs Personen dieser Gruppe unter sich völlig gleichartig
und ganz absonderlich ausgestattet und gekleidet. Der Tutulus auf ihrem Scheitel, die zwei
seitlichen Schneisen im ungewöhnlich dichten Haupthaar, die zwei schneckenförmig gerollten
und frontal gestellten Zöpfchen in der Schläfengegend, die Kropfperlen, das symmetrische
Halsgehänge, das wie ein kurzer Frauenrock getragene Lendentuch, die vom Gürtel herunter-
hängenden Roßschweife und zwischen diesen die in der Mitte herabhängenden Enden des glatten Gürtels
mit den langen Fransen sowie das höchst eigenartige und in seinen Einzelheiten vorläufig noch ganz un-
verständliche Gürtelschloß — all das ist diesen sechs Personen durchaus gemeinsam. So kann es keinem
Zweifel unterliegen, daß sie einer in sich geschlossenen Gruppe oder Kaste angehören; S. 115 habe ich
bereits angedeutet, daß ihre absonderliche Aufmachung, besonders auch die vom Gürtel herabhängenden
Roßschweife, daran denken lassen, daß sie nicht nur ihre Rasseln schüttelten, sondern auch richtige
»Bauchtänzer« waren, wie die türkischen *kitschek* und deren Genossen in der übrigen islamischen Welt,
auch in ganz Nordafrika.

θ)   Sehr viel unsicherer stehe ich einer großen Zahl von Platten gegenüber, die ich hier ad vocem
»Rahmentrommeln« zusammenfasse. Das sind Platten mit Personen, die einen sehr flachen, rechteckigen Gegenstand in der erhobenen rechten Hand halten und die alle gleichmäßig dieselbe Art Topfhelm

oder Sturmhaube haben und durch eine ganz eigenartige Bekleidung, eine richtige »Uniform«, ausgezeichnet sind. Zu dieser einheitlichen Tracht, für die ich vorweg auf die Taf. 36 A, B, C und F abgebildeten Platten sowie auf die Textbilder 309, 310 und 311 verweise, gehören nackter Oberkörper, Kropfperlen, ein unteres Lendentuch mit feinem Faltenbesatz (»volants«) und ein oberes, das völlig glatt und unverziert, aber meist mit zwei schmalen Bändern gleichsam gerafft ist und sich nach oben in einen schmalen, bis über Schulterhöhe reichenden Zipfel fortsetzt; von der Außenseite dieses Zipfels hängen verschieden viele, bis zu elf, lange, schmale, spitz zulaufende Gegenstände herab, die ich ursprünglich für Vogelfedern gehalten habe; ihre Oberfläche zeigt aber niemals die für die Darstellung von Federn in der Beninkunst typische Mittelrippe mit symmetrischer Fiederung, sondern, soweit sie nicht ganz glatt gelassen ist, nur eine dichte Schraffierung mit schräg sich kreuzenden feinen Linien. So kann man nicht gut von wirklichen Federn sprechen, sondern nur sagen, daß von der Außenkante dieser Lendentuchzipfel Gegenstände herabhängen, die in ihrer Form an Schwungfedern von Vögeln erinnern.

Ebenso unsicher ist auch die Deutung des in der Hand gehaltenen Attributes; es ist ein dünnes, rechteckiges, nahezu quadratisches Täfelchen, dessen längere Seite ungefähr die Größe der Entfernung zwischen Nasenwurzel und Kinn oder Nasenwurzel und Mundspalte des Trägers hat. Es wird stets in einer rein frontalen Ebene gehalten; seine Oberfläche ist entweder ganz glatt oder, wie z. B. auf der hier Taf. 36 F abgebildeten Platte, mit sehr zart eingeschlagenen Punkten verziert, die so zu kleinen Kreisen angeordnet sind, als ob ein Stück Pantherfell dargestellt werden solle. Lange Zeit hindurch habe ich diese Gegenstände für Briefe gehalten und ihre Träger für richtige Briefboten. In dieser Auffassung wurde ich durch die gleichsam befiederten Schurzzipfel bestärkt, denen symbolische Bedeutung zuzuschreiben nahe genug lag. Zwar war es bedenklich, bei einer analphabetischen Bevölkerung einen derartigen

Abb. 311. Mann mit Rahmentrommel (?). Hamburg, C. 2385.
Etwa 1/3 d. w. Gr. (31 × 34 cm).

Botenverkehr anzunehmen, aber man hatte doch mit den Briefen zu rechnen, die sich die Europäer sandten, und auch mit den mohammedanischen Händlern, an die wir sicher auch für jene frühe Zeit denken dürfen und von denen wohl einige schreibkundig gewesen sein mochten. In diesem Sinne schrieb ich 1901 in meiner Beschreibung der K. Knorrschen Sammlung: »Ich bin nun freilich sehr weit davon entfernt, zu erklären, daß diese Leute wirklich »Briefträger« in unserem Sinne seien, aber da sie unter sich zweifellos zusammengehören und eine in sich völlig geschlossene Gruppe bilden, ist es bequem, sie auch unter einem einheitlichen Namen zusammenzufassen, und ich habe sie deshalb als »Boten« bezeichnet, zunächst nur zu meiner persönlichen Bequemlichkeit und im internen Museumsdienst — aber es scheint mir jetzt zweckmäßig, das Wort auch sonst beizubehalten, so lange, als bis uns die wirkliche Bedeutung dieser Leute bekannt wird.« Inzwischen ist diese Bezeichnung ebenso wie die der fraglichen rechteckigen Täfelchen als »Brief« von mehreren Autoren übernommen worden, ich selbst möchte sie aber nicht mehr beibehalten und ziehe jetzt vor, diese Täfelchen mit den rechteckigen »Rahmentrommeln« (Tympana oder Tambourins) zu vergleichen, die, wie mir wiederum Kollege Curt Sachs mitzuteilen so gütig ist, schon sehr früh im vorderen Orient und bei den Ägyptern der 18. Dynastie sowie noch heute als *daff* in Algerien vorkommen. Das soll aber bis auf weiteres nur ein Vergleich und ein Hinweis auf eine Möglichkeit sein. An sich wäre es gewiß nicht verwunderlich, wenn in Nordafrika verbreitete Instrumente sehr früh auch schon in Benin auftreten und auch daß einzelne dieser Geräte die Zeichnung von Pantherfell haben, würde sich mit ihrer Auffassung als Rahmentrommeln gut vertragen, während es schwer ist, sich mit Fell überzogene Briefe vorzustellen; aber doch wird man hier nur von einer bloßen Möglichkeit reden dürfen, solange nicht ähnliche Instrumente in Benin selbst oder in seiner näheren Umgebung greifbar nachgewiesen werden; ebenso ist es nicht ausgeschlossen, daß noch zeitgenössische Berichte zum Vorschein kommen, wenn einmal die alten portugiesischen Handelsarchive daraufhin untersucht werden. Einstweilen seien jene rechteckigen Täfelchen als »Rahmentrommeln« bezeichnet — nur »damit das Kind überhaupt einen Namen hat« und mit allem Vorbehalt.

Ich kenne 11 typische Platten dieser Art [1]) und drei, die von dem Schema etwas abweichen, aber vielleicht doch in dieselbe Gruppe gehören oder wenigstens im Anschluß an die typischen Stücke erwähnt werden dürfen. Eine von ihnen ist die Berliner Platte III. C. 8420, Taf. 36 D. Die rechte Hand ist abgebrochen, aber nach der Haltung des Armes und nach dem »befiederten« Schurzzipfel würde man mit großer Sicherheit eine Rahmentrommel ergänzen können, wenn die dargestellte Person einen Topfhelm hätte; sie hat aber einen unbedeckten Kopf. Die zweite dieser Platten ist in Frankfurt a. M. unter der

Abb. 312. Mann in der Tracht der Leute mit Rahmentrommeln (?). Stuttgart, 5368. Etwa 1/6 d. w. Gr.

Nummer 1156; der dargestellten Person fehlt der befiederte Zipfel des Lendentuches; am unsichersten ist die Zugehörigkeit der dritten Platte, Stuttgart, 5368, hier Abb. 312; da fehlt sowohl die Rahmentrommel als der Helm; vorhanden ist nur der gefiederte Schurzzipfel.

Weiter stehen aber mit jenen typischen Platten in sicherem Zusammenhang auch Rundfiguren von Frauen, die als Teilnehmerinnen auf feierlichen Umzügen dargestellt werden und dabei völlig gleichwertige rechteckige »Rahmentrommeln« in der Hand halten. Sie werden in den Kapiteln 13 und 14 dieses Bandes zur Beschreibung gelangen. Von ganz besonderer Wichtigkeit sind aber einige kleine, schildförmige Anhänger vom Typus der Taf. 98 A und C abgebildeten Stücke. Auf solchen erscheinen Frauen in höchst eigenartiger Tracht dargestellt, manchmal eine typische Glocke mit einem Stäbchen anschlagend, manchmal eine Rahmentrommel hochhaltend. Dieses gleichsam vikariierende Auftreten von Glocken und unseren rechteckigen Täfelchen scheint mir ein starkes Argument für die richtige Auffassung der letzteren als Musikinstrumente zu sein.

Im Anhange zu dieser Gruppe von Platten mit »Rahmentrommeln« seien hier noch einige weitere Platten erwähnt, die mit ihnen vielleicht in einer Art von Zusammenhang stehen. Sie sind zum Teil schon S. 137 aufgeführt, soweit sie durch ihre einfachen Kappen aus Perlgeflecht als unter sich einheitlich erkannt wurden. Das gilt von den Platten Berlin, III. C. 8372, Taf. 27 C, Berlin III. C. 8254, Taf. 36 E, London, R. D. XXII 4, hier Abb. 229, und Rushmore, P. R. 2. Auf diesen vier Platten sind fünf Personen dargestellt, die an einem langen, von der Schulter herabhängenden Riemen eine Art rechteckige Tasche aus Pantherfell tragen; dabei halten sie die Finger beider Hände so auf dem Fell, daß es aussieht, als ob sie auf ihm Takt schlagen wollten. Für den Zusammenhang dieser »Taschen« oder, vorsichtiger ausgedrückt, größeren Gegenstände aus Pantherfell mit unseren kleineren, rechteckigen Täfelchen spricht auch, daß vier von den fünf Personen, die mit ihnen ausgestattet sind, auch die gleichen befiederten Lendentuchzipfel haben; wer daher früher die rechteckigen Täfelchen für Briefe hielt, mußte in den gleichgekleideten Leuten mit den großen »Taschen« notwendig Briefträger erkennen. Mit der einen Auffassung fällt auch die andere, und so werden wir in jenen »Taschen« wohl ebenfalls irgendeine Art von Musikinstrumenten oder wenigstens Geräte zum Taktschlagen erkennen dürfen. Der gleichen Meinung sind auch R. D. sowohl für ihre eben erwähnte, hier Fig. 229 abgebildete Platte XXII 4, als auch für die ganz besonders eigenartige Londoner Platte R. D. XXV 6, von der ich nur zu ungefährer Orientierung hier, Fig. 315, eine kleine Abbildung beibringe, nicht ohne dabei die Hoffnung auszusprechen, daß man in London diese in mehr als einer Hinsicht wichtige Platte bald in dem großen Maßstabe veröffentlicht,

---

[1]) 1. Berlin, III. C. 8421, Taf. 36 A. — 2. Berlin, III. C. 8272, Taf. 36 B. — 3. Berlin, III. C. 8274, Taf. 36 C. — 4. Berlin, III. C. 8257, Taf. 36 F. — 5. Hamburg, C. 2386, hier Fig. 311. — 6. Leipzig (Berliner Doublette, H. Bey 293). — 7. und 8. Stuttgart, 5382 und 5839 (Berliner Doubletten, H. Bey, 274 und 339), hier Abb. 309 und 310. — 9. Bei Herrn H. Strumpf, Hamburg, Nr. 18 seiner Liste. — 10. und 11. Wien, 64 679 und 64 680 (erst Sir Ralph Moor 248 und 296, dann Webster 5020 und 5025). Fünf von diesen elf Platten stammen aus der von Sir Ralph Moor an das Britische Museum gesandten großen Benin-Sammlung. Daß keine einzige Platte dieser Art in London zurückbehalten wurde, ist nicht gut denkbar; bei R. D. freilich ist keine veröffentlicht, und ich erinnere mich nicht, im Britischen Museum eine ausgestellt gesehen zu haben; vermutlich sind solche aber dort gleichfalls vorhanden, so daß sich die Zahl der in diese Gruppe gehörigen Platten noch vergrößern dürfte.

den sie zweifellos verdient. Sie zeigt drei jugendliche Eingeborene, von denen der mittlere in der linken Hand einen geschnitzten Rasselstab hält und in der rechten eine runde, leicht konkave Scheibe, die vielleicht auch als Musikinstrument betrachtet werden kann, wenn man nicht etwa vorziehen sollte, in ihr einen Teller zum »Absammeln« zu sehen. Zu seiner Linken steht ein Junge mit einer Trommel, wie wir sie heute noch aus Togo und von der Goldküste kennen (vgl. Ankermann a. a. O. Abb. 126, S. 55), zur Rechten ein anderer, der mit beiden Händen ein an einem Schulterriemen befestigtes Gerät hält, das wie eine Tasche oder wie ein mit Fell überzogenes Kästchen aussieht. Man könnte an eine Art Jagdtasche denken, wird sich aber, da alle drei Jungen unter sich fast völlig gleich gekleidet sind, wohl eher für irgendein musikalisches Instrument in der Art der Fig. 229 und Taf. 27 C sowie Taf. 36 E abgebildeten entscheiden. Das Gerät ist mit dem ganzen Balg eines langhaarigen und kleinen Tieres überspannt, vielleicht einer *Nandinia*, wie Prof. Matschie mir mitzuteilen die Güte hatte. Die Angabe »leopard skin« bei R. D. p. 28 trifft keinesfalls zu und beruht wohl nur auf einem Schreibfehler.

313 314 315

Abb. 313. Leute mit Trommeln; verkleinert nach R. D. XXIX. 1. Etwa 1/6 d. w. Gr. — Abb. 314. Mann mit sanduhrförmiger Trommel, nach R. D. XXIX. 2. Etwa 1/6 d. w. Gr. — Abb. 315. Drei Knaben oder junge Leute, der mittlere mit einem Rasselstab, der linke mit einer sanduhrförmigen Trommel, der rechts stehende mit einem Gegenstand aus dem Fell eines kleinen langhaarigen Tieres, wohl einer Nandinia. R. D. XXV. 6. Etwa 1/6 d. w. Gr.

Für die Auffassung solcher »Taschen« als Musikinstrumente spricht auch eine Platte des Museums in Leipzig (früher H. Bey 107), die in Kap. 4 abgebildet werden soll. Sie zeigt als Begleiter eines gepanzerten Kriegers mit einem Ebere zwei ungleich große Jungen mit geflochtenen Helmen, aber sonst ganz in der typischen Tracht der Personen mit rechteckigen »Rahmentrommeln«, vor allem also mit dem »befiederten« Lendentuchzipfel. Beide Jungen scheinen durchaus dieselbe Bedeutung zu haben wie sonst die mit Glocken und mit Querhörnern ausgestatteten Begleiter von gepanzerten Kriegern oder andern Würdenträgern, aber sie haben beide Felltaschen, ganz ähnlich den eben besprochenen, auch mit der immer vorhandenen Aufwulstung des oberen Randes, aber aus einer andern Fellart, denn die Oberfläche ist nur gleichmäßig punktiert, so wie in Benin die Haut von Pferden und von Antilopen dargestellt wurde.

Zusammenfassend kann also festgestellt werden, daß es unter den Benin-Altertümern eine größere Zahl von Platten und von andern Bildwerken gibt, auf denen Personen in meist einheitlicher Tracht, vor allem mit »gefiederten« Schurzzipfeln dargestellt sind, und mit tafel- oder taschenartig aussehenden Geräten, die man für Rahmentrommeln und ähnliche Musikinstrumente zu halten einigen Grund hat.

Eigentliche Trommeln im engeren Sinne des Wortes waren in Benin verhältnismäßig selten; ich kenne im ganzen nur zehn Platten [1]), auf denen Trommeln dargestellt sind; unter diesen ist es leicht,

---

[1]) 1. Berlin, III. C. 8400, Taf. 10 A. — 2. Berlin, III. C. 8399, Taf. 10 C. — 3. Hamburg, C. 2869, hier Abb. 146, mit zwei Trommlern. — 4. Hamburg, Museum für Kunst und Gewerbe, große Kampfplatte, hier Taf. 129. — 5. London, R. D. XXV 6, hier Abb. 315. — 6. London, R. D. XXIX 1, hier Abb. 313. — 7. London, R. D. XXIX 2, hier Abb. 314. — 8. Rushmore, P. R. 248, hier Abb. 223. — 9. Rushmore, P. R. 181, der vorigen sehr ähnlich; nur hat der Trommler jederseits einen Begleiter mit einer Doppelglocke. — Eine ihrer Konstruktion nach nicht klare Trommel scheint auch von einer der Nebenfiguren der großen Kampfplatte des Leipziger Museums getragen zu werden.

drei Grundformen zu unterscheiden: größere von schlanker Zylinderform, die auf dem Boden stehen, kleinere zum Umhängen, wie unsere Soldatentrommeln, und ganz kleine, die unter dem linken Arme getragen werden.

Die erste Form ist durch die Taf. 10 C abgebildete Berliner und die Fig. 313 reproduzierte Londoner Platte vertreten. Auf der Berliner sehen wir eine Trommel, die nach ihrem Verhältnisse zu der menschlichen Figur, zwischen deren Beinen sie steht, etwa 85 cm hoch zu denken ist und fast rein zylindrische Form hat; unten endet sie halbkugelförmig, ruht aber auf vier aus dem Vollen geschnitzten kurzen Füßen. Die ganze Mantelfläche ist mit geschnitzten, abwechselnd breiten und schmalen Querbändern bedeckt, von denen die ersteren mit einem schraffierten Dreieckmuster ausgefüllt sind. Das Fell ist mit Hilfe von weit vorragenden großen Pflöcken gespannt und wird mit den Fingern beider Hände geschlagen; wenigstens sind Schlägel nicht angedeutet. Auf der Londoner Platte sind drei anscheinend jugendliche Personen dargestellt, zwei mit Trommeln und eine dritte, kniend, die mit beiden Händen die Trommel ihres Nebenmannes festhält; beide Trommeln haben ungefähr die Maße der Berliner, nur ist die eine etwas schlanker; beide sind mit ringsum laufenden geschnitzten Streifen verziert, die mit Flechtbändern und Dreiecksmustern verziert sind; beide haben in der Nähe ihres unteren Endes eine leichte Einziehung mit einem Kranze von aus dem Vollen geschnitzten, zapfenartigen Vorsprüngen, wie sie ähnlich noch heute vielfach bei Trommeln an der Küste von Oberguinea beobachtet werden und vielleicht als eine Art Gegenstücke zu den Spannpflöcken am oberen Ende aufzufassen sind. Die kniende dritte Person erinnert durch die auffallende Behandlung des Lendentuchzipfels an die eine der beiden knieenden Figuren auf der Berliner Platte Taf. 34 B. Der Schurzknoten ist auf beiden Platten ganz gleichartig behandelt; S. 99 ist bereits gesagt, daß es nicht möglich ist, sich aus einer solchen Darstellung ein Bild davon zu machen, wie das Lendentuch in Wirklichkeit verknotet wurde.

Die zweite Art gleicht ihrer Form und Einrichtung nach so sehr unseren europäischen Soldatentrommeln, daß es naheliegen würde, an eine unmittelbare Beeinflussung zu denken; doch müßte man erst besser als ich über den Ursprung und die Geschichte unserer europäischen Trommeln unterrichtet sein, ehe man sich über ihren Zusammenhang mit der westafrikanischen Hängetrommel ein Urteil bilden könnte. Im alten Benin waren diese Trommeln, nach den Maßen ihrer Träger berechnet, etwa 30—35 cm hohe Zylinder mit rund 30 cm Durchmesser; das Fell war mit 6—8 weit vorstehenden Pflöcken gespannt, die Mantelfläche meist glatt, seltener mit in Dreiecksmustern verzierten Querstreifen, wie bei den großen Standtrommeln. Die Berliner Sammlung besitzt unter der Nummer III. C. 8400 ein ganz ausgezeichnet schönes Bruchstück einer anscheinend ungewöhnlich groß gewesenen Platte, Taf. 10 A, mit einem vollständig erhaltenen, gepanzerten Krieger, der mit zwei drehrunden, langen Schlägeln die Trommel rührt, genau wie ein Spielmann von heute. Da längs einem Rande der für breite Platten typische, umgebogene Falz mit dem Flechtband erhalten ist, das Bruchstück aber nur 14 cm breit ist, kann der Trommler nur als Begleiter oder als Spielmann eines großen Kriegers aufgefaßt werden; anscheinend gehört das Bruchstück in die linke untere Ecke einer Platte etwa von der Art der hier Taf. 13, Taf. 20 B und Fig. 239 abgebildeten; die Hauptperson hatte ein Ebere gehalten, von dem noch die runde Schleife dicht neben dem Helm des Spielmannes vorhanden ist — freilich auf der Abbildung weniger deutlich als solche zu erkennen als auf dem Original. Ein sehr ähnlicher Trommler, auch mit einem jener eigenartigen Helme mit Nagelköpfen, wie ich sie S. 159 mit den prähistorischen Helmen aus Unterkrain verglichen habe, findet sich auf der großen Hamburger Platte, die hier Taf. 129 reproduziert ist. Zwei Trommler nebeneinander (und unter ihnen noch einen Mann mit einem Schießbogen) zeigt das bereits Fig. 146, S. 83 abgebildete Hamburger Bruchstück C. 2869. Zu diesem ist hier nachzutragen, was ich noch nicht bemerkt hatte, als der betreffende Bogen gedruckt wurde, daß es sich unmittelbar an die Londoner Platte R. D. XIX 1 (hier Abb. 119) anpassen läßt. Dadurch ergibt sich für dieses Stück die sonst in Benin von einer einzelnen Platte niemals wieder erreichte Höhe von 70 cm bei einer Breite von 38. In Kap. 5 werde ich auf mehrere Einzelheiten dieses Bildwerks zurückkommen; hier interessieren uns nur die Trommler; von diesen scheint der näher dem Außenrande stehende das Fell nur mit den Händen zu bearbeiten, während sein Nachbar Schlägel zu haben scheint; doch sind diese Einzelheiten wegen des kleinen Maßstabes nicht mit ganzer Sicherheit zu erkennen. Sehr deutliche Schlägel hat hingegen der Trommler auf der ungewöhnlich schmalen und hohen Platte (18 × 48 cm) P. R. 248, hier Abb. 223, während wiederum der ihm ganz ähnliche und mit dem gleichen Helm mit Roßschweifen ausgestattete Spielmann auf der Platte P. R. 181 seine Trommel nur mit den Händen bearbeitet.

Die dritte Art von Benin-Trommeln ist wesentlich schlanker als die zweite und gegen die Mitte zu fast sanduhrartig eingezogen, so daß ihre Form nicht als zylindrisch bezeichnet werden kann, sondern mit der von zwei abgestumpften Kegeln verglichen werden könnte, die mit den kleineren, nicht bespannten Kreisflächen aneinanderstoßen. Über die Einschnürung hinweg aber sind in der Ebene der Mantelfläche zahlreiche Schnüre gezogen, die als Spannschnüre für die beiden Trommelfelle dienen. Wird eine solche Trommel unter die Achsel genommen, kann die Verschnürung zwischen Rumpf und Arm beliebig stark gedrückt und dadurch die Spannung des Felles und die Tonhöhe geändert werden. Solche Trommeln sind noch gegenwärtig in Togo und an der Goldküste in Gebrauch [1]). Die hier Fig. 314 abgebildete Platte R. D. XXIX 2 zeigt eine ähnliche Trommel, bei der die Spannung durch Druck zwischen Daumen und den übrigen Fingern bewerkstelligt wird; unmittelbar neben dem breiten Tragband ragt über die linke Schulter ein drehrunder Zipfel hoch, der wohl dem Lendentuch angehört, aber durch Zufall genau in die Verlängerung der Trommelachse fällt. So wird bei flüchtiger Betrachtung sowohl der Abbildung als auch des Originals der irrige Eindruck erweckt, als hätte die Trommel die Gestalt eines großen Ochsenhornes. Angeschlagen wird sie mit der rechten Hand, ohne Verwendung von Schlägeln, während jetzt diese Trommeln, wo sie sich noch erhalten haben, mit Schlägeln gespielt werden, die in der Regel am Ende rechtwinklig umgebogen und etwas kolbig aufgetrieben sind, so daß sie von weitem an Lötkolben erinnern. Zwischen den Augenwinkeln, oberhalb der Nasenwurzel, ist auf der Abbildung teilweise noch im Schatten des wulstartig verdickten Helmrandes eine Art Rosette sichtbar, die aus rundlichen Perlen zu bestehen scheint. Ich hatte sie auf dem Originale mehrfach übersehen und habe sie erst kürzlich auf der Abbildung wahrgenommen, kann daher über ihre Bedeutung nichts aussagen. Vermutlich handelt es sich um einen an den Kopfhaaren befestigten und über die Stirn herabhängenden Schmuck. — Eine zweite ähnliche Trommel wird von einem der drei Leute auf der bereits S. 188 unten erwähnten und Fig. 315 abgebildeten Platte gespielt, gleichfalls nur mit den Händen, ohne Andeutung von Schlägeln.

Am Schlusse der Anmerkung auf S. 189 ist bereits erwähnt, daß auch auf der großen Leipziger Platte mit der Kampfszene eine der Nebenpersonen eine Trommel an einem Schulterriemen zu tragen scheint; Sicheres über ihre Beschaffenheit läßt sich aber nicht aussagen; das Fell oder die kreisrunde Fläche, die man für das Fell halten kann, ist gerade nach vorn gewandt; acht Pflöcke mit großen, rundlichen Köpfen stehen ringsum im Kreise.

Noch wäre ad vocem Trommeln schließlich festzustellen, daß die eigentlichen Schlitz- oder Sprechtrommeln, wie sie in Kamerun und in großen Teilen des Kongobeckens so häufig sind, in der Benin-Kunst ganz fehlen.

κ) Dem Beispiele von Hornbostel und Sachs folgend, bezeichne ich als Querhörner solche hornförmige Blasinstrumente, die nicht an der Spitze angeblasen werden, sondern an einem seitlich angebrachten Loch. Dabei wird man zur Erklärung einer solchen uns zunächst fremdartig erscheinenden Einrichtung wohl daran denken dürfen, daß die ältesten Blasinstrumente aus Tierhörnern hergestellt wurden, und daß es ganz ungleich einfacher war, etwa ein Antilopen- oder Ziegenhorn von der Seite her anzuschneiden, als es von der Spitze an abzutragen oder anzubohren. An der so gewonnenen Form hat man dann wohl festgehalten, auch wenn man die Blashörner aus Elfenbein oder Holz oder gar aus Metall herstellte. In Benin nun gibt es nur Querhörner, und zwar sehr selten gerade, sehr viel häufiger gebogene; bei diesen aber ist das Blasloch ganz regelmäßig stets an der äußeren, das ist konvexen, niemals an der inneren oder konkaven Seite angebracht; das ist gut, zu wissen, weil anderswo in Westafrika das Blasloch sich mehrfach an der konkaven Seite findet und weil solche Hörner in den letzten Jahren, der Mode folgend, im Handel und in den kleinen Sammlungen nicht selten die irreführende Angabe »Benin« erhalten haben. Da es unter den rund vierzig Darstellungen von Querhörnern auf alten Benin-Platten nicht eine einzige mit dem Blasloch auf der konkaven Seite gibt, wird man in dubio auf die Lage des Blasloches zu achten haben.

Unter den Platten mit Hornbläsern empfiehlt es sich, zunächst diejenigen vorweg zu nehmen, auf denen in größerem Maßstabe ein einzelner Mann mit Querhorn dargestellt ist, und dann erst die viel zahlreicheren Stücke zu behandeln, auf denen Hornisten als Begleiter von Würdenträgern erscheinen. Unter

---

[1]) Vgl. Ankermann, Die afrikanischen Musikinstrumente, im »Ethnolog. Notizblatt«, Berlin, Haack 1901, Bd. III. S. 55, Abb. 126.

den ersteren fallen wiederum vier [1]) durch ihre ganz eigenartige, einheitliche und sonst niemals wiederkehrende Tracht auf, vgl. Taf. 39 B und C sowie Abb. 316. Ihr anscheinend ganz glatter, rockartiger Schurz ist vorn und an den Seiten völlig von drei breiten, unten abgerundeten Lappen aus Pantherfell bedeckt, die bei zwei von den Platten eine Wenigkeit länger, bei den zwei andern ebensoviel kürzer sind als der Schurz; bei den zwei ersteren sind auf dem mittleren Lappen die Ohren, Augen, Nasenlöcher und Schnurrhaare sowie die Rachenöffnung eines Panthers in Relief ausgeführt, ohne daß man entscheiden könnte, ob der Künstler die Haut eines wirklichen Pantherkopfes oder nur eine applizierte Stickerei darstellen wollte. Entwickelt hat sich diese absonderliche Tracht, wie aus später zu besprechenden Rundfiguren einwandfrei hervorgeht, aus einem vollständigen, in der Mitte ausgeschnittenen Pantherfell, das über den Rumpf gezogen und an den Hüften festgehalten wurde. So entsprechen die seitlichen Lappen den Vorderbeinen und die auf den Platten nicht sichtbaren hinteren Lappen natürlich den Hinterbeinen des Tieres. Die Lappen haben alle gleichmäßig aufgewulstete Ränder, ebenso die sonst glatten Gürtel. Der Oberkörper ist unbekleidet, der Kopf mit einem glatten Topfhelm bedeckt; auf der Stuttgarter Platte steckt eine Feder aufrecht in der Mitte der Scheitelgegend. Die Blashörner sind auf allen vier Platten fast gerade, mit Ringen versehen, wie die zwei Hörner auf der Platte 49 G und sind wie diese wohl aus Metall zu denken; nur auf der Stuttgarter Platte hat das Horn am spitzen Ende eine schwache Andeutung von Torquierung, etwa als ob ein Stück eines wirklichen Tierhornes angesetzt wäre. Von den beiden Bläsern, die Taf. 39 B und C abgebildet sind, hat der eine oberhalb der Nasenwurzel drei nach oben divergierende, erhabene Linien oder dünne Streifen, die sich unter den Helm verlieren; der mittlere ist wie eine Schnur gedreht, die seitlichen sind glatt. Ob es gestattet ist, an Narbentätowierung zu denken oder an einen von der Haargrenze herabhängenden Schmuck, wage ich nicht zu entscheiden. An derselben Stelle hat auch der zweite auf Taf. 39 abgebildete Hornist eine kreisrunde Erhabenheit, die man wohl als ein an den lebenden Haaren befestigtes Schmuckstück auffassen darf.

Abb. 316. Mann mit Querhorn, Stuttgart 5398, etwa ⅕ d. w. Gr. (30 × 48 cm).

Auf den weiteren vier [2]) Platten mit je einem einzelnen Hornisten sind die Leute mit den gewöhnlichen unsymmetrischen Lendentüchern und mit geflochtenen Helmen ausgestattet sowie mit einer Art »Poncho«, dessen unterer Rand sich unter dem Gürtel verliert. Das Horn ist wohl aus Elfenbein zu denken und sehr lang, am längsten bei dem in der Anmerkung mit Nr. 1 bezeichneten Dresdener Stück, bei dem die Länge nach den Rumpfmaßen auf etwa 70—75 cm zu schätzen ist. Alle vier Personen gleichen durchaus der großen, hier auf Taf. 72 abgebildeten Berliner Rundfigur und bilden mit dieser eine einheitliche, in sich geschlossene Gruppe, genau wie auch den vier vorher erwähnten Hornisten mit Topfhelm und Pantherfellschurz einige große, in allen Einzelheiten ganz gleichartige Rundfiguren entsprechen, die in Kap. 11 näher beschrieben werden sollen.

Sehr viel zahlreicher als die Platten mit einzelnen Bläsern sind solche, auf denen Personen mit Querhörnern nur als kleine Begleiter von »Würdenträgern« auftreten. Dabei ist es in der Regel ganz leicht, zu unterscheiden, ob es sich wirklich um Kinder handelt oder um Erwachsene, die nur so klein dargestellt sind, entweder weil sie im Hintergrunde gedacht sind oder um ihren untergeordneten Rang auszudrücken.

---

[1]) Berlin, III. C. 8388, 8389 und 8214, die beiden letzten Taf. 39 B und C abgebildet, und Stuttgart 5398, hier Fig. 316; auch diese Platte ist als Doublette aus Berlin nach Stuttgart gelangt, so daß ursprünglich die sämtlichen vier Platten dieses Typus in Berlin vereinigt gewesen waren.

[2]) 1. Dresden, 16 090, früher Webster, 21, 1899, Fig. 37. — 2. Stuttgart, 5365, hier Fig. 106. — 3. Stuttgart, 5375. — 4. Webster, 29, 1901, Fig. 82, Nr. 11 611, jetzt unbekannt, wo. Die Dresdener Platte ist durch den mit Rädern statt der Blumensterne ausgefüllten Grund ausgezeichnet, vgl. Fig. 11 auf S. 16 und den Text auf S. 19 oben.

Meist ist der »Würdenträger« von zwei Musikern begleitet, einem Hornisten und einem Manne (oder einem Kinde) mit zwei Glocken. Dabei steht der Hornist sehr viel häufiger zur Linken der Hauptperson als zu ihrer Rechten. Da das Querhorn in Benin ganz ausnahmslos immer so gehalten wird, daß die rechte Hand in der Gegend der Spitze, die Linke aber an der Schallöffnung liegt, könnte man sich vorstellen, daß der Hornist deshalb an die linke Seite seines Herrn gestellt wurde, damit dieser durch die schrillen Signale weniger belästigt würde, wenn sie von ihm weg, als wenn sie zu ihm hin geblasen werden. Nach diesem Schema sind u. a. die hier Taf. 23 und Fig. 147, 239, 266 und 283 ab-abgebildeten und die Platten R. D. XVIII 6 sowie XXII 5 eingeteilt. Auch die Bruchstücke Hamburg C. 3865, Webster 29, 1901, Fig. 128, Nr. 11707 und Wien 64 800 (Heger 20) gehören anscheinend in eine Gruppe. Zur Rechten der Hauptperson steht der Hornist auf den hier Taf. 20 B und Fig. 152 und 184 abgebildeten Platten sowie auf der Londoner Platte R. D. XXIII 1. Nur auf zwei Platten (Berlin III. C. 8374, Taf. 31 D und London, R. D. XX 6) ist die Hauptperson von zwei Hornisten begleitet, von denen der eine rechts, der andere links von ihm eingeteilt ist, die aber beide unter Verzicht auf die sonst so beliebte Symmetrie ihre Instrumente in der gleichen Richtung, also parallel miteinander, halten. Auf der Londoner Platte haben sie die üblichen Lendentücher, ein Halsband mit Zähnen und ein großes Schwert mit Glocke unter der linken Achsel, sind also trotz ihrer Kleinheit wohl als Erwachsene auf-aufzufassen; auf der Berliner sind es Kinder, das eine fast, das andere ganz nackt, jenes mit einer großen Prinzenlocke, dieses mit nahezu völlig geschorenem Kopf [1]).

Auf einer Platte nur, Berlin III. C. 8396, Taf. 10 D, hat die Hauptperson einen Hornisten als einzigen Begleiter; er steht (oder schreitet) zu seiner Linken, hat genau dieselbe Tracht wie die zwei Bläser auf der Londoner Platte und, deutlicher zu erkennen als bei diesen, auch eine kleine, rechteckige Umhängetasche.

Auf drei Platten entspricht dem rechts von der Hauptperson stehenden Hornisten zur Linken ein mit ihm symmetrisch eingeteilter, ungefähr gleichgroßer Junge, der aber kein Musikinstrument hat: auf der Fig. 165 abgebildeten Platte trägt er das Schwert seines Herrn, auf der Fig. 172 abgebildeten einen Fächer und auf der in Fig. 189 A einen jener runden Schemel, die von manchen Autoren irrtümlich für eine Trommel gehalten wurden und die wir im Abschnitt Q dieses Kapitels im Zusammenhang besprechen werden.

Noch sind schließlich einige besonders figurenreiche Platten zu erwähnen, auf denen die Hornisten nicht zu den Seiten der Hauptperson eingeteilt sind, sondern am oberen Rande der Platte, also im Hinter-Hintergrund und im Gefolge zu denken. So findet sich auf der großen Platte Berlin III. C. 8054, Taf. 11 links oben ein kleiner Bläser, dem rechts unsymmetrisch eine etwas größere Figur mit Helm, Bogen und Köcher entspricht, während die Hauptperson symmetrisch von zwei großen Kriegern mit Schild und Speer und von zwei kleinen nackten Jungen begleitet wird, von denen der eine das Schwert seines Herrn und ein Sudarium, der andere einen Fächer trägt. In ähnlicher Weise sehen wir am oberen Rande einer der großen Kampfplatten des Britischen Museums, mit denen wir uns in Kap. 5 zu beschäftigen haben werden, nebeneinander, aber unsymmetrisch, einen Jungen mit rundem Schemel, einen Hornisten und einen Mann mit einem Speerbündel. Ganz aus der Reihe fällt nur die große Londoner Platte R. D. XIX 1, die hier S. 108 abgebildet ist und links oben durch das S. 83 abgebildete Hamburger Bruchstück ergänzt wird. Diese Platte zeigt in ihrem unteren Teile dieselbe Einteilung wie die eben besprochene Berliner Platte auf Taf. 11, nur daß die zwei nackten Jungen mit Schwert und mit Fächer ihre Stellung vertauscht haben; in einer oberen Reihe sind vier Personen eingeteilt, ein Mann mit Bogen (auf dem in Hamburg befindlichen Stücke), ein Speerträger und zwei Leute mit Querhörnern; eine fünfte Person ist abgebrochen. Die beiden Querhörner sind auffallenderweise ungleich; das eine ist sehr plump, fast gerade, anscheinend aus Blech (?) zusammengefalzt; das andere ist aus dem gebogenen und gedrehten Horn einer Antilope hergestellt. In einer obersten Reihe, also ganz im Hintergrunde des Gefolges zu denken, dürften weitere sieben Personen eingeteilt gewesen sein; von diesen haben sich zwei Trommler auf dem Hamburger Bruch-Bruchstück erhalten und ein einzelner Fuß auf der Hauptplatte in London; die andern sind abgebrochen und einstweilen nicht zum Vorschein gekommen oder wenigstens nicht mit Sicherheit anzupassen.

Auf mehreren Platten ist deutlich zu erkennen, daß einzelne Hörner am Schallende durch ein gut angepaßtes Ansatzstück etwa von Handbreite verlängert wurden. Einige solcher Hörner aus Elfenbein

---

[1]) Bei diesem Jungen ist der Penis nachträglich eingefügt und frei beweglich, anscheinend ohne irgendwelche Neben-Nebenabsicht und nur in nicht recht gelungener Ergänzung eines durch einen Gußfehler bedingten zufälligen Defektes.

mit einem Ansatz aus Bronze haben sich im Original erhalten; ein spätes Ansatzstück dieser Art ist
Taf. 103 c abgebildet. Die große Mehrzahl der Blasinstrumente war sicher mit Benutzung von wirklichen
Antilopen- oder andern Tierhörnern hergestellt; die Vergänglichkeit der Hornsubstanz macht es begreif-
lich, daß keine solchen auf uns gekommen sind.

λ)   Auf einigen wenigen Benin-Platten findet sich auch ein Saiteninstrument. Es wird von den Autoren
als »Harfe« bezeichnet, zweifellos falsch oder wenigstens ungenau; in der Völkerkunde sowohl als in der
Musik sollte man als Harfen nur solche Instrumente bezeichnen, bei denen mehrere Saiten an einem
Bogen befestigt sind; bei den hier in Frage kommenden ist aber an Stelle des einen Bogens für jede Saite ein besonderer Bogen vorhanden. Der Terminologie von Kurt Sachs [1]) entsprechend, bezeichnen wir diese Instrumente als Bogenlauten. Zu vorläufiger Orientierung genügt die Abb. 317 A; wer sich weiter über diese Instrumente und über ihre Verbreitung in Afrika unterrichten will, sei auf die hier schon einmal erwähnte erschöpfende Monographie von B. Ankermann [2]) verwiesen. Solche Bogenlauten nun sind vermutlich auch schon im alten Benin ebenso zahlreich verbreitet gewesen als heute fast überall im tropischen Afrika; daß sie auf den Platten verhältnismäßig so selten erscheinen, ist vielleicht nur in der technischen Schwierigkeit begründet, sie im Relief einfach und verständlich wiederzugeben. Fast

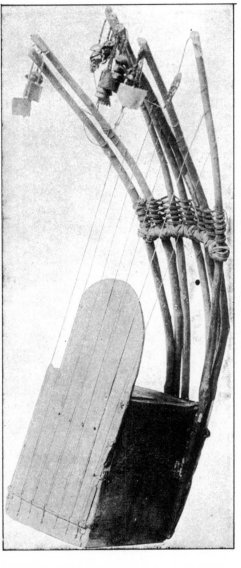

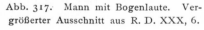

Abb. 317. Mann mit Bogenlaute. Ver-   Abb. 317 A. Bogenlaute aus dem westlichen
größerter Ausschnitt aus R. D. XXX, 6.   Sudân.

völlig überwunden ist diese Schwierigkeit auf der Platte London, R. D. XXX, 6, aus der hier Fig. 317
ein Ausschnitt reproduziert ist. Weniger hervorragend ist das gleiche Instrument in den Händen
des kleinen Jungen mit dem Helm aus Krokodilhaut auf der Platte Fig. 257, und noch unvollkommener
ist die Wiedergabe auf der sonst so hervorragenden großen Kampfplatte in Leipzig, siehe Kap. 5; da
kann man überhaupt nicht mit Sicherheit sagen, sondern nur vermutungsweise andeuten, daß der kleine
»Feind« in der obersten Reihe rechts eine solche Laute schlägt.

        Der systematischen Vollständigkeit wegen ist schließlich hier noch zu erwähnen, daß auf einer
einzelnen Platte anscheinend auch eine Längspfeife erscheint; sie ist aber nicht deutlich genug, als daß

        [1]) Real-Lexikon der Musikinstrumente, Berlin, Bard, 1913, und v. Hornbostel u. Sachs, Systematik der Musikinstrumente,
Z. f. E. 1914.
        [2]) Im »Ethnolog. Notizblatt«, Band III. Berlin 1901.

sie uns hier weiter beschäftigen könnte; wir werden auf solche Pfeifen aber bei Gelegenheit der Beschreibung der geschnitzten Elephantenzähne wieder zurückkommen.

Auf der Platte London, R. D. XXV, 6, hier Fig. 315, ist ein Stock dargestellt; wie solche mehrfach im Original auf uns gekommen sind. Wir werden diese im Kap. 56 beschreiben, lassen es aber besser offen, ob sie mit Recht auch unter den »Musik«instrumenten angeführt werden; sie sind am oberen Ende hohl und haben da einige Längsschlitze, durch die ein durchgezwängtes bewegliches Stäbchen sichtbar ist; man spricht deshalb manchmal von »Rasselstöcken«; andere reden von Szeptern, Würdezeichen und dergleichen. Es genügt, das Vorkommen überhaupt festzustellen.

O. Nackte Jungen.

[Hierzu Taf. 26 A, 33 F, 35 A, B, D, E und 42 sowie die Abb. 173, 202, 356 usw.]

In auffallendem Gegensatze zu den schweren Panzern und zu der auch sonst oft arg überladenen Kleidung auf zahlreichen Benin-Platten steht das häufige Vorkommen von völlig nackten Personen. Von den rund 800 männlichen Eingeborenen, die uns auf Benin-Platten erhalten geblieben, sind etwa 50, also rund 6 auf 100, ganz oder nahezu unbekleidet; das sind aber durchweg Kinder oder halbwüchsige Jungen, und nur allein für die Platte Berlin, III. C. 8383, Taf. 27 D könnte man im Zweifel sein, ob die Früchte pflückende Person nicht doch als erwachsen anzusprechen wäre. Sie wirkt übrigens durch ihre große Umhängetasche schon an sich wie bekleidet, außerdem kann man sich gut vorstellen, daß sie sich nur ganz vorübergehend, für das Erklettern eines Baumes, ihrer sonstigen Kleidung entledigt hat. So gewinnen wir aus den Platten den Eindruck, daß im alten Benin die Knaben etwa bis zum Eintritt der Pubertät unbekleidet blieben, außer wenn sie etwa im Spiele die Kleider von Erwachsenen anlegten — wie mir das z. B. für die Platte Abb. 160 auf S. 88 wahrscheinlich dünkt; auf dieser sind, wie schon oben gesagt, drei Kinder dargestellt, von denen das mittlere einen Würdenträger »markiert«, der von einem Krieger und einem Eilboten begleitet wird. Damit würde wenigstens ungefähr die alte Angabe bei De Bry stimmen, daß die jungen Leute bis zu ihrer Verheiratung nackt gingen. Seither scheint der Verzicht auf Kleidung sich in Benin noch wesentlich verallgemeinert zu haben; wenigstens geht aus einer hier bereits S. 7 angeführten Mitteilung eines Augenzeugen, Dr. med. Roth, hervor, daß der König, als er im August 1897 vor den englischen Behörden erschien, um über seine Unterwerfung zu verhandeln, dabei von fast 400 splitternackten (»stark naked«) Männern begleitet war, »as was their custom in the presence of the king«. In geradem Gegensatze dazu sehen wir auf den Platten, also im 16. Jahrh., die großen Würdenträger häufig von schwer gepanzerten Kriegern begleitet.

α) Inzwischen beginnt die Besprechung der Platten mit nackten Jungen am besten mit solchen, auf denen sie einzeln und für sich allein dargestellt sind. Da wären zunächst unter

1. und 2. die beiden Jungen mit »gefiederten« Fächern (Berlin und Hamburg), Taf. 26 A und Abb. 173, wieder zu erwähnen, die bereits S. 96 beschrieben sind; es scheint sicher, daß sie durch dieses Attribut als »Eilboten« bezeichnet werden sollten.

3. Berlin, III. C. 8414, Taf. 33 F, eine sehr gut modellierte und besonders sorgfältig ziselierte Platte; der ungewöhnlich schlanke Junge hat einen auffallend großen, fast völlig glatt geschorenen Kopf; nur oberhalb der äußeren Augenwinkel sind beiderseits die Haare stehen gelassen und entwickeln sich oberhalb der Ohren je zu einem ganz dünnen, langen, gedrehten Zöpfchen, das fast bis zur Schulter herabreicht. Ganz abweichend von der sonst üblichen Art ist die Bildung der Brustwarzen; während diese sonst in Benin fast ausnahmslos als große, vorspringende Scheiben oder Knöpfe gebildet werden, sind sie hier durch zart eingepunzte kleine Kreise dargestellt. In ähnlich diskreter Art, durch eine nur wenig größere und etwas tiefer eingeschlagene Kreislinie ist auch der Nabel angedeutet. Eng um den schlanken Hals liegen übereinander drei Schnüre mit abwechselnd kleinen und großen, teilweise kannelierten und unter diesen noch eine etwas weitere Schnur von ungewöhnlich dicken, zylindrischen Perlen. An den Vorderarmen je ein doppelter, verzierter Reif. Sonst ist der Körper völlig unbekleidet. Der Penis ist, wie für die meisten Afrikaner typisch, sehr viel länger, als etwa dem Durchschnitte der Europäer entsprechen würde; das Präputium ist abgetragen.

4. Berlin, III. C. 8422, Taf. 35 A und B. Ein Junge mit fast genau der gleichen bizarren Haartracht, mit einer Perlschnur um den Hals und mit einem breiten Gürtel mit großer Schleife, sonst ohne jeden Schmuck, trägt einen Schemel, ebenso wie die Jungen auf den andern Platten unserer Taf. 35;

25*

Abconterfeytung / wie die Edelleut
zu Benyn zu Hof reyten / vnd andere Ceremonien.

Abb. 318. Nach Dapper, Afrika. S. 509.

nur ist der Schemel höher als sonst und mit einer besonderen Handhabe versehen; über diese von manchen Autoren als Trommeln aufgefaßten Schemel wird in Abschnitt Q dieses Kapitels zusammenfassend gehandelt werden.

5. Berlin, III. C. 8271, Taf. 35 D. Junge mit Topfhelm und mit einem ganz ungewöhnlich stark überladenen Wehrgehänge, gleichfalls einen Schemel haltend.

6. Berlin, III. C. 8210, Taf. 35 E. Junge mit Schemel; schmale Reifen an den Vorderarmen und einige Perlschnüre um den Hals, sonst völlig unbedeckt. Über die Tätowierung der vorderen Thoraxwand und des Nasenrückens vgl. den Abschnitt W dieses Kapitels.

7. Berlin, III. C. 8401, Taf. 38 F. Der Junge mit Topfhelm und breitem Gürtel hat auch ein Rudiment eines »Poncho«, einen schmalen Streifen, nicht breiter als etwa die halbe Entfernung zwischen den Brustwarzen; er schlägt eine Doppelglocke.

8. Hamburg, C. 2302, Abb. 202 nach Hagen, Altert. v. Benin I. Junge mit grotesker Haartracht; gedrehte Schnur um den Hals, breiter Gürtel mit großer Schleife, Wehrgehänge, zwei breite Ringe am rechten Arm, sonst unbedeckt. Das ganze Genitale scheint nachträglich durch ein paar Meißelhiebe entfernt worden zu sein.

9., 10. Rushmore, P. R. 9 und Wien, 64 715, zwei unter sich fast völlig gleiche Platten, mit einem am ganzen Körper bemalten (oder tätowierten??) Jungen, vgl. Abb. 356 und die Beschreibung in Abschnitt W dieses Kapitels.

11. Dresden, 16 606, siehe die Abb. 25 bei Webster, 29, 1901. Zwei nebeneinanderstehende, unter sich durchaus gleiche Jungen, bis auf eine sehr dünne Halsschnur und auf dicke Reifen an den Vorderarmen völlig unbedeckt.

12, 13. Berlin, III. C. 8755, Taf. 42 und London,

Abb. 319. Würdenträger mit Begleitern. Dresden 16 136. Reprod. nach Webster 8803.

R. D. XXV, 5. Die beiden unter sich eng verwandten Platten mit je drei nackten Jungen werden wegen ihrer Tätowierung (oder Bemalung) in Abschnitt W dieses Kapitels beschrieben werden.

β)   Fünfmal finden wir nackte Jungen einzeln als Begleiter eines Erwachsenen:

14. Berlin, III. C. 8403, Taf. 26 D. Der Junge trägt an einem Schulterband ein Schwert mit verzierter Scheide; aus vielfacher Analogie ergibt sich, daß er nicht etwa sein eigenes trägt, sondern das Schwert seines Herrn; hingegen ist nicht wahrscheinlich, daß die neben ihm stehende Person dieser Herr ist; der Mangel an allen auszeichnenden Attributen läßt vielmehr vermuten, daß auch dieser Mann nur als Begleiter eines Würdenträgers aufzufassen ist. Dann würde also auch die ganze Platte, trotz ihrer Größe von 30 × 46 cm, nur als Teil einer größeren, sich über mehrere Platten erstreckenden Komposition zu betrachten sein.

Abb. 321. Berittener Würdenträger mit Begleitern, nach R. D. XIV, 4.

15. Webster, 29, 1901, Fig. 47, Nr. 11 392, hier Abb. 198. Junge mit Fächer, gleichfalls als Begleiter eines Erwachsenen ohne besondere Attribute.

16. London, R. D. XIV. 3, hier Abb. 360. Die bereits S. 173 und 185 erwähnte Platte, auf der ein Junge eine anscheinend zerbrochene Rasselkugel hält.

17. London, R. D. XXV, 4, hier Abb. 254; ein Würdenträger, wie sie sonst mit Ringgeld in der Hand dargestellt sind (vgl. Abb. 177 u. 178, S. 99), also wohl ein eingeborener Händler, *fiador*, stützt sich auf einen völlig nackten Jungen.

18. Rushmore, P. R. 18. Mann mit Glockenhelm, Federschurz und Ebere; neben ihm ein Junge, der eine Büchse in der Form eines Antilopenkopfes trägt.

γ)   19—30. Sehr viel häufiger sind nackte Knaben auf figurenreichen Platten als Musiker mit Doppelglocken oder mit Querhörnern, als Schnellboten mit Fächern, als Träger von Schwertern, Schemeln und »Schweißtüchern« — vgl. die Tafeln 11, 19 A, 23 und 31 D sowie die Abb. 160, 165, 172, 184, 190, 221 und 222. So gut wie nackt sind auch die beiden Begleiter eines Trommelschlägers, P. R. 181.

31—33. Auf drei besonders schönen und großen Platten, Berlin, III. C. 8056, Taf. 24, Dresden 16 136, hier Abb. 319, und Rushmore, P. R. 7, hier Abb. 320, ist ein berittener Würdenträger dargestellt, vielleicht der König selbst, von zwei großen Begleitern mit Schilden »beschirmt« und von zwei nackten Jungen mit erhobenen Händen ge-

Abb. 320. Berittener Würdenträger mit Begleiter. Das Original ist völlig symmetrisch; hier ist der Raumersparnis wegen nur ein Ausschnitt aus P. R. 7 gegeben.

stützt; nur auf der letzterwähnten Platte hat einer der beiden Begleiter die üblichen unsymmetrischen Lendenschurze.

δ)   34—36. Eine Gruppe ganz für sich bilden schließlich die drei Platten Berlin, III. C. 8377, Taf. 40, die ihr sehr ähnliche Platte London, R. D. XIX, 3 und die Platte London, R. D. XXIII, 6. Auf den beiden ersteren Platten ist ein Eingang in den königlichen Palast dargestellt; wir werden in Kap. 5 noch auf sie zurückkommen; hier interessiert uns nur die »Torwache«, zwei Leute mit Schild und Speer, und zwei Schnelläufer, nackte Jungen mit einem Fächer. Auf der letzten Platte aber, von der unsere Abb. 354 einen vergrößerten Ausschnitt wiedergibt, sind diese vier Leute für sich auf eine Platte gebracht, wie eine heranmarschierende Wachablösung, genau in derselben Anordnung, wie sie auf den beiden Palastplatten erscheinen, aber ohne jedwede Architektur.

Abb. 322. Reiter, von zwei Begleitern gestützt; das Reittier wird von einem kleinen Jungen mit »Prinzenlocke« am Halfterstrick geführt; die beiden größeren Begleiter haben zum Teil rasierte Köpfe, aber mit großer sagittaler Haarleiste. Der Reiter hat drei Perlenschnüre um die Stirn und ebensoviele um die Hüftgegend. Reprod. nach R. D. XIX, 2.

Auf einem Teile der hier aufgezählten 37 Platten sind die nackten Jungen in ausgedehntem Maße tätowiert oder bemalt. Wir werden auf diese Stücke im Abschnitt W dieses Kapitels noch einmal zurückkommen.

P. Reiter.

[Hierzu Taf. 24 und die Abb. 318 bis 322.]

Das Reiten auf Pferden, Eseln und Maultieren ist dem tropischen Afrika natürlich von vornherein fremd, ebenso wie auch Rinder da nur in vereinzelten Fällen und lokal beschränkt als Reittiere benutzt werden. Andrerseits wissen wir, wie das Pferd gegenwärtig im ganzen westlichen Sudân verbreitet ist; die Panzerreiter von Bornu und Baghirmi haben schon in unserer Kindheit unsere Phantasie auf das lebhafteste beschäftigt, und noch heute gehören Gruppen von berittenen Haussa und Mandingo zu den schönsten und dankbarsten Bildern, die ein guter Photograph aus Westafrika heimbringen kann. Noch wissen wir nicht sicher, ob das Reitpferd erst mit dem Islâm in die Haussa-Länder gelangt ist, oder ob es auf den alten Karawanenwegen nicht etwa schon in vorgeschichtlicher Zeit seinen Weg durch die große Wüste in das Herz des tropischen Westafrika gefunden, aber wir sehen, daß schon die ältesten, uns erreichbaren historischen Quellen für die Küste von Ober-Guinea das Pferd als Reittier der Vornehmen kennen.

Die Berliner Sammlung besitzt eine ausgezeichnet schöne Benin-Platte, III. C. 8056, Taf. 24, mit einem Reiter und seinem Gefolge; zwei ganz ähnliche Platten, Dresden 16 136 und Rushmore P. R. 7/8, sind hier Abb. 319 und 320 reproduziert. Es ist kultur- und kunstgeschichtlich gleich interessant, sie mit der zeitgenössischen Zeichnung eines europäischen Künstlers zu vergleichen, die hier Fig. 318 aus dem Buche von Dapper entlehnt ist. Stilistisch sind die Bilder so verschieden wie nur irgend möglich, aber inhaltlich decken sie sich vollkommen. Je sorgfältiger man das Bild bei Dapper studiert, um so mehr freut man sich über die vollständige Gleichheit des Inhalts und über die vielen gemeinsamen Einzelheiten. Da sieht man zunächst den auch auf den Platten fast nie fehlenden Mann, der das Pferd führt. Da wie dort reitet der Würdenträger im Seitensitz, da wie dort wird er von zwei Begleitern gestützt; bei Dapper wird ein richtiger Sonnenschirm über ihn gehalten, auf den Bronzen wird er in echt afrikanischer Art noch mit zwei hochgehobenen Schilden vor der Sonne geschützt; auch der Bogenträger bei Dapper hat sein Gegenstück wenigstens auf zwei von den drei Platten, auf der Berliner, Taf. 24 und auf der Fig. 320 abgebildeten in Rushmore. Bei Dapper folgen dann noch ein Speerträger, ein Spielmann mit einer Pfeife und zwei Trommler — alles Typen, die uns aus der Benin-Kunst längst bekannt und geläufig sind. So ergänzen sich die beiden Quellen in wunderbar harmonischer Weise und geben uns ein Bild von der Wirklichkeit des 16. Jahrhunderts, wie wir es besser kaum von einer modernen Photographie erwarten könnten, und Dappers Überschrift »Abconterfeytung, wie die Edelleut zu Benyn zu Hof reyten« könnte ohne Bedenken als Beschriftung zu jeder von den drei großen Bronze-Platten genommen werden.

Weniger figurenreich sind die beiden Platten London, R. D. XIV, 4 und XIX, 2, die hier Fig. 321 und 322 reproduziert sind; beide zeigen uns nur den Reiter auf zwei Diener gestützt und sein Pferd von einem dritten Begleiter am Halfterstrick geführt; beide ergänzen sich in sehr erwünschter Weise dadurch, daß das Pferd auf der einen Platte in Seitenansicht, auf der andern in reiner Vorderansicht dargestellt ist.

Ganz ohne Begleiter erscheint ein Berittener nur ein einziges Mal, auf der Platte Wien 64 796, die hier wegen des Helmes bereits Fig. 295, S. 174, abgebildet wurde. Nach der Tracht des Mannes zu urteilen, dürfte er kaum aus Benin sein; da er aber unter den Benin-Altertümern mehrfach auch in ganz rundem Bildwerk erscheint, werden wir ihn vielleicht für den Herrscher eines befreundeten Nachbarvolkes halten dürfen. Die Platte wird zweckmäßig erst im Zusammenhange mit jenen Rundfiguren beschrieben.

Ganz kurz zu erwähnen sind hier noch die berittenen Gefangenen auf den Platten mit Kampfszenen; sie werden in Kap. 5 näher beschrieben werden. Ebenso sei hier ein kleines Bruchstück nicht ganz übergangen, Webster 11 701, von dem im Katalog 29, 1901, Fig. 138 eine nicht genügende Abbildung gegeben ist; man kann eben noch erkennen, daß ein Mann auf einem Pferde sitzt. Ich weiß nicht, wo es sich jetzt befindet; möglicherweise gehört es zu der Fig. 190 abgebildeten Londoner Platte.

Q. Leute mit Schemeln.
[Hierzu Taf. 35 und Taf. 38 E sowie die Abb. 323 bis 325.]

Zwanzigmal etwa erscheinen auf Benin-Platten kleine, runde Schemel, die gleichzeitig auch als Behälter gedient haben. Man hat sie in kurioser Weise bisher meist als Trommeln gedeutet, doch kann über ihre wirkliche Bestimmung nicht der Schatten eines Zweifels bestehen: es gibt mehrere Platten mit Menschen, die auf solchen Schemeln sitzen, und es gibt noch heute in Westafrika ganz gleichartige und in genau derselben Technik hergestellte Stücke; außerdem befindet sich unter den Benin-Altertümern des Berliner Museums sogar eine peinlich genaue Nachbildung eines solchen Schemels in wirklicher Größe aus Bronze, mit genauer Wiedergabe der Nähte.

Ähnlich wie die *lindo* der Wanyamwesi sind diese Schemel aus Rindenbast genäht. Zu ihrem vollen Verständnis gelangt man am einfachsten, wenn man von modernen Stücken ausgeht; Fig. 325A sind zwei solche Schemel abgebildet, beide von den Bayansi stammend, die ihrer sonstigen Kultur nach anscheinend zu den Fan- oder Pangwe-Stämmen gehören und jedenfalls in allernächster Nähe von echten Fan und von SO-Kamerun wohnen, also in einer Gegend, deren alte Beziehungen zu Benin ganz offenkundig sind und schon in den S. 116 erwähnten bizarren Haartrachten zum Ausdruck gelangen. Die Schemel bestehen, da sie gleichzeitig als Büchsen dienen, aus zwei Teilen, dem eigentlichen Behälter und dem Deckel; wie die Abbildung, auf der einer der Schemel geöffnet ist, zeigt, sind beide Teile ganz gleichartig aus einem zylindermantelartigen Rindenstück und aus einer kreisrunden Holzscheibe zusammengesetzt; auf die Naht des »Mantels« ist so große Sorgfalt verwendet, daß sie zugleich als Schmuck wirkt; wir sehen sie deshalb mehrfach auch auf den alten Benin-Platten bewußt nach vorn gewandt, soweit nicht etwa, was ab und zu vorkommt, die ganze Mantelfläche mit Pantherfell überzogen erscheint. Sonst sind die Benin-Schemel von denen der Bayansi nur dadurch unterschieden, daß bei jenen die Mantelfläche des Deckels bis zur Bodenscheibe übergreift, wodurch natürlich ein weit festerer Halt erzielt wurde als bei den modernen Stücken; dagegen sind bei den alten Schemeln die runden Scheiben dünner als bei den neuen.

Im folgenden sind die einzelnen Platten mit solchen Schemeln in kurzen Schlagworten beschrieben.

1. Berlin, III. C. 8422, Taf. 35 A, B. Schemel sehr hoch, mit einer besonderen, sonst nicht vorkommenden Handhabe versehen. Zwischen dieser und der Mantelnaht ist eine kurze, geflochtene Schleife angelegt, vielleicht zur Befestigung des Deckels.

2. Berlin, III. C. 8253, Taf. 35 C. Schemel besonders niedrig, mit Pantherfell überzogen; neben ihm ist eine große Scheibe sichtbar, die zum Griffe des unter der Achsel getragenen Schwertes gehört. Ungewöhnlich überladenes Wehrgehänge mit Streifen aus Pantherfell; große, runde Glocke an der Schwert-

Abb. 323. Ungewöhnlich große Platte, ¹/₆ d. w. Gr. Besonders überladene Tracht, wahrscheinlich von Hofbedien-
steten. Der zylindrische Schemel ist mit Pantherfell überzogen. Repr. nach P. R. 3.

Abb. 325. Junge, einen niederen runden Schemel haltend.
Nach R. D. XXX, 1.

Abb. 324. Sehr große Platte (38 × 54 cm) 11,8 kg schwer.
Diener, einen ungewöhnlich hohen und schlanken Schemel
tragend. Berlin III. C. 20830, etwa ¹/₆ d. w. Gr.

Abb. 325 A. Zwei Schemel aus Rindenbast, beide von den Bayansi
am Kongo. Berlin III. C. 4422 und 2671; O. Mense l. l. 1887 und
H. v. Wißmann l. l. 1885.

scheide. Um den Hals eine einfache Schnur mit zylindrischen Perlen und über dieser eine zweite mit
zwei großen, eichelförmigen Perlen, zwischen denen eine kleine, flache, scheibenförmige Perle liegt.

    3. Berlin, III. C. 8271, Taf. 35 D. Die Sitzfläche des sehr niedrigen Schemels mit Pantherfell
überzogen; die Naht der Mantelfläche nach vorn gewandt.

    4. Berlin, III. C. 8210, Taf. 35 E. Die Mantelfläche des Schemels mit Pantherfell überzogen. Die
auch wegen der seltenen Tätowierung des völlig nackten Jungen bemerkenswerte Platte wird im Abschnitt
W dieses Kapitels ausführlich besprochen werden.

5. Berlin, III. C. 8278, Taf. 38 E. Der wegen seiner trichterförmigen Kopfbedeckung und wegen der Doppelglocke bereits erwähnte Mann sitzt auf einem ganz typischen Vertreter unserer Schemel mit genau nach vorn gewandter Mantelnaht.

6. Berlin, III. C. 20 830, Abb. 324. Ungewöhnlich große, dicke und 11,8 kg schwere Platte von vorzüglicher Arbeit. Bärtiger Mann, wohl ein Diener, mit besonders hohem und schlankem Schemel; Mantelfläche mit Pantherfell überzogen.

7. Dresden, 16 139, hier nach einem Bilde von Webster wegen der *busti* schon Fig. 155 abgebildet; auf dieser großen und figurenreichen Platte wird ein Schemel von einem der Begleiter auf dem Kopfe getragen.

8. Hamburg, 1048 : 05, Bruchstück einer Platte mit dem Kopfe, den Schultern und den Armen eines Mannes, der einen runden Schemel auf dem Kopfe trägt und mit beiden Händen festhält. Nach der Größe des Kopfes zu schließen, dürfte er von der Hauptfigur einer größeren Platte stammen.

9. Hamburg, C. 2894, siehe hier die Abb. 159 auf S. 87, Mann mit Hammer, zwischen zwei knienden Begleitern auf einem Schemel sitzend.

10. Leipzig, Doublette aus dem Brit. Mus. (Sir Ralph Moor 281). Junge mit maßlos überladenem Wehrgehänge. Der Schemel sehr niedrig, mit ganz ungewöhnlich großen Scheiben. Das Stück bildet nur die rechte Hälfte einer breiten Platte, die zugehörige linke kann ich nicht nachweisen.

11. Leipzig, früher Webster 9489, hier nach dessen Abb. 56 in Kat. 24 in Fig. 182 abgebildet. Drei Personen, von denen besonders die beiden seitlichen nach vielen Richtungen hin auffallend und ungewöhnlich sind; der den flachen Schemel tragende Junge hat jene nicht sicher zu deutende kappenähnliche Haartracht, für die hier S. 124 die Abb. 212 und 213 als Beispiele gegeben waren.

12. London, R. D. XIV, 5. Unsymmetrische Platte, bereits S. 154 unter Nr. 9 erwähnt. Der neben dem einen der beiden gepanzerten Krieger mit »Mitra« stehende Junge hält die Hälfte eines Schemels so, als ob es ein Gefäß wäre, aus dem er etwas ausschütten wollte.

13. London, R. D. XVI, 6. Siehe die Abb. 158 auf S. 87 und die neben dieser stehende Abb. 159 der gleichartigen, eben unter Nr. 9 erwähnten Hamburger Platte.

14, 15. London, R. D. XVIII, 4 und XXIV, 5. Zwei unter sich fast ganz gleiche Platten, siehe die Abb. 221 u. 222 auf S. 128. Auf beiden trägt einer der zwei nackten Begleiter einen Schemel.

16. London, R. D. XXI, 4, siehe Abb. 353. Barocke Platte; der kleinste der fünf Begleiter trägt den Schemel so zwischen beiden Händen, daß R. D.s Erklärung »beating a drum« ganz verständlich erscheint.

17. London, R. D. XXX, 1, siehe die Abb. 325. Große und sehr sorgfältig überarbeitete Platte; der Junge hat einen Gürtel mit ungewöhnlichen Spangen und einen »verlagerten« P.-Zipfel.

18. Rushmore, P. R. 3, siehe die Abb. 323. Der Schemel ist sehr groß, mit verhältnismäßig kleinen aber dicken Scheiben.

19. Rushmore, P. R. 179, siehe die Abb. 189 A. Der von einem der zwei kleineren, fast nackten Begleiter getragene Schemel wird von P. R. als »Messinggefäß« aufgefaßt, vielleicht nicht ganz mit Unrecht, da es ähnliche Stücke wenigstens in späterer Zeit in Benin wirklich gegeben hat, von denen nicht feststeht, ob sie nur als Gefäße oder nicht auch als Schemel gedient haben. Der weiteren Bemerkung von P. R., »viewed as a drum, the projecting flanges at top and bottom are not explained«, wird man nur zustimmen können.

20. Wien, 64 798. Große Platte (32 × 44,5 cm), mit zwei unter sich fast völlig gleichen Personen; jede von diesen trägt einen typischen Schemel, von denen der eine sehr hoch, der andere sehr niedrig ist.

Überblickt man die Reihe dieser Platten im Zusammenhange, so sieht man, daß zweimal »dämonische« Personen zwischen knienden Begleitern auf unseren Schemeln sitzend dargestellt sind. Ebenso ist auch dem Manne auf Taf. 38 E wegen seiner trichterförmigen Kopfbedeckung ein höherer sozialer Rang zuzuschreiben, wie sich aus den Abbildungen 155 und 355 ergibt. Auf den übrigen Platten sehen wir die Schemel stets nur in den Händen von Kindern, nackten Jungen oder von Dienern, sicher niemals für den eigenen Gebrauch, sondern für den ihres Herrn. Wenn die Fig. 323 abgebildete Platte zunächst davon abzuweichen scheint, wird man bei näherer Betrachtung sich bald darüber klar werden, daß die drei dort dargestellten Personen in ihrer maßlos überladenen Tracht trotz der schweren Panzer usw. nicht gut als Krieger anzusprechen sind; man wird diese Tracht vielmehr als eine Art Livree und ihre Träger somit als Hofbedienstete aufzufassen haben.

R. Schwerter, Messer, Dolche und Verwandtes.

[Hierzu Taf. 11, 12, 13, 14, 18, 19, 22 usw. sowie Abb. 326 bis 344.]

War auch zweifellos der Speer die bevorzugte Waffe im alten Benin, so gibt es doch über hundert Platten, auf denen Eingeborene mit Schwertern, Messern, Dolchen und verwandten Waffen ausgerüstet erscheinen. Unter diesen überwiegt der Zahl nach ganz wesentlich eine »Waffe«, von der zunächst die Tafeln 18 und 19 sowie die Skizzen Abb. 326 bis 332 eine Vorstellung geben mögen. Viele solche Geräte

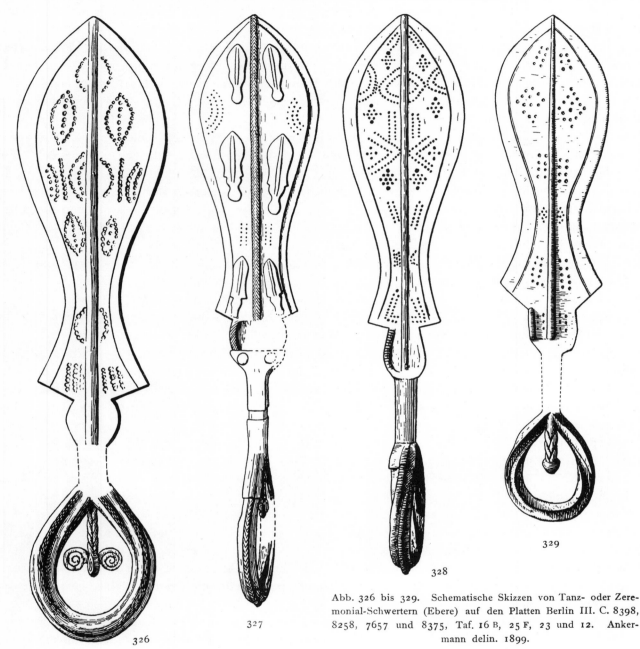

Abb. 326 bis 329. Schematische Skizzen von Tanz- oder Zeremonial-Schwertern (Ebere) auf den Platten Berlin III. C. 8398, 8258, 7657 und 8375, Taf. 16 B, 25 F, 23 und 12. Ankermann delin. 1899.

sind uns auch in alten Originalstücken erhalten geblieben; diese sollen in Kap. 44 besprochen werden; hier beschäftigen uns diese »Schwerter« nur insoweit, als sie auf den Reliefplatten erscheinen. Schon aus den Abbildungen gewinnt man die Vorstellung, daß diese breiten Klingen mit dem langen, in eine mächtige Schleife ausgehenden Griff sehr unhandlich sein müßten, und diese Vorstellung wird nicht gemildert, wenn man die alten Originale zur Hand nimmt und sie auf Hieb und Stich zu prüfen beginnt: man mag sich noch so sehr über ihre ungewöhnliche Form und ihre zweifellos schönen Linien freuen und sie vom musealen und vom malerischen Standpunkt aus noch so lebhaft bewundern — als Waffe versagen sie völlig. Ich habe deshalb schon das erste Stück, das ich vor zwanzig Jahren in die Hand bekam, als »Zeremonialschwert« bezeichnet und habe später auch gelegentlich von »Tanzschwertern« gesprochen, beeinflußt wahrscheinlich von R. Burton, der solche Stücke schon 1862 gesehen und sehr zutreffend beschrieben hat als »Plates of thin iron, perforated and shaped like a large fish-slicer, with a shank and a terminating ring — mysterious articles used for »making play« at festivals«. Unabhängig von Sir Richard haben auch die englischen Händler wohl ausnahmslos die Bezeichnung »fish-slicer« für die Form dieser Geräte gewählt, während die Fachleute in England sie meist als Zeremonialschwerter bezeichnen. Ein anderer Kollege nennt sie »breite Schwertdolche«, was mir schon wegen der oft sehr ansehnlichen Länge dieser Stücke, die bis 1 m und darüber erreicht, nicht ganz zutreffend erscheint.

So habe ich es mit großer Freude begrüßt, daß Ling Roth in seinem schönen Buche über Benin die einheimischen Namen Ebere für diese Schwertform und Ada für die sogenannten »Richtschwerter«, also für die Fig. 335 bis 337 abgebildeten Formen, mitteilt. Beide Namen, Ebere und Ada, sind von einem

englischen Reisenden, Cyril Punch, erkundet, von dem ich nichts weiter weiß, als daß er mehrfach in Benin war, sehr gut zeichnen kann und viele wertvolle Beobachtungen notiert hat. Inwieweit die von ihm gesammelten Worte sprachlich richtig aufgenommen sind, vermag ich nicht zu beurteilen; gleichwohl adoptiere ich das Wort »Ebere«, weil es bequem und ganz eindeutig ist; mag es auch linguistisch falsch sein, so wird doch der Fachmann mit diesen drei kurzen Silben jederzeit einen genau umschriebenen Begriff verbinden, zu dessen Präzisierung sonst ein ganzer Satz nötig wäre.

α)   So kennen wir jetzt die Sache, und wir haben ein Wort für sie; aber leider sind wir über die eigentliche Bestimmung des Ebere noch völlig unwissend: weder aus der Form des Gerätes noch aus der Art, in der es auf den Platten gehandhabt erscheint, können wir auf seinen Zweck und auf die soziale Stellung der Leute schließen, die es tragen. Sicher erscheint nur, daß wir es nicht als Waffe oder als Schwert im gewöhnlichen Sinne des Wortes auffassen dürfen; zwar findet es sich zwanzigmal in der Hand von gepanzerten Kriegern; aber in allen diesen

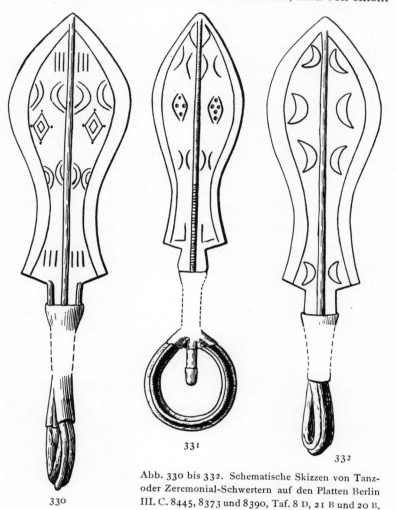

331

332

330

Abb. 330 bis 332. Schematische Skizzen von Tanz- oder Zeremonial-Schwertern auf den Platten Berlin III. C. 8445, 8373 und 8390, Taf. 8 D, 21 B und 20 B.

Fällen haben diese Krieger außer dem Ebere noch ein richtiges Schwert, und zwar entweder in der Hand gezückt oder in der Scheide geborgen unter der linken Achsel. Besonders die Platten, auf denen ein solcher gepanzerter Krieger ein richtiges Schlachtschwert in der einen Hand schwingt und in der andern ein Ebere hält, sind in dieser Beziehung ebenso lehrreich als bizarr. Es sind die folgenden vier Stücke:

1. Berlin, III. C. 8396, Taf. 10 D. Der anscheinend in lebhafter Bewegung vorstürmende Mann hält mit der Linken ein Ebere so am Griffe gefaßt, daß der Ring nach unten und das breite Blatt nach oben sieht, in der Rechten hält er wagrecht ein großes Schlachtschwert vom »Ada«-Typus. Die leere Scheide, mit der Öffnung nach vorn, ist unter der Achsel sichtbar; die Sicherungsschleife für das Schwert ist deutlich sichtbar; von der Scheide hängt eine große, runde Glocke herab. Hinter dem Krieger bläst ein Hornist auf einem Querhorn.

2. Leipzig, früher Webster, 29, 1901, Fig. 75, hier Abb. 172. Auch hier scheint ein schwer bewaffneter Krieger in voller Bewegung aus der Bildfläche herauszustürmen; er hält das Ebere etwas schräg mit der Spitze nach oben und dem Ringe nach unten in der leicht gesenkten Linken und das Ada-Schwert in der

erhobenen Rechten; auch bei ihm ist die Schwertscheide an einem breiten, quer um die Brust verlaufenden Riemen so befestigt, daß ihre Öffnung unter der Achsel genau nach vorn sieht; wiederum ist die kleine Schleife sorgfältig wiedergegeben und die am Scheideneingang befestigte große, runde Glocke; zwei weitere kleinere solche Glocken sind rechts und links symmetrisch an dem Gurtriemen befestigt, der die Schwertscheide trägt; über diesem Gurt hängt in der Mitte die große, viereckige Glocke herab, die zu dem Halsschmuck mit den Pantherzähnen gehört; außerdem hängen noch drei weitere kleinere Glocken an Riemen vom Panzer herunter, so daß der Krieger mit sieben Glocken in die Bahn »geschollen« kommt, um ein Wort des Kaisers Maximilian aus dem Teuerdank zu gebrauchen. Neben ihm ein Junge mit Querhorn und ein etwas größerer, fast nackter Eilbote mit einem Fächer.

3. London, R. D. XX. 4, siehe den Ausschnitt hier, Fig. 344. Grotesk aussehender Mann mit zu großem Kopf und mächtigem Helm aus Krokodilpanzerhaut. Auch er hält das Ebere in der Linken, aber diesmal mit dem Blatte schräg nach unten; der rechte Vorderarm ist leicht erhoben; die Faust umschließt den Griff eines Schlachtschwertes von ungewöhnlicher Form.

4. Rushmore, P. R. 254, hier Fig. 279. Gepanzerter Würdenträger in fast genau derselben Haltung wie der Mann auf der eben unter Nr. 2 erwähnten Leipziger Platte, Abb. 172. Auch die Helme der beiden Leute sind ähnlich, beide am Scheitelteil wie mit Nägelköpfen bedeckt und vorn mit einem Metallband verstärkt.

Diesen vier Platten entsprechen nun mindestens sechzehn [1]) andere, auf denen gepanzerte Krieger das Ebere, allerdings ganz wie ein richtiges Schwert, in der Rechten halten; bei näherem Zusehen ergibt sich aber, daß sie alle gleichmäßig und ohne Ausnahme auch ein in der Scheide versorgtes Schwert unter der linken Achsel tragen. Es lohnt nicht, diese Platten einzeln zu beschreiben; sie sind in der Anmerkung aufgezählt. Ein Blick auf die Tafeln 7, 8D, 12, 13 und 17B sowie auf die Abbildungen 154, 184, 251, 257, 278 usw. zeigt, wie da stets das eigentliche Schwert in der üblichen Weise an einem quer über die gepanzerte Brust verlaufenden breiten Gurte so befestigt ist, daß die Scheide wagrecht nach hinten steht und sich mit einer ihrer Flächen ganz an den Thorax anlegt. Der Schwertgriff ragt dann senkrecht aus der Ebene der Platte heraus; in einigen Fällen ist er abgebrochen, so daß dann nur das Stichblatt übriggeblieben ist; aber auch dann ist der Sachverhalt völlig eindeutig. Wenn jemals die reine Vorderansicht da im Stich lassen sollte, braucht man eine solche Platte nur von der linken Seite her zu betrachten, um sofort klar zu sehen; Fig. 179 ist eine Platte in dieser Art, von links her abgebildet, so daß der weit vorragende Griff gut sichtbar ist.

Wenn so im ganzen einundzwanzig Leute gleichzeitig sowohl ein richtiges Schwert als ein Ebere tragen, gestattet das allein schon einen recht sicheren Schluß darauf, daß dem Ebere nicht die Bedeutung einer Waffe im gewöhnlichen Sinne des Wortes zukommt. In dieser Auffassung wird man noch bestärkt, wenn man die Platten überblickt, auf denen sonst noch Leute mit einem Ebere dargestellt sind. Unter diesen Platten sind 29 [2]), auf denen Personen ohne Panzer, mit nacktem Oberkörper und ohne irgend-

[1]) 1. Berlin, III. C. 8393, Taf. 7. — 2. Berlin, III. C. 8445, Taf. 8 D. — 3. Berlin, III. C. 8375, Taf. 12. — 4. Berlin, III. C. 8376, Taf. 113. — 5. Berlin, III. C. 8444, Taf. 17 B. — 6. Berlin, III. C. 8264, Taf. 28 A. — 7. Dresden 16 137, hier Fig. 184. — 8. Leipzig, früher Sir Ralph Moor, 112. — 9. Leipzig, früher Berlin, H. Bey 107, siehe die Abb. 379. — 10. London, R. D. XXIII, 3, siehe die Abb. 373. — 11. London, R. D. XXVII, 3. — 12. London, R. D. XXIX, 6, hier Fig. 251. — 13. London, R. D. XV, 1, hier Fig 154. — 14. London, R. D. XXIII, 4, hier Fig. 257. — 15. London, R. D. XV, 5. — 16. Stuttgart, 5372, hier Fig. 278.
Dazu ist zu bemerken, daß auf der Platte Nr. 7, Dresden, das dem Krieger gehörige Ebere von einem Begleiter getragen wird und daß auf der Platte Nr. 10, London, zwei völlig gleiche, gepanzerte Krieger mit Ebere nebeneinander stehen.

[2]) 1. Berlin, III. C. 8439, Taf. 17 A. — 2 bis 6. Berlin, III. C. 8212, 8261, 8260, 8255 und 7651, Taf. 18 A, B, C, E und F. — 7 und 8. Berlin, III. C. 8208 und 8055, Taf. 19, A und B. — 9. Berlin, III. C. 8390, Taf. 20 B. — 10. und 11. Berlin, III. C. 8263 und 8258, Taf. 25 C und F. — 12. Berlin, Sammlung v. Puttkamer. — 13. Hildesheim, Roemer-Museum. — 14. London, R. D. XVIII, 1, hier Fig. 241. — 15. London, R. D. XXII, 1. — 16. London, R. D. XXIII, 5, hier Fig. 238. — 17. London, R. D. XXVII, 4. — 18. Stuttgart, 4668 (Sir Ralph Moor 101), hier Fig. 371. — 19. Stuttgart, 5407, hier Fig. 359. — 20. Stuttgart, 5408, hier Fig. 191. — 21. Rushmore, P. R. 18, hier Fig. 240. — 22. Rushmore, P. R. 174, hier Fig. 189 A. — 23. Unbekannt, hier Abb. 239. — 24. Strumpf Nr. 20. — 25 bis 29. Wien, 64 663, 64 691, 64 662, 64 689 und 64 690 = Heger, 1916, Nr. 13 bis 17.
Die meisten dieser Stücke sind abgebildet; nicht veröffentlicht sind nur Abbildungen der folgenden Stücke: Nr. 12 v. Puttkamer, habe ich gesehen, als es sich im Besitze des seither gestorbenen früheren Gouverneurs von Kamerun befunden; über seinen späteren Verbleib bin ich nicht unterrichtet; es ist eine große, auf beiden Seiten umgefalzte Platte von etwa 30 cm Breite. Der anscheinend nicht ganz erwachsene junge Mann mit dem Ebere hat schindelartig stilisierte Haartracht, keine Stirnnarben, sieben bis zur Mundspalte reichende Reihen von Kropfperlen, ein Halsband mit Pantherzähnen, nackten Oberkörper und einen Gürtel mit großer, verzierter Schleife; der obere Lendenschurz ist in der Art eines Pantherfells gemustert; in jeder

welche sonstigen kriegerischen Embleme ein Ebere halten, meist in der erhobenen Rechten, nur einmal, siehe Abb. 241, wagrecht in der Linken, während die Rechte eine Art Wedel, vielleicht auch eine Keule (??) schwingt. Es ist mir nicht möglich, für diese Personen noch irgendein weiteres tertium comparationis zu entdecken; sicher scheint mir nur, daß sie ganz unkriegerisch sind, und daß sie einer höheren sozialen Schicht angehören; in diesem Zusammenhange scheint mir besonders die Häufigkeit von Glockenhelmen und andern sonst ungewöhnlichen Kopfbedeckungen beachtenswert. Etwas aus der Reihe fällt in dieser Gruppe nur die Fig. 359 abgebildete Platte; auf dieser ist der Mann mit einer eng anliegenden, gemusterten Jacke bekleidet, wie eine solche in Benin sonst wohl regelmäßig unter dem schweren Panzer getragen wurde.

Ganz untypisch sind die beiden Platten, die Fig. 184 und Fig. 266 abgebildet sind; auf beiden sehen wir gleichmäßig einen gepanzerten Würdenträger zwischen zwei Musikern, einem Hornisten und einem Glockenschläger; unsymmetrisch neben dieser Gruppe steht aber auf beiden Platten eine Person mit einem Ebere; auf der einen, Fig. 184, ist das ein nackter Junge, auf der andern ein Mann mit reichem und ungewöhnlichem Perlenschmuck; in jenem Falle ist es völlig sicher, daß der Junge das Ebere nur als Diener für den gepanzerten Würdenträger hält, in diesem könnte man trotz der gleichartigen Gesamtanlage der beiden Bildwerke fast denken, daß der Mann mit dem Ebere eigentlich die Hauptperson der ganzen Gruppe sein könnte.

Weiter sind untypisch: 1. die schöne Berliner Platte Taf. 16 B, die uns einen Mann mit »Mitra« und mit Panzer aus einem Leopardenfell zeigt, der in der Linken einen Speer, in der Rechten ein Ebere hält; 2. die Fig. 179 abgebildete Platte, auf der ein Mann mit nacktem Oberkörper und mit dem Ebere in der Rechten unter der linken Achsel das Schwert genau so trägt, wie sonst nur die Leute mit einem Panzer; 3. die Platte Wien 64 664 (Heger, 1916, Nr. 18), mit einem gepanzerten Krieger, der ein Ebere in der Rechten hochhält, aber kein Schwert unter der linken Achsel hat, wie man nach Analogie mit den 16 in der Anmerkung 1 zu S. 204 aufgezählten Platten erwarten würde.

Alles in allem gewinnt man so aus dem sorgfältigsten Vergleiche der alten Platten denselben Eindruck, den Burton 1862 von einigen Originalstücken erhalten hatte: »mysterious articles used for making play at festivals«. Dabei muß es bis auf weiteres ganz unentschieden bleiben, ob man sie besser als Tanz- oder als Zeremonialgeräte bezeichnen sollte, und so wird man natürlich gut tun, einstweilen den einheimischen Namen Ebere zu benutzen, selbst auf die Gefahr hin, daß er uns verhört und in unrichtiger Transscription überkommen ist.

β) Sehr viel sicherer stehen wir andern Formen gegenüber, die wir ohne weiteres als richtige Schwerter aufzufassen haben. Unter diesen sind solche am besten abgegrenzt, die an die Schilfblattklingen der Prähistoriker erinnern und die ich auch als solche bezeichne, obwohl sie etwas weniger schlank sind als die vorgeschichtlichen, vgl. die schematischen Skizzen Fig. 333 und 334. Am schönsten sind sie auf den folgenden Platten:

1. Berlin, III. C. 8385, Taf. 28 B. Junger Mann, nackter Oberkörper, drei Lendentücher, von denen die zwei äußeren untereinander gleich sind, breiter Gürtel mit großer Schleife, Wehrgehänge *en bandoulière* aus einem langen, oben mit Schellen (oder Quasten?) behängten Streifen aus Pantherfell, der bis in Kniehöhe herabreicht; der Eingang der unter der linken Achsel liegenden Schwertscheide wird durch die ihm aufruhende linke Hand verdeckt, so daß nur die kleine, gedrehte Sicherungsschnur sichtbar ist; vor ihr hängt eine große, bauchige Glocke herab, auf die ebenso wie auf die Schwertklinge ein Ebere eingepunzt ist.

2. Berlin, III. C. 8406, Taf. 31 A. Junge mit in dicken Wülsten stilisierter Haartracht (vgl. auch die Abb. 226) und mit einem kleinen Schießbogen.

3. Berlin, III. C. 10 880, Taf. 31 C. Kleiner Junge mit sehr langem »Poncho« aus einer Pantherdecke; beide Hände symmetrisch gleichhoch erhoben, die eine das Schwert, die andere einen Bogen haltend.

Ecke, auch in der neben dem Ebere, eine große Rosette. Nr. 13, Hildesheim, ist stark beschädigt; es fehlt der linke Rand und das ganze untere Drittel mit den Füßen. Helm mit radiär gestellten Perlen, Halsband mt Pantherzähnen, Kropfperlen bis zur Mundspalte, siebenreihiges Bandelier von links oben nach rechts unten, hoher Schurzzipfel; rechts oben eine große Rosette, die beiden unteren Ecken sind abgebrochen. Dieselbe Platte war früher einmal als »H. Strumpf Nr. 21« für M. 800 in Berlin angeboten. Nr. 24, H. Strumpf 20, sehr ähnlich der Berliner Platte auf Taf. 18 E, aber mit Krokodilköpfen statt der Rosetten. Die ganze obere rechte Ecke der Platte ist weggebrochen. Für die fünf Wiener Stücke 25—29 ist auf die genaue Beschreibung bei Heger (1916, Nr. 13 bis 17) zu verweisen; sie unterscheiden sich nur unwesentlich (durch die Beizeichen usw.) von den abgebildeten Berliner Platten. Untypisch ist nur Form und Anordnung der großen Perlen auf dem Helm von 64 662 (Heger 15). Von Wien 64 690 (Heger 17) ist hier Fig. 194 wegen der Gürtelscheibe eine ganz kleine, sonst wenig genügende Abbildung gegeben. Wien 64 664 (Heger 18) hat einen Mann mit Panzer.

4. Berlin, III. C. 8374, Taf. 31 D. Gepanzerter Krieger in gleicher Körperhaltung, in der Rechten das sehr lange Schwert haltend; der linke Vorderarm ist durch den Bogen gesteckt, am Handgelenk das typische Kissen gegen den Rückschlag der Sehne, um die Mitte, in einer Schnurschleife gehalten, der geflochtene Köcher. Zu beiden Seiten des Mannes die bereits erwähnten Jungen mit Querhorn.

5. Dresden, 16 060. Junge, mit beiden weit vorgestreckten Armen das Schwert quer vor sich hinhaltend; technisch durch eine starke Überschneidung bemerkenswert: zwischen Körper und Schwert kann man mit den Fingern durchfahren, ohne anzustoßen; ebenso ist ein Gußfehler im Grunde der Platte zu erwähnen, über den hinweg die übliche Punktierung in anderer Art durchgeführt erscheint als auf der übrigen Fläche; so wird hier besonders klar, was übrigens für jeden Einsichtigen schon von vornherein hätte feststehen sollen, daß die Ausschmückung des Plattengrundes mit Punkten und Blumensternen erst nach dem Gusse durch richtige Punzierung erfolgte, nicht schon am Wachsmodell, wie von manchen Autoren angegeben wird. In jeder Ecke ein nach unten offener Halbmond; alle auffallend unregelmäßig und nicht richtig konkav gerundet, sondern nach unten mit einem stumpfen Winkel begrenzt.

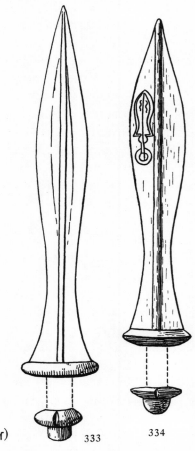

γ)   333   334

Abb. 333 und 334. Schematische Skizzen der Stechschwerter auf den Berliner Platten III. C. 8374 und 8385, Taf. 31 D und 28 B.

6. Leiden, 1243, 18 = M. Taf. II, 3, früher Webster 9488, hier Abb. 145. Ganz besonders schöne Platte, auch mit einem Bogen am linken Vorderarm, wie die Nummern 2, 3 und 4 dieser Reihe; von der Schwertscheide heißt es auch hier wieder einmal: »Unter dem linken Arm ragt senkrecht ein dünner, viereckiger Gegenstand hervor, an welchem eine kelchförmige Glocke hängt.«

7. London, R. D. XXIV, 6. Siehe den Ausschnitt Fig. 192. In der linken Hand diesmal drei kurze Speere.

8., 9. London, R. D. XXIV, 4 und Rushmore, P. R. 10, hier Fig. 187 und 188, die beiden schon mehrfach erwähnten Männer mit einem Bündel von Strophantus-Früchten auf dem Kopfe.

10. Wien, 64 688 (Heger, 1916, Nr. 22). Große Platte, 38 × 50 cm, also ungewöhnlich breit; was ich über diese Platte der ausführlichen Beschreibung Hegers zuzufügen habe, steht hier S. 133 unter Nr. 20.

11. Rushmore, P. R. 5. Eine der sechs Platten mit Kampfszenen, die in Kap. 5 beschrieben werden sollen; siehe Abb. 387 die Hauptperson hat ein Schwert, das wohl auch noch als schilfblattförmig bezeichnet werden darf; sonst finden wir auf diesen Kampfplatten stets nur schwere Hiebschwerter mit geschweifter und einschneidiger Klinge.

Etwas häufiger als diese in erster Linie wohl für den Stich berechneten schilfblattförmigen Klingen sind die schweren, geschweiften Hiebwaffen, für die Ling-Roth nach Cyril Punch den einheimischen Namen Ada mitteilt. Die Händler, für die jedweder Mann auf einer Benin-Platte ein Häuptling und jeder besser ausgestattete Krieger ein König ist, haben diese Waffen als »Richtschwerter« in ihre Kataloge aufgenommen, und aus diesen ist die an sich ganz unberechtigte und völlig aus der Luft gegriffene Bezeichnung auch in die wissenschaftliche Literatur übergegangen; sie beizubehalten liegt kein Grund vor; man wird am einfachsten von »Hiebschwertern« sprechen, wenn man nicht den Namen Ada einführen will. Von diesen schweren, einschneidigen Hiebschwertern haben sich verhältnismäßig viele alte Originale erhalten, prächtige Stücke, die in Kap. 44 beschrieben werden sollen; hier können uns nur die Formen beschäftigen, die auf den Platten vorkommen und die in den Abb. 335 bis 337 schematisch skizziert sind. So treu im allgemeinen die Benin-Plastik alle Einzelheiten der Ausrüstung wiedergibt, wird sie gerade diesen Hiebschwertern kaum jemals ganz gerecht; die Originale sind ungleich kräftiger und charaktervoller als die Darstellungen auf den meisten Platten. Die wichtigsten hierher gehörigen Stücke sind die folgenden:

1. Berlin, III. C. 8371, Taf. 22. Große, nicht mit Sicherheit zu deutende Platte. Der von zwei Leuten mit Hammer begleitete Würdenträger hält das Schwert in der Linken und in der Rechten einen langen Stab. Für die auf der Tafel nicht sehr deutliche Verzierung der Klinge mit kleinen, eingepunzten Kreisen siehe die Skizze Abb. 336.

2. Berlin, III. C. 8370, Taf. 31 B. Zwei unter sich ganz gleiche Knaben, in der Rechten das Ada, in der Linken einen Bogen haltend; zwischen ihnen ein kleines Kind mit einem Fächer.

3, 4. Berlin, III. C. 8379 und 7655, Taf. 33 C und E; die erstere Platte sehr hoch und schmal; ein jugendlicher Mann mit auffallend breiter Nase hält das Ada in der Rechten; die Linke ist an den Eingang der Schwertscheide gelegt; auf der zweiten Platte hält der von einem kleinen Hornisten begleitete Mann das Ada in der Linken; es hat an seiner breitesten Stelle, vgl. auch die Skizze Fig. 335, ein kreuzähnliches Zeichen eingepunzt.

5. Hamburg, C. 2329. Junge mit langem, mit Schellen (?) besetztem Hemd, das Ada in der Rechten, die Linke an die Schwertscheide gelegt. Als Begleiter ein Kind mit einem Fächer.

6. London, R. D. XX 5, siehe Abb. 367. Mann auf Stelzen; in der Linken ein auffallend kleiner Schild, in der Rechten das Ada.

7. Rushmore, P. R. 291, siehe Abb. 365. In der Linken das Ada, in der erhobenen Rechten eine Art Peitsche.

8. Stuttgart, 5403, siehe Abb. 277. Von dieser sehr eigenartigen und merkwürdigen Platte ist leider das ganze linke Drittel mit dem rechten Vorderarm und den Beizeichen abgebrochen und nicht nachweisbar; auch ist es unmöglich, mit Sicherheit zu ergänzen, was der gepanzerte Krieger in der rechten Hand gehalten; die Linke hält ein typisches Hiebschwert; dabei ist aber unter der linken Achsel in der üblichen Art noch ein weiteres Schwert vorhanden, von dem zwar der Griff abgebrochen ist, an dem aber sonst nicht gezweifelt werden kann; von der Scheide hängt eine lange, dünne Glocke herab. Ich kenne keine zweite Benin-Platte, auf der zwei Schwerter von demselben Manne getragen würden; in meiner Beschreibung der Knorrschen Sammlung bin ich über diese Schwierigkeit mit der Auffassung hinweggegangen, daß unter der Achsel kein Schwert, sondern nur ein Dolch getragen wurde. Das kann natürlich richtig sein, doch sehen wir auf zahlreichen Platten, daß der leeren Scheide stets nur ein richtiges Schwert, niemals ein Dolch entspricht; so werden wir uns vielleicht vorstellen dürfen, daß der Mann auf dieser Platte wirklich ein Stechschwert unter der Achsel und ein Ada in der Hand trägt.

9—13. Richtige Hiebschwerter kommen endlich auch auf fünf von den sechs Kampfplatten vor, die erst im Kap. 5 beschrieben werden sollen; sie sind hier nur der Vollständigkeit wegen erwähnt und um sie zu der Erörterung einer noch zu erwähnenden Einzelheit heranziehen zu können.

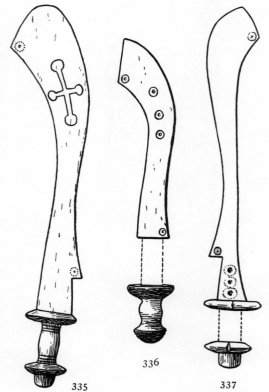

Abb. 335 bis 337.- Schematische Skizzen der Hiebschwerter auf den Berliner Platten III. C. 7655, 8371 und 8370, Taf. 33 E, 22 und 31 B. Ankermann delin. 1897.

Die Schwerter vom Ada-Typus sind nämlich, wie wir besser von den Originalen als von den Darstellungen auf den Platten wissen, so stark geschweift und so unsymmetrisch gewesen, daß gewöhnliche Schwertscheiden für sie ganz ungeeignet wären; man hätte die Scheiden sehr breit und ähnlich wie für die türkischen Krummsäbel auf einer Seite zur Hälfte offen lassen müssen. Auf den dreizehn Platten nun, die uns da zur Verfügung sind, sehen wir siebzehn Leute mit solchen Hiebschwertern; drei von diesen haben keine Scheide für diese Schwerter, führen es also ständig ungeschützt, genau wie wir für das Ebere gesehen haben, für das niemals eine Scheide vorhanden ist; die vierzehn andern Leute aber haben für das geschweifte Hiebschwert keine andere Scheide als die uns für die Stechschwerter bekannten — vermutlich nur, weil die Künstler aus Gedankenlosigkeit an der konventionellen Form festgehalten haben.

δ) Außer den bereits in der Anmerkung 1 zu S. 204 angeführten Platten mit Leuten, die ein Ebere und ein in der Scheide versorgtes Schwert haben, gibt es zahlreiche andere, auf denen die Leute nur ein so versorgtes Schwert unter der linken Achsel tragen und kein Ebere. Ich verweise, um einige Beispiele zu geben, auf die Abbildungen 181, 182, 183, 189, 193, 202, 223 und 291; auf den meisten Platten dieser Art sieht man eine Glocke von der Schwertscheide herabhängen; auf der Fig. 189 abgebildeten

Platte ist noch eine Maske zwischen Scheide und Glocke eingeschaltet; die Abbildung 291 zeigt besonders deutlich den großen, verzierten Knauf des Schwertes und die zur Scheide gehörige Sicherungsschleife. Die Form des Griffes und die Art, wie die Scheide getragen wird, geben keinen Anhalt, ob wir es bei diesen Waffen mit Stech- oder mit Hiebschwertern, d. h. mit schilfblattförmigen Klingen oder mit Schwertern des Ada-Typus, zu tun haben.

ε)   Außer den beiden eben beschriebenen Hauptformen von Benin-Schwertern gibt es noch einzelne untypische Stücke, die ungefähr der schematischen Skizze Fig. 339 entsprechen; sie sind sehr selten; ein ähnliches trägt noch ein auch sonst recht ungewöhnlich aussehender Mann auf der Platte P. R. 264 und der gleichfalls in vielen Dingen aus der Reihe fallende gepanzerte Krieger R. D. XX 4, hier Abb. 344. Eine Art Übergang von dieser Form zu den Stechschwertern bildet das Schwert der schönen Rundfigur auf Taf. 67, von dem hier Abb. 338 eine Skizze gegeben ist.

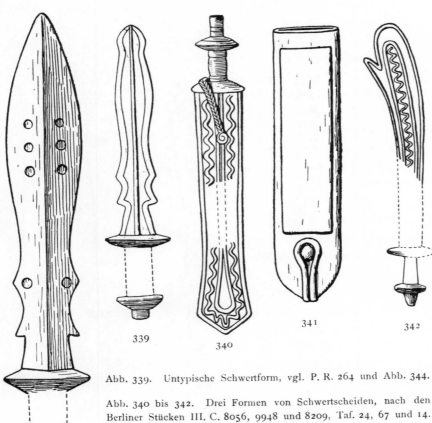

Abb. 339.   Untypische Schwertform, vgl. P. R. 264 und Abb. 344.

Abb. 340 bis 342.   Drei Formen von Schwertscheiden, nach den Berliner Stücken III. C. 8056, 9948 und 8209, Taf. 24, 67 und 14. B. Ankermann delin. 1899.

Abb. 338.   Schwert der auf Taf. 67 abgebildeten Rundfigur, zu ihm gehört die Abb. 341 skizzierte Scheide.

Ganz ohne Analogie dürfte eine Art Dolch sein, der, in einer Scheide mit geknöpftem Ortband geborgen, mit der Spitze nach oben von der Hauptperson auf der Fig. 283 abgebildeten Platte getragen wird. Ob der quer über ihm gelagerte kleine Krokodilkopf zu seiner Scheide oder zum Gurtbande gehört, möchte ich offen lassen. Ebenso eigenartig und vereinzelt ist die Bewaffnung der beiden Nebenpersonen auf der Platte Fig. 357. In der Rechten halten sie beide eine Art Peitsche, in der Linken aber eine kleine Waffe, die ungefähr die Form der großen Hauschwerter hat, aber rundlicher erscheint; der zur Rechten Stehende hat außerdem in der gewöhnlichen Art ein Schwert unter der linken Achsel; der zur Linken aber hat aus zwei Schlitzen seines langen Federkleides hervorragend eine kleine, dolchartige Waffe in unsymmetrischer Scheide, mit der Spitze nach oben gerichtet.   Wir werden diese eigentümlichen Scheiden im zweitnächsten Abschnitt, η, näher kennenlernen; der Befund bei dieser Platte mußte aber schon jetzt klargestellt werden; er ist eigenartig genug.   R. D. haben die unsymmetrische Scheide nicht als solche erkannt und schreiben: »The extended end of his waist-cloth and the hilt of his sword appear through a hole in the surcoat.« Durch Lücken in diesem Federkleid ragen übrigens im ganzen vier Gegenstände vor, oben ein Stück der viereckigen Halsglocke, vorn der Griff und seitlich die Scheide des Dolches oder kleinen Schwertes und hinten eine Schleife des Gürtels.   Gleichfalls nach aufwärts gerichtete und unsymmetrische Scheiden haben auch die beiden Leute auf der Fig. 250 abgebildeten Platte, was freilich nur schwierig auf dem Original und gar nicht auf der Abbildung zu erkennen ist.

        Völlig vereinzelt scheint der Gegenstand, der hinter dem linken Arme des Fig. 317 abgebildeten Lautenspielers sichtbar ist; vielleicht darf man ihn für den abweichend gestalteten Griff eines an ungewöhnlicher Stelle getragenen Schwertes halten.

ζ)   Da die in der Scheide versorgten Schwerter fast regelmäßig unter der linken Achsel getragen werden, sieht man von den Scheiden meist nur den Eingang.   Nur einige wenige Würdenträger scheinen so vornehm, daß sie ihr Schwert nicht selbst tragen, sondern von einem Diener an einem bandelierartigen Gehänge tragen lassen; so kommt dann auch die Scheide immer voll zur Ansicht, sie ist stets symmetrisch und entspricht genau der Form, die uns auf den großen Platten Taf. 49 D (links) und F überliefert ist. Ich kenne sechs hervorragend schöne Platten, auf denen solche Würdenträger mit einem besonderen Schwertträger erscheinen; sie sind immer mit großem Gefolge dargestellt, von Bewaffneten begleitet, mit Schilden beschirmt, zum Teil auch beritten, in der Regel auch von besonderen Begleitern gestützt. Hält man die Abbildungen dieser Platten zusammen, vgl. Taf. 24 und die Fig. 190, 221, 222, 319 und 320, so könnte man beinahe vermuten, daß auf allen diesen Platten der König selbst dargestellt ist und daß es also königliches Privileg war, sich das Schwert von einem besonderen Begleiter tragen zu lassen; zum mindesten wird man damit rechnen können, daß auf der Platte Fig. 190 der König selbst dargestellt sein kann. Die überragende Größe der Platte und die sonst unerreichte Anzahl von fünfzehn Begleitern legen diese Auffassung jedenfalls sehr nahe.

Völlig anders ist sicher die Platte Taf. 26 D aufzufassen: hier steht der nackte Junge mit dem in gleicher Weise getragenen schönen Schwerte neben einem etwas größeren, sehr einfach ausgestatteten Jungen ohne irgendwelche Attribute usw. Es ist ganz unmöglich, sich vorzustellen, daß dieser unbedeutend aussehende junge Mann der Besitzer des Schwertes sein könne, das neben ihm getragen wird. Die sonst unverständliche Darstellung kann man nur begreifen, wenn man annimmt, daß sie nicht selbständig, sondern nur als Teil einer großen, aus vielen Platten aufgebauten Gruppe zu betrachten ist.

Ganz vereinzelt ist die Fig. 341 abgebildete Schwertscheide; sie stammt von der schönen, Taf. 67 abgebildeten Rundfigur und gehört zu dem gleichfalls untypischen Schwert, das in Abb. 338 skizziert ist. Wir werden bei Besprechung dieser Figur in Kap. 11 sehen, daß sie vermutlich keinen Benin-Mann darstellt, sondern einen vornehmen Gast aus einer benachbarten Landschaft.

η)   Eine Gruppe für sich bilden schließlich die unsymmetrischen Scheiden von der Art der Fig. 342 wiedergegebenen Skizze. Die Zeichnung ist absichtlich mit dem Griffe nach unten orientiert, weil die weitaus meisten Schwerter (und Dolche) mit solchen Scheiden in dieser Art getragen werden, so daß die Spitze nach oben zeigt. Wie sehr schon den alten Benin-Leuten der Unterschied zwischen den symmetrischen und den unsymmetrischen Schwertscheiden bewußt war, erhellt aus der großen, Taf. 49 D abgebildeten Platte, auf der die beiden Typen wie in einem Lehrbuch einander gegenübergestellt sind.

Es würde von vornherein vielleicht naheliegend scheinen, diese etwas gekrümmten, asymmetrischen Scheiden mit unseren einseitig gekrümmten und einschneidigen Hiebschwertern vom Ada-Typus in Zusammenhang zu bringen; ich würde das aber für unrichtig oder zum mindesten für sehr unsicher halten, weil die Größenverhältnisse nicht gut stimmen; die Ada-Schwerter sind, wie wir von den erhaltenen Originalstücken wissen, sehr groß und schwer, die unsymmetrischen Scheiden aber erscheinen auf den Platten immer klein, kaum halb so lang als etwa ein Ebere. Auf der Taf. 49 D abgebildeten Platte sind die zwei Scheiden allerdings gleich groß, aber da hat den Künstler vielleicht nur der Wunsch geleitet, die Platte ganz zu füllen. So halte ich es für möglich, daß diese unsymmetrischen Scheiden überhaupt nicht auf Schwerter, sondern nur auf Dolche zu beziehen sind.

Es gibt nur sehr wenige Platten, auf denen diese Waffenart sofort und auf den ersten Blick richtig gesehen werden kann. Zu diesen gehört vor allen die Fig. 132 abgebildete Platte Dresden 16 089. Auf dieser ist der gepanzerte Krieger auch sonst »offenherzig« dargestellt und zeigt sogar diese Innenseite eines Schildes; so liegt denn auch der in der krummen Scheide versorgte Dolch seiner ganzen Länge nach vor uns; nur über die Art der Befestigung ist es nicht möglich, eine sichere Vorstellung zu gewinnen; er liegt

Abb. 343. Bruchstück einer Platte, Berlin III. C. 8523, Mann mit Federhemd. 3/5 d. w. Gr.

so eng auf dem steilen Zipfel des Lendentuchs, daß man fast meinen könnte, er sei an diesem befestigt, doch haben wir wohl anzunehmen, daß er an einem besonderen Schultergehänge oder am Gürtel hängt. Sehr deutlich und ausnahmsweise fast horizontal getragen ist der Dolch auf der Berliner Platte Taf. 18 D, von der ein Ausschnitt auch Fig. 185 links wiedergegeben ist. Gut zur Geltung kommt es auch auf der Fig. 224 abgebildeten Münchener Platte und auf dem Berliner Bruchstück Fig. 343. Von diesen Bildwerken muß man ausgehen, um die Waffe dann auch auf zahlreichen andern Platten nach-

θ)

Abb. 344. Vergrößerter Ausschnitt aus der Platte R. D. XX, 4. Panzer aus ungewöhnlichem Fell, drei oder vier verschiedene Lendentücher, seltene Schwertform.

weisen zu können, auf denen man sie sonst leicht übersehen könnte. Recht schwer ist sie z. B. auf der Platte Fig. 249 wahrzunehmen oder auf der Berliner Platte Taf. 8 A, wo nur der Wissende den Griff des Dolches und den Rand der im übrigen vom Vorderarm verdeckten Scheide als das erkennt, was sie tatsächlich sind. Noch schwerer vielleicht ist die richtige Deutung auf der Berliner Platte Taf. 10 und auf der ihr so nahe verwandten des Admiral Rawson, von der hier Fig. 165 eine kleine Abbildung gegeben ist; besonders auf dieser würde kaum jemand den von der Hauptperson am Gurte getragenen Dolch entdecken, der nicht genau mit dem Formenkreis der Benin-Kunst vertraut ist; auf dieser Platte erscheint dieselbe Dolchform übrigens noch ein zweites Mal, und zwar vom einen der zwei nackten Jungen so getragen, als wie sonst der Dolch mit der symmetrischen Scheide. Natürlich ist es auch in diesem Falle der Dolch des Würdenträgers, so daß die Vermutung naheliegt, der Künstler habe selbst ganz übersehen, daß sein Held ohnehin schon einen Dolch am Gürtel trägt. Auch auf unserer Taf. 11 ist die Dolchscheide schon so undeutlich, daß man leicht begreift, wie R. D. in einem ähnlichen Falle die Scheide für einen Schurzzipfel halten konnten. Um so deutlicher ist sie wiederum auf der schönen Platte des Museums in Cöln a. Rh., die früher als H. Bey Nr. 342 in Berlin gewesen war; deutlich ist sie auch auf den drei unter sich eng verwandten Platten Berlin III. C. 8209 und 8397, Taf. 14 und 27 B sowie Stuttgart 5401, hier Fig. 282.

Ganz vereinzelt kommen Doppelmesser vor; sie sind unter sich gleich und stecken in gleichen, miteinander verbundenen Scheiden, vgl. die Abb. 217; ganz ähnlich ist ein Doppelmesser auf einer Platte bei Webster, 9757, die hier S. 97 bereits erwähnt ist.

S. Ebere und Schild.
[Vgl. Abb. 132 auf S. 73.]

Auf fünf Platten sehen wir Leute, die in der Rechten ein Ebere, in der Linken einen Schild halten; von diesen ist die Dresdener Platte 16 089 bereits auf S. 73, Fig. 132 abgebildet; zwei sind in Leipzig, die eine hat in den unteren Ecken je einen Fisch als Beizeichen, die andere hat in drei freien Ecken (die vierte ist vom Ebere ausgefüllt) je eine Rosette. Eine ganz ähnliche Platte, 9359, nur mit einer Rosette auch in der vierten Ecke, neben dem Ebere, ist bei Webster, 24, 1900, Fig. 58 abgebildet. Die fünfte Platte endlich, früher Webster 4948, ist in München; sie ist die schönste in der Reihe und zeigt nebeneinander zwei unter sich ganz gleiche, gepanzerte Krieger und in den drei leeren Ecken je einen bärtigen Europäerkopf als Beizeichen; sie soll hier Fig. 375 nach einer Abbildung Brinckmanns in »Dekorative Kunst« II p. 84 in Kap. 3 nochmals abgebildet werden, da sie in mehrfacher Beziehung lehrreich ist. Freilich läßt sich für die wirkliche Bedeutung des Ebere auch aus dieser kleinen Reihe von fünf Platten nichts lernen. Die Auffassung als Tanz- und Zeremonialgerät wird durch die Verbindung mit dem Schilde jedenfalls nicht erschüttert.

Anhangsweise sind hier noch fünf weitere Platten zu erwähnen, auf denen in ähnlicher Art das Ebere nit dem Speer zusammen vorkommt. Berlin III. C. 8393, Taf. 4 und III. C. 8398, Taf. 16 B, ferner London, R. D. XXIX 6, hier Abb. 251, Rushmore, P. R. 113 und Webster 29, 1901, 11 394. Nur die zweite von den Berliner Platten zeigt eine Mitra, auf den vier andern haben die Leute sehr hohe Helme; alle sind gepanzert. Auf der Platte P. R. 113 wird das Ebere in der Linken und ein Speer in der Rechten gehalten, auf den vier andern sehen wir den Speer links und das Ebere rechts.

T. Speer und Schild.
[Hierzu Taf. 8 B u. C, 9, 40 usw.]

Speere und Schilde sind bereits im Anfange dieses Kapitels, S. 70 ff., ausführlich behandelt worden. Hier wäre zusammenfassend nur festzustellen, daß sie die Hauptwaffen im alten Benin waren. Schwere Stoßspeere überwiegen, leichtere Wurfspeere sind verhältnismäßig selten. Auch Bündel von Speeren sind ab und zu dargestellt, so auf den Platten Fig. 192, 265 und 291. Eine Zusammenstellung der sämtlichen Platten, auf denen Leute mit Speer und Schild vorkommen, würde nicht lohnen; zur beiläufigen Orientierung sei auf die oben angeführten Tafeln und auf die Abbildungen 131, 140, 149, 152, 189 A, 190, 224, 257, 266, 283, 289, 354 ff. verwiesen.

U. Stäbe, Stöcke usw.
[Hierzu die Taf. 18 D, 22 und 41 sowie die Abb. 221, 222, 294, 308, 345 bis 353 usw.]

Die große Menge der Platten, auf denen Leute mit Stäben usw. dargestellt sind, kann man leicht in eine Anzahl scharf voneinander getrennter Gruppen bringen, und das soll im folgenden geschehen, auch wenn der Gewinn, der aus solcher Teilung für das Verständnis der einzelnen Bildwerke erwächst, hinter der Erwartung weit zurückbleibt. Ganz

Abb. 345. Mann mit Stab, Stuttgart 5383, früher H. Bey 284; Knorr Abb. 284. ¼ d. w. Gr.

Abb. 346. [Mann mit Stab und mit sehr überladenem Wehrgehänge; die linke Hand ist auf den Griff des in einer breiten Scheide versorgten Schwertes gestützt. Frankfurt a. M. 8133.

abgesehen von den schweren, eigentlichen Stöcken finden wir vielfach und gegen diese sogar in großer Überzahl leicht zepterartig gehaltene Stäbe, deren Bedeutung unklar und anscheinend wechselnd ist.

α)   So werden solche Stäbe auf mehreren Platten, vgl. die Abb. 221 u. 222, von Leuten getragen, die wir mit Sicherheit als große Würdenträger betrachten können, weil sie von zwei Begleitern mit Schilden geschirmt werden und sich von zwei andern ihr Schwert und ihren Schemel nachtragen lassen; der lange, dünne Stab ist ihr einziges Attribut, und wir können kaum anders, als in ihm ein richtiges Würdezeichen zu erkennen.

Dies gilt erst recht von vier Platten (Berlin III. C. 8371, Taf. 22; Dresden, 16 139, hier Abb. 155 und London, R. D. XXI 4 und XXVI 2, hier Abb. 353 und 294), auf denen Leute mit trichterförmiger Kopfbedeckung solche Stäbe halten; sie haben untereinander auch die auffallende Tätowierung (oder Bemalung?) des Nasenrückens und die über der Brust gekreuzten Gehänge aus Perlenschnüren gemeinsam; die Berliner und die Dresdener Platte stehen sich besonders nahe, weil sie auch die Begleitung durch Leute mit Hammer und Stock gemeinsam haben.

Eine dritte Gruppe ist durch die Verwendung von Europäer- und Krokodilköpfen als Beizeichen gekennzeichnet. Zu dieser gehören vor allem die beiden in ihrer Art völlig einzigen Platten Dresden 16 184 und Leipzig, M. f. V., beide früher im Besitze von Webster und hier Fig. 348 und 349 nach den Abbildungen in seinem Kataloge 29, 1901 reproduziert, dürftig und in ganz kleinem Maßstabe, nur um überhaupt eine Vorstellung von diesen merkwürdigen Platten zu geben und in der Hoffnung, daß die beiden Museen, die im glücklichen Besitze dieser kostbaren Stücke sind, uns bald durch große und würdige Abbildungen erfreuen möchten. Einstweilen kann man schon aus den kleinen Bildern hier sehen, wie sehr beide Platten aus der Reihe aller übrigen Benin-Platten herausfallen; dabei ist es nicht einmal wahrscheinlich, daß etwa beide Platten von demselben Künstler herrühren; sie sind stilistisch kaum miteinander verwandt. Die beiden großen Europäerköpfe der Dresdener Platte (Abb. 348) sehen nicht so aus, als ob sie nach der Natur modelliert wären; ich möchte eher an Heiligenbilder oder Spielkarten als Vorlagen denken und hoffe, daß einmal ein Kunsthistoriker ihrem Ursprunge nachgeht. Hingegen dürften die drei ausdrucksvollen Köpfe auf der Leipziger Platte (Abb. 349) wohl nach lebenden Vorbildern geschaffen sein. Ob aber die auffallend hohen und schmalen Nasen wirklich auf armenoïd-hethitische, also auf jüdische, Typen zurückgehen oder nur in der unbewußten und fast automatischen Übertreibung der Unterschiede zwischen europäischen und Negernasen begründet sind, wage ich nicht zu entscheiden.

Es wird von mancher Seite behauptet, daß der großartige Aufschwung Portugals seit dem Ende des 14. Jahrhunderts nicht zum mindesten durch seine Juden bedingt war und daß diese wesentlichen Anteil auch an den überseeischen und besonders den afrikanischen Unternehmungen Portugals hatten, aber ich bin persönlich nicht imstande, mir über diese Verhältnisse ein klares Bild zu machen — ebenso wie ja auch meine jahrelang fortgesetzten Bemühungen, etwas über die alten Beziehungen zwischen Portugal und Benin zu erfahren, gänzlich ergebnislos gewesen sind. Andere werden hoffentlich glücklicher sein; einstweilen

Abb. 347. Mann mit Stab und mit ungewöhnlich reichem Perlgehänge. Leiden 1164/1. Vgl. den völlig gleich aussehenden Mann ohne Stock bei R. D. XV, 6.

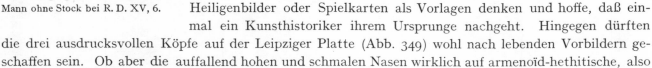

Abb. 348. Mann mit Stab, Dresden. Nach einer Phot. von Webster.   Abb. 349. Mann mit Stab, Leipzig. Nach einer Phot. von Webster.

muß ich mich darauf beschränken, diese sonderbare Platte, wie so viele andere Bildwerke aus Benin, einfach zu registrieren.

In den gleichen Kreis wie jene beiden Platten mit den Europäerköpfen gehören vermutlich drei Platten mit Krokodilköpfen als Beizeichen: Stuttgart 5383, hier Abb. 345, Frankfurt a. M. 8133, hier Abb. 346, und Karlsruhe A. 8005 (früher Webster 29, 1901, f. 24, Nr. 11 661). Diese drei Platten sind untereinander sehr ähnlich, nur die Frankfurter, Abb. 346, ist durch ein arg überladenes Wehrgehänge und ein en bandoulière getragenes Schwert in symmetrischer, mit Knöpfen verzierter Scheide ausgezeichnet. Sie war einmal auch dem Berliner Museum angeboten gewesen, für M. 1800, und mit der nicht ganz zutreffenden Angabe »Priester mit Amuletten«. Nicht in diese Gruppe gehört vermutlich die Wiener Platte 64 687 (früher Sir Ralph Moor 169, dann Webster 5016, jetzt Heger 1916, 28); sie hat zwar auch einen Krokodilkopf in jeder der vier Ecken, aber der Mann ist, anders wie die übrigen hierher gehörigen Leute, mit einem langen, eng anliegenden, hemdartigen Gewand. bekleidet und hält, wie man freilich erst bei sorgfältiger Betrachtung sieht, keinen Stab, sondern einen richtigen dicken Stock; dieser ist zwar größtenteils abgebrochen, aber man kann aus den noch erhaltenen Resten von Gußstegen erkennen, daß er unten fast bis zum Hemdrand gereicht hat; oben reicht er bis etwa in Mundhöhe und ist glatt, nicht abgebrochen, wurde also wie ein Stock getragen, nicht so hoch erhoben wie die leichten Stäbe der sonst bisher erwähnten Platten.

δ) In einer vierten Gruppe können fünfzehn[1]) andere Platten vereinigt werden, auf denen einzelne Leute ohne weitere Attribute, nur mit schlanken Stäben in der Rechten, dargestellt sind. Fast alle haben »Kropfperlen«, meist außerdem noch breite Perlgehänge, die einen großen Teil der vorderen Rumpfwand bedecken, von der Art, wie sie häufig bei Personen aus einer höheren socialen Schicht getroffen werden. Solche schlanken Stäbe tragen auch die zwei jugendlichen Begleiter des Fig. 367 abgebildeten Stelzengängers.

ε) Ganz besonders scharf umgrenzt ist schließlich eine Gruppe von neun Platten, für die zunächst die drei Berliner Stücke auf Taf. 41 oben als typische Vertreter zu betrachten sind; aber auch sechs andere Platten fügen sich durchaus in das gegebene Schema, so daß es sich nicht empfiehlt, sie einzeln zu beschreiben, sondern daß es wesentlich einfacher ist, sie in eine Reihe zu stellen und dann zu untersuchen, welche Eigenschaften ihnen allen gemeinsam sind und welche Attribute oder Eigenschaften etwa einzelne von ihnen vermissen lassen oder vor den übrigen voraus haben. Es handelt sich um die folgenden Stücke:

1., 2., 3. Berlin, III. C. 8410, 8409 und 8256, Taf. 41 A, B und C.

4. Berlin, III. C. 8265, Taf. 41 F. Diese Platte ist stark beschädigt; auf ihrer (vom Beschauer) rechten Seite fehlt, wie bereits in einem andern Zusammenhange gezeigt, eine ganze Person, die mit großer Sicherheit nach Art der Fig. 308 abgebildeten Platte ergänzt werden kann; ebenso ergibt sich für die uns hier vorwiegend interessierende Person am linken Rande aus einer genauen Prüfung der erhaltenen Reste von Gußstegen, daß sie ebenso wie die ihr entsprechende Person von Fig. 308 in jeder Hand einen Stab getragen hat.

5. Hamburg, C. 2303, hier Abb. 203, S. 121.

6., 7. London, R. D. XV 4, hier Abb. 350 und London, R. D. XXII 6, hier Abb. 308.

8. London, R. D. XXVI 5. Bruchstück; der (vom Beschauer) rechte Rand ist gefalzt, so daß sich für die ursprüngliche Platte eine Breite von rund 30 cm und somit das Fehlen von zwei Personen ergibt, die ich weder anderswo nachweisen noch auch nur mit einiger Sicherheit ergänzen kann.

9. Ausgezeichnet schöne und gut erhaltene Platte, Fig. 204, S. 121 nach einer Photographie in Privatbesitz abgebildet. Standort des Originals zur Zeit unbekannt.

---

[1]) 1. Berlin, III. C. 8415, Taf. 18 D. — 2. Dresden, 16 059. — 3. Hamburg, C. 2947. — 4. Leiden, 1164/i, hier Abbildung 347. — 5. Leipzig, M. f. V., mit Halbmonden in jeder Ecke. — 6. Leipzig, früher Sir Ralph Moor 69, mit sehr breitem Perlgehänge von den Schultern bis fast zum Nabel. — 7. Leipzig, früher Sir Ralph Moor 66, zwei unter sich ganz gleiche Leute, der Oberschurz in der Art eines Pantherfells gemustert. — 8. London, D. R. XXX, 4. — 9. Stuttgart, 4669, hier Abbildung 352. — 10. Stuttgart, 5405, hier Abb. 351. — 11. Webster 6445, 18, 1899, f. 69, 34 × 44 cm, mit Rosetten in drei Ecken, in die vierte reicht der Stab. — 12., 13., 14. Wien, 64 684/5/6, früher Sir Ralph Moor 16, 195 und 5, dann Webster 5024, 5017 und 5030 und Heger, 25, 26 und 24. Die zweite dieser Platten ist durch ein sehr breites Perlgehänge ausgezeichnet, ähnlich wie Nr. 6; die dritte durch die ganz unnötig große Anzahl von 12 oder 13 Gußstegen für den frei gehaltenen Stab. — 15. Wien, 64 665 (Heger 27), ausgezeichnet schöne Platte, 36 × 45 cm, mit zwei unter sich sehr ähnlichen Stabträgern; nur hat der zur Rechten stehende eine median-sagittale Kammleiste, breites Perlengehänge und einen völlig glatten, ungemusterten Oberschurz, während der andere einfachen Perlhelm, kein Gehänge und einen mit »Volants-Streifen« verzierten Oberschurz hat.

Den auf diesen neun Platten dargestellten Personen mit langen, dünnen Stäben ist von allen ohne Ausnahme eine sehr eigenartige Form des Brustkastens gemeinsam. Man kann über die genaue Diagnose dieser krankhaften Mißbildung vielleicht im Zweifel sein und wird die Frage offen lassen können, ob es sich um eine schwere Verkrümmung der Wirbelsäule oder nur um das handelt, was der Laie bei uns »Hühnerbrust« nennt, also um einen rachitischen Zustand — nur daß überhaupt eine pathologische Veränderung vorliegt, steht durchaus fest. Ferner haben alle diese Leute ausnahmslos ein enges, anliegendes, fast bis an die Knöchel herabhängendes Hemd mit engen, bis an das Handgelenk reichenden Ärmeln; die ganzen Hemden, auch die Ärmel, sind gleichmäßig in wagrechten Streifen gemustert, die ihrerseits wieder durch mannigfache Dreiecke, Rhomben, Flechtbänder usw. geziert sind. Meist schneidet dieses Hemd unten wagrecht ab, nur in zwei Fällen, Taf. 41 A und Abb. 350, ist es über dem linken Fuß etwa bis zur Höhe des Knies hochgehoben; dabei wird ein glattes, nicht gemustertes Unterkleid sichtbar, das unten ebenso gerade abschneidet wie an den andern Stellen das Hemd [1]). Auf diesen zwei Platten ist das Oberhemd unten auch anders eingefaßt als auf den sieben andern; bei diesen ist es von einer Reihe von abwechselnd glatten und punktierten, zylindrischen Perlen beschwert, während es bei jenen einmal durch einen breiten, glatten Wulst und einmal durch eine Reihe von breiten Federn abgegrenzt ist. Sieben von den neun Leuten haben auf dem größtenteils kahlgeschorenen Scheitel einen hohen, geflochtenen Tutulus, die zwei andern, siehe Abb. 350 und die hier unter Nr. 8 aufgezählte

Abb. 350. Verwachsener Mann mit Stab, eine Falte seines Kleides hochhaltend, im Hintergrund ein Europäer, nach R. D. XV, 4.

Londoner Platte R. D. XXVI 5, haben eine Perlkappe mit median-sagittaler Kammleiste. Vier von den neun Leuten halten nur in der Rechten einen Stab (darunter ist einer, Taf. 41 B, oben gegabelt), drei halten in beiden Händen je einen Stab, zwei schließlich halten in der Rechten einen Stab und in der Linken zwei oder drei. Darauf, daß alle neun Personen auch »Kropfperlen« haben, ist wohl weniger Gewicht zu legen, da dieser Schmuck in Benin auch sonst so allgemein verbreitet ist. Beizeichen finden sich nur auf einer einzigen unter den neun Platten, siehe Abb. 350: vier nach

Abb. 351. Stabträger, Stuttgart, früher H. Bey 188, Knorr Abb. 20. Etwa 1/6 d. w. Gr.

Abb. 352. Stabträger, Stuttgart 4669, früher H. Bey 100. Etwa 1/6 d. w. Gr.

[1]) Warum auf diesen beiden Platten die Leute ihr Kleid in solcher Weise hochheben, ist nicht recht einzusehen; nur daß sie es tun, kann nicht bezweifelt werden. Beide raffen mit der linken Hand ein Stück ihres Überkleides zu einem rundlichen Zipfel zusammen und ziehen es an diesem hoch; R. D. haben freilich den Zusammenhang nicht erkannt und sprechen von dem Zipfel als »an oval object, difficult to determine«, das in der linken Hand gehalten wird; doch ist die Deutung schon durch den vollständigen Parallelismus der Berliner Platte Taf. 41 A mit der Londoner gesichert; auf beiden Platten läßt sich sogar die Musterung des Kleides auch auf der gerafften Falte nachweisen. Daß der Ziseleur die queren Streifen, mit denen das Kleid gemustert ist, auch unterhalb der hochgehobenen Falte wagrecht durchziehen läßt, ist allerdings sehr naiv und zeigt, wie unbeholfen ein Benin-Künstler dem ihm neuen Problem der Faltenbildung gegenüberstand.

unten offene dünne Mondsicheln und unter der links oben, völlig einzig in seiner Art und ohne jede Analogie im ganzen Bereiche der Benin-Platten, ein kleines Figürchen eines Europäers, der auch seinerseits einen Stab in der Linken hält.

Auf zwei von den neun Platten finden wir unsere Leute mit den Stäben unmittelbar neben Personen, die wir für Musiker und Tänzer zu halten einigen Grund haben; sie aber deshalb für Dirigenten und ihre Stäbe für Taktstöcke zu halten, sind wir kaum berechtigt. Aber auch sonst sehe ich keine Möglichkeit einer befriedigenden Deutung; so müssen wir uns mit der Feststellung begnügen, daß Leute mit einem schweren körperlichen Gebrechen, in einer Art Uniform sowie auch sonst einheitlich ausgestattet und mit Stäben versehen, irgendeine uns nicht bekannte Funktion auszuüben hatten. Welcher Art aber diese war, darüber können wir bei dem gegenwärtigen Stand unserer Kenntnis zu keinem sicheren Schlusse gelangen.

Ebenso fehlt uns auch jede Möglichkeit, etwas über die Bedeutung der Stäbe auf den fünfzehn Platten zu sagen, die wir hier unter δ vereinigt haben; von einer oder der anderen von ihnen wird man sich vielleicht vorstellen dürfen, daß sie zu einer größeren figurenreichen Komposition gehört, die in einzelne Platten aufgelöst wurde, daß also die dargestellte Person den Stab nicht für sich, sondern für ihren Herrn trägt. Daß vielfach Schwerter und andere Dinge der persönlichen Ausrüstung eines Würdenträgers von Dienern getragen werden, haben wir längst festgestellt,

Abb. 353. Würdenträger mit Stab, zu seiner Rechten ein Mann mit einem Kreuz an langer Halskette. Vergrößert nach R. D. XXI, 4.

und ebenso haben wir bereits gesehen, daß einzelne Platten nur verständlich werden, wenn man sie als Bestandteile einer größeren Gruppe auffaßt. So können wir z. B. für die Fig. 155 abgebildete Platte gar nicht daran zweifeln, daß die von den zwei randständigen Begleitern gehaltenen Gegenstände, der Stab und die Kopfbedeckung, nicht diesen selbst, sondern ihrem Herrn gehören. Löst nun der Künstler aus irgendeinem Grunde die einheitliche Komposition auf und bringt die einzelnen Figuren auf getrennte Platten, so kann man den alten Zusammenhang nur so lange mit Sicherheit erkennen, als die einzelnen Platten noch nebeneinander auf derselben Wand oder auf demselben Pfeiler befestigt sind. Sind diese aber einmal von da los- und auseinandergerissen, so können wir über die Zugehörigkeit und damit oft auch über die Bedeutung der einzelnen Attribute nur mehr bloße Vermutungen aufstellen. So würde man, um bei dem alten Beispiel zu bleiben, von dem Stabträger der

Abb. 155, wenn wir ihn auf einer einzelnen Platte für sich dargestellt finden, niemals mit Sicherheit sagen können, ob er den Stab im eigenen Rechte trägt oder nur als Diener seines Herrn. Nur den Diener, der den Schemel trägt, würden wir stets als solchen erkennen, selbst wenn er uns ganz allein und auf einer so schönen und ungewöhnlich großen Platte entgegentritt, wie z. B. auf der Fig. 324 abgebildeten.

So müssen wir auf die Deutung der in diesem Abschnitte behandelten Stäbe verzichten und uns mit der Erkenntnis begnügen, daß sie trotz äußerer Ähnlichkeit oder Gleichheit doch sehr verschiedenen Zwecken gedient haben können. Das war im alten Benin eben nicht anders als heute noch bei uns, wo man einem Stück spanischen Rohrs auch nicht von vornherein ansehen kann, ob es zum Ausklopfen von Teppichen oder als Bakel eines Pädagogen dient und wo unter Umständen sogar ein Marschallstab für einen Taktierstock gehalten werden kann.

ζ)   In einem sicheren Gegensatze zu den dünnen Stäben stehen richtige Stöcke, die mehrfach auf Benin-Platten dargestellt sind und bald wie Spazier- oder Bergstöcke aussehen, bald wie Würdezeichen, die etwa an die Stöcke der Türhüter von Palästen erinnern. Typisch für die erste Gattung ist der Stock auf der Fig. 177, S. 99 abgebildeten Platte; dabei ist es nicht ganz unmöglich, daß die Benutzung eines solchen Stockes schon an sich mit dem Besitze oder mit dem Tragen von Ringgeld zusammenhängt. Jedenfalls haben wir Fig. 178 eine Platte abgebildet, auf der ein Mann zwischen zwei Leuten mit Geldringen steht und einen schweren Stock trägt; dieser Stock endet oben in einen wohl aus Metall getrieben zu denkenden Krokodilkopf mit einem Fisch im Rachen. Ganz gleichartige Stöcke finden sich auch auf zwei weiteren Platten, siehe die Abb. 253 und 254, S. 148, die anscheinend auch Kaufleute darstellen oder sonst Personen, die mit Ringgeld zu tun haben; wenigstens gleicht ihre Tracht durchaus der, die wir für die mittlere Figur von Abb. 178 kennengelernt haben.

Einen Stock, der gleichzeitig als Stütze und als Würdezeichen zu dienen scheint, sehen wir auf der Platte P. R. 131, die Fig. 380 abgebildet werden soll und auf der ihr zum Verwechseln ähnlichen Platte in Liverpool, die Ling-Roth, Great Benin, p. 110, Fig. 108, abbildet. Auch der Stock auf der bereits S. 213 unter γ erwähnten Wiener Platte 64 687 ist wohl in demselben Sinne aufzufassen. Keiner weiteren Erklärung bedarf der lange Stab in der Hand des blinden Mannes auf der schönen Berliner Platte Taf. 27 A.

Eine Gruppe für sich bilden schließlich die mit Spiralbändern verzierten und oben mit einer kreisrunden Platte abgeschlossenen Stöcke auf den zwei Berliner Platten III. C. 8407 (Taf. 26 E sowie Abb. 227) und III. C. 8371, Taf. 22. Wir finden sie da in der rechten Hand von Personen, die in der Linken einen Hammer tragen und durch sehr auffallende, von den Mundwinkeln aus erhaben über das Gesicht ziehende »Schnurrhaare« ausgezeichnet sind. Dieselben Stöcke werden wir in der Hand derselben Leute auch auf Rundfiguren wiederfinden, von denen in den Kapiteln 11 und 13 die Rede sein wird.

Anhangsweise ist hier schließlich noch der Rassel- oder Klapperstock zu erwähnen, den die mittlere Person auf der Fig. 315 abgebildeten Platte hält. Solche Stöcke haben sich aus Bronze, Elfenbein und Holz mehrfach auch im Original erhalten; wir werden sie im Kap. 56 zusammenfassend behandeln.

V. Leute mit Taschen und mit Bündeln.

[Hierzu Taf. 10 D und 27 D sowie die Abb. 192, 352, 187 und 188.]

Große und kleine Umhängetaschen, von vornherein selbstverständlich bei Leuten mit taschenloser Kleidung, waren natürlich auch im alten Benin ebenso häufig wie heute noch überall bei den primitiven Stämmen. So finden wir sie auch auf den Platten zahlreich und in großer Mannigfaltigkeit der Form und der Größe. Daß die taschenähnlichen Gegenstände vom Typus der auf Taf. 27 C und 36 E dargestellten vielleicht als eine Art Rahmentrommeln und überhaupt gar nicht als Taschen anzusehen sein können, ist bereits erwähnt worden, aber es bleiben, auch wenn wir von diesem Typus absehen, immer noch recht viele sichere Taschen übrig. Wohl die größte von diesen findet sich auf der Berliner Platte III. C. 8383, Taf. 27 D, bei einem Manne, der Früchte von einem Baume sammelt.

Die größte Zahl von Taschen sehen wir auf der Fig. 380 abgebildeten Platte P. R. 131; solche fehlen auch nicht auf der ihr sehr ähnlichen Platte in Liverpool, von der L. R. (Great Benin, p. 110, Fig. 108) eine leider völlig ungenügende Abbildung gibt. Die kleinste Benin-Tasche, auch wie die großen mit einem Deckel zum Umklappen, kenne ich von der hier Fig. 351 abgebildeten Stuttgarter Platte 5405: sie ist nicht breiter als die Schwertscheide, der sie unmittelbar aufliegt. Ähnliche, nicht sehr viel größere

Taschen finden wir manchmal bei den kleinen Begleitern von höherstehenden Persönlichkeiten, so z. B. bei den zwei Hornisten auf R. D. XX 6 und bei dem kleinen Hornbläser auf der Berliner Platte, Taf. 10 D. Eine sehr deutliche Tasche hat auch der Junge mit dem Schilfblattschwert, Abb. 192.

Auf zwei Platten erscheinen richtige Bündel, auf dem Kopfe getragen; sie sind hier bereits S. 105, Fig. 187 und 188 abgebildet; es sind zusammengebündelte Früchte von Strophantus gratus.

W. Leute mit ungewöhnlicher Tätowierung oder Bemalung.

[Hierzu Taf. 35, 40 und 42 sowie Abb. 354 bis 356.]

Über die im alten Benin allgemein üblichen Arten und Formen der Tätowierung war bereits S. 61 ff. ausführlich die Rede; so haben wir uns hier nur mit den weniger typischen zu beschäftigen. Für diese versagen die alten Reiseberichte durchaus, so daß die schon in der Technik der Bildwerke begründete Schwierigkeit der Unterscheidung zwischen echter Tätowierung, Ziernarben und bloßer Bemalung besonders lebhaft empfunden wird. An sich stehen der Plastik für die Wiedergabe von Hautverzierungen naturgemäß nur beschränkte Mittel zu Gebote; nur wirkliche Reliefnarben kann sie richtig wiedergeben und muß schon bei der gewöhnlichen Art der Tätowierung, bei der die Hautoberfläche völlig glatt bleibt, ihre Zuflucht zu zweideutigen Hilfsmitteln nehmen und wird in der Regel mit vertieft eingepunzten Linien und Punkten arbeiten, wenn sie die auf hellerer Haut dunkel erscheinende Tätowierung wiedergeben will; dasselbe Mittel bringt sie aber auch zur Anwendung, um dünne Schnittnarben darzustellen: von den fünf vertikalen Linien, mit denen der Thorax aller Benin-Männer verziert ist, wissen wir aus den Angaben der alten Reisenden, daß sie Schnittnarben bedeuten. Ebenso steht der Plastik auch für die Darstellung von bemalter Haut kein anderes Ausdrucksmittel zu Gebote — außer wenn sie etwa sehr pastos aufgetragene Farbe im Relief wiedergibt, was dann naturgemäß von richtigen erhabenen Ziernarben nicht zu unterscheiden ist. Tauschiertechnik kommt nur ausnahmsweise in Frage.

So wird man schon bei den ganz einfachen, kreisrunden, leicht erhabenen Scheiben oberhalb der Nasenwurzel — vgl. z. B. die Platte auf Taf. 32 — schwanken müssen, ob es sich um eine Reliefnarbe, um richtige Tätowierung oder um einfache Bemalung handelt; für die erstere Auffassung könnte man natürlich geltend machen, daß Bemalung und Farbentätowierung in diesem Falle richtiger durch eine eingepunzte Kreislinie dargestellt worden wären, aber ein solcher Einwand würde hinfällig, sobald man sich daran erinnert, daß die Benin-Kunst die Brustwarzen und den Nabel zwar in der Regel durch flache, rundliche Scheiben, manchmal aber auch nur durch einfach vertiefte Kreislinien andeutet, und daß eine solche eingepunzte Kreislinie auf der Stirn viel eher auf eine tätowierte Linie als auf eine kreisförmige Fläche bezogen werden würde. Ein weiteres Element der Unsicherheit tritt dann noch dazu, wenn etwa, wie z. B. auf der Platte Taf. 39 C, der obere Rand der Scheibe unter einer Kopfbedeckung verschwindet; dann wird man noch eine vierte Möglichkeit erwägen und daran denken müssen, daß weder Bemalung, noch eine Ziernarbe, noch Tätowierung vorliegt, sondern ein vom Haarrande herabhängendes Schmuckstück; allerhand, meist spindelförmige oder zylindrische Perlen finden sich sowohl im alten Benin als auch im heutigen Westafrika so häufig in solcher Art verwandt, daß auch scheibenförmige Schmuckstücke, Münzen und dergleichen, vom Haarrande gegen die Nasenwurzel herabhängend, in keiner Weise auffallend wären.

Ebenso schwierig ist die Deutung jener Platten, auf denen große Flächen der Haut in Punztechnik verziert sind. Da ist es von vornherein völlig unmöglich, aus dem Bildwerk an sich zu erkennen, ob Bemalung oder Tätowierung vorliegt. In einzelnen Fällen wird vielleicht Analogie mit modernen Gebräuchen die Wagschale nach der einen oder nach der andern Richtung senken lassen — in den meisten muß es bei einem non liquet verbleiben, solange nicht etwa bisher unbekannte zeitgenössische Quellen sicheren Aufschluß bringen. Ganz abwegig und bei dem sonst so hervorragenden Scharfsinn und der oft bewährten Sachkenntnis der beiden Kollegen doppelt unverständlich ist die Meinung von R. D., daß »the ornamentation of the nude body must be due to the desire of the artist, to decorate the surface of the metal and can hardly represent actual tattooing«.

Auf einigen Platten, besonders schön bei den Berliner III. C. 8055 und 8263, Taf. 19 B und 25 C, aber auch bei den Fig. 190 und Fig. 239 abgebildeten, finden sich symmetrisch und gepaart oder zu dritt auftretende Gruppen von je 3, 4 oder 5 aus Punktreihen bestehenden Strichen auf der vorderen Bauchwand zu beiden Seiten der Mittellinie sowie auf der Beugeseite des Oberarmes und auf dem Fuß-

rücken. Ich halte es für recht wahrscheinlich, daß gerade in dieser Technik nur wirkliche, d. h. durch
Stichelung der Haut und Einführung von Kohlenpulver hergestellte Tätowierung wiedergegeben wurde.
Wie bereits S. 62 gesagt wurde, ist eine derartige Tätowierung bei ganz dunkler Negerhaut so gut wie
unsichtbar; wir werden daher, wo immer wir auf unseren Platten echte Tätowierung annehmen müssen,
damit stets auch die Vorstellung von etwas hellerer Haut zu verbinden haben.

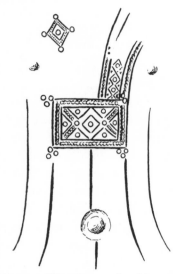

Abb. 355. Tätowierung des Mannes auf
der Platte Berlin III. C. 8210, Taf. 35 E.

Abb. 354. Torwächter und tätowierter Eilbote. Vergrößerter Ausschnitt aus
R. D. XXIII, 6. Auf dieser Platte, die anscheinend die »Ablösung« einer Palast-
wache darstellt, sind noch zwei weitere, den hier reproduzierten durchaus symmetrische Personen vorhanden. Vgl. Taf. 40.

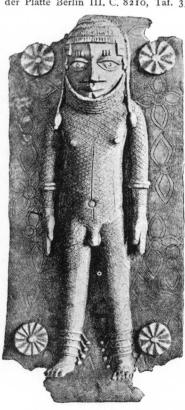

Abb. 356. Platte mit einem nackten, am
ganzen Körper bemalten Jungen, nach
P. R. 9. ¼ d. w. Gr.

In derselben Art, wenn auch in entgegengesetzter Richtung, wird man sich bei andern Platten mit
einiger Bestimmtheit für bloße Bemalung und gegen Tätowierung aussprechen dürfen. Unter diesen
sind zunächst zwei unter sich fast völlig gleiche Platten hervorzuheben: Rushmore P. R. 9
und Wien 64 715. Von der letzteren gibt Heger (1916, S. 136 ff.) eine sehr eingehende Beschreibung
und eine ausgezeichnete Abbildung; von der etwas besser erhaltenen Platte in Rushmore vermittelt das
hier Fig. 356 reproduzierte Bild eine gute Vorstellung. Auf beiden Platten sehen wir nun anscheinend

jugendliche oder halbwüchsige Personen dargestellt, völlig nackt, nur mit einigen Reihen Kropfperlen, glatten Reifen auf den Vorderarmen und mit Perlschnüren und kleinen Schellen oberhalb der Sprunggelenke. Sie haben die typischen Ziernarben über den Augen und die fünf Längsschnitte auf dem Rumpfe. Außerdem aber ist der ganze Körper mit Ausnahme des Gesichtes und der Hände mit einem feinen Muster von dünnen, eingeschlagenen Linien bedeckt, die rhombische Felder mit kleinen Kreisen in der Mitte einschließen. So erinnern diese zwei Jungen sofort und auf den ersten Blick an die bemalte Gesellschaft in der großen Festhalle des Monbuttu-Königs, von der uns Schweinfurth eine so anschauliche Schilderung und ein so lebenswahres Bild entworfen hat, und so muß man Heger durchaus beistimmen, wenn er für diese zwei Platten Bekleidung und Tätowierung ablehnt und Bemalung annimmt.

Meinerseits möchte ich sogar noch weiter gehen als Heger und versuchen, auch über die Bedeutung eines so ungewöhnlichen Schmuckes nachzudenken. Ein solcher Versuch führt aber, ich möchte fast sagen, automatisch zu der Erwägung, daß im alten Benin genau ebenso, wie noch heute überall in Westafrika, Pubertätsfeierlichkeiten und Initialzeremonien eine große Rolle im privaten und öffentlichen Leben des Volkes gespielt haben müssen. Da wäre es nun sehr auffallend, wenn unter den rund tausend Personen, die uns in den Bildwerken des 16. Jahrhunderts erhalten geblieben sind, sich nicht auch einige Jünglinge im Stadium der Pubertätsweihe befinden sollten. In dem ganzen Figurenschatz des alten Benin entsprechen aber allein nur jene ganz bemalten Jungen den Schilderungen und den Bildern, die uns aus dem heutigen Westafrika von solchen festlich bemalten Jungen bekannt sind. Ich denke trotzdem nicht daran, meine Deutung als völlig gesichert hinzustellen, und ich würde es als kindisch betrachten, wenn etwa jemand rechnerisch für sie eintreten und darauf hinweisen wollte, daß die Initialzeremonien etwa rund den dreihundertsten Teil der durchschnittlichen Lebensdauer eines Westafrikaners ausfüllen — aber ich denke doch, daß man jene zwei am ganzen Körper bemalten Jungen mit einiger Wahrscheinlichkeit mit den Festlichkeiten der Pubertätsweihe wird in Zusammenhang bringen dürfen.

In den gleichen oder in einen verwandten Kreis gehören dann wohl aber auch die so eigenartig ausgestatteten Leute mit den kolbenförmigen Rasseln, die hier bereits S. 185 ff. besprochen sind, vgl. Taf. 41 F sowie die Abb. 156, 160, 196 und 308. Daß diese Leute unter sich auf das engste zusammengehören, ist auf den ersten Blick klar; aber die Mehrzahl von ihnen hat außerdem noch den ganzen Körper, soweit er unter dem kurzen Lendentuch überhaupt sichtbar ist, in genau derselben Weise bemalt, wie wir dies eben von den drei Jungen vom Typus der Abb. 356 beschrieben haben. Unbemalt sind nur die zwei Personen auf den Fig. 156 und 161 abgebildeten Platten. Darf man die einen und die andern als Tänzer erklären und etwa mit den türkischen *kitschek* in nicht sehr rühmlichen Zusammenhang bringen, so wird man sich wohl auch weiter vorstellen dürfen, daß diese Tänzer nicht ohne Absicht ihren Körper in genau derselben Weise bemalen, wie sie für die Pubertätsfeier üblich war.

Die ganz gleiche Bemalung findet sich ab und zu auch bei kleinen Jungen, die als Begleiter von Würdenträgern auftreten, so z. B. bei dem Jungen, der eine in Form eines Antilopenkopfes geschnitzte Büchse trägt, siehe Abb. 240 und auf der großen Prachtplatte Abb. 190, auf der einer dieser Jungen einen Fächer, der andere das Schwert seines Herrn und ein Schweißtuch hält.

Etwas anders liegen die Dinge bei den Platten, mit denen wir uns nun zu beschäftigen haben. Da sehen wir zunächst auf der Platte Berlin, III. C. 8755, Taf. 42, drei junge Leute, die, unter sich ganz gleich, bis auf ihre Halsschnüre, Vorderarmreifen und ihren Fußschmuck völlig nackt, dafür aber fast am ganzen Körper mit einem sehr zierlichen und sorgfältig ausgeführten Hautschmuck bedeckt sind, für dessen Einzelheiten ich, unter Verzicht auf jede Beschreibung, auf die Taf. 42 verweise. Die Frage, ob Tätowierung oder Bemalung vorliegt, drängt sich natürlich sofort auf, ist aber nicht mit Sicherheit zu beantworten. Bei oberflächlicher Betrachtung denkt man nur an Tätowierung und wird sich vielleicht auch bemühen, zu finden, wo in Westafrika etwa heute noch ähnliche Tätowiermuster vorkommen; man würde dann zu der Annahme kommen, daß es sich um Leute aus einem fremden Stamme handelt, die ursprünglich nach der Sitte ihrer Heimat so ganz besonders reich tätowiert worden waren und dann nachträglich auch in Benin noch mit den typischen Gesichtsnarben versehen wurden und, soweit die ausgedehnte »Tätowierung« des Rumpfes dies noch zuließ, auch mit den fünf Längsstrichen am Rumpfe; diese Striche scheinen nämlich an der reichen und für Benin so ungewöhnlichen Musterung des Oberkörpers haltzumachen. Wenn dem wirklich so wäre, müßte man die Frage als erledigt betrachten und Narbentätowierung, wie wir sie etwa vom mittleren Kongo oder vom Croß-Flusse kennen, als gesichert annehmen. Bei genauerer Prüfung hält aber diese Annahme nicht stand; da ergibt sich vielmehr, daß die fünf Längsstriche auch unter der andern Musterung hindurch noch sichtbar sind, allerdings wenig deutlich, etwa so, als ob sie unter einer Farbschicht zum Vorschein kämen. Damit entfällt jede Sicherheit für die Annahme von Ziernarben, und die Entscheidung der Frage, ob es sich um einen dauerhaften Schmuck oder um bloße Bemalung handelt, wird aus dem Bereiche des Wissens in den Kreis vager persönlicher Vermutung gedrängt, in dem es jedem freisteht, sich je nach Laune und Stimmung nach der einen oder nach der andern Richtung zu entscheiden. So ist die Taf. 42 vor vielen Jahren zu der Beschriftung gekommen, mit der sie jetzt ans Licht tritt; heute würde ich mich sicher nicht mit der gleichen Bestimmtheit ausdrücken und sehr viel lieber an bloße Bemalung als an dauerhafte Tätowierung denken. Damit verliert nun aber auch die Annahme stammesfremder Herkunft für diese Leute jeden Halt, und wir finden uns vor die Frage gestellt, ob wir nicht auch bei ihnen einfach nur an Teilnehmer an den Mannbarkeitsfesten oder ähnlichen Feierlichkeiten zu denken haben. In diesem Zusammenhange muß die dichte Punktierung des Mons veneris besprochen werden; man wird natürlich zunächst an starke Behaarung denken, wie ja vielfach in der Benin-Kunst auch Tierfell in ganz gleicher Art punktiert dargestellt wird; da aber auch ganz erwachsene Neger meist nur sehr spärliche Haare auf dem Mons veneris haben, wird man die dichte und ausgedehnte Punktierung auf unserer Platte vielleicht nur als ein Tätowierungs- oder Bemalungsmuster wie ein anderes betrachten und nur sekundär auf Behaarung beziehen dürfen. Gegen eine solche Auffassung spricht allerdings eine ähnliche, wenn auch nicht so dichte Punktierung derselben Gegend bei einem der nackten Jungen auf der Berliner Platte III. C. 8056 auf Taf. 24.

Mit der eben beschriebenen Berliner ist die Londoner Platte R. D. XXV 5 so nahe verwandt, daß eine nähere Beschreibung überflüssig wäre; sie zeigt in völlig gleichartiger Weise drei ebenso behandelte Personen, die nur in wenigen unwesentlichen Einzelheiten der Musterung etwas abweichen. Was von der Berliner Platte gesagt oder vermutet werden kann, gilt genau ebenso auch für die Londoner. R. D. gehen auf die Bedeutung der Darstellung überhaupt nicht ein und begnügen sich mit der Bemerkung, daß die Körper mit »punched ornaments« bedeckt seien.

Wirkliche Tätowierung hingegen dürfte auch, abgesehen von den sicher tätowierten Oberarmen, bei der Berliner Platte III. C. 8210, Taf. 35 E, anzunehmen sein; da macht die Verzierung der vorderen Rumpfwand wenigstens durchaus den Eindruck, als ob sie aus einem Gusse mit den fünf typischen Benin-Narben hervorgegangen wäre. Die Tafel und die Skizze Fig. 355 zeigen gleichmäßig, daß der mediane Strich niemals höher als bis zum unteren Rande des queren Feldes gereicht hat, und daß die beiden inneren seitlichen Striche sich den Seitenrändern dieses Feldes anpassen. Wenn also der Metallkünstler sich wirklich, was wir freilich nicht wissen können, treu an sein Vorbild gehalten hat, würde hier ein sicheres Beispiel für reiche Narbentätowierung gegeben sein.

Gleichfalls wirkliche Narbentätowierung können wir aus demselben Grunde (und mit dem gleichen Vorbehalt) auch für die beiden Eilboten auf der Platte R. D. XXIII 6 annehmen; diese schöne Platte ist bereits S. 198 unter Nr. 34 bis 36 erwähnt worden; ein Ausschnitt ist Fig. 354 abgebildet. Die ganze Platte zeigt zwei Torwächter und zwei völlig nackte Eilboten. Die letzteren sind am ganzen Körper mit Mustern bedeckt, die etwas an die der Leute auf Taf. 42 erinnern, aber auf der Brust unsymmetrisch sind, wie die Zeichnung auf der Berliner Platte Taf. 35 E; von der mittleren der fünf sonst für Benin typischen Längsnarben ist keine Spur vorhanden.

Unsymmetrisch ist auch die Hautzeichnung des kleinen Jungen mit dem Ebere auf der Prachtplatte Berlin, III. C. 7657, Taf. 23; aber es wäre verkehrt, daraus etwa einen Grund abzuleiten, sich für Tätowierung und gegen Bemalung auszusprechen; man wird es besser bei einem non liquet bewenden lassen.

Eine aufmerksame Betrachtung der Hautzeichnungen, besonders auf den Taf. 40 und Fig. 354 abgebildeten Platten, legt einen Vergleich mit richtigen Kleidungsstücken fast ebenso unmittelbar nahe wie in einigen andern ethnographischen Provinzen. Bei der schönen Tätowierung der alten japanischen Fischer ist ein solcher Zusammenhang von vornherein gesichert; auch bei vielen Mustern auf den Karolinen und auf den Marshall-Inseln ist er wahrscheinlich, selbst bei der Tätowierung der Samoaner wird man, nicht ohne nachdenklich zu werden, sich daran erinnern dürfen, daß der erste Europäer, der sie zu sehen bekam, in sein Tagebuch eintrug, diese Leute müßten Beziehungen mit China haben, da sie »seidene Schwimmhosen« hätten. Gerade die Behandlung der Schenkel und der Hüften auf unserer Taf. 42 erinnert — sicher nicht in den Einzelheiten, aber doch in den großen Zügen — an die samoanische Tätowierung. Ich beschränke mich hier auf den bloßen Hinweis und will an anderer Stelle ausführen, inwieweit hier nur bloßer Zufall vorliegt.

Auffallend ist, daß alle die in diesem Abschnitte von S. 217 an aufgezählten Leute mit Hautzeich-nuungen, mögen diese durch Tätowieren oder durch Bemalen zustande gekommen sein, im Gesichte, unab-hängig von den typischen Reliefnarben über den Augen, ausnahmslos auch einen Streifen aufweisen, der allmählich sich verjüngend, vom Haarrand an über die Mitte der Stirn und über die Nasenwurzel hinweg bis zur Nasenspitze verläuft. Wir werden denselben Streifen wieder zu erwähnen haben, wenn wir an die Beschreibung der Taf. 96 abgebildeten Masken gelangen, und wollen einstweilen offen lassen, ob er auf Tätowieren oder auf bloßes Bemalen zurückgeht.

Auch nur der Vollständigkeit halber seien hier die Narbentätowierungen des Gesichtes erwähnt, die sich auf den Platten mit Kampfszenen bei den besiegten Gegnern der Benin-Leute finden; wir werden sie in Kap. 5 näher kennenlernen. Ebenso soll in Kap. 36 ein kleines Messinggefäß in Gestalt eines mensch-lichen Kopfes beschrieben und Fig. 668 abgebildet werden, das unter der Angabe Benin aus der Samm-lung Ansorge für das Berliner Museum gekauft wurde. Es hat drei vertikale Narben jederseits unter dem äußeren Augenwinkel. Die Angabe »Benin« war mir von vornherein bedenklich; auch jetzt möchte ich das Stück lieber bei den Aschanti unterbringen.

Gleichfalls nicht nach Benin, sondern vermutlich nur in seine nähere Nachbarschaft gehört die Tätowierung des Fig. 295 abgebildeten Reiters; auf dem Originale besser als auf der Abbildung kann man oberhalb der Nasenwurzel und ebenso hinter dem linken äußeren Augenwinkel je drei nach oben bzw. hinten divergierende, im Winkel gestellte Linien erkennen. Ähnliche Rundfiguren, wahrscheinlich des-selben Reiters, vgl. Kap. 5, haben dasselbe Zeichen auch an den Mundwinkeln.

Auf der Fig. 198 abgebildeten Platte und ebenso auf der von Taf. 19 A hat der kleine Junge mit dem Fächer beiderseits, symmetrisch, unter der Leistenbeuge je drei fast wagerecht verlaufende tiefe Narben. Ich erwähne sie an dieser Stelle, möchte aber nicht entscheiden, ob sie wirklich als bewußte Tätowierung oder nicht etwa nur als Narben nach einer chirurgischen Operation zu betrachten sind.

Ebenso unsicher bin ich über die »Schnurrhaare«, die wir mehrfach auf alten Bildwerken von Benin an menschlichen Gesichtern finden. Ich verweise einstweilen auf die Abb. 227, S. 135, und werde in Kap. 11 bei Besprechung einiger großer Rundfiguren auf diese Schnurrhaare noch zurückkommen; hier möchte ich nur erwähnen, daß sie vermutlich nur als rein künstlerisches oder manchmal auch als dämoni-sches Attribut aufzufassen sind, dem kein unmittelbar wirkliches Vorbild entspricht. Es würde natürlich leicht sein, ähnliche Bildungen am Lebenden als typische Reliefnarben hervorzubringen, aber es ist sehr viel wahrscheinlicher, daß sie der Künstler nur aus seiner Phantasie geschaffen hat, etwa um damit anzu-deuten, daß der betreffende Mensch aus irgendeinem Grunde den Beinamen »Panther« hatte oder sonst irgendwie, vielleicht totemistisch, mit dem Geschlechte der Panther zusammenhing.

Gänzlich unsicher bin ich über die Bedeutung der dicken, wulstigen Erhabenheiten auf der Brust und auf den Oberarmen der beiden Leute auf den Berliner Platten III. C. 8383 und 8206, Taf. 27 D und 29. Auf beiden Platten sieht man gleichmäßig symmetrisch angeordnete Gruppen von je drei etwa finger-langen und ebenso stark vorragenden Wülsten. Es ist möglich, daß hier eine ungewöhnlich stark erhabene Narbentätowierung vorliegt, wie uns eine solche gerade aus Westafrika mehrfach bekannt ist; es kann aber ebensogut sein, daß es sich nur um wulstartige Verzierungen auf einem Kleidungsstücke (oder auch um etwas ganz anderes) handelt. Die sorgfältigste Betrachtung der beiden Originale führt zu keiner sicheren Deutung, so mußte ich mich auf einen bloßen Hinweis beschränken; früher oder später wird ja wohl auch dieser eigenartige Befund aufgeklärt werden.

Schließlich sei hier noch darauf hingewiesen, daß nicht selten bei sonst ganz typischen Benin-Jungen zwar die Rumpfnarben vorhanden sind, die Stirnnarben aber fehlen. Daß man daraus schließen kann, jene seien schon in früher Kindheit, diese erst später, vielleicht im Anschlusse an die Pubertätsweihe, hergestellt worden, ist bereits erwähnt. Auf einigen, so z. B. auf den drei Berliner Platten, die Taf. 41 A, B, D und E abgebildet sind, und auf der Stuttgarter in Fig. 359, fehlen die Stirnnarben aber auch bei Per-sonen, die man als ausgewachsen betrachten möchte. In solchen Fällen wird man daran denken dürfen, daß manchmal auch in andern Kulturkreisen gewisse, sogar rituelle und allgemein geübte Operationen trotzdem ausnahmsweise bei einzelnen Individuen unterbleiben.

(Daß ich in diesem Buche wieder zu der alten Schreibweise »Tätowierung« zurückkehre, obwohl Augustin Krämer's Vorschlag, »Tatauierung« zu schreiben, sprachlich durchaus begründet ist, geschieht in der Meinung, daß es nicht lohnt, ohne dringende Not gegen den Strom zu schwimmen: Ich habe in den letzten Jahren zuviel Zeit damit verloren, Freunden und Schülern immer wieder von neuem zu erklären, warum man »tatauieren« schreiben solle; also: *video meliora proboque, deteriora sequor*.)

X. Leute mit ungewöhnlicher Tracht.

[Hierzu Taf. 24, 28 und andere, sowie Abb. 357 bis 359.]

Neben den typischen Trachten finden sich auf den Platten und auf den andern alten Bildwerken von Benin so viele weniger typische und seltene Formen und dabei so zahlreiche Übergänge, daß es sich lohnt, sie in einem besonderen Abschnitte zusammenzufassen, wobei es gleichzeitig weiter geboten ist, diesen Abschnitt je nach den einzelnen Bestandteilen der Tracht wieder in einzelne Teile zu gliedern; so sollen nun die nachstehenden Gruppen einzeln besprochen werden.

α) Bandelierartige Wehrgehänge,	ε) lange Kopfbinden,	ι) Perlschmuck,
β) Federkleider,	ζ) lange Röcke (oder Hemden?),	κ) »Perlhemden«,
γ) Gürtel ungewöhnlicher Art,	η) Netzärmel,	λ) ponchoartige Überwürfe,
δ) Halstücher,	θ) Panzer abweichender Art,	μ) Schulterschleifen,

ν) Schurze,   ξ) Unterschenkelschmuck.

α)   Die gepanzerten Krieger tragen ihr Schwert meist an einem sehr hoch quer über die Brust und außen um den Panzer herumgeführten Bande, so daß das Schwert mit dem Griffe nach vorn unmittelbar unter die Achselhöhle zu liegen kommt. Die Leute ohne Panzer hingegen tragen das Schwert — soweit sie überhaupt eines haben, regelmäßig *en bandoulière*, d. h. an einem Riemen, der von der rechten Schulter schräg gegen die linke Hüfte hinzieht. Dieser Riemen ist einmal ganz glatt, ein andermal hat er hoch aufgewulstete Ränder, manchmal ist er aus Pantherfell geschnitten oder erscheint wenigstens auf den Platten in der Art eines solchen gemustert. Auf Taf. 28 sind hier einige solche Wehrgehänge zusammengestellt; vom unteren Rande hängen mehr oder weniger dicht nebeneinander Quasten, Federbüschel und Schellen herab, manchmal auch einzelne lange Riemen und Fellstreifen, die unten durch eine runde Glocke oder Schelle wohl europäischer Herkunft beschwert sind. Auf einigen Platten erscheint dieser Behang sehr überladen; so auf den Stücken Taf. 28 C und 35 C. Ganz extrem viel Hängeschmuck dieser Art ist auf den Abb. 160, 181, 193, 217, 291, 346 und in maßloser Übertreibung bei zwei von den kleinen Begleitern auf der Fig. 353 abgebildeten Platte zu sehen. Was da alles angehängt ist, kann nicht immer deutlich erkannt werden; in einzelnen Fällen, so auf den Fig. 181 und Fig. 346 abgebildeten Platten, könnte man sogar an kunstvoll gearbeitete und reich profilierte Metallperlen denken. Ungewöhnlich einfach hingegen sind z. B. die Wehrgehänge auf den Abb. 322 und 358. Ganz vereinzelt ist der breite Fransensaum auf der Platte Fig. 180.

β)   F e d e r k l e i d e r, d. h. ganz mit Federn überzogene oder auch aus Netzen und Schnüren mit Federn bestehende Kleidungsstücke, kommen in drei verschiedenen Formen vor:

1. Lange, bis fast an die Knöchel herabreichende, eng anliegende Hemden mit etwa bis zu den Ellenbogen reichenden Ärmeln. Diese Hemden wirken, als ob sie aus lauter einzelnen, ganz dicht nebeneinander herabhängenden, etwa fingerdicken, rundum mit Federn besetzten Schnüren bestehen würden. P. R.s Meinung »composed apparently of strings of coral« kann ich nicht teilen; daß es sich um Federn handelt, scheint völlig gesichert; auch dafür, wie die einzelnen Längsschnüre untereinander verbunden sind, kann man sich sowohl aus modernen westafrikanischen Federkleidern als wie aus den Platten eine gute Vorstellung bilden; die Verbindung war so locker, daß die Schwertgriffe, die Schwertscheiden, die Schurzzipfel und die viereckige Halsglocke zwischen den Schnüren heraussehen; nur für die letztere erscheint die Kontinuität der Schnüre regelmäßig unterbrochen, was vielleicht nur auf stilistischer Unbeholfenheit beruht; sonst ragen die Schwertgriffe usw. einfach zwischen den schlitzartig auseinanderweichenden Längsschnüren ins Freie. Auf drei von diesen Platten, Berlin, Taf. 14 und Taf. 27 B sowie auf der hier Fig. 282 abgebildeten Stuttgarter Platte sind solche Hemden mit höchst eigenartigen würfelförmigen Helmen vergesellschaftet; auf einer vierten Platte (R. D. XXI 5) gleicht der Helm dem auf der Abb. 251; auf dieser Platte ist auch das Federhemd unten nicht ganz so eng anliegend und hat am Saume ebenso wie an den Kanten der Ärmel dicht nebeneinanderstehende runde Glöckchen. Die gleichen Schellen hat auch das Hemd auf der S. 84, Fig. 149 abgebildeten Platte mit den Busti. Auf der sechsten in diesen Kreis gehörigen Platte, siehe die Abb. 357, ist das Federhemd wieder enger anliegend; der Helm des Mannes gleicht aber den auf S. 139 abgebildeten Formen mit frontal gestelltem Federkranz.

2. Eine andere Art von Federkleidern ist durch die Abbildungen 250 und 283 vertreten. Auf

diesen Platten tragen die Leute zwei Lendentücher von der üblichen unsymmetrischen Form mit dem hohen Zipfel und ein etwas über die Hüften reichendes, anscheinend die Lendentücher überragendes und in sie fast unmerkbar übergehendes Hemd, alles gleichmäßig mit Federn bedeckt. Die Schurze sind aber außerdem noch mit nach oben offenen Halbmonden geschmückt, die jede zweite Feder umrahmen; am Hemde aber, sowohl auf der Brust als wie auf den Ärmeln, sind sich ringelnde Schlangen angebracht, alle mit den Köpfen nach unten gerichtet und ebenso wie die Halbmonde auf den Schurzen wohl aus glänzendem Metall zu denken. Ein sicherer Zusammenhang mit den in der ersten Gruppe beschriebenen Personen mit den langen, eng anliegenden Federhemden ist durch den Helm auf der Fig. 283 abgebildeten Platte gegeben, der mit denen der ersten Gruppe durchaus übereinstimmt. Seite 163 ist bereits eine weitere hierher gehörige Platte erwähnt worden, Wien 64 717, die der Fig. 283 abgebildeten ganz ähnlich und von ihr nur durch unwesentliche Einzelheiten unterschieden ist: Federkleid und viereckiger Helm scheinen völlig gleich gebildet zu sein. Weiter gehört in diesen Kreis die Platte P. R. 113, auf welcher der Würdenträger im Federkleid einen hohen Helm vom Typus des Fig. 251 abgebildeten hat. Ähnliche sehr hohe, zuckerhutförmige Helme, aber mit einer reich gemusterten Zierplatte, haben auch die zwei Leute auf der Platte Fig. 250. So hat es den Anschein, als ob solche hohe Helme manchmal, gleichsam

Abb. 357. Anscheinend kultische Szene, der Mann in der Mitte hält in beiden Händen ein Gefäß. R. D. XXI, 3.

vicariierend, anstatt der würfelförmigen getragen werden konnten. Von einer verwandten Platte stammt schließlich das schöne Bruchstück III. C. 8523, das hier S. 209 Fig. 343 abgebildet ist; nur ist das Federhemd auf der Brust mit Halbmonden und auf dem Ärmel mit Schlangen verziert; auch sind Federn, Monde und Schlangen bei diesem Stücke erst nach dem Gusse eingepunzt, während sie bei sämtlichen andern Platten dieser Gruppe schon im Wachsmodell angelegt und im Relief gegossen sind.

3. In eine dritte Gruppe gehören endlich Leute, die gleichartige Lendentücher mit Federn und Halbmonden, aber nacktem Oberkörper haben, vgl. die Abb. 238, 239 und 240. Auf S. 143 unten ist bereits festgestellt, daß es neun Platten mit solchen Lendentüchern gibt, die zugleich durch höchst eigenartige glockenförmige Helme und auch dadurch ausgezeichnet sind, daß als Gürtelschmuck statt der sonst häufig vorkommenden Pantherkopfmaske ein vollständiger kleiner Panther angebracht erscheint. Es ist sicher, daß die so dargestellten Personen unter sich zusammengehören, und es ist wahrscheinlich, daß sie in der Hierarchie der Hofgesellschaft von Benin eine verhältnismäßig hohe Stufe einnahmen, aber es fehlt einstweilen an jedem weiteren Anhalte für die Art ihrer Stellung. Ein Gönner des Berliner Museums, Herr Max v. Stefenelli, hatte auf mein Ansuchen die Güte, sich mit dem letzten König von Benin, Overami, über mehrere Abbildungen von Benin-Altertümern zu unterhalten. Einige der Angaben, die wir so bekamen, werden später erwähnt werden; über die Fig. 282 abgebildete Platte freilich hat Overami nur erklärt, daß sie einen »reichen Mann« vorstelle, was natürlich ganz aus der Luft gegriffen sein kann, wie ich überhaupt den Eindruck habe, daß Overamis Angaben meist nur enthalten, was er sich gerade dachte, daß sein Besucher gerne hören würde.

Abb. 358. Mann mit Dolch an einfachem Bandelier. »Prinzenlocke.« Stuttgart 5364, früher H. Bey 49, Knorr Abb. 21. Etwa 1/5 d. w. Gr.

γ)   Die typischen Gürtel sind S. 67 ff. beschrieben und abgebildet. Von diesen Formen gibt es nur ganz
wenige Abweichungen.   So findet sich z. B. auf einigen Platten der ganze untere Rand des Gürtels dicht
mit nebeneinander herabhängenden dütenförmigen Schellen besetzt.   Besonders gut ist das auf der Berliner
Platte III. C. 8426, Taf. 25 B zu sehen und auf der hier Fig. 300 abgebildeten Freiburger Platte, früher
Webster 11 660, 29, 1901.   Zwei solche Platten hat auch Leipzig, die eine ist hier Fig. 220 abgebildet,
die andere stammt aus dem Brit. Museum (Sir Ralph Moor 14) und gleicht sehr der fünften hierher gehörigen Platte, die bei Webster, Kat. 24 als Nr. 58 abgebildet ist. Auf diesen beiden Platten ist ein sehr jugend-
lich aussehender Mann mit Schild und Ebere dargestellt.   Die Leipziger hat drei Eckrosetten, die bei
Webster noch eine vierte neben dem Ebere.   Bei dem Gürtel auf der Berliner Platte III. C. 8395, Taf. 8 A,
sind solche Schellen immer nur paarweise angebracht und lassen Lücken für die zwischen ihnen von oben
herabhängenden Riemen frei.   Es muß offen bleiben, ob das einer wirklichen Anordnung entspricht oder,
wie zu vermuten ist, nur einer stilisierenden Art der Darstellung.   Auch nur auf einige wenige Platten
beschränkt sind Gürtel mit wagrecht aus der Bildfläche vorragenden kleinen, nach außen offenen
Hohlkörpern, die wohl als Schellen aufzufassen sind.   Sie finden sich ausschließlich bei den »Tänzern«
mit den kolbenförmigen Rasseln vom Typus der Fig. 156 und Fig. 161 abgebildeten Platten.   Die
typischen Gürtel sind, wie schon ein flüchtiges Durchblättern von Abbildungen oder das Betrachten
von Originalen lehrt, an der linken Seite zu einer einfachen Schleife verknotet, deren freie, oft mit
Fransen verzierten Enden herabhängen oder manchmal wie gesteift abstehen.   In seltenen Ausnahmefällen
ist der Leibgurt aber in der Mitte des Leibes verknotet, so daß dann die Enden der Schleife nach beiden
Seiten symmetrisch wegstehen.   Am auffallendsten ist das bei den zwei auch sonst ja vielfach barocken
Leuten in den beiden oberen Ecken der Fig. 353 abgebildeten Platte; auch der Mann auf der Platte
Fig. 154 scheint einen solchen Gurt zu haben; doch ist da, ähnlich wie bei den zwei Leuten von R. D.
XXIII 3, nur das rechte Ende sichtbar, das linke hinter den von der Schwertscheide herabhängenden
Schmuckstücken oder der Hand verborgen.   Sehr deutlich sind die beiden symmetrisch abstehenden
Enden aber wieder auf der Platte R. D. XV 5, von der in Kap. 65 ein Ausschnitt reproduziert werden soll.

δ)   Sehr selten finden wir richtige Halstücher.   Ganz einwandfrei ist ein solches sogar nur ein einziges
Mal: auf der Platte mit den drei Kindern, Fig. 160, hat der Junge mit dem Fächer ein etwa handbreites
und sehr dickes, anscheinend gestricktes Tuch, wohl europäischer Herkunft, einfach um den Hals geschlungen.   Auf zwei andern Platten, Fig. 193 und 315, sieht man ein ähnliches Gebilde um den Hals gelegt;
es muß aber unentschieden bleiben, ob es sich um ein wirkliches Halstuch handelt oder nur um eine
Art Krause.

ε)   Lange Kopfbinden sind bereits S. 167 bei Beschreibung der Topfhelme erwähnt.   Ich erinnere
hier nur an die beiden Platten Taf. 26 C und Taf. 30 sowie an die Abb. 169.   Ganz besonders bezeichnend ist auch die Platte mit den zwei sich unter einem Baume schaukelnden Kindern, die in Kap. 6 beschrieben und (Fig. 390) abgebildet werden soll.   Derartige Binden sehen wir ausnahmslos nur bei Kindern;
über ihre Bedeutung sind wir nicht unterrichtet.

ζ)   Lange, dicht anliegende Röcke oder Hemden kenne ich, abgesehen von dem typischen
Vorkommen bei den Verwachsenen mit den schlanken Stäben, die bereits S. 213, ε beschrieben sind,
nur von einigen wenigen Platten.   Am besten ist ein solches Kleidungsstück auf der Berliner Platte III. C.
8408, Taf. 25 A, zu studieren.   Es hat ebenso wie die bis an das Handgelenk reichenden Ärmel abwechselnd
glatte und dicht punktierte Längsstreifen, war also wohl aus mehrfarbigen Streifen zusammengenäht.
Irgendeine Art von Schlitz oder Verschluß ist nicht angedeutet.   Ein ähnliches Hemd auf der Platte
Webster 9918 (Kat. 27, Fig. 80), auch mit langen Ärmeln, hat hingegen einen ganz schmalen Streifen
vom Hals bis zum unteren Rande, den man als die Andeutung eines Schlitzes auffassen könnte; die rechte
Hälfte ist glatt gelassen, die linke gleichmäßig dicht punktiert.   Der Mann hält in der Rechten etwas wie
eine Flinte mit langem Kolben; jedenfalls hat der Gegenstand einen scharfen Absatz an einer Stelle, die
der Grenze zwischen Lauf und Kolben entsprechen würde.   Die Platte war, ehe sie zu Webster kam, bei
J. C. Stevens und ist dort im Auktionskatalog vom 10. 4. 1900 als »Portuguese, holding rod« bezeichnet, offenbar wegen des langen, rockartigen Kleidungsstückes.   Ob Stirntätowierung vorhanden war,
ist wegen der fast bis an die Augen herabreichenden Kopfbedeckung nicht festzustellen, da der Mann
aber bloße Füße und den üblichen Knöchelschmuck hat, scheint mir die Auffassung als Europäer kaum
zutreffend.   Auch hat er, ebenso wie der Mann auf der Berliner Platte Taf. 25 A die typischen litham-
ähnlich wirkenden Kropfperlen.   Wo sich die Webstersche Platte gegenwärtig befindet, weiß ich nicht;

ich habe das Original nie gesehen und kenne sie nur aus den Abbildungen in den Katalogen von Stevens und Webster; wenn der Mann wirklich eine primitive Flinte tragen sollte, könnte man ihn und dann wohl auch den ähnlich gekleideten Mann auf Taf. 25 A vielleicht für einen Mohammedaner halten; bei solchen würden ähnlich lange Röcke weniger auffallend sein als bei Europäern oder bei richtigen Benin-Leuten. Einen ganz besonders langen Rock trägt der Stelzenläufer auf der Platte R. D. XX. 5, siehe die Abb. 369. Kleidungsstücke wie die Toben der Haussa sind auf Benin-Platten niemals dargestellt; zwei tobenähnlich geschnittene Röcke, angeblich aus der berühmten Weickmann-Sammlung, also aus dem 17. Jahrh. stammend, finden sich im Museum von Ulm. Der eine trägt die Angabe »Mantel eines Edlen des Königs von Haarder«, der andere ist als »Königsmantel, Haarder« bezeichnet. »Haarder« ist in unmittelbarer Nachbarschaft von Benin und war lange auch politisch zu Benin gehörig. Beide Toben können ihrem Schnitte nach gut aus jener Gegend sein, aber sie sind so gut erhalten, daß mir die Überlieferung, sie stammten aus der alten Weickmann-Sammlung, nicht ganz unbedenklich erscheint.

Kürzere »Hemden« mit kurzen Ärmeln kommen wesentlich häufiger vor, aber meist nur bei Kindern und vielfach mit Schellen, Quasten, Amuletten und dergleichen behangen. Das mittlere von den drei Kindern auf der Fig. 160 abgebildeten Platte ist hierfür ein gutes Beispiel.

η) Ganz eigenartig sind Netzärmel, die, aus großen, quadratischen »Maschen« bestehend, von den Schultern bis zum Handgelenk reichen. Sie scheinen mit Benutzung der gewöhnlichen zylindrischen Perlen geflochten oder genetzt zu sein. Ich kenne sie von drei Platten; unter diesen sind zwei, Berlin, III. C. 8205, Taf. 20 A, und London, R. D. XVIII. 5, unter sich bis fast in die letzten Einzelheiten übereinstimmend. Sie zeigen einen von zwei Begleitern gestützten Mann mit dem uns schon von den Platten sakraler Art bekannten rockartig getragenen, symmetrischen Lendentuch; zwischen ihm und seinen Begleitern sind im ganzen vier Krokodilköpfe symmetrisch eingeteilt, sind also ganz ungewöhnlicherweise gegen die Mitte der Platte hin verschoben, statt, wie die Beizeichen sonst in der Regel, in die Ecken gesetzt. Krokodilköpfe hängen auch von dem Gürtel der mittleren Person herab, so daß diese wohl in den Kreis der im Abschnitt D dieses Kapitels S. 91 ff. beschriebenen Leute gehören dürfte.

Von der dritten Platte mit Netzärmeln, London, R. D. XXVI. 2, ist hier, Abb. 294, ein Ausschnitt reproduziert; der Mann hat die typischen, unsymmetrischen Lendentücher mit dem hochragenden Zipfel, ist aber durch seine trichterförmige Kopfbedeckung, den in der Rechten gehaltenen Stab und die Tätowierung des Nasenrückens auch als in einen bestimmten, eng umgrenzten Kreis gehörig gekennzeichnet. Anders als auf den beiden früher erwähnten Platten sind seine Netzärmel durch eine quer über den größten Brustumfang verlaufende Schnur festgehalten.

θ) Panzer abweichender Art sind in Benin so häufig gewesen, daß es sich wohl lohnt, sie im Zusammenhang zu behandeln. Die typischen Formen sind hier bereits S. 69 geschildert. Die einen und die andern haben sich aus dem einfachen Pantherfell entwickelt, das, in der Mitte mit einem Loche für den Hals und einem Schlitze für den Kopf versehen, in der Art eines Poncho getragen und unter den Achseln mit einem quer verlaufenden Riemen oder Fellstreifen festgehalten wurde. Mit diesem parallel verlief ein ursprünglich auch einfacher Riemen oder Gurt für das unter der linken Achsel getragene Schwert. Aus diesen bescheidenen und zweckmäßigen Anfängen entwickelten sich dann aber allmählich immer mehr und mehr überladene Typen bis zu so extremen und grotesk wirkenden Formen, wie uns eine solche etwa in der Abb. 367 entgegentritt. Zwischen dieser und dem einfachen Pantherfell, wie es z. B. auf der Fig. 265 abgebildeten Platte erscheint, gibt es eine lange und lückenlose Reihe von Übergangsformen; bei einigen von diesen ist es nicht mehr möglich, mit Sicherheit zu entscheiden, ob der Künstler noch ein richtiges Pantherfell mit der natürlichen Kopfhaut darstellen wollte oder schon einen aus verschiedenen Fellen zusammengenähten Panzer, auf dem Augen, Ohren, Schnurrhaare usw. eines Panthers in Applikationstechnik und in oft unnatürlich hohem Relief angebracht waren. In dieser Beziehung ist es lehrreich, die beiden auf den Seiten 154 und 155 einander gegenübergestellten Abbildungen 265 und 266 miteinander zu vergleichen; von der letzteren Platte ist es ganz unmöglich, zu sagen, ob der stilisierte Pantherkopf seine Entstehung einer Laune des Künstlers verdankt, der die Platte modelliert hat oder ob er auf den Handwerker zurückgeht, der den Panzer gemacht hatte. Dabei scheint es an sich unwesentlich, ob die Umrandungen der Gesichtsöffnungen und die Schnurrhaare von vornherein erhaben in Wachs modelliert oder erst später auf das gegossene Stück eingeschlagen wurden; auf einzelnen Platten, vgl. z. B. die Tafeln 16 B und 17 C, kommen auf ein und derselben Platte beide Techniken nebeneinander vor.

Bei vielen Panzern kommen hinter dem unteren Rande oft recht zahlreiche Riemen oder Fellstreifen zum Vorschein, die am freien Ende in der Regel mit einer Schelle beschwert sind — vgl. die Tafeln 9, 11, 17 D, 23, 26 B usw. —· und so wirken, als wären sie an einem besonderen, unter dem Panzer getragenen Leibriemen befestigt; R. D. bilden aber S. 57 einen als modern bezeichneten Lederpanzer aus Benin ab, der im wesentlichen mit den alten Panzern übereinstimmt und genau den gleichen Hängeschmuck aufweist; diese Riemen usw. müssen also auf der Innenseite des Panzers selbst befestigt sein.

In weitaus den meisten Fällen besteht der Panzer aus dem Fell eines Leoparden oder Panthers; nur auf verhältnismäßig wenig Platten — siehe z. B. die Abb. 139, 257, 317 und 344 sowie 382 bis 387 — ist er gleichmäßig und ohne die typische Musterung punktiert, so wie sonst das Fell von Pferden, Ziegen oder Rindern dargestellt ist. Auf zwei Platten, Leiden 1243, hier Abb. 145 und London, R. D. XV. 5, siehe auch die Abb. in Kap. 65, werden zwei Panzer übereinander getragen, ein kurzer aus Pantherfell und

unter ihm ein wesentlich längerer aus einer gleichmäßig punktierten Haut, wie bei den vier eben erwähnten Platten. Völlig abweichend sind die Panzer der beiden grotesken Personen auf der Londoner Platte R. D. XXIII. 3, die hier Abb. 373 reproduziert werden wird; sie sehen so aus, als ob sie wie eine gewisse Art von Strohmatten aus konzentrischen Reihen von geflochtenen oder gedrehten Zöpfen und Schnüren zusammengenäht wären. Auf dieser Platte und auf der R. D. XXVII. 3 sind die Panzer mit eigenartigen Schellen oder Quasten (?) geschmückt, die anscheinend aus kleinen Federbüscheln in schalenförmigen Kelchen bestehen. Diese beiden Platten und ebenso die Fig. 249, 289 und 367 abgebildeten sind auch typisch für die große Breite, die das unter der Achsel quer über den Panzer laufende Band manchmal erreichen kann und für seine Überladung mit zwecklosem Zierat. Die drei zuletzt erwähnten Platten zeigen auch die vielen Schellen, mit denen manche dieser Panzer in fast töricht erscheinender Art besetzt sind. Das scheint übrigens damals nicht etwa auf Benin beschränkt, sondern auch an den westeuropäischen Höfen für die

Abb. 359. Mann mit der verzierten Unterjacke, die regelmäßig unter dem Panzer getragen wird. Ausschnitt aus einer Platte Stuttgart 5407, früher H. Bey 275 (Knorr, Taf. III). Etwa ¹/₂ d. w. Gr.

Turnierrüstung üblich gewesen zu sein. So erzählt für dieselbe Zeit Kaiser Maximilian, wie Freydal, als er im Turnier seinen Gegner anreitet, »mit wunderbarlichem Geschmuck auf die ban geschollen« kam.

Alle diese Panzer, die ganz einfachen aus dem unverzierten Pantherfell und die in der denkbar unsinnigsten Art überladenen, sind niemals auf der bloßen Haut getragen worden; wo immer man die einzelnen Platten daraufhin untersucht, findet man mindestens eine Andeutung eines Unterkleides. Für die schweren, aus mehreren Schichten Fell und Leder bestehenden ist das von vornherein zu erwarten, aber aus den Tafeln 12, 13, 15, 16 usw. ist zu sehen, daß auch unter dem einfachen leichten Pantherfell ein Unterhemd getragen wurde. Seine gemusterten, meist etwa bis zur Mitte des Oberarmes reichenden Ärmel sind auf sehr vielen Platten deutlich zu erkennen; es gibt aber nur eine einzige Platte, Stuttgart 5407, hier Abb. 359, auf der ein solches Hemd ohne den bedeckenden Panzer zu sehen ist.

¹)   Trotz der anscheinend unermeßbaren Mannigfaltigkeit des Perlenschmuckes gelingt es doch bei genauer Durcharbeitung der Platten, verschiedene Gruppen von typischen und von selteneren Formen zu erkennen und genau zu scheiden:

a) Die bereits S. 74 ff. ausführlich behandelten *litham*-artig den Hals und einen Teil des Gesichtes bedeckenden »Kropfperlen«. Auf dem Fig. 252, S. 148, abgebildeten Bruchstück reichen sie mit 10 Schnüren besonders hoch hinauf, bis zur Nasenspitze. Daß diese Perlreihen als eine Art Auszeichnung aufzufassen seien, ist Tradition und wird allgemein angenommen, aber wir wissen nichts über ihre wahre Bedeutung und sehen nur, daß sie sehr häufig sind und in allen Schichten der »Gesellschaft« vorzukommen scheinen. Auch die Prüfung der Platten mit Personen ohne diese Kropfperlen führt zu keinem Ergebnis; wir sehen höchstens, daß ganz jugendliche Leute niemals solche Perlen haben.

b) Um so genauer sind wir über die Bedeutung eines Perlgehänges unterrichtet, für das ich auf die Abbildungen S. 92 und 93 sowie auf Taf. 43 verweise. Da ruht auf den Schultern ein symmetrisches Halsgehänge aus meist vier bis fünf Schnüren mit zylindrischen Perlen, an dem unten, in der Gegend der Magengrube, eine sehr große, eiförmige Perle befestigt ist. In einigen wenigen Fällen, siehe z. B. die Abb. 167, kann dieses Gehänge mit dem »Kleinod« fehlen und scheint dann vicariierend durch große, zylindrische Perlen ersetzt zu sein, die zu dritt oder zu fünft auf der Kopfbedeckung angebracht sind. Derartige Gehänge und die sie anscheinend ersetzenden großen Perlen finden sich ausschließlich nur bei Personen mit ausgesprochen sacralem oder dämonischem Charakter.

c) Ganz anders ist ohne Zweifel die Bedeutung von ähnlichen symmetrischen Gehängen, die, meist aus sechs oder sieben Perlschnüren bestehend, ohne das große »Kleinod«, wie ein breites Band von den Schultern bis fast in die Nabelgegend herabreichen. Ein flüchtiger Blick auf die Tafeln 27 C, 36 E, 38 A und 41 F sowie auf die Abbildungen 153, 156, 305 und 309 genügt, um zu erkennen, daß solche unter sich scheinbar ganz gleichartige Gehänge bei Personen von mannigfach verschiedenem Berufe vorkommen. Vermutlich waren sie aus verschiedenem Material — Korallen, Stein, Glas — und von verschiedener Farbe, und so in Wirklichkeit untereinander sehr viel verschiedener, als sich aus den Platten erkennen läßt. Regelmäßig finden wir solche Gehänge nur bei den Personen mit kolbenförmigen Rasseln und dem eigenartigen Lendentuch mit Roßschweifen, in denen wir oben eine Art Bauchtänzer vermutet haben, vgl. Abb. 156 und Taf. 41 F.

d) Ganz gleichartig aussehende Gehänge sind vielfach mit einer einfachen Schnur von großen, spindel- oder eiförmigen Perlen derart verbunden, daß diese Schnur den äußeren Rand des Gehänges bildet; dabei läßt sich aus den Platten nicht entnehmen, ob es sich um zwei verschiedene Schmuckstücke handelt oder um ein einheitliches breites Band, in das die sämtlichen Perlschnüre gleichmäßig fest hineingearbeitet sind; jedenfalls sind sie auf den Platten immer im lückenlosen Anschluß dargestellt. Solche Gehänge nun sehen wir mehrfach bei zweifellos sehr vornehmen Personen, so vor allem bei dem mit großem Gefolge dargestellten Reiter auf der Berliner Platte Taf. 24 und auf der völlig gleichartigen Platte P. R. 7, von der hier Fig. 320 ein vergrößerter Ausschnitt aus der Abbildung von P. R. wiedergegeben ist. Auf der dritten, sonst auch ganz gleichartigen Dresdener Platte, hier Fig. 319, hat der Reiter allerdings nur ein einfaches Brustgehänge ohne die großen, spindelförmigen Perlen, aber er hat die gleichen Perlschnüre quer über die Stirn und über die Lendentücher. Gleichfalls um sehr vornehme Personen handelt es sich auf den beiden Londoner Platten R. D. XVIII. 4 und XXIV. 5, die hier Fig. 222 und 221, S. 128 reproduziert sind; auf beiden erscheint der Würdenträger zwischen Begleitern, die ihn mit Schilden überschatten, und ist von Jungen gefolgt, die sein Schwert und seinen Schemel tragen.

Unklar hingegen ist die gesellschaftliche Stellung von andern Personen, die wir mit anscheinend völlig gleichartigen Gehängen einzeln oder zu zweit auf Platten dargestellt finden. Da sind zunächst auf zwei Platten, einer in London und einer in Leiden, hier Abb. 164 und Abb. 347 reproduziert, zwei unter sich fast gleiche Personen dargestellt, die eine mit Busti und mit Krokodilköpfen in den Ecken, aber ohne weitere Attribute, die andere mit einem schlanken Stabe. Der Londoner Platte sehr ähnlich, aber ohne Busti und Beizeichen, ist eine jetzt in Leipzig befindliche Platte, die ursprünglich als Nr. 44 zu der von Sir Ralph Moor nach London gesandten Sammlung gehört hatte. Gleichfalls unter sich nahezu ganz übereinstimmend sind zwei weitere Platten, die Berliner auf Taf. 25 F und die Londoner, R. D. XXVI. 1. Auf beiden ist ein Mann dargestellt, der in den vorgestreckten Unterarmen ein Ebere fast lotrecht so vor sich hinhält, daß in seiner Vorderansicht nahezu die Hälfte seines Gesichtes verdeckt wird und nur wenig mehr als die rechte Gesichtshälfte zu sehen ist. Auf der Berliner Platte scheint der Mann in Zusammenhang mit dieser Haltung des Ebere stark nach innen zu schielen; auf beiden Platten ist das Ebere in derselben, sonst nicht häufigen Art mit je sechs kleinen, aufgenietet zu denkenden Eberes verziert, und auch sonst sind auf beiden Stücken eigentlich nur die oberen Lendentücher verschieden; es ist nicht

unmöglich, daß sie ursprünglich eine einzige Platte gebildet haben; jedenfalls hat das Berliner Stück auf
der (vom Beschauer) rechten Seite einen Falz und ist auf der linken ganz unregelmäßig gebrochen; dem
entsprechend hat das Londoner Stück rechts einen unregelmäßig gebrochenen Rand und links einen so regelmäßigen, daß man annehmen muß, daß da ein umgebogener Falz abgebrochen ist; so sind beide Stücke
nur als Bruchstücke aufzufassen; auch ihre Höhenmaße stimmen ungefähr überein; ob sie wirklich von
ein und derselben Platte stammen, ließe sich mit einiger Sicherheit nur entscheiden, wenn man sie
beide nebeneinanderhalten könnte. Für die Bedeutung des Brustschmuckes würde aber auch dann
nichts aus den Stücken zu lernen sein.

Noch finden wir gleiche Gehänge auf drei Wiener Platten, 64 665, 64 716 und 64 685; von diesen
hat die erste zwei, bis auf die Schurze und die Haartracht einander sehr ähnliche Personen mit schlanken
Stäben, von denen nur die zur Rechten stehende durch das Gehänge ausgezeichnet ist; die zweite hat
ebenfalls zwei Personen; sie sind allein durch die Haartracht voneinander verschieden und haben beide
das gleiche Brustgehänge; auf der dritten Platte endlich ist trotz ihrer großen Breite von 34 cm nur eine
einzige Person dargestellt, wiederum mit einem Stabe; ihr Brustgehänge ist ganz ungewöhnlich breit,
mit acht Reihen langer Perlen, ungerechnet die äußere Reihe mit den großen, eiförmigen. So finden
wir vier von den zehn Personen mit solchen Gehängen, über deren gesellschaftliche Stellung wir unklar
sind, mit schlanken Stäben dargestellt, zwei mit einem Ebere und eine mit Busti — aber auch aus
dieser Zusammenfassung läßt sich kaum etwas lernen; jedenfalls werden wir damit rechnen müssen, daß
auch hier nicht sowohl die Anordnung, als vielmehr das Material der Perlen von Bedeutung ist.

e) Verwandt mit diesen Gehängen sind ähnliche, bei denen aber die großen, ei- oder spindelförmigen
Perlen nicht nur am äußeren, sondern auch am inneren Rande des Schmuckstückes angebracht sind —
nicht immer ganz fest, denn in einem Falle (Abb. 367) erscheint die innere Reihe etwas gegen die Mitte
des Gehänges verschoben. Hierher gehören zunächst die beiden Personen mit dem rätselhaften Gegenstand auf den Platten Dresden 16 065 und London R. D. XXVII. 1, die hier Fig. 368 und 367 abgebildet sind und zwei andere auf zwei Bruchstücken in London und Wien. Das erstere ist hier schon
auf S. 75, Fig. 133 abgebildet, das andere stammt ursprünglich auch aus dem Brit. Museum (Sir Ralph
Moor 127), war dann bei Webster als Nr. 5021 und ist jetzt in Wien unter 64 681 katalogisiert und von
Heger 1916 als Nr. 8 beschrieben worden. Die beiden Personen sind untereinander fast völlig gleich, nur
hat die Wiener noch eine große zylindrische Perle quer unter dem Haarrande über den Stirnschnüren
liegen. Die Wiener Platte ist rechts umgefalzt und nur 18 cm breit; sie kann also nur als die Hälfte
einer breiten Platte betrachtet werden; das Londoner Bruchstück ist so nahe rings um die Figur abgebrochen, daß nur kleine Stücke des Grundes erhalten sind; das Bildwerk wirkt daher in der Vorderansicht fast wie eine Rundfigur. Die Maße der beiden Personen und der Stil beider Figuren stimmen
vollständig überein; so werden wir kaum irren, wenn wir annehmen, daß beide Stücke von ein und derselben Platte stammen.

Ein fünftes, hierher gehöriges Stück, Webster 6369, kenne ich nur aus der kleinen Abbildung Nr. 70
in W.s Katalog 18 von 1899. Es ist eine kleine Platte (18 × 46 cm) von fast tadelloser Erhaltung und
großer Schönheit; Haltung, Schmuck und Tracht stimmen mit der Wiener Figur durchaus überein, nur
die rechte Hand ist halb erhoben und scheint, soweit die kleine und technisch sehr minderwertige Abbildung
erkennen läßt, eine Rasselkugel zu halten.

f) Ganz untypisch sind einige derartige Gehänge, bei denen die zylindrischen und die spindelförmigen Perlen in mannigfacher Art wechseln; so finden wir auf der Berliner Platte III. C. 8055, Taf. 19 B,
bei der zur Rechten stehenden Person ein breites Gehänge, dessen Perlen in der folgenden Art angeordnet
sind: außen zwei Reihen zylindrische, dann eine Reihe spindelförmige, zwei Reihen zylindrische, eine
Reihe spindelförmige und schließlich wieder zwei Reihen zylindrische Perlen. Auf der Platte Wien 64 682
mit Krokodilköpfen in den Ecken hat ein Mann ohne weitere Attribute ein ähnliches Gehänge, aber mit
einer Reihe spindelförmiger Perlen in der Mitte zwischen je drei Reihen von zylindrischen. Dieselbe Anordnung, aber noch vermehrt durch eine außen noch herumgeführte Reihe von eiförmigen Perlen, findet
sich bei den zwei Personen auf der Fig. 297 abgebildeten Platte. Es ist sicher nicht zufällig, daß sich bei
fast sämtlichen hier unter d, e und f angeführten Personen mit derart kombinierten Brustgehängen
auch die sonst so ungewöhnlichen »Stirnbinden« finden, von denen unter g hier sofort die Rede sein wird.

g) Wenn man die Köpfe der drei auf der Berliner Platte Taf. 20 A dargestellten Personen näher
betrachtet, findet man bald, daß ihre Tracht verschieden ist; zwar haben alle drei die gleichen Tutuli,

aber die mittlere hat über den ganzen Hirnschädel ein helmartig fest aufsitzendes Perlgeflecht, während seine Begleiter nur die wie Schindeln oder Dachziegel stilisierten Haare haben; dafür ziehen aber bei ihnen fünf Schnüre mit zylindrischen Perlen unter dem Haarrande quer über die Stirn und natürlich über den ganzen Umfang des Kopfes herum. Ich bezeichne sie trotzdem als Stirnbinden im selben Sinne, in dem wir von einem »Stirnband« reden, auch wenn es rings um den Kopf geführt ist. Diese Stirnbinden bestehen meist aus vier oder fünf übereinander liegenden Schnüren; manchmal, wie gerade auf der Platte, von der wir ausgegangen, sind ihnen noch einige große, zylindrische oder eichelförmige Perlen aufgelegt.

Solche Stirnbinden nun finden wir zunächst bei den drei Reitern auf den großen Prachtplatten von Berlin, Dresden und Rushmore, Taf. 24 und Abb. 319 und 320, ebenso bei dem Reiter Fig. 322, also sicher bei ganz besonders vornehmen Leuten. In diesen ist wohl auch der Mann auf Taf. 21 A zu zählen, dessen monumentale Schlichtheit in einem so merkwürdigen Gegensatz zu der Größe der Platte und zu den Busti steht. Das könnte man zur Not auch noch von dem Manne auf der kleinen Wiener Platte 64661 (Heger 1916, 6) annehmen, aber kaum von der großen Mehrzahl der eben unter d, e und f angeführten Personen, die außer dem breiten Brustgehänge auch das typische Stirnband haben. Dasselbe gilt von mehreren Leuten mit kugelförmigen Rasseln, für die ich auf die Abbildungen 305 und 306 als typische Beispiele verweise. Gänzlich unklar ist leider die Stellung oder der Rang des Mannes, der auf der Londoner Platte, die hier S. 155 vergrößert wiedergegeben ist, das Ebere hält, wie ein Diener oder untergeordneter Begleiter. Es ist aber nicht ganz ausgeschlossen, daß gerade er die Hauptperson der ganzen Platte ist, und daß dann der Mann mit Mitra, Schild und Speer nur als sein Begleiter aufzufassen wäre. In Kap. 5 werde ich auf diese Frage noch einmal zurückkommen. Hier ist nur auf die ganz ungewöhnlich große, zylindrische Perle aufmerksam zu machen, die unmittelbar unter dem Haarrand und mit diesem parallel der Stirnbinde aufliegt.

Anhangsweise möchte ich noch feststellen, daß, wie bereits S. 150 angedeutet, die drei Reihen von Kaurischnecken, die auf der Stirn des Fig. 317 abgebildeten Lautenspielers liegen, nicht zu einem Stirnband gehören, sondern den unteren Rand des Helmes bilden. Ich hatte sie ursprünglich selbst als Stirnband aufgefaßt, bin aber davon abgekommen, weil Stirnbänder sonst niemals zusammen mit irgendeiner Art von Kopfbedeckung vorkommen, sondern stets nur mit unbedecktem Kopf. Aus diesem Grunde gehören auch die an der gleichen Stelle liegenden Perlen des Fig. 295 abgebildeten Wiener Reiters zum Helm und nicht zu einem Stirnband.

h) Die Leute mit einer Stirnbinde haben auffallend häufig unterhalb des Gürtels etwas schräg von links oben nach rechts unten über das Lendentuch verlaufend einige, meist vier, Schnüre mit zylindrischen Perlen. Ich habe diesen eigenartigen Schmuck bereits S. 113 unter θ angeführt.

i) Der neben den Kropfperlen weitaus am häufigsten vorkommende Schmuck mit Perlen besteht aus Schnüren, die bandelierartig von der linken Schulter schräg über den ganzen Rumpf zur rechten Hüfte herabhängen. Die verwandten Perlen sind durchweg zylindrisch, etwas kleiner als die um den Hals gewundenen, meist wohl von derselben Art, die für die symmetrischen Schultergehänge und für die Stirnbinden benutzt wird. Die Zahl der Schnüre schwankt zwischen zwei und neun, sie liegen ausnahmslos in guter Ordnung nebeneinander, ohne daß ersichtlich wäre, ob das nur Stil und Tradition des Künstlers ist oder ob diese Gehänge wirklich wie breite Bänder gearbeitet waren; sehr schmale, nur aus zwei Reihen bestehend, sind bezeichnend für die Personen vom Typus der auf Taf. 18 A, B und C abgebildeten mit den hohen, geflochtenen Helmen; das breiteste findet sich auf dem Fig. 252 abgebildeten Bruchstück.

Sehr breite solche Bandeliere finden wir auf den Fig. 189 A und Fig. 190 abgebildeten Platten bei Leuten zweifellos sehr hohen Ranges; schmale haben durchweg alle die Personen mit Federschurz vom Typus der Abb. 238. Weiters haben Bandeliere fast alle Musiker mit kugelförmigen Rasseln, mit Glocken und mit Aufschlag-Idiophonen, aber niemals oder fast niemals die Leute mit Querhörnern, mit wirklichen und Rahmentrommeln und mit kolbenförmigen Rasseln. Verhältnismäßig selten sind diese unsymmetrischen Gehänge bei Personen mit einem Ebere. Irgendeine Gesetz- oder auch nur Regelmäßigkeit läßt sich nicht nachweisen; eine rasche, wenn auch lange nicht erschöpfende Übersicht über das Vorkommen ergibt sich aus der Betrachtung der Tafeln 17 A, 18, 19, 20 B, 39 A, D, E und F sowie der Abbildungen 189 A, 190, 238, 252, 302 bis 304 und 361 bis 363.

k) Ganz außerordentlich selten sind die umgekehrt, also von der rechten Schulter nach der linken Hüfte getragenen, aus drei oder vier Schnüren bestehenden Bänder; S. 97 ist bereits gesagt, daß sie sich

nur bei acht Personen finden, die Gefäße tragen und zugleich durch eine ganz eigenartige Haartracht mit
Hörnern ausgezeichnet sind, vgl. Taf. 32 und die Abb. 174 und 175 auf S. 98. Diese Bänder, die in derselben Richtung verlaufen, wie sonst die bandelierartigen Tragbänder für das Schwert, haben bei diesen
acht sicher eine Gruppe für sich bildenden Personen nichts zu tragen und sind vermutlich als Rangabzeichen aufzufassen.

l) Sehr selten sind auch »gekreuzte« Bandeliere, d. h. paarweise und symmetrisch getragene Bänder
aus Perlenschnüren, die sich vorn etwa in der Gegend der Magengrube überschneiden. Wir finden sie auf
fünf Platten, zunächst auf den Berliner III. C. 8205, Taf. 20 A und auf der ihr völlig gleichartigen im
Brit. Museum, R. D. XVIII. 5. S. 225 unter η ist hier aber bereits ausgeführt, daß zu diesen zwei
Platten mit vermutlich sakraler Bedeutung wegen der Netzärmel auch noch die Londoner Platte gehört,
von der Abb. 294 einen Ausschnitt gibt. Nun finden wir auch auf dieser wiederum die gekreuzten Bandeliere und sehen zugleich, wie diese Platte ihrerseits durch den Stab und die trichterförmige Kopfbedeckung
wieder zu den zwei weiteren Platten überleitet, die hier Fig. 155 und Fig. 353 abgebildet sind. So gibt es
also fünf Platten, auf denen Personen mit gekreuzten Bandelieren dargestellt sind, die außerdem noch
von drei an sich seltenen Attributen — Netzärmel, trichterförmige Kopfbedeckung und Stab — mindestens eines, meist auch zwei, unter sich gemein haben, also untereinander wohl irgendwie zusammengehören. Welcher Art dieser Zusammenhang ist, bleibt freilich einstweilen noch unbekannt; nur daß es
sich um Leute von höherem Rang handelt, kann als ausgemacht gelten. Damit stimmt auch, daß wir
dieselben gekreuzten Bandeliere auf runden Bildwerken wiederfinden, über deren Bedeutung keinerlei
Zweifel bestehen kann, so bei dem König, Taf. 79, bei der Königin, Taf. 83, und bei der von einer ähnlichen
Gruppe abgebrochenen weiblichen Figur Taf. 86 C, in der wir wohl auch eine Königin zu erblicken haben.
Es ist natürlich nicht bedeutungslos, daß die beiden eben erwähnten Frauen (auf Taf. 83 und auf Taf.
86 C) mit denselben grobmaschigen Netzärmeln dargestellt sind, die wir oben für drei von den fünf Männern
mit gekreuzten Bandelieren feststellen konnten.

m) Anhangsweise seien hier noch einzelne Perlen erwähnt, die nicht ganz selten vom Haarrande
in die Mitte der Stirn, gegen die Nasenwurzel zu, herabhängen, wie z. B. auf Taf. 39 A und F; noch
häufiger, meist bei ganz jugendlichen Personen, sind zylindrische, spindelförmige, auch prismatische
Perlen, die paarweise von den Stirnecken an kurzen Zöpfchen gegen die Augenwinkel zu oder über diese
noch hinweghängen, vgl. Taf. 25 E und F, 28 F usw. Ganz besonders zierlich ist ein solcher Schmuck
an dem kleinen Bruchstück Webster 11 707, Kat. 29, 1901, Fig. 28, einem Jungen mit Querhorn. Ganz
vereinzelt kommt eine Hüftschnur mit Perlen vor, wie z. B. bei dem »Boten« Taf. 26 A oder bei der
weiblichen Rundfigur Taf. 70. Der Vollständigkeit halber sind schließlich hier noch die atypischen Halsschnüre auf den Abb. 212, 213 und 214 zu erwähnen.

κ)   Ganz aus Perlen bestehende Hemden oder Röcke, die wir der Einfachheit wegen als Perlhemden
bezeichnen können, haben wir bereits auf S. 91 ff. besprochen. So genügt es, hier auf die Taf. 42 und
auf die Abbildungen 158, 159, 166 bis 170, 195 und 228 zu verweisen und festzustellen, daß diese ganz
eigenartige Tracht im Verein mit einer ganz bestimmten Helmform stets und ausschließlich nur bei Personen dämonischer Art und bei ihren Begleitern vorkommt. Es gibt aber eine Platte, Stuttgart 4668,
vgl. unsere Abb. 376, auf der zwei Leute anscheinend ganz gleichartige Perlhemden tragen, ohne daß wir
von vornherein veranlaßt wären, ihnen dämonische Natur zuzuschreiben. Beide haben auch nicht die
typischen Perlhelme, sondern jene sehr verbreiteten Kopftrachten, von denen wir schon mehrfach be-
merkten, daß sie wie Helme aussehen, aber vielleicht nur eine bizarre Haartracht darstellen; die eine hat
die median-sagittale Kammleiste, die andere ist nur mit den üblichen radiär gestellten Perlen verziert.
Beide Personen haben die typischen Kropfperlen und das Halsband mit den Pantherzähnen, von dem
eine viereckige Glocke herabhängt; beide haben auch gekreuzte Bandeliere, die eine mit je vier, die andere
mit je zwei Perlschnüren; ebenso haben sie beide die Linke an den Gurt gelegt und halten mit der
vorgestreckten Rechten je ein Ebere; dieses ist etwas anders geformt als sonst und hat seine größte Breite
viel näher gegen die Spitze zu als die typischen Stücke; die Lendentücher sind von der für die Laien in
Benin üblichen Art. Was also die Perlhemden bei diesen zwei Personen bedeuten, ist völlig unklar; vielleicht dürfen wir uns vorstellen, daß die Leute irgendwie zum Gefolge von Priestern gehören.

λ)   Poncho-artige Überwürfe ganz eigener Art finden wir mehrfach bei Leuten mit einem Querhorn und auch sonst ab und zu bei Musikern, vgl. die Abb. 106 und die Platte auf Taf. 38 F. Deutlicher
noch als auf den Platten ist dieses Kleidungsstück auf einigen Rundfiguren zu erkennen, so bei dem

Hornisten auf unserer Taf. 72. Es scheint aus weichem Leder geschnitten und besteht nur aus einem schmalen, sich nach unten meist verjüngenden Streifen, der von den Schultern bis unter den Schurz herabreicht; er hat in der Regel einen breiten, gemusterten oder zu einer Art Fransen geschnittenen Saum und wird durch Bänder festgehalten, die in wechselnder Höhe vorn abgehen und hinten wohl verknotet zu denken sind. Besonders gut sind diese Bänder auch an der Platte Webster 11 611 zu sehen, die im Kat. 29, 1901, Fig. 82 abgebildet ist.

μ)   Auf einigen wenigen Platten erscheinen hinter und über der rechten Schulter schleifenartige Gebilde, über deren Wesen und Zweck ich nichts zu sagen weiß; ich bezeichne sie in Ermanglung eines besseren Wortes als »Schulterschleifen«. Die Abb. 372 gibt einen vergrößerten Ausschnitt aus der Taf. 28 A abgebildeten Berliner Platte III. C. 8264; die fragliche »Schleife« ist hier besonders deutlich zu sehen; sie ist an ihrem äußeren Umfang mit denselben Federquasten geschmückt wie das Tragband für das Schwert, aber sie scheint trotzdem nicht zu ihm zu gehören, sie ist breiter, hat einen dünneren Randwulst, eine anders ziselierte Fläche und liegt auch nicht in seiner unmittelbaren Verlängerung. Auch daß die Schleife bügelartig hohl ist, könnte man vielleicht annehmen; dann würde die von dem Randwulst umschlossene Fläche ebenso punktiert sein wie der Grund der ganzen Platte; aber sie zeigt kleine Kreise und ist so als ein selbständiges und undurchsichtiges Gebilde gekennzeichnet. Gleichartige »Schulterschleifen« sind auch auf den Fig. 217, 219 und 291 abgebildeten Platten dargestellt. Etwas Ähnliches scheint auch auf der Platte R. D. XV. 5 zu sehen zu sein, die hier in Kap. 65 reproduziert werden soll; aber da ist das richtige Verständnis durch den großen Panzer noch weiter erschwert; auch scheint ein ähnliches Gebilde sich auch auf der linken Schulter zu befinden, so daß es sich in diesem Falle vielleicht um einen symmetrischen Panzerschmuck handeln könnte. Hingegen ist auf der Berliner Platte III. C. 8381, Taf. 28 F wohl nur eine Verkürzung des Tragriemens zum Ausdruck gebracht, wobei freilich die Abrundung der Schulterschleife nicht ganz logisch ist.

ν)   Der allgemeinen Verbreitung von Schurzen und Lendentüchern entsprechen naturgemäß zahlreiche Abweichungen von der typischen Form. Diese selbst ist S. 63 ff. bereits ausführlich behandelt worden; hier sollen nur die Abweichungen, in Gruppen geordnet, kurz besprochen werden.

1. Drei, in einzelnen Fällen sogar vier, verschiedene Lendentücher statt den üblichen zweien finden sich mehrfach bei Personen, die sonst untereinander kaum etwas Besonderes gemein haben, so auf den Platten Taf. 28 C, D, 32, 33 E, 41 E, D sowie Abb. 139, 181, 192, 223, 317 und 344. Auf einigen von diesen ist der oberste Schurz ganz glatt und so eigenartig behandelt, daß man ihn nicht auf den ersten Blick als solchen erkennt; besonders auf der schönen Leipziger Platte, von der unsere kleine Abb. 181 auf S. 101 nur eine ganz kümmerliche Vorstellung geben kann, wirkt dieser dritte Schurz fast wie ein vom Gürtel herabhängendes Metallbecken. Die meisten Platten mit einem solchen überzähligen Schurz scheinen stilistisch untereinander verwandt zu sein; so ist an die Möglichkeit zu denken, daß sie von demselben Künstler modelliert sind. Ganz aus der Reihe fällt die Berliner Platte Taf. 38 B, auf welcher der äußerste Schurz bei beiden Personen gleichmäßig hoch gerafft ist, ohne daß etwas wie ein raffendes Band oder dergleichen angedeutet wäre; die Platte ist nur wenig überarbeitet, wohl unvollendet; vielleicht hatte der Künstler die Absicht, ein solches Band noch nachträglich durch Ziselierung anzudeuten, wenn es schon im Wachsmodell vergessen worden war; auch die Schurze unverziert zu lassen, war wohl nicht ursprünglich beabsichtigt; freilich kommen völlig glatte Schurze auch auf sicher ganz fertiggestellten Platten vor, aber es ist schon S. 65 gesagt worden, daß wir bei solchen an kostbare, von Europa eingeführte oder besonders gefärbte Stoffe zu denken haben dürften; Platten wie die auf Taf. 19 B oder Fig. 346 abgebildeten lassen kaum einen andern Schluß zu, während man z. B. bei den zwei Trommlern auf Taf. 10 A und C vielleicht an einen niedrigeren Stand und deshalb auf einfachere und unverzierte Schurze schließen könnte.

2. Die hohen, manchmal bis in Augen- und sogar bis zur Scheitelhöhe reichenden Zipfel des äußeren Lendentuches sind bereits S. 66 erwähnt worden. Dabei sind zwei Dinge von vornherein klar, erstens, daß eine so bizarre Tracht sich aus einfachen Anfängen entwickelt haben muß, und zweitens, daß auf vielen Platten auch noch künstlerische Unbeholfenheit und zugleich stilistische Übertreibung eine wesentliche Rolle spielt. Anscheinend gehen zwei verschiedene Arten, die Lendentücher zu sichern, nebeneinander her, eine Verknotung und das Zusammendrehen zu einem hoch aufragenden Zipfel. Wie der Knoten angelegt wurde, läßt sich im einzelnen nicht erkennen; selbst bei den zwei Personen Taf. 34 B und Abb. 313, die in reiner Seitenansicht dargestellt sind, ist er so stilisiert, daß es unmöglich ist, ihn

zu verstehen oder mit wirklichem Zeug nachzubilden; S. 99 ist schon darauf hingewiesen, daß er in solchei
Seitenansicht — natürlich rein zufällig und unbeabsichtigt — fast einem Phallus mit Testikeln ähnlich ist.
Für die Vorderansicht solcher niedriger Knoten sind besonders die Abbildungen 199, 352, 367, 106 und
und 322 zu vergleichen; sie sind hier in derselben Reihe aufgeführt, in welcher der Knoten allmählich
an Höhe zunimmt. Vermutlich gelangte man in solcher Weise bald zu einem Stadium, in dem die verknoteten Enden so lang wurden, daß man sie über die Schulter schlagen konnte; aber es gibt keine einzige
Platte, auf der man versucht hätte, es festzuhalten. Immerhin kann man eine solche Tracht noch heute
mehrfach an der Küste von Ober-Guinea finden, und etwas Ähnliches hat Burton in Dahome gesehen,
wenn er (Bd. 2, S. 251) von einem *owu-chyon*, einem Überkleid, spricht, 12' lang und 4 bis 6' breit, »worn
like the Roman toga, from which it may possibly be derived«.

Besonders hoch aufragende Zipfel des Lendentuches sind auf Taf. 38 A sowie auf den Abbildungen
155, 294, 359, 361 und 365 dargestellt; auf diesen kann man auch besonders gut sehen, wie der Zipfel
unmittelbar mit dem übrigen Tuch zusammenhängt. Ebenso zeigen die Tafeln 12, 13, 15, 16 B, 22,
27 B und 38 A sowie z. B. auch die Abb. 359 einen deutlichen Absatz in der Nähe der Spitze des
Zipfels; dieser Absatz scheint irgendwie damit zusammenzuhängen, daß nur ein Teil des Zipfels eingerollt
oder eingedreht ist; ein ähnlicher Absatz ist schon bei dem ganz niederen Zipfel Abb. 106 bemerkbar,
kann da aber leicht mit einem Gußfehler verwechselt werden; wie dieser Absatz tatsächlich zustande
kommt, ist ebenso unklar als z. B. die Bedeutung der beiden Quastenpaare, die man vielfach, vgl. z. B.
Taf. 38 A, bei diesen Schurzzipfeln angebracht findet, einmal etwa in Gürtelhöhe und dann wieder in der
Höhe der Schulter. Auf sehr vielen Platten ist bei diesem Zipfel auch deutlich ein vorderer und ein
hinterer Rand unterschieden, zwischen denen rundliche Körner wie Erbsen in der Schote liegen; ich weiß
sie nicht zu deuten. Auch wie es möglich war, den Zipfel so zu steifen, daß er von der Hüfte bis zum
Scheitel aufragt, ist unklar; es ist nicht ganz unmöglich, daß dabei ein Metalldraht zur Verwendung kam,
auf den die langen, zylindrischen Perlen gereiht wurden, die fast immer den unteren Rand der beiden
Lendentücher und auch den Rand des Zipfels bilden. In diesem Zusammenhange sind schließlich noch
die merkwürdigen, federförmigen Anhängsel zu erwähnen, die sich regelmäßig bei den Personen mit der
viereckigen »Rahmentrommel« und bei einigen andern Leuten finden, vgl. Taf. 36 A, B und F, Taf. 34 A,
Taf. 27 C und die Abb. 229. Man konnte glauben, sie zu verstehen, solange man die Rahmentrommeln
für Briefe und für Taschen und die Leute selbst für »Briefträger« hielt, denen man Federn auf den Schurzzipfel heftete gleich den Flügeln auf den Fersen Merkurs, aber diese Deutung wird haltlos, sobald man auf-
hört, in jenen rechteckigen Gegenständen Briefe und Brieftaschen zu erblicken. So muß man, wie von so
vielen andern Einzelheiten auf den Benin-Platten, auch von diesen Schurzzipfeln mit den Worten eines
alten Philologen gestehen: »Commodam interpretationem non admittunt.«

3. Pantherfelle sind sehr häufig zur Bekleidung des Oberkörpers verwandt worden, sehr selten aber
zu Schurzen. Typisch sind solche für die Leute mit Querhörnern von der Art der Fig. 316 abgebildeten.
Bei manchen andern Platten wird man schwanken, ob man an wirkliches Pantherfell oder an bloße
Nachahmung in einem ähnlich gemusterten gewebten Zeug zu denken ist; dies gilt z. B. von der Platte
Fig. 180, von einer Platte im Besitze des Herrn Gouverneurs v. Puttkamer (Mann mit Ebere, in allen vier
Ecken eine Rosette) und von der Platte Sir Ralph Moor 66, jetzt Leipzig, auf der zwei ganz gleich aus-
gestattete Personen mit Stäben Schurze haben, die ganz dicht mit durch punktierte Linien gebildeten
Kreisen bedeckt sind. Es ist ganz unmöglich, zu entscheiden, ob eine solche Stilisierung auf den Ciseleur
zurückgeht oder schon auf den Zeugmacher.

4. Ad vocem »P. Zipfel« ist bereits S. 65 unten das Nötige gesagt; hier sei noch im einzelnen auf
die Abbildungen 172, 174, 177, 183, 217, 257, 291, 317 und 344 verwiesen. Die kümmerlichen Versuche, durch Hochheben eines Stückes vom Schurzrand eine Art Faltenwurf hervorzubringen, kommen
auf diesen Platten besonders deutlich zur Anschauung. Etwas anders wirkt die gleiche Sache, wenn, wie
z. B. in Fig. 248 der Schurzrand einen Fransensaum hat; man muß mit den Ausdrucksweisen der Benin-
Kunst schon einigermaßen vertraut sein, wenn man eine solche Darstellung rasch verstehen soll.

Verwandt mit den »P. Zipfeln« sind die etwas größeren Stücke des Oberschurzes, die in einigen Fällen
in der Gegend der linken Hüfte hochgehoben und dann über die Gürtelschleife umgelegt sind; ein Blick
auf Taf. 33 A und 34 C oder auf die Abbildung 174 genügt, um zu zeigen, daß es sich auch in diesen Fällen
um einen wenig gelungenen Versuch handelt, die starren Formen des Schurzes etwas zu beleben.

5. Ein symmetrisch angelegtes Lendentuch, das wie ein sehr kurzer Frauen-Unterrock wirkt,

findet sich vorwiegend bei zwei Gruppen von Personen, einmal auf den Platten sakraler Art, vgl. die Abb. 158, 159 und 166 bis 170, und dann wieder bei den »Tänzern« mit den kolbenförmigen Rasseln vom Typus der Fig. 156, 161 und 196 abgebildeten Leute. Wenn jemand auf Grund dieser Übereinstimmung der Schurzform etwa behaupten wollte, daß jene kolbenförmigen Rasseln sakrale Bedeutung haben, könnte man ihn nicht leicht widerlegen; es schiene mir aber sehr viel schwerer, eine solche Behauptung auch zu beweisen. Immerhin gibt die Ähnlichkeit zu denken. Diese Lendentücher sind in der Regel mit Flechtbändern, eingepunzten Köpfen, Armen usw. in genau demselben Stile verziert wie die unsymmetrischen Schurze; nur sind die einzelnen Zierate durchweg streng symmetrisch eingeteilt, während sie bei den unsymmetrischen Tüchern anscheinend ganz regellos über die Fläche zerstreut sind. Vermutlich handelt es sich trotzdem in beiden Fällen um die gleiche Art von gestickten oder in Mustern gewebten Zeugen; wenigstens kann man sich gut vorstellen, wie es dem Ziseleur peinlich gewesen wäre, auf einem streng symmetrischen Schurz die Zierate ebenso unregelmäßig anzubringen wie auf den unsymmetrischen Lendentüchern. Ein ähnlich angelegter Schurz findet sich ab und zu bei Kindern, so auf dem Berliner Bruchstück III. C. 8425, Taf. 26 c.

6. Die Schurze reichen mit verschwindenden Ausnahmen über die Kniee herab, manchmal fast bis zur halben Höhe der Unterschenkel. Nur bei einigen wenigen Platten sind sie kürzer, am kürzesten erscheinen sie auf der Fig. 139 abgebildeten Platte, auf der sie kaum zur halben Höhe der Oberschenkel reichen. Diese selbe Platte ist hier auch sonst schon vielfach erwähnt worden, da sie auch andere Eigenheiten aufweist. Sie zeigt uns einen bärtigen alten Mann mit einem ganz besonders kleinen Schießbogen und einem Panzer aus einem ungefleckten (also nicht aus dem sonst meist verwendeten Panther-) Fell.

7. Auf etwa einem Dutzend Platten, für die hier nur die Abb. 174 und 198 als Beispiele angeführt seien, erscheinen Schurze, die in recht eigenartiger Weise dicht mit volantartigen, aus nebeneinandergesetzten Lappen gebildeten Streifen besetzt sind; manchmal ist nur der obere, manchmal nur der untere Schurz so behandelt, manchmal sind es beide. Über den Stoff, aus dem die oft halbrunden, oft eckigen Lappen hergestellt sind, ist es nicht möglich, etwas Sicheres zu sagen; in einigen Fällen möchte man vermuten, daß auch Federn mitbenutzt wurden.

ξ) Oberhalb der Knöchel am Sprunggelenk werden sehr häufig Schnüre mit Perlen getragen; wenn man auch nur eine kleine Zahl von Abbildungen durchmustert, es genügen schon einige Tafeln, wie z. B. 18, 19 und 20, so findet man, daß einzelne Schnüre von größeren runden, anscheinend regellos und ohne weiteren Zusammenhang mit oft sehr zahlreichen, dicht übereinanderliegenden Schnüren von kleinen, zylindrischen Perlen abwechseln. Zu den letzteren gehören fast durchweg noch Kettchen oder Schnüre mit kleinen Schellen, wie solche noch heute in sehr großen Mengen und für den gleichen Zweck nach der Goldküste ausgeführt werden. Ab und zu aber findet sich auf den Platten noch ein anderer Schmuck für den Unterschenkel, ganze Gewinde von großgliedrigen Ketten, wie z. B. auf Taf. 20 A und auf der Abb. 283. Bei Kindern scheinen die Unterschenkel manchmal wie mit verzierten Binden umwickelt; doch ist es schwer, für Darstellungen wie auf den Tafeln 26 c, 31 B und c oder auf den Abb. 160 und 173 eine ganz befriedigende Deutung zu finden. Es ist aber bemerkenswert, daß untereinander ganz gleiche »Gamaschen« auf den drei Platten Taf. 26 c und 31 B und c bei vier Kindern vorkommen, die zugleich auch durch ihre langen Kopfbinden oder durch eine sonst verwandte Tracht ausgezeichnet sind.

Y. Leute mit unsymmetrischem Halsschmuck.
[Hierzu Abb. 303, 304, 306 und 360 bis 365.]

Die Besprechung der Musiker mit kugelförmigen Rasseln ist auf S. 183 ff. bereits von einem sehr eigenartigen unsymmetrischen Halsschmuck die Rede gewesen, der sich bei vielen von ihnen findet. Zu den vielen[1] in solcher Weise bemerkenswerten Platten kommen noch zwei (Abb. 303 und 304), auf denen Leute mit einem Aufschlag-Idiophon dargestellt sind, ferner die Platte Rushmore, P. R. 291, hier Abb. 365, und das Bruchstück Stuttgart 5387, von dem leider auch die rechte Hand und mit ihr das bestimmende Attribut weggebrochen ist; nimmt man, was einigermaßen wahrscheinlich ist, an, daß der Mann auch eine Rasselkugel gehalten hatte, würden wir unter den zwölf Leuten mit dem unsymmetrischen Halsschmuck elf Musiker zählen und den Mann Fig. 365, der in der einen Hand ein Schwert, in der andern

[1] 1. Dresden 16064, Abb. 361. — 2. Hamburg C. 2867, Abb. 363. — 3. Kopenhagen. — 4. und 5. London, R. D. XIV 3 und XXIX 5. — 6. Stuttgart 5387, Abb. 364. — 7. Siehe Anmerkung zu S. 184 unter Nr. 14.

eine Art Peitsche hält. Gerade auf dieser Platte hat aber auch der Halsschmuck eine abweichende Form;
er besteht aus einem etwa zwei Querfinger breiten glatten Bande mit leicht aufgewulstetem Rande, auf
dem vor der linken Achsel zwei nicht bestimmbare Gegenstände befestigt sind; von diesen hat der obere

Abb. 360. Mann mit Tutulus und mit unsymmetrischem
Halsschmuck; neben ihm ein Junge anscheinend mit
einer zerbrochenen Rasselkugel. R. D. XIV, 3.

Abb. 361. Mann mit Tutulus, unsymmetrischem Halsschmuck und
Rasselkugel. Dresden 16064 (Webster 9357).

Abb. 362. Drei Leute mit kugelförmigen Rasseln; der mittlere
Mann mit Tutulus, die zwei seitlichen mit median-sagittaler
Kammleiste. Ausschnitt aus R. D. XXIX, 5. Etwa ¼ d. w. Gr.
Eines der vier Benin-Stücke in Kopenhagen gleicht dieser
Platte zum Verwechseln.

Abb. 363. Drei fast ganz gleich ausgestattete Leute, die zwei
seitlichen mit Doppelglocken, der mittlere mit kugelförmiger
Rassel und mit unsymmetrischem Halsschmuck. Ausschnitt aus
Hamburg C. 2867, früher Webster 10130, Kat. 27, Fig. 67.

etwa die Form eines glatten Henkelkorbes, dessen Öffnung nach außen sieht, der untere ist ähnlich gestaltet, hat aber einige unregelmäßig verteilte kleine, rundliche Erhöhungen; beide Gegenstände sind an
dem Bande nicht mit den anscheinenden Henkeln befestigt, sondern so, daß diese vom Bande wegstehen.
Auf den andern Platten besteht der Halsschmuck aus einer Kette mit aus je drei Spangen gebildeten
spindel- oder eiförmigen Gliedern und trägt auch vor der linken Achsel zwei nicht sicher zu deutende

Gegenstände, die vielleicht als Glocken aufzufassen sind. Völlig unverständlich ist dabei, daß diese Gegenstände nicht über die Mitte der Brust herabhängen, sondern ganz nach links verschoben sind; man begreift nicht leicht, warum sie nicht schon durch ihr eigenes Gewicht herabsinken und wie sie in dieser unsymmetrischen Lage erhalten bleiben; so möchte man vermuten, daß die Kette irgendwie in der Nackengegend von den Haaren oder von den Kropfperlen aus festgehalten wurde.

Am deutlichsten ist dieser Halsschmuck auf den Abb. 306, 360 und 361 wiedergegeben; früher oder später wird man auch seine wirkliche Bedeutung erfahren; einstweilen muß ich mich darauf beschränken, sein Vorkommen festzustellen.

Abb. 364. Mann mit Tutulus und mit unsymmetrischem Halsschmuck. Stuttgart 5387.

Z. Verwachsene.

[Hierzu Taf. 41, sowie die Abb. 181, 203, 204, 308, 350 und 366.]

Im Abschnitt U ε) sind auf S. 213 ff. im ganzen neun Personen aufgezählt, die durch ein sonst ganz ungewöhnlich langes Hemd, durch einen Tutulus, durch lange, schlanke Stäbe und durch ihre rachitische »Hühnerbrust« ausgezeichnet sind. Wenn wir sie hier als »Verwachsene« wieder miterwähnen, kommen sie in die Gesellschaft von zwei noch stärker verbildeten Leuten, die wir als rachitische Zwerge bezeichnen müssen. Von diesen befindet sich der eine auf der hier schon mehrfach erwähnten und Fig. 181 abgebildeten Leipziger und der andere auf einer Berliner Platte, von der hier Taf. 41 D und E zwei Ansichten gegeben sind. Über die gesellschaftliche Stellung oder über das »Amt« der Leute mit den langen Hemden und den Stäben wage ich keine Vermutung, aber von den zwei andern Verwachsenen scheint mir sicher, daß wir sie in Zusammenhang mit den alten Berichten bringen dürfen, die Narren und Zwerge ausdrücklich als zum Hofstaate des Königs gehörig erwähnen. Wir werden später, in Kap. 11, zwei ganz hervorragend schöne, große Rundfiguren von mißbildeten Menschen kennen lernen und dann auf unsere Platten wieder kurz zurückkommen. Einstweilen sei nur darauf hingewiesen, daß im 16. Jahrhundert die Könige von Benin genau so gut ihre Hofnarren und Zwerge hatten, wie um dieselbe Zeit kleine und große Herrscher auch in Europa; noch heute gehören an der Goldküste Verwachsene vielfach als besondere Vertrauensleute zum Haushalte eines vornehmen Mannes, vgl. Abb. 366, und

Abb. 365. Mann mit Schwert und Peitsche (?). Vergrößerter Ausschnitt nach R. R. 291.

Abb. 366. Sohn des Königs von Aschanti mit einem verwachsenen Begleiter und einem Diener; nach einer im Handel befindlichen Photographie.

ebenso gibt es eine sehr lehrreiche Photographie, auf der ein Verwachsener als Begleiter einer samoanischen Königstochter erscheint.

TZ. Ganz ungewöhnliche Einzelheiten.
[Hierzu Abb. 367 bis 372.]

Unter diesem jetzt obsolet gewordenen Buchstaben sind hier am Schlusse dieses Kapitels noch eine Anzahl Platten vereinigt, die besonders seltene und ungewöhnliche Einzelheiten aufweisen.

α)   London, R. D. XXVII 1 und Dresden 16 065 sind zwei untereinander fast völlig übereinstimmende ganz eigenartige Platten. Die erstere ist hier Abb. 367 reproduziert, von der andern ist Fig. 368 ein

Abb. 367. Mann mit ungewöhnlicher Pyxis (?); neben ihm ein Mann mit überladenem Panzer. R. D. XXVII, 1. — Abb. 368. Ausschnitt aus einer Platte, die der nebenstehend abgebildeten des Brit. Museums zum Verwechseln ähnlich ist; der Knopf auf dem Deckel ist anscheinend abgebrochen. Dresden 16 065.

Ausschnitt gegeben. Wir sehen zwei Leute nebeneinander, einen mit seinem überladenen Panzer und seiner großen Breite fast grotesk wirkenden Mann mit einem aus Ruten geflochtenen Helm und einem Ebere und neben ihm einen schmäleren und etwas höheren Mann mit reichem Perlgehänge, der mit beiden Händen einen zylindrischen Gegenstand hält, der mit Pantherfell überzogen ist; unten hat er eine flach ausladende Scheibe, ähnlich wie die S. 199 ff. besprochenen Schemel, oben aber einen fast halbkugligen Aufsatz oder Deckel, aus dessen Mitte auf der Londoner Platte ein schlanker, gedrehter Knopf emporragt. Auf der sonst ganz gleichartigen Dresdener Platte fehlt dieser Knopf, ohne daß sich mit voller Sicherheit entscheiden ließe, ob er etwa an der Basis abgebrochen ist oder ob er niemals vorhanden war. R. D. bezeichnen den Gegenstand als »Gefäß«. Das mag richtig sein, ich vermag aber keine moderne Analogie aus Westafrika nachzuweisen.

β)   Dresden, 16 085, ist eine schmale und hohe Platte, für die ich bis zu ihrer würdigeren Veröffentlichung nur auf die kleine und wenig erfreuliche Abbildung 132 bei Webster, 21, 1899 verweisen kann. Ein Mann mit Stirnbinde, Kropfperlen und reichem, von den Schultern herabhängendem Perlgehänge

hält mit beiden Händen einen Gegenstand, den man auf den ersten
Blick vielleicht für einen kurzen, türkischen Tschibuk mit besonders
flachem und breitem Tonkopf halten könnte. Eine solche schon an
sich sehr unwahrscheinliche Deutung erscheint aber schon deshalb
ganz ausgeschlossen, weil weder auf dem Grunde der Schale noch
an der Spitze irgendeine Andeutung eines Loches vorhanden ist, wie
sie ein Benin-Künstler ganz sicher nicht unterlassen hätte. Auch
an ein Musikinstrument mit umgebogenem Schalltrichter möchte
ich nicht gern denken; eher an einen Gußlöffel, d. h. an einen ge
stielten Tiegel für den Erzguß.

Abb. 369. Stelzenläufer, R. D. XX, 5. Etwa
¹/₆ d. w. Gr.

γ) Auf S. 135 war unter Nr. 4 bis 9 und 10 bis 17 schon kurz von
Personen die Rede, die fünf Attribute untereinander gemein haben:
Hut, Stock, Hammer, Schnurrhaare und ein um den Hals getragenes
Kreuz. Wir werden diese Leute in den Kapiteln 11 und 13 näher
kennen lernen; hier ist ein Mann zu verzeichnen, der zwar auch
ein Kreuz vom Halse herabhängen hat, aber sicher nicht in den
sonst völlig geschlossenen Kreis jener andern Leute mit dem Kreuze
gehört, da ihm die andern Attribute ganz abgehen. Es handelt
sich um eine der drei größeren Figuren auf der hier Fig. 353 abge-
bildeten Platte; diese trägt eine Art Malteserkreuz an einer so langen Schnur, daß es bis fast auf den Nabel
herabhängt; auch die Form des Kreuzes ist ganz anders als die auf jenen andern Platten und Rundfiguren.

Über seine Bedeutung weiß ich nichts zu
sagen; ja ich muß sogar gestehen, daß es
nicht einmal möglich ist, über die relative
Stellung seines Inhabers zu der Mittelfigur
eine ganz sichere Meinung zu bilden. Im
allgemeinen ist im Bereiche der Benin-Kunst
auf den Platten mit drei oder mehr Figuren
die zwischen zwei kleineren Begleitern
stehende Mittelfigur ohne weiteres als
Hauptperson anzusprechen. Es gibt aber
einzelne Platten, und gerade die uns jetzt
beschäftigende gehört zu ihnen, bei denen
man über den relativen Rang der dargestellten Leute im unklaren bleibt. So
könnte es gerade auch für diese Platte
möglich sein, daß wir nicht den mittleren,
sondern den zur Rechten stehenden Mann,
also den mit dem Kreuze, für die Hauptperson halten müssen. Bei den innigen Beziehungen, die im 16. Jahrhundert zwischen
Benin und Portugal bestanden, liegt es
nahe, das Kreuz für den portugiesischen
Christus-Orden und seinen Inhaber vielleicht
für einen königlichen Prinzen zu halten.

δ) Auf zwei Platten, siehe Abb. 357 und
365, halten Personen eine Art Peitsche
in der erhobenen Rechten; bei P. R. wird
sie als »unknown implement« bezeichnet,
während R. D. sie, zweifellos mit Unrecht,
mit den Metallstäben vergleichen, die wir in
Kap. 49 behandeln werden und für die ich
einstweilen auf die Taf. 102 verweise. Eine

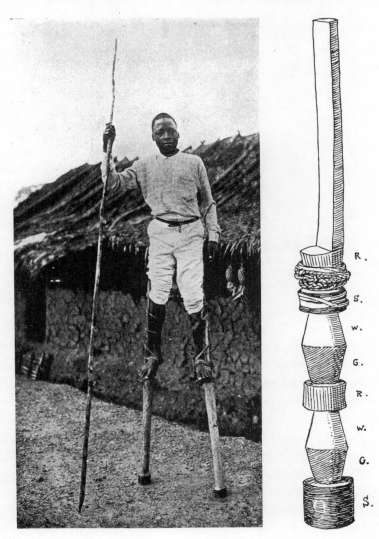

Abb. 370. Stelzenläufer aus Kamerun, nach Mansfeld. — Abb. 371. Stelze
der Duala, Kamerun, Zintgraff l. l. 1887. Berlin III. C. 3746.

nähere Prüfung ergibt, daß es sich auf jenen beiden Platten nur um behaarte Fellstreifen handeln kann, die an einem drehrunden Holzstiel befestigt sind; ein Vergleich mit den Messingstäben ist daher von vornherein ausgeschlossen. Außerdem sind ganz ähnliche Stücke heute noch in der Gegend im Gebrauch; das Berliner Museum besitzt eines unter der Nummer III. C. 12 598 von den Jekri (»Djegri«), Wari, also aus der unmittelbaren Nachbarschaft von Benin; ein gleichartiges Stück ist in Wien, Nr. 64 712, und von Heger 1916 unter Nr. 163 als »Klatsche aus zwei Fellstreifen an einem Holzstiel« beschrieben worden; es war mit der Angabe Benin eingegangen.

Es gibt nun noch drei weitere Platten, Taf. 41 D und F und Abb. 148 und 254, auf denen dasselbe Gerät »gefaltet« erscheint, so daß ein Teil des Fellstreifens gegen den Griff zurückgebogen ist; R. D. haben es diesmal erkannt und beschreiben es als »object with the end doubled over, perhaps a whip«;

ε)

ζ)

Abb. 372. Ausschnitt aus der Taf. 28 A abgebildeten Platte Berlin, III. C. 8264 mit »Schulterschleife«; vgl. S. 231 unter μ.

sowohl an den beiden Londoner Platten als ganz besonders schön an dem Berliner Stücke ist zu sehen, daß der Fellstreifen an den Holzstiel angenäht ist, ähnlich wie bei manchen Pferdepeitschen aus dem Kaukasus oder etwa wie bei unseren alten »Fliegenprackern«. Auf der Fig. 254 abgebildeten Platte ist der Fellstreifen etwa handbreit über der Befestigungsstelle abgebogen, so daß da naturgemäß ein »Kniff« entstehen muß, genau wie er auf der Platte Abb. 365 auch tatsächlich wiedergegeben ist.

Bei Besprechung der Fig. 266 abgebildeten Platte ist S. 155 bereits auf die eigenartige »Schiene« hingewiesen worden, die den Schurzzipfel des Mannes mit der Mitra zu stützen scheint; sie muß auch an dieser Stelle erwähnt werden, leider ohne befriedigende Erklärung; der Musiker auf der Platte Abb. 304 scheint seinen Gewandzipfel in ähnlicher Art gestützt zu haben, aber auch für diesen Befund ist es mir nicht möglich, eine sichere Deutung zu geben.

Bei R. D. XX. 5 und hier Fig. 369 ist eine schöne, große Platte abgebildet, die uns einen Stelzengänger zwischen zwei mit Stäben ausgerüsteten Begleitern zeigt; er hat ein bis an die Knöchel reichendes gemustertes Hemd, einen Hut mit durch einen Schieber verstellbarem Sturmband und eine unter der linken Achsel am Bandelier getragene Schwertscheide; ein Hiebschwert vom Ada-Typus hält er in der Rechten und einen Schild, der nicht größer ist als ein Gesicht, in der Linken. Auffallenderweise benutzt er keine Stange; das ist wohl auch der Grund, aus dem R. D. es bezweifeln, daß der Mann überhaupt auf Stelzen geht, und es offen lassen, ob die zwei Vorsprünge unter dem Hemdsaum die Füße oder die Knie vorstellen. Ich teile diesen Zweifel nicht, da es möglich ist, mit gut angebundenen Stelzen auch ohne Stange zu gehen und zu stehen. Zum Vergleiche reproduziere ich Fig. 370 eine Abbildung aus dem Buche von A. Mansfeld (Urwalddokumente, Berlin, D. Reimer, 1908); dort heißt es: »Auch Stelzenlaufen (*awiangbo* oder *awumbum*) kennt man; bei Vollmondtänzen oder zu Totenfestlichkeiten binden sich einige Leute 1 bis 1,50 m hohe Stelzen an die Beine.« Auch »zur Arbeit in den von Gras überwucherten Plantenfarmen werden wegen der Dornen- und der Schlangengefahr Stelzen von nur 30 cm Höhe benutzt« Aber auch schon die ältere Literatur kennt westafrikanische Stelzen. So ist bei Boteler[1]) sogar als Titelbild ein Stelzenläufer vom Kap Lopez abgebildet. Die Berliner Sammlung besitzt ein Paar Stelzen von

[1]) Narrative of a voyage of Discovery, London 1835, II. Titelbild und S. 374 ff. mit ausführlicher Beschreibung des »Fetischtanzes«; der Mann soll täglich stundenlang tanzen, mit an den Unterschenkeln angebundenen Stelzen und ohne Stock! Weiteres über Stelzen siehe in meiner Abhandlung »Zusammenhänge und Convergenz«, Mitt. der anthr. Ges. Wien, Bd. 48, S. 90.

den Duala, die Dr. Zintgraff 1887 eingesandt hat; eines der Stücke ist Fig. 371 abgebildet. Man sieht unterhalb des Trittes die Bastschnur, mit der beim Gebrauch die Stelze an'den Unterschenkel festgeschnürt wird. Vom Tritte abwärts ist das Stück in der bei den Duala auch sonst üblichen, wenig erfreulichen Art mit europäischen Ölfarben bunt bemalt. Die Buchstaben R, S, W und G am Rande der Federzeichnung stehen für Rosa, Schwarz, Weiß und Grün.

η) Auf der hier nicht reproduzierten Londoner Platte R. D. XXIII 1 schwingt ein Mann mit Glockenhelm, der von zwei Musikern begleitet ist, einen richtigen Wedel, vermutlich nicht, wie R. D. meinen, ein »flywisk«, sondern einen jener Zeremonialwedel, von denen uns moderne Beobachter besonders aus Togo und aus Kamerun erzählen und die als Zauber- oder »Fetisch«-Wedel vielfach in unsere Sammlungen gelangt sind. Fig. 241 ist eine ähnliche Platte abgebildet, auf der die Hauptperson in der Rechten einen Gegenstand hält, den R. D. für eine Keule erklären. Ich kenne keine ähnlichen Keulen aus Westafrika und kann mich dieser Auffassung nicht gut anschließen; eher würde ich den Gegenstand für einen Wedel halten, dessen Fasern von einer netzartigen Hülle umflochten sind.

So sind wir mit der für das 2. Kapitel gestellten Aufgabe der Behandlung der Platten mit je einem Eingebornen zu Ende gekommen. Es hat sich nicht vermeiden lassen, vielfach auch Platten mit zwei und mehr Personen zum Vergleich heranzuziehen, und der Umfang des Kapitels hat dadurch eine unerwünschte Vergrößerung erfahren; um so kürzer können nun die folgenden Abschnitte gehalten werden.

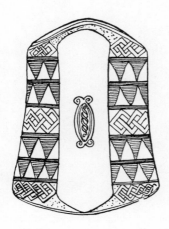

3. Kapitel.
Platten mit zwei Eingeborenen.

[Hierzu die Tafeln 10 D, 26 D, 27 C, 33 E, 34 B, 38 B, 39 E und 43 B, sowie die Abb. 373 bis 378 u. a.]

Die Platten mit zwei Personen lassen sich — zunächst rein mechanisch — in die folgenden Gruppen bringen:

A. Zwei unter sich fast oder ganz gleiche Personen.
B. Zwei fast oder ganz gleiche Personen mit verschiedenen Attributen.
C. Personen mit einem erwachsenen Begleiter.   D. Personen mit einem kleinen Begleiter.

Ein aufmerksamer Vergleich dieser in solcher Weise eingeteilten Platten bestätigt dann eine schon früher ausgesprochene Vermutung, daß einige von ihnen nicht als selbständige Kunstwerke, sondern nur als Teile von größeren Kompositionen aufzufassen sind.

A. Platten mit unter sich fast oder ganz gleichen Personen.

1. Berlin, III. C. 8440, Taf. 38 B. Zwei Glockenschläger.
2. Berlin, III. C. 8280, Taf. 39 E. Mann mit kugelförmiger Rassel; in Berlin befindet sich nur die eine Hälfte der Platte, die andere scheint in Leiden (M. II 4) zu sein.
3. Berlin, III. C. 8417, Taf. 43 E. Zwei Personen mit *apex*, Perlhemd und Hammer. Eine gleichartige Platte mit drei solchen Leuten ist in Dresden.
4. Dresden, 16 606, vgl. die Abb. bei Webster 29, 1901, Fig. 25. Zwei völlig nackte Jungen, nur

mit einer dünnen Halsschnur und mit Spangen auf beiden Vorderarmen. Nach der Angabe bei Webster hat die Platte bei einer Größe von 30 × 47 cm das ansehnliche Gewicht von 22 lbs.

5. Freiburg i. B., Städt. Völkerkunde-Sammlung. Ausgezeichnet schöne Platte, aus der Abb. 305 einen Ausschnitt gibt; zwei unter sich völlig gleiche Leute mit kugelförmigen Rasseln; verschieden erscheint allein nur die Anordnung der eingepunzten Verzierungen auf den Lendentüchern; unter diesen sind Arme mit Händen auffallend, von der Art, wie sie S. 64, Abb. 105 skizziert sind.

6. Leipzig, früher Sir Ralph Moor 66. Zwei unter sich anscheinend bis in die allerletzten Einzelheiten gleiche Jungen mit Stäben; Oberschurz in der Art eines Pantherfells gemustert.

Abb. 373. Zwei vielleicht absichtlich grotesk dargestellte Leute mit hohen Korbhelmen. Der zur Rechten Stehende hat einen Pantherschädel von der Schwertscheide herabhängen, der andere eine dämonische Maske. An beiden Stücken hängt noch je eine geriefelte Glocke. Vgl. Kap. 27 und 28. Vergrößert nach R. D. XXIII, 3.

7. Leipzig; siehe hier die Abb. 289 nach Webster, 29, 1901, Fig. 78.

8. London, R. D. XX 2. Zwei junge Krieger, überladene Panzer, Speer, Schild; Helme von der Art der Abb. 276 auf S. 159.

9. London, R. D. XXII 2. Zwei grotesk aussehende Personen in Federhemd; siehe Abb. 250 S. 147.

10. London, R. D. XXV 2. Zwei Jungen mit arg überladenem Panzer, unten mit drei Reihen von Schellen. Topfhelm, Bündel mit drei Speeren.

11. London, R. D. XXIII 3; siehe Abb. 373, zwei ganz besonders grotesk aussehende Leute mit anscheinend geflochtenem Panzer und mit ungewöhnlich breiten und reich verzierten Querbinden über dem Panzer. Anscheinend der einzige Unterschied in der Ausstattung der beiden Personen besteht in den bereits S. 105 unter Nr. 4 erwähnten Anhängern an der Schwertscheide; die rechts stehende hat da einen Pantherschädel, die andere eine dämonische Maske hängen, die mit der hier Fig. 561 abgebildeten verwandt ist.

12. London, Brit. Museum, alte Nummer S. R. Moor 240. Von R. D. in den »Antiquities« nicht abgebildet, aber in den »Illustrated London News« und im »Globus«; hier Abb. 374.

13. München, früher Webster 4948, hier Fig. 375 nach der Abb. bei Brinckmann, »Dekorative Kunst« II, Heft 8, S. 84 reproduziert. Bemerkenswert vor allem durch die drei als Beizeichen verwandten Europäerköpfe.

14. Rushmore, P. R. 130, hier bereits S. 161 unter Nr. 12 beschrieben und als Fig. 280 abgebildet.

15. Rushmore, P. R. 2. Zwei unter sich völlig gleiche Leute mit »Taschen« oder »Rahmentrommeln«; die beiden stimmen in ihrer Ausstattung durchaus mit dem Manne links auf der Berliner Platte auf Taf. 27 C — siehe auch S. 243 unter B. 1. — überein, sind aber auffallend plump und haben viel zu große Köpfe; sie stammen sicher nicht von dem Schöpfer der Berliner Platte.

16. Unbekannt, wo. Zwei unter sich ganz gleiche Jungen, ohne Attribute, mit einem tätowierten Streifen auf Stirn und Nasenrücken; bemerkenswert sind die Schnüre mit ungewöhnlich kleinen, zylindri-

Abb. 374. Zwei bis in die letzten Einzelheiten gleiche Krieger. Brit. Museum (Sir Ralph Moor 240). Nach einer Abb. im »Globus«.

Abb. 375. Zwei bewaffnete Krieger, in drei Ecken je ein Europäerkopf. München, früher Webster 4948. Nach einer Abb. bei Brinckmann in »Decor. Kunst« II, Heft 8, S. 84.

schen Perlen um den Hals und die ganz ungewöhnliche Art, in der zwei Zipfel des Lendentuches über die Gürtelschleife hinüberhängen. Von dieser schönen und bis auf ganz unbedeutende Risse sehr gut erhaltenen Platte kenne ich nur eine kleine, mit W. D. bezeichnete Photographie ohne irgendwelche weitere Angabe.

17. Wien, 64 716. Zwei nur durch die Kopftracht verschiedene Personen, mit breitem Perlgehänge, ohne Attribute und mit auffallend steif herabhängendem rechten Arm. Vgl. die Beschreibung bei Heger, 1916, Nr. 10.

18. Wien, 64 798. Zwei Leute, der eine mit einem sehr hohen, der andere mit einem ganz niederen Schemel. Vgl. Heger, 1916, Nr. 30.

19. Wien, 65 064. Zwei Leute mit kugelförmiger Rassel. Vgl. Heger, 1916, Nr. 31.

Als eine Gruppe für sich müssen hier noch einige Platten ganz eigener Art angeschlossen werden, die unter sich auf das allerengste verwandt, aber ohne irgendwelche Analogie in der übrigen Benin-Kunst sind. Auf zwei von den fünf durchaus zusammengehörigen Platten sind je drei Personen dargestellt, auf den drei andern je zwei. Da es falsch wäre, sie zu trennen, werden hier auch die beiden Platten mit je drei Leuten zugleich mit den drei andern besprochen; zufällig sind es in der alphabetischen Reihenfolge die ersten:

Abb. 376. Leute mit Perlhemden, wie solche sonst nur von Priestern und von Personen »dämonischer« Art getragen werden. Stuttgart 4668 (früher Brit. Museum. Sir Ralph Moor 101). Vgl. S. 230 unter κ.

20. Berlin, III. C. 8378, Taf. 30. Drei untereinander fast ganz gleiche Jäger, die besonders durch ihre Helme auffallen; diese sind sehr groß, mit Augenschirm, Wangenklappen und Halsberge, völlig mit rundlich vorragenden, knolligen Gebilden bedeckt, die vielleicht als Früchte von Physostigma gedeutet werden können. Ich habe im Laufe der fast zwanzig Jahre, seit sich diese Platte in Berlin befindet, niemals eine Gelegenheit versäumt, sie den aus Westafrika heimkehrenden Gönnern und Freunden des Museums zu zeigen und sie um eine Erklärung dieser Helmform zu bitten. Wohl an die hundert Male war die Antwort immer wieder dieselbe: »Nie etwas Ähnliches gesehen«; bei R. D. ist von einem solchen Helm gesagt, seine Oberfläche sei mit »projecting tabs« bedeckt, und in einer Hamburger Beschreibung wird von einem »dichten Überzug dicker Zotten« gesprochen. Dabei darf auch die Möglichkeit nicht unberücksichtigt bleiben, daß bei diesen Helmen ein Teil der Absonderlichkeit auf Rechnung stilistischer Übertreibung zu setzen kommt; jedenfalls sind bei diesen fünf Platten, die wohl alle von demselben Künstler modelliert sind, andere Einzelheiten, so die allzudicke Umwicklung der Bogen und die

Abb. 377. Zwei Jäger mit gefesselten Panthern. Hamburg C. 2301, nach Hagen, A. v. B., 1900. Etwa ¼ d. w. Gr., 24,5 kg schwer!

Größe der Pfeilspitzen, auf anscheinend bewußte und beabsichtigte Übertreibung, also auf eine Künstlerlaune, zurückzuführen. Die Leute haben kurze, glatte Lendentücher und tragen an einem breiten, von der rechten Schulter nach der linken Hüfte herabgehenden und ähnlich wie die Helme mit dicken Schuppen (?) besetzten Bande eine Jagdtasche, an der ihre Beute befestigt ist. Jeder der Leute hält in der Linken einen Bogen und zwei Pfeile, in der Rechten einen Pfeil. Die Bogen sind ganz extrem kurz und dick und in ihrer ganzen Ausdehnung umwickelt; die Schnur ist über den Rücken fortgeführt und läuft in der Gegend der Hörner innen über rundliche Scheiben. Die Pfeile sind unverhältnismäßig plump und derb stilisiert, mit großen, dreieckigen Spitzen und mit einer Andeutung von Widerhaken. Am linken Vorderarm ist das übliche Kissen gegen den Rückschlag der Bogensehne befestigt.

Als Jagdbeute hat der mittlere Mann einen Panther, die beiden seitlichen haben je eine Gazelle; an allen drei Tieren ist in der Gegend des Schulterblattes eine große, schlitzförmige Einschußöffnung ostentativ hervorgehoben, so daß es ganz deutlich ist, wie großes Gewicht auch von den Benin-Jägern auf einen richtigen Blattschuß gelegt wurde. An einem Gurte um die Mitte tragen die Leute noch einen kleinen, geflochtenen Köcher, eine weitere kleine Tasche mit aufklappbarem Deckel, einen Dolch, ein kleines, gedrehtes Querhorn und, wie es scheint, noch eine Signalpfeife. Die beiden unteren Ecken der Platte sind in großer Ausdehnung weggebrochen, so daß die Füße beider seitlichen Jäger ganz fehlen; doch ist alles Wesentliche vorhanden und die Platte sonst von tadelloser Erhaltung.

21. Dresden, 16140. Diese schon von Starr veröffentlichte Platte, die damals noch als Nr. 8818 im Besitze von Webster war, gleicht der im Vorstehenden beschriebenen Berliner Platte bis in die letzten Einzelheiten, nur ist auch ihr unterer Rand mit den Beinen aller drei Jäger fast vollständig erhalten. Bei dem zur Rechten stehenden ist auch die Signalpfeife besser sichtbar, als auf der Berliner Platte; sie gleicht dem in der mehrfach erwähnten Monographie von Ankermann S. 39, Fig. 75 a abgebildeten Stücke von den Bali in Kamerun, hatte also wohl auch eine kreuzweise Durchbohrung. Ähnliche Pfeifen, die bei Ankermann S. 40 und 41 abgebildet sind, besitzt das Berliner Museum auch vom Lomani, aus dem Lunda-Reich, aus Tamberma, Atakpame, Kábure und Bassari; sie sind also heute über einen großen Teil von Westafrika verbreitet. Bei dem mittleren von den drei Jägern ist unter dem breiten Kinnband noch eine Perlschnur sichtbar; ebenso hängen unter dem Helm von der Schläfengegend noch Zöpfe hervor, die mit je einer großen, zylindrischen Perle beschwert sind.

22. Hamburg, C. 2301; siehe hier die Abb. 377. Zwei Jäger gleich denen auf den beiden eben erwähnten Platten; nur die Helme sind etwas höher; auch tragen sie keine Beute. Hingegen liegen zwischen ihnen, mit dem Kopfe nach oben, zwei an den Füßen gebundene Panther, der eine mit den Füßen und der Tragschleife nach rechts, der andere nach links gewandt, wie um ihre Zugehörigkeit anzudeuten. Diese Platte ist sehr dick und wiegt 24,5 kg; damit ist sie wohl die schwerste unter sämtlichen Benin-Platten.

23. Leipzig, Privatbesitz von Dr. Hermann Meyer; siehe Abb. 378. Ähnliche Platte, aber die zwei Jäger sitzen auf einem drehrunden Balken, der wie die Barbierpfosten in den Ver. Staaten mit in Spiraltouren umlaufenden Bändern verziert ist. Zu ihren Füßen liegen zwei an allen vier Füßen und an der Schnauze gefesselte Panther, an-

scheinend lebend und vielleicht als Jagdgehilfen in ähnlicher Weise gebunden wie bei uns in früheren Jahrhunderten und heute noch in Kurdistan und in Persien die Jagdfalken mit einer Haube getragen werden.

24. London, R. D. XIV 2. Ganz ähnlich der eben unter Nr. 22 aufgeführten Hamburger Platte; nur sind die Helme etwas weniger hoch; auch liegen beide Panther mit den Füßen nach derselben Seite; von einem dritten, der dem unteren Rande der Platte parallel lag, ist der ganze Leib weggebrochen und nur der Kopf erhalten. Alle drei Tiere sind auch an der Schnauze fest verschnürt; ebenso ist für die Hamburger Platte einmal angegeben worden, daß die Kiefer geknebelt seien; nach meinen Notizen stimmt das nicht; nur die großen und ungeschickt modellierten Eckzähne täuschen eine solche Knebelung vor. Die Frage ist nicht ganz gleichgültig, denn auf jeder der drei zuletzt genannten Platten (Hamburg, Leipzig, London) hat einer der Panther ungefähr in der Gegend des Schulterblattes eine unregelmäßige Verletzung; das kann natürlich bloßer Zufall und unbeabsichtigt

Abb. 378. Zwei sitzende Jäger mit an den Füßen und an der Schnauze gefesselten Panthern. Leipzig, Eigentum von Dr. Hermann Meyer. Etwa 1/3 d. w. Gr.

sein oder kann auf nachträglicher Spielerei beruhen; auch sehen die Einschußstellen in der Blattgegend auf der Berliner und auf der Dresdener Platte ganz anders und völlig eindeutig aus; aber der Befund durfte doch nicht ganz unerwähnt bleiben, weil es interessant wäre, mit Sicherheit festzustellen, ob man in Benin Panther (oder Geparden?) für Jagd- oder andere Zwecke lebend zu halten pflegte.

B. Zwei gleichgroße Personen mit verschiedenen Attributen.

1. Berlin, III. C. 8372, Taf. 27 c. Ausgezeichnet schöne Platte; beide Leute haben genau die gleichen, bis fast zur Scheitelhöhe reichenden Schurzzipfel mit dem federähnlichen Behang und sind sich auch sonst sehr ähnlich; nur trägt der eine eine Stirnbinde, der andere die S. 136 unter α beschriebene einfache Perlhaube; dieser trägt eine Tasche oder »Rahmentrommel«, jener hält ein Sudarium.

2. Berlin, III. C. 8211, Taf. 34 B; vgl. die Beschreibung S. 99 oben.

3. Dresden, 16 065; vgl. die Abb. 367 und 368.

4. Leipzig, H. M. 16. Zwei sehr ähnliche Leute, der eine mit Krista und mit kugelförmiger Rassel, der andere mit Tutulus und mit einer Doppelglocke.

5. London, R. D XXVII 1; vgl. die Abb. 367.

6. London, R. D. XXX 3; vgl. die Abb. 304, die allerdings nur einen Ausschnitt gibt. Die zweite Person ist völlig gleich, nur hält sie eine kugelförmige Rassel.

7. Unbekannt, wo. Ähnlich der eben sub Nr. 4 aufgezählten Leipziger Platte; mit zwei unter sich ganz gleichen Musikern, die beide einen Perlhelm mit Tutulus haben; der eine schlägt eine Doppelglocke, der andere hat eine kugelförmige Rassel.

C. Personen mit einem fast erwachsenen Begleiter.

1. Berlin, III. C. 8369, Taf. 27 A. Auf dieser hervorragend schönen Platte, deren sich kein europäischer Künstler zu schämen hätte, ist ein Blinder mit ausdruckslos ins Weite starrenden Augen dargestellt, der von einem jugendlichen Begleiter an der Hand geführt wird. Der auf einen langen Stab sich stützende Blinde hat einen runden Hut mit schmaler Krempe und verstellbarem Sturmband; der Leibgurt ist abweichend von der Regel, genau in der Mitte des Körpers gebunden; die frei herabhängenden symmetrischen Enden sind, wie bei alten Mönchsgürteln, mit Schnüren und runden Perlen beschwert.

2. Rushmore, P. R. 255. Zwei fast gleichgroße Personen, eine mit Ebere, die andere mit Speer und Schild. Im beschreibenden Texte zu dieser Platte heißt es, wie schon in der Anmerkung auf S. 164 nebenbei erwähnt wurde, daß beide Personen denselben Speer halten. Es ist ja sonst ein in Benin sehr verbreitetes Motiv, daß ein Würdenträger sich auf den Speer eines seiner Begleiter stützt, aber gerade auf dieser Platte scheint mir die Hand der Hauptperson deutlich vor dem Speere ihres Nebenmannes zu liegen; wie gut man sonst in Benin verstanden hat, die den Speer umgreifende Hand darzustellen, lehren die Abb. 165, 190, 257, 283 und andere.

D. Personen mit einem kleinen Begleiter.

1. Berlin, III. C. 8396, Taf. 10 D. Mann mit Ebere und Ada, neben ihm ein kleiner Junge mit Querhorn, der durch eine besonders lange Prinzenlocke und eine am Gürtel befestigte Tasche bemerkenswert ist.

2. Berlin, III. C. 8403, Taf. 26 D. Von dieser Platte ist bereits S. 197 bemerkt, daß der größere von den zwei dargestellten Jungen kaum der Eigentümer des von dem kleineren getragenen Schwertes sein und daß dieses wohl einem auf einer ganz andern Platte dargestellten Würdenträger gehören dürfte. Die Platte ist nicht zu Ende ziseliert, wahrscheinlich, weil man sie wegen eines Gußfehlers verwarf.

3. Berlin III. C. 7655, Taf. 33 E. Mann mit Ada; der kleine Junge mit dem Querhorn neben ihm hat eine auffallend hohe Krista auf dem sonst kahl geschorenen Scheitel.

4. Hamburg, C. 2329; siehe Abb. 171. Zwei Jungen, der größere mit einem kleinen Schießbogen und mit einem Ada, der kleine mit einem Fächer in der rechten und einem Sudarium in der linken Hand.

5. Leipzig, M. f. V.; siehe Abb. 181. Bärtiger, verwachsener Zwerg als Begleiter eines bärtigen Mannes mit ungewöhnlich überladenem Wehrgehänge.

6. London, R. D. XXV 4; siehe Abb. 254. Als Begleiter ein nackter Junge mit einer Peitsche.

7. München. Krieger mit schwerem Panzer, Topfhelm, Speer und Schild; zu seiner Rechten ein Junge, anscheinend mit einem Sudarium in der rechten Hand. Vgl. die Abb. bei Brinckmann, »Dekorative Kunst« II, Heft 8, und auf einer der im Ethnogr. Museum München käuflichen Postkarten.

8. Rushmore, P. R. 18; siehe die Abb. 240.

9. Webster, 29, 1901, 11392, Fig. 47; siehe hier Abb. 198.

Dem mechanischen Einteilungsprinzipe folgend, müßte hier noch eine besondere Gruppe mit der Fig. 385 abgebildeten Platte eines Siegers mit seinem Gefangenen aufgestellt werden. Es ist aber richtiger, diese Platte, obwohl sie nur zwei Personen zeigt, doch erst in Kap. 5 in Zusammenhang mit den mehrfigurigen andern Kampfplatten zu besprechen.

4. Kapitel.

Platten mit drei Eingeborenen.

[Hierzu die Taf. 13, 19 B, 20, 22, 31, 42 und 43 D, sowie die Abb. 147, 152, 172, 174, 176, 178, 182, 239, 241, 301, 308, 313, 316, 357, 362/3, 369 und 379.]

Auch diese werden zweckmäßig in die folgenden Gruppen geteilt:

A. Drei gleiche oder fast gleiche Personen.

B. Drei fast gleiche Personen mit verschiedenen Attributen.

C. Drei ungleiche Personen.

D. Ein Würdenträger mit zwei Begleitern.

E. Untypische Platten.

F. Sakrale Platten.

A. Platten mit drei ganz oder fast gleichen Personen.

1. Berlin, III. C. 8755, Taf. 42. Drei nackte, am ganzen Körper bemalte oder tätowierte Jungen, mit nur unwesentlich voneinander verschiedener Musterung.

2. London. R. D. XXV 5. Der eben verzeichneten Berliner Platte ganz ähnlich; vgl. die Beschreibung beider Platten S. 219 ff.

3. Dresden, 16 087. Drei Personen mit einem Hammer, abgebildet bei Webster, Fig. 212, Kat. 21 von 1899. Vgl. die Beschreibung hier S. 134 unter Nr. 5.

4. Kopenhagen. Diese Platte mit drei Leuten, die kugelförmige Rasseln halten, gleicht zum Verwechseln der hier Fig. 362 abgebildeten Londoner Platte.

5. Leipzig, im Hause von Prof. Hans Meyer; siehe die Beschreibung auf S. 98 und die Abbildung bei Webster Nr. 9487 in Kat. 24, Fig. 55. Drei Diener mit Gefäßen.

6. London, R. D. XXVIII 1; siehe Abb. 174. Drei Jungen mit hörnerartiger Haartracht, Gefäße tragend.

7. London, R. D. XXVIII 2; siehe Abb. 176. Drei Jungen mit frontal gestellten Haarschnecken, Gefäße tragend.

8. London, R. D. XXIX 3; siehe Abb. 301. Drei Jungen mit vogelförmigen Aufschlag-Idiophonen.

9. London, R. D. XXIX 5; siehe Abb. 362. Drei Leute mit kugelförmigen Rasseln.

B. Drei fast gleiche Personen mit verschiedenen Attributen.

1. Hamburg, C. 2867; siehe Abb. 363 nach Webster 27, Fig. 67. Musiker, der mittlere mit einer Rassel, die seitlichen mit Doppelglocken.

2. London, R. D. XXI 6; siehe Abb. 178. Mann mit großem Stock, zu beiden Seiten je ein Mann mit Geldringen. Zwei Tänzer mit kolbenförmigen Rasseln und ein Verwachsener mit Stäben.

3. London, R. D. XXV 6; siehe Abb. 316. Drei Jungen, der mittlere mit einem Rasselstock, der linke mit einer sanduhrförmigen Trommel, der zur Rechten mit einer »Rahmentrommel« (?) aus Fell.

4. London, R. D. XXX 5. Drei Musiker, fast genau gleich den Fig. 363 abgebildeten, nur daß der mittlere Mann die Rassel nach der linken Seite hin hält statt wie dort, nach der rechten.

5. Webster, 9757. Siehe dessen Abbildung 26 im Katalog 24 von 1900.

C. Drei ungleiche Personen.

1. 1. Berlin, III. C. 8055, Taf. 19 B. Unsymmetrische Platte von ganz ungewöhnlicher Art. Zur Rechten steht ein Mann mit stilisierter Haartracht, kleinen »Schneisen« mit Stirnbinde und mit Kropfperlen, aber ohne das Halsband mit Pantherzähnen. Er hat ein besonders reiches Schultergehänge mit im ganzen acht Reihen von Perlschnüren. Der Oberschurz ist völlig glatt, auch ohne Andeutung einer Kante; über ihm zwei besonders dicke und in Rautenmustern ziselierte Bänder. Der mittlere Mann und der zur Linken haben Oberschurze, die in der Art von Pantherfellen gemustert sind; beide sind auch, unabhängig von der typischen Benin-Tätowierung, an der vorderen Rumpfwand, an den Oberarmen und an den Fußrücken mit in Gruppen von je drei Strichen geordneten Punkten tätowiert; der linke hat eine einfache, helmartige Kopftracht mit großen, zylindrischen Perlen und ein breites Gehänge von der linken

Schulter zur rechten Hüfte; der mittlere ist ohne ein solches Gehänge und hat einen hohen Helm aus Rutengeflecht; er trägt ein gesenktes Ebere, sein Nachbar zur Linken ein erhobenes. Der Mann zur Rechten hat beide Arme gesenkt und trägt außer seinem breiten Perlgehänge kein Attribut. Die Frage nach dem relativen Range dieser drei Leute ist nicht mit Sicherheit zu lösen. In der Regel steht auf den Benin-Platten mit drei Figuren die Hauptperson in der Mitte; das trifft hier keinesfalls zu; hingegen ist es wahrscheinlich, daß der zur Rechten stehende Mann, obwohl er etwas kleiner als die beiden anderen und vielleicht noch nicht einmal voll erwachsen gedacht ist, doch als die Hauptperson zu gelten hat. Damit würde das, was S. 228 unter f und g über die Bedeutung der Perlgehänge und Stirnbinden gesagt ist, nicht in Widerspruch stehen.

2 und 3. Berlin, III. C. 8285 und London, R. D. XXII 6; siehe Abb. 308. Zwei unter sich ganz gleichartige Platten: zwei am ganzen Oberkörper bemalte Tänzer mit kolbenförmiger Rassel und zur Rechten von ihnen ein Verwachsener mit zwei Stäben.

4. Leipzig, früher Webster 9489; siehe Abb. 182. Bei dieser Platte ist wenigstens der Mann mit dem Schemel als Diener gekennzeichnet; hingegen ist es nicht möglich, über die Rangstellung der beiden andern Personen zu einem befriedigenden Schlusse zu kommen.

5. London, R. D. XXI 3; siehe Abb. 357. Auf dieser besonders schönen und merkwürdigen Platte scheint eine kultische Handlung dargestellt. In der Mitte steht ein gepanzerter Mann, der in beiden Händen ein becherförmiges Gefäß vor sich hält; von seinen beiden Begleitern, die unter sich gleiche, höchst auffallende und ungewöhnliche Helme, gleiche Peitschen und gleiche, ganz kleine Schwerter haben, trägt der rechts Stehende einen Schurz aus Pantherfell und einen Panzer, der andere ein ganz langes Federhemd; so ist auch diese Platte nur zum Teil symmetrisch.

6. London, R. D. XXI 5. In der Mitte steht ein Mann mit langem Federhemd, hohem Helm vom Typus des Fig. 251 abgebildeten und mit einem erhobenen Ebere; er stützt sich auf den Speer seines Begleiters zur Linken, eines Kriegers mit sehr großer Prinzenlocke. Rechts ein kleiner Hornist.

7. London, R. D. XXIX 1; siehe Abb. 313. Zwei Trommler und ein dritter Mann, der kniend eine der Trommeln hält

Abb. 379. Würdenträger, dessen beide Begleiter »Rahmentrommeln« halten. Leipzig, früher Berlin, H. Bey 107. Etwa 1/3 d. w. Gr.

D. Ein Würdenträger mit zwei Begleitern.

Das ist ein so häufig vorkommender Typus, daß es sich nicht lohnen würde, die hierher gehörigen Platten einzeln aufzuführen. Es genügt, hier auf die Tafeln 13, 20 B, 22 und 31 D sowie auf die Abb. 147, 152, 172, 239, 241, 369 und 379 zu verweisen. Weiters seien als gute Vertreter dieser Gattung noch die Platten R. D. XX 6, XXII 5 und XXIII 1 genannt sowie Rushmore, P. R. 181. Dabei handelt es sich fast stets um einen vornehmen Krieger, der von zwei kleinen Musikern, gewöhnlich einem Hornisten und einem Glockenschläger, begleitet wird. Abweichend von diesem Schema sind aus dieser Reihe nur die folgenden Platten: Taf. 22, auf der die Begleiter Stöcke und Hammer haben, also zu einer völlig andern Gruppe gehören, ferner Abb. 369 mit den zwei Begleitern des Stelzengängers und 172 mit nur einem Hornisten, während der zweite Junge einen Fächer trägt. Ebenso fällt die Fig. 181 abgebildete Platte insofern aus der Reihe, als da ein Mann mit einer Trommel zwischen zwei halbwüchsigen Jungen mit Doppelglocken steht. Abweichend ist auch die Platte Fig. 379 mit zwei ungleich großen Begleitern, die jeder eines jener etwas zweifelhaften Geräte tragen, die früher als Taschen galten, jetzt als »Rahmentrommeln« aufgefaßt werden.

Hierher gehören auch die drei Bruchstücke Berlin III. C. 12 517, Abb. 299, Wien 64 800 (Heger, 1916, Nr. 20) und Hamburg, C. 3865; dieses letztere und das Berliner sind Gegenstücke, beide mit Rädern statt der Sterne am Plattengrunde, das eine mit einem Glockenschläger, das andere mit einem Hornisten. Sie stammen vielleicht von derselben Platte, deren Hauptfigur bis auf einen an dem Berliner Bruchstück erhalten gebliebenen Fuße verloren ist. Von der Londoner Platte R. D. XVIII 1, siehe die Abb. 241 auf S. 143, fehlt mit der abgebrochenen Ecke der zu erwartende Hornist. Sie hat auch Räder auf dem Plattengrunde. Das Hamburger Bruchstück würde auch der Form der Bruchfläche nach gut zu ihr passen; aber die Platte hat auf dem freien Felde unter dem Ebere einen kleinen, zylindrischen Gegenstand, der irgendwie mit der fehlenden Nebenfigur zusammenhängen muß, aber durch das Hamburger Bruchstück nicht erklärt wird.

E. Untypische Platten.

1. Berlin, III. C. 8370, Taf. 31 B. Drei Kinder, die, wie ich annehme, »Soldaten spielen«. In der Mitte ein kleines Kind mit einem Fächer, zu beiden Seiten größere Jungen mit Schießbogen und Schwertern. Bereits S. 166 unter Nr. 6 erwähnt.

2. London, R. D. XIV 5. Zwei unter sich gleiche Leute, mit Mitra, Speer und Schild, neben dem zur Rechten Stehenden ein einzelner Begleiter. Siehe die Beschreibung S. 154 unter Nr. 9.

3. London, R. D. XV 3; siehe Abb. 160. Ausgezeichnet schöne, leider nicht mit Sicherheit zu deutende Platte, bereits S. 117 unter Nr. 6 und S. 169 unter Nr. 29 erwähnt. Der Zusammenhang der drei anscheinend spielenden oder vielleicht auch nur »spielerisch« dargestellten Kinder mit den Busti in den oberen Ecken ist völlig unklar.

4. London, R. D. XXI 5. In der Mitte steht ein Mann mit langem Federhemd, hohem Helm vom Typus der Fig. 251 abgebildeten und mit einem erhobenen Ebere. Er stützt sich auf den Speer seines Begleiters zur Linken, eines Kriegers mit sehr großer Prinzenlocke. Rechts ein kleiner Hornist.

F. Sakrale Platten.

Daß auf Platten mit Personen sakraler oder dämonischer Art die mittlere Figur häufig von zwei seitlich stehenden oder knieenden Figuren gestützt wird, haben wir bereits im Abschnitt 2 D, S. 91 ff. erörtert. Hier ist nur des Schemas wegen noch einmal auf diese Gruppe zu verweisen, besonders auf die Abbildungen 158, 159, 169 und 170. Ebenso ist hier die große Berliner Platte III. C. 8416, Taf. 43 D zu erwähnen und die ihr bis in die letzten Einzelheiten gleiche und besser erhaltene Londoner Platte R. D. XVII 4. Auf beiden sehen wir ein dämonisches Wesen mit Welsen statt der Beine von zwei knienden Personen in einer Tracht gestützt, die sich von der des Mannes in der Mitte nur durch das Fehlen eines besonderen Schmuckstückes unterscheidet — Perlhemd, symmetrischer Rock und der ganz mit Perlen bedeckte Stangenhelm sind ihnen allen gemeinsam. Zu der Berliner Platte ist noch zu bemerken, daß sie in mehreren Bruckstücken eingegangen und nicht ganz vollständig war. Sie wurde hier auf meine Bitte von Herrn Meinhard Jacoby ergänzt. So ist der untere Teil der Mittelfigur aus Gips, ebenso der mittlere des Begleiters zur Linken und oben ein Teil der Grundfläche.

Eine verwandte Gruppe ist durch die unter sich völlig gleichen Platten Berlin, III. C. 8205, Taf. 20 A und London, R. D. XVIII 5 gebildet; auf diesen wird ein Mann mit dem rundum laufenden Schurz der dämonischen Wesen von zwei Begleitern gestützt, die durch Tutulus und Stirnbinde ausgezeichnet sind, aber die gewöhnlichen unsymmetrischen Lendentücher der typischen Benin-Tracht haben. Kleine Krokodilköpfe schmücken den Schurz der Hauptfigur und sind zu viert auch als Beizeichen angebracht, aber nicht in den Ecken der Platte wie sonst, sondern zu den Seiten der mittleren Figur, zwischen ihr und ihren Begleitern.

5. Kapitel.

Platten mit vier und mehr Eingeborenen.

[Hierzu die Taf. 11 und 19, sowie die Abb. 165, 189 A, 190, 257, 283 und 380 bis 387.]

Der leichten Übersicht wegen werden die folgenden acht Gruppen aufgestellt:

A. Platten mit vier Personen.   B. Reiter und drei andere Personen.
C. Würdenträger mit zwei Begleitern mit Speer und Schild und mit zwei kleinen Begleitern.
D. Würdenträger, von zwei Leuten mit Schilden beschirmt und mit zwei kleinen Begleitern.
E. »Beschildete« Reiter.   F. Untypische Platten.
G. Eingang in den Palast.   H. Schlachtung eines Rindes.
I. Kampfszenen.

A. Platten mit vier Personen.

1. London, R. D. XXIII 6. Vollkommen symmetrische Platte; an den Seiten je ein nackter, bemalter (oder tätowierter?) Junge mit Fächer, dann dicht unter ihm ein anscheinend auch erst halberwachsener Krieger mit Schild und Speer; in der Mitte, zwischen den Kriegern, ein für Benin höchst auffallender leerer Zwischenraum von etwa Kopfbreite, so daß die Platte eigentlich in zwei Gruppen mit je einem Krieger und einem Botenjungen geteilt erscheint. Eine solche Gruppe ist nach dem Lichtdruck von R. D. als Ausschnitt und stark vergrößert in Fig. 354 wiedergegeben worden, zunächst wegen der Muster, mit denen die Haut des nackten Jungen verziert ist. Die Platte gehört aber auch sonst zu den schönsten und besten Stücken der ganzen Benin-Beute. Auch ist sie sehr leicht zu deuten; man braucht nur die in Abschnitt G dieses Kapitels zu beschreibende Berliner Platte III. C. 8377, Taf. 40 oder die ihr eng verwandte Platte in London zu kennen, um zu wissen, daß wir hier die Ablösung eines Wachkommandos vor uns haben; es sind dieselben Leute und in derselben Ordnung, wie sie dort vor einem der Eingänge in den königlichen Palast stehen.

Diese Platte ist mit den zu ihr gehörigen Palastplatten die einzige, auf der vier Personen symmetrisch eingeteilt sind; die andern Platten mit vier Eingeborenen sind alle nach einem ganz bestimmten Schema unsymmetrisch; sie zeigen gleichmäßig in symmetrischer Gruppe einen Mann zwischen zwei kleinen Musikern und zur Rechten eine Person mit einem Ebere. Es sind die folgenden:

2. Dresden, 16 137; siehe die Abb. 184. Gepanzerter Krieger mit Schild und Speer, zu beiden Seiten je ein kleiner Junge, der eine mit Querhorn, der andere mit zwei Glocken; zur Rechten außerdem noch ein größerer nackter Junge, der ein Ebere vor sich hin trägt.

3. Frankfurt a. M., 8132. Diese Platte ist der vorigen in allen Einzelheiten der Raumverteilung, der Tracht und Bewaffnung sowie der Beizeichen, aber auch stilistisch so nahe verwandt, daß beide Platten als Gegenstücke zu betrachten und mit einiger Sicherheit demselben Künstler zuzuschreiben sind. Der einzige Unterschied zwischen den beiden Platten liegt in den Helmen der Hauptperson; auf der Dresdener ist er geflochten und mit vier oder fünf Querreihen von großen, nach abwärts gerichteten Federn bedeckt, auf der Frankfurter aus Krokodilhaut.

4. London, R. D. XXIII. 2, siehe die Abb. 266. Auf dieser Platte hat der gepanzerte Krieger abweichend von dem Schema der beiden vorerwähnten Platten den Speer in der Linken und den Schild in der Rechten. Seine Mitra, seine Prinzenlocke und die rätselhafte »Leiste« am aufragenden Gewandzipfel sind an den betreffenden Stellen beschrieben. Seine beiden Begleiter haben der eine das Querhorn, der andere zwei durch eine Kette verbundene Glocken. Zur Rechten von dieser typischen Gruppe steht nun ein Mann mit einem Ebere, aber er überragt den mit der Mitra etwas an Körpergröße und macht mit seinem sehr reichen Brustgehänge, der Stirnbinde und der dieser noch aufliegenden ganz besonders großen zylindrischen Perle durchaus nicht den Eindruck eines untergeordneten Dieners, wie das die vierte Person auf den beiden oben erwähnten Platten tut. Es liegt im Gegenteil nahe, ihn für einen sehr vornehmen Mann zu halten, vielleicht sogar für die Hauptperson der Platte. Dann würde er natürlich auch das Ebere »im eigenen Recht« halten und nicht als Diener für den Mann mit der Mitra.

B. Reiter mit drei anderen Personen.

I. 2. London, R. D. XIV. 4 und R. D. XIX 2. Diese beiden Platten sind bereits S. 169 erwähnt und Fig. 321 und 322 abgebildet. Sie ergänzen sich in sehr erfreulicher Art; auf der einen ist das Pferd genau von der Seite, auf der andern genau von vorn her abgebildet. Der Reiter sitzt beidemal seitlings, so daß beide Beine auf die linke Seite des Pferdes zu liegen kommen; er wird auf jeder Seite von einem jugendlichen Begleiter an den Händen gestützt; außerdem führt ein kleiner Junge das Pferd am Halfter. Auf beiden Platten sind alle vier Personen in Vorderansicht gebildet; auf der einen ragt Hals und Kopf des Pferdes senkrecht aus der Plattenebene heraus, so daß die gekreuzten Bänder des Kopfgestelles mit der schönen Zierscheibe gut sichtbar sind; auf der andern kommt der Rest des Kopfgestelles und ein die ganze Länge des Halses einnehmendes, also sehr breites Schmuckband mit zahlreichen Schellen gut zur Geltung. Von einem Sattel ist keine Andeutung vorhanden. Hingegen sieht man hinter dem Reiter noch eine große, in verzierten Streifen gemusterte Pferdedecke. Der große Vogel, den einer der Begleiter auf dieser Platte hält, wahrscheinlich ein Aufschlag-Idiophon, ist bereits S. 197 unter Nr. 5 erwähnt worden. Einige andere Platten mit Reitern werden erst im Abschnitt E dieses Kapitels beschrieben werden, da sie wegen der besonderen Anordnung der Personen eine Gruppe für sich bilden.

C. Würdenträger mit zwei Begleitern mit Speer und Schild und mit zwei kleinen Begleitern.

In diese Gruppe gehören zehn Platten, die alle ganz gleichmäßig nach einem genau bestimmten und sorgfältig innegehaltenen Schema eingeteilt sind. Wesentlich dabei sind neben der Hauptperson zwei große, randständige Begleiter mit Speer und Schild, immer gleich ausgestattet und streng symmetrisch, so daß der zur Rechten stehende den Schild in der Rechten, der andere ihn in der Linken hält; beide Schilde sind also ganz an den Rand der Platte gerückt, die Speere nach innen; die Hauptperson hat beide Vorderarme vorgestreckt; ihre Rechte hält ein Ebere, die Linke stützt sich auf den mit der vollen Faust erfaßten Speer des Begleiters zur Linken. Zu beiden Seiten des Mannes in der Mitte, also zwischen den drei großen Personen, stehen zwei kleine Jungen mit irgendwelchen der für die kleinen Begleiter typischen Gegenstände, wie Querhorn, Glocken, Schwert, Schemel, Schweißtuch oder Fächer; auch ein Speerbündel kommt da ab und zu vor. In dieses Schema werden bei mehreren Platten noch weitere kleine Figuren zwischen und ober den Köpfen der großen Personen eingeteilt, meist Leute mit Bogen, in der Regel nicht mehr ganz symmetrisch und als im Hintergrunde folgend zu denken. Im einzelnen sind da die folgenden Platten anzuführen.

1. Berlin, III. C. 8054, Taf. 11. Eine ausgezeichnet schöne und sorgfältig ziselierte Platte. Der Würdenträger in der Mitte hat einen besonders reich geschmückten Panzer und einen Helm, dessen nach oben ausgebuchtete Zierplatte mit Dreiecken, einem Rhombus und mit zylindrischen Perlen geschmückt ist; die zwei großen Begleiter haben hohe Helme mit Kaurischnecken und einem frontal gestellten Kranz von Federn, wie er für alle großen Begleiter der ganzen Gruppe (mit einer einzigen Ausnahme vgl. Abb. 257) typisch ist. Die zwei Jungen im Vordergrund sind nackt, der eine trägt einen Fächer, der andere ein Schweißtuch und das Schwert seines Herrn. Im Hintergrund oben ist auf der einen Seite, teilweise durch das große Ebere verdeckt, ein Junge mit Querhorn und auf der andern ein gepanzerter Mann mit Bogen und Köcher.

2. Admiral Rawsons Sammlung; siehe Abb. 165, der vorigen ganz ähnlich; nur sind die zwei großen Begleiter bärtig; von den zwei nackten Jungen unten hat der eine das Schwert und wie es scheint ein Schweißtuch, der andere ein Querhorn. Oben im Hintergrunde statt des Jungen mit dem Querhorn diesmal ein kleines Busto eines anscheinend schießenden Europäers, auf der andern Seite aber wiederum ein gepanzerter Krieger, bärtig und mit Bogen und Köcher.

3. Berlin, III. C. 8208, Taf. 19 A. Diese Platte entspricht dem Schema ganz besonders rein; es sind nur die zwei großen und die zwei kleinen Begleiter vorhanden, keine weiteren im Hintergrunde; die großen sind bärtig, die kleinen nackt, der eine, mit sehr hoher Crista auf dem sonst rasierten Scheitel, trägt Schwert und Schweißtuch, der andere einen Fächer; bei diesem ist die Punktierung des Mons veneris bemerkenswert, die wohl als Behaarung aufzufassen ist. Von den tiefen Schnittnarben unter dem Leistenband ist schon S. 221 die Rede gewesen.

4. London, R. D. XVIII 6. Ähnliche Platte. Die Hauptperson in der Mitte hat einen Glocken-

helm, Federschurz mit nach oben offenen Mondsicheln, Panther am Gürtel und ein achtreihiges Perlen-
bandelier. Die zwei großen Begleiter sind bärtig; die zwei kleinen haben diesmal Lendentücher; der eine
hat zwei Glocken, der andere bläst auf einem Querhorn.

5. London, R. D. XIX 1. Vgl. Abb. 190 und das zugehörige Hamburger Bruchstück, Abb. 146.
Diese leider oben abgebrochene Platte muß, wie sich aus der Anfügung der in Hamburg befindlichen linken
oberen Ecke ergibt, ursprünglich 70 cm hoch gewesen sein und übertrifft daher alle andern in einem Stücke
gegossenen Benin Platten sehr wesentlich an Höhe. Dem entspricht auch ihr großer Reichtum an Figuren:
es waren deren ursprünglich 16 vorhanden, davon sind 8 auf dem Londoner, 3 auf dem Hamburger Stück
erhalten und 5 mit Sicherheit zu ergänzen — 2 in der Mitte und 3 in der rechten oberen Ecke. Dabei entspricht die Platte vollkommen dem eingangs entwickelten Schema, nur daß am oberen Rande noch eine
zweite Reihe von Gefolgsleuten vorhanden ist. Die Hauptfigur, vielleicht der König selbst, sonst jedenfalls
ein Würdenträger von besonders hoher Stellung, hat helmartige Kopftracht mit zylindrischen Perlen,
den üblichen litham-ähnlichen Halsschmuck, das Halsband mit Pantherzähnen, nackten Oberkörper,
ein breites Bandelier mit sieben Schnüren von zylindrischen Perlen, reich geschmückte Lendentücher
und eine große Panthermaske am Gürtel. Oberarme und die Bauchwand sind mit Gruppen von reihenweise geordneten Punkten tätowiert. Die beiden großen gepanzerten Begleiter sind bärtig, die neben
ihnen stehenden kleinen Jungen sind nackt, am ganzen Körper bemalt (oder tätowiert?); der eine hat
ein Schwert und ein Schweißtuch, der andere einen Fächer. In der ersten Reihe des Hintergrundes sind
von links nach rechts gezählt erst (auf dem Hamburger Bruchstücke) ein kleiner, wohl als Zwerg gedachter
Mann mit einem Schießbogen, dann ein Junge mit einem glatten Querhorn und ein anderer mit einem
Speere, dessen Spitze sich auf dem Hamburger Stücke erhalten hat; rechts folgt dann noch ein Junge mit
einem stark gedrehten Querhorn und Platz für ein weiteres Bruchstück, auf dem vermutlich, als Gegenstück zu dem auf der andern Seite ein Zwerg mit einem Schießbogen folgte. Von der hintersten Reihe des
Gefolges, also vom oberen Rande der Platte, sind nur die zwei Trommler erhalten; es ist nicht unmöglich,
daß sich die fehlenden Bruchstücke noch in verschiedenen Händen werden nachweisen lassen; einstweilen
habe ich nur unsichere Vermutungen über die Zugehörigkeit einzelner kleiner Figuren.

6. London, R. D. XXII 3. Siehe den vergrößerten Ausschnitt Abb. 283. Die Hauptperson hat einen
würfelförmigen Helm und ist ganz in Federkleider gehüllt, die unten mit oben offenen Mondsicheln, am
Rumpf und an den Oberarmen mit herabhängenden Schlangen geschmückt sind. Von den zwei kleinen
Begleitern hat der eine zwei Glocken, der andere ein stark torquiertes Querhorn.

7. Wien, 64 717, früher Webster 5890, siehe die sehr ausführliche Beschreibung bei Heger, 1916,
unter Nr. 19; diese gilt fast ohne jede Einschränkung auch für die eben angeführte Londoner Platte.
Beide Stücke sind bis auf unwesentliche Einzelheiten völlig gleich, nur die großen Begleiter sind auf der
Wiener Platte bärtig, auf der Londoner nicht.

8. London, R. D. XXIII 4. Siehe den Ausschnitt Abb. 257. Die Hauptperson hat einen großen
Helm mit gescheiteltem Roßschweif und großer, nach oben ausgebuchteter Zierplatte; die großen Begleiter
haben mitraähnliche Helme mit kauribesetzten Bügeln und Zierscheiben; die diesmal gepanzerten kleinen
Begleiter haben, der zur Linken eine Bogenlaute, der zur Rechten ein Bündel von Speeren, deren Spitzen
in einer gemeinsamen Scheide geborgen sind. Zu beiden Seiten des Kopfes der Hauptperson
eine Rosette.

9. Rushmore, P. R. 179, hier Abb. 189 A. Eine der wenigen Benin-Platten, die breiter als hoch
sind; sonst von ganz typischer Art. Der Speer des Begleiters zur Linken, auf den die Hauptperson sich
stützt, ist nicht ganz lotrecht, wie auf allen andern Platten dieser Gruppe, sondern mit dem Schuh etwas
gegen die Mitte geneigt. Von den kleinen Begleitern trägt der eine mit der besonders bizarren Haartracht
einen Schemel und hat eine Pantherkopfmaske mit Glocke an der Schwertscheide, der andere bläst auf
einem Querhorn.

10. Zurzeit unbekannt ist mir der Verbleib einer weiteren hierher gehörigen Platte mit im ganzen
sieben Personen; nach der Beschreibung im Auktionskataloge von J. C. Stevens vom 25. 7. 1911 hatten
zwei von den kleinen Begleitern ein Querhorn und ein Paar Glocken, ein dritter einen Fächer, der vierte
ein Schwert und »a cloth«, also wohl ein Schweißtuch. Wie die vier kleinen Figuren auf der Platte
verteilt sind, geht aus dem Texte nicht hervor. Die als »magnificent« bezeichnete Platte mißt 39,4 ×
46,4 cm, ist also ungewöhnlich breit.

D. Ein Würdenträger, von zwei Leuten mit Schilden beschirmt und mit zwei kleinen Begleitern.

Auch die vier Platten dieser Gattung sind strenge nach einem bestimmten Schema aufgebaut: in der Mitte steht die Hauptperson, zu beiden Seiten je ein Begleiter, der einen Schild über ihren Kopf hält, genau wie noch heute überall an der Goldküste, und über diese hinaus große importierte Schirme als Würdezeichen gelten. Zwischen diesen drei großen Personen stehen dann wiederum, auch ganz symmetrisch, die uns schon bekannten kleinen Begleiter mit einem Schemel, einem Schwert oder einem Speerbündel.

1. Liverpool, siehe die freilich sehr unzureichende Autotypie bei Ling Roth, Great Benin, S. 110. Ein gepanzerter Mann mit geflochtenem Helm, der gleich dem Fig. 184 abgebildeten mit Federn besetzt ist, stützt sich auf einen langen, oben sehr ungewöhnlich geformten Stock; die kleinen Begleiter scheinen, soweit die kümmerliche Abbildung Einzelheiten erkennen läßt, Speerbündel zu tragen; außerdem hält der eine von ihnen ein Ebere, und zwar auffallenderweise am Ringe, nicht, wie es sonst meist gehalten wird, am Griffe; für alles weitere wird wohl am besten auf die Abb. 380 verwiesen, die nach der Autotypie einer anscheinend ganz ähnlichen Platte in Rushmore hergestellt ist.

2. 3. London, R. D. XVIII 4 und XXIV 5, siehe die Abb. 221 und 222. Zwei unter sich fast völlig gleiche Platten. Die Hauptperson hat einen schlanken Stab in der Rechten und stützt sich mit der Linken auf einen der kleinen nackten Begleiter; dieser trägt das Schwert, der andere den Schemel seines Herrn; der eine hat eine sagittale Crista, der andere eine ganz besonders bizarre Haartracht, einzelne lange Wülste auf dem sonst kahl geschorenen Scheitel; er ist auch durch eine ungewöhnlich breite Nase ausgezeichnet. Bei allen fünf Personen, besonders auf der Fig. 221 abgebildeten Platte, ist das Bestreben auffallend, die Gesichter zu individualisieren und Porträtähnlichkeit zu erreichen; vor allem sind die Gesichter der beiden Schildhalter mit großer Kunst modelliert und mit vollendeter Sorgfalt überarbeitet.

4. Rushmore, P. R. 131, siehe Abb. 380.
Die Platte ist anscheinend von demselben

Abb. 380. Würdenträger mit zwei Waffenträgern und zwei Schildhaltern.
P. R. 131.

Künstler modelliert, von dem die oben unter Nr. 1 beschriebene Platte in Liverpool stammt. Es wäre sehr erwünscht, von beiden Platten gute, große Abbildungen vergleichen zu können; die bis jetzt vorliegenden genügen kaum für das Studium der ethnographischen Einzelheiten, nicht entfernt für die Beurteilung stilistischer Feinheiten. Ungewöhnlich ist auf der Platte in Rushmore, daß einer der kleinen Begleiter einen richtigen Helm mit Zierplatte und Roßschweifen trägt, wie wir ihn sonst nur bei Erwachsenen finden. Die fast senkrecht aus der Plattenebene vorragenden Schilde sind gußtechnisch als eine große Leistung zu betrachten.

Die Fig. 318 reproduzierte Abbildung aus Dapper zeigt, wie über einen berittenen Würdenträger ein richtiger Schirm gehalten wird. Man sollte daraus schließen können, daß schon sehr bald nach der Entstehung unserer Platten Schilde als Würdezeichen und zum Schutze gegen die Sonne durch richtige Schirme ersetzt wurden. Ich würde einen solchen Schluß für sehr gefährlich halten, da die Vorlagen zu den Holzschnitten bei Dapper und überhaupt zu den weitaus meisten Abbildungen in den alten Reisewerken nicht auf genauen Naturaufnahmen beruhen, sondern erst nach der Heimkehr aus dem Gedächtnis oder nach flüchtigsten Skizzen, in der Regel auch nicht von den Reisenden selbst, sondern nur nach dessen Anweisung gezeichnet wurden. Da kommen Irrtümer und Ungenauigkeiten natürlich haufenweise vor, und so wäre es auch sehr gut möglich, daß der Reisende, nach dessen Angaben der Abb. 318 wiedergegebene Holzschnitt gemacht wurde, Schilde gesehen hat, wo der Zeichner schließlich einen Schirm hinsetzte.

Natürlich ist mit der Möglichkeit zu rechnen, daß richtige Schirme schon lange vor der Blütezeit der Benin-Kultur nach dem tropischen Westafrika gelangt sein könnten; wir kennen solche Schirme auf assyrischen und auf altpersischen Reliefs und können uns sehr gut vorstellen, daß sie mit anderem vorderasiatischen und Mittelmeer-Kulturgut sogar schon in vorchristlicher Zeit nach dem inneren Afrika gelangt sind — aber wir haben keinen zwingenden Beweis dafür, und selbst für das 17. Jahrh. könnte die Abbildung bei Dapper nicht als ein solcher betrachtet werden[1]). Auf der andern Seite wissen wir, daß ein Beschirmen mit Schilden, also ein richtiges »Beschilden«, noch heute ab und zu im tropischen Afrika vorkommt. Ein früherer Hörer von mir, Dr. Vix, hat im ostafrikanischen Zwischenseengebiet[2]) die hier Fig. 381 reproduzierte Photographie aufnehmen können, die vom wissenschaftlichen

Abb. 381. Drei Zauberpriester, *mbandwa*, aus Kigarama in Kiziba am Viktoriasee. Nach einer Photographie von Dr. Vix in der Z. f. E. 1911, S. 506. »Wenn der Geist über sie kömmt« bekleiden sie sich mit den Pantherfellen, die ein Geschenk ihres Sultans sind.

Standpunkt aus ebenso erfreulich ist als vom rein künstlerischen. Daß die so beschildeten geistlichen Würdenträger auch mit Pantherfellen bekleidet sind, macht den Vergleich einer solchen Naturaufnahme mit den stilisierten Benin-Platten doppelt lehrreich.

E. „Beschildete" Reiter.

Wohl der Gipfel konventioneller Stilisierung ist für Benin auf drei untereinander sehr ähnlichen Platten erreicht, die uns einen reitenden Würdenträger zeigen, der von zwei Jungen an den Händen gestützt und von zwei großen Begleitern mit Schilden beschirmt wird. Sämtliche Personen sind in reiner Vorderansicht dargestellt, ebenso auch das Pferd, das mit seinem Kopfe 10 bis 12 cm weit aus dem Grunde der Platte vorragt, wie ja auch die Menschen fast rund geformt sind und die über den Kopf des Reiters gehaltenen Schilde mit ihren ganzen Flächen völlig frei gegossen sind und nur an einer ihrer Kanten mit der Grundfläche der Platten zusammenhängen; so sind diese Platten gußtechnisch ebenso bewundernswert wie wissenschaftlich interessant.

Der Reiter hat auf allen drei Platten, siehe Taf. 24 sowie die Abb. 319 und 320, dachschindelartig

[1]) Auf Elfenbeinschnitzereien werden wir richtigen Schirmen mehrfach begegnen, vgl. Abb. 606 A.
[2]) Dr. Vix, Beitrag zur Ethnologie des Zwischenseengebiets von Deutsch-Ostafrika. Z. f. E. Bd. 43, 1911, S. 502 ff; und Struck, Bernhard, Die »Mbandwa« des Zwischenseengebiets. Z. f. E. 43, 1911, S. 516 ff.

stilisierte Haartracht, eine breite Stirnbinde, auf der noch quer drei größere zylindrische Perlen liegen und rechts einen, links zwei mit Perlen beschwerte Zöpfe herabhängen, ebenso die üblichen Kropfperlen und ein reiches, bis fast zum Nabel reichendes Schultergehänge mit Perlen; vier lange Perlschnüre laufen auch unterhalb des Gürtels über die Hüften. Er sitzt seitlings, mit beiden Beinen auf der linken Seite des Pferdes. Das Tier hat eine sorgfältig gescheitelte Mähne und das uns schon bekannte verzierte Kopfgestell mit einer Rosette zwischen den Augen; an einem dicken, geflochtenen Halfter wird es von einem ganz kleinen Männchen geführt, das mit seinem Kopfe eben bis an die Fußsohlen des Reiters reicht und als nebensächlich nur flüchtig ziseliert ist. Das hakenförmige Ende des Halfters wird auf einer der Platten von dem ersten Beschreiber für ein Stück Ringgeld gehalten, mit Unrecht, wie bereits S. 100 ad vocem »Geldringe« ausgeführt ist. Die kleinen Jungen, die, zu beiden Seiten des Pferdes gehend, mit ihren Händen die des Reiters stützen, sind ganz nackt (nur auf der Londoner Platte hat einer von ihnen die üblichen Schurze); der zur Rechten gehende läßt den rechten Arm hängen, der andere trägt an einem Schulterriemen das in verzierter Scheide geborgene Schwert seines Herrn und hat die freie Linke auf die Schwertscheide gelegt. Der eine Junge hat die gewöhnliche schindelartige Haartracht, der andere, der Schwertträger, auf zwei von den Platten eine sagittale Leiste, auf der dritten sechs hörnerartig wirkende Haarbüschel auf dem sonst kahl geschorenen Scheitel. Die großen Schildhalter haben alle gleichmäßig in dicken Wülsten geordnetes Haar mit kleinen Stirnzöpfchen, ein Halsband mit Pantherzähnen, nackten Oberkörper und an Bandelieren getragene Schwerter; auf zwei Platten sind sie bärtig, nur auf der dritten ohne Bart. In den oberen Ecken hat eine von den Platten noch je einen bärtigen Mann mit Bogen und Köcher, von der zweiten ist nur eine Ecke mit einem gleichen Gefolgsmann erhalten; die andere, die sicher symmetrisch war, ist abgebrochen; von der dritten fehlen beide Ecken, aber der freie Raum ist zu klein für solche Gefolgsleute. Im einzelnen sind die folgenden drei Platten zu nennen:

1. Berlin, III. C. 8056, Taf. 24. Bemerkenswert auch durch ein dreilappiges Gehänge mit Schellen an der Schwertscheide der beiden Schildhalter und durch einen Gußsteg, der zwischen den Vorderbeinen des Pferdes vom Plattengrund zum Halfter geht.

2. Dresden, 16 136; Abb. 319 nach einer auch von Starr reproduzierten Photographie Websters.

3. Rushmore, P. R. 7/8, siehe die Abb. 320.

F. Untypische Platten.

1. Dresden, 16 139, siehe Abb. 155, nach einer bereits von Starr veröffentlichten großen Photographie Websters. Die wegen wichtiger Einzelheiten hier schon mehrfach erwähnte Platte zeigt einen Würdenträger, dessen Hände von zwei halberwachsenen Jungen gestützt werden; von diesen trägt der eine seinen Stock, der andere seine trichterförmige Kopfbedeckung. Zwischen diesen drei größeren Personen sind neben den Beinen der Mittelfigur noch zwei kleine Leute untergebracht, vgl. S. 134 und S. 170, beidemal unter Nr. 3. In den oberen Ecken sind Busti von Europäern. Daß man den Gewandzipfel des Würdenträgers für einen geschnitzten Elephantenrüssel, seinen Schemel für eine Trommel und seine Kopfbedeckung für einen Trichter angesehen hat, ist auch bereits erwähnt.

2. London, R. D. XXI 4. Siehe Abb. 353. Diese ausgesprochen grotesk wirkende Platte ist bereits S. 170 unter Nr. 4 ausführlich besprochen; hier ist nur noch auf die drei Leute in der oberen Reihe aufmerksam zu machen; der mittlere Gefolgsmann trägt einen Schemel, die zwei seitlichen sind durch ihr ins Maßlose überladenes Wehrgehänge und durch die ebenso übertrieben große symmetrische Gürtelschleife besonders auffallend. Diese und die eben erwähnte Dresdener Platte stehen sicher untereinander in einem recht nahen Zusammenhang, aber es wäre verfrüht, die Einzelheiten schon jetzt deuten zu wollen.

G. Eingang in den Palast.

1 und 2. Berlin, III. C. 8377, Taf. 40 und London, R. D. XIX 3. Diese beiden unter sich sehr ähnlichen Platten sind hier bereits S. 56 besprochen worden. Sie zeigen einen Vorbau unter einem Turme, der wie das übrige Dach mit Schindeln gedeckt ist. Drei Stufen führen zu dem Eingange, der durch einen Vorhang oder eine Matte geschlossen scheint: wenigstens ist die ganze Türöffnung auf der Berliner Platte mit einem Muster in schrägen Streifen, auf der Londoner durch phantastisches Rankenwerk ausgefüllt, während, was vom Grunde der Platte überhaupt sichtbar, in der üblichen Art mit einem Blumen-

sternmuster bedeckt ist. Das ganze Dach ist von vier Pfeilern gestützt, für deren Schmuck ich auf S. 56 verweise. Dort ist angenommen, daß es sich bei den Köpfen und Figuren um gegossene Platten handelt, mit denen die hölzernen Pfeiler verkleidet waren. Hier wäre noch die Möglichkeit nachzutragen, daß sie, wie z. B. an den großartigen Türstöcken von Nordwest-Kamerun, aus dem Vollen geschnitzt waren; das Fehlen von Trennungslinien zwischen den einzelnen Figuren wäre durch eine solche Annahme fast restlos erklärt. Von dem Turme hängt, mit dem Kopfe nach unten, eine Schlange herab, genau wie auf der schönen, hausförmigen Ciste auf Taf. 90. Der obere Rand beider Platten ist beschädigt; auf beiden kann man aber deutlich noch die Füße eines Vogels erkennen, der wiederum wie auf jener Ciste die Krönung des Turmes bildete. Auf Taf. 40 ist ein Bruchstück, Berlin, III. C 13 137, mit einem solchen Vogel der Platte aufgesetzt. Es paßt nicht genau weder zu der Berliner noch zu der Londoner Platte, aber ein ähnliches Stück ist mit voller Sicherheit zu der einen und zu der andern Platte zu ergänzen. Das Bruchstück selbst kann zu einer dritten, jetzt nicht nachweisbaren Platte dieser Art gehören, aber ebensogut auch zu einer Platte etwa von der Art der Fig. 390 abgebildeten. Auf der obersten Stufe steht an den Türleibungen, wohl in Erz gegossen zu denken, jederseits ein kleiner Panther; auf der Londoner Platte liegt außerdem nach innen von jedem Tiere noch ein glatter, rundlicher Gegenstand, der vermutlich als eine nicht völlig gelungene Nachbildung eines geschliffenen Steinbeils aufzufassen ist. Seitlich vom Eingange stehen ganz symmetrisch jederseits zwei jugendliche Wächter mit Speer und Schild und zwei nackte Jungen, beide nur mit einem Fächer ausgestattet und so als Schnelläufer oder Boten gekennzeichnet.

Die beiden Platten sind, so sehr sie auch im allgemeinen Aufbau und in allen Einzelheiten übereinstimmen, doch stilistisch voneinander durchaus verschieden. Die Berliner ist derb und ohne jede Spur von Anmut in den Gesichtern der vier jungen Leute; die andere dagegen ist mit der denkbar größten Liebe und Sorgfalt entworfen und überarbeitet. Man muß viele Negerkinder und halbwüchsige Negerjungen selbst gesehen haben, um die Qualitäten dieser Platte ganz würdigen zu können. Es ist ausgeschlossen, daß die Berliner und die Londoner Platte von demselben Manne gemacht sind. Hingegen stammen diese und die S. 198 bereits erwähnte Platte mit der »Wachablösung« zweifellos aus derselben Werkstatt. Abb. 354 gibt einen vergrößerten Ausschnitt aus dieser schönen Platte und ermöglicht so wenigstens einen vorläufigen Vergleich. Wünschenswert wäre freilich, wenn wenigstens die Köpfe dieser Platten in großem Maßstabe und in einem einwandfreien Verfahren veröffentlicht werden könnten.

H. Schlachtung eines Rindes.

Rushmore, P. R. 369. Von dieser in ihrer Art einzigen Platte ist hier wegen des als Busto in einer oberen Ecke angebrachten schießenden Europäers bereits auf S. 89 eine kleine Abbildung gegeben worden; P. R. dem das Stück ersichtlich großen Eindruck machte, gibt neben der von mir reproduzierten Ansicht von vorn noch zwei weitere Abbildungen, schräge Seitenansichten von rechts und von links. Das Rind liegt quer über die Mitte der Platte, anscheinend nicht auf dem Boden, sondern von vier Leuten an den ausgestreckten Beinen hochgehalten; ein fünfter Mann hat den Kopf mit beiden Händen an der Schnauze ergriffen und sucht ihn ebenso vom Körper wegzuziehen, wie die vier andern Leute das mit den Beinen machen. Ein sechster, der größte in der Gesellschaft, hält den Kopf mit der linken Hand am linken Ohr fest und schneidet mit einem langen, dünnen Messer unmittelbar hinter dem Kopf in die Nackengegend. Nach der Führung des Messers scheint er es auf das verlängerte Mark, also auf den *neud vital* von Flourens, abgesehen zu haben und nicht etwa auf die großen Schlagadern; träfe das zu, so müßte man annehmen, daß den Leuten nicht um das Ausblutenlassen, also nicht um das »Schächten« und auch nicht um die Gewinnung von Blut zu tun war, sondern um rasche Tötung durch Zerstörung des Zentrums für die Atmung. Eine siebente, ganz kleine Person, die dem großen Schlächter nur wenig über Kniehöhe reicht, steht unten zwischen ihm und dem Kopfhalter; er hat mit beiden Händen einen anscheinend verzierten, stockförmigen Gegenstand erfaßt, der zu undeutlich gearbeitet ist, als daß man eine Deutung versuchen könnte. Dieser kleine Junge hat einen geschorenen Scheitel und eine nicht gut erkennbare Tracht; die sechs andern, bei der Schlachtung beteiligten Personen haben alle gleichmäßig dieselbe Haartracht mit dicht nebeneinanderliegenden wulstigen Strähnen und langer Prinzenlocke; auch sonst haben sie sämtlich die gleiche Tracht, keine Kropfperlen, aber ein Halsband mit Pantherzähnen, nackten Oberkörper und die gewöhnlichen Lendenschurze, den oberen in der Art eines Pantherfells gemustert und wie der untere mit großen zylindrischen Perlen eingefaßt; alle sind an den Oberarmen mit in Gruppen zu zwei oder drei angeordneten Punktreihen tätowiert, der Schlächter selbst in sonst niemals wiederkehrender Weise auch am dicht übereinanderliegenden Punktreihen an den Unterschenkeln; dieser ist von den fünf andern auch durch ein mit Bandelier getragenes Wehrgehänge mit reichem Gehänge von Schellen, Beschlägen usw. ausgezeichnet. P. R. widmet der Platte zwar drei große Abbildungen, aber nur vier Zeilen Text; in diesen heißt es von dem Schlächter und seinen fünf Gehilfen, daß sie alle »wear the insignia of executioners«. Ich weiß nicht, was mit dieser Bemerkung gemeint sein könnte.

Der in der Ecke rechts oben als Busto angebrachte Europäer hat lange Haare, langen Schnurr- und kurzen Kinnbart. Der behelmte Kopf ist in reiner Seitenansicht dargestellt, der Oberkörper genau von vorn gesehen. Die Flinte hat ein deutliches Tragband und wird mit beiden Händen in einem Winkel von etwa 45° erhoben gehalten. Der Mann ist mit dem Gesicht gegen den Rand der Platte gewandt und scheint ohne jeden Anteil an der Schlachtungsszene zu sein.

Im Sinne stilistisch-kunsthistorischer Betrachtungsweise ist es wohl erlaubt, in diesem Zusammenhange auf die große Seltenheit von ähnlichen Szenen in der bildenden Kunst hinzuweisen. Eine wesentliche Rolle spielt das Schlachten eines Stieres nur in der mit dem Mithras-Kult verbundenen Kunst der späteren Kaiserzeit. Es ist lehrreich und anregend, solche Mithras-Reliefs, auf denen nicht selten auch der Morgen- und der Abendstern, als Jünglinge personifiziert und in derselben Tracht wie Mithras selbst, dargestellt sind, mit der Benin-Platte zu vergleichen.

I. Kampfszenen.

1. Hamburg, Museum für Kunst und Gewerbe. Der Bedeutung von Hamburg als Welthafen und als einer der größten Handelsplätze der Gegenwart entspricht es, daß ausgezeichnete Stücke der Benin-Beute schon im Sommer 1897 dahin gelangten. Justus Brinckmann hat die volle Bedeutung dieser Kunstwerke sofort erkannt und von ihnen erworben, was nur irgend in seine Hände kam; die Mehrzahl von ihnen hat er später dem Hamburger Museum für Völkerkunde überlassen, die besten Stücke aber für sein Museum zurückbehalten. So befindet sich auch die überaus merkwürdige Platte, von der jetzt die Rede sein soll, in Hamburg am Steintor und nicht in der Binderstraße.

Die hier Taf. 129 nach einer mir 1901 von Justus Brinckmann für diesen Zweck zur Verfügung gestellten Aufnahme abgebildete Platte ist von diesem ganz kurz im »Jahrbuch der wissenschaftl. Anstalten« für 1898, Hamburg 1899 und in der Zeitschrift »Dekorative Kunst« II, Heft 8 erwähnt worden. Sie umfaßt zwei Gruppen, im ganzen elf Personen, darunter acht Benin-Leute und drei besiegte »Feinde«. Die den weitaus größeren Teil der Platte einnehmende Hauptgruppe zeigt uns einen großen, gepanzerten Krieger, der mit der erhobenen Rechten ein Schlachtschwert und mit der Linken einen berittenen »Feind« am Helmbusch gefaßt hat und ihn so vom Pferde herabreißt. Dieser hat eine mächtige, quer über die ganze Brust ziehende, klaffend offene Hiebwunde und hat außerdem einen Speer so durch den Thorax gestoßen, daß die Spitze mehr als spannweit an der linken Brustwand vortritt. Der nach unseren Begriffen eigentlich unnatürliche Vorgang, daß der Sieger zu Fuß geht und der Besiegte reitet, wiederholt sich gleichartig auf allen andern Platten mit solchen Kampfszenen. Ihm liegt wohl die Vorstellung zugrunde, daß der im Triumph einzubringende gefangene Feind wegen seiner schweren Verwundung nicht mehr zu Fuß gehen kann, während der unverwundet und kräftig gebliebene Sieger der Unterstützung durch ein Reittier nicht bedarf. Möglich wäre freilich auch die andere Erklärung, daß bei dem feindlichen Nachbarstamm, und um einen solchen handelt es sich ja, überhaupt die Sitte bestand, zu Pferde zu kämpfen, während sich die Benin-Leute der Pferde nur zu friedlichen Zwecken bedienten, etwa »um zu Hof zu reyten«, wie uns die alten Quellen berichten. Das Pferd ist nach Benin-Art aufgezäumt, aber ähnliche Kopfgestelle sind noch heute im ganzen westlichen Sudân und in Vorderasien in Gebrauch, so daß man aus seiner Form keinesfalls etwa schließen dürfte, daß man den Verwundeten erst nachträglich auf ein Benin-Pferd gesetzt hat. Zur Linken vom Sieger, am Rande der Platte, steht ein kleinerer, aber wohl auch als erwachsen gedachter Mann, auch mit einem Schlachtschwert in der Rechten, in der Linken aber einen ganz besonders kleinen Schild haltend und unter diesem wiederum am Helmbusch den abgeschlagenen, aber noch behelmten Kopf eines Feindes. Ober diesem Manne steht ein weiterer, in der gleichen Tracht wie der Sieger, das in der Scheide geborgene Schwert unter der linken Achsel und mit beiden

Händen eine Trommel schlagend. Rechts vom Kopfe des großen Siegers, teilweise von seinem Schlacht-schwert verdeckt, steht, im Hintergrunde zu denken, ein noch kleinerer Mann, wiederum in der gleichen Tracht mit einem Querhorn. Der fünfte zu dieser Gruppe gehörige Benin-Mann steht neben dem rechten Fuße des Siegers; er stößt mit der Rechten einen Speer in die Weiche eines neben ihm stehenden Feindes und hält in der Linken ein Bündel Speere und einen Schild. Alle diese fünf Benin-Leute haben gleiche, nur punktierte, nicht wie Pantherfell gefleckte Panzer und Helme, von denen schon S. 159 gesagt ist, daß sie aus Ruten geflochten und mit Nägeln sowie einer großen, glatten Querplatte beschlagen scheinen. Der Helm des Feindes sieht ganz anders aus; er hat vorn in der Mitte einen großen, schirmartig bis über die Nasenwurzel reichenden Lappen mit wulstigem Rand, und ähnliche Lappen auch an den Seiten. Am Scheitel erhebt sich ein Roßhaarbusch. Der kleine Feind neben den Füßen des Pferdes hat hingegen nur einen einfachen Topfhelm.

Abb. 382. Platte mit Kampfszenen. Eigentum von Geheimrat Prof. Dr. Hans Meyer, Leipzig.

Die linke obere Ecke der Platte wird von einer besonderen kleinen Gruppe ausgefüllt, in der ein gepanzerter Benin-Mann mit seiner Linken einen verwundeten Gefangenen am Ellenbogen fest-hält, während er mit der Rechten ein Schlachtschwert schwingt; er trägt einen Panzer wie die andern Benin-Leute dieser Platte, aber einen Helm etwa vom Typus des Fig. 276 abgebildeten, nur einfacher; er hat ein Halsband mit Pantherzähnen und keine Kropfperlen — so wenig wie die andern Benin-Krieger auf dieser und auch auf den andern Platten mit Kampfszenen. Zweifellos und auch sehr begreiflicherweise ge-hörte dieser unbequeme Schmuck nur zur Friedensausrüstung, nicht für das Feld. Der Gefangene hat eine klaffende Hiebwunde schräg über den oberen Teil des Thorax, von der rechten Achselhöhle gegen die linke Schulter und scheint zu fallen; das zu seinen Füßen liegende Speerstück stammt ver-mutlich nicht von ihm. Vielleicht gehört es zu dem großen, vom Pferde stürzenden Gefangenen; vielleicht soll es auch nur zur Raumfüllung dienen oder andeuten, daß auf dem Kampfplatz zerbrochene Waffen liegen. Wie der vom Pferde Gerissene, so hat auch dieser Feind einen hemdartigen Rock, der etwa bis zu den Knieen reicht und mit erhobenen, unregelmäßig verteilten ovalen und rundlichen Scheiben von etwa Handtellergröße geschmückt ist. An der linken Hüfte haben beide ein Dolchmesser an einem Bandelier hängen. Nur der kleinste von den drei Gefangenen hat ein ganz glattes, schmuckloses Hemd; in der Linken hält er einen kurzen, unten abgebrochenen Stab oder Speer, in der Rechten einen Gegenstand, den ich seit 1897 immer für eine abgeschlagene Hand gehalten habe, von der dem Beschauer die Innenseite zugewandt ist und von der einzelne Finger nachträglich abgebrochen sind. Diese Auffassung wird natürlich durch den auf derselben Platte dargestellten abgeschlagenen Kopf noch wesentlich bestärkt. So denken auch einige meiner Freunde, die ich gebeten hatte, die Platte ad hoc zu betrachten; andere sind anderer Meinung und glauben eine Speerspitze, eine Handkeule, ein breites Schwert, eine Schleuder usw. zu sehen.

Die drei Gefangenen haben ebenso wie der abgeschnittene Kopf, den einer der Sieger am Helmbusch trägt, eine ganz eigenartige, bei den Benin-Leuten niemals beobachtete Tätowierung — vier oder fünf fast halbkreisförmige Linien, die von den Nasenflügeln um die Mundwinkel nach der Kinngegend verlaufen.

Längs des ganzen unteren Randes der Platte liegt der Länge nach ein umgestürzter oder umgelegter Baum. Seine obere Hälfte ist mit den natürlichen Ästen und Blättern versehen, in der unteren Hälfte aber trägt der Stamm eine Reihe von höchst eigenartigen, teilweise rätselhaften Emblemen; zunächst von oben, d. h. von der Mitte der Platte gegen den rechten Rand hin beginnend, einen Rinderschädel in

einer Lage, als hätte man ihn, als der Baum noch aufrecht stand, regelrecht mit den Hörnern nach oben angehängt. Zu beiden Seiten des Schädels, von der Spitze des Zwischenkiefers bis zur Wurzel der Hornzapfen, liegen symmetrisch die beiden zu dem Schädel gehörigen Unterkieferhälften; sie liegen aber mit dem breiten hinteren (Gelenk-) Ende nach vorn und mit dem schmalen vorderen Ende nach hinten. Unmittelbar auf diesen Rinderschädel folgt ein weiterer Schädel, anscheinend von einer Ziege, gleichfalls mit den beiden in derselben Art verkehrt gelegten Unterkieferhälften; auf diesen folgt dann etwas wie der Kopf eines großen Vogels mit einem median-sagittalen Kamm und auf diesen zwei nebeneinander liegende Gegenstände, für die ich auf die Abbildung verweise, ohne eine Deutung auch nur zu versuchen; sie haben ungefähr die Form wie die Schilde von Uganda, was selbstverständlich nur ganz zufällig ist, und kommen, wie wir später sehen werden, gelegentlich auch einzeln vor. Auf sie folgen dann schließlich die Wurzeln des Baumes. Hinter diesen zwei nicht gedeuteten Gegenständen steht eine kleine menschliche Figur mit hochgehobenen und ausgestreckten Händen, und ebenso steht links vor ihr, hinter dem Ziegenschädel, unter dem großen Sieger eine zweite, ebenso kleine Person, den rechten Arm etwa wagerecht ausgestreckt und den ganzen Oberkörper in einer frontalen Ebene nach rechts gebogen; diese beide Personen

Abb. 383. Seitenansicht der Fig. 382 abgebildeten Platte.

scheinen zu tanzen; auch liegt es nahe, ihren Tanz mit dem Baum, der wohl eine kultische Bedeutung hat, in einen engeren Zusammenhang zu bringen.

2. Leipzig, Geh. Rat Prof. Dr. H. Meyer. Siehe die Abb. 382 und 383. Auch diese mit ihren neun Personen — vier Siegern und fünf Gefangenen — ungewöhnlich figurenreiche Platte gliedert sich wie die Hamburger in zwei Gruppen. Zur größeren gehört die in der Mitte stehende Hauptperson, ein großer, gepanzerter Krieger mit Helm aus Krokodilhaut und einem Schlachtschwert; er trägt kurzen Kinnbart und ist in recht ungewöhnlicher Weise nicht genau nach vorn, sondern in etwa halber Seitenansicht dargestellt. Mit seiner Linken hält er einen berittenen Gefangenen an der Schulter gefaßt; dieser ist samt seinem Reittier in reiner Seitenansicht; doch ist die Platte in einem so hohen Relief gegossen, daß die einzelnen Figuren beinahe wie runde wirken; so erscheint denn auch der Gefangene fast in voller Vorderansicht, wenn man die Platte, wie für die Abb. 283 geschehen ist, von der Seite her betrachtet.

Er trägt eine Art Poncho aus zwei Pantherfellen, die an den hinteren Enden zusammengenäht sind; so hängt ihm vorn und hinten je ein Kopfende herab; darunter trägt er ein langärmeliges, glattes Hemd, darüber ein einfaches Bandelier mit einem Schwert, dessen für Benin ganz fremdartige Form aus der Seitenansicht einigermaßen erschlossen werden kann, wenn es auch durch den Körper des Mannes zum größeren Teile verdeckt ist. Nicht gut zu verstehen ist sein Halsschmuck; er scheint aus einem etwa fingerdicken, drehrunden Reif zu bestehen, auf den oben rundliche Gegenstände, etwa Kaurischnecken (vielleicht sind es auch nur abgebrochene Zähne) aufgenäht sind. Der Gefangene scheint eben einen wuchtigen Hieb auf die rechte Schulter bekommen zu haben; man sieht die klaffende Wunde und muß sich wohl vorstellen, daß der neben ihm befindliche Speer eben seiner Hand entglitten ist; von diesem ist das Fußende nachträglich abgebrochen; man sieht aber noch einen zu dem fehlenden Stück gehörigen dünnen Gußsteg. Kümmerlich mißlungen ist die Behandlung des linken Armes; der Künstler hat offenbar nicht gewagt, ihn ganz zu unterdrücken, und hat ihn sehr ungeschickt, wie nach vorn luxiert, über die linke Rumpfhälfte herabhängen lassen. Glücklicher war er mit dem Pferde; da hat er sogar verstanden, dem Kopfe des Tieres eine kleine Wendung zu geben, die sehr gut wirkt. Vor und über diesem reitenden Gefangenen stehen noch drei kleinere Schicksalsgenossen, alle drei von Speeren durchbohrt, der vor ihm mit einer

Abb. 384. »Heimkehr aus der Schlacht.« R. D. XIX, 4. Etwa ¹/₆ d. w. Gr.

Abb. 385. Einbringung eines Gefangenen. R. D. XIX, 5. Etwa ¹/₆ d. w. Gr.

Abb. 386. Einbringung eines Verwundeten. R. D. XIX, 6. Etwa ¹/₆ d. w. Gr.

von der linken Schulter herabhängenden Trommel, der über ihm mit einer Bogenlaute (»Harfe« der Laien), der dritte mit einem Speerbündel. Dagegen hat der Sieger noch zwei Begleiter, beide wie er selbst mit Panzer und Krokodilhauthelm; der größere von ihnen hat Speer und Schild, der kleinere bläst auf einem Tuthorn, das fast so lang geraten ist als seine ganze Körperhöhe.

Die zweite Gruppe auf dieser Platte besteht nur aus zwei Personen, einem Sieger und einem Gefangenen; dieser hat ein gleiches Hemd wie die Gefangenen auf der Hamburger Platte, eine klaffende Hiebwunde über die rechte Schulter und eine andere auf dem linken Oberarm. Sein Überwinder hat denselben Panzer wie der große Sieger, aber einen andern Helm mit in Rechtecken verzierter Querplatte und einem gescheitelten Roßschweif; er hält ein Schlachtschwert in der Rechten und hat in wenig zarter Weise mit der andern Hand das linke Handgelenk seines Gefangenen ergriffen und zerrt ihn so heftig zu sich her, daß es fast den Anschein hat, als wolle er ihm den Arm ausreißen.

3. London, R. D. XIX 4, siehe Abb. 384. Ähnliche Platte; in der Mitte wiederum der große, bärtige Sieger mit Helm aus Krokodilhaut, Panzer und mit einem Schlachtschwert in der Rechten; er hat mit der Linken den rechten Arm eines berittenen Gefangenen gefaßt, dem ein Speer von hinten her so durch den Leib gestoßen ist, daß die Spitze in der Gegend der Magengrube noch etwa spannweit vorragt. Sein eigener Speer ist ihm entglitten und lehnt zwischen dem Pferd und seinem Unterschenkel. Zur Rechten des Siegers ein ähnlich ausgerüsteter, etwas kleinerer, bärtiger Benin-Mann, mit Schild und Speer, und neben ihm ein zweiter, ähnlich gepanzert, ebenfalls bärtig, aber mit einem hohen, kauribesetzten Helm gleich dem des Lautenschlägers Abb. 317. Seine rechte Hand ist abgebrochen, in der linken hält er zwei kurze, drehrunde Stäbe, anscheinend die Reste irgendeines nicht mehr erkennbaren Attributes.

Ober diesen beiden Leuten, im Hintergrund zu denken, zwei kleine Figuren, ein Junge mit rasiertem Scheitel, der einen Schemel trägt, und ein etwas größerer, gepanzert, mit Helm aus Krokodilhaut und einem großen Querhorn. Ihm entspricht auf der andern Seite des Kopfes des großen Siegers ein kniender Gefangener mit einem Speerbündel und mit einem Dolche, der diesmal ganz sichtbar ist, so daß man auch die für den »Feind« typischen zwei großen Scheiben am Eingange der Scheide sehen kann.

4. London, R. D. XIX 5, siehe Abb. 385. Auf einer kleinen Fläche von nur 20 × 42 cm ist mit sehr geschickter Raumeinteilung ein Benin-Krieger mit einem berittenen Gefangenen zu vollendet schöner Darstellung gebracht. Der mit einem langen, ponchoartigen Überwurf aus Pantherfell bekleidete Gefangene hat einen Topfhelm mit einem Dreiblatt und die üblichen Ziernarben im Gesicht, er ist ebenso wie sein Pferd in reiner Vorderansicht gebildet. Ein Speer ist ihm von rechts unten her in die Weichen gestoßen, so daß seine Spitze links oben etwas unter der Achselhöhle wieder herausragt. Sein eigener Speer ist ihm entfallen und steht senkrecht, die Spitze nach unten, genau in der Mitte der Platte. Der Sieger steht neben ihm, eine prächtige Figur, in fast reiner Seitenansicht, die Rechte am Schwertgriff, mit der Linken den Arm des Gefangenen haltend. Von der Schwertscheide (nicht einfach nur »at his left side«, wie R. D. ungenau sagen) hängt eine große, runde Glocke herab. An der rechten Hüfte sieht man etwas wie eine Tasche und einen Dolchgriff.

5. London, R. D. XIX 6, siehe Abb. 386. Schöne Platte mit ungewöhnlich durchsichtiger Raumeinteilung; in der Mitte der Sieger, hinter ihm drei gleichgerüstete Begleiter, je mit einer Trommel, einem Querhorn und einem Speerbündel und vor ihm der Gefangene, zu Pferd, mit einem mächtig großen Helm, langem und breitem Lederponcho und einer großen, klaffenden Hiebwunde schräg über die Brust; der Hieb hat auch das schmale Tragband für einen kleinen Beutel zerschnitten, der auf der Brust hängt und seine Lage trotzdem unverändert beibehält. Um die Hüften liegt ein anderes Band mit dem Dolche, der wieder sehr gut die großen Scheiben am Eingange der Scheide zeigt. Ein nachträglich abgebrochener Speer scheint in der rechten Hand des Gefangenen noch einen Rest von Halt gefunden zu haben. Auf dem Schlachtschwert des Siegers ist mit zarten, flüchtigen Strichen ein Eber eingeschlagen. Erwähnenswert sind auch die Helme bei drei von den vier Benin-Kriegern; man sieht sie, was ja sonst selten

Abb. 387. Einbringung eines Gefangenen. P. R. 5. ⅙ d. w. Gr.

genug ist, von der Seite und kann so feststellen, daß sie nicht nur vorn, sondern auch hinten mit einer Metallplatte versteift sind; zwischen den beiden Platten ist über dem Ohre ein etwa zwei Querfinger breiter Zwischenraum. Sehr auffallend ist eine Schnur, die am rechten Arm des Gefangenen in der Ellenbogengegend fest verknotet ist. Ich hatte sie an dem Originale stets übersehen und werde sie erst jetzt auf der Abbildung gewahr; auch R. D. erwähnen sie nicht; soweit man aber auf der Abbildung erkennen kann, hat der Sieger das andere Ende der Schnur dicht um seinen eigenen Vorderarm gewickelt, wie um seines Opfers ganz sicher zu sein. Das im Verhältnis zu dem großen Kopf und Rumpf des Gefangenen etwas klein geratene Pferd läßt traurig den Kopf hängen; auch der Halfterstrick schleift bis fast zum Boden; man erkennt gut den großen Ring, in den der Halfter regelmäßig zu enden pflegt und den ein Autor, wie bereits erwähnt, bei einer andern Platte für einen Geldring gehalten hat.

6. Rushmore, P. R. 5. 6. Siehe Abb. 387. Ähnliche Platte, aber in manchen Einzelheiten abweichend und vor allen durch den ungeheuren zuckerhutähnlich glatten Helm des Siegers auffallend. Der Mann hat auch nicht das große, unsymmetrische, schwere Schlachtschwert der Sieger, sondern ein langes Schwert von Schilfblattform. Am rechten Handgelenk hat er zwei große, zylindrische oder prismatische Gegenstände, ungefähr so lang als das Gelenk breit ist. Ich vermag sie nach der ungenügenden Autotypie bei P. R. nicht zu deuten; auf der kümmerlichen Reproduktion hier sind sie erst recht unverständlich. Ungefähr unter der Mitte des rechten Vorderarms ist die Hälfte eines (fallenden?) Speeres sichtbar; vermutlich ist sie dem Gefangenen entglitten; die andere Hälfte mag nachträglich weggebrochen sein. Nicht zu deuten wage ich auch etwas, das wie eine Schleife vom linken Vorderarm des Siegers herab-

33*

hängt; vielleicht ist es eine Schnur, die zum Fesseln des Gefangenen bestimmt ist. Dieser ist von einer Speerspitze (oder von einem Schwert?) durchbohrt, trägt ein langes Pantherfell sowie den typischen Dolch mit den zwei runden Scheiben und wird vom Sieger mit der linken Hand derart am Kopfe hochgehoben, daß er frei über dem Pferde schwebt. Das Tier ist ungesattelt und ohne Decke, hat auch ein viel einfacheres Kopfgestell als die andern Pferde auf diesen Kampfplatten, ohne die gekreuzten Stirnriemen; es wird von einem kleinen Manne, der ein Speerbündel trägt, am Halfter geführt. Zwischen den Köpfen des Siegers und des Gefangenen steht im Hintergrund ein keiner Mann, nach der Tätowiernug und dem »Scheibendolch« auch ein Gefangener, mit einem sehr unglücklichen Gesicht, anscheinend ein abgebrochenes Speerbündel tragend. Hinter dem Sieger stehen übereinander ein Junge mit Querhorn und ein anderer, der eine Pfeife mit kreuzweiser Bohrung bläst, wie eine solche hier bereits S. 194 erwähnt. Neben diesen zwei Leuten steht am Rande der Platte noch ein anderer Benin-Mann, gepanzert und mit einem kauribesetzten hohen Helm, ein Schwert in der rechten und ein Speerbündel mit einem Schilde in der linken Hand haltend. Die linke obere Ecke der Platte ist ausgebrochen; es ist nicht unmöglich, daß mit ihr noch eine kleine Figur verloren gegangen ist.

Ob die hier zusammengefaßten sechs Platten mit Kampfszenen auf eine einzige Schlacht zu beziehen sind oder auf zeitlich auseinanderfallende Ereignisse, wage ich nicht zu entscheiden. Sicher ist nicht einmal, ob die gefangenen Feinde alle demselben Stamme angehören oder nicht. Sie ethnographisch unterzubringen, bin ich auch nicht imstande; die so auffallenden Dolche mit den großen, runden Scheiben werden vermutlich früher oder später eine gute Handhabe für die Bestimmung abgeben. Die Helme mit den großen Augenschirmen und Wangenplatten scheinen von europäischen Formen beeinflußt.

---

6. Kapitel.

Platten mit Bäumen.

[Hierzu Taf. 27 D und 29 sowie die Abb. 388 bis 394.]

1. Berlin, III. C. 8206, siehe Taf. 29. Diese schönste unter den in diese Gruppe gehörigen Platten ist zwar an den Rändern rundum etwas beschädigt, aber es fehlt nichts Wesentliches, so daß man das Stück mit ungetrübter Freude betrachten kann. Es ist 33 × 45 cm groß und wird fast vollständig von einem Baume [1]) eingenommen, der sich mit einem mächtigen Stamme aus drei anscheinend zum Teil oberirdisch gedachten Wurzeln erhebt. Auf ihm sitzen mehrere Vögel, von denen nur einer vollständig erhalten ist; von einem andern sieht man nur die Beine und einen Flügel, von einem dritten der die jetzt abgebrochene Ecke links oben gefüllt hatte, sind nur noch die Zehen erhalten. Baum und Vögel sind aber vom Künstler nur als ganz unwesentliches Beiwerk behandelt; sein ganzes Können hat er auf dem eingeborenen Jäger konzentriert, der, als nahezu völlig rundes Bildwerk aus der Platte vortretend und auf einen Ast gelehnt, mit Pfeil und Bogen auf einen der im Geäste sitzenden Vögel anlegt. Die meisten Einzelheiten ergeben sich aus der Taf. 29 und aus der Abb. 144 auf S. 81. Über die anscheinende Tätowierung des Mannes vgl. S. 221. Um den Hals verläuft eine gedrehte Schnur; an einem breiten, von der linken Schulter herablaufenden Bande wird am Rücken ein Köcher getragen; an einem Gürtel hängen in der Gegend der rechten Hüfte dicht neben und teilweise übereinander, von hinten nach vorn aufgezählt, ein kurzer Dolch, eine kleine Tasche, eine zylindrische Büchse mit übergreifendem Deckel, ein Jagdhorn und eine zweite kleine, viereckige Tasche mit Klappdeckel. Das Jagdhorn hat ein sehr spitz ovales Blasloch auf der konvexen Außenseite und ist durch eine Reihe regelmäßiger Wülste als von einer Antilopenart stammend gekennzeichnet. Antilopenhörner sind auch sonst vielfach in gleicher Verwendung auf Benin-Platten dargestellt; daß kein einziges auf uns gekommen, sondern nur Querhörner aus Elfenbein, erklärt sich unschwer aus der Vergänglichkeit der Hornsubstanz. Die beiden Lendentücher

---

[1]) Eine botanische Bestimmung ist nicht mit Sicherheit zu geben; A. Engler meint »vielleicht« Afraegle paniculata (Swingle), Engl.; vgl. Engler, Pflanzenwelt Afrikas III. 1, Fig. 355, S. 762.

sind sehr kurz und reichen kaum bis an die Mitte der Oberschenkel. Auf der Streckseite der Handwurzel-
gegend liegt ein großes, rundliches Kissen als Schutz gegen den Rückprall der Bogensehne; daß die obere
Hälfte der Schnur falsch liegt, ist, wie bereits S. 81 gesagt, vermutlich auf eine nicht rechtzeitig bemerkte
Beschädigung des Wachsmodelles vor dem Gusse und nicht etwa auf jene Unvertrautheit des Künstlers
mit der Technik des Bogenschießens zurückzuführen, die uns fast regelmäßig bei modernen Bildwerken
entgegentritt und die mit verschwindend selten Ausnahmen zu technisch ganz unmöglichen Haltungen
und Stellungen führt. Gerade diese Platte gehört zu den hervorragendsten Stücken unseres ganzen
Schatzes an Benin-Altertümern. Schon die bewegte Haltung des Jägers, besonders aber sein breites
Gesicht und die flache Nase mit den geblähten Nüstern sind von unübertrefflicher Lebenswahrheit. Ich
glaube, daß sich nicht leicht jemand der künstlerischen Wirkung des Kopfes wird entziehen können.

2. Berlin, III. C. 8383, Taf. 27 D. Auf dem untersten Aste eines die ganze Platte füllenden
Baumes mit Blättern und Früchten (»vielleicht« Strophantus sarmentosus, P. D. C, nach Prof. Gilg)

steht ein Mann in
ähnlicher Tracht
wie der auf der
eben erwähnten
Platte, auch mit
denselben nicht
sicher zu deuten-
den drei Wülsten
jederseits auf der
Brust und auf
dem Oberarm.
Der Mann ist
fast unbekleidet,
doch verschwin-
det nahezu sein
ganzer Rumpf
hinter einer gro-
ßen rechteckigen
Tasche mit rund-
lichem Klapp-
deckel, die an
einem breiten
Bande von der
linken Schulter
herabhängt, aber

Abb. 388. Abschneiden von Telfairia-Früchten.
Leipzig, M. f. V. Etwa ⅙ d. w. Gr.

Abb. 389. Ernten von Telfairia-Früchten. Dresden
16138. Etwa ⅙ d. w. Gr.

eben noch neben zwei sehr kleinen Testikeln einen großen Penis mit freier Glans sichtbar werden läßt.
Neben dieser Tasche ist noch ein kleiner Dolch sichtbar. Beide Vorderarme des Mannes sind abge-
brochen; sie dürften etwa wagrecht ausgestreckt gewesen und wohl ein Messer und eine abgeschnittene
Frucht gehalten haben.

3. Leipzig, M. f. V., siehe Abb. 388. Am Fuße einer Telfairia occidentalis Hook. stehen zwei
Personen, ein Erwachsener mit einer hutähnlichen Kopfbedeckung und zwei Lendentüchern, der mit einem
sichelförmig gebogenen, am Rücken sehr dicken Messer eine Telfairia-Frucht abschneidet, und ein nackter
Junge, der eine solche am Kopfe trägt und zugleich mit einer Hand festhält. Der Junge hat an einer
gedrehten Hüftschnur einen Dolch und (anscheinend) eine kleine Tasche befestigt, der Mann am Gürtel
einen Dolch, eine Tasche und ein Querhorn (?); er steht in fast reiner Seitenansicht, der Junge ist genau
von vorn zu sehen; die Telfairia-Frucht trägt er mit ihrer Längsachse von vorn nach hinten, so daß
sie, wenn man die Platte von vorn her betrachtet, ihren typischen sternförmigen Querschnitt zeigt und
auf den ersten Blick erkannt werden muß. Die Platte war ursprünglich bei der Auktion J. C. Stevens
vom 10. 4. 1900; aus dieser Zeit zirkulieren zahlreiche schlechte Abbildungen von ihr als Spiegelbild;
sie kam dann an Webster, nach dessen großer und einwandfreier Aufnahme meine Abb. 388 gemacht ist.
und dann nach Leipzig. Im Kataloge von Stevens ist für die Telfairia der einheimische Name Okro angegeben.

Abb. 390.   Kinder, die sich auf Strickschleifen schaukeln.   Sammlung von
Admiral Rawson.

4. Dresden, 16 138.   Siehe Abb. 389. Der vorigen Platte fast zum Verwechseln ähnlich; nur trägt der nackte Junge die Frucht nicht auf dem Kopfe, sondern — mit beiden Händen gestützt — auf der linken Schulter. Die Platte war bei Webster 8805 und ist bereits klein und schlecht bei Starr veröffentlicht.

5. Admiral Rawsons Sammlung. Siehe Abb. 390. An zwei großen, wagrechten Ästen eines Baumes, der anscheinend mit dem auf Taf. 29 übereinstimmt, also Afraegle sein dürfte, sind Strickschaukeln befestigt, in denen sich auf jeder Hälfte der Platte je ein Junge schaukelt, ein kleiner auf der rechten, ein etwas größerer auf der linken Seite. Beide sind gleich ausgestattet; sie haben Topfhelm mit langen flatternden Bändern und ähnliche Bänder, die bandelierartig gekreuzt von den Schultern herabhängen und fast bis an die Fußknöchel reichen.

6. Rushmore, P. R. 145/6, siehe Abb. 391 a, b.   Dieses Bruchstück

einer Platte mit einem in Strickschleifen sich schaukelnden Jungen ist etwas verstoßen, besonders die spärlich erhaltenen Reste des Grundes der Platte sind überall nach vorn umgebogen und wurden von

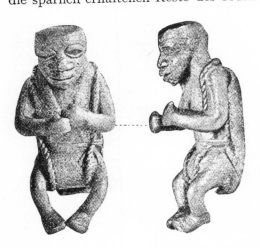

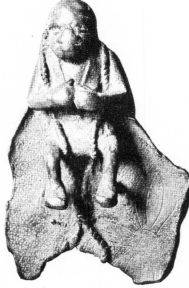

Abb. 391.   Zwei Ansichten einer menschlichen Figur. ½ d. w. Gr. Repr. nach Pitt Rivers, 145, der p. 48 von ihr schreibt, ein großes, dickes Pflaster bedecke ihren ganzen Rücken und sei mit Stricken um die Arme und die Beine befestigt. Ein anderer Autor erklärt die Darstellung als eine »Kur gegen Cretinismus« und sagt, daß größere Figuren gleicher Art in Benin gesehen worden seien. Das bezieht sich vermutlich auf die beiden schönen Mikromelen der Wiener Sammlung, bei denen freilich nicht entfernt an Cretinismus zu denken ist.

Abb. 392.   Bruchstück einer Platte, mit einem Kinde, das sich in Strickschleifen schaukelt. Dieses und das Fig. 391 abgebildete Bruchstück gehören anscheinend zu ein und derselben Platte, die mit der Fig. 390 abgebildeten in allen wesentlichen Dingen übereinstimmte. Berlin III. C. 18 155.

den ersten Beschreibern nicht als solche erkannt und als zu einer runden Figur gehörig betrachtet: »A large thick plaster covers the whole of the back and is fastened on with cords round the arms and the legs« und als »a cure for cretinism«. Bei genauerer Betrachtung ergibt sich aber ganz einwandfrei, daß die Stricke nicht über den Rest der Platte übergreifen und daß der Junge einfach seine Beine und seine Arme in Strickschleifen gesteckt hat.

7. Berlin, III. C. 18 155. Siehe Abb. 392. Dieses wahrscheinlich von derselben Platte wie das vorige stammende Bruchstück ist uns mit der Angabe »gefesselter Schimpanse« angeboten worden. Ich vermutete sofort, daß es ein

Gegenstück zu der »cure for cretinism« in Rushmore sein möchte und ließ es nach Berlin einsenden. Es ist wesentlich besser erhalten als das Bruchstück dort und hat vor allem noch ein großes Stück von dem Grunde der Platte mit seiner typischen Verzierung, so daß die richtige Beurteilung sich ganz von selbst ergibt. Das Gesicht des Jungen ist etwas verbeult und abgerieben; immerhin ist schwer zu begreifen, wie der frühere Besitzer gerade auf den »gefesselten Schimpansen« verfallen konnte. Beide Bruchstücke, das von P. R. und das Berliner, sind anscheinend lange umhergeschleppt worden und haben dadurch gelitten, aber daß sie völlig normale Kinder darstellen, die sich in Strickschleifen schaukeln, könnte selbst dann nicht bezweifelt werden, wenn die gut erhaltene Platte von Admiral Rawson nicht erhalten wäre.

8. Hamburg, C. 4045; siehe Abb. 393. Bruchstück mit der rechten oberen Ecke einer großen Platte mit Falz. Zwei ibisartige Vögel sitzen auf den Zweigen eines vielleicht auch als Afraegle zu bestimmenden Baumes. Reste von Strickschleifen sind nicht vorhanden; es ist daher nicht wahrscheinlich, daß dieses Bruchstück von derselben Platte stammt wie die beiden vorerwähnten Stücke. Eher könnte man an eine Platte vom Typus der auf Taf. 29 abgebildeten mit einem Jäger denken.

9. London, R. D. XXXII 1; siehe Abb. 394. Stark stilisierte Palme, vielleicht Borassus flabelliformis L., var. aethiopum (mart.) Warb.; vgl. Engler, Pflanzenwelt Afrikas, II., Taf. XL und Fig. 150. Zwei von den fächerförmigen Blättern sind abgefallen und so in den beiden unteren Ecken verteilt, daß sie genau wie die so oft als Beizeichen vorkommenden Rosetten wirken. Vielleicht hat der Künstler erst während der Arbeit die Ähnlichkeit der Blätter mit den typischen Rosetten bemerkt und dann in einer witzigen Laune zwei solche Blätter als abgefallene zugefügt und bei diesen die Übereinstimmung mit Rosetten noch stilistisch besonders hervorgehoben.

Abb. 394. Platte mit einem stilisierten Baume, wahrscheinlich Borassus flabelliformis L., var. Aethiopum. Vgl. Engler, Pflanzenwelt Afrikas II, Taf. XL u. Fig. 150.

10. Nur aus einem zufällig in meine Hände gelangtem undatierten Blatt eines Auktionskataloges kenne ich eine Platte, 19 zu 35,6 cm groß mit der Beschriftung »man cutting down tree«. Dieses Motiv kommt in der Benin-Kunst nicht weiter vor; so ist es vielleicht erlaubt, an die Möglichkeit zu denken, daß der Mann nur eine Frucht abschneidet, nicht den ganzen Baum. Früher oder später wird ja wohl eine Abbildung der auch schon durch ihre Schmalheit bemerkenswerten Platte auftauchen.

Abb. 393. Bruchstück einer Platte mit einem Baume und Vögeln.
Hamburg, C. 4045.

7. Kapitel.

Platten mit Tieren und Tierköpfen.

[Hierzu Taf. 45 bis 48 sowie die Abb. 395 bis 414.]

Der rascheren Übersicht wegen sind die hierher gehörigen Platten in die folgenden Gruppen eingeteilt:

A. Platten mit Panthern.	D. Pferdekopf.	G. Krokodilköpfe.
B. Pantherköpfe.	E. Ibis.	H. Schlangen.
C. Rinderköpfe.	F. Krokodile.	I. Fische.

A. Platten mit Panthern.

Hier habe ich vorauszusenden, daß ich auf jeden Versuch, Panther und Leoparden zoologisch zu unterscheiden, von vornherein verzichte. Die wissenschaftliche Nomenklatur für die großen gefleckten Katzen der alten Welt ist heute noch ebenso schwankend und unsicher als zur Zeit von Aristoteles und Plinius; noch gegenwärtig wird ein und dasselbe Tier oder derselbe Balg von einem Fachmann als Leopard und von einem andern als Panther bezeichnet, und so wäre es albern, wollte man bei den ganz stilisierten und schematisch behandelten Tieren auf unseren Platten auch nur den Versuch einer genaueren zoologischen Bestimmung wagen. Im allgemeinen spreche ich hier also von »Panthern«, einfach nur, weil das Wort um eine Silbe kürzer ist als das Wort »Leopard«; das hat mich aber nicht gehindert, in den vorhergehenden Kapiteln gelegentlich von einem »Panzer aus Leopardenfell« zu sprechen — in bewußter Inkonsequenz und nur, um das wenig wohlklingende »Panzer aus Pantherfell« zu vermeiden. In einigen Fällen wird man übrigens gut tun, auch noch an eine dritte gefleckte Katzenart zu denken, an den Geparden. Dieser wird noch heute in großen Gebieten des tropischen Westafrika als Jagdgehilfe abgerichtet und scheint, wenn anders ich die S. 33, Fig. 28 und 31 abgebildeten Platten richtig deute, im 16. Jahrh. auch von den Europäern in Benin als solcher verwandt worden zu sein. An sich würde auch das Vorkommen des Löwen [1]) auf Benin-Platten nichts Überraschendes haben. Es gibt zwei Platten, auf denen große Katzentiere mit einer Mähne dargestellt sind, eine in Dresden und die große Platte, die hier bereits S. 53, Fig. 62 abgebildet ist. Auf beiden haben die Tiere höchst merkwürdige Flecken, als ob immer drei Kreise zusammengeflossen wären, und noch merkwürdigere Schwänze; der auf der Dresdener Platte endet in einer zweigeteilten, langhaarigen Quaste, und die Schwänze der beiden Tiere auf der Berliner Platte sehen fast aus, als ob sie in einen richtigen Vogelfuß mit drei langen Zehen enden würden. Es ist völlig unmöglich, bei diesen zweifellos stilisierten Darstellungen zu entscheiden, ob der Künstler Löwen oder etwa irgendwelche Bastarde oder rein mythologische Tiere im Sinne hatte.

Und noch eine andere Frage muß, um später Zeit und Raum zu sparen, hier vorweg erörtert werden: S. 52 oben ist bereits angedeutet worden, daß wir über die ursprüngliche Orientierung der Platten nicht genügend Bescheid wissen. Im allgemeinen ist es von vornherein selbstverständlich, daß wir irgendwelche Bildwerke von Menschen und Tieren mit den Füßen nach unten orientieren; wir tun das völlig automatisch, ohne überhaupt erst darüber nachzudenken. So sind auch die Tiere auf unserer Taf. 44 orientiert und auf sämtlichen andern Abbildungen von Platten mit Panthern. Nun wissen wir aber, daß die Benin-Platten alle oder wenigstens in überwältigender Mehrzahl ursprünglich zur Verkleidung von Pfeilern gedient haben. Damit bringen wir auch die Tatsache in Zusammenhang, daß alle breiteren Platten an ihren Seiten rechts und links, niemals oben oder unten, eine Art Falz haben, einen umgebogenen Rand von der Breite eines Fingers oder eines Daumens, der stets ganz gleichmäßig und sehr sorgfältig mit einem Flechtband verziert ist und daher sichtbar gewesen sein muß. Da ist es nun höchst auffallend, daß bei den großen Platten mit Panthern und ganz allein nur bei diesen, die Falze nicht rechts und links, sondern oben und unten zu liegen kommen. Dafür scheint es nur zwei oder drei Möglichkeiten einer Erklärung zu geben: Man kann annehmen, daß diese Platten nicht für die Pfeiler bestimmt waren, sondern für die wagrechten Balken der Decke, oder man kann sich vorstellen, daß auch die Platten mit

---

[1]) Auch ein Tiger! erscheint auf einer Benin-Platte, freilich nur in der Beschriftung einer Tafel eines kuriosen Buches über Expressionismus. Da der Verfasser auch über den »Bankerott der Wissenschaft« geschrieben hat, wird man sich über seinen Mangel an zoologischen und tiergeographischen Kenntnissen nicht wundern dürfen.

den Panthern genau so auf den Pfeilern befestigt wurden wie alle andern Platten, daß dann also die Panther »steigend« waren, im Sinne der Heraldik, und nicht »schreitend«; für diese letztere Vorstellung könnte die S. 51 abgebildete Platte als Argument herangezogen werden, über deren richtige Orientierung von vornherein kein Zweifel möglich ist und auf der hinter dem Europäer zwei gefleckte Katzen wirklich in »steigender« Stellung vorhanden sind; für die andere Annahme spricht eine Mitteilung von König Overami an Herrn v. Stefenelli, daß die Platten mit Leoparden auf Querbalken befestigt gewesen seien, »weil diese Tiere auf Bäumen, d. h. auf wagrechten Ästen, lauern«. Ich habe schon S. 223 angedeutet, daß mir die Erklärungen des unglücklichen letzten Königs von Benin nicht immer sehr zuverlässig scheinen und manchmal nur dem Wunsch ent-

Abb. 395. Panther, Stuttgart 5380, früher H. Bey 192, Knorr 31. Etwa ⅙ d. w. Gr.

sprungen sein dürften, dem Fragenden das zu antworten, was er im einzelnen Falle zu erwarten oder gern zu hören den Anschein erweckt hat. Eine dritte Möglichkeit wäre, anzunehmen, daß diese Platten wagrecht auf einem Türsturz angebracht gewesen waren; diese Annahme würde in dem Vergleiche mit einzelnen großen, geschnitzten Türstöcken aus Nordwest-Kamerun eine starke Stütze finden; gegen sie spricht aber die Tatsache, daß die sämtlichen mir überhaupt bekannten Platten mit einzelnen solchen Panthern, wenn man sie wagrecht orientiert, ausnahmslos alle mit dem Kopfe nach rechts gewandt sind. Wären sie auf einem Türsturze oder auch auf einem Deckenbalken angebracht gewesen, müßte man bei dem so sehr entwickelten Symmetriegefühl der Benin-Kunst erwarten, daß etwa die Hälfte der Panther den Kopf nach links wendet. Da dies nicht der Fall ist, wird man sich, so wenig uns das auch zusagen mag, schließlich vielleicht doch mit der Vorstellung befreunden müssen, daß auch die Pantherplatten, wie die andern Benin-Platten, hoch und nicht quer orientiert waren und die Tiere daher »steigend« zu denken sind. Im übrigen ist die Sache sehr unwichtig, und jeder mag sich mit ihr abfinden, wie er will; immerhin entsprechen diese steigenden Panther unseren landläufigen Begriffen und Vorstellungen so wenig, daß wer immer bisher Benin-Platten mit Panthern abgebildet hat, die Lage der gefalzten Ränder ignorierte und die Tiere schreiten ließ. Auch ich bin für die Taf. 45 diesem Beispiele gefolgt, nicht ohne Schwanken und nur, um nicht gegen den Strom zu schwimmen.

Abb. 396. Panther. Leiden 1286/3.

Noch ist hier auf die wechselnden Arten aufmerksam zu machen, in denen die Zeichnung des Felles wiedergegeben wird. Manchmal sind einfach kreisrunde Stellen glatt gelassen, während das ganze übrige Fell gleichmäßig punktiert ist; andere Male sind diese runden Stellen noch durch eine besonders eingepunzte kreisrunde Linie eingeschlossen. Mehrfach ist in jeden solchen Kreis noch ein zweiter kleinerer Kreis eingeschrieben, dessen Fläche dann wiederum punktiert ist, so daß nur die Zwischenräume zwischen den Kreisen glatt sind. In einzelnen Fällen, so bei der schönen Rundfigur eines Panthers auf Taf. 75, sind die Flecken durch kleine, flache, kreisrunde, umwallte Dellen angedeutet, und bei einem ähnlichen Panther des Museums in Liverpool sind solche Dellen sogar mit richtigem farbigen Schmelz ausgelegt. Die Pupille ist meist als ein breiter, von zwei geraden Linien eingefaßter Spalt wiedergegeben, der von einem Lidrande zum andern zieht. Auf einigen Platten fehlt aber, vielleicht nur durch ein Versehen, jede Andeutung einer Pupille. Bei der Mehrzahl der Tiere stehen die Eckzähne des Oberkiefers hinter denen des Unterkiefers, wie in der Natur; bei einigen ist die Anordnung verkehrt, was den Köpfen dann einen besonders ungeschickten und unerfreulichen Ausdruck gibt. Überhaupt stehen weitaus die meisten der Platten mit Panthern auf einem künstlerisch recht tiefen Niveau und sind ganz handwerksmäßig gemacht — ganz im Gegensatze zu einigen rund gegossenen Panthern, die wir in Kap. 16 kennen lernen sollen.

Von belanglosen Bruchstücken abgesehen, kenne ich 17 Platten mit Panthern, davon 7 in Berlin, 3 in London, 2 in Wien und je eine in Dresden, Leiden, München und Stuttgart, sowie eine bei Tregaskis. Von diesen 17 Platten zeigen 9 einen Panther in Seitenansicht, 5 zeigen die Tiere mit einer Ziege oder einer andern Beute, eine zeigt einen Panther genau von oben gesehen, auf einer sind zwei Tiere neben- oder übereinander, einer ist mit einem Halsband geschmückt. Für die erste Gruppe verweise ich auf

die zwei Berliner Platten III. C. 8437/8, Taf. 44 D und F sowie auf die Abb. 395 reproduzierte Stuttgarter Platte 5380. Keine Abbildungen gibt es von einer dritten Berliner Platte, von je einer in Dresden und London und von den zweien in Wien, für die ich auf die genauen Beschreibungen bei Heger 1916 unter 32 und 33 verweise. Die Münchener Platte ist mit der Beschriftung »Tiger« nach einer sehr guten großen

Abb. 397.   Panther mit drei Jungen, bei einer geschlagenen Ziege.   Berlin, III. C. 27 486.

von Webster stammenden Photographie in dem S. 264, Anmerkung, erwähnten Buche von H. Bahr abgebildet; die alte Webstersche Nummer 5846 ist auf der Bahrschen Wiedergabe durch Retusche entfernt. Ganz abweichend von den übrigen Platten mit Panthern ist nur die in Dresden (16 227) mit der langhaarigen, zweigeteilten Schwanzquaste, der Mähne und den zu dritt konfluierenden Flecken. Gleichfalls in reiner Seitenansicht ist der Panther auf der Taf. 44 C abgebildeten Platte. Berlin hat von ihr nur einen

Abb. 398.   Seitenansicht der Fig. 397 abgebildeten Platte.   Berlin, III. C. 27 486.

Abguß, III. C. 10 783, erwerben können. Das Original war 1900 als Nr. 9758 im Kat. 24 von Webster abgebildet und war 1902 bei I. Tregaskis verkäuflich; über seinen seitherigen Verbleib bin ich nicht unterrichtet. Außer durch die abweichende Behandlung der Flecken ist das Tier auch durch einen breiten Halsschmuck ausgezeichnet, der aus neun Zeilen von zylindrischen Perlen besteht, denen sich am hinteren Rande noch eine Reihe von Schellen anschließt. Ein gleiches Halsband hat der von einem Manne mit Mitra »beschildete« Panther auf Taf. 15; ähnliche haben auch die Panther unter dem »Fischgott« auf Taf. 43 D sowie auf der gleichartigen Platte R. D. XVII 4. Da und dort haben sie zweifellos sakrale Bedeutung; für den Panther auf Taf. 44 C brauchen wir eine solche nicht notwendig anzunehmen, finden wir doch ähnliche Halsbänder auch bei den als Jagdgehilfen verwandten Katzentieren Fig. 28 und 31 auf S. 33.

Die fünf Platten, auf denen Panther mit ihrer Beute dargestellt sind, verteilen sich auf Berlin und London. Die Berliner (III. C. 8484, 8485 und 27 486) sind Taf. 54 A und B und Fig. 397/8 abgebildet; auch von einer der Londoner Platten (Sir Ralph Moor, 20) kann ich hier in Fig. 399 eine Abbildung beibringen; auf der zweiten hält der Panther eine Ziege fest, die einen gedrehten Strick um den Hals hat. Auch auf den vier andern Platten scheint die Beute eine Ziege zu sein. Auf der Berliner Platte Abb. 397/8 hat ein alter Panther sich in ein Hinterbein der Ziege verbissen, während drei junge sich an den Vorderbeinen und am Maul des geschlagenen Tieres zu tun machen; diese Platte ist auffallend bewegt; um so starrer ist die Symmetrie auf der Londoner Platte, Fig. 399. Da liegt ein langbärtiger Ziegenbock der Länge nach in der Mitte der Platte; in der Verlängerung seiner Körperachse liegt am Maule und am Hinterteil festgebissen je ein junger Panther; rechts und links liegen streng symmetrisch die alten Tiere, und zwar auf der Seite, so daß man sie wie schreitend in Seitenansicht sieht; die Jungen liegen auf dem Bauche, sind also in Rückenansicht zu sehen.

Rein in der Ansicht von oben ist auch der Panther Leiden 1286/3 dargestellt, siehe Abb. 396. Der Schweif ist diesmal weit ausgestreckt, während er sonst bei den von oben gesehenen Tieren meist auf dem Rücken zurückgelegt ist. Auf dem Kopfende ist die Platte abgebrochen; so ist mit der Möglichkeit zu rechnen, daß der Panther mit einer von ihm geschlagenen Beute dargestellt war; dann würde die Platte allerdings im Verhältnis zu ihrer geringen Breite auffallend hoch gewesen sein.

Noch ist die Berliner Platte III. C. 8486 zu besprechen, die, aus drei Bruchstücken zusammengesetzt, Taf. 44 E abgebildet ist. Das dritte Bruchstück hat keinen gesicherten Anschluß an die beiden andern und wurde von mir leider vorschnell in die Lage gebracht, in der es für den Druck photographiert wurde. Erst jetzt, nachdem die Tafel ausgedruckt ist, wird mir klar, daß bei dieser Art von Zusammenstellung der innere Abstand zwischen den Falzen nur 20 cm beträgt; dies wäre ohne jede Analogie; auch ist das Vorderteil des Tieres viel zu schlank für das Hinterteil; das dritte Bruchstück muß also um etwa 12 oder 13 cm gehoben werden und gehört zu einem dritten Panther, der ebenso klein war wie der im unteren Drittel der Platte; im mittleren Drittel lag ein sehr viel größeres Tier, von dem nur das Hinterteil sicher vorhanden ist, zu dem aber vielleicht das in der Ecke neben Taf. 44 B abgebildete Bruchstück eines Kopfes gehörte. Ich würde hier eine Textabbildung mit dieser Ergänzung einschalten, wenn sie ganz gesichert und nach irgendeiner Richtung hin wichtig oder lehrreich wäre; sie ist weder das eine noch das andere.

Abb. 399. Zwei größere und zwei kleinere Panther bei einer geschlagenen Ziege. Brit. Museum, Sir Ralph Moor 20. Bei R. D. nicht abgebildet.

B. Platten mit Pantherköpfen.

1. Berlin, III. C. 8436, Taf. 44 G. Von dieser Platte fehlt unten ein vielleicht 15 cm breites Stück der Grundfläche mit dem üblichen »Tapetenmuster«; ganz erhalten ist aber der ursprünglich etwa in der Mitte der Platte eingeteilt gewesene große Pantherkopf von etwa 24 cm Höhe und 18 cm Breite. Er ist trotz seiner Größe im selben schlechten Stil gearbeitet wie die ganzen Panther auf den Platten; die Schwächen der Darstellung erscheinen durch den großen Maßstab sogar noch aufdringlicher, so vor allem die ungeschickte Behandlung der Nase, die wie ein aus Blech gebogener Halbzylinder dem Gesicht aufgesetzt ist, die blattförmigen Ohren, die plumpen Zähne und die aus einer ringförmig umwallten Vertiefung entspringenden Schnurrhaare. Daß von diesen links fünf, rechts nur drei vorhanden sind, war sicher nicht beabsichtigt und dürfte auf einem Gußfehler beruhen. Die fehlenden zwei Haare waren wohl im Wachsmodell angelegt gewesen und sind beim Umlegen der Form weggeschoben worden.

2. **Frankfurt a. M., 8134.** Schmale Platte von 44 cm Höhe, mit zwei übereinandergestellten Pantherköpfen, die fast den ganzen Raum der Platte einnehmen und in wesentlich kräftigerem Stil gearbeitet sind als der einzelne Kopf auf der Berliner Platte. Das interessante Stück ist dasselbe, das 1904 von Hamburg aus verschiedenen Museen unter der Bezeichnung »Zwei Tigerköpfe« angeboten wurde. Aus dieser Zeit dürfte sich eine kleine, aber recht gute Photographie der Platte in manchen Sammlungen erhalten haben.

3. Ob der hier Fig. 400 abgebildete Kopf aus der Sammlung von Capt. Egerton von einer ähnlichen Platte stammt oder selbständig gegossen ist, habe ich nicht mit Sicherheit feststellen können.

Abb. 400. Pantherkopf. Sammlung von Capt. Egerton.

C. Platten mit Rinderköpfen.

1. **Berlin, III. C. 8252;** siehe Taf. 45 B. Auf einer Platte von nur 17 cm Breite ist der Kopf eines Rindes in sehr hohem Relief dargestellt. Die kurzen, nach vorn gebogenen Hörner sind an der Basis mit einem gedrehten Strick umfaßt, der in der Mitte der Stirn von einer Schlinge zusammengezogen ist. Die beiden Enden des Strickes verlieren sich nach hinten, ohne daß der Zweck der Umschnürung erkennbar wäre.

An diese Platte schließt sich oben unmittelbar das große Bruchstück von P. R. an, das hier unter Nr. 4 erwähnt werden wird. Die ganze Platte bekommt dadurch eine Höhe von 48 cm. Die beiden Köpfe stehen genau übereinander und sind auffallenderweise merkbar gegen den linken Rand der Platte verschoben. Vermutlich ist von diesem schon in alter Zeit und als die Platte noch ganz war, ein etwa zwei Querfinger breites Stück abgeschlagen worden, wohl um sie an eine bestimmte schmale Stelle einzupassen.

2. **Hamburg, C. 4044.** Bruchstück einer Platte mit einem ähnlichen Rinderkopf, etwa 18 × 21 cm. Der Strick verläuft diesmal etwas anders, einfach über die Wurzel der Hörner und der Ohren und doppelt quer über das Stirnbein.

3. **London, Brit. Museum,** bei R. D. nicht abgebildet, aber im Texte zu XXXII 2 auf S. 60 erwähnt als »two cows' heads in their natural condition«, im Gegensatze zu zwei skelettierten Schädeln von Panthern, die da, allerdings irrtümlicherweise, als Schädel von Ochsen beschrieben sind. Nach meiner vor dem Original gemachten Notiz ist auf der Londoner Platte auf beiden Köpfen der Strick so über die Hörner gelegt, daß er sich auf der Stirn kreuzt. In jeder Ecke und in der Mitte der seitlichen Ränder je eine nach unten offene Mondsichel, im ganzen also sechs solche Beizeichen, deren Wahl vielleicht in irgendeinem möglicherweise nicht ganz bewußten Zusammenhange mit der Form der Kuhhörner steht.

Abb. 401. Platte mit einem Pferdekopf. Brit. Mus. (Nach Drucklegung von R. D. erworben.)

4. **Rushmore, P. R. 296/7.** Großes Bruchstück mit einem Rinderkopf. Unter Nr. 1 ist bereits ausgeführt, daß es sich unmittelbar an den oberen Rand des Berliner Stückes anfügt. Es war im Handel erworben worden; das Berliner Stück haben wir als Doublette aus dem Brit. Museum erhalten; es war als Nr. 224 der Sammlung von Sir Ralph Moor nach London gelangt.

5. **Webster, 11 704.** Abb. 119 im Kat. 29 von 1901. Kleines Bruchstück einer Platte, etwa 12 × 12 cm, mit einem einzelnen Rinderkopf, ohne Verschnürung.

D. Platte mit Pferdekopf.

Das Brit. Museum hat nach Abschluß des Werkes von R. D. noch eine Platte erworben, von der ich hier Fig. 401 durch das kollegiale Entgegenkommen der Leitung der ethnographischen Abteilung eine Abbildung veröffentlichen darf. Die etwa 43 cm hohe Platte zeigt in genauer Vorderansicht einen aufgezäumten Pferdekopf; oben und unten befindet sich eine große, nach unten offene Mondsichel. Es liegt nahe, diesen Kopf mit den zahlreichen Pferdeköpfen zu vergleichen, die sich auf Platten mit Reitern befinden; er ist mindestens ebenso stark stilisiert. Völlig anders ist ein Pferdekopf des Museums in Dresden, der nicht von einer Platte stammt, sondern selbständig wie eine Art Maske gegossen ist; Mähne und Zaumzeug sind da nicht schon erhaben im Wachsmodell angelegt gewesen, sondern erst nachträglich in ganz ungewöhnlich zarter Punzierung angebracht worden. Er soll im Anhange zu Kap. 24 registriert werden.

E. Platten mit einem Ibis.

Die Berliner Sammlung besitzt vier Platten mit einem Ibis; drei weitere solche Platten, die auch nach Berlin gelangt waren, haben wir nach Cöln, Stuttgart und Wien abgegeben; eine weitere befindet sich in Dresden, zwei andere waren 1901 noch im Handel; davon eine bei Webster (29. 1901, Fig. 42, Nr. 11 395, 15 × 25 cm), die andere bei Stevens, 15 × 36 cm; ihr weiterer Verbleib ist mir unbekannt geblieben. Über die Art dieser im ganzen zehn Platten unterrichtet die Taf. 45 besser als eine lange Beschreibung; es gibt zwei Typen, bei dem einen ist der ganze Vogel streng von der Seite gesehen und nach rechts gewandt, bei dem andern von vorn, mit ausgebreiteten Flügeln,

Abb. 402. Platte mit einem Ibis. Stuttgart 5367. (H. Bey 83; Knorr, Abb. 32.) Etwa 1/6 d. w. Gr.

aber mit nach links gedrehtem Kopfe. Nur die zwei Platten Berlin III. C. 8427, Taf. 45 E und Stuttgart 5367, Abb. 402 gehören zu diesem Typus, der einen primitiv-heraldischen Eindruck macht; die Berliner Platte ist auch durch ihre ganz ungewöhnliche Dicke, gegen 10 mm, und ihr entsprechendes Gewicht bemerkenswert. Alle acht andern Platten, Berlin III. C. 8428/9 und 8522 mit einem zugehörigen Bruchstück III. C. 10 882, Dresden 16 093, Cöln, Wien 64 737 und die beiden bei Webster und Stevens gewesenen zeigen den Vogel in Seitenansicht und sind dementsprechend hoch und sehr schmal, während die zwei andern breit und auf den Seiten umgefalzt sind. Zwei von den Vögeln, auf den Berliner Platten Taf. 45 A und D, halten Fische im Schnabel; die vierte Berliner Platte, Taf. 45 C, ist dadurch ausgezeichnet, daß sie in alter Zeit auf ihrem linken Rande mit einer etwa daumenbreiten aufgenieteten Schiene verstärkt ist, anscheinend, um einen alten Riß unschädlich zu machen. Sie ist trotzdem wieder zerbrochen, und wir haben ihre Bruchstücke in verschiedenen Jahren und von verschiedenen Seiten eingesandt bekommen.

Anscheinend derselbe Vogel, den wir hier einzeln auf Platten finden, wird auch auf Bäumen dargestellt, siehe Taf. 29 sowie Abb. 390 und ebenso auch auf den S. 181 Fig. 300 bis 302 und Taf. 106 abgebildeten Aufschlag-Idiophonen; er dürfte also im alten Benin wohl eine ganz besondere Bedeutung gehabt haben. Die Schwierigkeit seiner genauen zoologischen Bestimmung habe ich schon 1901 in meiner Beschreibung der K. Knorrschen Sammlung betont [1]); seither ist die Frage noch immer offen geblieben. Zwar hat König Overami Herrn v. Stefenelli erklärt, der Vogel sei ausgestorben und hätte *anhina-molo* geheißen, aber ich habe schon S. 265 gesagt, daß die Erklärungen Overamis nur mit sehr großer Vorsicht aufzunehmen sind. Es ist an sich unwahrscheinlich, daß ein ungebildeter Neger etwas von »ausgestorbenen«

---

[1]) Den betreffenden Abschnitt setze ich wörtlich hierher: »Der ganze Habitus des Tieres, vor allem der lange, leicht gekrümmte Schnabel lassen keinen Zweifel daran aufkommen, daß wir es mit einem Ibis zu tun haben. Nur die Bestimmung der Species ist schwierig und, soweit ich die Frage gegenwärtig übersehen kann, vorläufig überhaupt nicht möglich. Derselbe Vogel wird nämlich auch sonst in Benin vielfach dargestellt und hat stets an der Wurzel des Halses einen kropfartig vorstehenden Lappen hängen. Wie mir Herr Prof. Reichenow mitteilt, ist dieser Lappen nur von Ibis carunculatus Rüpp. bekannt, dessen Vorkommen auf Abessinien beschränkt sei. Nun bestehen zwar gewisse völlig sagenhafte Beziehungen zwischen Benin und Abessinien, aber ich halte es doch für unstatthaft, anzunehmen, daß die alten Benin-Leute etwa auf einem Dutzend Platten immer einen abessinischen Ibis und außer dem Hahne überhaupt niemals irgendeinen andern Vogel dargestellt haben. Außerdem hat der Ibis der Benin-Platten stets kleine Hautlappen auch von den Kieferwinkeln herabhängen, welche bei Ibis carunculatus Rüpp. fehlen. Ich möchte wegen der großen Naturtreue gerade in Einzelheiten, welche für die afrikanische Kunst im allgemeinen und auch für die von Benin so sehr bezeichnend ist, annehmen, daß es sich hier nicht um eine freie Erfindung handelt, sondern um eine treue Nachbildung eines den Benin-Künstlern aus täglicher Anschauung bekannten Vogels. Ein solcher scheint unseren Ornithologen gegenwärtig nicht bekannt zu sein; aber ich nehme an, daß er sich noch nachweisen lassen wird. Für diesen Fall möchte ich für ihn schon jetzt den Namen Ibis Beninensis in Vorschlag bringen.«

Tieren weiß, und mit dem Worte *anhina-molo* kann ich erst recht nichts anfangen. Hingegen höre ich von den Fachleuten, daß die Vogelwelt von Oberguinea jetzt so gut erforscht sei, daß die Existenz einer bisher unbekannt gebliebenen Ibis-Art ganz ausgeschlossen sei.

F. Platten mit Krokodilen.

Auf neun Platten sind Krokodile dargestellt; die drei Berliner, III. C. 8270, 8435 und 8431, sind Taf. 46 G, H und I abgebildet; von den vier im Brit. Museum haben zwei Fische im Rachen, wie das dritte Berliner Stück, und eines hat nach unten offene Mondsicheln in den oberen Ecken; dann ist ein Bruchstück in Bremen. Die neunte Platte, Wien 64 797, mit einem Tier, das mit dem auf der Berliner Platte, Taf. 46 I, große Ähnlichkeit hat, ist auffallend durch eine große Zahl von Nietlöchern am linken Rande; sie mißt 20 : 40 cm, so daß man sie ohne weiteres Bedenken als hohe, nicht als breite Platte bezeichnen muß; als solche war sie wohl auch ursprünglich gedacht, aber es ist nicht unmöglich, daß man sie später quer gelegt und an eine andere querliegende Platte angenietet hat; sie hat aber keine umgebogenen Falze. Hingegen sind solche bei dem Berliner Bruchstück Taf 46 I vorhanden, aber bei der Einteilung der Bilder auf der Tafel aus Rücksicht auf den vorhandenen Raum nicht berücksichtigt; es ist klar, daß die Abbildung um 90° hätte gedreht werden sollen, daß also das Krokodil ursprünglich quer und nicht hoch gedacht war. Was hierbei oben oder unten war, muß unerledigt bleiben; ebenso wie wir nicht wissen, ob die andern Platten mit Krokodilen mit dem Kopf nach oben oder nach unten orientiert waren.

Ganz unmöglich ist eine zoologische Bestimmung des Tieres; auf allen Platten ist es so stark stilisiert, daß man über die allgemeine Angabe Krokodil nicht hinauskommt. Man würde zunächst an Cr. porosus denken, und diese Angabe ist mir auch von einem Fachmann gemacht worden, der nicht wußte, woher die Platten stammen; sie ist aus tiergeographischen Gründen ausgeschlossen; vermutlich handelt es sich um Cr. niloticus, das auch im Niger-Benue-Gebiet vorkommt; doch würde aus den Platten an sich die Bestimmung nicht zu begründen sein. Ebenso unsicher sind wir auch über die Bedeutung dieser Platten; vielleicht liegen ihnen ursprünglich totemistische Vorstellungen zugrunde.

G. Platten mit Krokodilköpfen.

Es gibt etwa 20 [1]) Platten mit Krokodilköpfen. Unter diesen sind 6 auf den Seiten umgefalzt und 30 cm und darüber breit, die andern alle schmal und ungefalzt. Wie die Abbildungen auf Taf. 46, A, B, C, E und F sowie Fig. 404 lehren, sind sie alle stark stilisiert, in der Regel sehr lang und schmal, vor den Augen dachförmig, hinter den Augen mit einem großen, dreieckigen Felde mit drei oder fünf Reihen großer Knochenschuppen. Ganz nahe der Spitze des Oberkiefers sind zwei kreisrunde Nasenlöcher, meist als umwallte Dellen gebildet, hinter

Abb. 403. Platte mit einem Krokodilkopf. Hamburg C. 3345.

Abb. 404. Platte mit einem Krokodilkopf. Stuttgart 5404; H. Bey 185; Knorr, Abb. 33. Etwa ¹/₅ d. w. Gr.

[1]) Zu meiner Kenntnis gelangt sind die folgenden: Berlin III. C. 8434, 7652, 8433, 8430 und 8432 (Taf. 46 A, B, C, E und F), Cöln, Halifax, Hamburg C. 3345 (hier Abb. 403), Leiden 1355/1 (ähnlich Berlin Taf. 46 C), London R. D. XXI. 4 und drei andere bei R. D. nicht abgebildete, Rushmore, P. R. 295, Stuttgart 5371 und 5404 (das letztere Stück hier Abb. 404), Webster 11 654 (30 × 47 cm, Kat. 29, 1901, Fig. 95) und zwei in Wien, 64 666 und 64 692 (Heger 1916 Nr. 37 und 36).

diesen in der Regel je ein spitzer Unterkieferzahn; in einigen wenigen Fällen auch je ein gleich spitzer Zahn im Oberkiefer.

Zoologisch sind diese Köpfe ebensowenig zu bestimmen wie die ganzen Tiere, und auch über ihre innere Bedeutung sind wir nicht besser unterrichtet. Im Auktionskatalog von J. C. Stevens vom 12. 2. 01 erscheint als Lot 139 ein Unterkiefer vom Krokodil mit 41 Zähnen. Ich nehme an, daß es sich um einen Unterkiefer handelt, der von einem jener großen Schlangenköpfe stammt, wie sie Taf. 78 abgebildet sind; die Zahl der Zähne und die mit 32 cm angegebene Weite würden damit gut stimmen, während die Bezeichnung als Krokodil zu der Annahme eines durchaus einzigartigen Stückes ohne jede Analogie führen würde. Der Ordnung wegen muß auch erwähnt werden, daß der ganz besonders schöne und typische Krokodilkopf Rushmore, P. R. 295, als »head of horse, very much elongated« beschrieben ist. Das ist ganz zweifellos ein Irrtum.

Die Stuttgarter Platte 5404 habe ich hier, Abb. 404, aus meiner Beschreibung der Knorrschen Sammlung hauptsächlich aus einem gußtechnischen Grunde reproduziert; die Platte ist ganz ungewöhnlich dick und schwer; so hat beim Gießen die Speise nicht gereicht, und ein großer Teil des oberen Randes ist ganz ausgeblieben.

H. Platten mit Schlangen.

Von den etwa 25 [1]) Platten mit Schlangen sind alle typischen Formen in Berlin vertreten und auf Taf. 47 abgebildet. Auf vier Platten (Berlin, London, Stuttgart und Webster) erscheinen je zwei ganz gleiche Schlangen nebeneinander; diese vier sind natürlich breit und haben beiderseits einen umgebogenen Falz; breit sind noch weitere vier, davon drei wegen der Beizeichen (Berlin, Taf. 47 C, zwei Fische und Taf. 47 D vier Halbkugeln, und Leipzig, mit sechs Nagelköpfen), und eine vierte, Berlin, Taf. 47 A, ohne Beizeichen, mit sehr viel leerem Raum auf beiden Seiten der Schlange; so sind im ganzen acht breit, etwa der dritte Teil der ganzen Gruppe; die andern zwei Drittel sind schmal, auch wenn sie Beizeichen haben, so die Berliner Platte auf Taf. 47 B mit vier und die in London, R. D. XXX 3, mit sechs Rosetten.

Beizeichen finden sich im ganzen auf drei breiten und auf zwei schmalen Platten; die andern haben überhaupt keine Beizeichen.

Auf sämtlichen Platten sind die Schlangen im wesentlichen gerade dargestellt, nur mit drei bis fünf leicht welligen Windungen; erst das Schweifende ist hakenartig umgebogen. Der Kopf ist sehr breit, meist dreieckig; die Augen sind fast immer breit spindelförmig, nur selten kreisrund, in der Regel mit stark vortretender Hornhaut; mit ganz seltenen Ausnahmen sind an der Spitze des Kopfes zwei kreisrunde Nasenlöcher mit umwalltem Rande angelegt; bei mehreren Platten sind große Giftzähne deutlich hervorgehoben, bei einigen auch eine Anzahl von kleinen Zähnen. Alle Schlangen sind gefleckt, doch sind die Flecken in sehr verschiedener Weise wiedergegeben, bei einigen nur als kreisrunde Stellen, die von einer Kreislinie eingeschlossen und punktiert sind; bei andern sind die größeren Kreise von sechs und mehr kleinen Kreisen ausgefüllt; fast stets sind die Flecken nach dem Gusse durch Punzierung eingearbeitet, nur bei drei Platten sind sie erhaben und schon im Wachsmodell angebracht, so bei der Berliner Platte Taf. 47 B, bei London, R. D. XXXI 3 und bei Wien, 64 667. In den beiden ersten Fällen bestehen die Flecken aus vier kleinen Kreisen, die in einen größeren eingeschrieben sind; bei der Wiener liegen vier rundliche Körner in jedem dieser größeren Kreise.

Die am Schlusse der Anmerkung erwähnte Platte der Auktion Ansorge habe ich nicht gesehen, ich kenne auch keine Abbildung von ihr, so muß ich die Angabe des Katalogs als richtig gelten lassen, daß die Schlange einen Fisch im Munde hält. Das Motiv kommt sonst bei den Benin-Schlangen nicht vor.

Ob die Schlangen ursprünglich mit dem Kopfe nach oben oder nach unten befestigt waren, wissen wir nicht; wenn jetzt in mehreren Beschreibungen von Benin-Altertümern zu lesen ist, diese oder jene Schlange sei mit dem Kopfe nach oben orientiert — solche Angaben kenne ich auch für Fische und Krokodile; sie sind erstaunlich häufig —, so ist das nur ein Beweis für die Zerstreutheit des Verfassers, der die Platte so sieht, wie er selbst oder sein Diener sie aufgestellt hat. Vermutlich, ohne etwas dabei zu denken,

---

[1]) Berlin III. C. 8478, 8249, 8464, 8479, 8476 und 8477 (Taf. 47 A bis F), Bremen, Cöln, Dresden 16 061, Frankfurt a. M. 4276, Leiden 1335/3 und 1355/2, Leipzig, London R. D. XXXI. 3 und eine zweite nicht veröffentlichte, Rushmore P. R. 298, Stuttgart 5406, 5392, 5370 und 5363 (hier Abb. 405 bis 408), Webster 11 658 (Abb. 90 in Kat 29, 1001). Wien 64 667 (ähnlich der Berliner Platte Taf. 47 B, aber ohne die Rosetten; ursprünglich Sir Ralph Moor 241) und eine gegenwärtig unbekannt wo befindliche Platte der Auktion W. J. Ansorge von 1909, Nr. 139.

haben auch die Herren, denen die photographischen Aufnahmen für meine Abbildungen bei Knorr und
auf Taf. 47 zu danken sind, die Platten alle mit den Köpfen nach oben orientiert. Ich habe die Aufnahmen
dann für den Druck umkehren lassen, weil es nach der Analogie der auf den Taf. 40, 90 und 110 A und C
befindlichen Schlangen wahrscheinlicher ist, daß auch die in größerem Maßstabe auf den Platten einzeln
dargestellten Schlangen den Kopf nach unten gerichtet hatten. Die Abbildungen haben jetzt das Licht
von der falschen Seite, aber das erschien mir als das geringere Übel.

  Die zoologische Bestimmung der dargestellten Tiere war lange Zeit durch die zeitgenössische Angabe
beeinflußt, daß von dem Turme über dem Eingang in den königlichen Palast eine erzene Schlange von
30 Fuß Länge herabhinge; das konnte natürlich nur auf einen Python bezogen werden. Der breite, vom
Halse scharf abgesetzte Kopf und der kurze, dicke Körper sprechen aber eindeutig für die Puffotter,
Bitis, also für eine gefährliche Giftschlange. Damit soll aber nicht gesagt sein, daß die von den Türmen
herabhängenden Schlangen nicht etwa doch Python und nicht Bitis gewesen sein können. Leider haben
wir noch immer keine guten Angaben über den Schlangenkult an der Küste von Ober-Guinea. Wir
hören zwar oft genug von »Wudu« oder »Obo« und wissen, daß auch bei den nach Westindien verschleppten

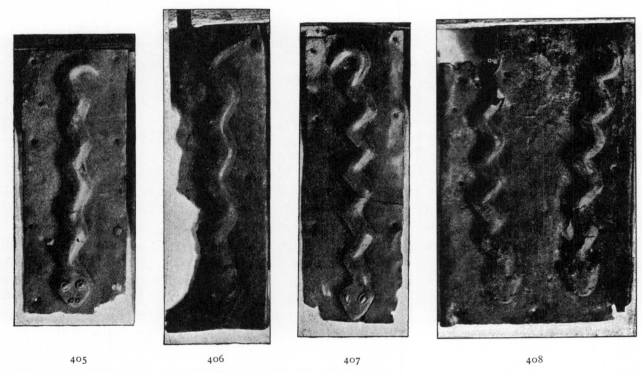

405   406   407   408

Abb. 405 bis 408. Platten mit Schlangen. Stuttgart 5406, 5392, 5370 und 5363. ¹/₆ d. w. Gr.

Negern sich eine Art Schlangenkult bis auf den heutigen Tag erhalten hat, aber wir sind noch sehr weit
von einer wirklichen Einsicht in diese Verhältnisse entfernt. Für Dahome wird berichtet, daß sowohl der
Regenbogen als die Milchstraße durch Schlangen verkörpert dargestellt würden; in solchem Zusammenhang wäre es vielleicht nicht ganz unsinnig, daran zu erinnern, daß halbkugelförmige Beizeichen, wie sie
sich neben der Schlange auf der Berliner Platte Taf. 47 D finden, auf andern Platten — vgl. Taf. 50 —
anscheinend als Sterne zu deuten sind.

I. Platten mit Fischen.

  Bei den Platten mit Krokodilen und Schlangen konnte die Frage nach der zoologischen Bestimmung
ganz am Schlusse der betreffenden Abschnitte gestreift werden. Hier, bei den 59 ¹) Platten mit Fischen,

---

  ¹) 1—17 Berlin III. C. 8250, K (wobei der Buchstabe sich auf die Stelle der Abbildung auf Taf. 48 bezieht), 8251 O,
8267 P, 8268 D, 8269 I, 8459 B, 8460 A, 8461 E, 8462 C, 8463 H, 8465 L, 8466 M, 8467 Q, 8468 G, 8469 N, 8470 Taf. 46 D und
8471 F. 18. Bremen, 19 und 20 Cöln, 20 und 21 Dresden 16 055 und 56, 22 und 23 Hamburg C. 2387 und 2388, 24 Karlsruhe A. 8006, 25 Leipzig, 26 Ling Roth, 27—40 London, R. D. XXXI 5 und 6 sowie elf andere von R. D. nicht abgebildete, 41—46
Stuttgart 5384, 5391, 5377, 5411, 5378 und 5388, hier Abb. 409 bis 414, 47—55 neun Stücke bei Webster und 56—59 Wien,
64 693, 64 695, 64 694 und 64 738 gleich Heger 1916, 39 bis 42.

ist es nötig, die Frage in den Vordergrund zu stellen, da mehrere verschiedene Arten vorkommen, die von Fall zu Fall einzeln zu beschreiben unnütze Verschwendung von Zeit und Raum wäre.

Sämtliche auf Benin-Platten überhaupt vorkommenden Typen von Fischen sind nach Stücken der Berliner Sammlung auf den 16 Abbildungen der Taf. 48 vereinigt, nur ein 17. mußte aus Rücksicht auf den Raum schon auf Taf. 46 (D) eingeschoben werden. In der obersten Reihe von Taf. 48 sind nun nebeneinander fünf Platten mit Fischen abgebildet, die gleichmäßig in reiner Rückenansicht dargestellt und durch lange Bartfäden ausgezeichnet sind. In die gleiche Gruppe gehören noch drei Platten an den Seiten der mittleren Reihe dieser Tafel sowie die hier Taf. 411 und 412 abgebildeten Stuttgarter Platten. Die Bartfäden lassen auf den ersten Blick erkennen, daß diese Fische in die Familie der Welse gehören, und ebenso ist es möglich, von vornherein zwei verschiedene Arten zu unterscheiden, eine sehr schlanke und eine kurze und gedrungene Form. Die von mir befragten Zoologen sind einstimmig in der Versicherung, daß mindestens zwei Arten vorliegen müssen, und daß es unmöglich sei, die vorhandenen Unterschiede als rein stilistisch zu bezeichnen. Die schlanke Form, Taf. 48 A und B sowie Abb. 411 und 412 hat H i l - g e n d o r f 1901 als Malapterurus beninensis Murr. bestimmt, und S t e i n d a c h n e r hat das in einem Briefe vom 10. 5. 1901 ausdrücklich bestätigt.

Jetzt berichtet H e g e r von der großen Wiener Platte 64 738 (Heger 1916, Nr. 42), auf der nebeneinander zwei unter sich gleiche schlanke Welse dargestellt sind, daß S t e i n d a c h n e r sie als »vielleicht Proptoterus« bezeichnet, »vielleicht aber ein Siluroid, und zwar eine Clarias-Art«. Auf zwei weiteren Wiener Platten, 64 694/5 (Heger 1916, 40 und 41) sind gedrungene Welse dargestellt, die vermutlich mit dem auf der Berliner Platte III. C. 8268, Taf. 48 D übereinstimmen; Steindachner bestimmt sie als Siluroide, »vielleicht eine Chrysithys- oder eine Synodontis-Art, beide jedoch mindestens der Art nach verschieden«. Die Berliner Welse auf Taf. 48 C und E würden dann noch eine weitere, vierte Welsart vertreten. In Hamburg ist ein gedrungener Wels als »vielleicht Periophthalmus Koelreuteri, Schlammspringer« und ein schlanker als »Protopterus annectens oder Polypterus bichir« bezeichnet. Die wesentliche Schwierigkeit scheint mir in der Unsicherheit zu liegen, inwieweit stilistische Besonderheiten von sicheren zoolo-

Abb. 409 und 410. Platten mit Fischen, wohl Mormyriden. Stuttgart 5384 und 5391. (H. Bey 287 und 324, Knorr Abb. 42 und 43.) Etwa ¹/₆ d. w. Gr.

gischen Merkmalen unterschieden werden können; ebenso ist es nicht immer leicht, auf den Platten zwischen Flossen und Stacheln zu unterscheiden. Auch muß mit der Möglichkeit gerechnet werden, daß die alten Benin-Leute, um ihren elektrischen Wels, den Malapterurus beninensis ganz besonders unheimlich zu gestalten, ihn auf den Platten noch mit den »giftigen« Stacheln[1] anderer Welsarten ausgestattet haben, genau wie sie etwa den Rüssel des Elephanten regelmäßig in eine menschliche Hand endigen ließen. Dann würden die Welse der Benin-Platten eher der Mythologie als der Naturgeschichte angehören, wofür auch die abenteuerliche Stilisierung der Bartfäden spricht, die auf den geschnitzten Zähnen oft größer dargestellt werden als der ganze übrige Fisch. Jedenfalls scheint es mir richtig, auf eine genaue zoologische Bestimmung dieser Fische mit Bartfäden wenigstens einstweilen zu verzichten und sich auf die unter allen Umständen zutreffende Bezeichnung »Welse« zu beschränken. Eine genauere Bestimmung scheint nur bei einer einzigen Platte möglich, bei Berlin III. C. 8463, Taf. 48 H. Die vier Fische dieser Platte werden von allen Fachleuten übereinstimmend als Bagrus sp. bezeichnet; sie

---

[1] Die Stachel vieler Welsarten sind sehr auffallende Gebilde und können große, oft septisch infizierte und dann schwer heilbare Wunden reißen. Auch haben sie merkwürdige Sperreinrichtungen. Einmal aufgerichtet, können sie natürlich vom lebenden Fisch jederzeit freiwillig niedergelegt werden, aber es ist ganz unmöglich, dies mit Gewalt zu tun. Wenn man die Hemmvorrichtung kennt, ist es leicht, sie mit einem Häkchen außer Kraft zu setzen, sonst wird man den Stachel eher brechen als flachlegen können. So ist es natürlich nicht unmöglich, daß auch ein anderer Wels, außer dem elektrischen Malapterurus, die Aufmerksamkeit und die Furcht der Benin-Leute erregt hat und von ihnen mythologisch ausgestaltet wurde.

Veröffentlichungen a. d. Kgl. Museum f. Völkerkunde.

35

sind ja auch wirklich sehr scharf charakterisiert und unterscheiden sich durch ihren plumpen Bau und ihre
umgekehrt bootförmige Gestalt auf den ersten Blick vor allen andern Welsgattungen.

Noch mehr als über die Welse gehen die Meinungen der Ichthyologen über die andere große Gruppe
von Fischen auseinander, die auf Taf. 48 durch die unterste Reihe vertreten ist. In meiner Bearbeitung
der Knorrschen Sammlung habe ich sie 1901 auf die Autorität von Hilgendorf wegen der breiten,
zwischen zwei schmalen Flossen weit ausladenden Hinterflosse als »wahrscheinlich Haligenes guineensis
Bekr.« bezeichnet. Dazu schrieb mir damals Steindachner, dem ich das Heft übersandt hatte, daß seiner
Meinung nach es sich um »stilisierte Fische« handle, »deren Kopf von Mormyriden, deren übriger Körper
den Cichliden (früher irrig Chromiden genannt) entlehnt ist«. Das bezog sich damals in erster Linie
auf die beiden Stuttgarter Platten, die hier Fig. 409 und 410 reproduziert sind; wenn man will, kann man
aber auch zwischen diesen beiden Fischen »wesentliche« Unterschiede finden; ebenso kann man aber auch
meinen, daß überhaupt sämtliche auf den Benin-Platten in Seitenansicht dargestellten Fische auf eine
einzige Spezies zurückzuführen sein möchten, und daß es zoologisch gleichgültig ist und nur auf stilistische

411

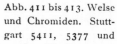

412

413

Abb. 411 bis 413. Welse
und Chromiden. Stutt-
gart 5411, 5377 und
5378. (H. Bey 353, 177 und 178, Knorr Abb. 40, 39 und 44. Abb. 411 in ¹/₇, 412 und 413 in etwa ¹/₄ d. w. Gr.

Unterschiede hinauskommt, wenn hinter den Kiemen eine oder zwei Flossen angelegt sind, wenn diese
groß oder klein und wenn längs der ganzen Körperlänge eine niedrige Rücken- und eine ebensolche Bauchflosse verläuft oder nur die eine oder nur die andere. Inzwischen hat Steindachner den Fisch auf der
Platte Wien 64 693 (Heger 1916, Nr. 39), die der Berliner Platte Taf. 48 P sehr ähnlich ist, als »echten
Mormyrus« bestimmt; er hat eine durchlaufende Rücken- und keine Bauchflosse; von zwei jüngeren Zoologen erklärt der eine, alle in Seitenansicht dargestellten Fische seien ohne Ausnahme Mormyrus, und
der andere bezeichnet sie als sichere Chromiden. Es ist mir ganz unmöglich, mich da zurechtzufinden;
ich kann nur sehen, daß, von zwei Platten (Taf. 46 D und 48 H) abgesehen, auf allen andern 50 Platten
im wesentlichen zwei Arten von Fischen dargestellt sind, welche mit und welche ohne Bartfäden. Dabei
sind die mit Bartfäden immer von oben, also in Rückenansicht, dargestellt und die ohne Bartfäden ebenso
ausnahmslos immer in Seitenansicht. Auf diesem Wege der Vereinfachung könnte man noch weitergehen
und die Frage aufwerfen, wie ein Wels, wie vor allem Malapterurus aussehen würde, wenn ein Benin-Künstler
ihn in Seitenansicht dargestellt hätte; die Antwort ist sehr überraschend: Nicht wesentlich anders, als ein
»echter Mormyrus«; die Körperform, das kurze Maul und die stark auffallende Stirn würden völlig übereinstimmen; wollte also jemand irgendeine der Seitenansichten auf unserer Taf. 48 auf Malapterurus oder
sonst einen Wels beziehen, so würde nur das Fehlen der Bartfäden, das Vorhandensein von Schuppen
und vielleicht noch, wenn man sehr kritisch sein wollte, die nicht ganz richtige Zeichnung der Schwanzflossen auffallend sein. Auch über das Vorhandensein von Schuppen könnte man hinwegsehen; gewiß

haben die Welse in Wirklichkeit niemals Schuppen, aber es gibt eine ganze Anzahl von Benin-Platten, auf denen die Fische mit Bartfäden genau die gleichen Schuppen haben wie die Fische in Seitenansicht So haben auf unserer Taf. 48 zwar die zwei ersten Welse auf beiden Seiten des dachförmig gefirsteten Körpers symmetrische schräge Streifen, die abwechselnd glatt und punktiert sind und die man nicht auf Schuppen beziehen kann, aber schon der dritte und erst recht der vierte Wels sind da mit richtigen Schuppen dargestellt. So bleibt nur das Fehlen der Bartfäden als das einzige Kriterium zurück, das uns hindert, auch in den Fischen in Seitenansicht oder wenigstens in einigen von ihnen Welse zu erkennen. Dabei bleibt die Frage, warum gerade nur die Welse immer in Rückenansicht und die andern Fische stets von der Seite dargestellt sind, ohne Antwort, und ebenso findet sich keine Erklärung für die Tatsache, daß auf den zahlreichen Platten, auf denen Fische als Beizeichen erscheinen, diese stets nur in Seitenansicht und niemals von oben gesehen und niemals mit Bartfäden dargestellt sind.

So haben also die Versuche, für die Fische auf den Benin-Platten sichere zoologische Namen zu gewinnen, als gescheitert zu gelten; im wesentlichen können wir, von zwei vereinzelten Ausnahmen abgesehen, nur zwei große Gruppen unterscheiden, auf der einen Seite Welse und auf der andern Fische, die wir einstweilen, damit sie überhaupt einen Namen bekommen, »Mormyriden« nennen wollen, wobei auf die »Anführungszeichen« eigentlich mehr Gewicht gelegt werden muß, als auf das Wort selbst.

Für die schlanken Welse hat Overami den einheimischen Namen *olokum* angegeben und zugleich versichert, sie seien ein »Gott«. Denselben Namen gibt er auch für den Mann an, der Welse statt der Beine hat, vgl. die Abb. 166 bis 168 auf S.·92 sowie Taf. 43 B und D. Für die beiden seitlichen Begleiter des Gottes teilt er die Namen *osanobuwa* und *obieme* mit. Ich gebe die Namen in der Schreibweise, in der sie mir zugekommen sind, und ohne Kommentar; vielleicht wird ein besserer Kenner der Landessprache mit ihnen etwas anzufangen wissen; zwei Benin-Leuten, denen ich die Namen vorlegte, schienen sie ganz fremd zu sein; für diese waren auch sämtliche Fische auf den Platten gleichmäßig »Fetish belong King«; auch die Anregung, daß wenigstens ein Teil der Fische gut zu essen sei, fand bei ihnen keinen Anklang; für diese beiden Leute, die allerdings jung und wenig intelligent waren, schienen die Fische also ausnahmslos dämonische Bedeutung zu haben. Für einen Teil der Welse trifft dies natürlich zu; inwieweit etwa auch für die »Mormyriden«, ist völlig unsicher.

Abb. 414. Bruckstück einer großen Platte mit dem Kopfe eines Welses. Stuttgart 5388, früher H. Bey 304, Abb. Knorr 41.

So müssen wir uns nun auf eine rein mechanische Beschreibung der Platten beschränken. Nur sechs sind breit und auf beiden Seiten gefalzt, auch die beiden Berliner Stücke III. C. 8465 und 8466, Taf. 48 L und M (in der untersten Reihe links) sind nur die Hälften von breiten Platten; alle andern sind schmal und hoch. Daß von diesen einige quer orientiert waren, wie ein Autor annimmt, der von nach rechts und nach links schwimmenden Fischen spricht, ist sicher falsch; hingegen fehlt uns jeder sichere Anhalt dafür, ob die Köpfe nach oben oder nach unten gerichtet waren; wo Fische als Beizeichen vorkommen, finden wir die Köpfe fünfmal nach oben, dreimal nach unten gewendet. Auf vier oder fünf Platten halten die Fische einen kleinen Fisch, auf einigen andern einen geschlängelten Wurm im Maul, einmal auch einen kleinen runden Gegenstand wie eine Beere. Auf einer einzigen Platte, Berlin III. C. 8468, Taf. 48 G, ist der Grund nicht mit dem üblichen blumenartigen Tapetenmuster, sondern mit Rädern ausgefüllt; diese Platte dem Stile nach für älter oder jünger zu halten, liegt kein Grund vor.

Die Körper, die Kiemen, die Flossen, die Stacheln und die Augen sind stets schon im Wachsmodell angelegt; ebenso regelmäßig sind die Schuppen und die Flossenstrahlen erst nachträglich eingepunzt. Die Schuppen des Kopfes sind fast durchweg anders behandelt als die des übrigen Körpers. Die Einzelheiten ergeben sich aus Taf. 48.

Schlanke Welse kommen auf sieben, gedrungene auf fünf Platten vor, außerdem gibt es zwei breite Platten mit je zwei schlanken Welsen nebeneinander und vier, auf denen zwei solche etwa wie ein §-Zeichen miteinander verschlungen sind, vgl. die Berliner Platte Taf. 48 F, die erste in der mittleren Reihe. Auf vier weiteren Platten erscheint ein schlanker Wels einzeln zu einer Schleife verschlungen, auf einer fünften sind zwei solche übereinandergesetzt, und auf einer sechsten finden sich sogar acht vereinigt in vier Paaren übereinander. Gedrungene Welse zuzweit übereinander habe ich zweimal gezählt, viermal sind sie zuviert auf einer Platte so vereinigt, daß zwei nebeneinander und zwei übereinander stehen; dabei ist eine halbe Platte bei Ling Roth, auf der nur zwei nebeneinander erhalten sind, als ganze Platte mitgezählt, da über ihre Ergänzung ein Zweifel kaum möglich ist; auf einer Platte ist in der Mitte, zwischen den vier Welsen noch ein fünfter angebracht und auf einer andern (Berlin III. C. 8250, Taf. 48 K die letzte in der mittleren Reihe) an derselben Stelle noch ein »Mormyride« in Seitenansicht. Das ist die einzige Platte, auf der Fische beider Hauptgruppen — Welse und »Mormyriden« — zusammen vorkommen.

Platten mit einzelnen Mormyriden kenne ich 22; bei 13 von ihnen ist, wenn sie mit dem Kopfe nach oben gerichtet werden, der Rücken nach links gewandt, bei 9 nach rechts. Die naheliegende Vermutung. daß sie ursprünglich immer paarweise hergestellt und auch so angebracht waren, hat sich bei sorgfältigem Vergleich der erhaltenen Stücke nicht bestätigt; sie sind nicht symmetrisch genug [1]). Zwei gegenständige »Mormyriden« auf einer Platte finden sich einmal (Abb. 413), zwei übereinander zweimal, und je einmal erscheinen vier und fünf Fische auf einer Platte. Rosetten in allen vier Ecken finden sich viermal, andere Beizeichen überhaupt nicht.

Ganz vereinzelt ist ein langer, ganz leicht gekrümmter Stachel, der auf der Berliner Platte III. C. 8465, Taf. 48 L (die erste in der untersten Reihe), etwas ober der Mitte der Seitenansicht emporragt; Fische, die an dieser Stelle einen solchen Stachel haben, sind den Fachleuten nicht bekannt. Vielleicht darf man an eine krankhafte Bildung denken, die gelegentlich beobachtet und so in Erz festgehalten wurde.

Die als »Beizeichen« auf andern Platten vorkommenden Fische werden in Kap. 65 besprochen werden.

---

8. Kapitel.
Platten mit leblosen Gegenständen.
[Hierzu Taf. 49 und die Abb. 415 bis 423.]

In diesem Kapitel ist die Beschreibung einer Anzahl von Platten vereinigt, auf denen Schwerter, Dolche und Scheiden dargestellt sind, sowie Masken, Pantherschädel, Panzer, Halsreifen, Querhörner, Glocken, Fächer, Pantherdecken, Früchte und eine Tasche oder Rahmentrommel. Ich kenne von solchen im ganzen 32 Stücke; von diesen sind 12 in Berlin, 7 im Brit. Museum, 3 in Dresden, je 2 in Hamburg und im Handel und je eine in Cöln, Frankfurt a. M., Freiburg i. B., Rushmore, Stuttgart und Wien.

A. Platten mit Schwertern und Dolchen.

1. Berlin, III. C. 8452, Taf. 49 C. Große Platte, auf beiden Seiten gefalzt, 30 × 49 cm, mit einem flach aufgelegten Ebere; die Mittelrippe ist sehr dick; der Ring liegt in derselben Ebene wie das Blatt, dessen Verzierungen mit zarten Linien, nicht wie eigentlich zu erwarten wäre, mit Punkten eingeschlagen sind. Der dicke Griff umfaßt mit zwei Ausläufern den schmalen Teil des Blattes und gleicht dadurch, vermutlich unbeabsichtigt, aber doch höchst auffallend, einer menschlichen Figur.

2. London, R. D. XXXII 5, ähnliche Platte, aber nur 18,5 cm breit; die Verzierungen des Blattes sind mit Punkten eingeschlagen; die Ebene des Ringes steht senkrecht zu der des Blattes; zu beiden Seiten der Spitze des Ebere je eine Rosette, zu den Seiten des Griffes je eine Mondsichel, die gegen den zweiten schmalen Rand der Platte hin offen ist. Da bei Platten mit an sich gegebener Orientierung die Mondsicheln in der Regel nach unten offen sind, würde man annehmen können, daß dieser Rand der untere ist, daß also die Londoner und daher wohl auch die Berliner Platte mit der Spitze des Ebere nach oben und dem Griff nach unten orientiert waren; auf Taf. 49 und bei R. D. ist die Orientierung umgekehrt, also wahrscheinlich unrichtig.

3. Stuttgart, 5381, siehe Abb. 415, obere Hälfte einer ähnlichen Platte. Zu beiden Seiten der Spitze des Ebere ist je eine Mondsichel so angebracht, daß die Öffnung nach innen sieht, also mit dem Rande der Schneide gleich gerichtet ist. In meiner Bearbeitung der Knorrschen Sammlung habe ich

---

[1]) Kollegen, die das etwa einmal auf Grundlage eines größeren Materials nachprüfen wollen, darf ich vielleicht schon jetzt aufmerksam machen, daß die Abbildungen zum Auktionskatalog von Stevens, 10. 4. 1900, Spiegelbilder sind. Dieselben Platten sind später von Webster neu photographiert und richtig gedruckt worden.

die Breite dieser Platte nach der meßbaren Hälfte, ihre Symmetrie vorausgesetzt, auf 34 cm berechnet und daran die Bemerkung geknüpft, daß die breiteren Platten zu andern Pfeilern und vielleicht zu einem andern Bau gehören könnten als die, deren Breite um 30 cm schwankt. Ich dachte damals auch stilistische Unterschiede zwischen diesen beiden Gruppen wahrnehmen zu können; ich bin diesen Unterschieden seither gründlich nachgegangen und halte sie jetzt nicht mehr für durchgreifend.

4. Im Besitze von Herrn Konietzko, Hamburg, befindet sich jetzt die obere Hälfte einer Platte, auf der nebeneinander zwei Schwerter von Schilfblattform dargestellt waren. Die untere Hälfte ist bisher nicht zum Vorschein gekommen. Das gleiche Stück war uns 1904 als Nr. 8 der Sammlung H. Strumpf zum Kauf angeboten. Photographien dürften sich aus dieser Zeit in mehreren Sammlungen befinden.

5. Dresden, 22 223, Platte mit zwei nebeneinander befindlichen Dolchen (oder Küchenmessern), deren Scheiden durch ein breites Verbindungsstück zusammen-

Abb. 415. Bruchstück einer Platte mit Ebere und Halbmonden. Stuttgart 5381. Etwa ²/₉ d. w. Gr.

hängen. Völlig gleichartige, ebenso verbundene Dolche trägt einer der Diener auf der Platte Webster 9757, die wegen ihrer hörnerartigen Haartracht (gleich der auf Taf. 32) hier S. 122 unter Nr. 4 verzeichnet ist. Ähnlich sind auch die zwei »Dolche« des Jungen auf der Abb. 217, wo freilich das Verbindungsstück zwischen den zwei Scheiden durch die linke Hand fast völlig verdeckt ist.

B. Platten mit Schwertscheiden.

1. Berlin, III. C. 8446, Taf. 49 F. Große Platte von 31 × 52 cm; der Länge nach liegt, wie auf einem gestickten Kissen, eine glatte Schwertscheide, in der Mitte leicht eingezogen, nach unten wieder verbreitert und dann rasch zu einer etwa wie ein rechter Winkel geformten Spitze zulaufend, an den Seiten und unten mit einem gut fingerbreiten, ganz besonders zierlichen Flechtbande geschmückt. In der Nähe des oberen Endes sind übereinander drei flache Knöpfe angebracht, an deren oberstem die geflochtene Schnur befestigt ist, die zur Sicherung des Schwertes dient, vgl. z. B. die Abb. 172, 192, 191, 340 und viele andere.

2. Berlin, III. C. 8449, unvollständige Platte, anscheinend mit zwei Schwertscheiden, von denen die eine unten gerundet ist.

3. Berlin, III. C. 8447, Taf. 49 D Breite Platte, 29 × 45 cm, mit zwei Schwertscheiden; von diesen hat die linke ungefähr die Form wie die eben unter Nr. 1 beschriebene, die andere entspricht dem in der Abb. 342 skizzierten Typus.

4. London, R. D. XXXII 6. Schmale Platte mit einer Scheide ähnlich der hier unter Nr. 1 beschriebenen; unten in einer Reihe übereinander vier, oben ebenso zwei Zierknöpfe; an dem oberen von diesen ist die typische geflochtene Schleife zur Sicherung des Schwertes befestigt.

C. Platte mit Masken.

London, R. D. XXX 2, siehe Abb. 416. Auf einer schmalen und hohen Platte von etwa 18 × 47 cm liegen wie auf einem Kissen zwei unter sich fast gleiche menschliche »Masken« von großer Schönheit. Es sind sicher dieselben maskenförmigen Anhänger, die wir schon mehrfach bei der Schilderung von Platten erwähnt haben und von denen auf Taf. 96 einige besonders typische Stücke abgebildet sind. Die uns im Original überkommenen Stücke dieser Art sollen im Kap. 27 beschrieben werden; die auf der Platte liegenden sind von den Originalen durch ihre dachschindelartig stilisierten Haare, durch die besonders scharf abgesetzten Stirnwinkel und durch eine transversale Leiste über dem Scheitel ausgezeichnet. Die wie eine gefaltete Halskrause wirkende Umrahmung des Gesichtes findet sich auch auf einigen wirklichen Anhängern.

D. Platten mit Pantherschädeln.

1. Berlin, III. C. 12 515, siehe Abb. 417. Bruchstück einer Platte, auf der ein Pantherschädel liegt. Von der Platte ist eben nur noch soviel erhalten, daß man das typische Tapetenmuster mit Sicherheit feststellen kann, der Schädel selbst aber ist tadellos erhalten. Die großen Eckzähne, die Schneidezähne, die runden Augenhöhlen, die Jochbogen und die Knochenleisten für die Kaumuskeln und den Nacken sind mit großer Treue wiedergegeben, nur das Nasenskelett ist etwas stilisiert; ebenso sind die vorstehenden Knochenleisten durch eine leichte Strichelung »verschönert«. Doch ist der Schädel als solcher sofort zu erkennen und zu bestimmen — wobei ich freilich die Bemerkung nicht unterdrücken darf, daß uns das Stück mit der Bezeichnung »curious insect« zuging.

2. London, R. D. XXXII 2, siehe Abb. 417 A. Platte mit zwei dem eben beschriebenen sehr ähnlichen Pantherschädeln und sechs Mondsicheln. Für den Druck habe ich die Abbildung von R. D. auf den Kopf stellen lassen, um die Orientierung mit der für Köpfe und Schädel üblichen in Einklang zu bringen; R. D. haben sich nämlich durch eine unglückliche Ähnlichkeit dieser Platte mit einer, auf der zwei Rinderköpfe dargestellt sind, verleiten lassen, hier zwei Schädel von Ochsen zu sehen, und haben sie deshalb verkehrt abgebildet. Jene Londoner Platte mit den zwei Rinderköpfen ist leider bisher nicht veröffentlicht, aber es genügt schon, die Berliner Platte Taf. 45 B mit einem Rinderkopf daraufhin anzusehen, um sofort zu begreifen, wie leicht ein solcher Irrtum entstehen konnte, und wie sehr er zu entschuldigen ist. Dabei ist es aber interessant und lehrreich, zu sehen, wie aus diesem einen Irrtum dann gleich ein ganzer

Abb. 417. Bruchstück einer Platte Berlin, III. C. 12515, mit dem Schädel eines Panthers. Etwa ¹/₂ d. w. Gr.

Abb. 416. Platte mit der Darstellung von zwei markenförmigen Anhängern, R. D. XXX, 2. ¹/₆ d. w. Gr.

Abb. 417 A. Platte mit zwei

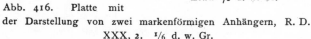

Pantherschädeln. (Die »falsche« Beleuchtung stammt daher, daß die allein verfügbare englische Vorlage, weil unrichtig orientiert, auf den Kopf gestellt werden mußte.) R. D. XXXII, 2. ¹/₆ d. w. Gr.

Rattenkönig von Mißverständnissen und falschen Deutungen entstand; die großen Eckzähne der Panther werden für Hörner gehalten, von der ebenmäßigen Reihe der Schneidezähne heißt es »between the horns is a serrated band«, die Augenhöhlen werden als »loops as if for a passage of a cord« beschrieben und die sagittalen Kammleisten für den großen Schläfenmuskel mit Tätowierungen auf Stirn und Nasenrücken verglichen, wie sie z. B. auf unseren Tafeln 22 und 96 erscheinen. Mit der größten Konsequenz wird der unglückliche Irrtum noch bis zu den Beizeichen fortgesponnen und von den Mondsicheln auf einer ganzen Anzahl von Platten, auf denen sie mit der Öffnung nach unten erscheinen, gesagt, sie seien »reversed«. Ich würde all das nicht erwähnt haben, wenn es mir nicht an sich lehrreich erschiene, zu sehen, daß selbst so ausgezeichnete Beobachter wie R. und D. durch einen an sich leicht verständlichen Irrtum zu einer solchen Kette von falschen Deutungen veranlaßt werden konnten. Auch mein Buch hier ist sicher nicht frei von ähnlichen Mängeln; so benutze ich diesen Anlaß, um auch für diese verständnisvolle Beurteilung zu erbitten: Hanc veniam damus petimusque vicissim.

E. Platten mit einem Panzer.

1. Berlin, III. C. 8451, Taf. 49 B. An dieser schönen, großen Platte von monumentaler Einfachheit bin ich tagelang hilflos vorbeigegangen, und abenteuerliche Deutungen, wie Stichblatt, Schloß-

blech, Goldbarren und ähnliche wurden im Kreise der Freunde diskutiert, ehe uns plötzlich die Erleuchtung kam. Und doch ist die Auffassung als Panzer ebenso einfach als selbstverständlich. Man braucht sich nur ein altes Meßgewand in solcher Weise ausgebreitet zu denken oder sich vorzustellen, wie die alten Panzer auf den Hunderten von Benin-Platten in Wirklichkeit ausgesehen haben müssen, um dieses Stück zu verstehen: der Ausschnitt für den Hals, die Schlitze für den Kopf und die Verbreiterung für die Schultern lassen keinen Zweifel an der Deutung aufkommen.

2. Hamburg, C. 3864, siehe Abb. 418. Sehr schlanke Platte von 17 × 49 cm, mit einem in ähnlicher Art ausgebreiteten Panzer, diesmal aber nicht, wie auf der Berliner Platte, glatt, sondern mit der Musterung eines Pantherfells, die durch kleine, sich berührende, punktierte Kreise wiedergegeben ist; auf dem vorderen Ende sind die Ohren, die Augen, die Schnurrhaare und die Mundöffnung des Tieres wie bei vielen Panzerdarstellungen auf den Platten in kräftigem Relief hervorgehoben. Dieselbe Platte war uns 1904 als Nr. 7 der Sammlung H. Strumpf zum Kauf angeboten gewesen.

F. Halsschmuck mit Pantherzähnen, Glocke und Roßschweif.

Seite 76 ist bereits ausgeführt, wie zu dem schweren Panzer der Benin-Krieger auch ein Halsreif mit aufgerichteten Pantherzähnen gehört, von dem vorn eine viereckige Glocke, hinten ein Roßschweif herabhängt. Es gibt zwei Platten, London, R. D. XXXII 3 und 4, siehe Abb. 419 und 420, auf denen dieser Halsschmuck vollständig, wenn auch in den Proportionen verfehlt und mit zu klein geratenen Glocken, dargestellt ist. Die erste dieser Platten ist überdies durch eine ungewöhnlich große Zahl von Beizeichen,

420

Abb. 419 und 420. Zwei Platten mit Darstellungen des typischen Halsschmuckes mit den Pantherzähnen, der Glocke und dem Roßschweif. R. D. XXXII, 3/4. Etwa $^1/_5$ d. w. Gr.

Abb. 418. Platte mit einem Panzer, der (ungefähr in der Form eines Meßgewandes) aus Leopardenfell geschnitten ist. Hamburg, C. 3864. Etwa $^1/_4$ d. w. Gr. (17 × 46 cm). Im Halsausschnitt ist der Grund der Platte durch Punktierung und durch eine in die Axe des Panzers gesetzte zweiblättrige Blüte zum Ausdruck gebracht. Wegen der Beleuchtung vgl. die Beschriftung von Abb. 417 A.

zehn Rosetten, ausgezeichnet, auf der andern sind die paarweise zwischen je zwei Pantherzähnen angebrachten Kauris und die mit einer Schlange verzierte Glocke besonders deutlich. Diese Glocke war an dem Halsreifen anscheinend zum Abnehmen eingerichtet und wurde niemals auf der bloßen Haut getragen; dagegen bildete der Roßschweif, wenn er auch bei den in Vorderansicht dargestellten Personen nicht sichtbar ist, vermutlich einen regelmäßigen Bestandteil jener so verbreiteten und eigenartigen Halsstreifen mit den Pantherzähnen.

G. Platte mit Querhörnern.

Berlin, III. C. 8455, Taf. 49 G. Große Platte von 30 × 46 cm, auf beiden Seiten gefalzt, mit zahlreichen Gußfehlern und auch sonst auffallend unbeholfen und stümperhaft gearbeitet. Die Originale der zwei unter sich gleichen Querhörner sind wohl aus Metall zu denken; der Rand der Schallöffnung ist durch einen glatten Wulst verstärkt; unmittelbar über ihm und in der Nähe der Spitze sind Ringe angebracht, an denen das Tragband befestigt ist; je drei weitere Ringe, zu denen ein vierter auf der Rückseite noch hinzuzudenken sein dürfte, finden sich etwa an der Grenze zwischen dem mittleren und unteren Drittel. Die Blaslöcher sind ungefähr zwischen dem obersten und dem zweiten Viertel, lang oval, dem Beschauer ganz zugewandt. Wir wissen, daß sich auf den Hörnern von Benin das Blasloch ausnahmslos auf der konvexen Seite befindet, müssen also annehmen, daß die zwei Hörner dieser Platte uns ihre konvexe Seite zuwenden. Es ist aber kein Versuch gemacht, das anzudeuten; die Hörner sind vielmehr wie stumpfe Kegel glatt auf die Platte gelegt. Diese im ganzen wenig erfreuliche Platte ist die einzige, auf der Querhörner für sich allein zur Darstellung gelangt sind.

H. Platten mit Glocken.

1, 2. Berlin, III. C. 8453 und 8454, Taf. 49 I und H. Zwei große, breite Platten (29×51 und 30 × 45 cm) mit den typischen, einfachen Glocken, wie sie S. 177 beschrieben sind. Die aus der Schmiedetechnik sich ergebenden vorspringenden Falze sind ebenso deutlich hervorgehoben wie die drehrunden, in einen Ring endenden Griffe. Beide Platten sind nicht ohne Mängel, die eine hat einen großen Gußfehler, so daß ein Teil ihres oberen Randes ganz ausgeblieben ist, bei der andern fehlt ein Stück von der breitesten Stelle der Glocke selbst; dabei sieht es so aus, als wäre der Defekt durch allmähliche Abnutzung, also etwa dadurch entstanden, daß jemand lange Zeit hindurch, wie auf eine wirkliche Glocke, immer an diese Stelle geschlagen; auch scheinen Nietlöcher darauf hinzudeuten, daß später einmal der Versuch gemacht worden, die schadhafte Stelle mit einem Flicken zu bedecken.

3. Dresden, 16 185. Eine ganz ähnliche große Platte mit einer völlig gleichartigen Glocke, auch mit einem ausgedehnten Gußfehler in der Gegend des Griffes. Mit Nr. 91 bezeichnete Photographien dieser Glocke sind einmal von Webster an mehrere Museen gesandt worden; bei der großen Ähnlichkeit der Platte mit den beiden in Berlin befindlichen würde sich eine Reproduktion der Photographie sicher nicht lohnen.

I. Platten mit Fächer.

1. Berlin, III. C. 8456, Taf. 49 A. Schmale Platte von 19 × 42 cm, mit einem jener noch heute für Benin typischen kreisrunden Fächer mit langem Holzgriff. Man sieht auf der Platte sehr gut, wie die Lederscheibe mit dem Griffe durch eine Naht verbunden ist, und erkennt auch die am Ende des Griffes befindliche kleine Schleife zum Anhängen des Fächers, etwa an einen Finger, vgl. Abb. 689 bis 692.

2. Frankfurt a. M., 1155. Schöne, große Platte von etwa 34 × 58 cm, mit einem ganz gleichartigen Fächer. Der Größe der Platte entsprechend befindet sich zu beiden Seiten des Griffendes je eine Rosette.

J. Platten mit Pantherdecken.

1. Berlin, III. C. 8448, Taf. 49 E. Auf einer Seite dieser großen Platte von 31 × 44 cm ist ein völlig ausgebreitetes Pantherfell dargestellt, dessen Flecken durch glatte, von einer einfachen Linie eingeschlossene Kreise auf punktiertem Grunde hervorgehoben sind. Nase, Augen und Ohren sind gleichfalls nur durch Ziselierung angedeutet. Neben dieser Pantherdecke und parallel mit ihr liegt ein ungefähr ebenso langer und etwas schmälerer Gegenstand, glatt, aber mit hohem, gewulstetem Rande. Da ein Teil vom oberen Rande der Platte fehlt, ist auch das fragliche Stück an einem seiner Enden beschädigt und unvollständig; das andere Ende ist gleichmäßig gerundet. Der sonst den ganzen Gegenstand umgebende Randwulst hat an einer der Längsseiten eine Unterbrechung, von der es nicht ganz sicher ist, ob sie wirklich ursprünglich beabsichtigt oder nicht vielleicht nur auf einen Gußfehler zurückzuführen ist. Vermutlich wird der Gegenstand früher oder später auf sehr einfache und selbstverständlich scheinende Weise erklärt werden. Einstweilen vermag ich ihn nicht zu deuten.

2. Berlin, III. C. 8450. Bruchstück einer ähnlichen Platte; Augen und Ohren des Tieres sind diesmal in gutem Relief gegossen; das kleine, 17 × 27 cm messende Bruchstück ist fast ganz von der Pantherdecke eingenommen; nur auf einer Seite ist etwas von dem alten Rande der Platte erhalten. Es läßt sich nicht feststellen, ob die Platte breit oder schmal war, ob also neben der einen Decke noch etwas anderes mit dargestellt war oder nicht.

3. Cöln, siehe die Abb. 93 im Katalog 29 von Webster, 1901. Für diese Platte sind im Text unter Nr. 11 656 die (von mir umgerechneten) Maße 29 × 48 cm angegeben. Die Bezeichnung »two leopards«

ist falsch; es sind keine ganzen Tiere, sondern nur die abgezogenen Decken. Ohren, Augen und Mund sind im Relief gegossen.

4. Dresden, 16 092. Schmale Platte, fast ganz von einer ausgebreiteten Pantherdecke eingenommen, vgl. die Abb. 36 im Katalog 21 von Webster.

5. London, R. D. XXXI, 2. Hohe, schmale Platte mit einer einzelnen solchen Decke; Ohren, Augen und Schnurrhaare im Relief.

6. Webster, 11 655, Kat. 29, 1901, Fig. 94. Große Platte von 30 × 43 cm; von dem Schwanzende fehlt ein großes Stück, wahrscheinlich schon durch einen Gußfehler. Unförmlich breite Decke, wie von einem Maulwurf; die Augen und die andern Einzelheiten des Kopfes sind nur durch Ziseliernug angedeutet; geringe Arbeit. Auch diese Platte ist im Texte als »leopard« bezeichnet; es handelt sich aber sicher nur um die abgezogene und ausgebreitete Haut, nicht um ein ganzes Tier.

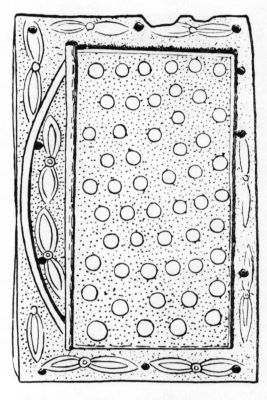

Abb. 421. Platte mit Darstellung einer Tasche oder einer Rahmentrommel. Wien 64 720. Etwa ¹/₅ d. w. Gr.

Abb. 423. Platte mit zwei Früchten von Telfairia. P. R. 290. ¹/₆ d. w. Gr.

Abb. 422. Platte mit Früchten; oben ein Bündel mit Strophantus, in der Mitte eine Telfairia, unten eine Frucht vielleicht von Afraegle. Mus. von Freiburg i. Br. Etwa ¹/₄ d. w. Gr.

K. Platte mit einer Tasche oder Trommel.

Wien 64 720, Heger 1916, Nr. 43, siehe Abb. 421. Große Platte von 30 × 47 cm, an den Längsseiten mit Falzen. Von dem glatten, mit dem üblichen Tapetenmuster bedeckten Grunde hebt sich 5 oder 6 mm hoch eine jener eigenartigen »Taschen« ab, wie sie auf den Platten Taf. 27 c und Abb. 229 getragen werden und über die S. 188 ausführlich berichtet ist. So braucht die Frage, ob wir es mit einer Tragtasche oder mit einer Rahmentrommel oder mit irgendeinem andern Gegenstande zu tun haben, hier nicht nochmals erörtert zu werden; die Oberfläche ist, wie bei den getragenen »Taschen«, in der Art eines Pantherfells verziert; auch der wulstartig verdickte Rand auf einer Längsseite und das glatte Tragband sind nicht vergessen. Der Beschreibung bei Heger könnte noch beigefügt werden, daß die Platte ungewöhnlich dick und schwer ist, daß aber die »Tasche« gleichwohl über einen glatten Kern geformt wurde, weshalb sie auf der Kehrseite wie ein flacher Trog wirkt. Heger bezeichnet sie als »Breitenplatte«, läßt die obere und die untere Kante umgefalzt sein und beschreibt das Tragband als »oben« befindlich. Er nimmt also, wie bei den großen Platten mit Panthern stillschweigend an, daß sie quer und nicht hoch orientiert war. Er mag mit dieser Annahme recht haben, und es ist vielleicht verfehlt von mir, wenn ich die Abbildung 421 anders stelle, also annehme, daß die Platte ursprünglich für einen Pfeiler und nicht für einen Querbalken gedacht war.

L. Platten mit Früchten.

1. Freiburg i. B. Ein seltsamer Zufall hat gerade nach der Sammlung in Freiburg i. B., die nur ganz wenige Benin-Stücke besitzt, die in ihrer Art völlig einzige Platte gelangen lassen, die hier Fig. 422 abgebildet ist. In der Mitte liegt, am sternförmigen Querschnitt sofort erkennbar, eine Frucht von Telfairia occidentalis Hook., vgl. die Abb. 388 und 389. Darüber sehen wir ein Bündel von länglichen Früchten, sicher gleich den Bündeln, die wir bereits von den beiden Platten Abb. 187 und 188 kennen und die wir mit aller Wahrscheinlichkeit auf Strophantus gratus Wall. beziehen konnten; unten liegt eine dritte, völlig kugelrunde Frucht mit unregelmäßig gebildetem Kelch, vielleicht von Afraegle.

2. Hamburg, C. 3953. Bruchstück einer Platte; erhalten ist eine vollständige Frucht von Telfairia und beiderseits ein Teil der ursprünglichen Seitenränder. Wieviel oben und unten fehlt, ist nicht festzustellen.

3. Rushmore, P. R. 290, siehe Abb. 423. Platte mit zwei Telfairia-Früchten; P. R. hat nur »pendant fruit ribbed«, doch ist die Bestimmung als Telfairia völlig gesichert. Die Platte ist auf einer Schmalseite unvollständig; nach der Form der Bruchfläche ist es nicht ganz ausgeschlossen, daß noch eine dritte gleiche Frucht folgte. Dann könnte sogar das Hamburger Bruchstück als zugehörig in Frage kommen. Doch wäre die Platte dann ganz ungewöhnlich hoch; viel wahrscheinlicher ist, daß nur ein ganz schmales Randstück fehlt, und daß im ganzen nur sechs Rosetten angebracht waren. Wollte man das Hamburger Bruchstück als zugehörig betrachten, was nur durch direktes Anpassen festzustellen wäre, würden von ihm zwei Rosetten abgebrochen sein.

---

9. Kapitel.

Platten mit Sonne, Mond und Sternen (?).

[Hierzu Taf. 50.]

In diese Gruppe gehören 12 teilweise nur in Bruchstücken erhaltene Platten, die alle in der Berliner Sammlung sich befinden. In andere Museen sind solche Stücke meines Wissens überhaupt gar nicht gekommen. 11 von diesen Stücken stammen aus der Sammlung H. Bey, nur eines haben wir 1900 von einem englischen Händler erworben. Diese Platten zeigen Halbmonde, runde Scheiben, Rosetten, einfache oder auf runden Scheiben aufruhende, halbkugelige Buckel; ein kleines Bruchstück zeigt einen Teil einer rundlichen Scheibe mit gezacktem Rand. Ich bin nicht sicher, ob überhaupt alle diese Stücke mit Recht hier in eine geschlossene Gruppe zusammengefaßt werden, d. h. ob sie wirklich unter sich innerlich zusammenhängen. Jedenfalls kann kein einziges dieser Stücke einer andern Gruppe angegliedert werden, und so ist es zunächst aus äußeren Gründen nicht unzweckmäßig, sie bis auf weiteres wenigstens formell zuammenfasssen.

Beginne ich mit den vollständigen Platten, so wäre die hier Taf. 50 L, in der Mitte unten abgebildete, III. C. 8482, an erster Stelle zu nennen; 18 × 17 cm groß, zeigt sie in der Mitte eine nahezu völlig kreisförmige, leicht erhabene Fläche und oben und unten je einen Halbmond, der mit der konvexen Seite der runden Scheibe zugewandt ist. Ganz ähnlich, nur wesentlich breiter, 35 × 49 cm groß, ist die Platte III. C. 8480, Taf. 50 M. Ihr oberer Rand ist zwar beschädigt, läßt sich aber mit einwandfreier Sicherheit ergänzen. Auch sie zeigt die große runde Scheibe, oben und unten je einen Halbmond, außerdem aber an den Längsseiten jederseits drei nahezu halbkugelig vorspringende Buckel, von denen allerdings nur vier wirklich erhalten sind. Von dem fünften in der rechten oberen Ecke sieht man eben noch an der Bruchstelle ein Stück des Randes, während der sechste mit der ganzen Ecke abgebrochen ist, aber mit voller Sicherheit ergänzt werden kann. Es ist wohl angängig, die halbmondförmigen Gebilde auf den zunehmenden und abnehmenden Mond zu beziehen, und es schiene mir dann richtig, auch bei der großen, runden Scheibe nicht etwa an die Sonne, sondern an den Vollmond zu denken. Die runden Buckel könnte man dann unbedenklich als Sterne deuten.

Sicher in diesen Kreis gehört dann noch die hier Taf. 50 H abgebildete Platte III. C. 10 881. Sie ist nur zur Hälfte erhalten und zeigt uns die Hälfte einer kreisrunden Scheibe und über ihr die Mondsichel, diesmal aber nicht mit der konkaven, sondern mit der konvexen Seite der runden Scheibe zugewandt. Drei gleichsinnig gerichtete Mondsicheln übereinander zeigt die hier Taf. 50 F abgebildete Platte III. C. 8473. Sie mißt 18 × 36 cm, ist aber oben und unten nicht ganz vollständig. Ihr schließt sich die 36 × 37 cm große, Taf. 50 G abgebildete Platte III. C. 8472 an. Sie zeigt in der Mitte eine Mondsichel und unter ihrer konvexen Seite sechs, über ihrer konkaven Seite drei rundliche Buckel, von denen einer mit der ganzen linken oberen Ecke abgebrochen, aber mit Sicherheit zu ergänzen ist.

Das wären also bisher fünf Platten mit sicheren Halbmonden. Ihnen schließt sich die große, 33 × 48 cm messende Platte III. C. 8481 an, Taf. 50 K. Sie zeigt in der Mitte eine große, flache, leicht erhabene, kreisrunde Scheibe, gleich der auf unseren Abbildungen L und M, nur etwas größer. In den vier Ecken ist je ein halbkugeliger Buckel oder Knopf angebracht, außerdem hat sie ungefähr in der Mitte zwischen den beiden unteren Buckeln unweit vom Rande der Scheibe noch einen ganz kleinen, flacheren Knopf, den wir vielleicht als einen Stern geringerer Größe aufzufassen haben.

Gleichfalls astralen Charakter darf man wohl auch für das Taf. 50 I abgebildete kleine Bruchstück III. C. 8521 annehmen. Es mißt jetzt nur 16 × 29 cm, man kann aber mit einiger Sicherheit annehmen, daß es von einer großen Platte stammt, die etwa 34 × 50 cm gemessen haben dürfte. Das Bruchstück ist auf unserer Tafel der Raumverteilung wegen anders orientiert, als es ursprünglich an seinem Pfeiler angebracht gewesen war. Wie auch aus der Abbildung zu sehen, hat es der länger erhaltenen Seite entsprechend einen umgebogenen Falz; dieser muß also nicht wie auf der Abbildung wagrecht, sondern lotrecht orientiert gewesen sein. Daraus ergibt sich, daß die ganze obere (oder untere) Hälfte der Platte von einer sternförmigen Figur eingenommen war; bei dem ganzen Charakter der Benin-Kunst haben wir uns dann die andere Hälfte der Platte in ähnlicher Weise durch eine runde Scheibe ausgefüllt zu denken. Bei näherer Betrachtung des Bruchstückes ergibt sich außerdem, daß die gezackte Scheibe in der Mitte eine große, kreisrunde, etwas vertiefte Fläche gehabt hat, und ebenso läßt sich die Zahl der ursprünglichen Zacken oder Strahlen auf ungefähr 10 bestimmen. Es scheint also ein zehnstrahliges Gestirn dargestellt gewesen zu sein. Hoffentlich kommt der Rest der Platte noch irgendwo einmal zum Vorschein. Ich möchte fast vermuten, daß er eine einfache glatte Scheibe trug und daß wir dann an eine Darstellung von Sonne und Mond zu denken hätten. Daß etwa zwei Sonnen übereinander dargestellt waren, ist von vornherein nicht sehr wahrscheinlich, würde allerdings in der Taf. 50 F abgebildeten Platte, auf der wir drei übereinander stehende, gleichgerichtete Mondsicheln sehen, eine volle Analogie finden.

Noch wesentlich unsicherer bin ich in der Deutung der Taf. 50 B, C und D abgebildeten Platten. Von diesen zeigt uns die erste, III. C. 8483, auf einer 18 × 41,5 cm großen Fläche vier übereinanderstehende gleiche, flachhalbkuglige Buckel. Wenn wir diese gleich den ähnlichen Buckeln auf den Platten Fig. L und M unserer Tafel als Sterne auffassen, könnten wir an ein Sternbild mit vier in einer Linie stehenden Sternen denken. Noch größere Zurückhaltung ist bei dem nächsten Stück, Taf. 50 C, geboten, auf dem wir drei untereinander nahezu völlig gleiche, leicht erhabene, kreisrunde Scheiben dargestellt sehen, in deren Mitte sich ein halbkugliger Buckel erhebt; man könnte hier allenfalls an Sterne mit einem Hof denken. Eine Art von Unterstützung würde eine solche Annahme durch die Platte III. C. 8457, Taf. 50 D finden, die uns auf einer Fläche von 19,5 × 46 cm oben und unten je eine gleichartige, gebuckelte Scheibe zeigt, in der Mitte aber eine achtstrahlige Rosette, genau von der Art, wie wir sie bisher so häufig als Beizeichen auf Platten mit menschlichen Figuren und mit Tieren angebracht gefunden haben. Da kann man natürlich vermuten, daß auch hier drei übereinanderstehende Sterne dargestellt sind, von denen der mittlere durch besonders funkelnde Strahlen ausgezeichnet ist.

Unter dieser Voraussetzung, die ich selbstverständlich nicht einmal als eine ernsthafte Hypothese, sondern lediglich als eine persönliche Vermutung zur Diskussion stellen will, könnte man natürlich auch den beiden letzten Stücken dieser Gruppe astralen Charakter zuschreiben und sie auf den gestirnten Himmel beziehen. Das würde zunächst von dem großen Bruckstück Taf. 50, Fig. 1, gelten, das jetzt 33 × 39 cm groß ist, aber mit voller Sicherheit auf eine Platte von 33 cm Breite und etwa 50 cm Höhe ergänzt werden kann. Dazu ist unsere Abbildung natürlich um 90° zu drehen. Erhalten sind zwei richtige große Rosetten von 133 mm Durchmesser und eine gebuckelte Scheibe; drei weitere gleichartige »Sternbilder« sind mit großer Sicherheit zu ergänzen. Das Bruchstück III. C. 8475 (Taf. 50, Fig. 5) zeigt uns nur eine einzige solche Rosette, die mit 106 mm Durchmesser etwas kleiner ist als die beiden auf der vorerwähnten

Platte und deshalb nicht zu ihr gehören kann. Hingegen ist sie nicht unwesentlich größer als die ähnlichen Rosetten, die wir sonst als Beizeichen auf Platten mit Figuren finden, so daß wir sie kaum auf eine derartige Platte beziehen können. Das Bruchstück dürfte also von einer Platte stammen, auf der nur solche Rosetten und ähnliche Dinge vielleicht astraler Art abgebildet waren.

---

10. Kapitel.

Schildförmige durchbrochene Platten.

[Hierzu Taf. 43 B und die Abb. 424 bis 429.]

In diesem Kapitel sind zwei kleine, aber merkwürdige Gruppen von Bildwerken vereinigt, die man vielleicht überhaupt nicht als »Platten« bezeichnen würde, wenn man nicht die vielen Hunderte von wirklichen Platten aus Benin kennen würde. Die Stücke haben alle ausgesprochene Schildform, sind aber im übrigen leicht in zwei Gruppen zu bringen, die technisch und auch zeitlich wesentlich voneinander verschieden sind.

A. Schwere, späte Platten zum Anhängen.

1. Berlin, III. C. 7653, Taf. 43 B. Hängeplatte von der Form eines heraldischen Schildes und vielleicht wirklich in unmittelbarer Anlehnung an ein europäisches Wappenschild entstanden — wenigstens der äußeren Form nach, während der Inhalt durchaus der echten Benin-Kultur angehört. Das unten abgerundete, oben geradlinig begrenzte Stück ist 36 cm breit und 40 cm hoch und hat in der Nähe des oberen Randes auf jeder Seite eine starke, aus dem Kontur vorragende, mitgegossene, runde Öse. Inhaltlich deckt sich die Darstellung durchaus mit der auf der Platte Berlin III. C. 8416, Taf. 43 D, aber sie ist ungleich roher und wohl um mehrere Generationen jünger. In der Mitte ist der dämonische Olokum mit Welsen statt der Beine, aber die Welse sind so sehr stilisiert und verändert, daß man sie kaum als solche erkennen würde, wenn man nicht mit der Entwicklung der ganzen Reihe vertraut wäre; die Bartfäden sind in der Art eines halben Hakenkreuzes gebogen, die Kiemen sind zu einem Halsschmuck mit 12 oder 13 Reihen von zylindrischen Perlen geworden, die Köpfe zu Rhomben, die durch eine Diagonale in zwei Hälften geteilt sind, deren jede durch ein großes Auge fast ausgefüllt ist. Zwischen den beiden Welsen ringelt sich eine Schlange nach unten, die einen Elefantenkopf am Rüssel gepackt hält. Olokum wird in der typischen Art von zwei knienden Begleitern gestützt, die mit ihm die gleiche Tracht gemein haben, nur hat er vor ihnen das auf der Brust gekreuzte Perlgehänge mit dem spindelförmigen Kleinod voraus. Alle drei haben die gleichen Schurze mit zwei Reihen von Flechtbändern; auf der oberen Reihe liegen ringsum sehr rohe Köpfe von langhaarigen Europäern. Eingerahmt ist das Ganze oben von einem geraden Balken, der teilweise glatt, teilweise mit gezöpften Bändern belegt ist und sonst ringsum von einem breiten Flechtbande, das stellenweise doppelt liegt. Auf diesem liegen symmetrisch oben neben den Köpfen der Begleiter ein stilisierter Elefantenkopf, dessen Rüssel in eine Hand mit einem Dreiblatt endet; dann folgt, bis zu völliger Unkenntlichkeit stilisiert und nur aus der Analogie mit Abb. 425 zu erkennen, ein Frosch, dann ein langes Krokodil und wiederum ein Frosch; in der Mitte unten liegt der schon erwähnte Elefantenkopf, den die Schlange am Rüssel gefaßt hält. Diese Elefantenköpfe haben in ihrer abenteuerlichen Umbildung eine Art von Ähnlichkeit mit einem heraldischen Arm und wurden auch von verschiedenen Autoren für einen solchen erklärt, was um so mehr zu entschuldigen ist, als die Köpfe selbst im Verhältnisse zu dem großen, wie ein Ellenbogen im rechten Winkel gebeugten Rüssel sehr klein sind. Die richtige Deutung ergibt sich aber mit voller Sicherheit aus einer Anzahl von Bildwerken, auf denen ganze Elefanten mit einem genau gleich behandelten Kopf und Rüssel dargestellt sind, vgl. z. B. Abb. 463 und 464. In der Höhe der Lendenschurze sind die drei Personen durch ein breites, mit gedrehten Schnüren verziertes Band verbunden, das vermutlich nur gußtechnische Bedeutung hat und wie Stege wirken soll.

2. Dresden, 16 158, siehe Abb. 425. Sehr ähnliches Stück, das man mit dem Berliner verwechseln könnte, wenn man nicht alle Einzelheiten genau vergleichen kann. Der obere Querbalken ist sehr viel schmäler, so daß die *apices* auf den Helmen der drei Personen noch frei über ihn hinausragen, während

sie auf dem Berliner Stück ihn nicht einmal erreichen. Dementsprechend liegen auch die Ösen zum Anhängen oben auf dem Querbalken, nicht seitlich. Die vier Frösche sind weniger verbildet, so daß sie
noch einigermaßen als solche erkennbar sind, und haben auch noch ihre Füße. Die drei Personen haben
Rinderköpfe auf ihren Lendentüchern; Olokum hat keine Schlange zwischen seinen Welsbeinen; der unter

ihm auf dem Flechtband
liegende Elefantenkopf
ist mit dem Ende des
Rüssels nach rechts ge-
wandt statt nach links,
wie auf dem Berliner
Schild.

3. Leipzig, M. f. V.
Ähnliches Stück, von dem
Berliner nur dadurch we-
sentlich unterschieden,
daß sich in der Mitte des
oberen Randes noch ein
mit der Stirn nach unten
gewandter menschlicher
Kopf befindet.

4. Ling-Roth, Great
Benin S. 50, ist Fig. 53
ein viertes, eng verwand-
tes Stück abgebildet, das

Abb. 424. Große schildförmige Platte im
Besitze von Mr. R. K. Granville, 39 cm
hoch (etwa ¹/₆ d. w. Gr.), repr. nach Ling
Roth, Great Benin, p. 50.

Abb. 425. Große schildförmige Platte. Dresden
16158, repr. nach einer Abbildung bei Webster.
Ähnliche Stücke in Berlin (Taf. 43 B) und in
Leipzig. Etwa ¹/₆ d. w. Gr.

hier Abb. 424 zum Vergleiche reproduziert ist. Es steht dem Berliner besonders nahe, nur ist der obere
Balken in seinen oberen zwei Dritteln völlig glatt; auch die seitlichen, den Schild begrenzenden Flechtbänder

reichen nur bis zu seinem unteren Rande.
Der drehrunde Stab zwischen den Beinen
des Olokum scheint hinter dem Schilde
zu liegen und eine spätere Zutat zu sein.
Über die Farbe dieses Stückes ist mir
nichts bekannt, die drei andern sind durch
ihre gleichmäßig hellgrüne Patina, die
sich in solcher Art in Benin sonst niemals
wiederfindet, sehr auffallend. Die Stücke
müssen in ihrer chemischen Zusammensetzung eng übereinstimmen und auch
lange Zeit unter völlig gleichen Umständen
an demselben Orte verwahrt gewesen sein.

Alle diese vier Stücke sind gleichmäßig plump und schwer, auch nahezu
gleichgroß und sind wahrscheinlich von
demselben Menschen gemacht. Über ihren
Zweck und ihre Bedeutung wage ich keine
Vermutung.

5. Berlin, III. C. 19 276, siehe Abb.
426. Bruchstück einer ähnlichen schildförmigen Platte, die viel leichter und
feiner gearbeitet ist, auch wesentlich älter

Abb. 426. Bruchstück einer schildförmigen Platte; dem höheren Alter entsprechend, ist der Elefantenkopf nur wenig stilisiert; bezeichnend für die
vollendete Gußtechnik sind auch die Halsperlen, die ganz frei und so dünn
gegossen waren, daß sie zum größten Teil weggebrochen sind, weshalb die
Gesichter jetzt fast ganz freiliegen. Berlin III. C. 19 276. Etwa ¹/₃ d. w. Gr.

sein dürfte als die vier vorerwähnten Stücke. Von dem Rande mit dem Flechtband ist nur ein
kleines Stück erhalten, doch fehlt nichts Wesentliches, so daß alles mit voller Sicherheit ergänzt
werden könnte; nur über den Stil der Frösche, die vermutlich auch diesem Stücke nicht gefehlt haben,
fehlt jeder Anhalt.

B. Gefensterte schildförmige Platten.

1 und 2. London, Brit. Mus. Nach Erscheinen des Werkes von R. D. hat das Brit. Museum noch die beiden eigenartigen Stücke erworben, die hier Fig. 427 und 428 abgebildet sind. Das erstere hat die Bezeichnung 1900, 7—20. 2, das andere scheint auf der Vorderseite, von der allein ich eine Photographie vor mir habe, keine Signatur zu tragen. Beide Stücke sind untereinander sehr ähnlich und stimmen im Stile mit den besten Benin-Platten der guten Zeit durchaus überein. Sie haben auch das gleiche »Tapetenmuster« auf der Grundfläche. S. 135 unter δ ist bereits bemerkt, wie vollkommen die auf diesen Gebilden dargestellten Personen mit solchen auf Platten übereinstimmen. Es genügt, die Abbildungen auf jener Seite mit denen der Schilde zu vergleichen, um den vollständigen Parallelismus zwischen diesen Typen zu erkennen.

Abb. 427 und 428. Zwei schildförmige Platten, Brit. Museum. Nach von der Leitung des Museums gütigst überlassenen photographischen Originalaufnahmen. Etwa ²/₉ d. w. Gr. Vgl. die Abbildungen auf S. 135.

427

3. Rushmore, P. R. 14, siehe Abb. 429. Ähnliches Stück wie das Fig. 428 abgebildete; bei beiden Personen ist der Hammer abgebrochen, aber mit voller Sicherheit zu ergänzen. So gibt es drei unter sich eng verwandte Stücke mit 9 bzw. 7 verschiedenartig gestalteten Fenstern, die Schildform haben, sich aber inhaltlich und stilistisch nicht von den typischen Benin-Platten unterscheiden. Über die Art ihrer Anbringung und über die Bedeutung der Fenster sind wir nicht unterrichtet P. R. bezeichnet das Stück als »Aegis«, anscheinend weil er es als Hals- oder Brustschmuck betrachtet. Ich glaube nicht, daß ein zwingender Grund für eine solche Auffassung besteht und möchte sie mir nicht zu eigen machen.

4. Anhangsweise sei hier noch eine ganz schlechte Platte erwähnt, die uns 1901 angeboten war, aber nicht erworben wurde; der obere Rand ist nicht gerade, sondern an zwei Stellen ausgebaucht; unter jeder Ausbuchtung befindet sich ein dreieckiges Fenster. Dargestellt sind zwei Personen schlechtesten Stiles. Die Platte ist anscheinend erst nach der Zerstörung von Benin, also nach 1897, gemacht; dabei ist es gleichgültig, ob sie als ungeschickte Fälschung oder nur als törichte Spielerei anzusehen ist.

Abb. 429. Schildförmige Platte, etwa ¹/₆ d. w. Gr., nach P. R. 14.

11. Kapitel.

Große Rundfiguren von Menschen.

[Hierzu Taf. 67 bis 74 und die Abb. 430 bis 452.]

Nachdem nun in den ersten zehn Kapiteln die Platten von Benin behandelt wurden, kommen die in Erz gegossenen runden Bildwerke an die Reihe, zunächst die größeren Figuren von einzelnen Menschen, dann die kleineren Rundfiguren von Menschen und Tieren, die großen, auf einem Sockel vereinigten Gruppen, die Panther und Hähne, die Schlangenköpfe und die großen und mannigfachen Serien von menschlichen Köpfen. Die Reihe der im 11. Kapitel zu besprechenden größeren Rundfiguren beginnen wir natürlich mit den Europäern.

A. Rundfiguren von Europäern.

1. Berlin, III. C. 10 863, siehe Taf. 71. Wenig erfreuliche, späte Figur, die wir 1900 von I. C. Webster erworben haben. In seinem Kataloge 24 findet sich unter Fig. 4 eine Abbildung des damals die Nummer 9795 tragenden Stückes in reiner Vorderansicht; mit Rücksicht darauf habe ich für die Taf. 71 zwei schräge Seitenansichten gewählt.

Auf einem rechteckigen Sockel steht aufrecht, aber mit denselben »weichen« Knien, die schon auf den Taf. 2 abgebildeten Platten so unangenehm auffielen, ein gepanzerter Mann in schießender Stellung und mit an die Schulter erhobener Flinte. Er hat einen kurzen Kinnbart, aber sonst glattes Gesicht; die hohe schmale Nase kennzeichnet ihn als Europäer; um so auffallender ist, daß er barfuß geht und daß seine Beinkleider nur bis an die Knie reichen. Er hat einen Morion-artigen Helm und eine Art Panzer, der denen der Eingeborenen gleichend, die Form eines kurzen Meßgewandes zu haben scheint und über der Magengrube mit Schnüren festgehalten wird. Über die weitere Bekleidung des Mannes ist sich wohl der Verfertiger der Figur selbst nicht klar gewesen; sie macht einen völlig unverstandenen Eindruck, so daß es sich nicht lohnt, die Einzelheiten zu beschreiben; es genügt, auf die Abbildungen zu verweisen. Hingegen ist der Mann mit einem ganzen Arsenal von Waffen versehen, auf deren genaue Wiedergabe sichtlich viel Sorgfalt verwendet wurde. Die bereits erwähnte Flinte hat ein Steinschloß; in der linken Hüftgegend hängt an einem Schulterband ein langes Schwert mit nach oben gebogener Parirstange und einem großen, arg mißverstandenen Korbgefäß; rechts entspricht diesem Schwerte ein breiter Dolch. An den Außenflächen der Oberschenkel hängt je eine Pistole. Auf dem Sockel liegt hinter dem linken Fuße eine langgestielte Armbrust und neben dem rechten eine Art Hellebarde; vorn zwischen den Füßen und ebenso am hinteren Rande der Sockelfläche liegen noch weitere Flinten oder Pistolen; zu beiden Seiten des vorgesetzten linken Fußes liegen rechts 7 und links 6 Kugeln; vor und hinter dem rechten Fuße liegt, sehr nachlässig modelliert, schlecht gegossen und nicht überarbeitet, je ein abgeschlagener menschlicher Kopf.

Die Seitenflächen des Sockels sind von einem breiten Flechtband bedeckt und mit kleinen menschlichen Figuren in hohem Relief geschmückt. Auf der vorderen Fläche ist in jeder Ecke je ein nach links schreitender Europäer mit erhobener Flinte dargestellt, auf der Linken sehen wir zwei Eingeborene, auf der Rechten einen schießenden Europäer und einen Eingeborenen; alle diese sechs kleinen Personen sind gleichmäßig nahe an die seitlichen Ränder der Sockelflächen gerückt, so daß deren Mitte frei bleibt. Völlig ausgefüllt ist dagegen die hintere Fläche; da scheinen auf einem Tische zahlreiche Gegenstände zu stehen, und neben ihm etwas wie eine große Flasche und sieben Bogen (?), doch kommt hier zu der ohnehin schon nachlässigen Ausführung noch ein großer Gußfehler, so daß irgendwelche Einzelheiten nicht zu erkennen sind. An den vier unteren Ecken des Sockels sind starke Ringe angegossen, deren Zweck nicht klar ist. Ähnliche Ringe, auch richtige Handhaben, finden sich aber so häufig auf derartigen Sockeln, daß es kaum angeht, sie als ganz bedeutungslosen Zierrat zu betrachten; vielleicht dienten sie zur Befestigung auf ein Brett; die gelegentlich auftauchende Vermutung, daß sie mit einem Gebrauche zusammenhängen, solche Figuren in feierlichen Umzügen umherzutragen, ist wenig einleuchtend; alle diese Ringe und Handhaben sind tief unter dem Schwerpunkt der Figuren und Gruppen angebracht, so daß diese sich in einem sehr labilen Gleichgewichtszustande befinden würden, wollte man sie mit Benutzung der Ringe umhertragen.

Die Figur selbst ist anscheinend ganz massiv gegossen, nur der Sockel ist hohl; in der Mitte hat er,

Abb. 430.   Rundfigur eines Europäers, Berlin III. C. 20 299.
¹/₃ d. w. Gr. Vgl. die ähnliche Figur Berlin III. C. 10 863, Taf. 71
und die in Dresden, Abb. 431 und 432.

wie fast alle derartigen Sockel von Figuren und Gruppen, eine Art Schacht, für den vielleicht der Vergleich mit einem *impluvium* nicht ganz unpassend wäre; besser als durch eine lange Beschreibung wird der eigenartige Sachverhalt durch einen Vergleich der Tafeln 73, 76, 83, 84 und 85 sowie der Abb. 430, 432, 442, 451, 468 und 470 erläutert; aber noch fehlt eine befriedigende Erklärung. Bei der Beschreibung der andern ähnlichen Figuren und Gruppen wird künftighin der Kürze wegen und in Ermangelung eines besseren Wortes dieses *impluvium*-ähnliche Gebilde als »Schacht« bezeichnet werden. Wendet man die Figur um, so daß die Höhlung des Sockels sichtbar wird, so sieht man die starken eisernen Nägel, durch die der Gußkern in seiner Stellung erhalten war und sechs Stellen für den Einguß des Erzes. Das ganze Stück ist 47 cm hoch.

2. Berlin, III. C. 20 299, siehe Abb. 430 Ähnliche Figur, 38,5 cm hoch, auf einem etwas niedrigeren und nur mit einem Flechtband geschmückten Sockel; Tracht und Haltung de-Mannes stimmen mit dem von Nr. 1 durchaus überein; nur ist die Arbeit im ganzen sorgfältigers besonders das Schwert gestattet eine genaue Da; tierung. In Westeuropa würde man es in die Zeit um 1600 setzen. Die kurze Flinte ist ganz erhalten; am Ende des Laufes ist sogar ein »Absehen« angebracht, dagegen ist das Schloß nur ganz unverstanden wiedergegeben; man kann nicht mit Sicherheit entscheiden, ob ein Lunten- oder ein Steinschloß als Vorlage gedient hatte. Die bei Nr. 1 auf der Außenseite der Schenkel hängenden Pistolen sind bei dieser Figur nicht vorhanden, wie ja auch der Sockel wesentlich ein-facher behandelt ist; nur auf seiner oberen Hälfte liegt eine Armbrust und eine Art Sponton.

3. Dresden, 16 604, siehe Abb. 431 und 432. Eine dritte Figur derselben Art, am meisten mit Nr. 1 stimmend, noch überladener und reicher an Beiwerk, aber stilistisch nicht besser. Auf der oberen Fläche des Sockels liegt ein anscheinend Erschlagener, links ein Sponton, rechts eine Armbrust und in jeder Ecke ein menschlicher Kopf mit dem Gesicht nach oben. Auf der Vorderseite des Sockels in sehr hohem Relief vier Europäer, der erste von links gezählt mit einem Geldring, der zweite aus einer sehr großen vierkanti-gen Flasche in einen runden, bauchigen Henkelkrug gießend, den der dritte hält; der vierte scheint den andern zuzusehen; alle vier stehen schräg, gegen die Mitte zu geneigt, vielleicht nur, um mit ihrer ganzen Höhe auf der Sockelwand Platz zu haben, vielleicht weil sie trunken dargestellt sein sollen: »Schief ge-laden« hörte ich einmal einen Matrosen sagen, der sich die Figur besah, während ich an dem Schranke arbeitete. Auch auf den drei andern Seitenflächen sind menschliche Figuren angebracht, aber so un-deutlich, daß sich ein näheres Eingehen nicht lohnen würde; zwei Leute auf der hinteren Seite scheinen Vögel zu schießen.

4. Rushmore, P. R. 84/85. Eine vierte gleichartige Figur, am meisten der dritten gleichend, aber sehr viel nachlässiger gearbeitet. Nur daß die Flinte in den Händen des Mannes ein richtiges Steinschloß hat, läßt sich gut feststellen. So gibt es vier Exemplare einer Figur, von denen Nr. 2 durch den ein-fachen Sockel etwas aus der Reihe fällt, während die drei andern nur durch das unwesentliche Beiwerk voneinander unterschieden sind.

Abb. 431 und 432. Zwei Ansichten einer Rundfigur, Dresden 16604. Die Photographien habe ich durch Vermittlung des Brit. Museums für die Zwecke dieses Buches herstellen lassen, als das Stück sich noch in der Sammlung von Capt. Campbell befunden. Etwa ¹/₃ d. w. Gr. Eine Federzeichnung derselben Figur und ihres Schwertes ist bereits bei Ling Roth, G. B., S. 10, veröffentlicht.

B. Große Rundfiguren eines Mannes mit Schnurrhaaren.

Bei der Beschreibung mehrerer Platten sind bereits Personen erwähnt worden, die im Gesicht, von den Mundwinkeln ausgehend, jederseits drei erhabene Striche oder dünne Streifen haben, die man nur mit den Schnurrhaaren eines Panthers vergleichen kann. Diese selben Leute sind nun auch durch eine ganz bestimmte hutähnliche, aber mit einem gitterartig durchbrochenen Streifen versehene Kopfbedeckung ausgezeichnet sowie durch ein um den Hals getragenes Kreuz und eine Art Spitzenkragen. In der linken Hand halten sie einen Hammer, in der rechten einen Stab, oder haben wenigstens ursprünglich diese beiden Attribute gehabt, die freilich bei mehreren dieser Figuren verloren gegangen oder beschädigt sind, aber mit Sicherheit ergänzt werden können. Am schönsten unter allen Platten mit solchen Personen ist das gefensterte Schild, das eben S. 286 besprochen und Fig. 428 abgebildet wurde. Es ist nötig, sich dieses Stückes mit seinen zwei unter sich durchaus gleich ausgestatteten Leuten bewußt zu bleiben, weil man sonst leicht Gefahr läuft, die Rundfiguren, mit denen wir uns jetzt zu beschäftigen haben, auf eine einzige bestimmte Person zu beziehen. Ich kenne jetzt sechs solche Rundfiguren, die freilich zeitlich und stilistisch stark auseinandergehen, inhaltlich aber eng untereinander verwandt sind. Da die gleichen Personen nicht nur auf der eben erwähnten, Fig. 428 abgebildeten Platte, sondern auch auf den merkwürdigen Gruppen mit feierlichen Umzügen, die wir im Kap. 13 kennen lernen werden, paarweise vorkommen, ist es ausgeschlossen, daß wir die großen Rundfiguren etwa als Porträts eines bestimmten Königs betrachten dürfen; es liegt vielmehr nahe, sich vorzustellen, daß auch sie paarweise zusammengehören. Einstweilen sollen aber die uns erhaltenen sechs Figuren hier in derselben alphabetischen Folge aufgezählt werden, die in diesem Bande durchweg innegehalten ist; drei von ihnen sind auf einer kleinen Momentaufnahme zu erkennen, die hier Fig. 435 vergrößert reproduziert ist.

1. Berlin, III. C. 8088, Taf. 68. Soweit erhalten, 54 cm hoch. Die guten Abbildungen machen eine Beschreibung aller Einzelheiten völlig entbehrlich; im übrigen würde Hegers sehr ausführliche Beschreibung der Wiener Figur mutatis mutandis auch auf die übrigen Stücke dieser Gattung zutreffen. Das um den Hals getragene Kreuz dürfte wohl wirklich der portugiesische Christusorden sein, ebenso ist wahrscheinlich der spitzenartige Umhang europäischen Ursprungs; er würde wenigstens in Benin und sonst in Westafrika ganz ohne Analogie sein. Ganz eigenartig ist auch die Verzierung des Lenden-

tuches mit einer großen Zahl von menschlichen Gesichtern, in Vorderansicht aber mit kolbenhalsartig ausgezogenem Hinterkopf. Beide Füße sind abgebrochen, ebenso das obere Stück des Hammers; dessen Griff ist in der typischen Art am Ende zu einer Scheibe verbreitert; hier ist diese besonders sorgfältig gearbeitet und mit eingeschlagenen Kreisen verziert.

2. Berlin, III. C. 20297, siehe Abb. 433. 63,5 cm hoch; der vorigen Figur in allen Einzelheiten gleichend, aber roh und wenig sorgfältig gearbeitet; anscheinend jünger.

3. Dresden, 16148, siehe Abb. 434. Ähnliche Figur, aber ungleich schöner und besser gearbeitet auch als Nr. 1. Im allgemeinen sonst auch in den Einzelheiten völlig gleich, nur sind die Europäerköpfe des Lendentuches in Seitenansicht und mit einem breitkrempigen Hut oder Helm dargestel t; ebenso sind die Enden des Gürtels einfach mit Fransen besetzt, wie bei der Fig. Nr. 6, Wien, und nicht als Schlangenköpfe stilisiert, wie bei den vier andern Figuren dieser Gruppe.

4. Rushmore, P. R. 90/91. Ähnliche Figur, aber von geradezu abstoßender Roheit; 57 cm hoch.

Abb. 433 und 434. Zwei Rundfiguren; Berlin, III. C. 20297 und Dresden 16148, vgl. Berlin, III. C. 8088 auf Taf. 68. Etwa 1/5 d. w. Gr. Abb. 434 nach einer Photographie von Webster.

5. Rushmore, P. R. 293/294. Ähnliche Figur, etwas weniger roh, aber immer noch schlecht genug; gleichfalls 57 cm hoch, aber trotz dieser Übereinstimmung mit dem vorigen Stücke nicht etwa ein Paar bildend, da stilistisch zu weit von ihm entfernt. P. R. spricht von dem Hammer dieser Figur als »a socalled key«; ich weiß nicht, wieso jemand dazu kam, das Gerät für einen Schlüssel zu halten. Es kann nicht der geringste Zweifel darüber sein, daß es ein Hammer ist. Genau so sieht noch heute der typische Schmiedehammer in vielen westafrikanischen Gebieten aus.

6. Wien, 64747, Heger 1916, Nr. 46. Ein Stück von allergrößter Schönheit, nur mit dem in Dresden zu vergleichen, mit dem es vermutlich ein wirkliches Paar bildet; beide Stücke sind 61 cm hoch und haben alle Einzelheiten miteinander völlig gemein, auch die in Seitenansicht dargestellten Europäerköpfe mit den großen Hüten oder Helmen. Auffallend ist auch bei diesem wie bei den andern Figuren

dieser Gruppe die sehr schematische Behandlung der Füße mit starker Übertreibung der freilich den Negern schon an sich eigenen Ausladung des langen Fersenbeins nach hinten. Hoffentlich werden von

beiden Stücken, dem Wiener und dem Dresdener, bald Abgüsse ausgetauscht, damit es möglich wird, sie genau zu vergleichen und als richtiges Paar aufzustellen.

Das anscheinend paarweise Vorkommen dieser Figuren läßt vermuten, daß sie zu ganz großen Gruppen gehörten, die ähnlich wie die später zu besprechenden Gruppen auf Sockeln einen feierlichen Umzug darstellten. Vielleicht gehörten auch die Querhornbläser vom Typus der Taf. 72 abgebildeten Figur und die Wiener Phokomelen (Abb. 445/446) zu solchen großen Gruppen.

Inzwischen hat jeder Versuch, etwas über die wahre Bedeutung unserer Figuren mit dem Hammer, dem Hut, dem Spitzenkragen, dem Kreuz usw. zu ermitteln, von den Schnurrhaaren auszugehen. Da kommen uns aber große Figuren zu Hilfe, die aus dem benachbarten Dahome stammen und etwas Licht in ein sonst sehr dunkles Kapitel westafrikanischer Kunstgeschichte werfen. Das ethnographische Museum am Trocadéro besitzt drei fast lebensgroß aus Holz geschnitzte Statuen von Geso, Glé-glé und Béhanzin, den drei letzten Königen von Dahome. Diese sehr merkwürdigen Figuren waren bei der endgültigen Niederwerfung Béhanzins in die Hände des Siegers, General Dodds[1]), gefallen und sind von ihm dem Museum am Trocadéro geschenkt worden. Dank einer sehr gütigen Erlaubnis meines seither leider verstorbenen Kollegen Hamy durfte ich sie für dieses Buch photographieren lassen und kann sie hier, Fig. 436, abbilden. Nur einer

a   b   c   d   e

Abb. 435. Bronzefiguren aus der Kriegsbeute von Benin; phot. Aufnahme von Dr. Allmann am Tage nach der Einnahme der Stadt; vergrößert nach Ling Roth, Great Benin, Fig. 255. Von den fünf nebeneinander stehenden Figuren ist die erste — a — anscheinend die jetzt in Dresden befindliche, die hier Fig. 434 abgebildet ist; die mit c und d bezeichneten Figuren sind die mikromelen Zwerge der Wiener Sammlung, die hier Fig. 445 und 446 abgebildet sind; b und e sind nicht mit voller Sicherheit zu identifizieren; anscheinend sind es die hier unter Nr. 4 und 6 aufgezählten Stücke. Der lange Stab, den b zu halten scheint, hat nichts mit ihr zu tun und steht im Vordergrunde.

Abb. 436. Drei etwa lebensgroße bemalte Holzfiguren der Könige Geso, Glé-glé und Béhanzin von Dahome; Geschenk des General Dodds an das Museum im Trocadéro.

[1]) Es ist in Deutschland und merkwürdigerweise auch bei den Negern in den Vereinigten Staaten nicht allgemein bekannt, daß dieser ausgezeichnete und hochbegabte General, dem die Franzosen die Eroberung von Dahome verdanken, an der jahrelang seine weißen Vorgänger gescheitert waren, selbst farbiges Blut hatte: seine Mutter war eine Farbige aus St. Louis am Senegal gewesen. Es scheint mir gegen die Neger gerecht und auch sonst nicht ganz unnütz zu sein, diese Tatsache, die sich nur in der älteren französischen Kolonialtradition erhalten hat, der Vergessenheit zu entziehen. Dodds ist 1842 am Sénégal geboren; ein gutes Bild von ihm befindet sich bei Médard, Brunet und Siffert, Section de Dahomey, Expos. Univ. 1900, S. 101.

der drei Herrscher, Geso, ist in vollkommen menschlicher Gestalt dargestellt, die beiden andern haben nur Arme und Beine wie Menschen, aber der eine, Glé-glé, hat den Oberkörper und Kopf eines Panthers, der andere, Béhanzin, Kopf und Leib eines Haifisches. Um das zu verstehen, muß man wissen, daß der eine von seinen Untertanen und von seinen Nachbarn den Beinamen Panther = *glegle* oder »Löwe der Löwen« erhalten hatte und der andere zwar angeblich Ado-Ado (??) hieß, aber wegen seiner furchtbaren Macht und vielleicht auch wegen seiner Gefräßigkeit den Beinamen *Gbédassè* = Haifisch führte, welches Wort freilich den Franzosen so unaussprechlich schien, daß sie daraus »Béhanzin« bildeten, in welcher Form der Name des letzten Königs von Dahome nunmehr in der Geschichte oder wenigstens in der Kolonialgeschichte fortleben wird. Wenn wir aber nun wissen, daß in Dahome große Statuen der Könige gefertigt wurden, die sie nicht in rein menschlicher Gestalt,

Abb. 437. Lebensgroße, aus Eisen geschmiedete Figur des Kriegsgottes (»Genie de la victoire«) von Dahome. Trocadéro.

sondern mit tierischen Attributen darstellten, die auf ihren Beinamen Bezug hatten, so könnten wir uns leicht auch von Benin denken, daß die dortigen Erzkünstler einen ihrer eigenen Herrscher, der etwa wegen seiner Kraft und Gewandtheit den Ehrennamen »Panther« führte, noch zu seinen Lebzeiten und vielleicht noch viele Generationen später immer wieder mit den Schnurrhaaren eines Panthers darstellten. Wäre diese Vermutung zutreffend, müßten wir erwarten, in den alten portugiesischen Kolonialarchiven noch den wirklichen Namen, die Regierungszeit und die Geschichte jenes Königs von Benin zu ermitteln, der den Beinamen »Panther« führte und von Portugal mit dem Christusorden ausgezeichnet wurde. Gegen eine solche Erwartung spricht nun das paarweise Auftreten dieser Persönlichkeit auf einer Benin-Platte und auf einigen Sockelgruppen. Es wäre nicht unmöglich, unter diesen Umständen an die Söhne eines solchen Herrschers zu denken, die denselben Ehrennamen »Panther« führten und bei feierlichen Anlässen in einer bestimmt vorgeschriebenen Tracht und mit dem Christusorden zu erscheinen hatten. Ungleich wahrscheinlicher ist freilich ein rein kultischer und religiöser Zusammenhang. Aus sehr zahlreichen Bildwerken (vgl. u. a. die Abbildungen 167 und 168 auf S. 92 sowie die Tafeln 15 und 43 D) müssen wir auf die große religiöse Bedeutung des Panthers schließen; noch mehr wie. das neolithische Steinbeil, das Krokodil, die Puffotter, das Chamäleon und der Elefant sind Wels und Panther Gegenstand kultischer Verehrung gewesen; inwieweit dabei auch totemistische Vorstellungen mit hineinspielten, ist uns gegenwärtig noch nicht bekannt, aber aus den verwandten Verhältnissen, besonders auch bei den Aschanti, in Yoruba und in Togo, können wir mit einiger Sicherheit darauf schließen, daß auch in Benin religiöse Organisationen und wirkliche Priesterschaften vorhanden waren, die dem Kulte der verschiedenen Götter und Dämonen zu dienen oder ihn zu leiten hatten. So werden wir nicht fehlgehen, wenn wir unseren Figuren mit den Schnurrhaaren eines Panthers religiöse Bedeutung zuschreiben.

In diesem Zusammenhang mag hier auch die lebensgroße, von Kapitän Fonssagrive nach dem Trocadéro gesandte, aus Eisen geschmiedete Statue des Kriegsgottes von Dahome genannt werden, die hier Fig. 437 abgebildet ist. Sie ist sicher mehr technisch als künstlerisch hervorragend, aber wissenschaftlich durch den Vergleich mit verwandten Darstellungen in Benin sehr lehrreich.

C. Große Rundfiguren von Musikern mit Querhorn.

S. 192 ist ausgeführt, daß die auf den Platten dargestellten Musiker mit einem Querhorn zweierlei Tracht haben. Auf vier Platten erscheinen sie mit einer Art schmalem Poncho, der die Seiten des Rumpfes freilassend, sich unter dem Gürtel und unter den Lendentüchern verliert, während diese Tücher selbst von der üblichen Form und unsymmetrisch mit links hoch aufragendem Zipfel sind. Auf vier andern Platten hingegen haben solche Musiker nackten Oberkörper, aber dafür einen höchst eigenartigen Schurz, der bei flüchtiger Betrachtung aus fünf oder sechs in der Art eines Pantherfelles gemusterten Lappen zu bestehen scheint; auf diesen vier Platten haben die Musiker glatte Topfhelme, auf den vier andern sind die Helme in Mustern geflochten. Dieser selbe Unterschied nun findet sich in völlig gleicher Art auch bei den großen Rundfiguren, die wir jetzt zu besprechen haben. Ich kenne deren vier:

1. Berlin, III. C. 13 136, Taf. 72. Gut erhaltene Figur, 62,5 cm hoch, von mittelmäßiger Arbeit, mit sehr zahlreichen, ganz kleinen Gußfehlern, zu deren Ausbesserung kein Versuch gemacht ist. Der Mann hat den oben beschriebenen Poncho und die üblichen Lendentücher. Ungefähr in der Gegend der linken Brustwarze liegt auf dem gemusterten Poncho eine runde, flach gewölbte Scheibe, die so aus-

sieht, als hätte sich die Brustwarze durch das Kleidungsstück durchgerieben; dergleichen kommt in Wirklichkeit vor, aber es liegt nicht im Wesen der Benin-Kunst, es darzustellen; so wird wohl nur ein Gußfehler vorliegen. Das Querhorn ist auffallend gerade, sehr schlank und so lang, daß es nach den Körpermaßen seines Besitzers gerechnet auf etwa 1 m zu schätzen wäre; in der Nähe der Schallöffnung hat es einige schmale Streifen mit Strich- und Dreieckmustern; das andere Ende ist flach und so verjüngt, als hätte etwa die Absicht bestanden, es zu einem Krokodilkopf zu gestalten; es ist aber ganz roh geblieben. Unter den einge-

Abb. 438. Musiker mit Querhorn. ¹/₆ d. w. Gr. Repr. nach Pitt Rivers 374/5. Große Rundfigur; ungewöhnliche Ziernarben in der Schläfengegend, Schurz aus Pantherfell mit Kante aus Federn. Vgl. Berlin, III. C. 13 136, Taf. 72.

Abb. 439. Musiker mit Querhorn. Dresden 16 147, nach einer Photographie von Webster. Etwa ¹/₄ d. w. Gr.

punzten Verzierungen der Lendentücher ist ein Europäerkopf mit langen Haaren in Vorderansicht und ein menschlicher Arm mit einer ungewöhnlich rohen und verzeichneten Hand hervorzuheben. Als Gürtelschmuck dient eine Panthermaske.

2. London, Brit. Museum, siehe die Abb. in »Man«, III, 1903, p. 185. Ganz gleichartige Figur, etwa 69 cm hoch, von der eben erwähnten Berliner in keinem wesentlichen Punkte unterschieden, vielleicht etwas weniger roh. Der ganze linke Arm ist abgebrochen; so ist auch von dem mit Sicherheit anzunehmenden Querhorn nur ein ganz kleiner Rest am Munde der Figur erhalten geblieben.

3. Dresden, 16 147, siehe die Abb. 439. Ausgezeichnet schöne Figur, die den Taf. 39 B und C sowie Fig. 316 abgebildeten Platten entspricht und deren ganz eigenartige Tracht erst verständlich macht; es handelt sich um ein richtiges Pantherfell, das in ähnlicher Art um die Hüften befestigt ist, wie es sonst

von den Schultern herabhängt, so daß also ein Ausschnitt in der Mitte des Felles, der sonst für den Kopf
dient, für den Durchtritt des ganzen Leibes erweitert werden mußte. So sieht man in der Ansicht von
vorn den vorderen Teil des Felles herabhängen und in jeder Seitenansicht je ein Vorder und ein Hinterbein. Eingefaßt ist das ganze Fell ringsum mit einem Besatze von Federn, und festgehalten wird es durch
einen mit runden Scheiben verzierten Gürtel, dessen mit kurzen Fransen geschmückte Enden vorn unter-
geschlagen sind und zu beiden Seiten, gleichweit von der Körpermitte entfernt, sichtbar werden. Schon
auf dieser Figur ist diese Tracht etwas stilisiert dargestellt, so daß sie nicht auf den ersten Blick richtig
gedeutet werden kann; auf den Platten ist die Stilisierung dann noch weiter fortgeführt, so daß bei diesen
das Fell schon in einzelne getrennte Lappen zerfallen erscheint.

Der Oberkörper ist unbekleidet, den Kopf bedeckt eine enganliegende Helmkappe mit Randwulst.
Um den Hals liegen, den Kropfperlen entsprechend, acht oder zehn Reihen von dicht anliegenden Schnüren
mit ganz kleinen Perlen, dann in etwa zwei querfingerbreitem Abstand eine einzelne, etwas losere Perlschnur; außerdem hängt von den Schultern noch ein symmetrisches Gehänge mit vier Perlschnüren herab.
Um den Oberarm liegen jederseits zwei, um das Handgelenk jederseits vier anscheinend geflochtene
Reifen. Das lange, fast gerade Querhorn ist in seiner ganzen Ausdehnung mit eingepunzten Verzierungen
geschmückt und (wie auf einigen Platten) an zwei Stellen mit einem Kranze von Ringen versehen. Ganz
besonders auffallend aber sind drei erhabene Linien oder Streifen, die beiderseits von den äußeren Augenwinkeln über die Schläfen gegen die Ohren hin divergieren, ähnlich wie bei den Figuren der Gruppe B
die Schnurrhaare von den Mundwinkeln aus. Ein gleichartiges Zeichen haben wir median über der Nasenwurzel eines ähnlich ausgestatteten Hornisten auf der Platte Taf. 39 B bereits kennen gelernt. Außerdem
findet sich eine große, flache, leicht erhabene, kreisrunde Scheibe oberhalb der Nasenwurzel, vielleicht
ein vom Haarrande herabhängendes Schmuckstück, vielleicht nur Bemalung vorstellend. Eine gleiche
Scheibe hat der in denselben Kreis gehörige Querhornbläser auf der Berliner Platte Taf. 39 C, während
der gleichausgestattete Hornist auf Taf. 39 B median über der Nasenwurzel nach ihm divergierend dieselben divergierenden drei Streifen hat, wie sie auf der Dresdener Figur von den Augenwinkeln ausgehen.
Über das Wesen und die Bedeutung dieser Zeichen bin ich ganz unwissend. Der rechte Fuß dieser sonst
tadellos erhaltenen Figur ist abgebrochen und nicht vorhanden.

4. Rushmore, P. R. 374/375, siehe Abb. 438. Diese 53 cm hohe Figur ist der eben behandelten
Dresdener so ähnlich, daß deren Beschreibung wörtlich auch für sie zutrifft. Tatsächlich haben beide
Figuren eine Anzahl von Einzelheiten nebeneinander gemein, die sonst überhaupt nicht in solcher Art
vorkommen. Ich kann zwischen ihnen nur zwei ganz unwesentliche Unterschiede wahrnehmen. Auf
dem Gürtel der Dresdener Figur sind die Scheiben etwas anders verteilt als auf der von P. R.; ebenso
sind auf jener nur die Augen des Panthers auf dem Schurze in Relief ausgeführt, auf dieser auch die Ohren,
die Schnurrhaare und der Mund. An sich würden solche Unterschiede uns nicht hindern, die beiden
Figuren als wirkliche Gegenstücke und als zu einem Paare gehörig zu betrachten — aber ich bin nicht
völlig sicher, ob sie stilistisch wirklich zusammen gehören; ich bin selbst niemals in Rushmore gewesen
und kenne die Figur nur nach der ganz ungenügenden Abbildung von P. R., die hier Fig. 438 reproduziert
ist; nach dieser scheint sie auf einer nicht ganz so hohen Stufe zu stehen wie die Dresdener, aber das
mag an der dürftigen Wiedergabe liegen. Ein äußerlicher Umstand vergrößert noch die Ähnlichkeit
zwischen beiden Stücken; beiden fehlt der rechte Fuß. Bei dem von P. R. steht aus dem Stumpe noch
ein dicker, wie ich annehme, eiserner Nagel heraus; vermutlich waren beide Figuren mit dem rechten
Fuß auf Sockelplatten gesetzt gewesen, von denen man sie gewaltsam abgebrochen hat. Die Berliner
Sammlung besitzt als III. C. 8757 einen rechten Fuß einer ähnlichen Figur; er ist 16,5 cm lang und gehört
zu keiner dieser beiden Figuren.

D. Rundfiguren mit Ebere-Schleife am Scheitel.

In zehn oder elf Repliken existiert ein Bildwerk, für das ich von vornherein auf die Abbildungen
440 und 441 verweise. Es handelt sich um männliche Figuren, von deren rund 60 cm betragenden Höhe
fast die Hälfte auf eine mächtige, kreisrunde Schleife entfällt, die in einer sagittalen Ebene auf dem Kopfe
ruht oder aus ihm emporwächst. Zu dieser Schleife gehört regelmäßig noch ein dicker, zylindrischer, oben
mit einer kleinen, runden Scheibe abgeschlossener Dorn, dessen Oberfläche so behandelt ist, als wäre er
aus feinem Draht geflochten — man erkennt sofort, daß beide, Schleife und Dorn, von dem typischen
Ebere entlehnt sind. So liegt es nahe, in diesen Figuren gleichsam eine Personifikation des Zeremonial-

schwertes zu erkennen. Es gibt zwei »Überlieferungen« über ihre Bedeutung; die eine will wissen, daß sie den »Kriegsgott« darstellen, die andere, daß sie eine Reihe von aufeinanderfolgenden Benin-Königen repräsentieren. Beide Überlieferungen gehen auf Teilnehmer der Expedition von 1897 zurück und sind in keiner Weise ernst zu nehmen; die eine stammt von jemandem, der das Ebere für eine Kriegswaffe hielt, was es niemals war, und die andere wohl von irgendeinem unwissenden Eingebornen, der eine ihm unbequeme Frage möglichst rasch und einfach beantworten wollte. In meinen persönlichen Museumsnotizen, also für den ganz internen Gebrauch, hatte ich die Figur als »Ebere-Gott« bezeichnet, natürlich ohne

irgendeine Sicherheit für die göttliche Natur des Trägers der Ebereschleife. Ich würde jetzt lieben »Ebere-König« schreiben und denke an eine entfernte Möglichkeit, daß diese Figuren alle einen bestimmten König vorstellten, der den Beinamen Ebere führte. Daß kein solcher Name in den uns überlieferten Königslisten erscheint, wäre an sich kein Grund gegen eine solche Vermutung; die überlieferten Namen sind noch nicht linguistisch untersucht und niemals auf ihre Bedeutung und richtige Schreibweise geprüft worden; auch wissen wir nicht, ob sie die ursprünglichen oder die Beinamen enthalten, und ebenso sind wir ja auch über die richtige Aussprache und Schreibweise des Wortes »Ebere« völlig unwissend. Ich habe das von Herrn Cyril Punch mitgeteilte Wort übernommen, weil es kurz und einfach einen Begriff

Abb. 440. Bronzefigur. Brit. Museum. Etwa ¼ d. w. Gr.

Abb. 441. Drei Ansichten einer Bronzefigur. P. R. 232/3/4. Etwa ⅙ d. w. Gr.

deckt, der sonst nur durch eine lange Beschreibung oder eine Abbildung oder durch ein vielleicht noch weniger gesichertes Wort zu fassen wäre. Aber »Gott« oder »König« — eines ist sicher, daß der Träger dieser Schleife in der denkbar »vornehmsten« und reichsten Art mit Perlen geschmückt und behängt ist. Zwischen den einzelnen Exemplaren bestehen nur kleine Unterschiede; im wesentlichen haben sie alle die üblichen Kropfperlen, dann grobmaschig genetzte Ärmel, zweierlei gekreuzte Paare von Bandelieren, ein schmales und ein breites, zwei »Kleinode« und, was bei andern Figuren überhaupt nicht beobachtet wird, zwei quer über die Brust verlaufende Systeme von Perlschnüren, eines unmittelbar unter den Achsel-

_____

[1] Einem Autor ist dieser Zusammenhang allerdings entgangen; er spricht von der Schleife »as if intended to enclose some thick band of cloth or other substance to suspend it« und vergleicht den Dorn wenig zutreffend mit dem (von mir als *apex* bezeichneten) Stab auf dem Perlhelm der dämonischen Personen in der Art der auf Taf. 43 abgebildeten.

höhlen, das andere etwa handbreit tiefer. Ganz besonders typisch für alle diese Figuren sind auch die Köpfe, die in allen Einzelheiten ihrer Tracht, besonders durch die in der Fläche nach vorn gekrümmten »Flügel« und durch die weit ausladenden »Bügel«, durchaus mit den großen Köpfen übereinstimmen, die in Kap. 19 beschrieben werden sollen und für die einstweilen auf Taf. 59 verwiesen wird. Eigenartig ist auch die Behandlung der Lendentücher; sie entsprechen im allgemeinen dem gewöhnlichen, unsymmetrischen Typus mit dem links aufragenden Zipfel, aber ihre Verzierungen — Flechtbänder, Europäerköpfe und dergleichen — sind alle schon im Wachsmodell im Relief gearbeitet und erscheinen daher auch an den fertigen Stücken erhaben, während auf den Platten nur in seltenen Ausnahmefällen einmal das unterste Flechtband erhaben gegossen ist und alle andern Muster erst nach dem Guß eingepunzt sind; auch sind die Lendentücher selbst stets ganz einfach umgelegt, so daß sie zunächst eher wie sehr kurze Röcke wirken und man erst bei näherem Zusehen erkennt, daß sie einen hohen Zipfel haben. An Stelle des Gürtels findet sich bei sämtlichen Stücken ein Band mit dicht nebeneinanderhängenden kegelförmigen Glocken, ähnlich denen auf Taf. 25 B; bei einigen ist dieses Band links noch mit einer menschlichen Maske geschmückt.

Als regelmäßige Attribute halten diese Figuren in der rechten Hand ein mit einer der Flächen nach vorn gewandtes Ebere, das seinerseits wieder auf jeder der zwei Flächen mit je drei Paaren von gleichen kleinen Zeremonialschwertern verziert ist und in der linken nicht »a goblet«, wie mehrfach gesagt wird, sondern eine reich verzierte Zeremonialglocke, die mit ihren weit ausladenden Vorsprüngen auch als Axt dienen könnte. Auf dem Londoner Exemplar ist das Ebere ganz, auf dem Hamburger zum Teil abgebrochen, auf beiden diesen scheint auch die linke Hand von vornherein leer gewesen zu sein. Für die Zeremonialglocken der übrigen verweise ich auf Kap. 48; hier sei nur bemerkt, daß die Mehrzahl von ihnen mit Menschen- und Pantherköpfen sowie auf der vorderen Fläche mit einer menschlichen, durch Hut, Stab und Hammer ausgezeichneten Figur geschmückt ist. Noch ist festzustellen, daß die meisten dieser Eberefiguren unten einen langen Bronzedorn haben, mit dem sie auf einer Basis befestigt waren. Dies würde allein schon die gelegentlich geäußerte Vermutung hinfällig machen, daß die großen Schleifen nur als Handhaben aufzufassen seien und beweist, was freilich schon an sich jedem Einsichtigen klar sein sollte, daß sie wesentliche Bestandteile der Figuren sind.

Von diesen merkwürdigen Bildwerken nun sind ursprünglich vier Repliken nach Chicago und ebensoviele nach Liverpool gelangt. Von den ersteren weiß ich nur aus einer gelegentlichen mündlichen Mitteilung von Herrn Dorsey; ich habe sie, als ich 1914 in Chicago war, nicht mehr zu sehen bekommen; die vier Stücke in Liverpool sind im »Bull. of the Liverpool Museums«, vol. I, p. 59 ff., beschrieben und abgebildet; eines von diesen, das dort Fig. 10 abgebildete, ist später von General Pitt-Rivers erworben und von ihm Fig. 232/233/234 abgebildet worden. Ob sich die drei andern Stücke noch alle in Liverpool befinden, weiß ich nicht. Nach meinen Aufzeichnungen sollen jetzt vorhanden sein in Chicago 4 und in Liverpool 3 Exemplare sowie je eines in Dresden, Hamburg, London und Rushmore. Die beiden letzteren Stücke sind hier Fig. 440 und 441 abgebildet, das Londoner, soviel ich weiß, jetzt zum erstenmal, da es erst nach Herausgabe des Werkes von R. D. in das Brit. Museum gelangte. Es scheint das am besten gearbeitete Stück der ganzen Reihe zu sein. Von dem Hamburger Exemplar, C. 2327, ist die ganze Schleife abgebrochen und mit der H. Bey-Sammlung schon 1898 nach Berlin gelangt, wo sie als III. C. 8517 katalogisiert ist. Vermutlich wird sie früher oder später im Original oder in einer Nachbildung wieder mit der zugehörigen Figur vereinigt werden und deren Wert als Schaustück dadurch um ein Vielfaches erhöhen. Das Exemplar Webster 9742, von dem in W.s Katalog 24 auf Taf. 1 zwei große Abbildungen gegeben sind, ist jetzt in Dresden (16 161). Seine Zeremonialglocke ist durch schöne Pantherköpfe ausgezeichnet, sonst gehört das Stück nicht zu den besten der ganzen Gruppe. Die Frage, ob die sämtlichen zehn oder mehr Repliken dieser Figur aus derselben Zeit und aus derselben Werkstatt stammen, ist naheliegend genug; sie läßt sich aber ohne genaueres Studium der einzelnen Stücke, das gegenwärtig unmöglich ist, nicht mit Sicherheit beantworten; inzwischen möchte ich vermuten, daß das Londoner Stück etwas älter, das in Dresden etwas jünger scheint als die übrigen; aber um mehr als einige Jahrzehnte dürften sie kaum auseinanderliegen. Das Hamburger Museum besitzt noch eine weitere Figur, C. 2436, mit einer ähnlichen Menge von Perlschnüren, aber ohne besonderes Interesse; sie hält in der Rechten ein Ebere, das einmal abgebrochen war und in plumper Art durch Umgießen mit flüssigem Erz wieder befestigt wurde. Am Scheitel hat diese Figur eine kegelförmige Vertiefung, deren Zweck unbekannt ist.

E. Reiter.

1. Berlin, III. C. 17 117, Taf. 73. Diese 59 cm hohe Rundfigur erinnert durchaus an die S. 174 abgebildete Wiener Platte; hier wie dort ist in auffallend unbeholfener und zurückgelehnter Haltung ein Reiter dargestellt, dessen Tracht, Kopfbedeckung und Ohrschmuck ihn als einen Fremden, als nicht aus Benin stammend, kennzeichnet; auch reitet der Mann »rittlings«, nicht im Seitensitz wie die Benin-Leute; da es mehrere alte Repliken dieses Bildwerkes gibt, muß der Reiter von einiger Bedeutung für Benin gewesen sein; die breite Nase kennzeichnet ihn als Neger, und so werden wir ihn wohl für einen vornehmen Gast, vielleicht für einen benachbarten und befreundeten Herrscher, halten dürfen. Von seiner Kopfbedeckung ist bereits S. 174 die Rede gewesen; er trägt einen jener Federhelme aus weichem, umstülpbarem Geflecht, die wir aus dem Kongobecken und von den Fan kennen. Ganz ohne moderne Analogie ist sein Halskragen in Form einer fast kreisrunden Scheibe, die anscheinend aus Leder zu denken und mit flachen, runden Scheibchen und mit Kauris verziert ist. Mit ähnlichen Scheibchen ist auch der sonst glatte, ponchoähnliche Panzer geschmückt. Die

Abb. 442. Reiterfigur aus dem Besitze von Admiral Rawson.
1/4 d. w. Gr.

Abb. 443. Reiterfigur aus der Sammlung in Rushmore,
repr. nach P. R. 79. Etwa 1/6 d. w. Gr.

Lenden sind mit zwei Tüchern bedeckt; ähnlich wie bei den meisten Benin-Leuten ist das obere links etwas hochgehoben; beide haben einen breiten Saum mit Flechtband. Am linken Oberarm ist ein kleiner, ovaler Schild befestigt, der aus breiten Holzspänen geflochten scheint, wie ähnliche noch heute in Nordwest-Kamerun vorkommen. Die rechte Hand hält einen jetzt oben abgebrochenen Speer, die Linke zwei geflochtene Zügel. An beiden Vorderarmen sind breite Reifen; die weit über die Kniee hinauf sichtbaren Beine sind schmucklos. In beiden Ohrläppchen sind glatte, runde Scheiben vom Durchmesser etwa einer Daumenbreite. Von beiden Mundwinkeln gehen drei eingepunzte Linien divergierend nach außen und hinten, ähnlich, aber kürzer, wie die »Schnurrhaare« auf den Abb. 433 und 434; auf Taf. 73 ist nur die unterste von diesen drei Linien einigermaßen deutlich, da die Oberfläche gelitten hat; auf der andern Seite und am Original sind die Linien nicht zu verkennen.

Das Reittier, in dem wir wohl ein richtiges Pferd zu sehen haben, ist recht ungeschickt modelliert; auch ist nur dem Kopfe, der Aufzäumung und dem Halsschmuck besondere Sorgfalt gewidmet; die Haut des Tieres ist völlig glatt, ohne Andeutung der Haare. Das Kopfgestell ist an der Kreuzungsstelle der Stirnriemen mit einer achtstrahligen Zierscheibe geschmückt und längs dem ganzen unteren Rande mit dicht nebeneinanderhängenden verzierten Schellen besetzt. Die gleichen Schellen schmücken in Längsreihen zu je vier angeordnet, auch das breite, aus sechs gezöpften Bändern bestehende Halsband, an dem außerdem noch zwei runde Glocken befestigt sind. Von diesen scheint die größere absichtlich nach außen hochgebunden und so außer Tätigkeit gesetzt zu sein; nur die kleinere hängt richtig.

Das Pferd steht auf einem Sockel von 16 × 24 cm Grundfläche und 4 cm Höhe, der oben glatt und an den vier Seiten mit einem stark erhabenen, dreisträhnigen Flechtband verziert ist. Er hat einen rechteckigen „Schacht" und ist hohl, Pferd und Reiter scheinen ganz massiv gegossen zu sein.

Das früher im Besitze von Webster (Nr. 10 785) gewesene Bildwerk ist leider mit metallblanker und von einer Säure feinkörnig angeätzter Oberfläche nach Berlin gelangt und fängt erst jetzt wieder an,

Abb. 444. Altertümlich aussehende, aber vermutlich sehr späte Rundfigur eines Reiters, nach P. R. 299. ¹/₃ d. w. Gr.

allmählich etwas Patina zu bekommen, besonders seit es frei aufgestellt ist und daher fleißig „berührt" wird. Die grausame Mißhandlung hatte aber auch ihr Gutes gehabt, indem sie eine technische Einzelheit an den Tag brachte, die sonst wohl unbemerkt geblieben wäre: man kann jetzt an etwa 25 Stellen erkennen, daß kleinere und größere Gußfehler ganz regelrecht und äußerst sorgfältig mit reinem, weichem Kupfer „plombiert" oder gefüllt sind[1]).

2. Liverpool. Ein ganz gleichartiges Stück ist bei Ling Roth, G. B., auf S. 106 abgebildet, als im Besitze von Mr. James Pinnock, Liverpool, befindlich. Ich kann nach dieser Abbildung keinen andern Unterschied zwischen den beiden Stücken wahrnehmen als den, daß der Reiter in Liverpool über dem rechten Fußgelenk einen Reifen mit einem Stachel trägt. Ähnliche Sporen sind gegenwärtig in den Haussa-Ländern ganz allgemein verbreitet.

3. London. Das Brit. Museum besitzt einen bei R. D. im Text auf S. 61 abgebildeten, ausgezeichnet schönen Kopf, der von einer solchen Reiterfigur abgebrochen sein muß; er hat den gleichen Federhelm, die gleichen kurzen, eingepunzten „Schnurrhaare" an den Mundwinkeln und die erhabenen kleinen Leisten an den äußeren Augenwinkeln.

4. Admiral Rawson besaß die hier Fig. 442 abgebildete Reiterfigur. Sie ist nicht unwesentlich besser als die Berliner, wenn sich auch die beiden Platten in allen wesentlichen Dingen gleichen. Der Federhelm auf dem englischen Stücke ist größer und hat am unteren Rande des Geflechtes einen Besatz mit Perlschnüren, der Reiter scheint mit einem Pantherfell bekleidet zu sein und hat Sporen; die linke Hand hält neben dem Halfter noch zwei oder drei ganz kleine Wurfspeere. Kopfgestell und Halsband des Pferdes sind ohne Schellen; der „Schacht" des Sockels ist auffallend schmal und lang.

5. Rushmore, P. R. 79/80/81, dort von drei Seiten abgebildet, siehe hier Abb. 443. Dem Stücke von Admiral Rawson fast bis zum Verwechseln ähnlich; nur der von der rechten Hüfte herabhängende Dolch von sehr ungewöhnlicher Form ist hier deutlicher als dort. Die Ohren des Pferdes sind vermutlich erst nachträglich zurückgebogen. Die Musterung der Haut in der Schultergegend ist selbstverständlich erst durch Interferenz der Netze bei der autotypischen Reproduktion entstanden. Die Sporenringe haben jeder vier nach verschiedenen Richtungen hin befestigte Stacheln. An der linken Seite des Reiters hängt, anscheinend an einem Tragband von der Schulter herab, ein rundlicher Schild ähnlich dem des Berliner

---

[1]) Ich habe daraufhin dann einen großen Teil unserer Platten auf ähnliche Füllungen untersucht, konnte aber keine nachweisen. Hingegen fanden sich später zufällig ganz gleichartige Füllungen auf losen Bruchstücken, die zum Zwecke von chemischen Analysen blank gefeilt wurden. Das läßt vermuten, daß Gußfehler sehr häufig in solcher Art gefüllt wurden, daß aber die so behandelten Stellen unter der gewöhnlichen Patina nicht mehr zu erkennen sind und nur zufällig sichtbar werden, wenn die Oberfläche aus irgendeinem Grunde wieder blank wird.

Reiters auf Taf. 73, nur größer; P. R.s Vergleich dieses Schildes mit seiner Abb. 102 ist irrtümlich, denn die dort abgebildete kreisrunde Scheibe ist überhaupt kein Schild.

Zum Vergleiche mit diesen fünf anscheinend aus einer Werkstatt stammenden großen Reiterfiguren sei hier Fig. 444 anhangsweise noch eine etwas kleinere wiedergegeben, die sich in Rushmore befindet. Ich kenne sie nur aus der Abbildung bei P. R. und bin nicht sicher, ob sie überhaupt aus Benin stammt; noch weniger wage ich ein Urteil über das Alter des Stückes. Daß es nicht aus dem 16. Jahrh. stammt, dem die große Mehrheit der bis jetzt bekannten Benin-Altertümer angehört, ist sicher; aber es ist, besonders wenn man auf eine minderwertige Zinkätzung angewiesen ist, kaum möglich, zu einer auch nur annähernden Datierung zu gelangen. Es gibt ja in jedem Kulturkreis Bildwerke, bei denen man selbst angesichts des Originals schwankend sein kann, ob sie dem Anfange oder dem Ende einer Stilentwicklung angehören, und so bin ich auch diesem Reiter gegenüber unsicher, ob er als primitiv und kindlich oder als dekadent und kindisch zu bezeichnen ist. Er hat eine gewisse Ähnlichkeit mit prähistorischen Bronzen aus Sardinien, aber man müßte das Original in Händen haben, ehe man wagen dürfte, ihm wirklich ein hohes Alter zuzuschreiben und ihn als Beleg für alte Zusammenhänge anzuführen. Einstweilen scheint es mir ungleich wahrscheinlicher, daß es sich um ein spätes Machwerk handelt.

F. Große Rundfiguren von mikromelen Zwergen.

Die hier Fig. 445 und 446 abgebildeten beiden Wiener Rundfiguren von Zwergen gehören zu den kostbarsten Stücken nicht nur der Wiener Sammlung, sondern überhaupt des ganzen Bestandes an Benin-Altertümern. Sie sind in Wien unter den Nummern 64 743 und 64 745 katalogisiert und von Heger (1916) so ausführlich beschrieben worden, daß ich mich hier auf einige rein medizinische Bemerkungen beschränken kann; nur möchte ich voraussenden, daß ich die zweite von diesen beiden Figuren vom ersten Augenblicke meiner Bekanntschaft mit ihr für weiblich gehalten habe; das habe ich völlig, ich möchte sagen, automatisch getan und ohne mir überhaupt bewußt zu werden, daß ein Zweifel an dem Geschlechte der Figur möglich sein könnte; ich habe dabei auch gar nicht an die Brüste gedacht, die nicht oder nicht wesentlich entwickelter dargestellt sind, als manchmal bei Benin-Männern; für mich war nur der allgemeine Habitus und das Gesicht maßgebend sowie der rockartige Schurz, den ich auch jetzt, wo ich über das Geschlecht der Figur nachdenke, für ein weibliches Kleidungsstück halte. Heger hält die Figur ohne weiteres für männlich, sagt aber: »Der Oberkörper zeigt für einen Mann ziemlich entwickelte Brüste mit gut entwickelten Brustwarzen, was der ganzen, einen weiblichen Typus zeigenden Figur das Aussehen eines Kastraten gibt«. Selbstverständlich kann der hochgelehrte Wiener Kollege auch hier, ebenso wie in einigen andern Punkten, in denen ich seine Auffassung nicht teile, vollkommen im Rechte sein, aber ich sehe eigentlich nicht ein, warum wir eine Figur, die weiblichen Typus zeigt und mit einem Frauenschurz bekleidet ist, nicht auch wirklich für weiblich halten sollen. Doch ist das Geschlecht dieser Person für uns weit weniger wichtig als die Art ihrer Erkrankung. Beide Figuren hat man als »rachitische Zwerge« bezeichnet; ich würde es für richtiger halten, sie als Mikromelen aufzufassen. Was sie ganz besonders auszeichnet, ist eine starke Verkürzung sowohl der Ober- und Unterarme als der Ober- und Unterschenkel, während Hände und Füße selbst nicht wesentlich verkürzt sind. Wir sind über die wahren Ursachen dieser Mißbildung nicht genügend unterrichtet; es ist wahrscheinlich, daß chondrodystrophische Vorgänge bei ihr die Hauptrolle spielen und daß diese wiederum durch eine Erkrankung des Hirnanhangs veranlaßt sind. Ich denke an anderer Stelle gelegentlich auf die pathologische Bedeutung dieser Figuren zurückzukommen; hier möchte ich nur andeuten, daß eine derartige Verkürzung der langen Extremitätenknochen häufig mit starker Verkrümmung aller dieser Knochen verbunden ist. Man bezeichnete derartige Bildungen daher früher auch als angeborene oder intrauterinale Rachitis; wie diese Verkrümmungen mechanisch zustande kommen, ist unsicher, hingegen scheint es ganz allmähliche Übergänge von der Mikromelie bis zum vollständigen Fehlen der langen Extremitätenknochen, also bis zur eigentlichen Phokomelie, zu geben. Bei dieser sitzen die Hände und Füße scheinbar unmittelbar am Rumpfe auf, so daß wirklich robbenähnliche Bildungen vorliegen. Dabei ist die Phokomelie meist mit andern so schweren Mißbildungen verbunden, daß die Früchte nicht lebensfähig sind und bald nach der Geburt absterben. Hingegen bleiben die Mikromelen fast durchweg ohne andere ernste Defekte, so daß sie nicht selten normales Alter erreichen; auch ihre Intelligenz ist gewöhnlich nicht geschädigt. Bei der weiblichen Figur, Abb. 446, ist die starke Einsattlung der Bregmagegend und die extreme Prognathie sehr auffallend; beides spricht dafür, daß bei der im übrigen sicher sehr lebenswahr und porträtartig dargestellten Frau außer der Mikromelie noch andere Störungen des Knochenwachstums vorlagen. Der hier Taf. 65 a und c abgebildete Berliner Kopf stammt anscheinend von einer völlig gleichartigen Figur, die vielleicht sonst aus Holz geschnitzt war und nicht erhalten blieb. Dieser Kopf und die Wiener Figur sind augenscheinlich Porträts ein- und derselben mikromelen Frau, die vermutlich am Hofe von Benin eine große Rolle gespielt hat. Daß dort am Königshofe Zwerge gehalten wurden, ist historisch belegt und auch durch eine lehrreiche Abbildung bei Dapper bestätigt, die hier im Kap. 39 reproduziert werden soll.

Daß mikromele Zwerge auch heute noch in Afrika vorkommen, ist von vornherein zu erwarten; Abb. 447 ist ein vergrößerter Ausschnitt aus einer großen Gruppenphotographie, die ich 1914 in Natal

Abb. 445. Zwei Ansichten einer Rundfigur, Wien 64 743, einen mikromelen Zwerg darstellend. Etwa ¹/₅ d. w. Gr. Nach von Direktor Heger gütigst überlassenen Photographien.

mit der Angabe »Zulu« erworben habe. Die Leute scheinen nach der Bewaffnung einiger auf dem Bilde dargestellter Männer Batonga zu sein; der neben dem Mörser stehende Zwerg ist ein typischer Mikromelos.

G. Rundfiguren von Eingeborenen mit Flinten.

1. Liverpool, 21. 12. 97. 4. Siehe die beiden Abbildungen von vorn und von der Seite in »Bull. of the Liverpool Mus.«, vol. I, 1898, p. 53. Späte Figur eines Benin-Mannes mit Flinte, samt dem hohen, durchbrochenen Sockel 52 cm hoch; das Bildwerk ist auf das allerengste mit dem gleich ausführlich zu beschreibenden und Fig. 448 abgebildeten in Rushmore verwandt und mußte hier nur der alphabetischen Ordnung wegen vorangestellt werden. Der Mann, durch die typischen Benin-Narben, die breite Nase und die starke Prognathie als Eingeborener gekennzeichnet, hält in beiden Händen eine europäische Steinschloßflinte, die sicher nicht älter als 1630 ist; damit stimmt auch der zweifellos späte Stil der Figur, vor allem das breite, aufgedunsene Gesicht und die unangenehm gewulsteten Lippen. Der Oberkörper

ist nur dürftig mit einem viel zu klein geratenen, wie ein Meßkleid geschnittenen Überwurf aus Pantherfell bedeckt, während über den Kniehosen noch ein kurzer, stark gefalteter Schurz liegt, der wohl dem Faltenrock der Europäer des 16. Jahrh. seinen Ursprung verdankt; um den Leib liegt ein Gürtel mit, wie es scheint, richtigen Patronenhülsen, an dem noch rechts ein Dolch, links ein Beutel, ein Jagdmesser und eine wohl aus Horn oder Elfenbein zu denkende Pulverflasche hängen. Zwischen den nackten Füßen liegen ein großer Geldring, ein abgeschnittener menschlicher Kopf und einige Kugeln.

2. Rushmore, P. R. 235/236, siehe Abb. 448. Dem eben beschriebenen Bildwerk außerordentlich ähnlich, auch von gleicher Größe; sicher aus derselben Zeit und aus derselben Werkstatt hervorgegangen, vielleicht auch denselben Mann vorstellend; jedenfalls hat er die genau gleiche, halb europäische Tracht und ganz europäische Bewaffnung.
Den Kopf bedeckt eine eng anliegen-
de Kappe, gewebt, wie P. R. meint, vielleicht geflochten, wie anschei-
nend bei der Figur in Liverpool. Das Rahmenwerk von dünnen Stäben, das, einheitlich gegossen, den eigent-
lichen Sockel, den es trägt, an Höhe wesentlich übertrifft, war ur-
sprünglich dem in Liverpool ganz ähnlich, ist aber jetzt stark verbogen und nur zum geringeren Teil erhalten. Auf der Sockelplatte liegen, gleichmäßig »ausgerichtet«, neun Kugeln, zwi-
schen den Füßen des Mannes liegt ein abgeschlagener Kopf eines Negers

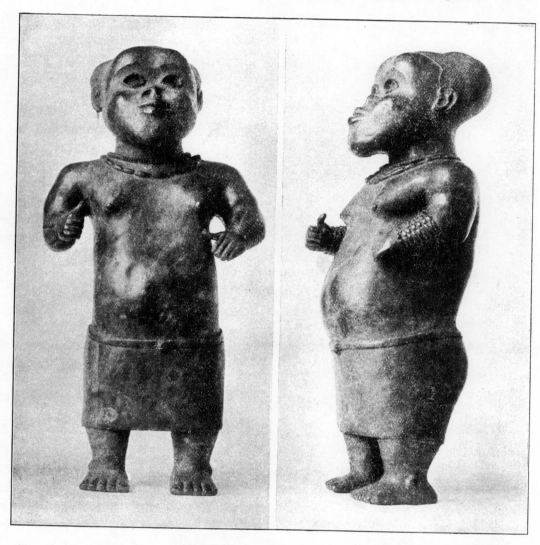

Abb. 446. Zwei Ansichten der Rundfigur einer mikromelen Frau, Wien 64745. Nach von Direktor Heger gütigst überlassenen Photographien. Etwa 1/5 d. w. Gr.

mit den typischen Benin-Narben und mit einer großen, klaffenden Hiebwunde über der linken Backe.

Einen ähnlichen, durchbrochenen Sockel hat die merkwürdige Figur Dresden 16186, Mann in der Stellung eines »Adoranten«.

H. Rundfigur eines Mannes mit Schwert und Bogen.

Berlin, III. C. 9948, Taf. 67 und Abb. 449. Ausgezeichnet schönes Bildwerk mit einer Fülle von merkwürdigen Einzelheiten. Der Panzer ist bereits S. 69, der Halsschmuck S. 76, der Bogen S. 80, Schwert und Scheide S. 208, Fig. 338 und 341, abgebildet. Völlig eigenartig ist die Kopfbedeckung, anscheinend eine große Mütze aus sehr dichtem, krausem Fell, vielleicht auch gewebt und mit harten Fruchtkernen (?) besetzt, vorn mit einer tellerartigen, großen, hinten mit einer kleineren Scheibe, deren Umrahmung aus zwei Reihen von zylindrischen Perlen gebildet erscheint. Unter dem Panzer trägt der

Mann ponchoartig ein Pantherfell mit erhaben gegossenen Ohren, Augen und Schnurrhaaren, mit je einer Schelle am Kinn, an den Fußenden und am Schweife. Die beiden Lendentücher mit dem wie üblich links aufragenden Zipfel sind glatt, nur mit einer breiten, sorgfältig im Relief ausgeführten Flechtband-kante. Das linke Handgelenk ist auf der Volarseite mit einem auf der Taf. 67 nicht sichtbaren Schutzkissen versehen, über dem rechten Handgelenk liegt auf der Streckseite, mit einer Schnur festgebunden, eine große zylindrische Perle.

Die Figur ist hohl gegossen; das rechte Bein ist unter dem Lendentuch abgebrochen. Man gewinnt da-durch einen lehrreichen Einblick in das Innere und kann sehen und mit dem tastenden Finger erkennen, wie der Gießer mit der denkbar größten Sorgfalt bemüht war, die Dicke des ganzen Bildwerkes vollkommen gleich zu gestalten. Die einzelnen Schichten der Lendentücher, des Pantherfells mit den Füßen und dem Schweife, auch der darüber getragene Panzer, sind im Innern deutlich zu sehen oder abzutasten; so ist es klar, daß alle Einzelheiten der Figur schon im Tonkern angelegt waren. Ein Riß in der Gegend des linken Ellbogen-gelenkes zeigt, daß auch die Arme hohl gegossen waren und läßt die geringe Dicke der Erzschicht erkennen. Die ganze Innenfläche ist mit etwa 1 cm tief in den Hohlraum hineinragenden Bronzestiften besetzt, die den inneren Tonkern mit dem Mantel verbunden hatten. So ist dieses ethnographisch und künstlerisch so wert-volle Bildwerk auch in gußtechnischer Beziehung be-sonders wichtig.

Statt, wie sonst üblich, auf einem rechteckigen Sockel, steht die Figur mit der ganzen Breite der linken Fußsohle auf einem dicken Bronzebalken, der vorn und hinten lappenartig umgebogen und nach unten bis zu 5,5 cm verbreitert ist; hinten ist er schon in der Nähe des Fußes abgebrochen, vorn ist er im ganzen 9 cm hoch und unweit vom Rande mit einem Loche versehen; ebenso ist — auf der Tafel sichtbar, an die Klein-zehenreihe der Sohle ein mas-siver Ring angegossen, ähnlich denen, die wir auf den Sockeln von Gruppen kennen gelernt haben. Auch für das fehlende rechte Bein kann die gleiche Einrichtung vorausgesetzt wer-den, die offenbar dazu diente, die Figur auf einem dachfirst-ähnlichen Untersatze sehr widerstandsfähig zu befesti-gen; sie erinnert so an den

Abb. 447. Batonga, neben dem Mörser ein mikromeler Zwerg.

Abb. 448. Zwei Ansichten der Rund-figur eines Benin-Mannes mit Flinte. P. R. 235/6. Etwa 1/6 d. w. Gr. Vgl. ein sehr ähnliches Stück in Liverpool.

Abb. 449. Rückenansicht der Taf. 67 abge-bildeten Figur eines Mannes mit Schwert und Bogen.

großen Vogelfuß, Taf. 107 C, der vielleicht wirklich ursprünglich auf einem steilen Dache stand, wie die Vögel und die Jäger auf dem Taf. 90 abgebildeten Schreine.

I. Menschliche Figur mit dem Kopfe eines Welses.

Berlin, III. C. 10873, Taf. 74. Rundfigur von 32 cm Höhe, sehr roh gegossen, wenig überarbeitet und ohne jeden Versuch, die zahlreichen Gußfehler wegzubringen. Die menschliche Figur mit den typischen Rumpfnarben der Benin-Leute und mit einem in der üblichen Art links etwas hochsteigenden Lendentuch hat den Kopf eines Welses und hält, wie es scheint, auch kleine Welse in den Händen Der Kopf ist als der eines Welses freilich nur durch die Bartfäden kenntlich gemacht, sonst würde man ihn kaum für den eines Fisches halten können. In der Mitte seiner vorderen Fläche findet sich eine rhombische Vertiefung mit umwallten Rändern, die als Mundöffnung, ebensogut aber auch als kyklopisches Auge gedeutet werden könnte. Zwei Paare von leicht gestielten, knopfartigen Erhebungen zu den Seiten dieser Vertiefung sind überhaupt nicht zu deuten; ebenso ist nicht sicher, ob die Person überhaupt Welse in den Händen hält; im Katalog 24 von Webster, von dem wir das Bildwerk erworben, steht »fingers in the form of tentacles«; in einer späteren Beschreibung finde ich die Angabe »in jeder Hand einen Fischschwanz«; ich halte beides für unrichtig. Die Perlen einer einfachen Halsschnur und eines zweireihigen Bandeliers sind, abweichend von der sonstigen Übung, schon von vornherein einzeln modelliert und gegossen, daher auch durch weitere Zwischenräume getrennt als bei den meisten andern gegossenen Bildwerken, wo sie als ganze Wulste gegossen und erst nachträglich bei der Überarbeitung durch den Meißel getrennt wurden.

Die ungewöhnlich rohe und künstlerisch höchst unerfreuliche Figur ist wissenschaftlich gleichwohl im höchsten Grade beachtenswert und liefert eine glänzende Parallele zu den Fig. 436 abgebildeten großen Königsstatuen aus Dahome und zu den vielen Bildwerken aus Benin, auf denen Menschen mit den Schnurrhaaren eines Panthers dargestellt sind. Es wäre müßig, darüber zu grübeln, ob unsere Figur mit dem Welskopf den Gott Olokum vorstellt oder einen König, der den Beinamen »Wels« hatte, aber die Analogie mit Béhanzin = Gbedassé = Haifisch, den seine eigenen Untertanen mit dem Kopfe und den Flossen eines Haifisches darstellten und mit seinem Großvater Glé-glé = Panther, dessen pantherköpfige Statue man am Trocadéro bewundern kann, ist schlagend und führt uns zugleich noch weit über Benin und die Küste von Oberguinea hinaus; denn ebensogut wie dort konnten aus denselben einfachen Voraussetzungen auch anderswo Menschen mit Tierköpfen entstehen, und so haben wir in Benin und in Dahome auch für die ganze Götterwelt des alten Ägyptens, ich will nicht sagen die, aber eine Möglichkeit gewonnen, ihre der menschlichen Gestalt aufgesetzten Tierköpfe zu begreifen.

Dabei mag es zunächst wohl bedenklich erscheinen, daß uns das Verständnis für religiöse Formen des ältesten Kulturvolkes ausgesucht gerade aus einem der kulturell rückständigsten Gebiete der ganzen Erde kommen solle. Aber eine solche Tatsache verliert alles Erstaunliche, sobald man sich nur einmal darüber klar wird, daß nur eine primitive Umwelt imstande ist, altertümliche und primitive Verhältnisse zu bewahren. Naturgemäß ist jegliche Art von Fortschritt immer und überall an Handel und Verkehr sowie an dem wechselseitigen Austausch individueller Errungenschaften gebunden. Abseits von den Verkehrswegen fehlt die äußere Veranlassung zum Fortschritte; so lebten die farbigen Bewohner des kontinentalen Australiens noch vor wenigen Jahrzehnten in einer reinen Steinzeit, so haben sich im westlichen Sudân Formen und Typen bis auf den heutigen Tag lebendig erhalten, die bei uns der Bronze- und frühen Eisenzeit angehören, und so scheint es, als hätten sich im Nubischen noch Sprachreste erhalten, die uns die ältesten gemeinsamen Wurzeln der hamitischen und semitischen Sprachen erschließen helfen werden, genau wie etwa bei uns das Litauische einen der ältesten Sprachtypen Europas konserviert.

Aber auch innerhalb des Kulturkreises von Benin darf unsere Figur mit dem Welskopf trotz ihrer technischen Mängel und ihres sehr geringen Kunstwertes Anspruch auf sorgfältige Beachtung erheben: sie schließt da eine lange Reihe dämonisch erscheinender Wesen ab, die ursprünglich mit der Darstellung von Menschen beginnt, die Welse in den Händen halten. Die Abbildungen 166, 167, 168 und 426 bilden einige Stufen dieser Reihe.

J. Bärtiger Mann mit großer Glocke.

Die Fig. 450 abgebildete Berliner Figur III. C. 19 275 steht unter sämtlichen mir bekannten Benin-Altertümern völlig vereinzelt und ohne jede Analogie da. Wir haben sie aus dritter oder vierter Hand erworben, doch kann die Herkunftsangabe »Benin« nach den Stirnnarben, dem Halsschmuck und der Form des Lendenschurzes nicht bezweifelt werden — darüber hinaus aber ist es kaum möglich, etwas Bestimmtes über die Figur zu sagen. Vor allem scheint es mir unsicher, ob die im hohen Grade groteske Wirkung tatsächlich, wie ich annehme, bewußt und beabsichtigt oder etwa doch nur unfreiwillig ist, und ebenso kann man über die Datierung schwanken; ich habe das Stück ursprünglich für sehr alt gehalten, dann habe ich es viele Jahre hindurch, hauptsächlich durch die Ähnlichkeit des Hüftschurzes verleitet, als gleichaltrig mit dem eben beschriebenen, sicher späten »Welsgott« betrachtet; jetzt bin ich wieder der Meinung, daß es zu den ältesten Stücken gehört, die bisher aus Benin zu uns gekommen sind. Dazu

Abb. 450. Rundfigur eines Mannes, Berlin, III. C. 19 275.
Etwa ½ d. w. Gr.

bestimmt mich weniger der Stil als die Technik: ein so dünner Hohlguß scheint mir in der Verfallzeit nicht mehr möglich. Aber auch künstlerisch scheint mir die Figur großes und ungewöhnliches Können zu verraten: mit den denkbar bescheidensten Mitteln ist eine große Wirkung erreicht; die abstehenden Henkelohren, die wie bei Basedow vorgequollenen Augen, die geblähten Nüstern, die zottige Haar- und Barttracht — alles vereinigt sich zu einer Karikatur von größter Lebendigkeit, und ebenso kann man die souveräne Geringschätzung bewundern, mit der die Einzelheiten des Körpers und des Schurzes behandelt sind. Der Künstler hat es nicht einmal für der Mühe wert gefunden, den Schurz nach oben irgendwie abzugrenzen und hat, man möchte sagen aus Übermut, die Tätowierung noch unter dem Schurz sichtbar sein lassen. Ganz besonders grotesk wirkt natürlich die maßlos übertriebene Länge der Pantherzähne und die entsprechende Größe der Glocke. So schätze ich persönlich die künstlerische Qualität dieses Stückes um so höher ein, je länger ich es betrachte, aber ich bin mir vollkommen bewußt, daß Manche anders urteilen mögen und meine lebhafte Bewunderung gerade für dieses Stück nicht teilen, ja vielleicht nicht einmal begreifen werden.

Ebenso kann man über die Datierung des Stückes nur ganz persönliche Vermutungen haben; dem Stile nach könnte man es viele Jahrhunderte vor die »große Zeit« von Benin zurückversetzen, aber es kann nur in einer Zeit entstanden sein, in der die Tracht im wesentlichen schon mit der des 16. Jahrh. übereinstimmte. Nun ändern sich natürlich an der Guinea-Küste die Moden nicht so rasch als bei uns, aber es ist doch nicht sehr wahrscheinlich, daß so ganz besondere Eigenheiten, wie ein Halsband mit Pantherzähnen und mit einer viereckigen Glocke, wie ein Lendenschurz mit links aufsteigendem Zipfel oder wie eine Tätowierung mit drei oder vier Strichen über jedem Auge sich bei irgendeiner noch so konservativen Bevölkerung durch sehr viele Jahrhunderte unverändert erhalten. Anders erscheint allein nur die Tätowierung des Rumpfes; ist diese sonst auch bei den ganz späten Stücken immer nur durch einfache vertikale Striche gegeben, so sieht man hier unter der Brustwarze und unter dem Nabel schnurartig gedrehte Streifen, die auf eine weniger einfache Technik der Tätowierung schließen lassen.

Für die Art der Attribute, die mit den Vorderarmen und Händen der Figur abgebrochen sind, fehlt uns jeder Anhalt, und damit fehlt auch jede Möglichkeit eines sicheren Schlusses auf die Bedeutung des Bildwerkes selbst. Wenn es richtig ist, wie ich vermute, daß auch einige von den Rundfiguren, ähnlich wie gewisse Platten, ursprünglich zu größeren Gruppen vereinigt waren, so wäre es nicht ganz ausgeschlossen, daß unsere bärtige Figur zum Gefolge eines Würdenträgers gehörte und ähnlich wie etwa das bärtige Männchen oben in der Ecke von Taf. 24 mit einem Bogen ausgerüstet war.

K. Figur mit hoher kegelförmiger Kopfbedeckung.

Berlin, III. C. 10 872, Taf. 69. Vgl. die Abbildung bei Webster, 24, 1900, Fig. 87, Nr. 9367 mit einer reinen Vorderansicht. Auch diese Figur ist sehr eigenartig und gibt mehr als ein Rätsel auf. Ich bin jetzt nicht einmal sicher, ob die nun etwa 15 Jahre alte Beschriftung der Tafel »Figur mit Steinbeil« zutrifft, und denke an die Möglichkeit, daß der Mann ein eisernes Schmiedewerkzeug in der Hand hält. Ebenso scheint unsicher, ob die um einen eisernen Dorn gegossene Figur ursprünglich als selbständiges Kunstwerk gedacht war oder ob sie nicht etwa nur als ein Teil des Stammes eines jener baumartigen Bildwerke aufzufassen ist, von denen einige auf den Tafeln 108 bis 110 abgebildet sind. Dann wäre sie besser in Kap. 47 einzureihen gewesen als in dieses Kapitel — aber es genügt schließlich, daß wir sie überhaupt kennen lernen. Da ist zunächst festzustellen, daß sie in zwei Absätzen gegossen ist. Mitten durch den Rumpf geht eine quere, an mehreren Stellen klaffende Fuge, die rechts auch ein Stück des Ellenbogens abtrennt, links sogar quer durch den ganzen wagrecht gehaltenen Vorderarm hindurchgeht und auch ein vorn in der Höhe der Magengrube an einer Schnur oder Kette getragenes kleines Kürbisgefäß entzweiteilt. Etwas seitlich von der linken Brustwarze kommt ein etwa 10 mm langes eisernes Stäbchen senkrecht aus dem Körper heraus, vielleicht ein vergessenes Verbindungsstück zwischen Mantel und Kern; auch sonst hat es den Anschein, als ob die Figur technisch nicht völlig fertiggestellt wäre. Inzwischen interessiert uns hauptsächlich ihre hohe, kegelförmig geflochtene Kopfbedeckung, längs der sich vorn eine sehr lange Schlange in breiten Windungen herabringelt, während an beiden Seiten je ein Chamäleon an ihr emporkriecht. Auch von hinten kommt jederseits eine Schlange zum Vorschein, die in dem schräg nach vorn gewandten Kopf einen großen Frosch gefaßt hält. So kommt schon in der Kopfbedeckung der dämonische Charakter der Figur zu klarem Ausdruck; als dämonisch sind auch die in den Händen gehaltenen Attribute (Schmiedewerkzeuge, wie ich glaube) aufzufassen, und ebenso die runden Scheiben und die Halbmonde, die von einer über dem Lendenschurz liegenden Kette herabhängen, fast an babylonische Symbole erinnernd. Der obere Lendenschurz hat eine breite, erhabene Flechtbandkante und ist sonst glatt; man könnte ihn für rockartig geschlossen halten, wenn er nicht an der linken Seite etwas klaffen und so noch einen unteren Schurz mit schmälerem Flechtband und Fransenkante sichtbar werden ließe; ebenso vervollständigt auch ein schmaler, glatter Gürtel mit links umgeschlagenen Enden und die typische Tätowierung des Rumpfes und der Stirn den Eindruck voller stilistischer Zusammengehörigkeit mit den Benin-Platten des 16. Jahrh. Die Figur ist von den Sohlen bis zur Spitze der Kopfbedeckung 37 cm, mit den vorstehenden Stücken des eisernen Kernes 48 cm hoch. Warum sie in zwei Absätzen gegossen wurde, ist nicht ersichtlich.

L. Große Rundfigur einer Frau mit erhobenen Händen.

Berlin, III. C. 10 864, siehe Taf. 70. Auch diese, mit dem Sockel 47 cm hohe Figur, »said to represent a queen of Benin«, wie es (wohl unrichtig) im Katalog 24 von Webster heißt, bildet eine Klasse für sich und ist ohne Analogie im ganzen Formenschatz der Benin-Kunst. Völlig nackt, mit ausgebreiteten Armen steht breitspurig auf plumpen, säulenförmigen Beinen eine Frau vor uns, deren Kopf so vollständig aus allem herausgeht, was wir sonst aus Benin kennen, daß man zunächst die Herkunft und die Echtheit zu prüfen hat, ehe man sich näher mit dem Bildwerk beschäftigen darf. Es stammt aus dem Handel, und wir wissen nicht, wer es nach Europa gebracht hat. Trotzdem ist an der Richtigkeit der Angabe »Benin« nicht zu zweifeln; sie ist gesichert durch die eigenartige Gußtechnik, durch den besonders im Innern des Sockels noch massenhaft vorhandenen Laterit, der auch mikroskopisch von einwandfrei aus Benin stammendem Laterit nicht zu unterscheiden ist, und sie ist gesichert vor allem durch die Tätowierung des Rumpfes. Diese entfernt sich zwar sehr von dem sonst für Benin typischen Schema der fünf vertikalen Striche, aber sie findet sich genau so wieder bei einer nicht geringen Zahl etwas jüngerer Bildwerke, so besonders bei den Königen auf den zwei völlig einwandfreien großen Gruppen, die Taf. 79 und 81 abgebildet sind. An Stelle der einfachen, durch den Nabel gehenden Mittellinie sind zwei leicht geschweifte Linien getreten, die sich im Nabel kreuzen und über diesem ein langes, unter ihm ein kurzes, spindelförmiges Feld einschließen. Hingegen sind die zwei seitlichen vertikalen Striche beiderseits oben und unten zusammengezogen und leicht gebogen, so daß sie eine sehr schmale, nach hinten konkave Fläche von der Form einer Mondsichel einschließen. Gerade diese Tätowierung bildet auch einen der Gründe für die Echtheit der Figur, da ein Fälscher sie zur Zeit, als wir sie erwarben, noch nicht gekannt haben kann. Gleichfalls für die Echtheit spricht die gute Patina, die sich besonders an manchen Stellen des hohlen Sockels unter einer dicken Lateritkruste findet, sowie die völlig durchgerosteten eisernen Dübel, die aus den Beinen der Figur in den Hohlraum des Sockels ragen; auch würde ein Fälscher die Einzelheiten des Flechtbandes und des Bogens auf dem Sockel sowie dessen Ringe nicht so stilgerecht und wissenschaftlich einwandfrei gebildet haben. Wir müssen also die ganze Figur nehmen, wie sie ist, und uns, so gut es angeht, mit ihren vielerlei fremdartigen Einzelheiten abfinden.

Unter diesen ist Websters »curious head-dress« wohl am auffallendsten. Der ganze Scheitel ist wie mit einer eng anliegenden Kappe von einem quadratischen Netzwerk liegender Spiralen bedeckt, deren Maschen je von einem fast kugelförmig vorspringenden Knöpfchen nahezu ausgefüllt sind. Ich halte das für wirkliche Haartracht und glaube, daß der Künstler sich bemüht hat, das, was er in Wirklichkeit mit anthropologisch richtigem Blicke vor sich sah, möglichst getreu wiederzugeben: richtige Haarspiralen und »Pfefferkörner«, die fil-fil der Araber. Natürlich würde er den Maßstab verfehlt, aber sonst außerordentlich richtig wiedergegeben haben, was man wirklich auf vielen Negerskalpen nebeneinander sehen kann: Spiralen und fil-fil. Die Nichtanthropologen, denen diese Verhältnisse unklar sind, verweise ich auf meine in einem ganz andern Zusammenhange veröffentlichte Abbildung auf S. 158 der Z. f. E. Bd. 46, 1914. Es würde zu weit führen, diese den Anthropologen bekannten Verhältnisse hier im einzelnen auszuführen. Gegen diese Auffassung scheint allerdings die hohe, schmale Nase zu sprechen, die durchaus nicht negerhaft aussieht und zu einem auch nur teilweise in Korkenzieherspiralen gedrehten Haar schlecht paßt. Man muß an Mischblut denken, um beides vereinigen zu können. Diese wie eine Kappe dem Hirnschädel aufruhende Masse nun, die wir als stilisierte Haare betrachten, während andere vielleicht an ein kunstvolles Flechtwerk denken mögen, ist nach unten zu durch einen Reifen abgeschlossen, der ungefähr in der Ebene des größten Umfanges fast wagrecht um den ganzen Kopf läuft und nur in der Mitte der Stirn eine etwa vier Querfinger breite Stelle frei läßt, anscheinend um die fünf langen Ziernarben nicht zu verdecken, die beiderseits lotrecht über die inneren Augenwinkel gesetzt sind. Diesen Reifen kann man sich nur federnd vorstellen, also aus Metall, vermutlich aus Gold; von oder unter ihm hängen längs seiner hinteren Hälfte geflochtene Ketten oder Zöpfe herab, die in der Mitte und unten mit einem runden Köpfchen beschwert sind. Der Reifen selbst ist etwa daumenbreit, hat oben und unten einen aufgewulsteten Rand und ist mit schrägen Stäbchen ausgefüllt, die vielleicht eine Art einfaches Flechtband vorstellen sollen.

Um den Hals und um die Schultern laufen verschiedene Systeme von geflochtenen Ketten, für deren Einzelheiten auf die Taf. 70 verwiesen werden kann. Die Brüste sind prall, leicht birnförmig und mit sehr großen, fast ganz kugelförmig aufgesetzten Warzen. Quer über die Hüften und über dem Mons veneris liegt eine einfache Schnur mit großen, zylindrischen Perlen; dieser selbst ist als ein scharf umrissenes, großes Dreieck gebildet, mit erhaben gefiederter Zeichnung, die wohl eine sehr starke Behaarung vorstellen soll. Um die Hand- und Fußgelenke sind je fünf dicke, glatte Reifen mit kreisrundem Querschnitt gelegt. Die Arme sind ausgebreitet, die Hände erhoben.

Sehr auffallend ist auch die Orientierung der Augenöffnungen. Während sonst die Ebene der Lidspalte ungefähr lotrecht steht, treten hier die Stirn mit den Brauenbogen und den oberen Lidrändern weit vor, die unteren Lidränder aber stark zurück, was — beabsichtigt oder nicht — dem Gesicht einen sonderbar unfreundlichen und erstaunten Ausdruck gibt.

Die Figur steht auf einem rechteckigen Sockel von 10 cm Höhe, dessen vier Seitenfelder je mit einem sehr breiten, sorgfältig durchgeführten Flechtband ausgefüllt und mit einer gezöpften Schnur umrahmt sind. In den vier oberen Ecken des Sockels ist diese Schnur in der für Benin sehr bezeichnenden Art mit Schraubenköpfen festgehalten. Auf der vorderen und auf der hinteren Unterkante sind je drei große Ringe mitgegossen. Auf der vorderen Fläche des Sockels liegt ein kleiner Bogen mit bandförmiger Sehne und ein im Verhältnis zur Kleinheit des Bogens viel zu langer, plumper Pfeil mit Blattfiederung. Die obere Fläche des Sockels ist glatt mit einem kleinen Schachtloch zwischen den Füßen der Figur; diesem Loche entspricht ein richtiger »Schacht«, der bis an die untere Fläche des hohlen Sockels herabreicht, und wenn man die Figur von unten betrachtet, wie ein hohles, vierseitiges Prisma von etwa 3 mm Wandstärke wirkt, das in den Hohlraum des Sockels eingefügt ist.

Über die menschliche oder dämonische Natur dieser Frau und über ihre gesellschaftliche Stellung zu spekulieren, schiene mir bei dem gegenwärtigen Stande unserer Kenntnis unnützer Zeitverderb. Nur das scheint mir einigermaßen gesichert, daß wir sie dem Gesichte nach nicht als eine richtige Negerin, sondern als Mischblut zu betrachten haben.

M. Späte Figuren ohne besonderes Interesse.

1. Berlin, III. C. 20 298, siehe Abb. 451. Von dieser mit dem hohen Sockel 50,5 cm hohen Figur wäre es, obwohl sie vollkommen nackt ist, an sich doch ganz unmöglich, das Geschlecht mit Sicherheit anzugeben. Die Haartracht, die Kropfperlen und die Tätowierung des Rumpfes etwa in der Art wie bei der eben beschriebenen Figur auf Taf. 170 kommen in der Spätzeit von Benin bei beiden Geschlechtern vor; das mit beiden Händen gehaltene Ebere würde natürlich für einen Mann sprechen, die einfache Perlschnur um die Hüften wohl eher für eine Frau, und ebenso erst recht das Fehlen jeder Spur eines äußeren Genitales. Die Gegend zwischen den Oberschenkeln hat aber eine bedenklich giftgrüne Patina; so entsteht natürlich der Verdacht, daß die Figur, die wir Ende 1905 in London gekauft haben, die sich also vorher acht Jahre in England befunden haben dürfte, in dieser Zeit aus Prüderie verstümmelt wurde, und daß man dann die blank gefeilten Stellen, um sie weniger auffallend zu machen, mit einer Säure behandelte; daß die Figur männlich ist, ergibt sich mit Sicherheit erst aus den im folgenden aufgeführten unverstümmelten, aber sonst völlig gleichwertigen Bildwerken. Die sonst ganz belanglose Figur habe ich nur erworben, weil beide Oberschenkel an ihrer vorderen Fläche mit in Reihen angeordneten kleinen, eingepunzten Kreisen bedeckt sind, was wohl als Bemalung aufzufassen sein dürfte.

2. Cöln a. Rh. Untere Hälfte einer ähnlichen Figur, aber mit Penis und Testikeln; nur etwa bis zum Nabel vorhanden. Die fehlende obere Hälfte ist mir bisher nicht untergekommen.

3. Dresden, 16 120. Etwa 60 cm hohe, auffallend schlanke Figur, im wesentlichen der eben unter Nr. 1 beschriebenen Berliner Figur gleichend, ebenso spät und unbedeutend. Der Penis ist sehr lang und hat eine auffallend spitze, dreieckige Glans. Die rechte Hand hält ein Schwert mit Schilfblattklinge, die linke ist auf einen Speer gestützt. Eine Abbildung des Stückes findet sich bei Webster, 18, 1899, Fig. 75.

4. Kopenhagen, früher Webster 6687, siehe die Abb. 71 in W.s Katalog 18 von 1899. Die 51 cm hohe Figur hat ein männliches Genitale und könnte sonst als wirkliches Gegenstück zu der Berliner gelten, die hier als Nr. 1 beschrieben und abgebildet ist.

Abb. 452. Rundfigur eines Mannes mit Schwert und Speerbündel, Bronze, „varnished". Etwa 50 cm hoch. Brit. Museum. Etwa 1/7 d. w. Gr.

Abb. 451. Rundfigur eines Mannes mit anscheinend bemalten Oberschenkeln. Berlin, III. C. 20 298. Schlechte späte Arbeit; 50,5 cm hoch.

Auch sie hält mit beiden Händen ein Ebere.

5. London, Brit. Museum, spätere Erwerbung, nicht bei R. D. veröffentlicht; siehe Abb. 452. Nackter Mann, in der Rechten ein Ebere haltend, die Linke auf ein Speerbündel gestützt. Die mir vor vielen Jahren aus dem Brit. Museum gesandte Photographie trägt auf der Rückseite die Angabe »Bronze, varnished«.

Diese fünf wenig erfreulichen Figuren stammen sicher aus derselben Werkstatt und sind vermutlich um einige Generationen jünger als die große Mehrzahl der Platten. Es wird wohl erlaubt sein, sie in das 17. Jahrh. zu setzen; jedenfalls lehren sie, daß die für die ältere Zeit typischen fünf vertikalen Tätowiernarben am Rumpfe später einer leicht gebogenen Linienführung Platz gemacht haben.

12. Kapitel.
Kleinere gegossene Rundfiguren von Menschen und Tieren.

[Hierzu Taf. 103 B und die Abb. 453 bis 457.]

1. Rushmore, P. R. 358/359. Sitzender Europäer, gegen 13 cm hoch, vollkommen im Stile der Platten, mit langen, schlichten Haaren, großem, welligem Kinnbart und sehr weit herabhängendem, dickem Schnurrbart. Die durch eine besonders große, hohe und schmale Adlernase ausgezeichnete Figur war für einen jetzt nicht vorhandenen Sitz etwa von der Höhe der Unterschenkel berechnet. Die Füße

454

Abb. 453. Bronzefigürchen. Berlin, III. C. 8059. Etwa 7/8 d. w. Gr. Zweck unbekannt. — Abb. 454. Sitzender Mann, Bronze, mit Fächer und Stab(?), wohl bewußt grotesk. Berlin, III. C. 12516. Größe des Originals.

sind bekleidet, doch ist eine obere Grenze der Beschuhung nicht angegeben. Der linke Vorderarm ist abgebrochen; wahrscheinlich lagen beide Hände, wie die erhaltene rechte, auf den Knieen. Die Figur war früher bei Webster; so gibt es außer den beiden Ansichten bei P. R. noch eine dritte, allerdings sehr kleine Abbildung in W.s Katalog 21 von 1899, Fig. 156.

2. Berlin, III. C. 8058, siehe Taf. 103 B. Nackter Mann, 14,5 cm hoch, mit einem Hammer in der rechten Hand; am Scheitel ist eine ringförmige, unter den Füßen eine rechteckige Öse mit angegossen. Das Stück gehörte vielleicht zur Aufhänge- und Tragvorrichtung einer Lampe.

3. Berlin, III. C. 8059, siehe Abb. 453. Kleines Figürchen eines nackten Mannes mit verschränkten Armen, 8,5 cm hoch, auf einer kreisrunden Fläche stehend, am Scheitel mit einer ringförmigen Schleife zum Anhängen. Zweck? Früher bei Webster, Nr. 3820.

4. Berlin, III. C. 12516, siehe Abb. 454 und eine andere Ansicht bei Webster, Kat. 29, 1901, Fig. 27. Kleines, sitzendes Figürchen von 7 cm Höhe, mit einem Fächer in der rechten und einem Stabe (?) in der linken Hand.

5. Dresden, 16607, siehe die Abb. 141 bei Webster, Kat. 29 von 1901. Benin-Mann mit den typischen zwei Schurzen; die Rechte hält ein jetzt verbogenes und zum Teil zerbrochenes Ebere; die anscheinend leere Linke ist durch die sehr langen, krallenartig gebogenen Finger und den stark zurück-

Abb. 455. Rundfigur eines Panthers, Hamburg C. 2952, etwa 1/4 d. w. Gr. Massiv gegossen. Späte, schlechte Arbeit, nicht ziseliert.

Abb. 456. Rundfigur eines Panthers, Hamburg C. 2398. Hohl gegossen, Kopf abnehmbar.

gebogenen Daumen auffallend. Mitgegossen ist ein sehr langer und dicker Dorn, der zwischen den Beinen vorragend zum Aufstellen der Figur auf einen Sockel gedient zu haben scheint.

6. Stuttgart, Hoffa, siehe Abb. 457. Ein völlig eigenartiges Bildwerk mit der Figur eines Buceros-ähnlichen Vogels von sehr ungewöhnlicher Stilisierung. Die ganze Mühe des Künstlers ist auf den Kopf konzentriert, der mit dem weit nach hinten ausladenden, gezackten und in eine kegelförmige Spitze endenden »Horn«, den als Ring geformten Nasenlöchern und den großen, etwas vortretenden Augen einen packenden Eindruck macht. Die Flügel sind mit fast raffiniert erscheinender Einfachheit als glatte, ungefähr halbkreisförmige Scheiben gebildet, die Beine als willkürlich verdrehte und verbogene, zylindrisch geformte glatte Stäbe. Der Vogel steht auf einem hohlen, glockenähnlichen Untersatz von der Form eines abgestuften Kegels, der am unteren Rande einige rohe Nietlöcher hat. Das Ganze war ursprünglich als »Glocke« bezeichnet und wird jetzt vielleicht richtiger als »Schirmknauf« geführt. Tatsächlich gibt es noch jetzt in Dahome große Zeremonialschirme von fast 3 m Durchmesser, deren Stock oben mit irgendeinem figuralen Messinggußwerk gekrönt ist; von einem ähnlichen Schirm könnte der Stuttgarter Vogel vielleicht herrühren. Ob er gerade in Benin gemacht ist, wage ich nicht zu entscheiden. Eine mikroskopische Untersuchung der im Innern noch erhaltenen Reste des Formsandes hat kein positives Ergebnis gebracht. Ebenso lehnen die Zoologen die Bestimmung des Vogels sehr energisch ab, da er viel zu stilisiert sei; ein mir besonders befreundeter Zoologe hat sogar erklärt, der Vogel existiere nur in meiner Einbildung. Wenn ich das Stück ohne Herkunftsangabe vorgelegt bekäme, würde ich zunächst in Indonesien nach verwandten Formen suchen. Wie das schöne Bildwerk nach Europa gelangt ist, läßt sich kaum mehr feststellen. Nach Stuttgart kam es zugleich mit mehreren typischen Benin-Stücken als persönliches Geschenk des Berliner Orthopäden Hoffa an den Grafen Linden. Dieser sandte mir gute Photographien aller dieser Stücke, aber Hoffa war eben gestorben, als ich bei ihm Nachrichten über ihre Herkunft einziehen wollte.

7. In der Sammlung von Admiral Rawson befindet sich eine ganz ungemein naturwahr und lebendig gegossene Eidechse von fast 28 cm Länge. Man könnte fast glauben, daß sie »über Natur« geformt ist, doch zeigt die wie ein Zahnrad eingekerbte Rückenleiste, daß doch ein künstlich und — muß man zusetzen — künstlerisch geformtes Modell vorlag. Ich kenne nur eine Photographie des Stückes und bin nicht völlig sicher, ob die Herkunftsangabe »Benin« einwandfrei ist.

Abb. 457. Schirmknaufähnlicher Gegenstand mit einem Vogel. Stuttgart, Hoffa, etwa 9/10 d. w. Gr.

8 bis 18. Kleine, etwa spannlange, untereinander recht ähnliche, rund gegossene Panther, ungefähr von der Art des Fig. 455 abgebildeten Stückes, wie sie anscheinend als Gürtelschmuck verwendet wurden — vgl. die Abb. 238 bis 240, S. 142 und 143 — haben sich recht zahlreich erhalten; ich habe im ganzen elf Stücke notiert, darunter je zwei in Basel, in Hamburg (M. f. V. und bei Umlauff), in Leiden und in Leipzig, sowie je eines in Berlin, Frankfurt a. M. und in der Sammlung Strumpf. Die beiden Stücke in Basel sind untereinander sehr ähnlich und gleichgroß, so daß sie als zusammengehörige Hälften eines Paares gelten könnten; die andern Panther sind, auch wo sie sich zu zweit in einer Sammlung befinden, nicht als paarig zu bezeichnen. Der Schweif ist bei den meisten, aber nicht bei allen Stücken längs des Rückens wieder bis zum Kopfe zurückgebogen, so daß er eine geschlossene Schleife bildete, die für die Befestigung am Gürtel jedenfalls von Vorteil gewesen sein mochte. Das Fig. 455 abgebildete Hamburger Stück ist nur wenig überarbeitet und hat noch die ursprüngliche Gußhaut. Die kleinen Kreise scheinen schon im Wachsmodell vorhanden gewesen zu sein. Sämtliche mir bekannte Stücke dieser Art sind ohne Kunst und Mühe, ganz roh und handwerksmäßig, nach dem gleichen Schema gearbeitet.

19. Hamburg, C. 2398, siehe Abb. 456. Kleiner Panther, hohl, mit abnehmbarem Kopf und mit breitem Halsband, etwa 19 cm lang und 14,5 cm hoch.

20. Leiden, 1243/1223, siehe die Abb. 80 bei Webster, Kat. 24 von 1900. Dieser kleine Panther

wird hier nur anhangweise erwähnt, weil er früher einmal (M, S. 29) als selbständiges Bildwerk beschrieben wurde; er ist aber nur ein loses Bruchstück von einer jener Gruppen mit prozessionartigen Darstellungen, wie sie z. B. Taf. 85 abgebildet sind. Zwischen seinen Beinen liegt auf dem losgebrochenen Stücke der Sockelplatte das für die Panther auf diesen Gruppen so bezeichnende Steinbeil. Um den Hals liegen sechs Reihen kleiner Perlen, hinten in der typischen Art (vgl. auch Taf. 44 c) mit einer Reihe von Schellen abgeschlossen. Die Gruppe, zu der dieser Panther gehörte, ist anscheinend nicht nach Europa gelangt; jedenfalls paßt er zu keiner einzigen der mir bekannten Gruppen dieser Art. Die Photographie dieses Stückes bei Webster ist völlig unzureichend; Herr Kollege Juynboll hat mir gütigst gute Photographien übersandt, die eine einwandfreie Beurteilung des Bruchstückes ermöglichen.

---

13. Kapitel.

Rund gegossene Gruppen auf Sockeln und Sockel mit und ohne Figuren.

[Hierzu Taf. 79 bis 85 und Abb. 458 bis 470.]

In diesem Kapitel sind figurenreiche Gruppen auf rechteckigen Sockeln mit runden, zylindrisch gestalteten Untersätzen zusammengefaßt, auf deren Mantelfläche Personen in hohem Relief angebracht sind. Unter beiden Arten von Bildwerken befinden sich solche, die durchaus den Eindruck von feierlichen Umzügen, von richtigen Prozessionen machen. Anhangsweise werden noch einige Sockel ohne Figuren angeschlossen.

A. Gruppen auf rechteckigen Sockeln.

1. Berlin, III. C. 8164, Taf. 79 und 80. Aus der großen Reihe hierher gehöriger Bildwerke ist dieses an erster Stelle zu nennen, freilich mehr um seiner Größe und seines Gewichtes als seiner künstlerischen Bedeutung willen. Es ist 62 cm hoch und wiegt 76,00 kg. In der Mitte steht der König, von der Sohle bis zur Spitze seiner Haartracht 56 cm messend, mit nacktem Oberkörper und sehr reichem Perlenschmuck. Er hat die Tätowierung, die wir zuerst am Rumpfe der Frau auf Taf. 70 kennen gelernt haben und die wir der Kürze wegen von nun an als »späte« bezeichnen werden. Um Raum zu sparen, muß für viele Einzelheiten auf die beiden Tafeln verwiesen werden; nur die wichtigsten seien hervorgehoben; der glatte, unten von einem breiten, erhaben gegossenen Flechtbande abgeschlossene Oberschurz erscheint durch ein Band in zwei übereinanderliegende Felder geteilt, die mit den folgenden, von links nach rechts aufgezählten Emblemen ausgefüllt sind: Mondsichel, Malteser Kreuz, Ebere, Europäerkopf, Kreuz, Ebere, in der oberen Reihe und in der unteren: Ebere, Europäerkopf, Mondsichel, Kreuz, Ebere, Europäerkopf, Mondsichel. Nach oben ist dieser Schurz durch einen ganz mit kleinen Schellen besetzten Gurt abgeschlossen. Den Kopf bedeckt eine Kappe aus Perlgeflecht und mit einem Tutulus; vom unteren Rande der Kappe hängen an den Seiten und hinten Perlschnüre und dünne Haarzöpfe in einer Reihenfolge herab, die festgehalten zu werden verdient: Rechts vor dem Ohr eine lange Schnur mit zylindrischen Perlen, dann hinter dem Ohr eine kurze solche Schnur, nur bis zu den Kropfperlen reichend und wie ein umgekehrtes T unten mit einer quergestellten zylindrischen Perle abgeschlossen, dann ein ganz langer, bis an die Hüften herabreichender, dünner, unten mit einer spindelförmigen Perle beschwerter Zopf, drei kurze, ⊥-förmige Schnüre, wie die eine hinter dem Ohre, diese drei symmetrisch, so daß die mittlere von ihnen der Mitte des Hinterhauptes entspricht, und dann, dem einen ganz langen Zöpfchen rechts entsprechend, links zwei solche ebenso lange, so daß eines von ihnen als »Prinzenlocke« zu bezeichnen ist, schließlich, wie auf der rechten Seite, so auch links, hinter dem Ohr eine kurze, ⊥-förmige und vor ihm eine ganz lange Perlschnur. Beide Oberarme sind mit unter sich gleichen Spangen geschmückt, die (siehe Taf. 80) schöne und sorgfältig gearbeitete Masken tragen.

Beide Vorderarme sind ungefähr wagrecht vorgestreckt; die linke Hand hält die Nachbildung eines neolithischen Steinbeiles, das, dürfte man die Größe des Königs selbst als Maßstab nehmen, über 40 cm lang, also ganz außerordentlich groß sein würde. Jedenfalls haben wir es mit einem richtigen »Donnerkeil« zu tun, der in der Hand des Königs den großen, ihm vom Himmel überkommenen »Fetisch« bedeutet und als ein sichtbares Symbol seiner überirdischen Macht aufzufassen ist — genau wie das Blitzbündel in der Hand des Zeus. Nicht minder bedeutungsvoll ist das in der Rechten gehaltene große Scepter: An der Höhe des Königs gemessen, würde es auf 1 m Länge zu schätzen sein; als Material wäre an Erz, vielleicht auch an Elfenbein zu denken, jedenfalls gibt es im Brit. Museum einen bei R. D. VIII 4 abgebildeten Rasselstab von 1,49 m Länge, der aus zwei Stücken Elfenbein zusammengedübelt ist und aus dem Besitze Overami's, des letzten Königs von Benin, stammen soll; er ist mit Internodien geschnitzt, als wäre er aus Bambus, und wird am oberen Ende von einem Elefanten gekrönt. In ähnlicher Weise trägt das Scepter auf unserer Gruppe oben die stehende Figur eines Königs, die 12 cm hoch, in vielen Einzelheiten dem Könige selbst gleicht, der das Scepter hält, oder den Königen auf den »Stammbäumen« Taf. 110. Dieser König steht auf einem sehr breitspurigen Elefanten, dessen Rüssel in eine Hand endigt, dann folgt eine dünnere Stelle, an der das Scepter gehalten wird, auf diese eine Art Kyma, in der Mitte leicht eingezogen, mit Schnurverzierungen bedeckt, und vorne mit einem aufrecht gestellten Ebere verziert. Dieses Kyma wird wiederum von einem Elefanten getragen, der seinerseits auf einem drehrunden Gliede in der Art einer Säulentrommel aufsitzt; aus diesem ragen oben, neben den Füßen des Elefanten, drei vielleicht als Beilklingen zu deutende Gegenstände heraus, während die Mantelfläche mit in Längsstreifen angeordneten Schlangen, übereinandergesetzten kleinen Kreisen und Flechtbändern verziert und unten von einem Querbande mit nebeneinanderstehenden Mondsicheln abgeschlossen ist. Gerade dieses Scepter ist vom Künstler mit mehr Sorgfalt behandelt und feiner ziseliert worden als irgendein anderer Teil der ganzen Gruppe.

In der Art, die wir von den Platten her kennen, ist der König von zwei Begleitern gestützt, jungen Leuten mit den gewöhnlichen fünf einfachen Narbenstreifen am Rumpfe, übermäßig schlank, in den Proportionen auch sonst verfehlt und recht flüchtig gearbeitet. Unter dem Steinbeile, nur bis etwa zu den Knieen des Königs reichend, steht noch eine vierte, ganz kleine Figur, die ein jetzt größtenteils abgebrochenes Ebere hält. Vor den zwei Begleitern, aber quer zur Richtung der ganzen übrigen, wohl nach vorn schreitend zu denkenden Gruppe steht je ein kleiner Panther mit Halsband. Hinter dem Könige und seinen Begleitern stehen drei Frauen mit reichen Perlenhängen auf dem sonst nackten Oberkörper; von diesen haben die Mittlere, etwas größere, einen ganz kurzen, mit drei Flechtbändern verzierten Rock, die zwei seitlich Stehenden sehr grobmaschig genetzte Beinkleider mit Perlen, und halten jede eine rechteckige Rahmentrommel, die rechts Stehende in der Rechten, die andere in der linken Hand. Die mittlere Frau aber hat einen ganz kurzen, von den Hüften bis zum Knie reichenden glatten Rock mit drei Flechtbandstreifen und gleicht auch sonst in vielen Dingen unserer weiblichen Figur auf Taf. 86 B, wenn sie auch künstlerisch und technisch weit hinter ihr zurücksteht. Diese »in the haste of looting« von einem ähnlichen Sockel abgebrochene Figur muß aber, wie sich später ergeben wird, für eine Königin gehalten werden; so liegt es nahe, zu vermuten, daß auf dieser großen Gruppe, die ja anscheinend eine wichtige Staatsaktion vorstellt, die Königin dem Könige unmittelbar folgte.

Auf der Oberfläche des Sockels liegt ganz vorn am Rande in der Mitte vor den Füßen des Königs ein kleiner Frosch, rechts von ihm eine Pecten-Muschel ebenso ist vermutlich auch der an der entsprechenden Stelle links liegende, aber im Gusse verunglückte Gegenstand als Pecten zu deuten. Ähnlich sind auch an den andern Rändern der Sockelfläche Pecten-Muscheln, Ringe und Frösche ausgelegt; hinter dem kleinen Männchen mit dem Ebere steht ein niedriger, zylindrischer Gegenstand, vermutlich ein Schemel. Die vier Seitenflächen des Sockels sind gleichmäßig mit einem wenig sorgfältig ausgeführten und sich an jedem Rande totlaufenden Flechtband ausgefüllt, denen je zwei gegenständige, konventionell stilisierte Elefantenköpfe aufgelegt sind. Solche Elefantenköpfe werden wir noch bei einer großen Zahl von Bildwerken zu erwähnen haben, und ich werde sie künftighin schlechthin als solche bezeichnen, ohne mich mit einer langen Erklärung oder Beschreibung aufzuhalten; nur hier möchte ich ein- für allemal auf die allerdings sehr weitgehende Stilisierung dieser Köpfe aufmerksam machen, weil sie von Leuten, die mit der Formensprache der Benin-Kunst nicht vertraut sind, mit großer Regelmäßigkeit für »heraldische Arme« gehalten werden. Tatsächlich ist der wie ein Arm im Ellbogengelenk rechtwinklig abgebogene Rüssel stets sehr groß gestaltet, während der eigentliche Kopf meist nicht größer ist als das wie eine wirkliche menschliche Hand gebildete Ende des Rüssels. Da diese Greifhand in der Regel ein Dreiblatt, einen Palmzweig oder sonst etwas dergleichen gefaßt hält (niemals freilich ein »gezücktes Schwert«, das in diesem Zusammenhang nur in der Phantasie eines von mir sehr hochgeschätzten Kollegen existiert), so kann man leicht begreifen und entschuldigen, daß dann der kleine Kopf des Elefanten mit seinen immer nur flüchtig und ganz konventionell angedeuteten Zähnen, Ohren und Augen für die zum heraldischen Arm gehörige Achsel mit den Puffen und Schlitzen der Landsknechte gehalten wird. Der richtige Zusammenhang wird erst klar, sobald man eine größere Zahl solcher »Arme« sorgfältig durchmustert. Ganz besonders hartnäckige Zweifler müssen freilich auf die glücklicherweise mehrfach vorhandenen Übergangsformen verwiesen werden, unter denen der Fig. 464 abgebildete ganze Elefant von der Gruppe Taf. 85 oben wohl am überzeugendsten sein dürfte. Fraglich bliebe höchstens, ob es nicht vielleicht richtiger wäre, bei diesen Emblemen von Rüsseln statt von Köpfen zu sprechen; sicher ist ja der Rüssel bei diesen konventionell so stark verbildeten Darstellungen viel größer als der Kopf und fällt dementsprechend auch mehr in die Augen; aber der Kopf ist doch schließlich immer vorhanden und fehlt niemals ganz, wenn er auch noch so kläglich verkümmert ist. Daher scheint es mir richtiger, das ganze Gebilde doch als Kopf zu bezeichnen. Sollte jemand die Bezeichnung Rüssel vorziehen, wäre weiter nichts dagegen einzuwenden — nur die Legende vom heraldischen Arm darf man nicht aufkommen lassen.

Unser Sockel nun mit den zwei Elefantenköpfen auf jeder seiner vier Seitenflächen steht seinerseits auf einer Art Plinthe von etwa 3 cm Breite. Auf dieser liegen zwei Enthauptete, anscheinend Eingeborene. Die Leichen liegen mit den Füßen gegen den Rand hin auf dem Bauche; die Arme sind in der Gegend der Ellenbogen und der Handgelenke gefesselt; die abgetrennten Köpfe liegen mehr als handbreit vom Rumpfe entfernt, mit dem Gesicht nach oben. Bei beiden scheinen die Lippen zusammengenäht und stark verschwollen, doch ist bei der rohen Ausführung auch eine andere Deutung nicht ausgeschlossen. Der in der Mitte noch freie Raum zwischen den Köpfen ist von einem Frosch und zwei symmetrisch zu seinen Seiten liegenden Pectenschalen eingenommen. Auf den drei andern Flächen der Plinthe wechseln Muschel- und Schneckenschalen mit Ringen ab, in denen wir wohl manillas, also Ringgeld, zu sehen haben.

Die ganze Gruppe ist, wie alle die späteren runden Bildwerke, massiv gegossen, nur der Sockel ist hohl. Der rechts stehende Panther war wohl beim ersten Gusse verunglückt und ist nachträglich neu gegossen worden; er ist nur an seinem linken Hinterbein durch eine Art »Schlottergelenk« mit dem Sockel verbunden und daher etwas beweglich. Auch sonst ist die Gruppe technisch nicht auf der Höhe, besonders die obere Fläche des Sockels hat sehr zahlreiche Gußfehler; selbst die Füße des Königs sind vielfach durch solche Fehler entstellt, ohne daß ein Versuch gemacht wäre, sie zu verbessern. Nur auf der Brust des Königs befindet sich etwa in der Mitte zwischen Mund und Nabel eine rechteckige, etwa 5 : 7 mm messende, etwas dunkler gefärbte Stelle, die sich bei näherem Zusehen als eine mit Kupfer ausgefüllte Lücke erweist; so ist ein an dieser Stelle besonders störend empfundener Gußfehler in derselben Technik ausgebessert worden, die wir bereits S. 298 bei Besprechung der Reiterfigur auf Taf. 73 kennen gelernt haben. Über den »Schacht« vgl. S. 288 oben.

2. Berlin, III. C. 8165, siehe Taf. 81. Ähnliche große Gruppe, auf einem gleichartigen Sockel. Der König hat einen ganz eigenartigen, runden Hut mit dicker Krempe, oben mit einer achtteiligen Rosette, sonst mit sorgfältig ziselierten Flechtbändern usw. verziert; unter dem Hute scheint er noch eine Art Schweißkappe mit geschweiften Rändern zu tragen. Seine Lendentücher sind in derselben Art und mit denselben Emblemen geschmückt wie die des Königs auf der früheren Gruppe, nur hängt rechts an einem breiten Bande über den Schurz noch eine große Widdermaske herab. Die Rumpftätowierung gleicht der des Vorgängers, aber die Stirn ist ganz ohne Ziernarben. Die leichten Abweichungen in den Perlgehängen ergeben sich aus der Tafel; völlig vereinzelt ist die mittlere Hüftschnur, bei der dickere zylindrische Perlen mit spindelförmigen Knoten abwechseln, die aus etwas kleineren Perlen »gestaucht« sind; unter dieser liegt noch eine dritte Hüftschnur, anscheinend aus kleinen Schellen bestehend, die mit runden Perlen abwechseln. Die linke Hand hat wiederum ein großes, neolithisches Beil gefaßt, die rechte hält ein großes Scepter von der Form eines dicken, oben und unten verjüngten und auch in der Mitte eingezogenen, drehrunden Stabes. Dieses Scepter ist mit inf ünf Reihen symmetrisch angeordneten Emblemen bedeckt, nur der unterste Teil ist glatt. Die Embleme sind alle gleichmäßig in hohem Relief gehalten; in der obersten Reihe sehen wir vorn und hinten je ein Krokodil, rechts und links einen Wels, in der zweiten Reihe vorn zwei einander gegenüberstehende Elefantenköpfe, hinten zwei Welse, in der dritten Reihe vorn einen Wels, hinten zwei Krokodile, in der vierten (unter der Hand des Königs) rechts und links je einen Elefantenkopf und in der fünften vorn und hinten je ein Krokodil, rechts und links einen Wels. Außerdem befinden sich auf dem Scepter sechs längliche, rechteckige Vertiefungen, die man vielleicht mit den angeblichen Juju-Marken auf den großen Elefantenzähnen vergleichen darf, von denen im Kap. 50 die Rede sein wird. Am rechten Oberarm liegt ein aus 12 glatten Reifen gebildetes Schmuckstück, am linken eine schmale Spange, die vorn eine große, kreisrunde, flache Scheibe mit einem Panther trägt.

Gestützt wird der König von zwei übermäßig schlanken, ganz nackten Kindern, die ihm kaum bis zur Achselhöhe reichen, einem Knaben und einem Mädchen. Beide Kinder haben weder am Rumpfe noch auf der Stirn die übliche Benin-Tätowierung, wohl aber beide je drei schräge Striche unter jedem Auge. Der Penis steckt in einem sehr langen *nutschi*, wie ähnliche heute noch mehrfach aus Kamerun bekannt sind. Im alten Benin sind sie dagegen sonst niemals beobachtet; so werden wir wohl von beiden Kindern annehmen müssen, daß sie aus einem fremden Stamme sind; für fremde Herkunft spricht auch die in Benin sonst nicht vorkommende Haartracht. In der herabhängenden Linken hält das Mädchen anscheinend einen rechteckigen Fächer mit drehrundem Griff längs einer der Seiten; der Junge hält in der freien Rechten einen über die Schulter zurückgeschlagenen Gegenstand, vielleicht ein Tuch. Beide Kinder haben eine dünne Hüftschnur; das Mädchen hat auch eine Schnur auf den Schultern, von der über jede Brust je ein dünnes Kettchen herabhängt.

Hinter den beiden Kindern schritten Panther, doch ist nur der hinter dem Mädchen erhalten, der andere ist samt Stücken der Sockelplatte ausgebrochen. Der erhaltene hat ein breites Halsband. In der hinteren Reihe schritten ursprünglich, genau wie bei der Gruppe Nr. 1, drei Frauen, eine größere in der Mitte, kleinere mit Rahmentrommeln an der Seite. Nur eine von diesen kleineren mit schlappen Hänge-brüsten ist erhalten, aber auch diese durch brutale Gewalt fast abgebrochen und stark nach vorn gebeugt, die zwei andern sind der »haste of looting« ganz zum Opfer gefallen. Sonst liegt auf dem Sockel noch längs der einen Schmalseite ein stark umwickelter Bogen, auf der andern ein großer, plumper Pfeil mit einem Blatt als Flugsicherung. Längs des vorderen Randes liegt eine Reihe von Emblemen in sehr hohem, fast rundem Relief, in der Mitte ein mit dem Kopfe nach vorn gewandter Frosch, dann auf beiden Seiten symmetrisch je eine Pilgermuschel, eine Krabbe (oder große Spinne?), wieder eine Pilgermuschel und am Ende wiederum ein Frosch, aber mit dem Kopfe nicht mehr nach vorn, sondern schon nach außen gewandt. Die gleichen Embleme liegen auch längs des hinteren Randes: in der Mitte zu beiden Seiten der Füße der (abgebrochenen) mittleren Frau je ein Geldring, dann ganz symmetrisch jederseits je ein Pecten, ein Frosch, wieder ein Pecten, ein Geldring und am Ende wieder ein Frosch, alle fünf Frösche diesmal mit dem Kopfe nach hinten gewandt.

Alle Kanten des etwa 25 : 30 cm großen und 8 cm hohen Sockels sind ungleich sorgfältiger als bei der Gruppe 1 mit einem breiten, doppelten Flechtband eingefaßt, das an den oberen Ecken mit einem Nagel festgehalten scheint, dessen vorspringendes Köpfchen als Schraubenkopf gebildet ist. Alle vier Seiten-flächen sind wiederum mit einem Flechtband ausgefüllt, auf dem je zwei gegenständige Elefantenköpfe mit einem Dreiblatt in der Greifhand des Rüssels angebracht sind. Auch auf der Plinthe liegen wiederum vorn genau wie bei der Gruppe 1 und in derselben Lage zwei Enthauptete; im Munde scheint jeder einen Knebel zu haben, der durch eine gedrehte Schnur festgehalten wird. Hinten liegt auf der Plinthe in der Mitte ein nach außen gewandter Frosch, dann symmetrisch beiderseits eine Pilgermuschel, ein Geldring, wieder eine Muschel und ein Geldring und am Rande eine große Spinne oder Krabbe. Auf den schmalen Seiten der Plinthe liegen, ganz symmetrisch, von vorn nach hinten aufgezählt eine Muschel, ein Geldring, eine Muschel, eine Krabbe(?), ein großer und plumper Pfeil gleich dem, der oben auf dem Sockel liegt, und dann wiederum ein Geldring zwischen zwei Pecten-Muscheln.

Die ganze Gruppe ist bis auf den hohlen Sockel massiv gegossen und wiegt 65 kg. Sie ist ungleich sorgfältiger gearbeitet als die Gruppe Nr. 1. Wenn die beiden Gruppen auch der Regierungszeit von zwei verschiedenen Königen angehören dürften, scheinen sie doch zeitlich recht nahe zusammenzufallen. Nur wenn man davon ausginge, daß Kunst und Technik vom 16. Jahrh. an in Benin gleichmäßig immer schlechter und schlechter werden, müßte man die Gruppe Nr .2 für die ältere halten. Sicher scheint mir nur, daß sie beide jünger sind als die Mehrzahl der Platten. Ich würde sie beide in das frühe 17. Jahrh. verlegen.

3. Berlin, III. C. 8166. Siehe Taf. 83. Große Gruppe, mit dem hohen Sockel im ganzen etwa 37 cm hoch. Die Königin mit acht »Hofdamen«; diese sind paarweise angeordnet. Die Königin steht hinter dem Schachte, in der Mitte, ihre Begleiterinnen fast um Haupteslänge überragend. Von diesen sind die beiden hintersten ihr zugewandt und halten Schilde, die den Kampfschilden der Männer gleichen, über ihren Kopf; die drei andern Paare schreiten nach vorn; die beiden Frauen des dritten Paares sind etwas größer als die andern und stützen die Königin in der üblichen Art von jeder Seite an den Armen, von denen der zweiten trägt die Linke einen Schemel, die Rechte ein Ebere, die Frauen des vordersten Paares halten jede einen Fächer, von denen der eine mit Kreisen, der andere mit schönen Doppelspiralen geschmückt ist. Die vier vorderen Frauen sind ganz unbekleidet, die links stehende des dritten Paares

hat eine kleine, halbkreisförmige Schamschürze, anscheinend aus Perlen; nur die Königin und die zwei Schildhalterinnen haben kurze Röcke über den Hüften, aber auch nackten Oberkörper; wohl aber hat die Königin sehr reichen Perlschmuck, wie aus der Abbildung ersichtlich, so daß ihre welken Hängebrüste fast ganz bedeckt sind. An einer Stelle links, an der eine unsymmetrische Haarschnur mit Perlen vom Scheitel bis zur Hüftbedeckung herabhängt (»Prinzenlocke«!), liegen sogar fünf Schichten von Perlen übereinander. Die Königin trägt eine spitzkegelförmige, nach vorn etwas übergebeugte Perlhaube gleich den Köpfen auf Taf. 62, die beiden Schildhalterinnen tragen ganz eigenartige, aus Blättern geflochtene Kopfbedeckungen, die sechs andern Frauen haben helmartige Haartracht mit hoher, median-sagittaler Kammleiste. Alle neun Frauen haben die typischen Stirnnarben und am Rumpfe ungefähr die gleichen Striche wie die Frau auf Taf. 70. Außerdem haben die acht Begleiterinnen — vielleicht als Rangabzeichen — ein schräges Kreuz auf der linken Brust.

Die Gruppe steht auf einem hohlen Sockel von 27 : 32 cm Größe und 10 cm Höhe; jede der vier Seitenflächen ist mit einem breiten, in sich geschlossenen Flechtbandmuster bedeckt. Die obere Fläche des Sockels ist glatt, mit mehreren großen Gußfehlern, in der Mitte mit einem rechteckigen »Schacht« von 9 : 10 cm Öffnung. Der Sockel steht auf einer glatten, ringsum etwa 2 cm vorragenden Plinthe.

Abb. 458 und 459.   Bronzegruppen, anscheinend »Königin mit ihren Hofdamen«.   Berlin, III. C. 20 301 und Capt. Egerton, 10, B.
Etwa ¹/₃ d. w. Gr.

4   Berlin, III. C. 20 301, siehe Abb. 458. Ähnliche Gruppe, oben die Königin mit vier »Hofdamen« auf einem Sockel von 21,5 : 21,5 cm. Zwei von den Frauen stützen die Königin und halten in der freien Hand je einen runden Fächer, von den zwei andern hält die eine in der rechten Hand auch einen Fächer, in der linken anscheinend ein Tuch; die zweite hält in der Rechten einen dicken, wie geflochten aussehen- den Stab. Auf der vorderen Sockelwand stehen noch drei weitere Frauen, die beiden seitlichen mit je einem großen Fächer, der mittlere mit einem zusammengefalteten Tuch; zwischen ihnen Elefantenköpfe; auf den beiden Seitenwänden je zwei Frauen und zwischen diesen eine große, feste, weit ausladende, wag- rechte Handhabe mit einem Tierkopf. Auf der oberen Fläche des Sockels liegt vorn am Rande in der Mitte ein ovaler, schildförmiger, nach beiden Seiten abgedachter Gegenstand, vermutlich ein Steinbeil.

5. Wien 64 782. Königin mit vier »Hofdamen« auf dem Sockel und sieben weiteren Frauen auf den Seitenflächen. Diese Gruppe stimmt bis in die letzten Einzelheiten mit der hier eben unter Nr. 4 beschriebenen Berliner Gruppe, Abb. 458, derart überein, daß die Abbildung des Berliner Stückes die des in Wien befindlichen vollkommen ersetzt, ebenso wie die außerordentlich eingehende und sorgfältige Schilde- rung des Wiener Stückes bei Heger (1916, Nr. 68) auch für die Berliner Gruppe zutrifft und jede weitere Beschreibung überflüssig macht; nur muß statt »bekleidete Europäerarme« nach dem oben S. 311 Ausge- führten »Elefantenköpfe« gesetzt werden. Ebenso beschreibt Heger die von den zwei Frauen gestützte Hauptfigur noch als männlich. Auf Grund meines großen Vergleichsmaterials kann ich sie trotz der Un- ansehnlichkeit ihrer Hängebrüste schon wegen ihrer Tracht mit voller Sicherheit als weiblich bezeichnen.

Auch auf diesem Stücke liegt wie auf dem Berliner in der Mitte der Sockelfläche vorn jener selbe Gegenstand, in dem ich ein Steinbeil erkennen zu dürfen glaube. Der Beschreibung bei Heger kann ich noch nachtragen, daß nahe am hinteren Ende dieses Gegenstandes eine etwa herzförmige Linie mit einem Punkte in der Mitte tief eingepunzt ist. Das ganze Bildwerk ist sonst kaum überarbeitet und hat fast durchweg noch die Gußhaut. Links von dem beilförmigen Gegenstande ist einer der vielen Gußfehler durch eine Kupferniete gut ausgefüllt.

6. Sammlung von Capt. Egerton, siehe Abb. 459. Ähnliche Gruppe: Oben auf dem Sockel die Königin mit sechs Hofdamen, von denen die zwei hintersten sie stützen. Auf den Wänden des Sockels vorn drei weitere Frau n, auf jeder der zwei seitlichen je zwei; keine Elefantenköpfe, keine Handhaben.

7. Berlin, III. C. 8167, siehe Taf. 84. Sehr rohe, völlig kunstlose Gruppe; an einer Ecke, weil die Gußspeise nicht reichte, unvollständig und wohl deshalb nicht überarbeitet; die ursprüngliche Gußhaut ist fast überall noch erhalten; auch ist nur an einigen wenigen Stellen ein tastender Versuch einer Punzarbeit gemacht. Anscheinend war das ganze Bildwerk zum Einschmelzen bestimmt worden. Einzelne abgescheuerte Stellen lassen die Vermutung aufkommen, daß man es dann doch irgendwie in Gebrauch genommen hat. Die starken, mitgegossenen Ringe lassen weiter vermuten, daß die Gruppe ebenso, wie sie zweifellos einen feierlichen Umzug darstellt, auch selbst ihrerseits aus Anlaß von solchen Umzügen, auf Tragstangen oder sonstwie befestigt, umhergetragen wurde.

Die Anordnung der Gruppe ist völlig durchsichtig. Hauptperson ist wieder eine Frau, also wohl eine Königin; sie steht zwar ganz in der hintersten Reihe, wird nicht gestützt und wird auch an Größe von zwei andern Personen überragt, aber sie ist die einzige unpaarige Figur auf dieser Gruppe und würde schon deshalb als wichtige Persönlichkeit in Frage kommen müssen, auch wenn sie nicht an genau derselben Stelle des Sockels stände, an der auf den bisher aufgeführten sechs Gruppen die Königin steht. Ihre beiden Begleiterinnen haben jede eine Rahmentrommel, und zwar beide in der hoch erhobenen Rechten, also diesmal mit Verzicht auf die sonst an dieser Stelle betonte Symmetrie; vor diesen Frauen, die aus Ungeschicklichkeit wie halb in den Boden versenkt wirken, schreitet rechts und links je ein übermäßig lang geratener Mann mit einer Art verunglückter Mitra, symmetrisch, auch so, daß Beide ihre Schilde nach außen gegen den Rand der Gruppe und ihre Speerbündel nach innen, gegen das große *impluvium*, halten. Sie haben den typischen Halsschmuck mit den Pantherzähnen, mit der viereckigen Glocke und mit dem hinten herabhängenden Roßschweif. Die Glocke wird in Benin sonst immer nur auf einem Panzer oder wenigstens auf einem Poncho, niemals auf der bloßen Haut getragen. Von dieser Regel machen auch diese beiden Leute nur eine scheinbare Ausnahme; sie haben unter der Glocke noch einen kleinen, verzierten Lappen, wenn auch der übrige Oberkörper nackt ist. Vor ihnen schreitet jederseits je eine viel kleinere Person vom Typus der Taf. 68 sowie Fig. 428, 433 und 434 abgebildeten, also mit Hut, Schnurrhaaren, Spitzenkragen, Stab und Hammer. Daß Beide Frauenbrüste zu haben scheinen, möchte ich nur für Zufall halten; ähnliche ungeschickte Bildungen kommen auch bei weniger schlecht gearbeiteten Bildwerken in Benin nicht selten vor, gerade auch bei Personen, deren Männlichkeit nicht zu bezweifeln ist. Vor diesen zwei Leuten mit den Schnurrhaaren schreiten, schon gegen die Mitte der Vorderseite zugewandt, zwei Panther mit Halsbändern, und zwischen ihnen liegt — was den dämonischen oder sakralen Charakter des Bildwerkes ganz besonders offenkundig macht — in der Mitte der vorderen Front, wie zu kultischer Verehrung niedergelegt, ein großes, neolithisches Steinbeil, von zwei nach vorn strebenden Schlangen umringt. Rechts und links davon liegt noch je ein Gegenstand, den man für den abgeschnittenen Kopf eines großen, bucerosähnlichen Vogels halten könnte. Unsymmetrisch liegt dann auf der vom Beschauer der Gruppe rechten, also auf ihrer linken Seite nach außen von dem »Vogelkopf«, also vor den Vorderfüßen des einen Panthers, noch eine dicke, kreisrunde Scheibe. Eine gleiche, die aber auf unserer Tafel nicht sichtbar ist, liegt auch vor den Hinterfüßen desselben Tieres.

Auf der vorderen Fläche des etwa 7 cm hohen Sockels steht in der Mitte eine ganz kleine Figur, dann zu beiden Seiten je ein Elefantenkopf und je zwei weitere, etwas größere Figuren; auf der hinteren Fläche stehen vier ähnliche Figuren, und zwischen ihnen drei große, halbkuglig vorspringende Knöpfe. Auf den beiden seitlichen Flächen stehen symmetrisch je drei Figuren und die schon erwähnten, auch auf der Tafel gut sichtbaren Ringe. So sind auf den vier Seitenflächen des Sockels im ganzen fünfzehn Nebenfiguren verteilt; aber sie sind zu mangelhaft ausgeführt, als daß es sich lohnen würde, eine nähere Beschreibung zu versuchen.

8. Berlin, III. C. 9949, siehe Taf. 85 B. Große Gruppe, ähnlich der vorigen, etwas bessere Arbeit,

aber mehrfach beschädigt; so fehlen zwei Figuren und alle vier Außenseiten des Sockels, von dem nur die Wände des »Schachtes« vorhanden sind. Hinten in der Mitte stand die Königin, von ihr sind nur die Füße vorhanden; ebenso fehlt ihre Begleiterin zur Linken; die zur Rechten ist vorhanden und hat eine Rahmentrommel in der Rechten. Vor ihr und ebenso vor dem Platze der fehlenden Begleiterin steht je ein Panther, aber nicht nach vorn, sondern gegen die Mitte der Gruppe hin schreitend; dann folgt beiderseits ein Mann mit Mitra, Schild und Speer, und vor diesem wiederum der Mann mit den Schnurrhaaren, Hut, Kreuz, Stab und Hammer. Vor diesem stehen, wiederum nach innen, nicht nach vorn gewandt

Abb. 460.   Bronzegruppe, anscheinend mit einer kultischen »Prozession«. München.   Etwa ⅓ d. w. Gr.

Abb. 461.   Stark beschädigte Bronzegruppe, ähnlich der 460 abgebildeten. Etwa ⅓ d. w. Gr.

jederseits ein Panther mit Halsband. Unter jedem dieser beiden Panther liegt ein Donnerkeil. Die Außenseiten des Sockels und die Plinthe sind weggebrochen. Die Gruppe war früher im Besitz von Mr. Webster (Nr. 6804 in Kat. 21, 1899, Fig. 117). Auf seine Veranlassung ist wohl auch die Entfernung des Sockels vorgenommen worden, der vermutlich beschädigt war. Jedenfalls sind die Seitenteile mit scharfen Meißelschlägen und durch einen kundigen Metallarbeiter entfernt; auch waren die Trennungsflächen noch ganz blank und ohne eine Spur von Patina, als wir das Stück erwarben.

9. Leipzig, M. f. V. Ähnliche, aber sehr gut erhaltene Gruppe mit der Darstellung eines feierlichen Umzuges; nur fehlt auch hier die Hauptperson, die Königin, die mit einem rechteckigen Defekt aus der Sockelplatte herausgebrochen ist. Den Zug eröffnen zwei, wie auf dieser Gattung von Bildwerken üblich, gegeneinander losschreitende Panther. Unter jedem liegt wiederum ein Steinbeil, hinter ihm ein Frosch; dann folgt auf jeder Seite des Schachtes nach vorn schreitend je ein Elefant, dann wiederum der kleine Mann mit den Schnurrhaaren und der Mann mit Mitra, Schild und Speer; dann folgten, schon hinter dem »Impluvium«, in der Mitte die Königin und zu beiden Seiten je zwei Frauen mit Glocken und einer

Art Schallbecken. Die nach vorn gewandte Seitenfläche des Sockels ist fast ganz von drei großen, richtigen Bukranien und zwei zwischen ihnen eingeteilten, wie üblich konventionell stilisierten Elefantenköpfen eingenommen; außerdem sind unter jedem Bukranium noch je zwei Gegenstände angebracht, die ich nicht sicher erkennen kann. Einige sehen wie Schellen aus, einer wie eine Maske; wahrscheinlich sind es flüchtig behandelte Pantherschädel; nur unter einem der Bukranien scheint wirklich unsymmetrisch rechts ein Pantherschädel, links eine menschliche Maske zu liegen. Auf der rechten und auf der linken Seitenfläche liegt, nicht in der Mitte, sondern ganz nach vorn verschoben, ein Krokodil, aus dessen Rachen noch eine Faust vorragt, wohl als Rest eines sonst verschlungenen Menschen.

10. Leipzig, Hans Meyer 64. Ähnliche, aber ganz besonders schöne und gut erhaltene Gruppe: Vorne wiederum zwei Panther, dahinter, streng symmetrisch wie immer, jederseits der kleine Mann mit den Schnurrhaaren, ihm folgen beiderseits zwei große Leute mit Mitra, Speer und Schild. Am hinteren

Rande des Sockels steht in der Mitte die Königin und zu ihrer Linken eine Frau mit einer Rahmentrommel; die entsprechende Frau von der andern Seite ist abgebrochen. Die nach vorn gewandte Fläche des Sockels hat, symmetrisch eingeteilt, vier Pantherschädel und drei Bukranien (also in der Reihenfolge $\boxed{P_E\ B\ PB\ PB_E\ P}$ und außerdem noch, klein und leicht zu übersehen, an den angemerkten Stellen je einen stilisierten Elefantenkopf.

11. München. Ganz gleiche Gruppe, mit völlig übereinstimmender Anordnung derselben Personen usw. Nur fehlen auf der Vorderfläche des Sockels die zwei kleinen Elefantenköpfe zwischen den Pantherschädeln und den Bukranien. Von den zwei Begleiterinnen der Königin ist die zur Linken abgebrochen; ebenso fehlen links der Mann mit den Schnurrhaaren und der vordere mit der Mitra. Siehe Abb. 460.

12. Im Buche von Ling Roth, G. B., ist S. 109, Fig. 105, nach einer schönen Zeichnung von Cyril Punch eine weitere Gruppe dieser Art abgebildet, die mit den eben unter Nr. 10 und 11 beschriebenen völlig und in allen Einzelheiten übereinstimmt, nur scheint aus ihr gerade die Hauptperson, die Königin, herausgebrochen zu sein. Die Zeichnung macht noch mehr, als es die Originale dieser Gruppen tun, den Eindruck einer richtigen »Prozession« und erinnert mich persönlich immer wieder von neuem an die feierlichen Umzüge am Fronleichnamstage, die in den Hauptstädten katholischer Länder mit großem Aufwand an kirchlichem Prunk veranstaltet werden.

13. Wien. Das k. k. Hofmuseum ist in der glücklichen Lage gewesen, 1917 noch 14 Benin-Altertümer zu erwerben, die in der S. 12 und 13 gegebenen »allgemeinen Übersicht« nicht aufgenommen sind, und ebensowenig natürlich auch in Heger's Beschreibung der Wiener Sammlung von 1916. Unter diesen Stücken befindet

Abb. 462. Bronzegruppe, in der Mitte ein Mann mit Handfesseln. Berlin, III. C. 20070. Geschenk von Dr. Hermann Meyer. Eine kleine, künstlerisch sehr wertvolle Federzeichnung derselben Gruppe, die freilich den ethnographischen Charakter gänzlich falsch wiedergibt, steht S. 233 als Abb. 273 bei L. R. Great Benin.

sich auch eine Gruppe, die sich im wesentlichen an die bisher hier beschriebenen anschließt, aber in mehreren Einzelheiten etwas abweicht. Der Umzug wird wiederum von zwei nach innen gewandten Panthern eröffnet, ihnen folgen, schon mit dem Kopfe nach vorn gewandt, je ein Elefant, der kleine Mann mit den Schnurrhaaren und der große Mann mit Mitra, Schild und Speer. Den Schluß macht die Königin mit vier musizierenden Frauen. Auf der vorderen Fläche des Sockels befinden sich drei Elefantenköpfe und zwei Bukranien in einer oberen Reihe und in einer unteren Reihe zwei Bukranien zwischen je zwei Pantherschädeln. Auf den Seitenflächen des Sockels liegt auf dem Flechtband je ein Krokodil.

14. »13. A. 15«. Siehe Abb. 461, unvollständige Gruppe gleicher Art: Vorn zwei nach innen gewandte Panther, unter jedem ein Steinbeil. Hinter dem einen Panther der Mann mit den Schnurrhaaren usw. Die übrigen Personen sind abgebrochen, aber leicht zu ergänzen. Auf der vorderen Fläche des Sockels wechseln drei Bukranien symmetrisch mit vier Pantherschädeln ab.

15. Berlin, III. C. 8328, siehe Taf. 85 A sowie die Abb. 363 und 364. Auf einem Sockel von 25×29 cm Grundfläche und 8,5 cm Höhe sind diesmal nur Tiere, keine Menschen, dargestellt: In der vordersten Reihe, nach innen schreitend, zwei Panther mit Perlhalsbändern (einer ausgebrochen), unter jedem Panther ein Steinbeil; ein drittes Steinbeil liegt genau in der Mitte zwischen diesen Panthern

und so gleichsam an der Spitze des ganzen Umzuges. Hinter den Panthern liegt schräg je ein Fisch (Wels?), dahinter schreitet genau nach vorn ein Elefant mit dem uns schon bekannten großen Rüssel, hinter ihm liegt wieder schräg je ein Krokodil; den Umzug schließt in der Mitte des hinteren Randes, also auf dem sonst von der Königin eingenommenen Platze, schreitend ein Panther, der gleich dem Taf. 44 c abgebildeten auf dem Halsbande mit zylindrischen Perlen auch noch eine Reihe von Schellen hat. Auf den beiden hinteren Ecken des Sockels sitzt, diagonal nach außen orientiert, je ein Frosch. Auf der vorderen Fläche des Sockels sind symmetrisch zwischen drei richtigen Rinderköpfen mit Schnüren über der Stirn zwei stilisierte Elefantenköpfe eingeteilt. Die anderen Flächen des Sockels zeigen nur die üblichen Flechtbänder.

Abb. 463. Frontansicht der Taf. 85 A abgebildeten Gruppe. Berlin, III. C. 8328.
Etwa ¹/₃ d. w. Gr.

16. Leipzig, M. f. V. Völlig gleichartige Gruppe, von der vorigen allein nur dadurch unterschieden, daß vor dem Steinbeil, in der Mitte zwischen den zwei Panthern noch eine in Spiralen ausgehende Öse liegt, gleich der, die sich manchmal (vgl. Taf. 94) auf den viereckigen Glocken findet und sich bei diesen aus einem langhaarigen Europäerkopf entwickelt zu haben scheint. Auf der vorderen Fläche des Sockels befinden sich gleichfalls, genau wie dort, drei Rinderköpfe und zwischen ihnen zwei stilisierte Elefantenköpfe.

17. Berlin, III. C. 8168, siehe Taf. 82. Die hier abgebildete Gruppe ist mit dem Sockel etwa 40 cm hoch. Sie gehört inhaltlich in einen völlig andern Kreis als die bisher besprochenen und hält eine Hinrichtungsszene fest. In der Mitte kniet ein großer Neger mit wie zum Gebet gefalteten Händen; er hat nackten Oberkörper, keine Benin-Tätowierung, aber drei erhabene, divergierende Striche hinter den äußeren Augenwinkeln. Seine Haare sind zu dicht nebeneinander von vorn nach hinten liegenden Zöpfen eng verflochten. In der Mitte der Stirn liegt, mit einer Schnur festgebunden, ein blattförmiges Gebilde, vielleicht eine Schleuder. Über dem faltigen Schurz verläuft ein dicker, gedrehter Strick, an dem hinten eine aus zusammengebogenen Gliedern bestehende Kette befestigt ist. Hinter dem knienden Manne stehen zwei etwas kleinere Leute, mit den typischen Benin-Narben und

Abb. 464. Elefant von der Taf. 85 A und Fig. 463 abgebildeten Gruppe.
Berlin, III. C. 8328. Etwa ¹/₂ d. w. Gr.

Benin-Schurzen, also sicher Eingeborene, wenn auch die sehr rudimentäre Bekleidung ihres Oberkörpers sonst in Benin nicht vorkommt; sie besteht aus einer Art ganz kurzen Poncho, der nur bis zum Nabel reicht und vorn und hinten wie ein Schlangenkopf zugeschnitten ist und auch Andeutung von Schlangenaugen hat. Wie die wirklichen Benin-Panzer sind diese eckigen Lappen mit einem quer unter den Achseln verlaufenden breiten Bande festgehalten. Beide Leute tragen flache, schüsselförmige Hüte, die mit einem ganz großen Malteserkreuz geschmückt sind, dessen Schenkel von einem Rande zum andern reichen. Von diesen beiden Leuten, die man fast als »Polizisten in Uniform« ansprechen könnte, trägt der zur Linken einen kurzen Stock, der andere hält in der linken Hand die Kette, an die der kniende Gefangene gebunden ist, und in der Rechten einen langen torquierten und oben mit einem Negerkopf geschmückten Knüttel. Vor ihm steht ein elendes kleines Kerlchen, durch seine schmale Nase, die dünnen Lippen, den Knebelbart, das schlechte Haupthaar und durch seine Tracht leider als Europäer gekennzeichnet, mit erhobener Steinschloßflinte und im Begriffe, den vor ihm knieenden gefesselten Neger zu erschießen, zu welcher Heldentat er sich auch mit einer Schnapsflasche ausgerüstet hat, die von seiner rechten Schulter an einem Bande herabhängt. Auf der andern Seite des Knieenden steht ein Hund. Längs der vorderen Kante des Sockels liegen drei abgeschnittene Negerköpfe, in der Mitte jeder der drei andern Kanten je einer, so daß im ganzen sechs solche Köpfe den Schauplatz der ganzen Szene als Richtstätte kennzeichnen. Das neue Opfer, anscheinend ein fremder, nicht zum Benin-Stamm gehöriger Neger, soll schon durch seine auch im Knieen noch die stehenden Begleiter überragende Größe als vornehmer Mann bezeichnet werden. Daß er ein Europäer ist der den gefesselten Mann erschießt, und ebenso, daß man ihn so zwerghaft klein dargestellt hat, scheint nicht für eine besondere Wertschätzung zu sprechen, deren sich die Europäer zur Zeit der Verfertigung dieses Bildwerkes erfreut hätten; es lehrt uns auch in recht eindringlicher Weise, wie die Greueltaten der Belgier am Kongo schon in früheren Jahrhunderten an der Guinea-Küste ihre Vorläufer gehabt haben. So ist die kulturhistorische Bedeutung dieser Gruppe wesentlich größer als ihre künstlerische, die man kaum gering genug einschätzen kann; ihrem schlechten Stil und ihrer geringen Technik entspricht auch die Behandlung der Seitenflächen des Sockels. Da sind die Flechtbänder der älteren Gruppen schon völlig mißverstanden und zu einzelnen Ω-förmigen Ösen geworden, die untereinander nicht mehr zusammenhängen. Es ist natürlich unmöglich, die Gruppe genau zu datieren; sie mag in das späte 17., vielleicht auch erst in das frühe 18. Jahrh. gehören.

18. Rushmore, P. R. 324/5. Völlig gleichartige Gruppe, aus derselben Werkstatt und wohl auch von demselben Manne gearbeitet; nur der schießende Europäer fehlt; er ist vielleicht erst nachträglich abgebrochen; auf der Abb. bei P. R. ist eine Bruchstelle allerdings nicht zu erkennen. Der Begleiter zur Linken hat ein gerades Schwert statt des großen Knüttels auf der Berliner Gruppe, der Hund ist etwas weniger schlecht gearbeitet, und auf dem Sockel liegen nur drei menschliche Köpfe statt sechs — aber von diesen unwesentlichen Einzelheiten abgesehen, stimmen beide Gruppen durchaus überein, auch in so auffallenden Dingen wie z. B. die großen Malteserkreuze auf den Hüten der Begleiter und die Schleuder auf der Stirn des Knieenden.

19. Berlin III. C. 20070, siehe Abb. 462. Diese dritte Gruppe mit einer Hinrichtungsszene zeigt in der Mitte einen unverhältmäßig großen knieenden Eingeborenen; seine Hände stecken in einer Fessel von der Art, die noch heute im ganzen Niger-Gebiet vorkommt, mit zwei oben offenen Ringen, durch deren Ösen eine Stange geschoben wird. Hinter dem Manne stehen die gleichen »Polizisten in Uniform«, die wir eben auf den beiden Gruppen 17 und 18 kennengelernt haben, mit denselben Malteser Kreuzen auf ihren Kopfbedeckungen. Zu den Seiten des Delinquenten stehen jederseits zwei nackte Frauen mit in Mustern ausrasierten Haupthaar; alle vier halten mit beiden Händen Gegenstände fest, die vielleicht als Rasseln zu deuten sind.

Im ganzen haben wir so Kenntnis von 19 Gruppen auf rechteckigen Sockeln; fast auf allen sind uns feierliche Umzüge erhalten; zwei zeigen uns den König mit seinen Begleitern, vier die Königin mit ihren »Hofdamen«, acht andere die Königin mit einer richtigen Prozession, zwei zeigen uns nur Umzüge von Tieren, auf dreien schließlich sind Hinrichtungsszenen dargestellt.

Die runden Untersätze, die wir nun zu beschreiben haben, sind von jenen Gruppen zwar der Form nach sehr verschieden, aber sie stimmen inhaltlich so sehr mit ihnen überein, daß es mir von vornherein richtig schien, beide Arten in einem Kapitel zu vereinigen.

B. Gruppen auf rundem Sockel.

1. Berlin, III. C. 8491, siehe Taf. 93. Ein zylindrischer Untersatz, 24 cm hoch, 18 cm im Durchmesser haltend, steht auf einer kreisrunden Plinthe von 25 cm Durchmesser; in der Mitte der oberen Fläche befindet sich ein rundes »Schachtloch« mit einem Durchmesser von 6 cm. Späte und schlechte Arbeit mit sehr vielen Gußfehlern, die auszuflicken nirgends ein Versuch unternommen scheint; auch ist das Stück nicht ziseliert und hat durchweg noch die Gußhaut. Auf der mit einem Flechtband und am Rande mit Schraubenköpfen geschmückten Plinthe stehen, an die Mantelfläche angelehnt und sonst fast rund gegossen, sieben weibliche Figuren, in denen wir sofort die Königin und die nackten Begleiterinnen von den hier unter A 4, 5 und 6 beschriebenen Gruppen erkennen. Der dort viereckige Sockel ist zylindrisch geworden, und die Frauen sind von seiner oberen Fläche auf die Plinthe getreten — sonst hat sich nichts geändert; nur die Arbeit, sowohl die Kunst als das Handwerk, sind noch wesentlich geringer geworden. Eine Beschreibung der einzelnen Personen wäre unnützer Zeitverlust, besonders da Heger (1916 unter

Nr. 69) das gleichartige Wiener Stück bis in die letzten Einzelheiten eingehend genau beschrieben hat; alles Nötige ist aus den zwei Ansichten auf Taf. 93 zu ersehen. Nur das Lendentuch der Königin verdient einen besonderen Hinweis; es hat sich stark gesenkt, wodurch der mit einem grobmaschigen Netz bekleidete Rumpf übermäßig lang erscheint. Bei zwei noch etwas schlechteren gleichartigen Stücken von Webster, 21, 1899, Fig. 125 und 126, ist diese Senkung noch vorgeschritten; da ist das ursprüngliche Lendentuch schon über die Kniee herabgesunken und zu einem schmalen Saume für das nun hemdartig verlängerte Netzgewand geworden und hat Hand in Hand damit auch den mittleren Flechtbandstreifen eingebüßt, der es sonst durchweg auszeichnet. Ein Vergleich dieser Bekleidung mit der ursprünglichen, wie sie z. B. Taf. 86 B zeigt, ist sehr lehrreich.

2., 3. Zwei weitere Stücke dieser Art sind eben als bei Webster abgebildet erwähnt worden; eines von ihnen ist jetzt in Dresden, über den Verbleib des zweiten habe ich nichts erfahren.

4. London, R. D. IX, 1. Gleichartiges Stück, aber gut ziseliert; mit sehr großer Sorgfalt sind sogar die ungefähr rechteckigen Felder, die in zwei Streifen des Zylindermantels je zwischen den vorragenden Köpfen und Hüften der Frauen gegeben sind, durch ein eingepunztes Sternmuster verziert.

5. Ein ebenso gutes Stück, dem im Brit. Museum fast zum Verwechseln ähnlich, durfte ich in der Sammlung von Admiral Rawson photographieren lassen. Es ist hier Fig. 465 abgebildet.

6. Wien, 68 699. Vgl. die ausführliche Beschreibung bei Heger, die hier unter 1 bereits erwähnt ist.

7. Hamburg, C. 2338. Ähnlich ge-

Abb. 466. Zylindrischer Sockel mit vier musizierenden Frauen. Nach P. R. 139. ⅓ d. w. Gr.

Abb. 465. Zylindrischer Sockel, Bronze, Sammlung von Admiral Rawson. Etwa ¼ d. w. Gr.

formter, zy- lindrischer Sockel, aber mit vier musizierenden Frauen und mit ganz anderer Raumeinteilung wie bei den bisher unter 1 bis 6 angeführten Sockeln mit der Königin. Die Frauen sind gleichmäßig über die Mantelfläche verteilt, und die so entstandenen großen Zwischenräume mit einem Flechtbandmuster ausgefüllt; vgl. die Abbildung eines gleich zu erwähnenden ähnlichen Stückes, Fig. 466.

8. Rushmore, P. R. 139. Völlig gleichartiges Stück, aber nach der hier Fig. 466 reproduzierten Abbildung noch etwas schlechter und später als das Hamburger. Zwei von den vier hohen Feldern zwischen den Figuren sind sogar mit einem dünnen Blech benagelt, auf dem ein Flechtband in repoussierter Arbeit angebracht ist — wahrscheinlich war die ursprüngliche Füllung der Fläche im Gusse verunglückt; P. R. gibt nicht an, wie die Fläche unter diesem Blech aussieht. Von den vier Frauen schlägt die auf der Abbildung links stehende ein Idiophon in der Form eines Ibis, die andere eine große, einfache Glocke. Die Instrumente der beiden andern Frauen sind abgebrochen; vermutlich waren es die gleichen.

Die Frage nach dem Zwecke dieser acht zylindrischen Stücke ist sicher sehr naheliegend; P. R. beantwortet sie für das seine in sehr einfacher Weise, indem er es als »stand for carved tusks« bezeichnet. Das ist ganz willkürlich und in keiner Weise wahrscheinlich. Das Hamburger Stück ist dort in sehr ansprechender Art als Sockel für einen jener großen »Bäume« verwendet, wie sie hier Taf. 110 A und C abgebildet sind. Daß es in den Maßen genau paßt, mag Zufall sein, aber auch rein stilistisch und inhaltlich sowie der Entstehungszeit nach stimmen die beiden Bildwerke so gut zusammen, daß ein Zweifel an ihrer wirklichen Zusammengehörigkeit kaum gestattet scheint. Trotzdem halte ich diese nicht für völlig gesichert; wenigstens kann die innere Analogie dieser runden Stücke mit den viereckigen Sockeln für die Gruppen mit der Königin und ihren Begleiterinnen nicht ganz unbeachtet bleiben; diese Sockel sind aber viel zu niedrig, als daß man einen hohen und schweren Gegenstand in ihnen aufstellen könnte, und auch das rechteckige, oft sehr große Schachtloch wäre hierfür so ungeeignet, als nur möglich. Würden also die runden »Untersätze« und die viereckigen Sockel der Gruppen nicht nur inhaltlich, sondern auch ihrem Zwecke nach übereinstimmen, dann dürfte man auch die runden Stücke nicht als Sockel für »Bäume« betrachten und müßte sie für selbständige, in sich vollständige Bildwerke halten. Das »Schachtloch« würde dann wahrscheinlich nur eine rein gußtechnische Bedeutung haben und zur Sicherung des Form- kerns nötig gewesen sein; es wäre dann analog den runden Löchern auf dem Scheitel der großen Köpfe, die wir in Kap. 19 besprechen werden. Inzwischen findet die Hamburger Aufstellung eine starke Stütze in dem gleich zu beschreibenden Londoner Stück,

das hier Fig. 467 abgebildet ist; da steht wirklich, einheitlich gegossen, also sicher zusammengehörig auf einem runden Sockel ein kleine Gruppe, die mit einer der Darstellungen auf jenen Bäumen verwandt sein dürfte.

9. London, R. D. IX 2, siehe Abb. 467. Dieses höchst eigenartige Bildwerk erweist sich bei näherer Betrachtung als eine Verquickung von drei oder gar vier verschiedenen Arten von Benin-Altertümern; der obere breite Streifen rings um den runden Sockel erinnert an die zwei großen Berliner Gruppen Taf. 79 und 81. Hier wie dort sehen wir den König, mit Scepter und Donnerkeil, auf zwei Begleiter gestützt; daß zwei andere Begleiter ihn mit ihren Schilden beschirmen, ist ein Motiv, das uns von zahlreichen Platten geläufig ist. Auch die großen Malteser- kreuze, die paarweise oben und unten hinter den Schildträgern eingeteilt sind, kennen wir von den Lendentüchern der beiden Könige auf Taf. 79 und 81 sowie von den Hüten der beiden Begleiter des unglücklichen Delinquenten auf Taf. 82. Den Schildträgern folgt jederseits ein Mann mit einem Stabe, und diesen dann auch auf beiden Seiten der uns so wohlbekannte Mann mit den Schnurr- haaren, dem Hut, Halskreuz, Stab und Hammer. Auf der hier und leider auch bei R. D. nicht abgebildeten hinteren Seite ist, dem Könige der

Abb. 467. Gruppe auf Sockel, Bronze, Brit. Museum, nach R. D. IX, 2. Etwa ²/₇ d. w. Gr.

Vorderseite entsprechend, die Königin mit ihren Damen dargestellt, genau wie auf den runden Untersätzen vom Typus des Fig. 465 abgebildeten Stückes, aber auch wie auf den Gruppen vom Typus der Abb. 458. So sind auf diesem Teile der Mantelfläche die Personen von zwei ganzen Sockelgruppen vereinigt, König und Königin, je mit ihrem Gefolge. Der untere schmälere Streifen der Mantelfläche entspricht aber ebenso eindeutig den Seitenflächen der viereckigen Sockel. In ähnlicher Weise ist auch die oben freistehende Gruppe nur aus Elementen zusammengesetzt, die wir von den viereckigen Sockeln und von den Platten her kennen. Da steht wiederum der König, in jeder Hand ein Ebere haltend, von zwei knieenden Begleitern gestützt; hinter diesen zwei Frauen, vor ihnen zwei gegeneinander schreitende Panther und zwischen diesen, gleichsam der Mittelpunkt und die Seele des ganzen Bildwerkes, ein Steinbeil. Vor dem Könige befindet sich ein rechteckiges, hinter ihm ein ovales Schachtloch; diese beiden Löcher sind wohl kaum in irgendeinen Zusammenhang mit Dingen zu bringen, die in den »Sockel« hineinzustecken oder von ihm zu tragen wären; vielleicht haben sie eine rein gußtechnische Bedeutung, vielleicht aber auch eine kultische.

Mit seinen zwanzig Personen, etwa ebensoviel großen Emblemen und den zwei Panthern ist dieses Bildwerk das figurenreichste Denkmal der alten Benin-Toreutik. Es ist nicht ganz so alt wie die Mehrzahl

der Platten, aber etwa gleichalt mit den Gruppen auf den viereckigen Sockeln; wir werden kaum fehlgehen, wenn wir es in das 17. Jahrh. setzen.

10. Berlin, III. C. 8492, siehe Taf. 92 sowie Abb. 468 und 469. Sockelartiger Gegenstand von 15 cm
Höhe, ursprünglich wohl rein zylindrisch, jetzt verbogen und unvollständig. An der Mantelfläche sind
noch sieben aufrecht stehende Figuren in hohem Relief erhalten, zwei oder drei weitere dürften fehlen.
Sonst ist das Stück, soweit überhaupt vorhanden, von sehr guter Erhaltung; es hat gute, edle Patina,
die schon an sich für ein hohes Alter sprechen würde. Eine sichere Datierung ist unmöglich; man kann
nur sagen, daß die Figuren an sich einen alten Eindruck machen und auch stilistisch völlig verschieden
von allem sind, was wir sonst aus Benin kennen, daß sie aber in Tracht und Bewaffnung nicht wesentlich
von den Figuren auf den Platten abweichen. Man könnte den Stil fast als genial und flüchtig bezeichnen,
jedenfalls ist er sehr weit von der pedantischen Kleinlichkeit entfernt, die für so viele Platten bezeichnend
ist. Auch eine Symmetrie-Achse, wie sie sonst bei den Werken der Benin-Kunst kaum je vermißt wird,
ist hier nicht sicher nachzuweisen; nur wenn man vier Personen als fehlend annimmt, würde man die
einigermaßen symmetrische Gruppe auf der linken Seite der Abrollung Fig. 468 als die Mitte der ganzen
Szene betrachten können; der Panther am rechten Ende würde dann in die Mitte der Rückseite fallen.
Gegen diese an sich nicht unwahrscheinliche Auffassung spräche freilich das Fehlen eines Tierkopfes
zwischen den Köpfen der dritten und der vierten Person. Immerhin wird die Beschreibung am besten von

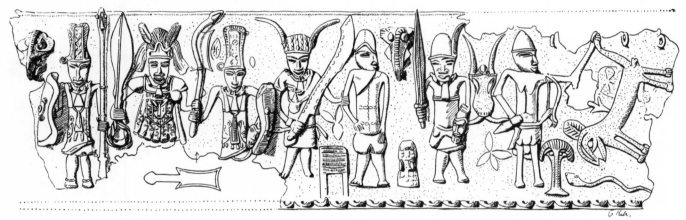

Abb. 468. Die Mantelfläche des Taf. 92 abgebildeten »Sockels«. Berlin, III. C. 8492. $^1/_3$ d. w. Gr.

der Gruppe am linken Ende von Abb. 468 ihren Ausgang nehmen. Da sehen wir also in der Mitte zwischen
zwei Begleitern mit Schild und Speer einen ganz typischen Benin-Mann stehen; der Plattenhelm mit den
wallenden Roßschweifen, der reich geschmückte Panzer mit seinem Gehänge, der Halsschmuck mit den
Pantherzähnen und der viereckigen Glocke, das Schwert unter der linken Achsel, das große Ebere in der
Rechten und die Art, wie er sich mit der Linken auf den Speer seines Begleiters stützt — alle diese Einzelheiten sind uns von den Platten her längst geläufig; nur müssen wir uns erst in den andern Stil hineinsehen
und müssen besonders auch den nachträglich verbogenen Speer der dritten Figur richtig als solchen
erkennen. In seinem gegenwärtigen Zustande täuscht er eine Art Hiebwaffe mit geschweifter Schneide vor,
wie es ähnliche wirklich jetzt im Sudân gibt. Man muß genau zusehen, um zu erkennen, daß hinter dem
oberen Teile des Speeres noch ein weiterer Gegenstand liegt, anscheinend ein Brett mit geschweiften
Rändern und langem Griff, ähnlich etwa den hölzernen Schreibtafeln, die heute überall in den muhamme-
danischen Schulen des westlichen Sudân verbreitet sind. Das rekonstruierte Gerät ist — allerdings dem
vorhandenen Raume angepaßt, um 90° gedreht — in die leere Stelle der Zeichnung gesondert eingetragen
worden.

Die zu beiden Seiten des Mannes mit dem Ebere und den wallenden Roßschweifen stehenden Leute
sind unter sich fast völlig gleich; sie sind besonders durch ihre ganz ungewöhnlich hohen Helme und ihre
schmalen Gesichter mit den hohen Nasen auffallend; das ist aber sicher nur auf Rechnung des Stils zu
setzen; es wäre verkehrt, sie etwa deshalb für Europäer halten zu wollen; sie haben die für Benin typischen unsymmetrischen Lendentücher und den Halsschmuck mit Pantherzähnen und viereckiger Glocke;
was unterhalb dieser Glocke von den Schultern her noch an einem Bande herabhängt, ist allerdings aus
unserer Kenntnis der späteren Benin-Tracht nicht zu deuten. Die an Schlangen erinnernde Behandlung
der Speerspitzen ist vermutlich nur ein stilistischer Scherz und ethnographisch ohne Bedeutung; um so

wichtiger ist vermutlich, daß beide Leute eine ganz typische und unverkennbare Prinzenlocke rechts haben, nicht links, wie in der späteren Zeit ganz ausnahmslos. Es liegt nahe, aus diesem Befunde zu schließen, daß ursprünglich auch in Benin, wie in Ägypten, die Prinzenlocke rechts getragen wurde und daß der Wechsel in der Mode erst in der Zeit eintrat, die zwischen der Entstehung dieses sockelförmigen Gerätes und dem 16. Jahrh. lag. Der Mann zur Linken trägt unter dem Schilde einen abgeschnittenen Kopf.

Auf diese Gruppe von drei Personen folgen zwei Leute, die sicher auch zu einer Gruppe für sich zusammenzufassen sind; es ist ein Benin-Krieger mit Helm aus Krokodilhaut und mit dem typischen Halsschmuck; in der Rechten hält er ein übertrieben großes Schlachtschwert, mit der Linken hat er einen Gefangenen gefaßt, der schon eine Hiebwunde schräg über die Brust hat; die ganze Szene, besonders auch der Helm des Gefangenen erinnert an die Platten mit Kampfszenen, die S. 225 ff. beschrieben sind. Zwischen den beiden Personen steht ein anscheinend auf zwei Beinen ruhender Gegenstand, der nicht mit Sicherheit zu deuten ist; die Federzeichnung wird ihm vielleicht nicht ganz gerecht; die vertikalen Striche zwischen den wagrechten Linien haben möglicherweise mehr Bedeutung, als die Zeichnung vermuten läßt; für alle Fälle sei deshalb auf die Taf. 92 noch besonders hingewiesen. Auf diese Gruppe folgt ein Benin-Mann mit großem Schilfblattschwert, der in der Linken wiederum einen abgeschnittenen Kopf trägt. Beide diese Köpfe (auch der von dem dritten Manne getragene) sind bärtig und haben verhältnismäßig schmale Nasen; wenn jemand sie deshalb für Köpfe von Europäern erklären wollte, könnte man ihn kaum ernsthaft widerlegen. Persönlich würde ich eine solche Auffassung aber nicht für genügend gesichert halten; jedenfalls müßte man dann auch den eben erwähnten Gefangenen für einen Europäer halten und ebensowohl auch den ihm in vielen Dingen gleichenden letzten Mann in der ganzen Reihe, den Pantherjäger. Dieser hat aber ein ganz besonders für Westafrika charakteristisches Dolchmesser in der Rechten und am linken Arm einen Bogen, dürfte also wohl als Eingeborener zu gelten haben. Die Köpfe dieser beiden Leute, des Gefangenen und des Jägers, sind in fast reiner Seitenansicht dargestellt und durch die auffallend langen Augen bemerkenswert, die fast noch länger geschlitzt sind, als

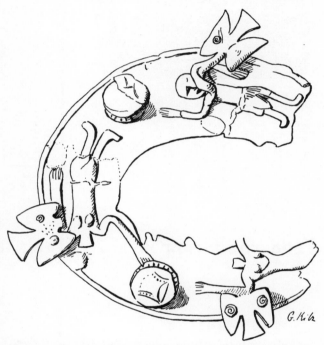

Abb. 469. Die obere Fläche des Taf. 92 abgebildeten »Sockels«. Berlin, III. C. 8492. Etwa ¹/₂ d. w. Gr.

sie in Vorderansicht erscheinen würden. In die Zwischenräume zwischen den Köpfen und den Beinen der Personen sind verschiedene schwer zu deutende Beizeichen verteilt, oben zwei Tierköpfe, an deren zoologischer Deutung jeder Versuch scheitert, und ein Rinderkopf mit einem Strick über Stirn und Hörner, aus dessen Maul zwei Blätter zu ragen scheinen, vielleicht auch eine gespaltene Zunge (?). Daß dieser Kopf mehr an eine Maske als an einen wirklichen Kopf erinnert, ist wohl nur Zufall und kaum beabsichtigt. Unten erkennt man außer dem bereits erwähnten tisch- oder schemelähnlichen Gerät noch einen Krokodilkopf, einen weiteren nicht bestimmbaren Kopf und eine Schlange. Der ganze untere Rand war dicht mit wagrecht angesetzten Ösen besetzt; oben sind über dem Panther, etwa daumenbreit vom Rande entfernt, vier senkrecht angesetzte, sonst ähnliche Ösen angebracht. Die ganze Grundfläche des Zylindermantels, von dem sich die Personen und Beizeichen abheben, ist ähnlich wie bei den Platten punktiert; an einigen wenigen Stellen erscheinen ganz bescheidene Versuche, auch blumensternähnliche Verzierungen anzubringen. Auf der oberen Fläche des Sockels, aus der auch ein Stück ganz ausgebrochen und verloren gegangen ist, befindet sich ein größerer, ursprünglich wohl kreisrund gewesener Ausschnitt, sicher dem »Schachtloch« der jüngeren Sockel zu vergleichen. Ihn umgibt ein etwa 5 cm breiter, kreisrunder Streifen, auf dem in gleichen Abständen drei Leichen liegen, von denen zwei kopflos sind. An jeder Leiche macht sich ein Geier zu schaffen. Zwischen den drei Leichen stehen zwei zylindrische Blöcke, die wohl als Richtblöcke aufzufassen sind. Ein dritter scheint mit den Füßen der dritten Leiche weggebrochen. Im ganzen dürften auf der runden Scheibe rings um das Schachtloch ursprünglich drei Leichen, drei Geier und drei Richtblöcke gleichmäßig verteilt gewesen sein.

Das ganze Stück ist sehr dünn gegossen; die Wandstärke beträgt durchschnittlich kaum 1 mm, beweist also eine vollendete Beherrschung der Gußtechnik. Wenn es wirklich, wie ich annehmen zu dürfen glaube, wesentlich älter ist als die Platten, würde der Schluß unabweisbar sein, daß Tracht und Bewaffnung in Benin viele Jahrhunderte hindurch nahezu unverändert sich erhalten haben. Inzwischen ist es dieses Stück und mit ihm die Fig. 450 abgebildete Rundfigur, die den Wunsch nach systematischen und wissenschaftlich geleiteten Ausgrabungen in Benin ganz besonders dringend erscheinen läßt.

C. Sockel ohne Figuren.

Abb. 470. Rechteckiger Sockel. Etwa ¹/₃ d. w. Gr. Cöln, R. J. M. 5244.

In der Sammlung von Capt. Egerton habe ich durch Vermittlung des Brit. Museums den Fig. 470 abgebildeten »Sockel« photographieren lassen dürfen. Er entspricht durchaus den Sockeln, die wir S. 310 ff. als Untersätze von Figurengruppen und »Prozessionen« kennengelernt haben, und hat auch ein völlig gleichartiges Schachtloch; hingegen hat er niemals Figuren getragen und ist so, wie er auf der Abbildung erscheint, vollständig. Das merkwürdige Stück ist seither nach Cöln/Rh. gelangt R. J. M. 5244. Ein zweites, fast völlig gleiches, befindet sich in Dresden (13 593). Ebendort liegt auch noch ein drittes analoges Stück, aber kreisrund und mit rundem Schachtloch, Nr. 16108.

----

14. Kapitel.

Teile von Gruppen auf Sockeln und einzelne abgebrochene Figuren.

[Hierzu Taf. 86 und die Abbildungen 471 bis 478.]

A. Teile von Gruppen auf Sockeln.

1. Berlin, III. C. 10 865, Taf. Taf. 86 A. Dieses Bruchstück vom hinteren Rande einer großen Sockelgruppe ist bereits, allerdings ganz ungenügend bei Webster (Nr. 9760, Kat. 24, 1900, Fig. 33) abgebildet. Auf einem 17 cm langen Sockelstück stehen zwei Personen, nach innen eine Frau mit hoher, kegelförmiger Mütze, nach außen ein etwas kleineres Mädchen mit niedriger Perlkappe. Beide halten in der linken Hand je ein Aufschlag-Idiophon in Gestalt eines Vogels. Die größere Person kann deshalb und auch wegen ihrer Tracht nicht als die Königin betrachtet werden, die man in der Mitte des hinteren Randes erwartet; sie kann auch nur als Begleiterin aufgefaßt werden, woraus sich dann eine Breite von wenigstens 35 cm für den ganzen Sockel ergibt. Die hintere Fläche des Sockels hat ein gutes Flechtband, auf dem nur in geringer Ausdehnung erhaltenem hintersten Stück der einen Seitenfläche scheint der Rest eines Tieres mit einem Ringelschwanz sichtbar zu sein. Vorn sieht man rechts in den Hohlraum des Sockels, links in großer Ausdehnung auf die Wand des Schachtes. Das ganze Stück hat edle Patina und könnte auch sonst leicht für älter gehalten werden als die vollständig erhaltenen Gruppen, die im vorigen Kapitel besprochen wurden; besonders die Gesichter sind auffallend lebenswahr; andererseits machen die unförmlich großen Knöchelringe beider Personen und der genetzte kurze Rock des kleineren Mädchens einen sehr späten Eindruck. Ich möchte mich daher auf eine auch nur ganz beiläufige und relative Datierung lieber nicht festlegen.

2. Hamburg, C. 2305. Das in vollständiger Breite erhaltene hintere Randstück einer Sockelgruppe mit großem Schachtloch. Die sitzende Figur in der Mitte erinnert in der Kleidung und Kopftracht an gewisse »dämonische« Figuren und ist wohl als männlich zu betrachten. Zu beiden Seiten knieen völlig symmetrisch Frauen mit ganz ungewöhnlich hohen, kegelförmigen Mützen und stützen die sitzende Person mit großer Sorgfalt sowohl an den Ellenbogen als an den Händen. So weicht dieser

Teil der Gruppe ganz von den gewöhnlichen Typen ab; eine Rekonstruktion des fehlenden Stückes erscheint ganz unmöglich und sein Verlust daher besonders beklagenswert.

3. Leiden, S. 1164/7. Das schon bei M, Taf. III, 6, klein und schlecht abgebildete Bruchstück wird hier Fig. 471 nach einer neuen Aufnahme besser reproduziert, da es für den tiefen Verfall der Spätzeit ganz besonders lehrreich ist. Die Angabe »diese Gruppe fällt dadurch auf, daß eine kleine Figur, die sonst als Nebenfigur erscheint, den Mittelpunkt bildet« beruht auf einer falschen Auffassung des Stückes: Es ist keine Gruppe für sich, sondern nur ein Teil der hinteren Reihe einer großen Sockelgruppe. Die Symmetrie-achse geht durch die größte der drei Frauen, die auch durch den monströsen Kopfputz als die Haupt-person gekennzeichnet ist; es sind also zu ihrer Linken noch zwei Personen zu ergänzen, neben ihr die kleine Frau mit dem wagerecht gehaltenen, brettartigen Gegenstand und die größere Frau mit der Rahmen-trommel; die ursprüngliche Breite des Sockels ist auf etwa 30 cm zu berechnen. Besonders bezeichnend für den ganz schlechten Stil des Stückes ist die abenteuerliche Länge des Rumpfes der beiden größeren Frauen und das Fehlen ihrer Beine.

4. London, im Kataloge 515/39 von James Tregaskis,

Abb. 471. Bruchstück von der hintersten Reihe einer Gruppe, Bronze. Leiden, S. 1164/7. Etwa ¹/₃ d. w. Gr.

Abb. 472. Zwei Figuren von der hintersten Reihe einer Gruppe, Königin und Frau mit Rahmentrommel. Sammlung von Admiral Rawson.

1902, ist ein kleines Bruchstück einer Sockelgruppe abgebildet, die ungefähr von der Art der Fig. 460 und 461 abgebildeten gewesen zu sein scheint. Erhalten ist die Ecke eines Sockels und auf ihr ein Panther, unter dem ein Steinbeil liegt. Von den beiden Seitenflächen ist die längere erhaltene mit Tierschädeln, die kürzere mit einem Stück Flechtband verziert. Auffallenderweise ist der Panther nun mit dem Kopfe nach der Flechtbandreihe gewandt, also nach außen, während er auf sämtlichen mir bekannten Gruppen dieser Art mit dem Kopfe nach innen, d. h. gegen die Symmetrie-Achse der ganzen Gruppe, gewandt ist Unter diesen Umständen würde ich zweifeln, ob das Stück wirklich zu einer Sockelgruppe gehört; aber eine auf der Abbildung bei Tregaskis hinter dem rechten Vorderfuße des Panthers deutlich sichtbare und kaum falsch zu deutende einspringende Ecke scheint keine andere Möglichkeit offen zu lassen; gehört sie wirk-lich zu einem Schachte, kann man das Bruchstück nicht anders erklären als durch die Annahme, daß die Panther auf einer solchen Gruppe einmal ausnahmsweise auch nach außen statt nach innen schreitend dargestellt wurden. Vielleicht war der Panther abgebrochen und ist falsch angelötet worden. Wo sich das Stück gegenwärtig befindet, ist mir unbekannt.

5. Hamburg, C. 4049, zwei ganz besonders schlechte und sicher ganz späte Figuren mit einem Stück einer Sockelplatte. Die größere Figur hat einen Schild am linken Arm, die kleinere, die auf der Grundplatte angenietet ist, hält einen Bogen und hat ein Schutzkissen auf dem linken Handgelenk.

6. Rushmore, P. R. 134, siehe Abb. 475. Sehr rohe, anscheinend späte, schadhafte Gruppe. Ein Mann und eine Frau sitzen vor einer Art Mankalabrett mit drei Reihen zu je zehn Gruben, der Mann mit verschränkten, die Frau mit vor sich ausgestreckten Beinen. Beide sind mit dem Rücken an ein großes, unbestimmbares Tier gelehnt. Ich halte es für unsicher, ob das Stück überhaupt aus Benin stammt; aber die Rumpftätowierung des Mannes und das Halsband des Tieres würden nicht gegen die Richtigkeit der Angabe sprechen. Von dem Mankalaspiel wird in Kap. 37 noch die Rede sein. Es hat in Benin anscheinend viele ganz verschiedene Arten des Spieles gegeben.

B. Von Gruppen abgebrochene Figuren, die für die Königin gehalten werden.

1. Berlin, III. C. 8057, früher Webster 3791, siehe Taf. 86 B. Ausgezeichnet schöne Rundfigur einer jungen Frau, der Oberkörper ist nackt, aber reich mit verschiedenen Lagen von Perlgehängen geschmückt. Die sehr hohe Kopfbedeckung und die grobmaschigen Netze für die Arme machen es wahrscheinlich, daß die Frau als Königin aufzufassen ist und daß die an den Unterschenkeln abgebrochene Figur in die Mitte des hinteren Randes einer der großen Sockelgruppen gehört, die S. 313 ff. besprochen wurden. Für den wie geflochten aussehenden Stab, der sich ganz gleichartig auch in der Hand einer der Begleiterinnen in der Fig. 458 abgebildeten Gruppe findet, habe ich keine Erklärung; er wirkt wie ein Tau-ende, das unten mit einer kleinen, flachen, oben mit einer großen, spindelförmigen Perle abgeschlossen ist; er ist wohl als Würdezeichen aufzufassen. An einigen Stellen der Figur sind die Spuren stumpfer Schläge sichtbar, durch die sie »in the haste of looting«[1] von der Gruppe abgebrochen wurde.

2. Rushmore, P. R. 92/3. Sehr ähnliche Figur, nur von wesentlich geringerer Arbeit, etwa 22 cm hoch; auch mit dem tauartigen Stabe.

3. Wien, 64 710, Heger (1916) Nr. 47. 30 cm hoch. Ähnliche Figur, die vermutlich zu der S. 316 unter Nr. 9 angeführten Leipziger oder zu einer ganz ähnlichen Gruppe gehört.

4. Sammlung von Admiral Rawson, siehe Abb. 472 links, 24 cm hoch.

C. Frauen mit Rahmentrommeln.

1. Berlin, III. C. 8530. 24 cm hohe Figur, fast ganz nackt, nur mit einer Art kurzen Beinkleides aus einem sehr grobmaschigen Netz mit zylindrischen Perlen. Der rechte Arm ist erhoben und hält die Rahmentrommel.

2. Leiden, 1243, 14. Siehe Abb. 142 bei Webster Kat. 21, 1899, Nr. 7138. Stehende Frau mit nacktem Oberkörper; der rechte Vorderarm ist erhoben, aber abgebrochen; die Hand kann nur eine Rahmentrommel gehalten haben. Um den Nabel eine eigenartige Tätowierung in der Form einer rhombischen Figur, der nach oben rechts und links wieder je ein Rhombus aufgesetzt ist.

3. Liverpool, 21. 12. 97. 5. Siehe die schöne Zinkätzung in Bull. Liverpool Mus. I. p. 52. Gute Figur mit einer durch schräge, kreuz und quer angeordnete Leisten ausgezeichneten Rahmentrommel in der Rechten, mit einem ähnlich schräg gearbeiteten Perlnetz um die Hüften und mit einer unserer Abb. 230 entsprechenden Haartracht; anscheinend durchweg noch mit der Gußhaut.

4. London, R. D. XI. 8. Ähnliche Figur, um den Hals statt der Kropfperlen ein sehr dicker Wulst mit zylindrischen Perlen. Die in der erhobenen Rechten gehaltene Rahmentrommel ist wesentlich breiter als hoch. Außer den gewöhnlichen drei Narbenstrichen über den Augen noch zwei flache, aber sehr viel längere über der Nasenwurzel, bis zum Rande der Perlkappe gehend. Ober dem rechten Schenkel eine ganz ungewöhnliche halbkreisförmige Einbuchtung des Schurzrandes.

5. Rushmoore, P. R. 43. Ganz gleiche Figur, von genau gleicher Größe und auch sonst derart in allen Einzelheiten übereinstimmend, daß man annehmen muß, beide Figuren seien von demselben Sockel abgeschlagen worden. Daß beide Frauen die Rahmentrommel in der rechten Hand halten, kann nicht als Gegengrund gelten: wir haben einen solchen Verzicht auf vollkommene Symmetrie schon bei der vollständig erhaltenen Gruppe feststellen können, die S. 315 unter Nr. 7 beschrieben ist.

6. Sammlung von Admiral Rawson, siehe Abb. 472. Ähnliche Frau mit der gleichen Stirntätowierung, für die ich auf das S. 61 ff. Gesagte verweise. Es ist vielleicht nicht zu weit gegangen, wenn aus dem häufigen Vorkommen von echter Tätowierung neben den Ziernarben auf eine hellere Haut, also auf vornehme Abstammung dieser Frauen geschlossen wird.

[1] Eine in den englischen Zeitungsnachrichten über die Zerstörung von Benin häufig vorkommende Wendung.

D. Frau mit Schild.

Cöln, früher Webster 7308, siehe die Abb. 154 in Kat. 21 von 1899. Späte und schlechte Figur von 25 cm Höhe, die oberhalb der Knöchel abgebrochen, von einer Gruppe ähnlich der Berliner, III. C. 8166 auf Taf. 83 stammen muß.

E. Frau mit Glocke.

München. Diese wahrscheinlich auch von einer Gruppe abgebrochene kleine Figur ist dadurch ganz besonders bemerkenswert, daß sie schwer im Feuer vergoldet ist; leider ist ihre Geschichte unbekannt, so daß nicht festgestellt werden kann, wann und wo diese Vergoldung stattgefunden hat.

Abb. 473 und 474. Männer mit »Mitra«, von Gruppen in der Art von Abb. 460 abgebrochen. Berlin, III. C. 18 154 und Leiden 1164/6.

F. Männer mit Mitra, Schild und Speer.

1. Leiden, S. 1164/6. Marquart Taf. III, 2 und III, 5; hier Abb. 474 nach einer besseren Aufnahme. Figur von 22,3 cm Höhe, Rohguß ohne jede weitere Bearbeitung; auffallend durch einen ungewöhnlich langen Gußsteg, der von den Zehenspitzen bis zum Ellenbogen reicht; von dem typischen Halsband mit Pantherzähnen hängt hinten ein Roßschweif bis in die Gesäßgegend herab.

2. Webster 10 815, siehe die Abb. 43 im Kat. 28 von 1901; oberhalb der Knöchel abgebrochen, soweit erhalten, 22 cm hoch, also in der Größe mit der vorigen Figur ungefähr übereinstimmend, aber von schlechterer Arbeit und zu einer andern Gruppe gehörig.

Abb. 475. Späte schlechte Gruppe, Mann und Frau anscheinend bei einem Mankalabrett. Nach P. R. 134. 1/3 d. w. Gr.

3. Bei der Auktion J. C. Stevens vom 10. 4. 1900 kam als Nr. 113 ein »Ju-ju Priest in his robes of state, with helmet and shield curiously worked« zum Vorschein. Die Mitra hat zu den vier gewöhnlichen runden Scheiben noch eine fünfte in der Mitte, nahe dem unteren Rande; die Figur muß also von einer dritten Gruppe stammen.

G. Männer mit mitra-ähnlichen Federhelmen, Schild und Speerbündel.

1. Berlin, III. C. 18 154, siehe Abb. 473. Kräftig stilisierte Figur von ausgezeichneter Gußtechnik, ohne jede Nacharbeit; alle Einzelheiten, auch die Kreise am Pantherfell, sind schon im Rohgusse vorhanden; das wie ein Poncho getragene Fell ist auffallend breit, der Schild in sehr bezeichnender Art mit quergestellten und in Reihen angeordneten Leisten, in der Mitte mit einem Fellstreifen verziert. Quer über den Bauch, teilweise vom Pantherfell bedeckt, liegt ein in breiter, glatter Scheide getragenes Schwert. Die Höhe von der Sohle bis zur höchsten Erhebung des Helmes ist 21 cm.

2. und 3. London, R. D. XI 7 und Rushmore, P. R. 41/2. Zwei weitere, völlig gleichartige Männer, der eine den Schild in der Rechten, der andere in der Linken haltend, zweifellos mit dem Berliner Stück von ein- und derselben Gruppe abgebrochen.

H. Männer mit Schnurrhaaren usw.

1.—6. Dieser so scharf umrissene Typus von Männern, die durch Hut, Schnurrhaare, Brustkreuz, Stab und Hammer ausgezeichnet sind, ist unter den losen Stücken sechsmal vertreten: Hamburg, C. 2870 und C. 2402; London, Tregaskis Kat. 515, 43 und 44; München und Webster 9920, Fig. 70 in Kat. 27.

476a   476b   477a   477b

Abb. 476a, b und 477a, b. Zwei von einer größeren Gruppe stammende Figuren, Heilbronn. ½ d. w. Gr.

Dieses letztere, recht rohe, aber ungemein typische Stück figurierte kurz vorher auch im Auktionskatalog von Stevens unter Nr. 114 als »Portuguese figure, in sitting posture, holding two rods«. Alle diese sechs Leute halten den Stab in der rechten Hand und den Hammer in der Linken.

I. Musiker.

1. Berlin, III. C. 8489. Mann mit einer Trommel unter dem linken Arm. 16 cm hoch. Zwei dem Stile und der Größe nach sicher von derselben Gruppe stammende mit andern Emblemen werden unter J aufgeführt werden, vgl. die Abb. 476 und 477.

2., 3. und 4. Berlin, III. C. 14 499 a—c. Drei zu ein- und derselben Gruppe gehörige Figuren von 17 und 17,5 cm Höhe; von diesen hat die mit a bezeichnete zwei kleine, zusammengebundene Trommeln, die zweite schlägt eine Glocke, die Attribute der dritten sind nicht mit Sicherheit zu erkennen.

J. Abgebrochene Figuren mit verschiedenen oder mit nicht deutlich erkennbaren Attributen.

In dieser Sammelgruppe sind im ganzen 11 Figuren vereinigt, meist sehr späte, deren bloße Aufzählung genügt. Vier sind in Hamburg (C. 2401, 2437, 3983 und 11. 75. 1; das letzte Stück besonders spät und schlecht, aber auffallend dadurch, daß die dargestellte Frau anscheinend eine vierkantige Flasche und in ein Blatt eingehülltes Essen (??) trägt. Leiden 1243/15 ist eine gleichfalls ganz schlechte weibliche

Figur, deren Hände von je einer fremden Hand gestützt werden, siehe die Abb. 27 bei Webster, Kat. 21, 1899. Die beiden Heilbronner Stücke sind hier Fig. 476 und 477 abgebildet; sie stammen sicher von derselben Gruppe, zu der auch die ähnliche Berliner Figur III. C. 8489 gehört. Schließlich sind vier Stücke bei Webster zu nennen, Abb. 141 und 218 aus Katalog 21 von 1899 und Abb. 39 und 44 aus Katalog 28 von 1901, alle vier ganz spät und belanglos.

Anhangsweise ist hier noch ein zwölftes Stück zu erwähnen, eine ohne die fehlenden Beine etwa 14 cm hohe Bronzefigur eines Königs in der Münchener Sammlung. Sie gehört in die gute Zeit und erinnert am meisten an die Könige auf den »Stammbäumen« vom Typus der auf Taf. 110 abgebildeten. Ob sie von einem solchen »Baum« oder von einem niedrigen Sockel abgebrochen ist, kann zurzeit kaum entschieden werden.

---

15. Kapitel.

Späte Figuren und Gruppen, auch späte Hühner und andere Vögel.

[Hierzu die Abb. 478 bis 491.]

In diesem Kapitel sind späte, meist sehr unerfreuliche Stücke vereinigt. Sie illustrieren schlagend den raschen Verfall der Benin-Kunst, der im 17. Jahrh. einsetzte und bis heute andauert; er ist vermutlich keine lokale Erscheinung, sondern hängt wohl mit dem allgemeinen Verfall der einheimischen Kultur und der sozialen, politischen und zum Teil auch religiösen Auflösung zusammen, die wir überall im tropischen Afrika unter dem europäischen Einfluß entstehen sehen. Die vieltausendjährige, wenn auch langsame, so doch ruhige und stetige Entwicklung der primitiven Völker wird mit dem ersten Auftreten der Europäer in ihren Grundfesten erschüttert, und durch den bald einsetzenden europäischen Import wird auch das einheimische Handwerk auf das nachhaltigste geschädigt. So wirkte der europäische Einfluß vielfach wie ein zersetzendes Gift, und wer immer diese Verhältnisse näher studiert, der begreift die tiefe und tragische Wahrheit des scheinbar ganz paradoxen Satzes von Adolf Bastian, der erste Lichtblick würde auch der letzte sein. Gewiß hat die geographische und politische Erschließung Afrikas im letzten Drittel des 19. Jahrhunderts auch der Völkerkunde großen, ja unermeßlichen Gewinn gebracht — aber nur allzuvieles ist auch zerstört worden und geht jetzt vor unseren sehenden Augen zugrunde, unaufhaltsam und unwiederbringlich, weil uns die Kräfte fehlen, diese sterbenden Kulturen zu studieren.

An der Küste von Oberguinea hat europäischer Einfluß schon im 15. Jahrh. eingesetzt und anfangs sicher vielfach anregend und befruchtend gewirkt; aber die schlimmen Folgen sind nicht ausgeblieben und hätten sich natürlich auch ohne den ganz besonders verderblichen Sklavenhandel und die Einfuhr von Branntwein und Schießpulver früh genug geltend gemacht. Die in den nachstehenden Seiten besprochenen Bildwerke sind ein trauriger Beleg für den Tiefstand, auf den im Laufe von wenigen Jahrhunderten auch das Handwerk herabsank. Die Reihenfolge, in der diese minderwertigen Gußwerke besprochen werden, ist eine ganz mechanische; chronologische Anordnung wäre sicher theoretisch richtig, aber sie ist praktisch undurchführbar; ebenso hätte eine an sich naheliegende Einteilung — schlecht, schlechter, am schlechtesten — nur zu zeitraubenden und doch ganz unfruchtbaren Vergleichen geführt. Daher beschränke ich mich auf eine Anordnung nach den Attributen usw. in alphabetischer Folge und beginne mit einer Anzahl von Figuren, siehe Abb. 478 und 479, die man in einem andern Kulturkreise als »Adoranten« bezeichnen würde und für die ich der Einfachheit wegen diese Bezeichnung beibehalte, aber nicht ohne die ausdrückliche Erklärung, daß wir keinen Grund haben, sie wirklich für »Beter« zu halten. P. R. sagt von einer ganz ähnlichen Figur, sie halte ihre Hände so, als versicherte sie, nichts gestohlen zu haben. Das ist als Beschreibung sehr treffend, gibt aber natürlich auch keine befriedigende Erklärung für die eigenartige Haltung der Hände. Es gibt fünf unter sich fast völlig gleiche Figuren dieser Art; vier von diesen sind uns 1898 in einer Sendung aus Benin zugegangen, eine fünfte hat um dieselbe Zeit Webster gehabt und nach Rushmore verkauft; diese ist als P. R. 342 abgebildet worden; von unseren vier Stücken haben wir selbstverständlich nur eines behalten; ein zweites kam nach Cöln, das dritte nach Stuttgart, das vierte zu Webster; über seinen weiteren Verbleib bin ich nicht unterrichtet; es ist in seinem Kataloge 24 von 1900 als Nr. 9366, Fig. 3 abgebildet, während das an P. R. gelangte schon im Kataloge 21

Abb. 478. Vier späte schlechte Bronzefiguren. Cöln, Stuttgart, Berlin und Webster. Etwa
¹/₆ d. w. Gr.

von 1899 steht (Nr. 7135, Fig. 122) ¹).

Die vier ursprünglich nach Berlin gelangten Stücke sind hier Fig. 478 nebeneinander in verschieden Ansichten abgebildet. Es würde schwer sein, andere als rein zufällige Unterschiede zwischen ihnen nachzuweisen; ihre Größe schwankt zwischen 42 und 45 cm; zwei von ihnen haben auf dem Sockel längs der Kleinzehenseite der Füße ein schlankes Krokodil liegen; alle haben die typische Tätowierung der späteren Zeit; auf der Stirn noch die gewöhnlichen drei Striche über jedem Auge, aber auf dem Rumpfe nicht mehr die einfachen fünf Linien, sondern die mittlere zu zwei leicht geschweiften aufgelöst, die sich in der Nabelgegend kreuzen. Am Scheitel haben sie alle gleichmäßig ein rundes Loch mit etwas umwalltem Rande, von dem vorn eine Schlange bis an den Haarrand herabhängt. Über die Bedeutung dieser Figuren weiß ich nichts zu sagen; König Overami's Mitteilung, daß sie einen »Medizinmann« darstellen, erscheint mir nicht ganz zuverlässig. Technisch stehen diese wenig anziehenden Gußwerke etwa in der Mitte zwischen den älteren und den ganz rezenten. Sie sind noch hohl gegossen, aber so dickwandig, daß sie dem Gewichte nach von voll gegossenen aus freier Hand kaum zu unterscheiden wären.

Späte Figuren mit einem Ebere kenne ich im ganzen elf, alle gleichmäßig von abstoßender Häßlichkeit und auch ohne jedes wissenschaftliche Interesse, fünf von ihnen haben eine Art Ballonmütze, vgl. die Abb. 481. Ich vermute, daß diese Stücke all erst nach 1897 und für den Handel gemacht wurden, also fast als Fälschungen zu bezeichnen sind. Immerhin darf der Typus in einer großen Sammlung nicht unvertreten bleiben. Die Stücke in Berlin, Bremen, Dresden, Frankfurt a. M., Leipzig und Stuttgart stehen alle auf einer kleinen, ungefähr quadratischen Metallplatte; die beiden Stücke in Wien, denen Heger (1916, 49 und 50) sehr ausführliche Beschreibungen gewidmet hat, stehen auf einem ganz niedrigen Sockel, sind noch plumper als die andern, flach und hinten leicht gehöhlt.

Abb. 479. Runde Figur, Bronze. Stuttgart 5396. Etwa
¹/₃ d. w. Gr.

¹) Diese Figur war mit £ 25 notiert gewesen, die andere ein Jahr später mit £ 30. Es ist bezeichnend für die damalige Marktlage, daß die ausgezeichnet schöne und ganz einzigartige Figur Berlin III. C. 9948, (Taf. 67) in Websters Katalog 21 von 1899 als Nr. 6935, Fig. 124, auch nur mit £ 25 notiert war. Wir erhielten sie einfach im Tausche gegen den oben angeführten »Adoranten«, der dann im Kataloge Nr. 24 mit £ 30 notiert erschien.

Zwei weibliche Figuren halten einen Fächer, Berlin III. C. 26 394, siehe Abb. 482 und Dresden 17 345; die Berliner ist nicht ganz schlecht und durch ihre seltene Haartracht (vgl. einen der Jungen auf der Abb. 319) nicht ohne Interesse; ein Archäologe, dem die Benin-Kunst ganz fremd ist, würde den kreisrunden, gestielten Fächer leicht für einen Spiegel halten und die ganze Figur dann als schlechte, späte Venus bezeichnen können.

Abb. 480. Radfahrer, in Benin erworben, vielleicht von der Goldküste verschleppt. Berlin, III. C. 19 146. Etwa ¹/₂ d. w. Gr.

Dreimal erscheinen Figuren mit Flinten, Berlin III. C. 9892, Dresden 17 348 und Hamburg C. 2951, alle sind ganz schlecht; die in Dresden steht auf dem Reste einer kleinen, runden Plinthe und ist vielleicht von einem »Baume« in der Art des Taf. 108 abgebildeten abgebrochen. Vermutlich hat auch der Fig. 484 abgebildete Mann eine Flinte; er ist wohl ein Europäer; die ganze Darstellung ist nicht ohne Humor; das Stück ist zweifellos modern, gehört aber zu den verhältnismäßig guten Vertretern der Gattung.

Mit einem Hammer sind vier ganz besonders klägliche Figuren ausgestattet: Frankfurt a. M. 4278, zwei in Hamburg bei Umlauff und eine in Stuttgart. Bei der einen der Hamburger Figuren ist der Hammerstiel verlängert und der Hammer so zum Stocke geworden. Die Stuttgarter Figur scheint eine Haartracht mit einem Tutulus zu haben, auf dem ein Vogel sitzt.

Leipzig besitzt eine wohl erst nach 1897 gemachte kleine Figur, die in der linken Hand ein langgestieltes Kreuz hält. Zweimal, Frankfurt a. M. N. S. 4279 und Hamburg 675 : 05, finden sich Figuren mit einer kleinen Pulverflasche um den Hals. Von zwei ähnlich in der Mitte eingezogenen Kalebassen, die ich am Halse von Dahome-Leuten in Paris sah, enthielt die eine Schießpulver, die andere *kohl* (Augenschminke mit Antimon). Unerfreulich und bedenklich[1]) ist der Radfahrer, Berlin III. C. 19 146, Abb. 480; Fahrräder sind übrigens in Togo und an der Goldküste schon ganz allgemein verbreitet; es gibt da sehr viele Eingeborene, die regelmäßig ein Fahrrad benutzen. Eine Figur, Dresden 17 347, scheint eine Art Rassel zu halten. Dann sind zwei Reiter zu erwähnen, Frankfurt a. M. 12 179 und Hamburg C. 575/06; 17 und 18 cm hoch, so schlecht und roh, wie nur möglich; die beiden Stücke sind untereinander sehr ähnlich und bildeten vielleicht ursprünglich ein Paar; eine sehr hohe Rückenlehne erweckt den Eindruck, daß Haussa-Sättel gemeint sind. Ein richtiges Schwert findet sich nur bei der Berliner Figur III. C. 30 657; gemeint ist wohl das unsymmetrische Schlachtschwert; die 18 cm hohe Figur hat einen Dorn zum Einstecken, keine Standplatte.

Auch Gruppen mit zwei und mehr Figuren sind aus der Spätzeit mehrfach zu uns gelangt. So besitzt Berlin unter der Nr. III. C. 27 494 die Fig. 483 abgebildete ganz rohe Gruppe eines Mannes und einer Frau, zwischen denen sich eine Schlange emporringelt. Es liegt nahe, an Adam und Eva zu denken: beide Personen sind ganz nackt, der Mann schultert eine Flinte, die Frau scheint einen Stab zu tragen. Eine ähnliche Gruppe, sicher von demselben Manne gefertigt, zeigt einen Mann mit Schwert und Flinte (?) und eine Frau, deren Vorderarme mehr als viermal so lang sind als die Oberarme. Eine dritte Gruppe zeigt auf einer rechteckigen Platte vorn eine kniende Frau mit einem Säugling an der Brust und hinter ihr zwei groteske Männer mit unkenntlichen Attributen.

Abb. 481. Schlechte Rundfigur. Etwa ¹/₂ d. w. Gr. Berlin, modern.

---

[1]) Die Figur haben wir von einem durchaus zuverlässigen Manne mit der Angabe Benin erhalten; daß er sie dort erworben, kann nicht bezweifelt werden, aber man muß mit der Möglichkeit rechnen, daß sie von der Goldküste stammt oder verschleppt war. Dem Stil nach würde man sie für Aschanti-Arbeit halten können; wäre sie anstatt 14,5 nur etwa 3 oder 4 cm hoch und ganz ohne Herkunftsangabe, würde man sie sogar als ein recht »niedliches« Aschanti-Stück bezeichnen; ihre künstlerische Minderwertigkeit kommt uns erst durch ihre Größe und durch die Angabe Benin zum Bewußtsein.

Sehr auffallend sind zwei Figuren, siehe Abb. 485, die mit einer an ihren Scheiteln eingehakten Kette miteinander verbunden sind; eine ist männlich, die andere weiblich, beide sind sonst völlig gleich,

Abb. 482. Frau mit Fächer,
Bronze. Berlin, III. C. 26 394.
Etwa ¹/₂ d. w. Gr.

Abb. 483. Moderne Gruppe, Bronze. Berlin, III. C. 27 494.
Etwa ¹/₂ d. w. Gr.

Abb. 484. Moderne Bronze-
figur. Berlin, III. C. 9892.
Etwa ¹/₂ d. w. Gr.

Abb. 485. Männliche und
weibliche Figur, angeblich
Benin. Etwa ¹/₂ d. w. Gr.

Abb. 486 und 487. Schlechte moderne Gruppen; ein
Mann stützt sich auf die Köpfe, statt wie in der älteren
Zeit auf die Arme seiner Begleiter. Etwa ¹/₃ d. w. Gr.

der Rumpf ist walzenförmig, etwa fünfmal so lang als die ganz verkümmerten Beine, auch die Arme sind nur wie dünne, kleine Henkel an die Schultergegend angesetzt; das Gesicht ist rhombisch, in der Augengegend breiter als der Rumpf; die Augen selbst sind hinter den fast geschlossenen Lidern wie große Kugeln gebildet. Beide Figuren haben an ihrer Basis einen Dorn zum Einstecken in einen Sockel. Stilistisch fällt dieses Paar ganz aus der Reihe der übrigen, auch der schlechtesten und spätesten Benin-Figuren heraus. Die Berliner Sammlung besitzt ein ganz ähnliches Paar mit der Angabe Yoruba.

In neun Exemplaren gibt es Gruppen von der Art der beiden Fig. 486/7 abgebildeten; alle sind gleichmäßig sehr roh und von grotesker Häßlichkeit; in der Mitte steht immer ein Mann von durchschnittlich 28 cm Höhe, der wie segnend seine Hände auf die Köpfe von zwei vor ihm stehenden kleineren Personen legt. Solche Stücke kenne ich aus Calabar (Privatbesitz von Herrn Grabs), Dresden, Frankfurt a. M., Hamburg (Umlauff), Leiden, Leipzig und Stuttgart. Bei allen diesen Gruppen sind die drei Figuren einzeln gegossen und dann durch Nieten vereinigt, die durch die Hände der größeren Person in die Köpfe der zwei kleineren getrieben sind; nur die größere steht auf einer kleinen Sockelplatte, die kleineren stehen in der Luft. Das Leidener Stück ist bei M. ausführlich beschrieben, aber ohne Angabe, durch welche große, zeitliche und stilistische Kluft es von der großen Menge der Benin-Altertümer getrennt ist; die Bemerkung, diese Gruppe sei »durch das eingetrocknete Blut der Opfer, das man über sie hinabrieseln ließe, geschwärzt« hat mich veranlaßt, zwei andere gleichartige Gruppen chemisch und mikroskopisch auf Blut zu untersuchen; ich habe nur Rost nachweisen können. Bei sämtlichen Gruppen dieser Art ist die größere Person sehr reich mit Perlgehängen geschmückt, von den kleineren hält die eine

in der Regel ein Ebere, die andere manchmal ein Schlachtschwert. Die an sich vielleicht naheliegende Deutung dieser Gruppen als »Vater, der seine Söhne segnet«, ist sicher falsch. Die richtige Erklärung scheint mir durch eine weitere Gruppe ähnlicher Art gegeben, die sich in Stuttgart befindet; da stehen die Personen nebeneinander, und die mittlere wird in der üblichen Weise mit den Händen von den seitlichen

Abb. 488. Schlechte moderne Vögel aus Messing; angeblich Benin.

gestützt. Auch bei dieser Gruppe sind die Figuren einzeln gegossen und miteinander vernietet; die Hände der kleineren Leute enden in dünne Haken, die durch Löcher in den Oberarmen und Händen der größeren Person gesteckt und umgebogen sind; nur diese steht auf einer kleinen, rechteckigen Platte; die zwei andern haben frei endende Füße.

Stuttgart hat noch eine andere Gruppe gleich schlechter Art; da stehen zwei Personen nebeneinander auf einer länglichen Platte; mit zwei Armen fassen sie sich gegenseitig an den Schultern, an den Hüften sind sie wie die siamesischen Zwillinge durch einen Gußsteg miteinander verbunden. Eine ähnlich schlechte Gruppe hat auch das Museum in Basel; in der Mitte sitzt eine große Figur, die von zwei stehenden an den Armen gestützt wird und sich ihrerseits noch mit den Händen auf die Köpfe von zwei kleineren Personen stützt. Alle diese zwölf Gruppen stammen aus derselben Werkstatt; ob sie erst nach 1897 und dann wohl für Europa gemacht oder doch etwas älter sind, wage ich nicht zu entscheiden, ist aber auch ohne Belang; sie können für uns nur als Proben für den tiefen Verfall einer alten Kunstübung von Interesse sein.

Abb. 489. Vogel mit Schlange, Bronze. Berlin, III. C. 26813. ¹/₂ d. w. Gr.

Im Anschluß an diese schlechten menschlichen Figuren seien hier noch die meist ebenso erbärmlichen Vögel erwähnt, die in auffallend großer Zahl aus Benin (oder wenigstens mit der Angabe »Benin«) zu uns gelangt sind. Ihre Höhe schwankt zwischen 6 und 35 cm; die Mehrzahl gleicht den Stücken, die Fig. 488 abgebildet sind; ein völlig anderer Stil ist nur durch den Berliner Vogel III. C. 26 813, Abb. 489 vertreten, aber auch dieser scheint nicht älter zu sein als die übrigen. Sehr ähnliche kleine Messingvögel, genau so schlecht wie die allerschlechtesten aus Benin, werden in Südindien gegossen. Ich kann keinen Unterschied zwischen den indischen Stücken des Berliner Museums und den schlechten Benin-Vögeln nachweisen. Nun sind schon seit 1898 von englischen Händlern mehrfach kleine Messingfiguren von zweifellos indischer

Herkunft — Pfauen und die Schikarra-Antilope (Tetraceros quadricornis) — mit der Angabe »Benin« feilgeboten worden, und so würde es nicht zu verwundern sein, wenn auch unter den schlechten Messinghühnchen, die jetzt in so großer Zahl sub titulo »Benin« aufgetaucht sind, indische Stücke mit unterlaufen wären. Dabei brauchte man nicht einmal an bewußte Täuschung zu denken. Ein Händler, der solche indische Messingfiguren vielleicht seit Jahrzehnten ohne sichere Herkunftsangabe unter seinem unverkäuflichen Kram liegen hat wird, wenn er ähnliche Stücke aus Benin zu sehen bekommt, gar keine mala fides nötig haben, um seine alten Figuren mit der Angabe Benin zu versehen und für schweres Geld an den Mann zu bringen. Gerade bei diesen schlechten und vollkommen wertlosen Stücken wird man also

Abb. 490 und 491. Moderne Plastik, Dahome.

ganz besondere Vorsicht nötig haben, um nicht falsche Herkunftsangaben in die Museumskataloge und -inventare zu bekommen, was in diesem Falle hauptsächlich wegen künftiger chemischer Analyse der Metallegierungen zu beachten wäre. Ich würde dabei so weit gehen, jedes aus dem Handel stammende Stück von vornherein für bedenklich zu halten. Um so höher würde ich die Angaben von privaten Sammlern bewerten; so sind zwei sehr schlechte Messingvögel des Leipziger Museums, die ich an sich für indisch gehalten hätte, von einem einwandfrei zuverlässigen Manne, Herrn Diehl, in Assaba, Benin erworben worden, und auch das Münchener Museum hat seine Stücke von einem deutschen Forstmeister als Geschenk erhalten, der sie selbst unmittelbar aus Benin-City mitgebracht hatte. Unter diesen Münchener Messingvögeln ist einer, den ich für einen indischen Fasan gehalten habe und der mir deshalb, ehe ich die Geschichte seiner Erwerbung kannte, sehr bedenklich war. Inzwischen hat Herr Kollege Scherman sich noch weiter um das Stück bemüht und in der Münchener zoologischen Sammlung, wie er mir gütigst

schreibt, »klipp und klar die Auskunft erhalten, daß es sich um einen Glanzstaar handelt, vermutlich aus der Gattung Lamprotornis, die in Westafrika allgemein bekannt ist«. Das Berliner Stück III. C. 26813, Abb. 489, würde mir auch an sich sehr bedenklich erscheinen; es stammt aber von einem bisher immer als zuverlässig bewährten Reisenden. So ist also die Richtigkeit der Herkunftangabe »Benin« nicht zu bezweifeln.

In Kap. 17 werden lebensgroße Hähne aus Erz beschrieben werden, die aus der guten Zeit von Benin stammen und (siehe Taf. 76) als wirkliche Kunstwerke gelten. Die Kluft zwischen diesen und den kleinen Vögeln, wie sie z. B. Fig. 488 abgebildet sind, ist sehr groß; aber sie ist nicht ganz unüberbrückbar; man kann, wenn man die 45 späten Vögel daraufhin durchmustert, einige finden, die von den guten, alten Stücken nicht allzuweit entfernt sind, und es würde möglich sein, aus den übrigen eine geschlossene Reihe zusammenzustellen, die von einigermaßen erträglichen lückenlos bis zu den allerschlechtesten führt.

Zum Vergleiche sind hier die Abb. 490 und 491 eingeschaltet mit modernen Tierfiguren aus Dahome. Sie lehren, wie verschieden im Stil und an Kunstwert die Bildwerke sind, die in den letzten Dezennien in Dahome geschätzt wurden.

16. Kapitel.
Große, aus Erz gegossene Panther.

[Hierzu Taf. 75 und die Abb. 492 bis 496.]

Zu den schönsten und kostbarsten Stücken unter allen Benin-Altertümern gehören große Panther von etwa 60 cm Länge, die in sehr auffallender Weise an orientalische und spanisch-maurische Formen

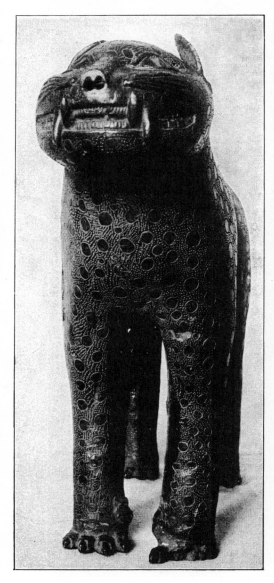

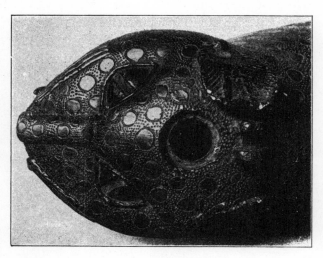

492 b

492 a

493

Abb. 492 a. Panther, Benin, im Besitze Sr. Majestät des Kaisers. ¹/₃ d. w. Gr. — Abb. 492 b. Kopf eines Panthers, Benin, im Besitz Sr. Majestät des Kaisers. Scheitelansicht. — Abb. 493. Pantherkopf, Dresden 13 614, kaum von einem ganzen Tier, viel eher selbständig als Kopf gegossen; den besten menschlichen Köpfen an die Seite zu stellen. Etwa ¹/₂ d. w. Gr.

erinnern. Sie sind ursprünglich wohl immer paarweise gemacht und aufgestellt gewesen, aber die meisten Paare sind längst auseinandergerissen worden. Ich kenne die folgenden Stücke:

1., 2. Berlin, Eigentum Sr. Majestät des Kaisers (Geschenk von Konsul E. Schmidt), siehe Abb. 492 a b. 60 cm lang und vorn 42 cm hoch; die allgemeine Form dieser beiden ein zusammengehöriges Paar bildenden Tiere ist dieselbe wie die des Taf. 75 abgebildeten Panthers; die Zeichnung der Flecken ist durch recht dicht gesetzte, eingepunzte Kreise wiedergegeben, deren Fläche glatt gelassen ist, während die übrige Haut punktiert ist. Die Ohren sind wie Blätter gebildet, mit einer Mittelrippe und schräg von ihr abgehenden unverzweigten Nerven. Die Augen haben eine breite, spaltförmige, von oben nach unten verlaufende Pupille, die durch eingelegtes Eisen hervorgehoben ist; jederseits sind fünf lange Schnurrhaare. Die

Nasenlöcher sind eiförmig, mit der Spitze nach oben, und ohne vollständige Scheidewand; sie stehen mit dem hohlen Inneren des Tieres in Verbindung.. Die großen Eckzähne sind richtig gesetzt — die des Unterkiefers vor denen des Oberkiefers; hingegen ist die Zahl der Schneidezähne in beiden Kiefern viel zu groß. In der Scheitelgegend befindet sich ein markstückgroßes, kreisrundes Loch mit vertieftem Rande; dahinter sind zwei vertikal nebeneinandergestellte Ringe von einem Scharnier für einen kleinen Deckel erhalten, der diesen beiden Stücken fehlt, während bei dem sofort unter 3 zu erwähnenden Tiere noch ein Teil erhalten ist. Die Tiere sind hohl gegossen, einige Gußfehler sind nachträglich ausgefüllt; am linken Vorderfuße des abgebildeten Stückes fehlten, als ich es photographieren durfte, drei Zehen; diese haben sich bald nachher in einer unmittelbar aus Benin im Museum f. V. eingelangten Sendung angefunden.

    3. Berlin, III. C. 10 877, siehe Taf. 75. Ähnlich den beiden vorigen Nummern, 73 cm lang und vorn 45 cm hoch. Die Zeichnung der Flecken ist durch glatte, leicht vertiefte, kreisrunde Dellen wiedergegeben, die mit einem umwallten Rande versehen und sehr eng nebeneinandergestellt sind; die zwischen ihnen liegende Haut ist dicht punktiert; die Dellen selbst waren ursprünglich alle mit Eisen ausgelegt, von dem jetzt freilich nur mehr etwas Rost übrig geblieben ist. Ich hoffe, daß es bald möglich sein wird, diesen Panther in Bronze abformen und in der alten Art wieder mit Eisen inkrustieren zu lassen, um so eine bessere Vorstellung von seiner ursprünglichen Schönheit zu geben.

Abb. 494. Einer von zwei Panthern, die 1897 in London versteigert wurden. Etwa ¹/₅ d. w. Gr.

    4. Leipzig, im Hause von Geh. R. Prof. Dr. Hans Meyer, Gegenstück zu dem eben unter Nr. 3 aufgeführten Berliner Panther, mit dem zusammen er als Paar nach Berlin gekommen war.

    5. Dresden, 16 149. Rechter Hinterfuß unterhalb der Ferse verloren, ebenso ein großer Teil des Schweifes. Die Flecken sind als Doppelkreise gebildet, genau wie bei Abb. 495. Am Kopfe keinerlei Öffnung.

    6. Liverpool, 21. 12. 97. 3, siehe Abb. 496; die einzelnen Flecken sind als dünnwandige Gruben mit erhabenem Rande gebildet, jetzt stellenweise durchgestoßen, vielfach mit Resten einer gelblichen Emailfüllung anscheinend in einer richtigen Grubenschmelztechnik, bei der die »Zellen« nicht aufgelötet, sondern von vornherein als flache Gruben gegossen wurden. Dr. Felix Roth, einer der Ärzte der Strafexpedition von 1897, der dieses kostbare Stück dem Museum in Liverpool überbracht hat, hatte es zugleich mit einer Figur aus Elfenbein auf dem »Altar« eines Wohnhauses gefunden; er berichtet dazu, daß zu jedem Hause in Benin eine Art Altar gehöre, auf dem allerhand Figuren meist aus Lehm und weiß bemalt lägen; was da aus Elfenbein und Bronze läge, sei mit Blut bedeckt.

    7. Rushmore, P. R. 345, siehe Abbildung 495, ähnliches Stück, aber die Flecken als Doppelkreise gebildet, mit punktierter innerer Fläche und glattem Rand. Der Schweif ist an der Wurzel abgebrochen; ebenso fehlt die linke Hinterpfote, ist aber durch einen alten Stelzfuß aus Elfenbein ersetzt. Dasselbe Stück war früher bei Webster und ist als Nr. 7141 in seinem Katalog 21 von 1899 als Fig. 140 abgebildet. Eine durch einen Deckel verschließbare runde Öffnung am Scheitel wird weder von Webster noch von P. R. erwähnt, ist also wohl nicht vorhanden; vermutlich bildete das Stück mit dem in Dresden (Nr. 5) ein Paar, wofür auch die gleichartigen Schäden zu sprechen scheinen.

    8., 9. Vormals bei Hale & Son, London, jetzt anscheinend in englischem Privatbesitz; siehe Abb. 494. Ein Paar von größter Schönheit. Die Köpfe sind, besonders in der Seitenansicht, von großer

Wirkung; auch sonst müssen die Tiere als Kunstwerke im strengsten Sinne des Wortes eingeschätzt werden. Ich habe sie 1897 in London photographiert und in der Zeitschrift für Ethnologie, 1898, Bd. 30, Taf. VI veröffentlicht. Die Flecken sind in derselben Art als Doppelkreise gebildet wie bei Nr. 5 und 7.

Anhangsweise ist hier, Fig. 493, noch das Bruchstück eines Pantherkopfes abgebildet, das vermutlich als selbständiger Kopf gegossen war; es weicht stilistisch mehrfach von den übrigen Köpfen dieser Reihe ab; so sind die Flecken teilweise als erhöhte kleine, runde Scheiben, teilweise als kleine kreisrunde, erhabene Umwallungen gebildet, der Grund zwischen ihnen ist nicht gleichmäßig punktiert, sondern hat ein geflammtes Rankenwerk, das sich glatt von der punktierten Grundfläche abhebt. Von der Nase ist in guter Naturbeobachtung ein kleines Stück glatt — also dunkel — gelassen; jederseits sind vier Schnurrhaare, die (gleichfalls richtig gesehen) nicht aus einer gemeinsamen Wurzel entspringen, sondern nahezu parallel verlaufen; hingegen ist die Zahl der Schneidezähne diesmal oben und unten auf vier reduziert, was, besonders im Unterkiefer, auffallende Diastemata bedingt. Auch sind die Eckzähne falsch eingepflanzt: die des Unterkiefers hinter die des Oberkiefers, statt wie in der Natur, umgekehrt. Die Pupillen stehen lotrecht, sind aber spindel-, nicht spaltförmig, wie sonst[1]).

[1]) Ähnlich große Panther sind auch aus Elfenbein hergestellt worden. Zwei solche wurden 1897 aus der Kriegsbeute von Benin an die Königin Victoria übersandt; ich habe nie eine Beschreibung oder Abbildung zu sehen bekommen. Daß sie aus mehreren Stücken zusammengesetzt sind, ist von vornherein selbstverständlich. Wien besitzt einen sehr schönen Pantherkopf aus Elfenbein, 64 760, der zu einem solchen Tiere gehörte; noch sind die vier runden Bohrlöcher für die Dübel erhalten, mit denen der über den Hals gesteckte Kopf befestigt war. An einer Stelle ist auch eines der kreisrunden Metallplättchen erhalten, welche die Flecken des Felles darstellten. Der Kopf ist 10,5 cm breit; das ganze Tier hatte also ungefähr die gleiche Größe, wie die größeren der aus Erz gegossenen Panther.

Abb. 495. Panther, Bronze, nach P. R. 345. ¹/₄ d. w. Gr.

Abb. 496. Panther, Bronze, mit Grubenschmelz. Museum in Liverpool, nach Bull. Mus. Liverp., Vol. I, 1878. Etwa ¹/₆ d. w. Gr.

17. Kapitel.
Große, aus Erz gegossene Hähne.

[Hierzu Taf. 76 und die Abb. 497 bis 502.]

In einem sehr wohltuenden Gegensatz zu den größtenteils erbärmlich schlechten späten, kleinen Vögeln, die S. 333 besprochen wurden, stehen die ungefähr lebensgroßen Hähne vom Typus der beiden Taf. 76 abgebildeten Berliner Stücke. Ich kenne im ganzen 20[2]) Vögel dieser Art, alle gleichmäßig auf

[2]) 1. Basel. — 2./3. Berlin, III. C. 8085 und 7616, Taf. 76 A, B. — 4. Cöln. — 5. Dresden. — 6. Frankfurt a. M., 11 043. — 7., 8., 9. Hamburg, C. 2326, 3347 und 3410. — 10. Hamburg, Umlauff. — 11. Leiden, S. 1163/1. — 12., 13., 14. Leipzig. — 15. London, R. D. X 2. — 16. München. — 17. Rushmore, P. R. 143. — 18. Wien, 64 723. — 19., 20. Im Handel.

einem rechteckigen Sockel stehend, dessen Seitenflächen ringsum mit Flechtbändern geschmückt sind. Sie sind hohl gegossen, einige sogar recht dünn, alle ganz auffallend naturalistisch modelliert und mit

Abb. 497. Hahn, Bronze, Hamburg C. 3347. $^1/_5$ d. w. Gr.

Abb. 500. Hahn, Bronze, Brit. Mus., nach R. D. X, 2. $^2/_{11}$ d. w. Gr.

großer Sorgfalt überarbeitet. Unsere Tafel und die Abbildungen 497 bis 500 geben eine genügende Vorstellung sowohl von der allgemeinen Art dieser Hähne als von den sehr geringen stilistischen Unterschieden zwischen den einzelnen Exemplaren; für die Abbildungen im Texte sind extreme Typen ausgewählt, aber auch die stehen sich so nahe wie etwa japanische Hähne, die von demselben Holzschneider stammen; so wird man kaum fehlgehen, wenn man die großen Benin-Hähne sämt-

Abb. 499. Hahn, Bronze, Webster 9768, nach Kat. 24, Abb. 54. Etwa $^1/_5$ d. w. Gr.

Abb. 498. Hahn, Bronze, Leiden. Etwa $^1/_5$ d. w. Gr.

lich einer Zeit und einer Werkstatt zuschreibt. Davon möchte ich selbst den Fig. 499 abgebildeten Hahn mit seinem unten so geradlinig abschneidenden Körper und der allzuweit vorspringenden Brust nicht ausnehmen, und auch nicht den ausgezeichnet schönen Hahn bei Umlauff in Hamburg, dessen Kamm vierzehn Zacken hat und ganz frei weit nach hinten ausladet.

Der niedrige, rechteckige Sockel hat stets ein »Schachtloch«, genau wie die Sockel der S. 310 ff. beschriebenen großen Gruppen; in drei Fällen (Leipzig, Rushmore und Wien) ist wie bei diesen seine vordere Seitenfläche mit Bukranien oder mit Rinderköpfen geschmückt; bei diesen drei Stücken liegt auch auf der oberen, sonst glatten Fläche des Sockels vorn ein Malteser-Kreuz. Bei einem vierten Hahne liegt gleichfalls auf dieser oberen Fläche vorn in der Mitte ein Elefantenkopf und zu dessen beiden Seiten je eine nach vorn konkave Mondsichel. Die Flechtbänder sind meist dreisträngig, manchmal ganz abgerundet, manchmal mehr eckig stilisiert; in einigen Fällen sind sie durch ein einzelnes, in gleichmäßige Schlingen gelegtes Band ersetzt.

Das Gefieder ist ausnahmslos in sorgfältigster Art und nicht ohne große Routine mit feinen Meißeln eingeschlagen; wenn in einer Beschreibung einer dieser Hähne von der Befiederung gesagt wird, sie sei »schon mitgegossen«, so bezieht sich das nur auf die plastisch herausgehobenen Umrisse der einzelnen Gruppen von Federn und darf nicht mißverstanden werden. Bei mehreren dieser Hähne sind einzelne Gußfehler mit Kupfer gefüllt. Bei dem schönen Leidener Hahn, den Marquart auffallenderweise nicht abbildet, von dem ich aber hier Fig. 498 dank dem gütigen Entgegenkommen der Verwaltung eine Ab-

bildung beibringen kann, sieht man am linken Flügel vier kleine, rechteckige Löcher, vermutlich von Versteifungen für den Gußkern herrührend oder ausgefeilte Gußfehler und zur kunstgerechten Füllung mit Kupfer vorbereitet. Die Augen der Hähne sind meistens rund, in einigen Fällen rhombisch gestaltet; bei dem Londoner, Abb. 500, sind sie mit Korallen eingelegt, bei einigen andern mit Eisen.

Gußtechnisch interessant ist die Unterseite aller dieser

Abb. 501. Sockel eines Hahnes aus Bronze, Berlin, III. C. 7616, Ansicht von unten.

Abb. 502. Hahn, Bronze, Berlin, III. C. 7616, Ansicht von unten und hinten.

Hähne; Abb. 501 zeigt, wie da aus der inneren Sockelwand mehrere Stifte nach innen ragen, die zur Befestigung des Kernes für den Sockel gedient haben, und zu beiden Seiten des Schachtloches dicke, eiserne Bolzen als Stützen für die Beine des Vogels. Außerdem haben alle diese Hähne ohne Ausnahme ein meist eben für eine Hand durchgängiges, manchmal fast kreisrundes, manchmal spitzovales Loch, das für den Beschauer des stehenden Vogels nicht sichtbar, ungefähr in der Gegend der Kloakenmündung nach unten und hinten gerichtet ist, siehe Abb. 502. Sieht und greift man durch dieses Loch in das Innere, bemerkt man die großen Spitzen der Zapfen für die Beine und in regelmäßigen Abständen von etwa 3 oder 4 cm zahlreiche Stifte aus Erz zur Sicherung des Gußkernes. Die rein gußtechnische Bedeutung dieses Loches ist völlig klar; es ist nötig, um eine feste Stütze für den Gußkern zu schaffen und um dessen Verbindung mit dem Mantel wirklich zu sichern.

Die Frage nach dem Zwecke dieser vielen und mit so viel Kunst und Sorgfalt hergestellten großen Hähne ist ebenso schwierig zu beantworten als naheliegend. Von den großen Panthern konnte man sich vorstellen, daß sie kultische Bedeutung hatten oder daß sie, wie unsere Taf. 40 vermuten läßt, am Eingange in den Palast paarweise gleichsam als Wächter aufgestellt waren — doch für die Hähne fehlt jeder solche Anhalt. Wir wissen aber, daß wirkliche Hühner fast im ganzen tropischen Afrika als Opfertiere dienen, und daß man sie auch dem *mganga*, dem Zauberer, Arzt und Regenmacher, als Honorar bringt. In solchem Zusammenhange darf man vielleicht vermuten, daß auch die großen Bronzehähne als Opfer oder als Weihgeschenke aufzufassen sein möchten.

43*

18. Kapitel.

Große Schlangenköpfe.

[Hierzu Taf. 77 und 78 sowie die Abb. 503 bis 508.]

Schlangenköpfe in der Art der hier abgebildeten sind im ganzen elf auf uns gekommen. Sie sind alle gleichmäßig mit leicht geöffnetem Rachen gegossen und in der Halsgegend zum Verdübeln mit dem Körper eingerichtet. Mit unwesentlichen Schwankungen sind sie im Durchschnitt gegen 37 cm breit und 50 cm lang, von etwa dreieckiger Form, hinten sehr breit, gegen die abgerundete Spitze hin rasch verjüngt. Beide Kiefer sind dicht mit etwa 3 cm langen, kegelförmigen und leicht gekrümmten Zähnen bewehrt, deren man 20 bis 25 in jeder Kieferhälfte, im ganzen also 80 bis 100 zählen kann. Gift- oder Eckzähne sind als solche nicht hervorgehoben, auch stecken in den Winkeln zwischen Ober- und Unterkiefer

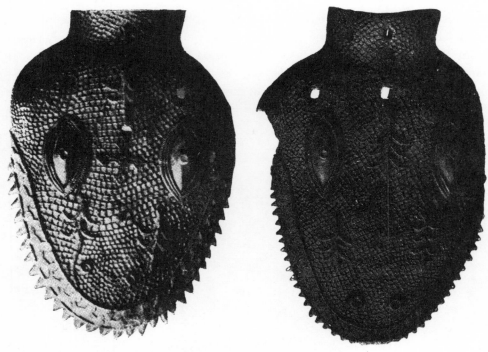

Abb. 503.   Schlangenkopf, Bronze, Basel.
Etwa ⅕ d. w. Gr.

Abb. 505.   Schlangenkopf, Bronze, Hamburg.
Etwa ⅕ d. w. Gr.

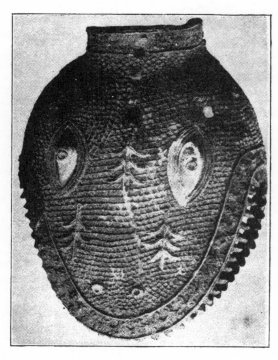

Abb. 504. Schlangenkopf, Leipzig. Etwa ⅕ d. w. Gr.

wagrecht eingepflanzt Zähne an einer Stelle, an der sie in der Natur niemals gesehen werden konnten, was allein schon zeigt, daß diese Köpfe mehr nach einem konventionellen Schema als auf Grund genauer Naturbeobachtung modelliert wurden. Die Nasenlöcher sind als umwallte, kreisförmige, kleine Scheiben oder Grübchen gebildet, bald mehr an die Spitze des Kopfes gesetzt und dann nach vorn gerichtet, bald etwas zurücktretend und dann ganz oder fast nach oben gewandt. Bei einigen Köpfen ist der sie umgebende Wall sehr sorgfältig radiär gestrichelt. Nur bei einem Köpfe, Taf. 77/78 B, fehlen die Nasenlöcher. Auch Ohrlöcher fehlen bei mehreren Köpfen ganz; wo sie vorhanden sind, siehe z. B. Taf. 77/78 C und D sowie die Abb. 504 und 505, gleichen sie den Nasenlöchern. Alle Köpfe hatten ursprünglich eine aus dickem Blech geschnittene Zunge, die ganz hinten an der Rachenwand angenietet war; sie ist jetzt nur an wenigen Stücken vollständig erhalten; bei dem Berliner Kopf Taf. 78 A ist sie an der Wurzel 8 cm breit, nach vorn ganz wenig verjüngt und abgerundet. Von einer Zweiteilung der Spitze ist an den erhaltenen Zungen nichts wahrzunehmen. Die Augen sind

¹) 1. Basel, siehe Abb. 503. — 2., 3., 4., 5. Berlin, III. C. 8514, 8216, 8215 und 8515, siehe Taf. 77/78, A, B, C, D. — 6. Dresden. — 7. Hamburg, C. 3825, siehe Abb. 505. — 8. Leipzig, siehe Abb. 504. — 9. Stuttgart, 5409, siehe Abb. 506/7. — 10. und 11. Wien, 64 739 und 64 746, Heger (1916) 57 und 58.

alle lang spindelförmig geschlitzt, mit doppelten Lidrändern; der innere von diesen oder der Zwischenraum zwischen ihnen ist in der Regel gestrichelt. Das ganze Auge tritt zwischen den Lidern gleichmäßig gewölbt vor, stets ohne Andeutung eines runden Bulbus; bei vier Köpfen ist die Iris durch eine eingelegte runde Scheibe aus Eisen hervorgehoben, bei vier anderen durch einen schon im Wachs aufgesetzten kleinen kreisrunden Wall, der dann ähnlich gestrichelt ist, wie die Nasen- und Ohrlöcher; nur bei drei Köpfen sind die Augen ganz glatt und unbelebt. Die Lidspalten sind bei einigen Köpfen parallel mit der Mittellinie orientiert, bei andern stark nach vorn konvergierend.

Wesentlich ist nur der Unterschied in der Behandlung der Oberfläche, also der Haut; bei sechs Köpfen ist diese in großer Ausdehnung ganz glatt und nur an einigen Stellen durch große, erhabene Zierscheiben belebt, die natürlich Flecken bedeuten; sonst finden sich bei diesen Köpfen nur rund um den Rachen mehrere Reihen von kleinen, roh eingepunzten Feldern. Dagegen sind die fünf andern Köpfe in ihrer ganzen Ausdehnung derart über und über mit kleinen, rhombischen, schon im Wachs modellierten Schuppen bedeckt, daß man bei einem dieser Köpfe (Taf. 77/78 D) für das Anschreiben der Inventarnummer keinen passenderen Platz gefunden hat als die glatte Hornhaut eines Auges. Die Zierscheiben an den sechs Köpfen mit sonst glatter Haut bestehen aus je vier oder fünf erhabenen, konzentrischen Kreisen, von denen der größte etwa 10 bis 11 cm im Durchmesser hat; die Abstände zwischen diesen Kreisen sind ganz dicht mit kleinen Kreisen mit umwallten Rändern ausgefüllt. Solche Zierscheiben finden sich zu dritt bei jedem dieser Köpfe, kurz hinter der breitesten Stelle, eine in der Mitte, die beiden andern seitlich, auf den breitesten Ausladungen in der Gegend der Kiefergelenke. Von zwei oder drei weiteren genau gleichen solchen Scheiben sind an den Köpfen in der Halsgegend nur die vorderen Hälften vorhanden; die hinteren müssen sich auf den angedübelt gewesenen Stücken des Körpers befunden haben.

Von den fünf durchaus mit kleinen, erhabenen Schuppen bedeckten Köpfen ist nur einer (Taf. 77/78 D) ohne weiteren Schmuck; bei dreien sehen wir, auf den Schuppen liegend,

Abb. 506 und 507. Schlangenkopf, Bronze, Stuttgart 5409, früher Berlin, H. Bey 332. Etwa 1/6 d. w. Gr.

Abb. 508. Stück vom Leibe einer großen Schlange, Bronze. Hamburg C. 3951. Etwa 1/5 d. w. Gr.

noch zweig- oder baumähnliche Gebilde, die ich nicht zu deuten weiß. Auf den untereinander sehr ähnlichen Köpfen in Leipzig und Hamburg, Abb. 504 und 505, liegen diese Gebilde zu dritt, eines zwischen den Augen und je eines zwischen einem vorderen Augenwinkel und dem entsprechenden Nasenloche; sie sind unter sich gleich mit je drei Paaren von seitenständigen Blättern (oder Zweigen?) und mit einem spitzenständigen; auch auf dem Kopfe in Basel, Abb. 503, liegen ähnliche Gebilde, aber sie haben nur zwei Paare von seitenständigen Blättern und ein endständiges, auch ist das median gelegene nach hinten gerückt; seine Stelle ist von einer richtigen Kreuzfigur mit rhombisch verdickten Balkenenden eingenommen, über deren Bedeutung wir erst recht unwissend sind.

Ganz besonders schön und sorgfältig ist der Schmuck des fünften dieser mit Schuppen bedeckten

Köpfe, siehe Taf. 77/78. Da liegt jederseits in der Gegend der Kieferwinkel ein großer, aus vier Band-
schleifen verschlungener Knoten; außerdem zieht längs der ganzen Mitte des Kopfes, vom Hals bis zur
Spitze, zwischen den Nasenlöchern ein zierliches, breites, viersträhniges Band, das in regelmäßig rechts
und links liegende Schlingen geordnet ist und vorn in einen Schlangenkopf endet. Zur Herstellung völliger
Symmetrie ist dem Bande vorn, unmittelbar hinter dem Hals der Schlange, noch eine einzelne Schleife
beigefügt. Im Innern einer jeden Schleife liegt ein halbkugelig vorspringendes Köpfchen.

Der stilistische Unterschied zwischen den glatten Köpfen mit den Zierscheiben und den ganz mit
Schuppen bedeckten ist scheinbar so groß, daß man zunächst an zwei verschiedene Werkstätten denken
muß. Er wird aber durch eine Einzelheit überbrückt, die an sich belanglos, doch in diesem Zusammenhange mitgeteilt werden darf. Wie schon oben bemerkt, haben die Köpfe mit der glatten Haut rings um
den Rachen mehrere Reihen von Schuppen, die als Vierecke mit eingeschriebenen Kreisen eingepunzt sind.
Eine einzelne Reihe von technisch gleichartigen Schuppen findet sich nun rings um die Zahnreihe auch
bei den Köpfen der zweiten Art — siehe Taf. 78 A und B für die eine sowie C und D für die andere Gruppe;
so wird man vielleicht doch für beide Gruppen besser einen einheitlichen Ursprung annehmen und die vorhandenen Unterschiede zoologisch und nicht stilistisch erklären dürfen. In meiner Bearbeitung der
K. Knorrschen Sammlung habe ich den großen Stuttgarter Schlangenkopf auf Python, also auf eine
Riesenschlange bezogen; ich denke jetzt an die Möglichkeit, daß zum mindesten die eine Art dieser Köpfe,
die mit den vielen ganz kleinen Schuppen auf eine Puffotter, Bitis, zu beziehen ist, und nur die mit den
Zierscheiben auf einen Python. Nach dem Eindrucke, den die Schlangen auf den Taf. 47 abgebildeten
Platten machen, ist es freilich wahrscheinlich, daß dort überhaupt nur die giftige Bitis und überhaupt
kein Python dargestellt ist.

Sämtliche Köpfe ohne Ausnahme haben in der Gegend des Hinterkopfes und des Halses meist fünf
oder sieben, in der Regel rechteckige, manchmal auch runde, große Dübellöcher, die symmetrisch angebracht sind und zur Verbindung mit dem Körper dienten; an einer Stelle ist ein großer Dübel aus Kupfer
erhalten; seine Form läßt darauf schließen, daß innen dicke Metallbänder das Ganze versteifen halfen,
aber auch ein Holzkern würde an sich nicht unwahrscheinlich sein. Die Dübellöcher sind ohne Rücksicht
auf die Verzierungen der Oberfläche angebracht, aber man kann annehmen, daß man die Dübel außen
sorgfältig abarbeitete und ziselierte, so daß sie nicht zu sehr störten. Interessant ist die Hälfte eines nur
durch Ziselierung angedeuteten richtigen Schwalbenschwanzdübels auf dem Berliner Kopfe Taf. 77 A.;
die andere Hälfte hat sich natürlich auf dem nicht mehr vorhandenen Stücke des Körpers befunden. Ein
solcher Dübel kann kaum anders gedeutet werden denn als Rest einer alten technischen Übung.

S. 14 ist bereits erwähnt worden, daß zu den elf Köpfen von großen Schlangen nur ein einziges
Stück eines Körpers nach Europa gekommen ist. Das in Hamburg befindliche Stück mißt 50 cm in der
Länge und hat einen größten Durchmesser von 14 cm. Auf der flachen Bauchseite hat es der Länge nach
einen Schlitz von 8 cm Breite, vermutlich nicht so sehr der Erzersparnis wegen als um den für das Vereinigen der einzelnen Stücke nötigen Spielraum zu schaffen.

Über die Art der Verwendung dieser großen Schlangen sind wir genau unterrichtet; David van
Nyendaal hat sie noch 1701 gesehen und bewundert, und in voller Übereinstimmung mit ihm zeigen uns
die Tafeln 40 und 90, wie solche Schlangen von Türmen herabhängen — wahrscheinlich als Apotropaia.

----

19. Kapitel.
Große Köpfe aus Erz, mit federförmigem Schmuck.
[Hierzu Taf. 59 und 60 sowie die Abb. 509 bis 516.]

Auf Seite 12 sind unter Nr. 19 der Tabelle der bekannt gewordenen Benin-Altertümer 32 [1]) große
Köpfe aufgezählt, die alle dem Taf. 59 abgebildeten Kopfe gleichen und sich von ihm nur in vermutlich

----

[1]) 1. bis 12. Berlin III. C. 8193, 8194, 8196, 8198 bis 8204, 10 467 und H. Bey 159. (8200 ist auf Taf. 59 abgebildet,
die Plinthen von 8200 und 10 467 auf Taf. 60. — 13. Cöln 2011, früher Berlin H. Bey 299, siehe die Abb. im »Führer« des Joest-Rauten-
strauch-Museums, III. Aufl. S. 209. — 14., 15. Dresden, 16 135 und 16 150, der erstere früher H. Bey 184, der andere Webster,
wichtig wegen der vier Elefanten auf der Plinthe. — 16. Frankfurt a. M., 6785. — 17., 18. Hamburg, C. 2339/40. — 19. bis 21.
Leipzig, zwei von diesen früher H. Bey 115 und 316; der letztere mit abgebrochenen »Federn«. — 22. London, R. D. IX 5,

untergeordneten Eigenschaften unterscheiden. Die Anzahl der ursprünglich vorhanden gewesenen Köpfe dieser Art ist zweifellos noch sehr viel größer gewesen, aber schon die greifbar nachgewiesene Zahl ist so groß, daß sie allein schon uns veranlassen mußte, ihnen unsere besondere Aufmerksamkeit zuzuwenden. Außerdem sind es große, gewichtige Stücke, die zusammen weit mehr als eine Tonne wiegen, also schon an sich einen sehr großen Metallwert haben, und ebenso sind zu ihrer Herstellung mehrere tausend Arbeitstage nötig gewesen. Gleichwohl soll hier, um Raum zu sparen, nur ein einziges Stück ausführlich beschrieben werden; für die übrigen muß es dann genügen, wenn nur die Abweichungen vom Normaltypus verzeichnet werden.

Als solchen Normalkopf wählte ich das Berliner, auf Taf. 59 abgebildete Stück III. C. 8200. Auf einer kreisrunden Plinthe erhebt sich ein im ganzen 46 cm hoher Kopf; Hals und Kinn sind bis fast zur Mundspalte in einen zylindrischen Kragen von »Kropfperlen« gehüllt, wie wir sie schon von den Platten

Abb. 509 und 510. Männlicher Kopf, Stuttgart 5379, früher Berlin, H. Bey 182. Etwa ¹/₅ d. w. Gr. (54 cm hoch).

her zur Genüge kennen. Sie sind auch hier ganz schematisch behandelt; man kann nur sehen, daß die dreißig dicht aufeinander folgenden Schnurreihen aus gleichgroßen, zylindrischen Perlen bestehen, aber man kann nirgends einen Anhalt dafür gewinnen, wie eigentlich diese Schnüre um den Hals gelegt wurden und wodurch sie ihren festen Halt gewannen. Den Scheitel bedeckt eine eng anliegende Kappe aus Perlgeflecht; aus ihr erhebt sich jederseits über dem Ohre je ein aus kleineren und größeren, zylindrischen und rundlichen Perlen gebildetes, flügelähnliches, steifes, in der Fläche gekrümmtes Gebilde, das man seiner Form nach am ehesten mit einer Spielhahnfeder vergleichen kann; es ist mit dem abgerundeten Ende

nur 35,5 cm hoch. — 23., 24. München, beide früher H. Bey, 297 und 371. — 25. Rushmore, P. R. 96/7. — 26. Stuttgart 5379, früher H. Bey 182, siehe Abb. 509/10. — 27., 28. Wien, 64 699 und 64 804 = Heger (1916) 55 und 54. 29. bis 32 Bei Händlern und in Privatbesitz: je einer bei Umlauff, Hamburg und bei Cross, Liverpool, einer von großer Schönheit bei Capt. Egerton, nur etwa 38 cm hoch, auf der Plinthe in der Mitte ein Rinderkopf, dann symmetrisch zu beiden Seiten je ein Donnerkeil, ein Rinderkopf, ein Elefantenkopf, ein Frosch (?), ein Wels usw.; schließlich ein gleichfalls sehr schöner im Nachlasse des früheren Gouverneurs von Kamerun, Exz. v. Puttkamer; dieser hat auf der Plinthe vorn in der Mitte ein Steinbeil, dann zu beiden Seiten je einen Elefantenkopf, einen Panther, einen Wels, wieder einen Panther und einen Elefantenkopf, hinten in der Mitte ein Bukranium. So sind von diesen 32 nachgewiesenen Köpfen 12 in Berlin geblieben, 7 weitere waren auch zu uns gekommen, sind aber als Doubletten an andere Museen abgegeben worden.

nach vorn gewandt; unten schneidet es mit dem Rande der Kappe geradlinig ab; an seiner Wurzel sitzt eine »Kokarde« aus fünf großen, spindelförmigen Perlen; unter dieser aber strebt ein aus sieben großen, zylindrischen Perlen zusammengesetzter, stabförmiger Bügel nach vorn und unten; am freien Ende ist er etwa in Augenhöhe durch eine quergestellte gleiche Perle abgeschlossen. Etwa daumenbreit von diesem Ende entfernt wird er durch einen zweiten, etwas dünneren Bügel gestützt, von dem man zunächst nicht immer mit Sicherheit sagen kann, ob er nur als Gußsteg aufzufassen ist oder als wirklicher Bestandteil dieses eigenartigen Schmuckes; für die letztere Möglichkeit würde sprechen, daß er bei mehreren Köpfen sorgfältig geglättet und durch Querfurchen geteilt ist, als wenn er auch aus zylindrischen Perlen bestände. In der Regel aber ist er ganz unbearbeitet und wirkt mit seiner ursprünglichen Gußhaut wie ein Steg; für diese Auffassung spricht auch sein unteres Ende, das sich ohne inneren Zusammenhang nur äußerlich an die oberste Reihe der Kropfperlen anschließt. Sehr viel schwieriger ist die Frage zu lösen, ob die quer vor das Gesicht ragenden Spangen und die wie Spielhahnfedern gekrümmten »Flügel« zu der Perlkappe gehören oder zu der Haartracht; ja man muß nach den bei den Platten gemachten Erfahrungen sogar mit der Möglichkeit rechnen, daß auch diese Kappe selbst nicht eine abnehmbare Kopfbedeckung, sondern in die lebenden Haare hineingeflochten ist. Jedenfalls hängen von ihrem unteren Rande sowohl sichere Perlschnüre herab als auch ganz einwandfreie Haarzöpfe; so hängen zunächst rechts und links gleichmäßig vor und hinter dem Ohre je sechs lange Schnüre mit zylindrischen Perlen, unten mit einer runden Perle beschwert, bis zur Plinthe herab; dann folgt nach hinten ein ebenso langer, dünner Haarzopf, d. h. einer auf der rechten Seite, links aber deren zwei (vgl. Abb. 510), und das nicht etwa nur bei diesem einen Kopfe, sondern ganz gleichmäßig bei allen diesen Köpfen, so daß der

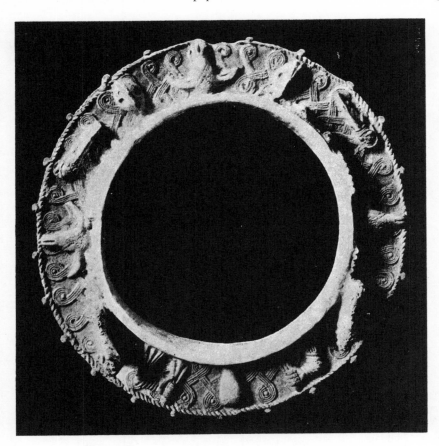

Abb. 511. Plinthe eines großen Kopfes, von oben gesehen. Nach einem Gipsabguß,
Berlin, III. C. 8095. Etwa ⅓ d. w. Gr.

Gedanke an eine »Prinzenlocke« völlig unabweisbar ist. Dann hängen in der Nackengegend vier kürzere Perlschnüre, jede unten mit einer quergestellten Perle abgeschlossen, bis zur obersten Reihe der Kropfperlen herab; ebenso ist vorn eine einzelne große, spindelförmige Perle angebracht, die über die Mitte der Stirn gegen die Nasenwurzel zu herabhängt. Weiter sind auf dem Geflecht dieser Perlkappe selbst, zu beiden Seiten der Mittellinie etwa in halber Höhe, nach unten zu gegen die Nasenwurzel hin konvergierend, zwei sehr große, zylindrische Perlen befestigt, und seitlich von ihnen, fast schon an die »Spielhahnfeder« anschließend, jederseits wieder eine große, aus fünf spindelförmigen Perlen bestehende Kokarde oder Rosette, ganz mit der übereinstimmend, die wir etwas weiter nach hinten und unten, an der Ursprungsstelle der »Spielhahnfeder« und des ganzen Bügels, bereits beschrieben haben. Am Scheitel der Kappe befindet sich ein kreisrundes Loch von etwa 10 cm Durchmesser, so daß der ganze Kopf zu einer oben wie unten offenen Röhre wird, nur daß deren Lumen oben viel enger ist als unten.

Das Gesicht zeigt die typischen Negerlippen, die breite und niedrige Nase, die großen, weit offenen Augen, die wir von den Platten und andern Bildwerken her kennen, und trotz des großen Maßstabes auch die gleiche Vernachlässigung der besonderen Form der inneren Augenwinkel im Gegensatz zu der einfacheren Bildung der äußeren. Hingegen ist die Iris durch Einlage von Eisen geschmackvoll und eigenartig hervorgehoben. Bei den meisten Köpfen ist diese Einlage in der Art bewerkstelligt worden, daß zwei große, eiserne Nägel an den richtigen Stellen im Gußkern und im Wachsmodell so befestigt wurden, daß sie nachher vom eindringenden Erz umfangen wurden; deshalb sieht man oft bei solchen Köpfen die Spitzen der Nägel noch weit in den Hohlraum des Kopfes hineinragen; ober den Augen sind durch dichte, lotrechte Schraffierung die Brauen angedeutet; darüber stehen dann, in hohem Relief, die üblichen großen Ziernarben. Unter jedem Auge findet sich, im Bogen angeordnet, eine Anzahl kleiner, eingepunzter Kreise, die vielleicht auf richtige Tätowierung mit Ruß zu beziehen sind und dann ebenso auf hellere Hautfarbe schließen lassen würden, wie die vertieften, oft auch mit Eisen ausgelegten Zierstreifen in der Mitte der Stirn, ober der Nasenwurzel, zwischen den Keloid-Narben. Geringe Sorgfalt ist auf die Ohren verwandt; die feine Modellierung der Ohrmuschel ist auch bei diesen Köpfen trotz des großen Maßstabes gänzlich vernachlässigt; man hat sich in der Regel damit begnügt, in einen äußeren Umriß, der etwa die Form eines C oder eines auf die hohe Kante gestellten Omega hat, ein schräg gestelltes Y einzumodellieren.

Um so größere Mühe hat man sich mit der Plinthe gegeben; diese steht etwa drei Querfinger breit wagrecht von der durch die steifen Kropfperlen gebildeten Röhre ab, wie eine Hutkrempe (vgl. den von einem andern Kopfe stammenden Gipsabguß Abb. 511), ist ringsum mit einem breiten Zopf eingefaßt und auf ihrer oberen Fläche mit einem Flechtbande geschmückt. Auf diesem aber liegen, meist in streng symmetrischer Anordnung und in hohem Relief, oft fast rund gebildet, verschiedene Embleme: Bei unserem Kopfe vorn, genau unter der Mitte des Gesichtes, ein großes Steinbeil, dann (vgl. zur Taf. 59 auch die größere Ansicht derselben Plinthe auf Taf. 60 unten) ein Elefantenkopf; dann ein liegender Panther mit aufgerichtetem Kopfe, der beide Vorderpranken auf ein Steinbeil gelegt hat, dann ein Frosch, dann wiederum ein Panther, ein Rinderkopf, ein Elefantenkopf und hinten, in der Mitte, ein Steinbeil; ganz symmetrisch folgen dieselben Embleme auch auf der andern Seite der Plinthe, so daß da ihrer im ganzen vierzehn sind, zwei Steinbeile, vier Elefantenköpfe, vier Panther (darunter zwei mit einem Donnerkeil unter ihren Pranken), zwei Rinderköpfe und zwei Frösche. Die Abbildung Taf. 60 unten zeigt außer diesen Emblemen, leider durch zahlreiche Gußfehler etwas undeutlich, zwischen dem Panther und dem Donnerkeil und dem Frosch noch die Enden der vorderen sechs Perlschnüre, dann, hinter dem Kopfe des zweiten Panthers, die Enden der sechs hinteren Schnüre, und hinter diesen, eben noch am Bildrande sichtbar, die mit großen Perlen beschwerten Enden der zwei Haarzöpfe.

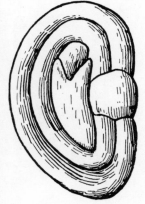

Abb. 512. Ohr eines großen Kopfes von der Art des Taf. 59 abgebildeten, Berlin, H. Bey 115, jetzt in Leipzig.

Von diesem typischen Kopfe weichen die andern zunächst in der Größe ab; es gibt einen, der kaum 38 cm hoch ist, und einen andern, der fast 65 cm erreicht; es gibt dicke und plumpe und es gibt übermäßig schlanke, wie z. B. eine Berliner Doublette, H. Bey 299, die nach Cöln gelangt ist; es gibt welche, die man nicht einmal im Gesicht sorgfältig überarbeitet hat, und andere, die mit großer Mühe ziseliert und geglättet sind; es gibt manche mit schön eingelegten Eisenstreifen in der Mitte der Stirn und andere, die nur grobe, weit vorspringende Zier-Keloide haben, und es gibt einige, bei denen die Ohren ganz besonders sorglos behandelt sind, so z. B. bei einer jetzt in Leipzig befindlichen Berliner Doublette, H. Bey 115, siehe die Abbildung 512. Ein anderer, H. Bey 316, jetzt auch in Leipzig, macht einen sehr fremdartigen Eindruck, weil beiderseits die »Spielhahnfedern« an der Wurzel abgebrochen sind — aber all das ist unwichtig und kaum der Rede wert. Auch daß bei einigen Köpfen da, wo oben die langen, dünnen Zöpfchen unter dem Rande der Kappe zum Vorschein kommen, eine große, zylindrische Perle quer gelagert ist, und bei andern nicht, ist ohne wesentliche Bedeutung; nur daß bei dem Berliner Kopfe III. C. 8202 und ebenso auch bei Wien, 64 699, links bei dem Ursprunge der zwei Zöpfe unter der querliegenden Perle noch ein kleiner, wie ein winziges Steinbeil geformter Gegenstand hängt, mag nebenher erwähnt sein — von wirklichem Interesse sind nur die Embleme auf der Plinthe. In dieser herrscht große Mannigfaltigkeit:

Auf der Plinthe des Berliner Kopfes III. C. 10 467, von der auf Taf. 60 oben eine große und sehr anschauliche Abbildung gegeben ist, steht vorn in der Mitte ein Elefant, genau nach außen schreitend, mit einem mächtig dicken, aber viel zu kurz gehaltenen Rüssel, der in eine menschliche Hand endet; zu seiner Linken liegt ein Steinbeil, zur Rechten der übliche, armähnlich stilisierte Elefantenkopf; dann folgen auf beiden Seiten symmetrisch ein Panther, ein Wels, ein Rinderkopf, nochmals ein Panther, ein Rinderkopf, ein Wels und ein Panther; genau in der Mitte hinten schließlich ein Elefantenkopf mit armförmigem Rüssel. Ganze Elefanten kenne ich sonst nur noch von dem Kopfe Dresden 16 150, von dem Starr eine kleine und ganz ungenügende Abbildung gegeben hat, leider ohne die Plinthe zu beachten oder sich der Mühe einer Beschreibung zu unterziehen. Vorn in der Mitte steht ein Elefant, wie auf unserer Taf. 60 oben; ein zweiter steht hinten in der Mitte der Plinthe, auch nach außen, also hier nach hinten gewandt; zwei weitere aber sind, nach vorn schreitend, je in der Mitte der Seitenflächen angebracht, so daß also die vier Quadranten der Plinthe je durch einen schreitenden Elefanten voneinander getrennt sind; die vier einsam in den Zwischenräumen liegenden Embleme sind erst recht ungewöhnlich: statt des sonst so häufigen armförmigen Elefantenkopfes liegt da in der Mitte jedes Quadranten, radiär gestellt, nur das handförmige

XXVI.
Häupter etlicher Stände
in Benym.

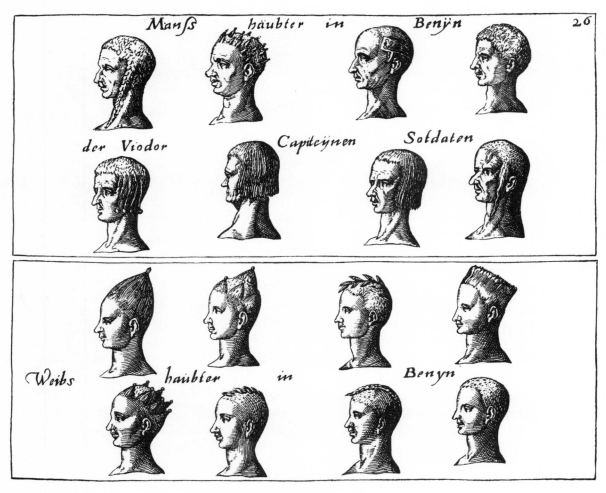

Abb. 513. Beninköpfe nach De Bry.

Ende des Rüssels mit einem ganz kurzen Stück des »Armes«; die sechs Finger greifen etwas über den Rand der Plinthe. Auf einigen Plinthen erscheint auch ein weiteres Emblem, das uns von den Sockeln der Gruppen mit Figuren schon bekannt ist, der Pantherschädel; er ist aber durchweg so nachlässig modelliert (oder so konventionell stilisiert), daß er nur schwer als solcher zu erkennen ist. In meinen eigenen älteren Notizen finde ich häufig an seiner Stelle nur ein Fragezeichen, manchmal auch »Schelle?« notiert; so steht auch noch 1901 gedruckt in meiner Bearbeitung der Stuttgarter Sammlung. Seither habe ich gefunden, daß, was ich damals für den Schlitz einer Schelle angesehen, die Nasenöffnung eines Pantherschädels ist; die Schelle ist daher aus der Liste der auf den Plinthen vorkommenden Embleme ganz zu streichen. Es bleiben so im ganzen noch neun übrig: der Donnerkeil, der Elefant, der armähnlich stilisierte Elefantenkopf, der Frosch, der Panther, ein Pantherschädel, ein Rinderkopf (dieser wohl immer mit einem Strick um die Hörner und über der Stirn), ein Rinderschädel (also das richtige Bukranium) und der Wels.

Diese Köpfe mit ihrer absonderlichen Haartracht, den das Gesicht halb verdeckenden Bügeln und den auf der Plinthe liegenden Emblemen geben gewiß der Rätsel genug auf, aber eines ist von vornherein sicher: Sie sind an die S. 294 ff. erwähnten großen Figuren mit der Ebere-Schleife unmittelbar anzuschließen. Man braucht nur einen Blick auf die Abbildungen 440 und 441 zu werfen, um sofort die vollkommene Übereinstimmung in zwei sonst niemals wieder vorkommenden Dingen zu bemerken, in den »Spielhahnfedern« und in den unter derselben Rosette sich entwickelnden stabförmigen Bügeln. Durch

XXII.
Begräbnuſz der Könige.

Abb. 514. Königsgrab, Benin, nach De Bry.

einen unglücklichen Zufall hat allerdings ein so erfahrener und scharfsinniger Beobachter wie Pitt Rivers diesen Zusammenhang übersehen. Bei seiner Rundfigur sind die Bügel etwas mehr als sonst nach unten geneigt, und bei seinem Kopfe sind sie durch rohe Gewalt, vermutlich beim Transporte, so nach innen verbogen, daß auf beiden Seiten die querstehende Endperle den inneren Augenwinkel berührt. So beschreibt er die gleichen Bügel bei seiner Rundfigur als »curved agate pendants« und bei seinem Kopfe als »branchlike figures, perhaps coral, growing out of the eyes«. Die Abbildungen des Kopfes (Figg. 96 und 97 seines Buches) läßt diese verkehrte Auffassung vollständig begreiflich erscheinen; auf beiden Seiten scheint es wirklich, als ob ein Ast aus dem Augenwinkel herauskäme und, sich dann gabelnd, einen Zweig nach oben zur Kappe und einen andern zu den Kropfperlen entsenden würde. Die Abbildungen lassen aber keinen Zweifel an der Mißhandlung, die der Kopf erfahren hat; auch die »Spielhahnfedern« sind verbogen und

44*

nach unten gedrückt, während sie sonst senkrecht stehen. Tatsächlich kann die allerengste Übereinstimmung zwischen den zwei Gruppen von Bildwerken nicht verkannt werden. Sieht man also in den Rundfiguren mit der Ebere-Schleife die Darstellung eines Königs — und dazu zwingt wohl der überreiche, die ganze Brust bedeckende Perlschmuck —, dann muß man auch unsere großen Köpfe für die von Königen, vermutlich für Porträts eines bestimmten Königs halten. Ihr häufiges Vorkommen würde dann etwa mit der Häufigkeit von Kaiserbüsten bei uns zu vergleichen sein. Die auf der Plinthe liegenden Embleme wären dann als schützende Dämonen aufzufassen und die Köpfe selbst als Votivgaben P S A.

Abb. 515. Eiserner »Baum« von über 3 m Höhe, auf dem zwei lebensgroße Bronzeköpfe angebracht sind. Vergrößerung nach einer 1897 gemachten kleinen schlechten Momentaufnahme aus dem königl. Palast in Benin.

Eine abweichende Anschauung habe ich 1901 in meiner Bearbeitung der Stuttgarter Sammlung vertreten. Ich war damals der Meinung, daß auch diese großen Köpfe als Ersatz für Menschenopfer auf die Gräber von mächtigen Personen gesetzt worden seien. Das trifft für die großen Köpfe ganz sicher nicht zu, mag aber für die kleinen Köpfe, besonders für einige von denen, die wir in Kap. 23 kennen lernen werden, Geltung haben. Nahegelegt ist der Gedanke jedenfalls durch die alten Abbildungen bei De Bry, die hier Abb. 513 und 514 wiedergegeben sind. Der ungenannte Reisende, der die ursprüngliche Vorlage zu Abb. 513 gezeichnet hat, hatte ganz zweifellos nicht wirkliche Köpfe von Lebenden, sondern die erzenen Köpfe gesehen, die ihm offenbar so großen Eindruck machten, daß er sie in sein Skizzenbuch aufnahm; seine einst wohl vorhanden gewesene richtige Beschriftung zu diesen Skizzen geriet dann in Verlust oder in Vergessenheit; die Skizzen selbst wurden vermutlich mehrmals umgezeichnet und sind uns nun in der ganz ungeschickten Form und mit der unsinnigen Beschriftung überliefert, die wir bei De Bry finden. Anderseits entspricht die Abb. 514 wiedergegebene Ansicht eines Königsgrabes insofern den besten Überlieferungen, als wirklich auf den Gräbern der Vornehmen Menschenopfer gebracht wurden, und zwar meist mit der an sich sehr pietätvollen Vorstellung, man müsse dem Toten seine Frauen und seine Diener mit ins Grab senden, damit er im Schattenreich ebenso weiterleben könne, als auf der Oberwelt. Nun liegt es nahe, aus der Ähnlichkeit der rings um das Grab auf Pfähle gesteckten Köpfe mit den Fig. 513 abgebildeten zu schließen, daß auch jene, sowie diese, in Erz gegossene Köpfe waren, d. h. daß dem ursprünglichen Gewährsmann von De Bry ein Grab vorschwebte, auf das man — als Ersatz für Menschenopfer — in Erz gegossene Köpfe gestellt hatte.

Diese Vermutung findet eine Art von Bestätigung durch die Abb. 515 reproduzierte Photographie aus dem Jahre 1897. Damals hat Herr Erdmann im Innern des königlichen Palastes einen baumartigen Ständer aus Eisen gesehen, der über 3 m hoch war und auf den zwei ganz besonders schöne, lebensgroße Porträtköpfe aus Bronze vom Typus der Taf. 55 und 56 abgebildeten gesteckt waren. Die damals von ihm gemachte photographische Aufnahme ist leider technisch verunglückt und hat beim Entwickeln genau die gleichen Risse und Sprünge bekommen wie die wohl am selben Tage gemachten Aufnahmen, die hier Fig. 19 und 20 reproduziert sind, aber sie ist wissenschaftlich so wichtig, daß ihre Wiedergabe trotzdem gerechtfertigt erscheint. Sie zeigt, in welcher Weise noch 1897 zwei der schönsten alten Porträtköpfe in Benin aufgestellt waren; natürlich könnte immer noch an die Möglichkeit gedacht werden, daß ein Europäer damals diese zwei alten Köpfe anderswo gefunden und selbst auf den »Baum« gesteckt habe, aber eine solche Annahme scheint mir so unwahrscheinlich, daß ich sie nur erwähne, um sie zurückzuweisen.

Hingegen müssen hier noch die turbanartigen Gewinde, wie in Taf. 66 und Fig. 542 abgebildet und in Kap. 25 zur Beschreibung kommen sollen, kurz erwähnt werden; sie stehen auf Plinthen, genau wie die Köpfe; ich halte es für möglich, daß sie tatsächlich Turbane vorstellen, und dann könnte man denken, daß sie vielleicht als Ersatz für den abgeschnittenen Kopf eines Turbanträgers, also eines Mohammedaners, am Grabe eines Benin-Königs aufgestellt waren; sie würden dann eine gute Stütze für meine Auffassung der beiden Fig. 513 und 514 wiedergegebenen Abbildungen bei De Bry abgeben.

So wäre für einige von den kleinen Köpfen funebraler Charakter vielleicht nicht ganz auszuschließen; in den großen Köpfen vom Typus des Taf. 59 abgebildeten, mit denen wir uns in diesem Kapitel beschäftigten, werden wir wohl Porträts des Königs erblicken dürfen, die irgendwie kultischen Zwecken zu dienen hatten. Durchaus abwegig scheint mir aber die von England ausgegangene Auffassung dieser Köpfe als Untersätze für die großen, geschnitzten Elefantenzähne zu sein, die wir in Kap. 50 kennenlernen werden. R. D. bezeichnen den im Brit. Museum befindlichen Kopf dieser Art als »Pedestal«; sonst ist in der englischen Literatur der Ausdruck »tuskholder« für diese Köpfe eingebürgert; die gleiche Auffassung ist auch in einige deutsche Museen eingedrungen, in deren Katalogen und Etiketten diese Köpfe als »Untersätze für geschnitzte Zähne« bezeichnet werden. In meiner Bearbeitung der Stuttgarter Sammlung habe ich 1901 diese Bezeichnung auf S. 79/80 (223/4) ausdrücklich als »unbegründet, irreführend und verwerflich« bezeichnet. Dem ist dann im »Man« von 1908 (Vol. 8, S. 2) T. A. Joyce entgegengetreten und hat versucht, die alte englische Auffassung zu rechtfertigen. Er verweist auf ganz einwandfreie Beobachtungen und Angaben, nach denen geschnitzte Elefantenzähne wirklich auf solchen Köpfen stehend und an eine Wand gelehnt gesehen und sogar photographiert wurden, und bezeichnet die Frage damit als »definitely settled«. Es tut mir leid, diese Meinung nicht teilen zu können. Ich habe die denkbar größte Hochachtung für Herrn Joyce und halte ihn für einen der scharfsinnigsten, gelehrtesten und um unser Fach verdientesten Männer unter den englischen Kollegen — aber ich muß die Auffassung jener Köpfe als Untersätze für Zähne auch heute noch ebenso energisch ablehnen, als ich das 1901 getan habe. Die vom Kollegen Joyce angeführten Stellen und Abbildungen kenne ich selbstverständlich so gut wie er; ich weiß schon lange, daß man tatsächlich mehrfach in Benin geschnitzte Zähne auf solchen Köpfen stehend gesehen und abgebildet hat — nur beurteile ich diese Befunde anders als Herr Joyce: er hält sie für primär, ich halte sie für sekundär und daher für völlig belanglos. Für mich scheint die Sache genau so zu liegen, wie wenn etwa ein eben bei uns angelangter Marsbewohner von unseren Trinkgläsern meinen würde, sie seien gemacht, um Rosen aufzunehmen Die einer solchen Ansicht zugrunde liegenden Beobachtungen sind natürlich völlig unanfechtbar: Seit vielen Jahrhunderten haben ungezählte Millionen von Menschen Rosen in ein Trinkglas mit Wasser getan, aber deshalb sind die Trinkgläser doch zum Trinken gemacht worden und nicht zum Frischhalten von Rosen. Kollege Joyce hat seine Mitteilung im »Man« an meine persönliche Adresse gerichtet, und so wird er es nicht übelnehmen, wenn ich auch meinerseits diese Notiz zunächst für ihn schreibe; es würde mich freuen, wenn es mir gelingen könnte, ihn zu überzeugen, daß die Frage durch jene Mitteilung im »Man« noch nicht »definitely settled« war. Wir sind ja alle Sünder, und gerade sehr vielen Benin-Altertümern stehen wir heute alle zusammen genau so unwissend gegenüber wie ein Marsbewohner unseren irdischen Dingen gegenüberstehen würde, wenn sie plötzlich in seinen Gesichtskreis kämen: wir haben es da mit den Resten einer schriftlosen Kultur zu tun und sind beim Studium der Benin-Altertümer nicht in der beneidenswerten Lage der Archäologen, denen für das Verständnis der römischen und griechischen Altertümer ein fast unermeßlicher Literaturschatz zur Verfügung steht.

Bei den Bemühungen, den ursprünglichen Zweck der Bronzeköpfe von Benin zu ermitteln, hat das große Loch auf ihrem Scheitel eigentlich die Hauptrolle gespielt. Es findet sich nicht nur bei den weit über lebensgroßen Köpfen mit den »Spielhahnfedern«, sondern auch bei den andern Köpfen, die wir in den nächsten Kapiteln kennenlernen sollen; es findet sich im ganzen bei über hundert Köpfen und wird nur bei vier oder fünf vermißt. Auf den Abbildungen freilich kommt es so gut wie niemals ordentlich zur Erscheinung; wenn man aber die Tafeln 53 bis 66 aufmerksam durchmustert, wird man wenigstens aus der scheinbaren Abflachung des Scheitel immer auf den Durchmesser des Loches schließen können. Über seinen Zweck war ich mir 1901 auch selbst nicht klar und habe damals geschrieben, daß es »nicht etwa bloß gußtechnische Bedeutung« zu haben scheine. Seither habe ich mich vergeblich bemüht, nach andern Erklärungen zu suchen; jetzt bin ich der Ansicht, daß diese Löcher doch allein und ausschließlich nur aus der Technik des Gießens zu erklären sind: sie dienten dazu, eine feste Verbindung zwischen Gußkern und Formmantel zu schaffen. Völlig gleichartige Löcher, manchmal später durch gut passende Einsatzstücke geschlossen, sind auch bei antiken Kunstwerken vielfach nachgewiesen und kommen genau ebenso an manchen Renaissanceköpfen vor. Ich könnte sehr viele Beispiele hierfür durch Abbildungen belegen, beschränke mich aber auf ein einziges, allerdings sehr überzeugendes, dessen Kenntnis ich der immer hilfsbereiten Güte von E. Petersen verdanke; die Analogie dieses Abb. 516 reproduzierten antiken Kopfes mit unseren Benin-Köpfen auf den Tafeln 55 und 56 scheint mir besonders schlagend. Gleichartige Löcher sind auf dem Scheitel des altertümlichen Epheben Sciarra (Röm. Mitt. II, Taf. 5, S. 95) nach-gewiesen, am Faustkämpfer des Thermen-Museums (Helbig, Führer 3, 1350) und an einem altertümlichen

Abb. 516. Kolossaler Bronzekopf im Kon-servatorenpalast auf dem Kapitol, einen der nächsten Nachfolger Konstantin des Großen darstellend.

Kopfe in Olympia (Furtwängler, Olympia, IV, II, Taf. I Nr. 1). De Ridder beschreibt unter Nr. 768 einen archaischen Kopf von der Akropolis von Athen mit einem großen solchen Loche, offen geblieben, weil, wie die Archäologen vermuten, er darüber einen Helm aufge-setzt bekam, der jetzt fehlt. Für die Faustkämpferstatue im Museo naz. Romano hat E. Petersen (Röm. Mitt. d. J. 1898, XIII. 95) auf die Tatsache aufmerksam gemacht, daß ein etwa 10 cm im Durch-messer haltendes Scheitelstück spätere Zutat von schlechter Arbeit, roh und dem Übrigen nur notdürftig angepaßt sei. Vielleicht war das echte Verschlußstück verloren gegangen, vielleicht war es nie vorhanden gewesen. Manchmal hat man sich vorgestellt, daß solche Löcher am Scheitel dazu dienten, Augen und auch Zähne, die aus anderem Stoffe gearbeitet waren, nachträglich von innen einfügen zu können. Da wir aber die gleichen Löcher sehr häufig an Bronzen finden, bei denen an Augen oder Zähne von anderem Stoffe gar nicht zu denken ist, wird man sich für alle diese antiken und Renaissanceköpfe nach einem andern Grunde für die Scheitellöcher umsehen müssen. Da haben mich nun wiederholte Unterredungen mit erfahrenen Bildgießern in den letzten Jahren in der Über-zeugung gefestigt, daß sie wirklich nur eine rein gußtechnische Be-deutung haben.

Ganz entscheidend für diesen Zusammenhang scheinen mir aber die ähnlichen Löcher zu sein, die wir (vgl. Abb. 502) an den großen Hähnen von Benin in der Gegend der Kloakenmündung finden. Für diese Löcher wird auch der allereifrigste Verfechter der »tuskholder« Theorie nicht der Ansicht sein können, daß sie zur Aufnahme eines geschnitzten Zahnes gedient haben; ebenso wird aber jeder, der in gußtechnischen Fragen Bescheid weiß, einsehen, daß die Löcher am Scheitel der Köpfe und die Löcher an der Stelle der Kloakenmündung bei den Hähnen die gleiche rein technische Bedeutung haben.

---

20. Kapitel.

Große weibliche Köpfe mit spitzer Kopfbedeckung.

[Hierzu Taf. 62 und Taf. 63A sowie Abb. 517 bis 519.]

Die im 19. Kapitel beschriebenen Köpfe vom Typus des Taf. 59 abgebildeten sind mit sehr großer Wahr-scheinlichkeit als Porträts eines Königs aufzufassen; doch sind sie in der Kapitelüberschrift nicht als solche bezeichnet. Aus demselben Grunde ist auch für die Überschrift dieses Kapitels eine nur beschrei-bende Fassung gewählt worden, obwohl es sehr naheliegt, alle [1]) die jetzt zu behandelnden Köpfe vom

---

[1]) 1—12. Berlin, III. C. 8183—8191, 8490, 7660 und 7661. — 13, 14. Cöln a. Rh. — 15. Dresden, 16 134. — 16, 17. Leiden, S. 1164, 2/3. Der zweite dieser Köpfe ist von ungewöhnlich guter Arbeit; er hat zwei lange Zöpfe auch hinter dem rechten Ohre; der erste ist wesentlich schlechter aber, durch eine »Stupsnase« ausgezeichnet. — 18, 20. Leipzig. — 21. München. — 22, 23. Rushmore, P. R. 100 und 119, der erstere von ganz geringer Arbeit und sehr hoch, der andere niedrig und breit, aber wesentlich besser gearbeitet. — 24. Stuttgart 5373, früher H. Bey 158, siehe Abb. 517/8. — 25. Wien. 64 698 (Heger, 1916, Nr. 56, 64 998 an jener Stelle ist Druckfehler) mit eingehender Beschreibung. — 26 bis 28, drei belanglose Stücke, zwei bei Händlern, einer im Berliner Privatbesitz (Leg.-Rat Dr. A. Zimmermann). Das weitaus schlechteste Stück der ganzen Reihe ist bei Webster, Kat. 21 von 1899 unter Nr. 5005 verzeichnet und Fig. 205 abgebildet; die Bezeichnung »one of the oldest of its kind« ist selbstverständlich nicht ernst zu nehmen. Der größte Teil der Kopfbedeckung ist weggebrochen. Aus dritter und vierter Hand weiß ich, daß noch einige weitere Köpfe dieser Art in englischem Privatbesitz sind; einer soll vor mehreren Jahren

Typus des auf Taf. 62 abgebildeten auf eine Königin zu beziehen. Wenigstens haben sie alle eine Kopftracht, die sich bei den Frauen wieder findet, die wir in der Mitte und als Hauptperson von feierlichen Umzügen auf den S. 313 ff. beschriebenen Bildwerken kennengelernt haben und für die Königin halten.

Das Gesicht dieser Köpfe ist durchweg mit recht geringer Kunst behandelt, die großen Augen mit aus Eisen eingelegter Iris sind meist etwas vorgequollen, wie bei Basedow, und die Backen erscheinen bei vielen Köpfen unangenehm aufgedunsen; anscheinend hat die Absicht bestanden, eine etwas überernährte ältere Frau darzustellen. Besonders roh und schematisch sind die Ohren behandelt, auf die man ja auch sonst in Benin selten viel Mühe verwandt zu haben scheint. Bei diesen Köpfen ist das Ohr fast immer nur in der Form eines nach vorn offenen C oder eines um 90° gedrehten runden Omega gebildet, in das ein Y mit leicht nach vorn konkaver unterer Hasta eingetragen ist; dieses stellt Antihelix und Crura vor, während Helix und das Läppchen durch das C dargestellt sind. Der ganze Hals und das Kinn sind von 40 und mehr Reihen Kropfperlen bedeckt, wie von einem zylindrischen Panzer. Auf dem Scheitel sitzt eine Haube aus feinem Netzwerk, wohl von Korallenperlen; hinten ist sie flach und nieder, vorn erhebt sie sich zu einer steil kegelförmigen, nach vorn wie ein Horn gebogenen Spitze, die gewöhnlich, aber nicht ausnahmslos, von einer größeren Perle gekrönt ist. Zwischen dem flachen hinteren und dem hohen vorderen Teile befindet sich durchweg ein meist nierenförmiges Loch von

Abb. 517 und 518. Zwei Ansichten des Kopfes wahrscheinlich einer Königin. Stuttgart 5373. Früher Berlin, H. Bey 158. 56 cm hoch, etwa ⅕ d. w. Gr.

durchschnittlich 5 : 8 cm Größe, die konkave Seite natürlich nach vorn gewandt, da ja die Form des Loches durch den hornartig aufgesetzten vorderen Teil der Kappe bedingt ist. Im übrigen ist dieses Loch (vgl. Taf. 63 c) dem runden Loche am Scheitel der im vorigen Kapitel beschriebenen Königsköpfe durchaus analog und hat wie dieses eine ausschließlich gußtechnische Bedeutung. An beiden Seiten der Kappe sind in der Nähe des unteren Randes regelmäßig zwei Rosetten angebracht, die gleich denen an den männlichen Köpfen aus fünf großen Perlen bestehen; bei manchen Köpfen stehen etwas höher oben noch zwei oder drei weitere gleiche Rosetten oder Kokarden. Der untere Rand dieser Haube ist stets durch vier oder fünf quer über den größten Umfang des Kopfes verlaufende Schnüre mit zylindrischen Perlen gebildet. Bei einigen Köpfen, besonders bei dem auch sonst durch sorgfältige Arbeit hervorragenden Berliner Kopf III. C. 8490,

um £ 100 seinen Besitzer gewechselt haben; 1898 und 1899 kosteten diese Köpfe meist £ 35; der zerbrochene bei Webster war mit £ 12 ausgesetzt gewesen; in meine Liste sind nur die 28 Köpfe aufgenommen, die ich im Originale gesehen oder von denen ich Abbildungen habe.

Taf. 63 A u. C, ist zu sehen, wie die ganze Haube mit diesen Schnüren befestigt wird; sie enden hinten in zierlich geflochtene Bänder, die paarweise verknotet sind; an der Grenze zwischen der eigentlichen Haube und den quer verlaufenden Perlschnüren sind immer einige große zylindrische Perlen wagerecht befestigt, meist drei, manchmal fünf, manchmal auch nur eine einzige, diese dann median in der Mitte der Stirn. Vom unteren Rande der Haube hängen an den Seiten und hinten Perlschnüre und Zöpfe herab, gewöhnlich vier oder sechs Zöpfe vor und ebenso viele hinter dem Ohre, die bis zur Plinthe herabreichen, während die Schnüre in der Hinterhauptgegend nur bis zum oberen Rande der Kropfperlen langen. Bei mehreren Köpfen, so bei dem Taf. 63 A abgebildeten, reichen die vor dem Ohre hängenden Schnüre nicht einmal bis zu den Halsperlen und enden schon über den Backen; bei einigen fehlen die sonst hinter den Ohren hängenden Schnüre ganz, so daß an ihrer Stelle gleich die Haarzöpfe kommen, meist zwei auf jeder Seite; aber auch diese können manchmal fehlen und durch Perlschnüre ersetzt sein.

Sechs von den Berliner Köpfen dieser Gruppe sind verhältnismäßig gut gegossen und sorgfältig zieliert; vier von diesen haben jederseits vier statt der sonst üblichen drei Reliefnarben über jedem Auge; die sechs andern Berliner Köpfe aber, die technisch ganz besonders minderwertig sind, haben immer nur je drei Paare von solchen Narben. Die besser gearbeiteten Köpfe haben meist zwischen den erhabenen Narben, die der dunklen Negerhaut entsprechen, über den inneren Augenwinkeln noch einen breiten und hohen vertikalen Streifen, der mit Eisen ausgelegt war, vgl. Taf. 63 A. Es liegt nahe, aus der so dargestellten echten Tätowierung mit schwarzer Farbe auf hellere Haut, also auf Fulbe- oder sonst hellere Blutmischung zu schließen. Auf Taf. 62 sind Vertreter dieser beiden Typen einander gegenübergestellt; bei dem Kopfe der schlechten Art, Berlin III. C. 8184, sieht man die bösen Gußfehler vor und hinter dem Ohre sowie über dem linken Auge. Außerdem erkennt man gut, wie auf der Haube ein allzu großer Defekt durch ein nachträglich aufgegossenes rechteckiges Ersatzstück überdeckt ist. Ebenso ist an diesem Kopfe die ganze Nackengegend durch ein 12 cm hohes und etwa 16 cm breites glattes Ersatzstück mit Klammern befestigt, um einen großen Gußfehler zu decken.

Abb. 519. Jüdin und mohammedanische Frau, beide aus Tunis.

Die Plinthe dieser weiblichen Köpfe ist durchweg etwas schmäler als die der männlichen und gleichfalls mit einem Flechtbande geziert; auch der dicke, rings um den Rand der Plinthe gelegte Zopf fehlt nicht, hingegen sind die Schraubenköpfe nur in Ausnahmefällen vorhanden, so bei dem Stuttgarter Kopf Abb. 517 und 518. Der geringeren Breite entspricht das Fehlen einer größeren Zahl von Emblemen; von diesen ist meist nur eines angebracht, vorn, genau in der Mitte, und zwar etwas häufiger ein Donnerkeil, seltener, etwa bei einem Drittel aller dieser Schädel, ein Elefantenkopf, nur einmal, bei dem geringeren der beiden Köpfe in Leiden, findet sich auch ein Rinderkopf. Manchmal fehlt überhaupt jedes Emblem. Nur bei einem einzigen dieser Köpfe (bei dem Taf. 62 B abgebildeten) scheint zu den Seiten des Steinbeils noch je ein Wels (?) oder ein Elefantenkopf (?) zu liegen. Das Steinbeil selbst liegt, wo immer es auf den Plinthen dieser Köpfe erscheint, niemals flach da, wie bei den andern Köpfen, sondern immer als ob es in der Erde versenkt wäre und nur mit der Schneide hervorragen würde. So ist es nicht zu verwundern, daß der einzige Autor, der überhaupt bisher ein solches Emblem erwähnt — die andern haben es ganz übersehen — es als »kleinen erhabenen Gegenstand von unbestimmbarer Form« beschreibt. Diese Form ist allerdings manchmal wirklich schwer zu erkennen oder auch nur zu beschreiben; in einigen Fällen sieht das allein sichtbare Stück des Beiles genau so aus, als hätte man eine kleine, kreisrunde Scheibe genommen, sie im rechten Winkel in zwei gleiche Hälften abgebogen, den so gegebenen Raum ausgefüllt und den so entstandenen Körper auf die Unterlage gelegt; erst wenn man einmal weiß, daß ein im

Boden steckendes Steinbeil dargestellt ist, erkennt man die ungefähr halbkreisförmigen Flächen natürlich sofort als die Schliffflächen für die Schneide des Beiles.

Die sämtlichen Köpfe dieser Gattung sind ebenso wie die im vorigen Kapitel beschriebenen männlichen Köpfe zweifellos etwas jünger als die Mehrzahl der Platten; sie sind vermutlich in das 17. Jahrh. zu setzen. Wahrscheinlich gehören sie auch unter sich nicht alle in die gleiche Zeit; es scheint möglich, zwei, eigentlich drei Stilgattungen zu unterscheiden. Da diesen auch Unterschiede in der Tätowierung entsprechen, liegt es nahe, diese Köpfe drei verschiedenen Königinnen zuzuschreiben; der frühesten von diesen würde der Kopf Taf. 63 A angehören, der zweiten der Kopf Taf. 62 A, der dritten, spätesten der Kopf von Taf. 63 B; die erste würde aus hellerem Stamme gewesen sein, da sie neben den vier Reliefnarben jederseits noch einen Streifen richtiger Tätowierung hat; die zweite hat noch vier Reliefnarben, die dritte nur mehr drei auf jeder Seite, und wäre damit wieder zur alten Sitte von Benin zurückgekehrt.

Noch muß die Frage wenigstens angeregt werden, woher die ganz eigenartigen Kopfbedeckungen mit dem spitzen Horne stammen; daß sie bodenständig sind, halte ich für unwahrscheinlich. Viel eher denke ich an eine Beeinflussung vom Norden her. In Tunis haben sich ähnliche Kopftrachten noch bis heute erhalten, wie die Abbildungen 519 a, b zeigen. Daß diese ihrerseits mit ähnlichen europäischen Trachten des 15. Jahrhs. zusammenhängen, bedarf kaum eines Beweises; wenn man Holzschnitte aus der Zeit Albrecht Dürers, etwa die Zeichnungen von Hans Burgkmair und H. Schäufelein, zum Teuerdank und zum Weißkunig durchsieht, wird man mehrfach auf ähnliche Kopfbedeckungen vornehmer Damen stoßen. Hier sei nur an den um 1513 entstandenen Holzschnitt Burgkmairs aus dem Weißkunig erinnert, »Maximilian und Maria von Burgund lehren einander Hochdeutsch und Französisch«.

---

21. Kapitel.

Andere große Köpfe mit Plinthe.

[Hierzu Taf. 61 A, B und D und Taf. 63 B sowie Abb. 520 und 521.]

Die in den beiden vorhergehenden Kapiteln beschriebenen großen Köpfe konnten mit voller Sicherheit die einen als männlich, die andern als weiblich bezeichnet werden. Diese Sicherheit fehlt bei den 20[1]) Köpfen, von denen vier typische Vertreter hier Fig. 520/21 und auf Taf. 61 A, B und D abgebildet sind; diese Köpfe gleichen in fast allen Dingen den in Kap. 19 beschriebenen; es fehlen ihnen nur die großen Bügel und die wie Spielhahnfedern gekrümmten Schmuckplatten an der Perlhaube. Da sie sonst durchaus mit jenen sicher männlichen Köpfen, vgl. Taf. 39, übereinstimmen, würde es naheliegen, sie gleichfalls für männlich zu halten, aber es scheint kein Bildwerk auf uns gekommen zu sein, auf dem eine der Tracht nach sicher als männlich oder weiblich zu bestimmende Person mit einem solchen Kopfputz dargestellt wäre; die Frage wird noch dunkler dadurch, daß es einige andere Köpfe gibt, die wie der Taf. 61 C abgebildete, eine Übergangsform zu solchen bilden, die als weiblich betrachtet werden müssen; diese sollen S. 355 ff. besprochen werden; einstweilen kann von den hier zu behandelnden Köpfen nur gesagt werden, daß wir ihnen ganz hilflos gegenüberstehen; wie über ihr Geschlecht, so sind wir auch über ihre Bedeutung und über ihren Zweck durchaus unwissend; vielleicht dürfen sie als Porträts aufgefaßt werden. Unter sich sind sie sehr ähnlich; daß ihre Höhe zwischen 27 und 35 cm und die Zahl ihrer Halsschnüre zwischen 20 und 34 schwankt, ist wohl unwesentlich; wichtiger ist, daß die kleineren Köpfe meist etwas besser gearbeitet sind als die größeren, und daß ein Teil der Köpfe neben den üblichen Reliefnarben über den Augen auch über der Nasenwurzel zu beiden Seiten der von der Kappe herabhängenden Zierperle mit Eisen eingelegte Streifen aufweist, die, wie bereits mehrfach ausgeführt, auf wirkliche Tätowierung und also auch wohl auf etwas hellere Hautfarbe zu beziehen ist. Ähnlich wie oben für die Köpfe mit spitzer Haube, wird man auch für die mit der eng anliegenden Kappe annehmen dürfen, daß sie unter

---

[1]) Die schematische Übersicht auf S. 12 weist nur 13 Köpfe dieser Art auf; seit Drucklegung des Bogens sind noch 7 weitere zu meiner Kenntnis gelangt. Im ganzen kenne ich nun die nachfolgend verzeichneten Stücke: 1 bis 5. Berlin, III. C. 7659 und 8173 bis 8176, Taf. 61 A, B und D. — 6. Berlin, III. C. 10 485, siehe Taf. 63 B. — 7, 8. Zwei Köpfe, Dresden. — 9. Frankfurt a. M., Nr. 8637. — 10. Hildesheim, Roemer-Museum, früher Berlin. — 11 Karlsruhe, A. 6625. — 12, 13. Leipzig. — 14, 15. Liverpool, siehe die Abb. »Bull. Liverpool Museums«, I. 1898. — 16. München. — 17. Stuttgart, 5410, früher Berlin. — 18—20. im Handel.

sich nicht völlig gleichzeitig sind, und daß die kleineren, besser gearbeiteten und mit Eisen eingelegten Köpfe etwa um eine Generation älter sein könnten als die andern.

Diese im allgemeinen besseren Köpfe sind auch durch eine größere Zahl von Emblemen auf der Plinthe ausgezeichnet; während diese sonst sich ähnlich wie bei den großen, in Kap. 19 beschriebenen Köpfen, vgl. Abb. 511, um zwölf herum bewegt, steigt sie bei einigen von ihnen nicht unwesentlich an und erreicht bei dem schönen Kopfe der Münchener Sammlung die Höchstzahl von zweiundzwanzig. Diese sind so verteilt, daß vorn und hinten in der Mitte je ein Bukranion liegt und dann beiderseits symmetrisch von vorn an aufgezählt je ein Donnerkeil, ein Elefantenkopf, ein Frosch, ein Panther, ein Wels, ein Bukranion, ein Frosch, nochmals ein Bukranion, ein Elefantenkopf und ein Panther folgen. Es sind also, ohne daß ein bestimmtes System in der Anordnung oder ein Grund für die Auswahl zu erkennen wäre, Welse und Steinbeile nur je zweimal, Elefantenköpfe, Frösche und Panther je viermal, Bukranien aber sechsmal vertreten. Die in der Anmerkung zu S. 353 unter Nr. 13/14 aufgezählten zwei Köpfe in Liverpool habe ich nicht selbst gesehen; ich kenne sie nur aus den vorzüglichen Abbildungen des Museumsberichtes

(Bull. Liverpool Museums, Vol. I, 1898). In der Reihe der Embleme auf ihren Plinthen erscheint im Text ein »*arm, excised at the shoulder, with a tripod-like ornament covering the termination and its hand holding a three-pointed object. . . . What may be the significance of the excised arm, I am unable to conjecture*«. Natürlich ist, wie auch die Abbildung ergibt, mit dem ausgeschnittenen Arme

Abb. 520 und 521. Männlicher(??) Kopf, Stuttgart 5410, früher Berlin, H. Bey 333, vgl. den sicher männlichen Kopf, Abb. 509 und 510. 41 cm hoch, etwa ²/₉ d. w. Gr.

der in der üblichen Art stilisierte Elefantenkopf gemeint, wobei das »*tripod like ornament*« auf die Zähne des Elefanten zurückgeht; man muß eine größere Zahl von solchen stilistisch veränderten Elefantenköpfen gesehen haben, um eine derart schiefe Auffassung zu verstehen und zu entschuldigen; nur wenige sind so leicht als solche zu erkennen, wie z. B. hier die Fig. 426 und 463/4 abgebildeten.

Bei fast allen von den 20 Köpfen dieser Gruppe sind die Ohren auffallend schematisch und ungeschickt gebildet; bei einem ist der Tragus ähnlich wie bei dem Ohre Fig. 512 als große, knopfförmige Vorragung behandelt, bei andern erscheint er nur als eine leichte Ausbuchtung der schildförmigen und ringsum gleichmäßig doppelt umwallten Ohrmuschel; bei einigen Köpfen, so bei den Fig. 521 abgebildeten, sind die Gehörgänge wie tiefe Bohrlöcher unmittelbar vor die übermäßig langen, Y-förmigen Crura gelegt. Rechts und links hängen vor und hinter dem Ohre je 6, im ganzen also 24, lange Perlschnüre vom Rande der Kappe bis zur Plinthe herunter; ebenso lange, dünne, geflochtene Zöpfchen kommen unter der Kappe zum Vorscheine, ausnahmslos[1]) zwei auf der linken, einer auf der rechten Seite, rechts meist unmittelbar hinter dem Ohre, links erst hinter den sechs Perlschnüren. Der sonst durchaus in den engeren Rahmen dieser Gruppe gehörige Berliner Kopf, III. C. 10 485, Taf. 63 B, unterscheidet sich von sämtlichen (rund 80) mir bekannten Benin-Köpfen mit litham-ähnlichen Kropfperlen dadurch, daß die einzelnen Perlen nicht zylindrisch, sondern spindelförmig sind, ähnlich wie sie (vielleicht nur aus rein technischen Gründen) meist auf den Schnitzwerken aus Elfenbein dargestellt wurden.

¹) Über den anscheinenden Zusammenhang dieser auffälligen Bildung mit der »Prinzenlocke« vgl. hier S. 125 unten ff.

22. Kapitel.
Weibliche Köpfe, meist ohne Plinthe.

[Hierzu Taf. 51 bis 54 und 56 bis 58 sowie Abb. 522 bis 524.]

In der schematischen »Übersicht« auf S. 12 sind unter Nr. 22 »Andere große Köpfe ohne Plinthe« und unter Nr. 23 »Porträtartige Köpfe« zusammengefaßt. Jetzt erscheint es mir richtiger, die beiden Gruppen untereinander etwas anders abzugrenzen und in Kap. 22 weibliche, in Kap. 23 männliche Köpfe zu besprechen — mit dem Vorbehalte freilich, daß bei dem einen oder dem andern der Köpfe die Zuteilung in die richtige Gruppe nicht mit unfehlbarer Sicherheit getroffen werden konnte.

Die einunddreißig Köpfe, die solcher Art in diesem Kapitel zu besprechen sein werden, sind unter sich sehr verschieden und lassen sich zwanglos in fünf Typen sondern; von diesen ist der erste Typus, A, hier durch Taf. 54 und Abb. 522 vertreten; ihm gehören 10 [1]) Köpfe an, alle ungefähr lebensgroß, mit durchschnittlich zwanzig Reihen von Kropfperlen und zwischen 24 und 28 cm hoch; nur der in der Anmerkung unter Nr. 10 aufgezählte Kopf bei Webster, der auch sonst etwas aus der Reihe fällt, ist 31 cm hoch. Es sind ungewöhnlich gute und besonders sorgfältig überarbeitete Stücke, alle aus der besten Zeit der Benin-Kunst,

Abb. 522. Weiblicher Kopf, Bronze, aus der besten Zeit von Benin. Leiden 1164, 4.

Abb. 523. Weiblicher Kopf, Bronze, ganz spät und schlecht. Leiden 1163, 2.

einzelne von wirklicher Schönheit, alle auch mit ganz ausgezeichnet schöner brauner oder dunkelgrüner edler Patina. Die Köpfe sind durchweg als richtige Porträts von jungen, vornehmen, eingebornen Frauen zu betrachten, die meist etwas überernährt waren. Wie aber der schöne Kopf der Leidener Sammlung im dortigen Kataloge (in der Zeit vor Marquart) zu der Bezeichnung »vorderasiatische Type« kommen konnte, ist schwer zu begreifen: Die Nase aller dieser Köpfe ist flach und mindestens ebenso breit oder noch etwas breiter als der Mund; auch haben sie die für Benin typischen drei Ziernarben über jedem Auge; mehrere von ihnen, so der eine der Berliner Sammlung (Taf. 54 A und C) und der hier abgebildete Leidener, hatten außerdem nach innen von diesen Ziernarben noch schmale Eisenstreifen eingelegt, die wirkliche Tätowierung darstellten. Ebenso sind bei diesen und den andern Köpfen dieser Reihe auch die Augensterne durch eingelegte Eisenscheiben oder Nagelköpfe hervorgehoben gewesen; bei einigen ist es dadurch zu Rostbildungen gekommen, die auch auf die unmittelbar benachbarte Bronzefläche überwucherten und den ästhetischen Eindruck dieser sonst so hervorragenden Stücke etwas beeinträchtigen. Ein geschickter Restaurator würde sicher imstande sein, diesen Schönheitsfehler zu beheben; inzwischen

---

[1]) 1, 2. Berlin, III. C. 8171/2 Taf. A 54 bis D. — 3. Hamburg, M. f. Kunst u. Gewerbe. — 4. Leiden, S. 1164/4, abgebildet M. I. 4 und, besser, hier Abb. 522. — 5. London, R. D. IX, 6. — 6. Rushmore, P. R. 94/5. — 7, 8, 9. Wien 64 696, 64 748/9, Heger 51 bis 53. — 10. Webster 9740 (Kat. 24, Fig. 48), jetzt unbekannt wo; ein anderes Stück Websters, 4627, ist als Nr. 64 696 in Wien.

45*

ist ein sonst sehr zuverlässiger und gerade um unsere Kenntnis von Benin besonders verdienter englischer Kollege durch diese Rostwucherungen und die lateritbraune Patina solcher Stücke verführt worden, sie als eisern zu beschreiben, was, um die weitere Ausbreitung dieses technisch nicht gleichgültigen Irrtums einzuschränken, hier ausdrücklich als unzutreffend abgelehnt werden muß, wie das auch schon durch R. D. geschehen ist. Allen diesen Köpfen ist eine eng anliegende, aus zylindrischen Perlen geflochtene Kappe gemeinsam, die nach unten durch eine wagrechte Reihe etwas größerer Perlen abgeschlossen ist, ebenso wie auch das niemals fehlende und gerade bei diesen kleineren Köpfen stets auffallend große, bis zu 12 cm im Durchmesser haltende Loch am Scheitel regelmäßig von einer Reihe größerer Perlen eingerahmt wird. Vom unteren Rande der Kappe hängen, genau wie bei den im vorigen Kapitel beschriebenen Köpfen, lange Perlschnüre lotrecht herab, wie dort in Gruppen zu sechs; auch die beiden geflochtenen Zöpfe auf der linken und der eine solche auf der rechten Seite fehlen nicht; soweit meine Notizen über die Anordnung dieser Schnüre und Zöpfe reichen, ist das Schema bei allen das gleiche: 6 Schnüre, Zopf, Ohr, 6 Schnüre, Mitte, 6 Schnüre, Ohr, 2 Zöpfe, 6 Schnüre. Davon würde allein nur der Kopf in Rushmore eine Ausnahme machen, von dem es bei P. R. heißt, daß er auf jeder Seite »einen« geflochtenen Zopf herabhängen habe; es liegt nahe, zu vermuten, daß bei dieser Beschreibung die Zweizahl der Zöpfe auf der linken Seite übersehen wurde; abgebildet ist von diesem Kopfe neben der Vorderansicht nur die rechte Seite, die übrigens einen langen, raupenförmigen Gußfehler hinter dem Zopfe erkennen läßt, zu dessen Entfernung kein Versuch gemacht wurde. An der Kappe sind bei sämtlichen Köpfen über jedem Ohre die zwei auch sonst so häufigen, aus fünf großen, spindelförmigen Perlen gebildeten, übereinander stehenden Rosetten angebracht. Wo bei diesen die fünfte, in radiärer Richtung abstehende Perle fehlt — so auch mehrfach bei den zwei Berliner Köpfen auf Taf. 54 —, ist sie wohl durchweg erst nachträglich weggebrochen. Niemals wird eine spindelförmige Perle vermißt, die einzeln von der Mitte des unteren Randes der Kappe gegen die Nasenwurzel zu herabhängt. Bei einigen dieser Köpfe (London, Rushmore und Webster 9740) erscheinen auf der genetzten Kappe auch die zwei ganz großen, schräg stehenden, zylindrischen Perlen, die wir schon von den Köpfen vom Typus der auf Taf. 59 und 61 abgebildeten kennen. Anhangsweise ist hier auf einige ähnliche, aber sehr roh aus Elfenbein geschnitzte große Köpfe aufmerksam zu machen, die im Kap. 52 besprochen werden sollen. Sie haben die gleichen zwei großen, schräg gestellten Perlen.

Dem zweiten Typus, B, dieser Gruppe gehören 7[1]) Köpfe an, für die hier auf Taf. 61, C und auf Abb. 523 verwiesen sei; sie sind sämtlich größer als die des ersten Typus, sehr viel roher und wohl auch wesentlich jünger; immerhin gibt es Übergänge, und nicht alle sind so abstoßend häßlich, wie z. B. der Leidener Kopf, der an den einer Wasserleiche erinnert. Ich habe nicht ohne Absicht die beiden Leidener Köpfe Abb. 522 und 523 nebeneinandersetzen lassen, um die Übereinstimmungen und erst recht die Unterschiede zwischen den beiden Typen augenfällig zu machen. Freilich ist eine leichte Überernährtheit auch schon bei dem ersten Typus nicht wegzuleugnen, aber welche Kluft trennt ihn von dem aufgedunsenen Scheusal 523. Der erste Beschreiber dieser Köpfe scheint sich übrigens des Unterschiedes im künstlerischen Werte nicht ganz bewußt gewesen zu sein: jedenfalls erwähnt er ihn nicht und beginnt die Aufzählung der Leidener Köpfe mit dem schlechtesten und mit den Worten: »Unter den Köpfen aus Bronze ist zuerst zu nennen ein Frauenkopf 1163/2«. Dieser monströse Kopf ist mit 41 Reihen von zylindrischen Kropfperlen verunziert, »wenn es sich bei diesem mächtigen Kragen überhaupt um Schnüre von Röhrenperlen und nicht vielmehr um Blechröhren handelt« — eine Vermutung, in der ich freilich dem hochgelehrten Kollegen nicht folgen kann; wir haben für Benin viele alte Angaben über wirkliche Perlen aus Stein, Glas und aus Korallen, aber keine einzige, die sich irgendwie auf Blechröhren beziehen lassen könnte.

Alle sieben Köpfe dieser Gattung haben die oben erwähnten zwei großen, schräg gestellten Perlen auf der Kappe, alle haben die drei Narben über jedem Auge, aber keiner die durch Eiseneinlage angedeuteten Tätowierungen; ob sie wirklich eine in sich geschlossene Reihe bilden, muß dahingestellt bleiben; einzelne könnten von den guten Stücken des Typus A herzuleiten sein, andere, so besonders der Berliner Kopf auf Taf. 61 C, scheinen irgendwie mit den Köpfen zusammenzuhängen, die in Kap. 21 beschrieben und durch die Abbildungen auf Taf. 61 A, B und D vertreten sind.

Wesentlich erfreulicher als diese unschönen und späten Stücke sind die drei Köpfe, die hier als Typus C zusammengefaßt werden; wie die Abbildungen auf den Taf. 51 und 52 zeigen, sind das Porträts

---

[1]) 1. Basel, Abb. bei Webster, Kat. 18. — 2. Berlin, III. C. 8177, Taf. 61 C. — 3. Berlin, III. C. 8178. — 4. Köln a. Rh. — 5. Hamburg, C. 2382. — 6. Leiden 1163/2, siehe hier die Abb. 523. — 7. London, Katalog von James Tregaskis, 515/1 von 1902, mit guter Abbildung; soweit ich sehe, mit keinem der beiden erwähnten Stücke übereinstimmend; jetzt unbekannt wo.

von jungen Mädchen; zwei dieser Köpfe, III. C. 12 507 (Taf. 51 A, B und Taf. 52 B) sowie III. C. 17 110, (Taf. 52 C), sind nach Berlin gelangt, der dritte, R. D. IX 4 (hier Taf. 52 A nach einem Gipsabguß) in das Brit. Museum. Untereinander eng verwandt, stammen sie sicher aus derselben, zweifellos frühen Zeit, aus derselben Werkstatt und wohl auch von demselben Künstler. Sie haben die gleiche genetzte, nach oben spitz zulaufende, leicht nach vorn geneigte Kappe, wie sie schon S. 351 besprochen wurde, aber sie ist in der Stirngegend in derselben Weise scharf ausgeschnitten, wie wir das vielfach von der Haargrenze erwähnt haben, und sie hat nicht das runde oder nierenförmige Loch am Scheitel, das z. B. für die sonst etwas verwandten, aber jüngeren Köpfe vom Typus der auf Taf. 62 und Taf. 63 A, C abgebildeten bezeichnend ist. Vom unteren Rande dieser Kappe hängen seitlich und hinten zahlreiche kurze Schnüre mit zylindrischen Perlen herab, 3 oder 4 vor, die andern hinter den Ohren. Den schlanken Hals, und nur diesen, nicht auch das Kinn, umgeben etwa 20 Schnüre mit zylindrischen Perlen. Die beiden Berliner Köpfe, stehen mit dem Halse auf einem mitgegossenem Sockel in der Form einer oben abgeschnittenen vierseitigen Pyramide; die Seiten dieser Pyramide sind auf dem einen der Berliner Köpfe mit einem Rautenmuster, auf dem andern je mit einer Reliefdarstellung eines Fisches, unten mit einem Flechtband verziert; dem Londoner Kopfe fehlt ein solcher Sockel; die Bruchfläche, mit der unten der Hals abschließt, ist wagerecht und legt das einstige Vorhandensein eines ähnlichen Sockels sehr nahe. Alle drei Köpfe haben in der Mitte der Stirn lange, schmale Eisenstreifen eingelegt; der Berliner mit den Fischen am Sockel hat neben diesen keine weiteren Tätowierungen, die beiden andern Köpfe zeigen außer den Eisenstreifen noch vier Ziernarben über jedem Auge. Allen drei Köpfen ist eine gleichartige Behandlung der Ohrmuschel gemein, die ungefähr die Form eines doppelt konturierten C hat und den Eindruck von flüchtiger und gedankenlos mechanischer Arbeit macht; um so sorgfältiger ist das Gesicht behandelt, an das der Künstler sichtlich sein ganzes Können gewandt hat. Besonders der Londoner und einer der Berliner Köpfe sind von großer Anmut, deren Eindruck sich niemand entziehen kann, auch wenn er sonst der afrikanischen Kunst gegenüber sich ganz ablehnend verhält. Auch die Technik dieser Köpfe ist vollendet; sie sind in verlorener Form gegossen und durchschnittlich kaum 1 mm dick; der Londoner hat dunkelgrüne, glatte Patina, der bessere von den Berlinern hat nach seiner Patinierung, wahrscheinlich erst bei der Zerstörung der Stadt, durch Feuer oberflächlich etwas gelitten, aber dabei eine hellbraune Färbung bekommen, die der wirklichen Hautfarbe des dargestellten Mädchens ziemlich genau entsprechen dürfte. Durch die Verschiedenheit der Tätowierung der beiden feineren Köpfe und die ausgesprochen derberen Züge des dritten ist von vornherein gesichert, daß sie nicht auf die gleiche Person zurückzuführen sind; wir haben sie als Porträtköpfe von zwei jungen Mädchen und einer älteren Frau aufzufassen.

Ein vierter Typus, D, ist durch vier Köpfe vertreten, die durch einen wulstförmigen Halsring von Perlenschnüren ausgezeichnet sind. Zwei dieser Köpfe (III. C. 8169 und 9961, Taf. 53 und Taf. 56 B, D) sind in Berlin, einer (P. R. 82/3) in Rushmore; den vierten kenne ich nur aus der kleinen Ab. 171 im Kataloge 31, 1901 von Webster; er war verkauft, noch ehe der Katalog ausgegeben war, und scheint seither verschollen. Bei diesem und bei dem erstgenannten der Berliner Köpfe könnten die kräftigen Züge vielleicht auch an ein männliches Vorbild denken lassen, aber der wulstförmige Halsring kommt sonst nur bei einer ganz bestimmten Gruppe von musizierenden Frauen zur Beobachtung, für die ich einstweilen auf Taf. 98 A, B und auf die Abb. 582 bis 585 in Kap. 29 verweise; so werden wir also auch die vier lebensgroßen Köpfe mit dem gleichen Halsschmuck als weiblich anzusprechen haben. Sie stehen gleich denen des Typus C technisch und künstlerisch durchaus auf der vollen Höhe der Benin-Kunst; nur der zweite von den Berliner Köpfen (Taf. 56 B, D) fällt, besonders in der Seitenansicht, durch seine übertriebene Prognathie auf; es wäre sicher nahe gelegen, gerade von diesem Kopfe neben der Vorder- und der reinen Seitenansicht auch eine Abbildung in „vorteilhaft" beleuchtetem Dreiviertelprofil zu geben und so seine künstlerischen Qualitäten besser zur Anschauung zu bringen, aber dieses Buch ist ein rein wissenschaftliches und hat auf die ästhetische Wirkung keine Rücksicht zu nehmen.

Bei allen diesen vier Köpfen hängen beiderseits vor und hinter dem Ohre je 5 oder 6 Perlschnüre vom unteren Rande der eng anliegenden genetzten Kappe bis über den großen Halswulst herab; hingegen fehlen die sonst bei vielen Benin-Köpfen vorhandenen geflochtenen Zöpfe. Stilistisch sehr auffallend ist die starke Betonung des Philtrums und eine ihr entsprechende lotrechte Einziehung in der Mitte der Unterlippe; dies gilt für alle vier Köpfe dieser Gruppe, auch für den in Rushmore, von dem P. R. freilich sagt, die Oberlippe *has been inlaid probably with brass*". Seine schöne Abbildung 83, auf die hier auch wegen des auffallend großen Abstandes zwischen den inneren Augenwinkeln verwiesen werden soll, zeigt

wirklich die gleiche breite Rinne zwischen dem Grunde der Nasenscheidewand und der Mitte der Oberlippe sowie die tiefe Furche in der Unterlippe, wie der Berliner Kopf, Taf. 53, so daß da eine übermäßige und vielleicht als besonders anmutig empfundene Betonung des Philtrums vorliegt. Daß alle vier
Köpfe dieser Gruppe aus derselben Werkstatt und von demselben Künstler stammen, halte ich für
sicher; vermutlich sind sie auch als richtige Porträts ein und derselben jungen Frau aus verschiedenen
Lebensjahren aufzufassen; der Kopf in Rushmore würde dann wohl ganz früher Jugend und der bei
Webster etwas reiferen Jahren entsprechen, während die beiden Berliner Köpfe in die Zwischenzeit zu
setzen wären. Es ist aber ebensogut möglich, daß verschiedene Frauen dargestellt sind, die nur Beruf
und Tracht miteinander gemein hatten — in jedem Falle scheint mir der unmittelbare Zusammenhang
der Köpfe mit den bereits erwähnten musizierenden Frauen auf den Anhängern Abb. 582 bis 585 in
Kap. 29 durchaus gesichert zu sein; haben diese, wie ich annehme, kultische Bedeutung, wird man das
auch für das Vorbild zu den großen Köpfen vermuten dürfen.

In eine letzte Gruppe, E, gehören 7 weitere, unter sich fast völlig gleiche Köpfe, von denen die beiden
Berliner, III. C. 7651 und 8234, auf den Tafeln 57 und 58 abgebildet sind. Ich glaube nicht zu irren,
wenn ich sie ganz jungen, noch nicht erwachsenen Mädchen zuschreibe. Sie sind alle etwas unter

Abb. 524. Hinteransicht des Berliner
Kopfes Taf. 57 A.

Lebensgröße und stehen mit ihrem schlanken Halse auf einer kreisrunden, wie eine gefaltete Krause behandelten Plinthe; sie haben
ungewöhnlich dichtes, in vielen Lagen übereinandergeschichtetes und
aus langen Spirallocken gebildetes Haar, in das seitlich, oberhalb
der Schläfen, je eine Nadel mit großem, kegelförmigem, aber etwas
kanneliertem Kopfe gesteckt erscheint; hinter dem rechten Ohr
hängt ein langer Zopf bis zur Plinthe herab, hinter dem linken, der
Landessitte entsprechend, zwei. Die Augen sind, wie üblich, mit
Eisen eingelegt; auch die Stirnnarben fehlen nicht; meist sind es
drei über jedem Auge; doch ist bei einigen Köpfen jederseits nur
ein einziger breiter, rechteckiger Streifen vorhanden. Sehr auffallend
ist aber die Behandlung der Tätowierung bei dem in diese Gruppe
gehörigen Kopfe in Rushmore, P. R. 150; da sind die Narben über
den Augen nicht erhaben gegossen, sondern eingeschnitten, als ob die
Absicht bestanden hätte, Streifen aus einem andern Metall einzulegen.

Unabhängig von dem üblichen großen, runden Loch am Scheitel
haben sechs von den sieben Köpfen (von dem siebenten weiß ich es
nicht) eine große, rechteckige Öffnung in der Scheitelgegend, wie
die Abb. 524 zeigt. Über den Zweck dieses sonst im ganzen Bereiche
der Benin-Kunst niemals wiederkehrenden »Fensters« wage ich keine
Vermutung zu äußern; vielleicht ist es nur eine vorübergehend geübte Art, den Gußkern besonders
sicher zu befestigen. Daß alle diese Köpfe aus derselben Werkstatt stammen, halte ich für durchaus
sicher; dagegen scheint zwar die besonders rohe Bildung der Oberlippe bei dem Kopfe in Rushmore
zu sprechen, aber die dürfte nur auf ungeschicktes Abdecken des Hintergrundes für die Zinkätzung,
also auf einen Fehler bei der Reproduktion zurückzuführen sein; ich kenne nur die Abbildung bei
P. R. und habe das Original nie gesehen. In Zusammenhang mit diesem eigenartigen Fenster
steht natürlich auch die Behandlung der Halsschnüre, die, wie gleichfalls aus der Abb. 624 (und aus
Taf. 58 A) zu ersehen, nur auf wenig mehr als der vorderen Hälfte des Halses angelegt sind und dann
ganz unvermittelt aufhören.

Außer den zwei Berliner Köpfen und dem in Rushmore sind noch die gleichartigen in Dresden,
Frankfurt a. M. und Hamburg zu erwähnen. Von dem siebenten kenne ich nur eine unvollkommene
Photographie aus der Sammlung von Admiral Rawson; er ist etwas kleiner als die andern und anscheinend
ganz ohne Hinterhaupt, jedenfalls unvollständig und ohne Plinthe; die Kropfperlen reichen bis fast an
die Unterlippe hinauf, während sie bei den sechs andern Stücken auf den Hals beschränkt sind. Nur zwei
oder drei von den sieben Köpfen haben die für die große Mehrzahl der Benin-Bronzen typische Laterit-
farbe, die andern sind durch eine sonst selten vorkommende hellgrüne Patina ausgezeichnet.

23. Kapitel.
Männliche Köpfe, porträtartig.

[Hierzu Taf. 55, Taf. 56 A, C und die Abb. 525 bis 530.]

Die zehn[1]) in diesem Kapitel zusammengefaßten Köpfe sind durchweg etwa lebensgroß, ganz auffallend dünn gegossen, meist von großer Schönheit, mit einer einzigen Ausnahme ohne Plinthe. Der

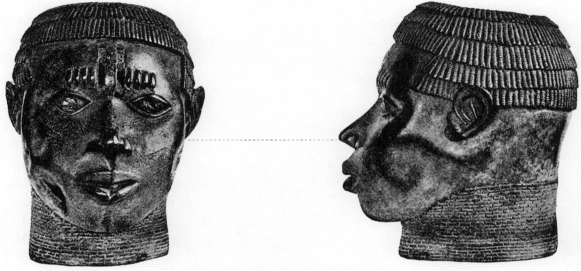

Abb. 527 und 528. Männlicher Kopf, Rushmore, nach P. R. 98.

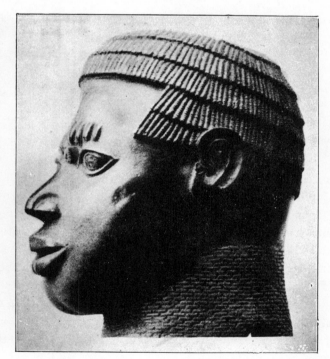

Abb. 525 und 526. Männlicher Kopf mit glatter grüner Patina, sehr dünn gegossen, daher mehrfach eingebeult; 21 cm hoch. Brit. Museum. Die Vorderansicht nach L. R. Studio 1898, die Seitenansicht nach R. D. IX, 3.

strenge Stil und die vollendete Technik dieser Köpfe weisen gleichmäßig auf eine frühe Zeit; so ist es zwar nicht mit vollkommener Sicherheit zu erweisen, aber doch in hohem Grade wahrscheinlich, daß sie sämtlich etwas älter sind als die große Mehrzahl der Platten; vielleicht sind zum mindesten einige von

¹) 1. Berlin, III. C. 7658, Taf. 56 A, B. — 2, 3. Berlin, III. C. 8527 und 8170 Taf. 55 A, B. — 4. Hamburg, C. 2945, hier Abb. 530 (vgl. auch eine reine Seitenansicht von rechts bei Webster, 19 von 1901, Abb. 87). — 5. Leipzig. — 6. London, R. D. IX. 3, hier Abb. 525/6. — 7, 8. Rushmore, P. R. 88 und 98; der letztere hier Abb. 527/8 reproduziert. — 9. Auktion Dr. Ansorge 1908, Lot 117, hier Abb. 529. — 10. Ein Kopf, der 1898 in einer Zeitung in Liverpool abgebildet war; zurzeit unbekannt wo. Es scheint, daß noch zwei weitere ganz ähnliche Köpfe in Privatbesitz gelangt sind, aber ich kenne sie nur vom Hörensagen.

ihnen sogar älter als das erste Auftreten von Europäern in Benin. Jedenfalls verdienen sie ganz besonders sorgfältige Beachtung; deshalb sind hier neben den drei Berliner Köpfen auf den Tafeln 55 und 56
auch noch vier weitere Köpfe (Hamburg, London, Rushmore und Ansorge) im Texte abgebildet; für den
Londoner Kopf wurden sogar zwei verschiedene Ansichten, die an zwei Stellen und in verschiedener
Technik veröffentlicht sind, nebeneinandergestellt — nicht zum mindesten auch in der Hoffnung, dadurch
eine würdigere Veröffentlichung der ganzen Reihe in größerem Maßstabe und in ganz einwandfreier
Technik anzuregen; besonders wünschenswert wäre es auch, gute Gipsabgüsse sämtlicher Stücke aus-
stellen und vergleichen zu können. Inzwischen sei hier darauf hingewiesen, daß alle diese Köpfe oberhalb
der Nasenwurzel beiderseits je einen langen, schmalen Eisenstreifen eingelegt haben; daneben finden sich
bei fünf von ihnen über jedem Auge je vier Reliefnarben statt der sonst in der Regel vorkommenden drei;
bei einem von ihnen fehlen die erhabenen Narben gänzlich, so daß, wie bei dem schönen alten Berliner
Mädchenkopf auf Taf. 51 nur die zwei mittleren Eisenstreifen vorhanden sind, was mit einiger Sicherheit
auf hellere Hautfarbe bezogen werden kann. Ganz eigenartig ist die Tätowierung auch auf dem Berliner
Kopfe Taf. 56 A, C behandelt; da sind neben den zwei eingelegten Eisenstreifen über der Nasenwurzel

noch je drei tätowierte
Streifen über den Augen
vorhanden, aber nicht
erhaben, wie sonst, son-
dern vertieft, so daß
man (ähnlich wie bei
dem im vorigen Kapitel
beschriebenen Kopfe in
Rushmore, P. R. 150) an
Metalleinlagen auch für
diese Narben zu denken
hat. Allen diesen Köpfen
ist, was besonders in der
Seitenansicht auffällt,
die Unbeholfenheit ge-
mein, mit der die oberen
Reihen der Halsperlen
nach vorn schräg ab-
fallen; anstatt sie, der

Abb. 529. Bronzekopf, repr. aus dem Auktionskataloge Dr. Ansorge 1909. Akromegalie?

Abb. 530. Bronzekopf, Hamburg C. 2945, repr.
nach Hagen; vgl. die Abb. 87 bei Webster, Kat. 19.

vorn geringerer Höhe des Halses entsprechend, da übereinander zu legen oder sie im ganzen weniger
zahlreich zu machen, hat man die oberen Reihen vorn einfach abgeschrägt und unter der obersten blind
endigen lassen, was recht hilflos aussieht. Im übrigen ist bei allen diesen Köpfen von vornherein auf
jeden weiteren Schmuck verzichtet worden; sie sind durchweg unbedeckt; die Haare sind in langen,
gleichmäßig geschichteten Korkzieherspiralen angelegt; bei einigen verlaufen die einzelnen Schichten
konzentrisch, bei andern bilden sie eine einzige große Spirale, die (ähnlich wie bei den in Spiraltechnik
geflochtenen Gefäßen) am Rande des großen Scheitelloches ganz dünn ausläuft.

In dieser sonst in sich so einheitlichen Gruppe nimmt nur der Fig. 529 abgebildete Kopf aus der
Sammlung Ansorge eine Sonderstellung ein; er ruht auf einer schmalen, kreisrunden Plinthe, und seine
Haartracht ist abweichend stilisiert; auch hat er beiderseits in der Schläfengegend recht hoch über den
Ohren eine große, aus Eisen hergestellte und in den Einzelheiten nicht mehr deutlich zu erkennende
Schmuckrosette. Der Auktionskatalog rühmt die glatte, grüne Patina und das anscheinend hohe Alter
des Kopfes, der als ein *splendid specimen of ancient Benin art* bezeichnet wird. Ich habe das Original
nicht gesehen und weiß auch nicht, wo es sich zurzeit befindet; die monströse Größe des Unterkiefers
besonders dessen vordere Höhe — also der Abstand zwischen Mundspalte und Kinn — ist wenig an-
ziehend, aber ich kann nach der Abbildung nicht beurteilen, ob es sich nur um eine stilistisch unbeholfene
Übertreibung der physiologischen Negerprognathie handelt oder etwa um die bewußte und dann allerdings
hervorragend gelungene Wiedergabe eines Falles von pathologischer Akromegalie; sehr auffallend sind
an diesem Kopfe auch die Größe der oberen Augenlider und der fast geradlinige Verlauf ihrer unteren
Ränder, dem eine tiefe Ausbuchtung der Unterlider entspricht.

24. Kapitel.

Vereinzelte Köpfe.

[Hierzu Taf. 64 und 65 sowie die Abb. 531 bis 541.]

Sind in den letzten Kapiteln einheitliche und in sich geschlossene Gruppen von Köpfen beschrieben worden, so sollen hier einzelne Typen von abweichender Form zusammengefaßt werden, die nur ganz isoliert oder höchstens zu zweit bekannt geworden sind; diese Anordnung ist nicht in allen Einzelheiten logisch, und sicher hätte ein oder der andere Kopf auch schon in einem früheren Kapitel besprochen werden können, aber eine solche rein schematische Behandlung ermöglicht wenigstens eine rasche Übersicht über den gesamten Bestand. Die Reihenfolge, in der die verschiedenartigen Formen hier aufgezählt werden, ist ganz willkürlich.

A. Köpfe mit großem, kolbenförmigem »Apex«. Das Hamburger Museum f. V. besitzt unter der Nummer C. 3691 einen im ganzen 54 cm hohen Kopf, der, wie hier die Abb. 531/2 zeigen, sich im wesentlichen an die jüngeren Porträtköpfe etwa von der Art der Abb. 530 anschließt, aber statt des runden Scheitelloches einen hohen, kolbenförmigen Aufsatz hat, dessen glatter, drehrunder Griff sich nach oben zu etwas verjüngt und stumpf abgeschlossen ist. Ein unvorsichtiger Kollege hat in diesem Kopfe, den er nur nach einer Abbildung kannte, einen zwingenden Beweis dafür erblicken wollen, daß alle die andern Benin-Köpfe als Sockel für große, geschnitzte Zähne hergestellt waren; bei diesen hätte man immer einen hölzernen

Abb. 531 und 532. Zwei Ansichten des Hamburger Bronzekopfes C. 3691. Etwa 1/3 d. w. Gr.

Dübel nötig gehabt, nur bei dem Hamburger sei dieser schon aus Erz gleich mitgegossen worden. Das ist sicherlich falsch, da es technisch unmöglich ist, einen großen Elefantenzahn auf einem derart orientierten »Dübel« ins Gleichgewicht zu bringen; außerdem ergibt sich bei näherer Betrachtung des Originales, daß gerade dieser angebliche »Dübel« vollkommen blank und glatt gescheuert ist, genau wie etwa der Hals der Taf. 72 B abgebildeten kolbenförmigen Bronzeflasche; eine solche Glätte kann nur durch lange fortgesetzte Berührung mit der menschlichen Hand entstehen, und so ergibt sich für jene kolbenförmige Flasche ganz von selbst die Auffassung als Rassel. Tänzer mit solchen Rasseln haben wir mehrfach auf Benin-Platten kennengelernt, und auch der große Hamburger Kopf kann eine ähnliche, freilich sehr viel größere Rassel gewesen sein, wenn man sich ihn unten etwa durch ein Stück Holzbrett verschlossen denkt; auch könnte man ihn sich als Glocke vorstellen, deren Klöppel aber im Hohlraum des Griffes festgekeilt war, die aber ebensogut auch mit einem Stäbchen hätte angeschlagen werden können.

Einen ganz ähnlichen Kopf besitzt Leipzig; bei diesem ist etwa die Hälfte des »Apex« abgebrochen, aber der erhaltene Rest ist ganz besonders glatt und offensichtlich stark abgegriffen; auch er kann nur als Handhabe gedient haben, niemals als Zapfen zum Aufstellen eines Zahnes. Zwischen dem Reste dieses Griffes und dem Kopfe ist eine fast kugelrunde Erweiterung, so daß dem Leipziger Kopf etwas wie ein ganzer Kolben aufgesetzt war, während bei dem Hamburger die untere Hälfte des Kolbenbauches wie in den Kopf versenkt erscheint, aber das ist sicher nur ein ganz unwesentlicher Unterschied; beide Köpfe hatten zweifellos die gleiche Bestimmung und gehören auch ihrem Stile nach in dieselbe Zeit.

B. Auf Taf. 64 sind zwei Ansichten eines Kopfes, Berlin, III. C. 10 878, wiedergegeben, dessen Gesicht in großer Ausdehnung in hohem Relief mit allerhand Getier bedeckt ist. Rechts und links symmetrisch ringeln sich je zwei Schlangen, die beide große Frösche (oder Kröten?) im Rachen gefaßt halten; die eine hat ihren Kopf am seitlichen Rande der Stirn, da, wo diese zur Schläfengrube umbiegt, während ihre Schwanzspitze sich unter dem Nasenflügel verliert; die zweite hat den Kopf mit ihrer Beute hart am Mundwinkel, bedeckt mit ihrem Leibe einen großen Teil der Unterkiefergegend und reicht mit der Schwanzspitze bis zum inneren Augenwinkel. Das übliche kreisrunde Loch auf dem Scheitel ist von einer hohen

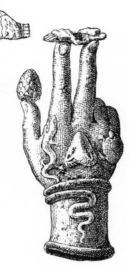

Abb. 533 und 534. Sabazios-Hände im Nationalmuseum, Kopenhagen (A. B. a. 904 und A. S. N. 1355), beide aus Rom, vgl. Blinkenberg, Archäologische Studien, Kopenhagen und Leipzig, Harrassowitz, 1904.

Borte eingefaßt, die mit vier großen Flechtknoten besetzt ist; zwischen diesen Knoten stehen symmetrisch vier geierartige Vögel, mit den Köpfen nach außen gewandt, je einer genau nach vorn, nach hinten, nach rechts und nach links sehend. In der Mitte der Stirn hängt gegen die Nasenwurzel zu etwas wie ein Fisch (?) herab, auf dem ein Steinbeil liegt; zu beiden Seiten folgen dann auf der Stirn, wieder symmetrisch und in hohem Relief, je ein Flechtknoten und ein Steinbeil. Ein Flechtknoten schließt auch oben die Wurzel des hinter dem Ohre herabhängenden dicken Haarzopfes ab, der übrige Schädel ist ganz kahl geschoren. Die Zugehörigkeit zu Benin ist durch die üblichen drei Reliefnarben über jedem Auge und durch Stil wie Technik des Stückes einwandfrei sichergestellt. Ein zweites, gleichartiges Stück, bei dem nur die Vögel gut erhalten sind, während sie auf dem Berliner mehrfach gelitten haben, ist 1908 nach Dresden gelangt. Ich kenne nichts, was sich diesen sonderbaren Köpfen auch nur annähernd vergleichen ließe, außer allein die mit dem Kulte des Zeus Sabazios verbundenen Hände, die, aus der späteren Kaiserzeit stammend, vielfach in den Mittelmeerländern gefunden wurden, aber meist nur im engeren Kreise der Archäologen bekannt sind; ich gebe daher Abb. 533 und 534 Ansichten von zwei solchen Händen, deren Embleme auch sonst an solche erinnern, die wir aus Benin kennen. Mit einer Nebeneinanderstellung will ich indes lediglich auf eine rein äußerliche Ähnlichkeit hinweisen. Es ist natürlich nicht ausgeschlossen, daß wirklich einmal Sabazios-Hände von der nordafrikanischen Küste nach dem westlichen Sudân gelangt sind, und daß sogar eine vage Überlieferung des Sabazios-Kultes bis nach Benin gedrungen ist, aber derartige Zusammenhänge können, mindestens gegenwärtig, nicht bewiesen, kaum gefühlt werden und dürfen deshalb hier eben nur angedeutet werden.

C. Gänzlich vereinzelt ist der hier Taf. 65 B und D abgebildete Berliner Kopf III. C. 12 513. Er kam 1901 von einer Auktion bei J. C. Stevens zu Webster und von da zu uns. Über seinen früheren Verbleib konnte ich nichts ermitteln; ob er wirklich aus Benin stammt, ist mir lange zweifelhaft gewesen; stilistisch ist er von allem, was wir sonst von da kennen, weit entfernt, nur seine durchbrochen gearbeitete Kopfbedeckung erinnert etwas an die kleinen Hüte der hier schon mehrfach, am ausführlichsten S. 134, ᵞ, besprochenen Leute mit dem Hammer (vgl. auch Taf. 68); technisch hingegen schließt er sich durchaus an gesicherte Benin-Köpfe an; so wird man an seiner Herkunft von dort um so weniger zweifeln dürfen, als er auch anderswo nicht gut untergebracht werden kann. Aus Europa wären ihm höchstens die italienischen sogenannten Dampfbläser (»Pusteriche«) des 15. Jahrhunderts zu vergleichen, die aber getrieben sind und ihrer Bestimmung [1]) entsprechend ein Blaseloch in der Mitte der Mundspalte haben müssen, also hier auch nicht weiter in Frage kommen. Ob die drei gestrichelten Bänder, die beiderseits von der Scheitelgegend bis hinab an die Unterkieferwinkel und zurück an die Mundwinkel führen, als Ziernarben aufzufassen sind, wage ich nicht zu entscheiden; gar nicht negerhaft ist die verhältnismäßig schmale und hohe Nase; auch die stark schräg nach unten und außen abfallenden Lidspalten sind gänzlich unafrikanisch; überhaupt sieht der Kopf viel mehr wie eine boshafte Karikatur auf einen betrunkenen englischen Soldaten aus, denn wie ein Negerkopf. Löcher in der Nähe des unteren Randes lassen daran denken, daß der Kopf vielleicht einmal auf einem Pfahl oder auf einem aus Holz geschnitzten Leib gesteckt gewesen sein könnte. Im übrigen: ignoramus.

D. Auf dem gleichen Wege, über J. C. Stevens und Webster, und gleichzeitig mit dem vorerwähnten ist auch der Taf. 65 A und C abgebildete Kopf III. C. 12 514 nach Berlin gelangt. Er ist links und am Scheitel stark beschädigt, aber trotzdem eines der schönsten und wertvollsten Stücke der ganzen Benin-Beute. Es kann kein Zweifel darüber bestehen, daß er als richtiges Porträt einer mikromelen Frau aufzufassen ist. Ein rechteckiges Dübelloch in der Nähe des mit einer einfachen Schnur runder Perlen geschmückten Halsrandes läßt annehmen, daß der Kopf ursprünglich einem aus Holz geschnitzten Körper aufgesetzt war; dabei ist die Ebene der Halsschnur vermutlich nicht wagrecht, sondern etwas nach vorn geneigt gewesen, so daß die Prognathie nicht so stark in die Erscheinung trat, als wie auf unserer Tafel. Der Kopf erinnert unmittelbar an den der mikromelen Frau des Wiener Museums, von der ich hier S. 300 Abschnitt G gehandelt habe. Ein Vergleich der dort von mir nach Heger reproduzierten Abb. 446 ergibt, daß auf beiden Bildwerken vermutlich dieselbe Frau dargestellt ist, wobei freilich noch die Frage offen bleiben muß, ob sie beide, der Berliner Kopf und die ganze Figur in Wien, gleichaltrig sein müssen. Es ist möglich, daß die Wiener Figur eine etwas spätere Replik eines älteren, aus Holz geschnitzten Bildwerkes ist, von dem nur der aus Bronze gegossene Kopf erhalten geblieben. Solche Bildwerke sind nicht ohne afrikanische Analogie; das Berliner und das Frankfurter Museum besitzen mehrere fast lebensgroße, geschnitzte Ahnenfiguren aus Nordwest-Kamerun, deren Gesicht mit Kupfer überzogen ist. Der Berliner Kopf ist durch besonders korrekt und sorgfältig gebildete Ohren ausgezeichnet und durch eine wohltuende Einfachheit in der Wiedergabe des ganz kurz geschorenen Haares; bei der Wiener Figur sind die Ohren wesentlich schematischer; auch ist ihr Haupthaar nach vorn derart durch einen Wulst abgegrenzt, daß man ohne Kenntnis des Berliner Kopfes eher an eine eng anliegende, netzartige Haube als an die natürlichen Haare denken würde.

E. Ohne jede Analogie und völlig rätselhaft ist ein 27 cm hoher Kopf in Rushmore, P. R. 265/6, hier Abb. 535. Die ausgesprochen aquiline Nase ist wesentlich schmäler als der Mund; die mächtig großen, fast wie Halbkugeln aus dem Gesichte vortretenden Augen erinnern an sehr hochgradigen Basedow und verdecken in der Seitenansicht sogar die Gegend der Nasenwurzel; die Brauenwülste sind unnatürlich groß und weit vorgeschoben. An Stelle der typischen Benin-Narben, aber ganz nach außen gerückt, so daß sie über die äußeren Augenwinkel zu stehen kommen, finden sich je drei kugelförmig vorragende Hautnarben von Erbsengröße; ähnliche, noch etwas größere, künstlich hervorgebrachte Knötchen schmücken zu vier nebeneinander wagrecht angebracht die Gegend der größten Protuberanz der Brauenwülste, median über der Nasenwurzel. Das kurze Haupthaar ist ganz roh und schematisch in etwas ähnlicher Weise behandelt wie bei dem eben beschriebenen Kopfe der mikromelen Frau; in der Nackengegend

---

[1]) Diese Dampfbläser dienten nach einer Angabe von A. A. Filarete (1465) dazu, halb mit Wasser gefüllt, so an den Kamin gestellt zu werden, daß sie, solange Feuer und Wasser vorhielten, nicht aufhörten, Dampf ins Feuer zu blasen, als wären sie ein Blasebalg. Zwei solche Dampfbläser, einer in Hamburg (M. f. K. u. Gew.), der andere im Musco Correr (Venedig), haben fast die Form von Negerköpfen; ein dritter, im Louvre, eine Arbeit von Giovanni Boldu, ist durch die übermäßige Breite des Gesichtes auffallend, aber sonst in keiner Weise fratzenhaft; ein vierter war im Dezember 1912 in der Auktion R. v. Kaufmann (Kat. Nr. 407 und Taf. 89). Justus Brinckmann (Führer, S. 764) zitiert eine Eintragung in die Rechnungsbücher des Königs René II. von Anjou über einen 1448 erfolgten Ankauf eines ihm aus Rom überbrachten »Teste d'airain, qui souffle le feu« und schließt daraus, in wie mir scheint nicht ganz zwingender Weise, daß schon Vitruvs »Aeolipylen« die Form von menschlichen Köpfen hatten.

ist seine untere Begrenzung unklar, nach den Seiten und nach vorn geht es in schwer zu verstehender Art
wie ein sehr üppiger, aber kurz geschorener Bart über das Kinn und die Oberlippe hinweg; die hier beige-
druckte, aus technischen Gründen (Ätzung nach einer Autotypie mit Interferenz der Netze) leider sehr
minderwertige Abbildung läßt dieses Verhältnis nur unvollkommen erkennen. Die Abbildung bei P. R.
zeigt die ganze Umgebung des Mundes in ähnlicher Weise leicht erhaben,
mit sich kreuzenden, eingeschlagenen Linien bedeckt und nach oben scharf
abgegrenzt, wie das Haupthaar; wir werden eine ähnliche Behandlung der
Mundpartie bald bei der Besprechung des Fig. 537 abgebildeten Leipziger

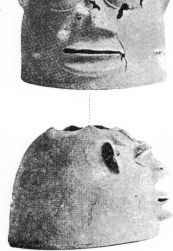

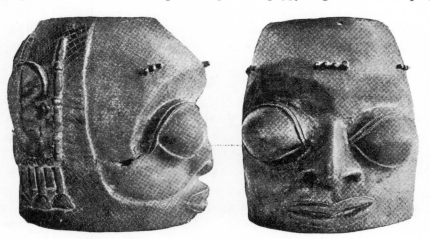

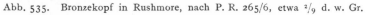

Abb. 535. Bronzekopf in Rushmore, nach P. R. 265/6, etwa ²/₉ d. w. Gr.   Abb. 536. Bronzekopf in Rushmore, nach
                                                                                  P. R. 137/8, etwa ¹/₄ d. w. Gr.

Bruchstückes zu erwähnen haben. Zu beiden Seiten der Ohren und unter diesen hängen Schnüre mit
Perlen herab, die in das lebende Haar eingeflochten zu denken sind. Die sehr großen Ohren sind durchaus im Stile der Benin-Kunst gebildet. Über die Bedeutung dieses ganz eigenartig grotesken, aber
trotz seiner vorgequollenen Augen nicht wirklich häßlichen Kopfes wage ich nicht, auch nur eine Vermutung auszusprechen; P. R.s Meinung »intended probably
as a stand for the carved ivory tusks in the Ju-Ju houses« ist
auch abgesehen davon, daß sie von der irrigen tusk-holder-
Theorie ausgeht, schon an sich belanglos und nichtssagend.

F. Gleichfalls in Rushmore befindet sich der hier
Fig. 536 abgebildete Kopf P. R. 137/8. Daß er vier Narbenstreifen über jedem inneren Augenwinkel hat, erlaubt vielleicht, ihn einer verhältnismäßg frühen Periode von Benin
zuzuschreiben, aber er ist ganz roh und von abstoßender Häßlichkeit; besonders der geschlitzte breite Mund, die weit abstehenden dünnen Lippen, das vorragende flache Kinn und
die wie aus Ton zwischen den Fingern zusammengequetscht
aussehenden lappenförmigen Henkelohren sind geradezu wider-
wärtig. Das sonst bei den Benin-Köpfen immer flach begrenzte Scheitelloch ist am Rande zu fünf Lappen ausgezogen,
denen ebensoviele flache Einbuchtungen entsprechen; so erinnert die Scheitelgegend dieses Kopfes etwas an eine gewisse
Form von antiken Kochherden[1]) aus Ton, die sich noch heute
im westlichen Nordafrika erhalten hat. Diese Ähnlichkeit
kann natürlich reiner Zufall sein, aber es ist nicht ganz aus-

Abb. 537. Bruchstück eines sehr dünn gegossenen
Kopfes, Leipzig H. Meyer, 106. 12. 2. ¹/₂ d. w. Gr.

geschlossen, daß dieser Kopf wirklich als Behälter für glühende Kohlen bestimmt war, auf den man
ein Kochgeschirr stellen konnte.

G. Unter der Bezeichnung 1906. 12. 2. H. M. ist in Leipzig das Bruchstück eines Kopfes ausgestellt,
von dem ich hier, Abb. 537, eine Federzeichnung gebe, die durch das Entgegenkommen von Kollegen

---

[1]) Vgl. die Abbildungen in meiner Notiz Z. f. E. 1892, Verh. S. 204 ff.

Hans Meyer für dieses Buch hergestellt werden konnte. Das Stück ist sehr dünn, kaum mehr als 1 mm stark gegossen und hat schöne dunkelgrüne Patina. Sonst vermag ich nichts darüber zu sagen, was nicht ohnehin aus der Abbildung zu ersehen wäre. Die an eine moderne »Bartbinde« erinnernde Behandlung der Umgebung des Mundes ist schwer zu verstehen; daß sie etwas an eine ähnliche Bildung bei dem Fig. 535 abgebildeten Kopfe gemahnt, macht sie nicht verständlicher.

H. Anhangsweise sind hier noch einige kleine Tonköpfe zu erwähnen, von denen der weitaus schönste, P. R. 366, nach Rushmore gelangt und hier Fig. 538 abgebildet ist. In Form und Stil schließt er sich an die im Kap. 23 behandelten Köpfe an, doch lassen die weichen Züge an die Möglichkeit denken, daß er einem jungen Mädchen, vielleicht auch einem Kinde zuzuschreiben ist; die Augensterne und die Tätowierungen über der Nasenwurzel sind wie bei den Bronzeköpfen durch Eiseneinlagen besonders hervorgehoben. Die Ohren sind nach der Abbildung P. R. 365 genau so gebildet wie bei den schönen Mädchenköpfen Taf. 51 und 52 was die Vermutung nahelegt, daß der Tonkopf demselben Künstler seine Entstehung verdankt wie diese; jedenfalls muß er künstlerisch sehr hoch eingeschätzt werden und gehört zu den Glanzstücken der Sammlung in Rushmore; ob er als fertiges Kunstwerk zu betrachten ist, oder nur als Hilfsmodell für den Künstler, ist wohl unmöglich, zu entscheiden; ganz ablehnen möchte ich nur die Vorstellung, daß er als Tonkern für ein Wachsmodell aufzufassen sei; dazu ist er viel zu sorgfältig durchgeführt. Zwei andere Köpfe aus Ton besitzt Hamburg, C. 2901 und C. 2390, sie sind ebenso klein wie der in Rushmore, etwa 16 cm hoch, und haben auch ein großes, rundes Loch am Scheitel, wie dieser und wie die Bronzeköpfe. Bei einem von ihnen ragt links ein kleines Stück Eisen heraus, andere solche scheinen weggebrochen; es lag nahe, deshalb anzunehmen, daß der Kopf als Kern eines Wachsmodelles gedacht war; die Eisenstücke wären dann nur für die feste Verbindung zwischen Kern und Mantel bestimmt gewesen; ein Hamburger Bronzeguß-Techniker hat aber einen solchen Zusammenhang mit Entschiedenheit abgelehnt.

Abb. 538. Kopf aus Ton, Augensterne und Tätowierung aus Eisen eingelegt. Rushmore. Nach P. R. 366. ⅓ d. w. Gr.

I. Gleichfalls nur nebenher sind hier zwei sehr eigenartige Köpfe anzuführen, die vielleicht ebensogut erst später, unter den Gefäßen, hätten beschrieben werden können; zum mindesten ist eines dieser Stücke ausgesprochen flaschenförmig: Berlin, III. C. 8060, Taf. 107 A, und in reiner Seitenansicht hier Abb. 539; 33 cm hoch, aus Messing gegossen, hat dieser Kopf statt des üblichen runden Loches am Scheitel einen etwa handhohen röhrenartigen Aufsatz von der Form eines abgestumpften Kegels; nach unten zu erweitert sich der Kopf, statt in der Halsgegend eingezogen zu sein, noch in sehr unförmlicher und unschöner Art, so daß er in Kinn-

Abb. 539. Flaschenförmiger Kopf, Messing, Berlin, III. C. 8060, etwa ¼ d. w. Gr. Vgl. auch Taf. 107 A.

Abb. 540. Lebensgroßer Kopf, Messing, Augensterne aus Eisen eingelegt; R. D. X, 3. Etwa ¼ d. w. Gr.

höhe wie ein großer, runder Flaschenboden abschließt. Längs des unteren Randes deuten zahlreiche Löcher darauf hin, daß da ursprünglich ein Boden aus Holz mit Nägeln befestigt war; so hätte der Kopf vielleicht als Pulverflasche, vielleicht auch als Rassel dienen können. Stilistisch weicht er von den bisher beschriebenen durchaus ab; vor allem sind die Lippen ganz unnatürlich weit zurückgezogen und lassen zwei mächtige Zahnreihen vortreten, die wie ein viel zu groß geratenes künstliches Gebiß wirken; aus jedem Mundwinkel ragt in hohem Relief an die untere Backengegend angelehnt ein Elefantenrüssel vor, dessen Greifhand ein dreiteiliges Blatt festhält; über jedem Auge sind drei ungewöhnlich weit voneinander abstehende Ziernarben; der behaarte Kopf ist vorn und an beiden Seiten je mit einer großen, nach unten offenen Mondsichel geschmückt; an Stelle einer weiteren Beschreibung wird auf die beiden Abbildungen verwiesen. Die rohe Arbeit und auch das Fehlen irgendeiner Art von Patina setzt den Kopf in eine ganz späte Zeit, vielleicht erst in den Anfang des 19. oder das Ende des 18. Jahrh.

Abb. 541. Sehr dünn gegossener Kopf eines Pferdes ·oder Maultieres. Repr. nach Webster, Kat. 29, Fig. 85. Jetzt in Dresden. Sehr sorgfältig ziselierte Stirnmähne; das Kopfgestell mit »geflammten Schlangenbändern« verziert. Etwa ¼ d. w. Gr.

Ebenso ist wohl auch der Londoner Kopf R. D. X. 3, hier Abb. 540, zu datieren, der anscheinend aus derselben Werkstatt stammt; ethnographisch ist er vor allem durch die mächtige median-sagittale Crista bemerkenswert; sonst stimmt er stilistisch mit dem Berliner Kopfe ganz überein, besonders der monströse Nacken und die vorquellenden Zahnreihen sind ganz ähnlich; er hat vier Reliefnarben über jedem Auge; die aus den Mundwinkeln kommenden Rüssel des Berliner Kopfes fehlen ihm, aber er hat die zahlreichen Löcher am unteren Rande mit ihm gemein; oben ist er geschlossen; nimmt man gleichwohl für ihn einen Holzboden an, müßte man sich für diesen noch eine besondere, einfach verschließbare Öffnung vorstellen, wenn der Kopf überhaupt als Gefäß oder als Behälter — etwa für Schießpulver — gedient haben soll. Vielleicht waren aber beide Köpfe, dieser und der Berliner, ursprünglich auf Pfähle gesteckt gewesen.

J. Eine Anzahl kleinerer Köpfe, von denen es wahrscheinlich ist, daß sie als Gefäße gedient haben, wird in Kap. 36 besprochen werden. Hingegen sind hier zum Schlusse noch einige Tierköpfe zu erwähnen, die vielleicht eine ähnliche Bestimmung gehabt haben wie die großen menschlichen. So kenne ich einen Pantherkopf aus der Sammlung von Capt. Egerton, der im Stile etwa an die Taf. 97 C abgebildete Maske erinnert, aber kaum wie diese als Anhänger gedient haben dürfte. Von dem schönen, Fig. 493 abgebildeten unvollständigen Pantherkopf ist S. 337 angegeben, daß er vielleicht zu einem ganzen Panther gehört; er kann aber auch, wofür die große, runde Öffnung am Scheitel sprechen würde, von vornherein als selbständiger Kopf gearbeitet gewesen sein. In sich vollständig ist jedenfalls der merkwürdige Pferdekopf in Dresden, von dem die Abb. 541 nur eine ganz ungenügende Vorstellung geben kann; er ist ja künstlerisch nicht sehr bedeutend, aber durch die besonders feine und zarte Ziselierung bemerkenswert, in der Zaumzeug und Stirnmähne wiedergegeben sind.

<hr />

25. Kapitel.
Turbanähnliche Gewinde auf Plinthen.
[Hierzu Taf. 66 und Abb. 542.]

In diesem Kapitel sind 10 sehr eigenartige und einstweilen noch völlig rätselhafte Gegenstände zu behandeln, für die ich zunächst auf die Tafel 66 verweise; sie zerfallen in zwei Gruppen, von denen die eine 8 [1]), die andere nur 2 [2]) Stücke umfaßt. Die größere Gruppe ist hier durch Taf. 66 B und durch die Abb. 542 vertreten. Bei diesen Stücken ruht auf einer etwa 2 cm hohen zylindrischen Plinthe, deren Mantelfläche durch ein Flechtband oder mit Schuppenmustern verziert ist, ein rundlicher Hohlkörper, den man etwa mit einer stark gerippten und leicht torquierten Zuckermelone vergleichen kann; die Anzahl der »Rippen« schwankt zwischen 10 und 12, immer

<hr />

[1]) 1, 2. Berlin, III. C. 8493/4, s. Taf. 66 B. — 3. Dresden, s. die Abh. 120 bei Webster, Kat. 21, 1899. — 4. Hamburg, C. 3863. — 5. Hildesheim. — 6. Leipzig. — 7. Stuttgart, 5395. — 8. Wien, 64 741. Die beiden Stücke 7 und 8 waren ursprünglich auch in Berlin gewesen und sind als Dubletten abgegeben worden.

[2]) 1. Berlin, III. C. 84 965. — 2. Leipzig, früher Webster.

ist abwechselnd die eine ganz glatt, die andere mit einem gepunzten Schuppenmuster verziert. Oben sind alle diese Stücke offen, das kreisförmige Loch von etwa 6—8 cm Durchmesser erinnert durchaus an die Löcher auf dem Scheitel der in den letzten Kapiteln beschriebenen Köpfe und hat wohl auch die gleiche rein gußtechnische Bedeutung. Bei drei Stücken (Dresden, Hildesheim und Leipzig) sind die »Rippen« nach rechts torquiert, d. h. im Sinne des Uhrzeigers, oder als wenn jemand eine plastische Melone am unteren Pol festhalten und sie im Sinne des Uhrzeigers drehen würde; es zeigen dann die unteren Enden der Rippen eine Neigung nach rechts. Man könnte vermuten, daß diese Stücke von vornherein immer paarig und symmetrisch hergestellt wurden, so daß von zwei sonst völlig gleichen eines rechts-, das andere linksläufig gedreht war; unter den mir bekannten Stücken befindet sich aber kein einziges sicheres Paar; 1904 hatte H. Strumpf gleichzeitig zwei sich recht ähnliche, von denen das eine nach rechts, das andere nach links gedreht war; die inzwischen nach Hamburg und nach Hildesheim gelangten Stücke sind aber doch in Einzelheiten voneinander mehr verschieden, als daß man sie als ein Paar ansprechen dürfte. Auch die beiden Stücke der zweiten Gruppe, Berlin, Taf. 66 A und Leipzig, erscheinen nur so lange

unter sich gleich, als man sie nicht unmittelbar miteinander vergleichen kann. Bei dem Berliner liegt auf einer kreisrunden, niederen Plinthe, die wie bei den großen Köpfen mit Bukranien, Elefantenköpfen usw. belegt ist, zunächst ein etwa daumendickes, zylindrisches Stück, dessen Mantelfläche ein Flechtband ziert, dann folgen sechs sich immer mehr verjüngende flache Scheiben mit sehr stark eingekehlter Mantelfläche und zuletzt eine etwas höhere Scheibe von der Form eines abgestumpften Kegels, deren Mantelfläche mit einem Flechtband und einem eingepunzten Bukranium verziert ist. Bei dem Leipziger Stücke (vgl. die Abb. 175 im Kat. von Webster 31 von 1901) ist die Mantelfläche der einzelnen Scheiben ganz. scharf eingeschnitten, so daß man ohne Kenntnis des Berliner Stückes die Schichten anders trennen und von einzelnen flachen, abgestumpften Kegeln reden würde, die immer zu je zwei mit ihrer Grundfläche aufeinandergestellt sind. Aus einiger Entfernung gesehen, machen beide, das Leipziger und das Berliner Stück, den Eindruck eines steilen, abgestumpf-

Abb. 542. Turbanförmiger Gegenstand, Stuttgart 5395, früher Berlin, H. Bey 363. Etwa $^2/_5$ d. w. Gr.

ten Kegels mit eingekerbter Mantelfläche; daß beide nicht völlig lotrecht, sondern etwas geneigt sind, ist bei der Sorgfalt, mit der sonst in Benin auf derlei Dinge geachtet wurde, kaum Zufall.

Die Frage, was diese merkwürdigen Dinge bedeuten, vermag ich nicht mit Sicherheit zu beantworten; zunächst ist es sehr wahrscheinlich, daß beide Formen, die acht Stücke der einen und die zwei der andern Gruppe, nur gleichsam äußerlich voneinander zu trennen sind, daß sie aber ihrer Bestimmung nach zusammengehören; ferner scheinen mir die Plinthen darauf hinzuweisen, daß alle diese zehn Stücke irgendeinen inneren Zusammenhang mit den auf gleiche oder ähnliche Plinthen gesetzten Köpfen haben. Ich habe deshalb schon 1901 in meiner Beschreibung der Knorrschen Sammlung (S. 232) die Meinung ausgesprochen, daß diese Stücke Turbane darstellen, und daß wir sie gleichsam als einen Ersatz für den Kopf eines Turbanträgers, also etwa eines Fulbe- oder Haussa-Händlers oder sonst eines Mohammedaners, betrachten dürfen. Ich bin nicht imstande, das wirkliche Auftreten mohammedanischer Händler in Benin für das 16. oder frühe 17. Jahrh. historisch zu belegen, aber ich halte es von vornherein für durchaus gesichert; ich wüßte tatsächlich nicht, was in aller Welt islamische Händler und Emissare damals hätte abhalten können, sich über Timbuktu oder auf andern Karawanenwegen bis nach den Landschaften am unteren Niger und an der Goldküste auszubreiten. Von diesem Standpunkt aus vergleiche ich auch heute noch diese turbanähnlichen Bronzen mit wirklichen Turbangewinden und denke dabei vor allem an die noch heute in den meisten Ländern des Islâm geübte Sitte, das Grab eines Mannes durch eine Stele mit einem Turban zu bezeichnen. Ob solche Bronzen nun wirklich auf das Grab eines in Benin gestorbenen Mohammedaners gestellt wurden oder ob man etwa symbolisch statt den Kopf eines »verschleierten« Mannes lieber nur seinen Turban nachbildete, da man sein Gesicht ja doch nicht sehen konnte, wäre dann nur von sekundärer Bedeutung. Daß den Eingeborenen die mit dem *litham* verhüllten und ihnen kulturell vielfach überlegenen Fulbe auch heute noch keinen geringen Eindruck machen, können wir schon aus der achtungsvollen Scheu erkennen, mit der die *mulathemîn*, die »Verschleierten«, überall von den dunklen Eingeborenen begrüßt werden. Das ist also meine persönliche Meinung über diese turbanähnlichen Bronzen; ich will sie aber niemandem aufdrängen und wäre nur dankbar, wenn ein Anderer eine bessere Deutung finden würde. Erklärungen wie »Fackelständer« oder »Gußformen« muß ich freilich ablehnen, und auch die gewöhnliche Bezeichnung »Untersatz«, die mit der schönen »Tuskholder-Theorie« zusammenhängt, kann ich nicht gutheißen.

<hr />

26. Kapitel.

Glocken und Schellen.

[Hierzu die Tafeln 94 und 95 sowie die Abbildungen 543 bis 554.]

Der großen Häufigkeit des Vorkommens von Glocken auf den Platten mit Darstellungen von Eingebornen entspricht die große Zahl von Originalstücken, die auf uns gekommen sind; einige wenige von diesen mögen verhältnismäßig jung sein, aber die Mehrzahl der in unsere Sammlungen gelangten Glocken ist zweifellos mit den Platten gleichaltrig. Zwar sagen R. D. bei der Beschreibung ihrer Glocke VI. 9, ihre Technik und ihr Stil sei *very poor*, und sie hätten sie nur abgebildet, um zu zeigen, wie verhältnismäßig minderwertig die spätere Metallarbeit von Benin sei, aber ich kann die Meinung der gelehrten Kollegen diesmal nicht teilen und glaube nicht, daß jene Glocke des Brit. Museums und die große Mehrzahl der ihr ähnlichen wesentlich jünger ist als die überwiegende Mehrheit der Platten. Sehr viele dieser Glocken stehen technisch auf voller Höhe, und viele müssen auch als künstlerisch vollendet bezeichnet werden; einzelne sind sicher minderwertig, aber sie müssen deshalb nicht notwendig jünger sein; sie sind vielleicht, weil zur Tracht minder hervorragender Krieger gehörig, mit Bewußtsein auch in der guten Zeit von Benin nicht mit der sonst üblichen Sorgfalt hergestellt worden. Andrerseits besitzt die Berliner Sammlung als III. C, 21 924 eine Glocke, die etwa der hier Fig. 548 abgebildeten gleicht und von König Overami selbst einem unserer Gönner als verhältnismäßig neu geschenkt wurde; sie kann nicht als minderwertig bezeichnet werden, wenn sie natürlich auch hinter Stücken wie die Fig. 544 oder 549 abgebildeten weit zurückbleibt. So denke ich, daß zum mindesten ein großer Teil dieser Glocken mit den Platten gleichaltrig ist; ich möchte sogar schon jetzt andeuten, daß andere Glocken, vgl. Taf. 95, aus Benin zu uns gekommen sind, die sehr wesentlich älter zu sein scheinen. Inzwischen lassen sich die sämtlichen Glocken ihrer Form und ihrer Technik nach ungezwungen in Gruppen einteilen, die nun der Reihe nach besprochen werden sollen; dabei muß aber aus Raummangel von der bisher in diesem Buche befolgten Regel, jedes einzelne bekannt gewordene Stück nach Standort und Katalognummer nachzuweisen, abgewichen werden, da allzuviele ähnliche oder gleichartige Formen aufzuzählen wären; es können deshalb hier nur die wichtigeren Stücke beschrieben werden. Zunächst werden wir als »viereckig« hier die am häufigsten vorkommenden Glocken von der Form einer abgestumpften vierseitigen Pyramide herausgreifen; sie wurden, wie wir aus zahlreichen Darstellungen auf Platten wissen, über dem Panzer um den Hals gehängt getragen, während runde Glocken meist an der Schwertscheide befestigt waren. Alle diese viereckigen Glocken haben auf ihrer nach oben gewandten Fläche ein unregelmäßiges, beim Gießen ausgespartes Loch, bei dem die umgebogenen Enden des oben gespaltenen eisernen Klöppels herausstehen; regelmäßig ist die nach vorn getragene Fläche am reichsten ausgestaltet; die beiden seitlichen Flächen sind einfacher, aber untereinander stets gleich geschmückt, nur die vierte, dem Körper bzw. dem Panzer aufliegende ist entweder glatt belassen oder nur ganz wenig verziert; diese Glocken haben durchweg oben einen breiten Bügel, dessen Fläche naturgemäß immer parallel mit der Vorderfläche verläuft; sie sind in verlorener Form gegossen, auch wenn manchmal alle vier, oder wenigstens die drei vorderen Wände, netzartig durchbrochen sind, als ob sie aus Draht geflochten wären. Diese Technik, die wir auch bei Armbändern (vgl. Taf. 99 E und F) kennen lernen werden, setzt natürlich große Sicherheit in der Beherrschung des Gußverfahrens voraus und wird von unseren Gelbgießern immer wieder von neuem angestaunt und bewundert; P. R. meint bei Beschreibung einer solchen durchbrochen gegossenen Glocke, sie sei ein *survival* jener alten Glocken, die man auf den Platten um den Hals der Krieger hängen sähe,

denn es sei klar, daß solche Glocken niemals einen Ton gegeben haben könnten: natürlich geben sie keine reinen Töne, das tun aber die mit vollen Wänden gegossenen auch nicht, wenn sie mit dem vollen Viertel ihrer Oberfläche auf dem Panzer des Kriegers aufliegen; wir haben alle diese Glocken vielmehr in erster Linie als Schmuck oder als Distinktionszeichen zu betrachten, und in diesem Sinne erscheinen die wie geflochten oder sonst durchbrochen gegossenen Glocken schon ihres geringen Gewichtes wegen als wertvoll für den Träger; außerdem war man sich der größeren Schwierigkeit ihrer Herstellung sicher bewußt, sonst hätte man kaum fast regelmäßig die beim Tragen nicht sichtbare hintere Fläche voll gegossen; so liegt also kein Grund vor, diese durchbrochenen Glocken für »Überlebsel« zu halten; sie sind im Gegenteil als besonders wertvoll zu betrachten. Die viereckigen Glocken lassen sich nun aber unabhängig davon, ob sie durchbrochene oder volle

543   544   545

Abb. 543/4/5. Rechteckige Glocken, etwa ¹/₂ d. w. Gr.; 543 = Egerton 9 B; 544 = Webster 11 591, Kat. 29, Abb. 134; 545 = Leipzig.

Abb. 546 a, b. Rechteckige Glocke nach P. R. 281. Ansicht von vorne und schräge von hinten. ¹/₂ d. w. Gr.

Wände haben, in die folgenden fünf Gruppen A bis E teilen:

A. Glocken mit einem Europäerkopfe, vgl. Taf. 94 A und G und hier die Abb. 543; solche Stücke sind verhältnismäßig selten und entsprechen in ihrer Häufigkeit ungefähr dem Vorkommen von Europäern auf den Reliefplatten; ich kenne im ganzen 8 Stücke. Die Europäerköpfe mit den langen Locken bilden nun aber den Ausgang für eine sehr merkwürdige Reihe von konventionell stilisierten Formen, die schließlich zu einem Omega-ähnlichen Zeichen werden, das am meisten an Ösen (ich meine die zu den Haken gehörigen Drahtschleifen bei der Frauenkleidung) erinnert. Den Ethnographen sind solche Wand-

lungen längst geläufig [1]), aber trotzdem würde wohl niemand auf die richtige Deutung verfallen, wenn
er nur das Endglied der Reihe kennen würde. Es wäre leicht, eine Anzahl solcher Köpfe mit fast unmerk-
baren Übergängen vom Kopf zur Öse zusammenzustellen, aber es genügt hier, auf Taf. 94 der Reihe nach die
Glocken G, A, F, D und C zu betrachten; sehr lehrreich ist da noch die Glocke Wien 64 809, bei der
unterhalb der Öse noch zwei dicke Striche den Rest der Lippen darstellen; ganz reine Ösen zeigen noch
Glocken in Dresden, Hamburg, Leiden und Rushmore. Weitere Abänderungen, wie z. B. auf den Glocken
B und E der Taf. 94, zeigen, daß die Verfertiger schlechter und später Stücke oft selbst nicht mehr wissen,
was diese spiraligen Ösen bedeuten; so kommt es dann schließlich ganz am Ende der Reihe dazu, daß an
Stelle des Kopfes nur mehr eine einzige Spirale die Mitte der vorderen Fläche ziert, so auf der Glocke
Taf. 94, H und noch sehr viel deutlicher auf einer Glocke in Rushmore, P. R. 5. Völlig vereinzelt ist
eine schöne Glocke, die bei L. R., Great Benin, S. 73 als im Besitze von Mr. Cyril Punch befindlich abgebildet ist; da sind die drei vorderen Flächen in der Art von Flechtwerk gegossen, aber in dem breiten
Rahmen ist vorn unten ein Europäerkopf angebracht. Eine Gruppe für sich bilden dann noch drei Glocken
in Rushmore, P. R. 74, 239 und 347, bei denen man schwanken kann, ob das Gesicht einem Europäer
oder einem Eingeborenen zuzuschreiben ist; es steht etwa in der Mitte zwischen dem auf der Glocke
Taf. 94, I und unseren Abbildungen 551 bis 553. Ich vermute, daß alle diese Gesichter als bewußt humo-
ristisch aufzufassen sind.

549   550

Abb. 547 bis 550. Rechteckige Glocken, etwa ¹/₃ d. w. Gr.; 547/8:
Sammlung Egerton; 549/50: Museum f. Völkerkunde Hamburg, nach
Hagen, Ber. für 1901.

547   548

B. Auf nahe an 50 Glocken ist die Mitte der vorderen Fläche mit der Maske eines Eingeborenen
geziert, wie z. B. die drei größeren Glocken am unteren Rande von Taf. 94 sowie die Abb. 547, 548 und
550 zeigen. Manchmal sind die Masken so roh, daß man sie eher einem Schimpansen als einem Neger
zuschreiben möchte; so ist z. B. die auf Abb. 547 nur durch die deutlichen Stirnnarben als menschlich
zu bestimmen. Auf andern Glocken hingegen ist die Maske oft von großer Schönheit; so findet sich auf
der auch durch ihre Größe (24 cm) ausgezeichneten Glocke Dresden 13 600, siehe die Abb. 133 bei
Webster, Kat. 29 von 1901, eine selbst nach europäischen Begriffen schöne Negermaske, die in ihrer sorgfältigen, kranzähnlichen Umrahmung ganz an gute, antike Kleinkunst erinnert; erwähnenswert sind die
Umrahmungen des ganzen Gesichtes mit freilich nicht zu deutenden kleinen, zylindrischen, geriefelten
Stäbchen, wie auf der Glocke Abb. 548; manchmal stehen sie noch viel dichter, und bei der Berliner Glocke
III. C. 21 924, die wir mit einigen andern aus dem Besitze von König Overami erhielten, umgeben sie die
ganze Maske dicht mit einem breiten Strahlenkranze, wie bei dem bekannten Kriegsschmuck der Massai;
es ist nicht unmöglich, daß wir es hier mit einer Wucherform zu tun haben, die sich aus dem Tutulus
auf dem Scheitel einer Maske entwickelt hat: auf einer Glocke bei Webster, vgl. die Abbildung 24 im
Kataloge 29 von 1901, hat die Maske einen ähnlich wie jene Stäbchen stilisierten Tutulus. Ganz eigenartig ist die 27 cm hohe Glocke P. R. 390, von der hier die Abb. 554 eine wenigstens annähernde Vorstellung vermitteln soll. Sie hat auf der Vorderseite die Maske eines Eingebornen, aus dessen Nasenlöchern

[1]) Vgl. z. B. die Taf. 38 in meinen »Beitr. zur Völkerkunde der Deutschen Schutzgebiete«, Berlin, D. Reimer, 1897 oder,
da dieser Band vergriffen ist, die Verkleinerung der Tafel in meiner »Entstehung der Ionischen Säule«, Leipzig, Hinrichs, 1912, S. 14.

je eine Schlange herausragt, die einen Fisch, wie es scheint, einen Wels, im Rachen gefaßt hält; die großen Ohren sind weit abstehend; die Unterkiefergegend ist mit einer doppelten Reihe von kleinen, erhabenen Kreisen umrahmt, die an die verwandten Anhängermasken auf Taf. 96 erinnert. Genau in der Mittellinie der Vorderfläche der Glocke, in der Nähe des oberen und des unteren Randes ragen übererbsengroße runde Knöpfe aus dem sonst glatten Grunde; je drei gleiche Knöpfe zieren auch die Mittellinie jeder der beiden Seitenflächen; nur die hintere Fläche ist ganz glatt geblieben. Ähnlich kuglig oder halbkuglig vorspringende Knöpfe finden sich auch auf einigen andern Glocken; am zahlreichsten auf dem Taf. 94 L nach Webster 9754 reproduzierten Stücke; ihre Bedeutung ist unbekannt.

C. Technisch besonders hervorragend und auch in rein künstlerischer Beziehung bemerkenswert sind einige Glocken, auf denen neben der Maske eines Eingebornen auch Welse oder Krokodile dargestellt sind; ich kenne im ganzen nur vier solche Glocken mit Welsen und zwei mit Krokodilen; sie gehören zweifellos in die beste Zeit der Benin-Kunst.

Die schönste von ihnen ist hier Fig. 544 nach Webster 11 591 abgebildet; sie zeigt auf der netzartig gegossenen und von einem Flechtband umrahmten Vorderfläche in der Mitte die Maske eines Eingebornen und in jeder Ecke einen stilisierten Wels, die unteren mit den Köpfen nach unten, die oberen nach oben gerichtet, die Schwanzenden bei allen vieren nach außen geringelt; außerdem sind noch zwei weitere Welse genau in der Mitte angebracht, mit den Köpfen je den oberen und den unteren Rand berührend, mit bandartig lotrecht gestreckten Leibern, deren Schwänze sich unter die Maske verlieren, so daß diese wie auf einem Stabe ruhend erscheint, dessen Enden oben und unten in einen Welskopf ausgehen; auch die beiden Seitenflächen sind mit Welsen verziert. Wie bei manchen älteren Stücken ist auch bei diesem der Bügel mit einem durchbrochenen Flechtbande geschmückt.

Ähnlich ist die Glocke P. R. 346, auch durch-

551 552 553

Abb. 551 bis 553. Drei Glocken aus dem Besitze von Mr. Webster, Kat. 29 von 1901, Abb. 19, 20 u. 21, Nr. 11 290/92/89. ⅓ d. w. Gr.

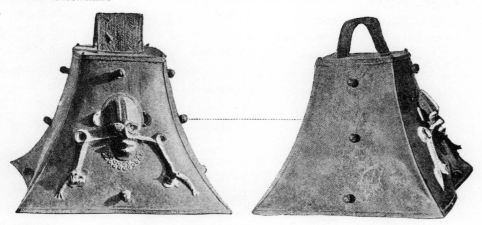

Abb. 554 a, b. Zwei Ansichten einer ganz ungewöhnlich großen Glocke, P. R. 390. ⅕ d. w. Gr.

brochen gegossen; auf der Vorderfläche die Maske eines Negers mit den Stirnnarben der Benin-Leute, oben und unten je ein Wels, beide mit den Köpfen nach unten und mit einem ringartig zusammengebogenen Leibe; drei ebensolche Welse liegen auf den Seitenflächen. Die dritte dieser Glocken kenne ich nur von der Auktion bei Stevens vom 10. April 1900; sie hat auf der vorderen Fläche in der Mitte die Maske, oben einen solchen Wels, unten nebeneinander zwei; der Bügel ist flechtbandartig behandelt. Die vierte (Leiden 1286/5) hat auf der Vorderseite zwei Welse oben, zwei unten, alle mit den Köpfen gegen den oberen und den unteren Rand gewendet, mit gestreckten Leibern; ebensolche vier Welse sind auf den zwei seitlichen Flächen, die aber statt der Maske in der Mitte je einen halbkugelig vorspringenden Knopf haben. Zwei Glocken mit Krokodilen sind hier Fig. 545 und 546 ᵃ ᵇ abgebildet. Sie sind besonders reich ausgestattet und untereinander sehr ähnlich; von der zweiten ist hier auch eine Ansicht schräg von hinten gegeben, so daß die gewöhnlich nicht sichtbare vierte Seite zu sehen ist; sie ist in der gleichen Art mit geflammten Bändern geschmückt wie die Grundfläche, auf der die Maske und die Krokodile der drei andern Seiten aufruhen; diese drei Flächen, nicht die vierte, tragen noch je fünf stark erhaben vortretende, fast kuglige Knöpfe; mit ebensolchen ist auch der Bügel verziert.

D. Sehr selten sind Glocken mit Tierköpfen; Berlin hat eine, III. C. 21 926, aus dem Besitze von Overami, mit einer Darstellung, die vielleicht als Vogelkopf gedeutet werden könnte, und auf zwei Glocken, Cöln (früher Webster 16 299, Abb 23 im Kat. 26, 1901) sowie London, R. D. VI. 9, finden sich Pantherköpfe. Diese Seltenheit von Tierköpfen auf den wirklichen Glocken steht in auffallendem Gegensatz zu ihrer Häufigkeit auf den Reliefplatten von gepanzerten Kriegern mit Glocken; ich habe Notizen über 49 solche Platten, auf denen die Verzierung der Glocken genau zu erkennen ist; auf diesen kommen Pantherköpfe 6mal vor, also in rund 12%; während Glocken mit Masken auf 34% und solche mit Ösen auf 20% der registrierten Platten erscheinen; noch auffallender freilich sind die 28% Glocken mit Schlangen auf Platten, denen nicht eine einzige wirkliche Glocke mit solchem Zierat entspricht. Vielleicht darf man daraus schließen, daß es kein strenges Zeremoniell für die Ausstattung der um den Hals getragenen Glocken gab, und daß die Künstler die Glocken auf den Platten wegen des kleinen Maßstabes mit Vorliebe so darstellten, wie das mit dem geringsten Aufwand von Arbeit möglich war, während sie für die wirklichen Glocken keine Mühe scheuten.

E. Ganz vereinzelt sind Glocken ohne jeden Reliefschmuck, aber dafür in feiner, durchbrochener Gußtechnik, so daß sie wie geflochten aussehen; ebenso ist auch der Bügel behandelt; ein gutes Beispiel dafür ist die Hamburger Glocke, die hier Fig. 549 abgebildet ist; man würde sie für vollendet schön erklären können, wenn die Flechtbandkanten an den Seiten sich nicht »tot laufen« würden. Es gibt alte Benin-Arbeiten, bei denen jedes solche Totlaufen sorgfältig vermieden ist, aber sie sind verhältnismäßig ebenso selten wie etwa orientalische Teppiche ohne solchen Schönheitsfehler. Wie hoch derartig durchbrochen gegossene Arbeiten geschätzt wurden, kann man an der hier schon erwähnten Glocke P. R. 346 (mit Eingebornenmaske und Welsen) sehen; an dieser ist in alter Zeit eine Ecke abgebrochen gewesen und ergänzt worden. Von solchen Glocken erzählen manche Autoren, daß sie auf den Hausaltären stehen oder daß sie zum »Herbeirufen von Geistern« dienen. Unsere Kenntnisse von der geistigen Kultur der heutigen Benin-Leute sind viel zu gering, als daß derartige Angaben irgend beachtenswert sein könnten; daß heute die Bewohner von Benin wenig mehr von der Kultur ihrer Voreltern vor 3- oder 400 Jahren wissen, ist nicht zu verwundern, und erst recht nicht, daß sie auf dringliche Fragen irgendeine beliebige Antwort erfinden. Zu erwähnen ist schließlich auch eine nicht geringe Anzahl von meist kleineren Glocken derselben Form, mit glatten oder nur wenig verzierten Wänden und als einmaliges Vorkommen eine solche Glocke aus Elfenbein (Wien, 64 807, Heger 119); sie ist 14,3 cm hoch und hat glatte, schmucklose Wände, nur mit Bohrlöchern, in die vielleicht einmal Messing oder Blei eingelegt war.

Gehen wir nun zu den runden Glocken über, so ist zunächst auf S. 100 ff. zu verweisen. Dort ist gezeigt worden, wie solche Glocken vielfach an der Schwertscheide getragen wurden; die Abb. 179 gibt hierfür ein besonders lehrreiches Beispiel. Die wichtigsten Formen sind hier nach Stücken der Berliner Sammlung auf Taf. 95 zusammengestellt; mehrere der hierher gehörigen Glocken sind besonders dünn gegossen und fallen auch sonst, vor allem durch ihren Stil, derart aus der Reihe der meisten sonst bekannten Benin-Altertümer heraus, daß es naheliegt, sie für wesentlich älter zu halten; nach ihrer tiefgehenden Patinierung könnte man sogar meinen, daß sie um viele Jahrhunderte älter sind als die Platten, aber die chemische Zusammensetzung und die äußeren Umstände sind auf die Art der Patina von so großem Einfluß, daß es leichtfertig wäre, allein aus der verschiedenen Patinierung einen Schluß auf das absolute Alter von Bronzen zu ziehen.

Unter diesen älteren runden Glocken ist eine Gruppe, F, besonders auffallend, die große menschliche Köpfe mit Hörnern aufweist; auf Taf. 95 sind rechts unten die beiden wichtigsten Stücke dieser Art abgebildet, Berlin, III. C. 10 868 und 12 586; sie sind 20 und 18,2 cm hoch, besonders das erstere hat ausgesprochen »archaischen« Charakter; das Obergesicht ist durchweg mit lotrechten Reihen von kleinen, warzenförmigen Höckern bedeckt, in der Kinngegend schneiden sich je fünf wagrechte und lotrechte Reihen solcher Höcker und bilden so eine kreuzähnliche Figur; längs des Nasenrückens ist eine einzelne lotrechte Reihe von Höckern zu beiden Seiten durch eine dünne, leicht erhabene Linie eingefaßt; von den Mundwinkeln gehen je drei »Schnurrhaare« nach den Seiten ab. Alle diese Elemente finden sich auch bei der zweiten Berliner Glocke, Taf. 95 G; scheint diese auch auf den ersten Blick stilistisch von der ersten sehr verschieden, so sind doch die Hörner, die aus kleinen Höckern gebildeten Kreuze, die zwischen dünnen Linien eingeschlossenen Höckerchen und die »Schnurrhaare« beiden Stücken gemeinsam, so daß die gleiche Herkunft, wenn auch nicht dasselbe Alter, für sie sehr wahrscheinlich ist. In den gleichen Kreis gehört die Glocke Dresden, 16 180, dann ein 21,8 cm großes Stück Hamburg, C. 2871, mit ovaler Mündung und mit einer Höckerverzierung, deren Anordnung an einen aufgezäumten Rinderkopf mit Hängeschmuck denken läßt, und an fünfter Stelle ein Stück in München, etwa 20 cm hoch, roher als die vier andern, mit ausgesprochen schiefem Mund in dem diesmal trotz der Hörner wieder rein menschlichen Gesicht.

Eine zweite Gruppe, G, ist durch die beiden Berliner Glocken III. C. 10928 und 10876 gegeben, die Taf. 95 B und C abgebildet sind. Stirn und Kinngegend sind mit dicht nebeneinander gestellten lotrechten, erhabenen Streifen bedeckt, das übrige Gesicht von den Mundwinkeln bis zu den Ohren mit gleichen Streifen, die schräg nach außen und unten verlaufen. Ähnliche Streifen haben die eben erwähnte Hörnerglocke, Dresden 16180, und die Gesichter auf den zwei großen Anhängern, die S. 391 Fig. 588 und 589 abgebildet sind; es scheint erlaubt, sie auf eine sonst ganz ungewöhnliche Art von Narbentätowierung zu beziehen und diese Gesichter oder Masken mit einem der von L. Frobenius in einer Nachbarprovinz ausgegrabenen Tonköpfe zu vergleichen. Mit diesen beiden Berliner Glocken verwandt war vermutlich eine dritte, Berlin, III. C. 10927, Taf. 95 A, von der freilich nur der Hals mit dem Bügel erhalten ist. An diese schließen sich aber unmittelbar die beiden Glocken Wien 64821/2, Heger 83/4, die leider auch unvollständig sind. Unter Hinweis auf die a. a. O. gegebene eingehende Beschreibung sei hier nur die Frage aufgeworfen, ob wirklich bei beiden Stücken noch Reste des unteren Randes erhalten sind oder ob, was solche Reste vortäuscht, nur durch Bruch im Verlaufe einer wagerechten Zierleiste entstanden ist.

Zu einer dritten Gruppe, H, gehört die Berliner Glocke III. C. 7667, Taf. 95 D; sie schließt sich durch die ganz eigenartige Stilisierung des Gesichtes mit den weit vorspringenden Augenlidern und der spitzdreieckigen Nase unmittelbar an eine Reihe von viereckigen Glocken an, für die oben die Abb. 553 gegeben werden konnte. Ähnliche Form, aber kein Gesicht haben kleinere Glocken, wie Dresden 16101, die mit Schlangen und Flechtknoten verziert ist, Leiden 1243/12 mit vier erhabenen Spiralrollen, und mehrere andere ohne wesentliche Bedeutung. Runde Glocken, glatte und geriefelte, wurden vielfach auch als Anhänger von kleinen Masken und von Pantherschädeln getragen, die an der Schwertscheide befestigt wurden; die S. 105, Fig. 187 bis 189 abgebildeten Platten geben dafür schöne Belege; vgl. auch die Abb. 575.

In eine vierte Gruppe, I, kann man verschiedene vereinzelte Formen zusammenfassen, unter denen die mächtig große Glocke Dresden 16073 an erster Stelle zu nennen ist; sie zeigt in ganz dünnen, feinen Relieflinien vorn einen Helm mit Roßschweifen, etwa von der Form der hier S. 159, Fig. 276 abgebildeten, hinten einen Bogen und einen gefiederten Pfeil. Ganz isoliert ist auch die Glocke Dresden 13610, die ursprünglich Nr. 20 der Auktion von J. C. Stevens vom 12. Februar 1901 war und bald nachher in Websters Kat. 29 als Fig. 33 abgebildet wurde; sie hat ovalen Grundriß; ihre vordere Fläche ist mit drei lotrechten Reihen von je sieben mitgegossenen, kugelförmig vorragenden Schellen geschmückt, zwischen denen sich sechs Felder finden, drei glatte und drei mit verschlungenen Ringen ausgefüllt; die hintere Fläche ist ganz glatt. Vereinzelt ist auch die Glocke Dresden 16130, die durch ihre sehr zarte, schnurartige Verzierung und den sehr dünnen Guß vielleicht an die nur in Bruchstücken erhaltenen Glocken vom Typus der Taf. 9 A anzuschließen wäre. Erwähnung verdient noch die 45 cm hohe, wie ein zu ovalem Grundriß zusammengedrückter Zuckerhut aussehende Glocke Hamburg C. 2895, die aus zwei zusammengenieteten Stücken besteht. Von einer Anzahl kleinerer Glocken ohne Bedeutung braucht hier nicht weiter gesprochen zu werden, einige sind zweifellos auch europäischer Herkunft; vermutlich gilt das auch von einer eisernen Glocke, die in Websters Katalog 21 von 1899 Fig. 146 abgebildet ist.

Ganz ohnegleichen ist die wie mit einer Schelle kombinierte, 1,75 cm hohe Glocke Berlin, III. C. 12534, Taf. 95 E, die wir mit der Herkunftsangabe Sobo erworben haben; die gute Abbildung macht eine Beschreibung überflüssig; selbst daß die typischen Stirnnarben unzweifelhaft für Benin als Herkunft sprechen, brauchte kaum hervorgehoben zu werden. In diesem Zusammenhang ist noch die S. 374 abgebildete Doppelschelle zu erwähnen, die am 12. Februar 1901 bei der Auktion von J. C. Stevens war, aber seither verschollen ist; das Stück läßt sich, trotzdem etwa ein Viertel seiner Länge fehlt, mit einiger Sicherheit ergänzen, da es voraussichtlich ganz symmetrisch war. In der Mitte ist ein drehrunder Handgriff, dann folgen zu beiden Seiten ungefähr rechteckige, flache Scheiben mit einer Verzierung, die sicher auf über der Brust verschränkte Arme zurückgeht; ein kurzer Hals verbindet diese Oberkörper mit kreisrunden, linsenförmig bikonvexen Scheiben, die auf jeder Seite ein menschliches Gesicht tragen, und denen am Scheitel eine birnförmige, hohle Schelle aufsitzt; eine Scheibe mit der Schelle ist abgebrochen; die gegenwärtige Länge des Stückes ist 35, die ursprüngliche war etwa 49 cm. Brust und Gesicht sind mit kleinen Ösen eingefaßt, in denen wohl einst Kettchen mit Schellen eingehängt waren. Die Herkunftsangabe Benin scheint durch die aus den Nasenlöchern kommenden Schlangen bestätigt zu werden, obwohl das Stück sonst an sich ganz untypisch ist..

Eine kleine und unbedeutende Gruppe, J, ist durch zwei lange, dütenförmige Stücke gebildet, die vermutlich auch als Anhänger von Schwertscheiden gedient haben. Eines dieser etwa spannlangen Stücke jetzt Dresden 16 105, ist bei Webster Kat. 21 von 1899, Fig. 123, abgebildet; eine sehr schlanke, spitze Düte endet an der Spitze in eine flache, runde Scheibe, die oben zwei hörnerartige Ausläufer hat und zwischen vier gegenständigen Vorsprüngen sitzt, von denen zwei wie Haken, zwei wie Ohren aussehen; auf der kleinen Abbildung bei Webster wirkt das wie ein Antilopenkopf, Kollege Nuoffer schreibt mir aber, und inzwischen hat persönliche Anschauung bestätigt, daß höchstens eine ganz rudimentäre Bildung vorliege und daß die Scheibe mit ihren Annexen nicht zu deuten sei; gedient hat sie wohl dazu, das Stück in einer Schnurschleife festzuhalten. Etwa in der Mitte der Schelle hängt aus einem kleinen Loche das umgebogene Ende des eisernen Klöppels heraus. Ähnlich schlank und dünn ist auch das zweite Stück, das bei L. R. »Great Benin«, S. 77, abgebildet ist. Es endet oben mit einer ringförmigen Öse; das Loch zum Einhängen des Klöppels ist dekorativ als die Mitte einer Spirale benutzt, in welche die Umwicklung des oberen Drittels der Schelle endet. Anhangsweise ist in diesem Zusammenhang noch eine etwas weniger schlanke Glocke oder Schelle, Hamburg 676, 05, zu erwähnen; sie ist auch dütenförmig, 14,6 cm hoch und an zwei Stellen mit Masken, an zwei andern mit einem Ebere und mit einem Wedel (?) geschmückt, die beide je mit einer Schnur an einem Pflocke hängend dargestellt zu sein scheinen; die Arbeit ist roh und unerfreulich; ganz schmucklos ist eine ähnliche kegel- oder dütenförmige Schelle in Bremen; dort liegt auch ein kleines Bruchstück mit einem Krokodilkopf, das vielleicht von einer Glocke stammt.

Schließlich sind unter K noch die rundlichen, meist etwa haselnußgroßen Schellen zu verzeichnen, die zu dem üblichen Unterschenkelschmuck der alten Benin-Leute gehörten und immer wieder auf den Platten erscheinen. Sie sind alle gleichmäßig fast kugelrund, oben mit einem Ringe zum Anhängen, unten mit einem schmalen Schlitze, der meist bis zur Gegend des größten Umfanges reicht; dieser ist gewöhnlich durch einen glatten Streifen hervorgehoben, während sonst die ganze Oberfläche geriefelt ist. Solcher Schellen muß es ungezählte Tausende gegeben haben, aber sie sind verloren gegangen, wie etwa bei uns Knöpfe oder Nadeln; nur etwa 40 Stücke werden in den Sammlungen von Berlin, Bremen, Cöln, Hamburg München, Rushmore und Wien verwahrt.

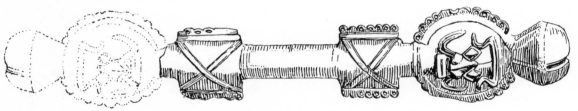

Schelle, Benin, Auktion J. C. Stevens, 12. 2. 1901.   Etwa ⅓ d. w. Gr.

27. Kapitel.

Anhänger in Form von menschlichen Masken.

[Hierzu Taf. 96 und die Abb. 555 bis 569.]

Seite 107 ff. sind Platten beschrieben, auf denen Panthermasken aus Bronze als Gürtelschmuck erscheinen; Originale solcher Masken haben sich in großer Zahl erhalten und werden im nächsten Kapitel beschrieben werden; inzwischen seien hier menschliche Masken behandelt, die denen mit Pantherköpfen in der ganzen Aufmachung gleichen und vermutlich auch in gleicher Art getragen wurden. Daß uns kein einziges Bildwerk erhalten geblieben, das solche Masken im wirklichen Gebrauch zeigt, während wir rund 50 alte Originale kennen, ist sicher verwunderlich — aber es ist nicht das einzige Rätsel, das uns die alten Benin-Leute hinterlassen haben. Form und Größe dieser Masken unterliegen nur geringen Schwankungen; sie zeigen alle ein menschliches Gesicht in reiner Vorderansicht; meist mit Eiseneinlagen für die Augensterne und mit den typischen Benin-Narben, oft mit einem in Punztechnik verzierten oder in Kupfer eingelegten Streifen von der Brauengegend bis zur Nasenspitze, mit auffallend kleinen Ohren und mit einem hohen Kopfputz, der wie bei vielen ganzen Köpfen mit kleinen zylindrischen Perlen geflochten und fast stets auch mit aus fünf größeren, spindelförmigen Perlen gebildeten Rosetten verziert erscheint; um die Stirn verläuft in der Regel ein Band mit mehreren Längsreihen von zylindrischen Perlen, denen einzelne sehr viel größere von derselben Form wagerecht aufgelegt sind. Um den Hals finden sich meist einige Perlschnüre, von denen aber in der Vorderansicht manchmal nur die oberste Reihe, oft auch diese nicht sichtbar ist; außerdem aber ist das ganze Untergesicht von dem einen Ohre über das Kinn zum andern in höchst eigenartiger Weise von einer Art Krause umgeben, die in zahlreiche Falten gelegt erscheint, oder mit einem Kranze stilisierter Welse bedeckt oder sonst irgendwie geschmückt ist; selbst stilisierte Köpfe von Europäern werden in solcher Weise um den Hals gelegt, ebenso wie solche und auch Welse in einzelnen Fällen kranzartig auch noch der ohnehin

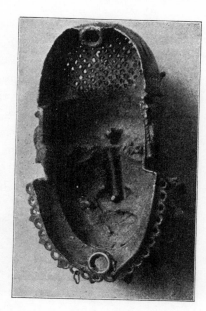

Abb. 555 a, b. Seiten- und Vorderansicht eines maskenförmigen Anhängers, P. R. 124. — Abb. 555 c. Innenansicht eines ähnlichen Anhängers, Berlin III. C. 8756. Etwa ¹/₂ d. w. Gr.

schon hohen Kopfbedeckung aufgesetzt sind. Für die Seitenansicht ist die Abb. 555 ᵃ typisch und für die Ansicht von innen 555 ᶜ; jene zeigt die Anordnung der Halsperlen, diese die Form des Gußkernes und die fast regelmäßig vorhandenen zwei mitgegossenen Ringe, die zur Befestigung des Stückes beim Tragen gedient haben. Der obere dieser Ringe ist bei einzelnen Masken auch in der Vorderansicht durch den durchbrochenen Kopfputz hindurch sichtbar, so auf den Abb. 556 und 557. In der Regel finden

556   557   558

Abb. 556/7. Maskenförmige Anhänger, Sammlung Egerton. Etwa ¹/₂ d. w. Gr. Der Kopfschmuck beider Stücke besteht aus stilisierten Welsen, der Halsschmuck des zweiten aus Köpfen bärtiger Europäer. — Abb. 558. Anhänger, Bronze mit eingelegtem Kupferstreifen am Nasenrücken: die Augensterne aus Eisen, 185 cm hoch; Tregaskis, 1902; 515, Nr. 25.

sich auch längs des ganzen unteren Randes kleine Ringe mitangegossen, deren Zahl zwischen 7 und 35 schwankt; sie haben zum Einhängen von Kettchen mit Schellen gedient, die aber meist abgerissen und nur in spärlichen Resten erhalten sind.

A. Für die Masken mit Halskrause sei hier auf Taf. 96 A und auf die zahlreichen Abbildungen in den Katalogen von Webster verwiesen; diese Krause erinnert durchaus an den gefalteten spanischen Halskragen des 16. Jahrh., der sich als »Tolle« auch bei uns noch bis auf den heutigen Tag bei der Amtstracht der Bürgermeister in den Hansestädten erhalten hat; die Abb. 560 [a b] zeigt, daß ähnliche Kragen im 16. Jahrhundert von Europäern auch nach Benin gebracht wurden, und man kann begreifen, daß sie da auch von den Eingebornen in irgendeinem jetzt nicht mehr erkennbaren Zusammenhang nachgebildet wurden. (Vgl. Abb. 570 mit der gleichen Tolle auch bei einer Panthermaske!!)

B. Auf andern Masken erscheint das Gesicht mit einer breiten Kante eingerahmt, die mit durchbrochenen Flechtbändern, mit Spiralscheiben, konzentrischen Halbkreisen oder mit eingepunztem Zierat bedeckt ist — vgl. die Abb. 555 [a b], 556 und 563; vielleicht sind sie mit unseren alten Spitzenkragen in Zusammenhang zu bringen.

Abb. 559. Sehr roher maskenförmiger Anhänger, Sammlung Egerton. Etwa 1/2 d. w. Gr.

C. Sehr viel häufiger sind Masken, auf denen Kragen mit aufgelegten Welsen geschmückt erscheinen. Aus den Abb. 558 und 559 sowie Taf. 96 B bis E ist besser wie aus langen Beschreibungen zu ersehen, in wie mannigfacher Art diese Fische durch konventionelle Stilisierung oft bis fast zur Unkenntlichkeit verändert sind. Am weitesten entfernt von der natürlichen Form sind wohl die Welse auf der Berliner Maske III. C. 8756; diese würde jemand, der mit der Benin-Kunst nicht vertraut ist, kaum als Fische erkennen; auch sonst hat die Stilisierung des Fischkörpers in der Art eines in sich geschlossenen Ringes dem nur der Kopf mit den langen Bartfäden aufgesetzt erscheint, mehrfach zu Mißverständnissen geführt. So wird in einem sonst gerade durch besonders gute Kataloge ausgezeichneten Museum von einer solchen Maske gesagt, um ihren Hals seien 7 »Vorderkörper des Fisches Schlammhüpfer gelegt und darunter durchbrochene Ringe«, und aus einer andern Beschreibung aus einem gleichfalls vorbildlich geleiteten Museum sind die Welse als »flache Froschfiguren«, in einem andern Kataloge als »Tierköpfe« bezeichnet. Derart stilisierte Welse sind nun in wechselnder Zahl um den Hals der Maske gelegt; bei den mir aus eigener Anschauung und aus Abbildungen bekannten 22 Exemplaren sind die Zahlen von 7 bis 12 ungefähr gleichmäßig vertreten; weniger oder mehr Welse habe ich niemals an einer Maske gezählt; die Angabe von »23 *heads of cat-fishes*« auf dem Kragen einer Maske (126 [b] in dem Kataloge der Auktion Ansorge von 1909) scheint mir auf einem Irrtum zu beruhen, ganz abgesehen davon, daß sonst immer ganze Welse, niemals nur die bloßen Köpfe dargestellt sind.

Sehr auffallend ist, daß bei drei von diesen Anhängern (Berlin, Taf. 96 B, R. D. XI. 3 und Wien 64722 (Heger 60) ein Teil dieser Welse nicht mit der übrigen Maske gegossen, sondern nachträglich aufgenietet ist. Es scheint, als wären bei diesen drei Anhängern ursprünglich überhaupt nur 5 Welse, und zwar in großen Abständen voneinander, vorgesehen gewesen, und als hätte man später, um die Lücken zu füllen und einer andern Moderichtung zu genügen, weitere 4 Welse in die Zwischenräume gesetzt. Bei dem Wiener Anhänger ist einer dieser angenieteten Fische nachträglich wieder verloren gegangen, bei dem Berliner bis auf geringe Reste sogar alle vier; doch sind auch bei diesem noch, wie bei dem Londoner, leichte stilistische Unterschiede in der Behandlung der ursprünglichen und der später angenieteten Welse nicht zu verkennen.

Von dem Londoner Stück (R. D. XI. 3) wird gesagt, daß die Pupille des einen Auges aus »weißem« Metall sei, die des andern aus Kupfer. Ich habe diese sonderbare Asymmetrie leider stets übersehen, vermutlich weil meine Aufmerksamkeit bei jedem Besuche durch die angenieteten Welse abgelenkt wurde, und kann jetzt angesichts der ganz unzureichenden Abbildung auch nichts zur Erklärung dieses an sich höchst unwahrscheinlichen Befundes beibringen; vermutlich liegt da keine Absicht vor, sondern nur eine ganz zufällige und unbeabsichtigte nachträgliche Veränderung. Eine grobe Asymmetrie findet sich auch an der Taf. 96 A abgebildeten Berliner Maske; an dieser erscheint der eine Augenstern rund, der andere viereckig; ich denke, daß auch das nicht beabsichtigt, sondern nur durch ungleichmäßige Verrostung der für die Augensterne verwandten eisernen Nägel entstanden ist.

Ähnlich wie die Welse, so sind auch die Kopfbedeckungen dieser Anhänger vielfach stilisiert und verändert; nur bei einigen wenigen kann man noch die ursprüngliche Form der enganliegenden Kappe erkennen; bei den meisten Stücken ist es, vermutlich aus rein äußerlichen und technischen Gründen (vielleicht um den dünnen Rand gegen Bruch zu sichern) zu einer bandartigen Umrahmung des ganzen Konturs gekommen, die ihrerseits wieder mehrfache Veränderungen der Gesamtform zur Folge gehabt hat; so würde die etwas an eine Mitra erinnernde Form der Kappe auf dem Berliner Anhänger Taf. 96 E an sich wohl niemals richtig zu deuten sein; im übrigen ist gerade dieser Anhänger nicht nur mit einer Höhe von 21,5 cm der größte, sondern wohl auch der schönste in der ganzen Reihe; die Nase und besonders das Gesicht sind auffallend schmal, Kiefer- und Backengegend besonders naturwahr; die Ziselierung ist von vollendeter Sorgfalt; ebenso läßt gerade dieses Stück, besser als die meisten andern, erkennen, daß die Welse nicht einer flachen, sondern einer wie bei der Tolle gefalteten Unterlage aufliegen. Was sie aber zu bedeuten haben, geht auch aus diesem ungewöhnlich guten Stücke nicht hervor; daß es sich um Schmuck im gewöhnlichen Sinne handelt, ist sehr unwahrscheinlich; dann würden sich solche Welse ja auch auf einzelnen Platten und bei großen Köpfen um den Hals gelegt finden; vielleicht liegt eine symbolische Beziehung dieser Masken zu dem Gotte Olokum vor, aber es schien mir sehr unvorsichtig, eine solche schon jetzt als gesichert anzunehmen. Ebenso wage ich nicht, diese Masken etwa alle als bestimmt weiblich anzusprechen; ich vermute freilich, daß sie als Gesichter von Frauen gedacht sind und auch von Frauen getragen wurden. Da auf den Platten Frauen niemals dargestellt werden, wäre dann auch erklärt, warum diese als Originale so häufigen Masken niemals auf Platten gesehen werden.

D. Völlig vereinzelt ist eine sehr schöne Maske in Dresden (vgl. die Abb. 81 in Websters Kat. Nr. 21), sie hat am Rande der Halskrause 11 kahnähnlich geformte Körper, etwa von der Form wie auf den Taf. 100 G oder Fig. 626 abgebildeten Armbändern; neun gleiche umrahmen auch den oberen Rand der Kopfbedeckungen; ich kenne keine befriedigende Deutung dieser Gegenstände; es ist nicht ganz ausgeschlossen, daß sie als Endglieder irgendeiner konventionell stilisierten Reihe gedeutet werden könnten; aber auch ihre Auffassung als Köpfe oder als Schellen könnte nicht a limine abgelehnt werden.

E. Zwei hervorragend schöne Stücke, die hier Fig. 556/5 abgebildet sind, durfte ich photographieren lassen, als sie noch Eigentum von Capt. Egerton waren. Über ihren gegenwärtigen Verbleib bin ich nicht unterrichtet; beide haben gleichmäßig am Rande der Kopfbedeckung einen Kranz von Welsen. Eine ältere Angabe, daß auf der zweiten dieser Masken Welse mit Elefantenrüsseln abwechseln, ist irrig; was da für solche gehalten wurde, sind die nach der Seite umgebogenen Schwänze der Welse; man wird das sofort erkennen, wenn man bei diesen Masken den Kranz oben von der Mittellinie an betrachtet; dann wird leicht klar, daß da zwei Welse nebeneinander dargestellt sind, deren hintere Hälften je nach außen umgebogen sind; auf den vierten Wels folgt dann jederseits eine Bosse mit einem vertikal gestellten Loch; eine genau gleiche ragt auch beiderseits unterhalb des Ohres vor; vermutlich alle vier zur besseren Befestigung dieser ungewöhnlich großen Masken dienend; um den Hals hat die eine von ihnen ein breites Flechtband, die andere einen Kranz von acht stilisierten Köpfen bärtiger Europäer mit langen Haaren.

F. In diesem Absatze sind drei völlig isolierte Formen zusammengefaßt; die hier Fig. 560/1/2 abgebildet sind. Die erste Maske zeigt uns das Gesicht eines bärtigen Europäers mit langen, in eine Spirale ausgehenden, gedrehten Schläfenlocken. Auch der kurz und spitz zugeschnittene Vollbart ist in der Art gedrehter Locken stilisiert. Um den Hals liegt eine richtige Tolle, an die nach außen noch neun mit konzentrischen Leisten gefüllte Halbkreise angeschlossen sind. Für die vielfach aus Stroh geflochten zu denkende Kopfbedeckung verweise ich auf die Abbildung unter ausdrücklichem Verzicht auf jeden Versuch einer Deutung. Wie bei den Masken mit Negergesichtern sind die Augen mit Eisen eingelegt. Ähnliche Masken von langhaarigen Europäern sehen wir mehrfach auf Platten sakraler Art von dem mittleren Manne der dämonischen Trias getragen; sie hängen da zu dritt (vermutlich auch seitlich, also zu fünft) in der Hüftgegend vom unteren Rande des Perlhemdes oder von einer Hüftschnur herunter, wozu z. B. die Abb. 195 auf S. 114 zu vergleichen ist.

Die zweite Maske Abb. 561, ein kostbares Unikum, wissenschaftlich und künstlerisch gleich wertvoll, ist von R. D. bisher leider nur ganz unzulänglich abgebildet und beschrieben worden. Ich kann hier nichts tun, als den Wunsch nach einer würdigen Veröffentlichung dieses merkwürdigen Stückes aussprechen, das drei oder vier Abbildungen von verschiedenen Seiten und in der Größe des Originals verdienen würde, und bringe inzwischen recht und schlecht eine Wiedergabe des Lichtdruckes bei R. D., der nur eine Vorderansicht gibt, während eine mehr von der Seite genommene ungleich lehrreicher gewesen wäre. Man sieht immerhin, wie aus jedem Nasenloch eine Schlange entspringt, die einen Frosch gefaßt hält; ähnliche Schlangen liegen in der Schläfengegend und scheinen mit Händen zusammenzuhängen und mit (dem Unterkiefer aufliegenden) Krokodilköpfen. Unterhalb der Mundwinkel entwickelt sich jederseits ein Arm, mit der Faust den Leib einer Schlange ergreifend, die sich um den Vorderarm geschlungen hat und den Kopf in der Nähe der Kinnmitte herabhängen läßt. Stirn und Scheitel bedecken allerhand kleine Figuren von Menschen und Tieren, diese in ganz flachem Relief, während alles, was dem Gesichte aufliegt, nahezu rund vorspringt; nur ein geflochtener Zopf, der in mediansagittaler Richtung von hinten nach vorn verläuft, ist auch fast rund angelegt. Ober den inneren Augenwinkeln waren schmale Eisenbänder eingelegt, die jetzt zwar größtenteils verschwunden sind, aber doch die rassenmäßige Zugehörigkeit des Gesichtes einwandfrei sichern, wenn auch sonst die Maske stilistisch vielfach von andern Benin-Arbeiten abweicht. Einige Freunde, denen ich im Brit. Museum das Original zeigen konnte, erklärten es für ganz undenkbar, daß jemals ein »Neger« ein derartiges Kunstwerk schaffen könnte; man muß zugeben, daß es jahrhunderte-

  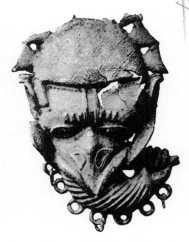

Abb. 560 a, b. Zwei Ansichten des maskenförmigen Anhängers P. R. 343; wegen der Halskrause des bärtigen Europäers siehe auch S. 376 unter A.

Abb. 561. Anhänger in Form einer »dämonischen« Maske. Nach R. D. XI, 2. Etwa ½ (7/16) d. w. Gr.

Abb. 562. Anhänger, Bronze, Hamburg, nach Hagen, Ber. f. 1904. ⅓ d. w. Gr. Unter den menschl. Ohren sind anscheinend noch Elefantenohren dargestellt; s. S. 379.

lange Tradition voraussetzt, aber ich sehe keine Möglichkeit, es inhaltlich oder stilistisch oder auch nur rein technisch einem andern Kreise einzufügen, als eben dem der Benin-Kunst. Innerhalb dieses Kreises ist seine Stelle ohne weiteres gegeben: es schließt sich unmittelbar an die beiden Köpfe an, die S. 362 besprochen wurden und für die hier nur auf Taf. 64 verwiesen zu werden braucht; künstlerisch steht die Maske ja ungleich höher als diese Köpfe, aber inhaltlich kommt sie ihnen sehr nahe, und wenn wirklich, wie ich oben angedeutet, für jene ein Zusammenhang mit dem Kulte des Zeus Sabazios zu vermuten ist, so muß an einen solchen erst recht auch für die kleine Maske gedacht werden. Über ihr Alter ist es gegenwärtig kaum möglich, zu einem abschließenden Urteil zu gelangen; ich war lange Jahre der Meinung, daß die Maske um Jahrhunderte älter sei als die große Menge der übrigen Benin-Altertümer, aber die zwei »Ösen«, die auch auf unserer schlechten Abbildung in der Gegend des oberen Stirnrandes sichtbar sind, haben eine ganz bedenkliche Ähnlichkeit mit den Ösen, von denen S. 369 die Rede war und von denen wir annehmen, daß sie sich aus konventionell stilisierten Köpfen von Europäern mit langen Locken entwickelt haben, wie ein Blick auf Taf. 94 lehrt. Freilich können solche Ösen sich auch auf ganz andere Weise entwickeln, aber ihr Vorkommen auf dieser Maske mahnt doch jedenfalls zu äußerster Vorsicht und darf bei dem Versuche, sie zu datieren, nicht übersehen werden; eine sichere Datierung dürfte aber erst an der Hand von systematischen Ausgrabungen in Benin selbst möglich sein. Inzwischen ist an die schöne Platte R. D. XXIII. 3 zu erinnern, von der hier S. 240, Fig. 373, eine Abbildung gegeben ist; von den zwei auf dieser Platte erscheinenden Negern in typischer Benin-Ausrüstung hat der zur Linken stehende von seiner Schwertscheide eine dämonische Maske herabhängen, die mit der uns hier beschäftigenden zweifellos verwandt ist. Inwieweit die beiden Masken aber zeitlich zusammenfallen oder auseinanderliegen, kann nur ein genauer, unmittelbarer Vergleich der Originale lehren.

Ein nicht minder kostbares Unikum, das 1904 nach Hamburg gelangte, ist hier Fig. 562 abgebildet; die kleine Maske zeigt eine erstaunliche Kombination eines menschlichen Gesichtes und eines Vogelschnabels mit den Zähnen und dem Rüssel eines Elefanten. Auf der Stirn sind richtige Benin-Narben; auch die über der Nasenwurzel sind im Relief ausgeführt, gleich denen über den Augen. Die Kopfbedeckung ist am oberen Rande mit einem frontalen Kranz von »Schellen« geschmückt; der untere Rand zeigt zu beiden Seiten der Stirn, vor den menschlich gebildeten Ohren, je eine zierliche Rosette.

G. Nach diesen wertvollen und interessanten Stücken müssen der Vollständigkeit wegen nun auch einige Dutzend sehr unerfreuliche Anhänger erwähnt werden, die, immer schlechter und schlechter werdend, eine lückenlose Reihe bilden von den Formen, wie sie auf unserer Taf. 96 zusammengestellt sind bis hinab zu so minderwertigen und abscheulichen Dingen, wie sie hier Fig. 565 und 566 abgebildet sind. Die Berliner Sammlung kann sich rühmen, kein einziges dieser schlechten Stücke zu besitzen; ich habe nur einmal zwei Abgüsse herstellen lassen, um den Typus überhaupt vertreten zu haben. Auch sonst sind nur wenige solche Schrecknisse in die europäischen Museen gelangt; die Händler haben sie dann, wie ich höre, nach Amerika abgeschoben. Mehrere nicht ganz schlechte Stücke sind wohl noch im 18. und in der ersten Hälfte des 19. Jahrhunderts gegossen worden; andere stammen sicher erst aus der Zeit nach 1897, manche

564   565   566

Abb. 563. Anhänger, Hamburg C. 3394, 1/3 d. w. Gr. — Abb. 564. Sehr später Anhänger mit ungewöhnlicher Haartracht, Hamburg, nach Hagen, Ber. f. 1901, S. 22. 1/3 d. w. Gr. — Abb. 565/6.
563   Zwei ganz besonders schlechte Anhänger, erst nach 1897 gegossen; etwa 1/2 d. w. Gr.

mögen auf Bestellung gemacht sein, andere sind wohl als ganz törichte Fälschungen zu betrachten. Berücksichtigung verdient aus der ganzen Reihe wohl nur das Fig. 564 abgebildete Stück Hamburg C. 2944; es war ursprünglich als »Negergesicht mit Federschmuck« beschrieben worden; Hagen hat es aber schon in dem Berichte für 1901 richtig als »Gürtelschmuck, Bronzemaske mit abweichender Haartracht« aufgeführt. Die Haartracht mit den drei aufrechten, fast die Höhe des Gesichtes erreichenden Wülsten ist in der Tat für Benin ganz ungewöhnlich und wäre eher vielleicht in die Gegend von Lagos zu setzen; die Stirnnarben sind nicht ganz typisch, und zwei lange, oben in einem spitzen Winkel zusammenstoßende Narben auf jeder Wange deuten auch auf fremde Herkunft; immerhin ist das Stück wohl in Benin gemacht und vielleicht als Porträt einer stammfremden Frau zu betrachten. Eine ganz ähnliche Maske, nur mit noch etwas größeren Glotzaugen, habe ich noch kürzlich bei H. Umlauff in Hamburg gesehen. Beide Stücke können in das 19. Jahrhundert verlegt werden.

H. Des inneren Zusammenhanges wegen sind hier auch noch einige andere Masken zu erwähnen, die sonst eigentlich erst im Kap. 52 mit den übrigen Schnitzwerken aus Elfenbein besprochen werden sollten; sie lehnen sich aber in ihrer Form und zweifellos auch ihrer Bestimmung nach durchaus an die aus Bronze gegossenen maskenförmigen Anhänger an, so daß es falsch wäre, sie von ihnen zu trennen. Mit ihren dünnen und gebrechlichen Rändern weisen sie untrüglich auf ihren Ursprung aus der Metalltechnik; daß man sie kunstvoll aus Elfenbein geschnitzt, zeigt nur das Bestreben, etwas ganz besonders Kostbares und Eigenartiges zu schaffen; ich kenne nur fünf [1]) Stücke dieser Art, und von dem in Rushmore berichtet

---
[1]) 1. 2. Berlin, III. C. 26 372/3. — 3. 4. Zwei Stücke aus der Sammlung von Sir Ralph Moor, vgl. die Abb. 568/9, das letztere Stück jetzt im Brit. Museum, vgl. C. H. Read in »Man« X. Taf. D. — 5. Rushmore, P. R. 25, vgl. die Abb. 567 a b.

48*

P. R. sogar ausdrücklich, daß es in einer eichenen Kiste im Schlafraum des Königs Duboar versteckt gefunden wurde. Die beiden Berliner Stücke sind gebräunt und sehr stark abgenutzt, die drei andern sind augenscheinlich auch alt, aber vermutlich nur ganz ausnahmsweise getragen und sonst meist weggeschlossen gewesen. Von einem dieser Stücke sagt C. H. Read, der doch sonst sicher nicht zu Superlativen neigt und dessen Urteil in Kunstfragen kaum von einem Zeitgenossen übertroffen wird, es sei das Schönste, was überhaupt aus Benin gekommen sei. Die Abbildungen, die ich hier von diesen Masken geben kann, sind unvollkommen und geben nur eine entfernte Vorstellung von der Schönheit der Originale. Die Augensterne und die schmalen, tätowierten Streifen auf der Stirn sind mit Metall eingelegt, das Stück von P. R. ist mit Schnüren von echten Korallen geschmückt. Sehr auffallend ist die Ähnlichkeit der beiden Fig. 568/9 abgebildeten Elfenbeinanhänger mit den zwei Bronze-Masken von Capt. Egerton (Abb. 556/7), zwischen denen eine Art Parallelismus besteht, der kaum zufällig sein dürfte: man könnte fast meinen, daß gerade diese zwei Bronze-Anhänger als Vorbild für die Elfenbein-Masken gedient haben; die Halskrausen, Art und Anordnung der durchbohrten Bossen und die schmalen Gesichter stimmen durchaus

Abb. 567 a, b. Zwei Ansichten eines maskenförmigen Anhängers, Elfenbein, P. R. 25.
¹/₃ d. w. Gr.

Abb. 568/9. Zwei maskenförmige Anhänger,
Elfenbein, aus der Sammlung von Sir Ralph
Moor, nach Ling Roth, Gr. B., 569 jetzt im
Brit. Museum. ¹/₂ d. w. Gr.

568   569

überein; nur in der Bekrönung der Haartracht gehen die beiden ge-schnitzten Masken noch über ihre gegossenen Vorbilder hinaus; die eine hat einen Kranz aus 12 Europäerköpfen, bei der andern wechseln 7 solche mit 6 Welsen ab. Die Augen und die Hüte der Europäer sind mit Kupfer überzogen. Daß diese kostbaren und gebrechlichen Masken als Gürtelschmuck gedient haben, wie wir das für die anscheinend verwandten Anhänger mit Tierköpfen mit Sicherheit wissen, ist von vornherein unwahrscheinlich; vielleicht hat man sie bei seltenen und festlichen Gelegenheiten um den Hals gehängt getragen, aber es gibt keine Platte und auch sonst kein Bildwerk, auf dem jemand mit einem solchen Schmucke dargestellt wäre.

---

28. Kapitel.

Anhänger in Form von Tiermasken, Tierschädeln usw.

[Hierzu Taf. 97 und die Abb. 570 bis 575 B.]

Seite 240, Fig. 373, sowie ausführlicher in den Abschnitten H und I von Kap. 2 S. 104 bis 116 sind Platten mit Darstellungen von Eingebornen beschrieben und abgebildet, die an der Schwertscheide oder als Gürtelschmuck Anhänger in der Form von menschlichen und tierischen Masken sowie von Tierköpfen und Schädeln tragen. Originale solcher Zierstücke sind vielfach auf uns gekommen; die mit menschlichen Masken sind im vorigen Kapitel besprochen worden, hier kommen die als Tiermasken, Tierschädel usw. gebildeten Anhänger an die Reihe.

A. Unter diesen sind solche mit einem Pantherkopfe oder mit einer flachen Maske eines Panthers weitaus die häufigsten; ich kenne eine einzige Platte (siehe Abb. 189 A, S. 107), auf der eine derartige Maske von der Schwertscheide herabhängt, aber es gibt fast zwei Dutzend Platten[1]), auf denen man solche mehr weniger flachen Pantherköpfe oder -Masken in der linken Hüftgegend findet, wo sie einen breiten Gürtel festzuhalten scheinen, aber natürlich in erster Linie als Schmuckstücke oder als besondere Auszeichnungen aufzufassen sind; dementsprechend haben auch die Originale ausnahmslos auf der hohlen Rückseite verschiedene mitgegossene Ringe, die eine dauerhafte Befestigung ermöglichen, und nicht nur einen einfachen Ring, an dem sie etwa um den Hals getragen werden konnten. Diese Masken sind trotz mehrfachen Unterschieden unter sich recht einheitlich; von einigen schlechten und nur aus Blech getriebenen und gepunzten Stücken abgesehen, die meist auch übertrieben lang und schmal sind, schwankt ihre Variationsbreite innerhalb der Grenzen, die durch die Taf. 91 C und E sowie Fig. 570 und 571 abge-

Abb. 570/1. Zwei Anhänger in der Form von Panthermasken; 570 (Auktion Stevens, 10. 4. 00) mit Halskrause und mit wohl bewußt menschlichen Augen; 571 Webster, jetzt Leipzig. ¹/₂ d. w. Gr. Vgl. Taf. 97. — Abb. 572. Maske (?) in Form eines von zwei Händen gehaltenen Elefantenkopfes. Bronze. Nach Hagen, Bericht für 1903. Hamburg C. 3826. ¹/₂ d. w. Gr. Siehe S. 382 unten.   572

bildeten Stücke gegeben sind. Gemeinsam sind allen die stark schräg nach unten konvergierenden Augen, die (mit einer einzigen Ausnahme, Abb. 570) spaltförmigen und in der Regel wie ein breites Band aus Kupfer oder Eisen über den ganzen, nicht von den Lidern bedeckten Bulbus angelegten Pupillen, die ungeschickt dachröhrenförmig gebildete Nase, die kleinen, aufrechten, blattähnlich gefiederten Ohren, die viel zu schlanken Eckzähne und die meist aus kleinen Ringen, nur selten einfach aus den Mundwinkeln entspringenden Schnurrhaare. Die dem Pantherfelle eigenen Flecken sind ähnlich, wie dies S. 336 für die ganzen Panther bemerkt wurde, auch auf den Masken in sehr wechselnder Weise wiedergegeben, oft als glatte Kreise auf punktierter Unterlage, oft als flache, warzenförmige Erhöhungen, manchmal durch eingeschlagene Kupfernägel und Niete[2]), oder auch nur durch punktierte Kreislinien. Die Schnurrhaare sind von sehr wechselnder Länge, fast stets zu dritt auf jeder Seite; nur Cöln besitzt eine Maske, auf der

¹) Vgl. z. B. Taf. 18 A, B, C, E und F sowie Taf. 19 A, ferner die Abb. 190/1 auf S. 108/109.

²) Bei einigen Stücken sind solche Niete ausgefallen, man kann dann sehen, daß zu ihrer Anbringung erst sorgfältige Bohrlöcher hergestellt wurden; bei anderen scheint es, als ob die Stifte oder Nägel aus fremdem Metall schon im Gußkern so befestigt wurden, daß sie beim Gießen vom Erz umfaßt und dauernd festgehalten wurden. So wurden wohl ausnahmslos auch die eisernen Augensterne bei den großen Köpfen und bei den Masken behandelt, und so sieht man auch bei einigen Panthermasken, so bei der Berliner III. C. 10 866, Taf. 97 E, daß die eisernen Streifen für die spaltförmige Pupille schon vor dem Gusse an die richtige Stelle gesetzt worden waren. Auch Einlagen aus Kupfer wurden in der Toreutik von Benin mehrfach in der gleichen Weise angebracht, was natürlich genaue Kenntnis der relativen Schmelztemperaturen voraussetzt.

sie zu viert stehen. Erstaunlicherweise sind diese Schnurrhaare mehrfach verkannt worden; daß sie in den Listen der Händler regelmäßig als drei *cicatrices meeting at a point* beschrieben sind, ist schon schwer zu verstehen, aber auch P. R hat sie nicht erkannt; bei einer seiner drei Masken, bei der sie klein und unscheinbar sind, hat er sie ganz übersehen, bei den zwei andern erwähnt er sie als *barbed figure on each cheek*. Die Spitzen der Ohren sind bei mehreren Masken durch schnurartig torquiert geformte Gußstege mit dem Kopfe verbunden; bei zwei Stücken haben diese Stege aber die Form von Ringen, die zugleich der Befestigung der Maske dienen konnten. Am unteren Ende der Ohrmuschel sind mehrfach Läppchen angelegt, die wohl Tragus und Antitragus vorstellen; hingegen ist die Öffnung des Gehörganges meist vernachlässigt; nur bei wenigen Stücken ist sie angedeutet, am schönsten bei der Fig. 571 abgebildeten Maske.

Besonders hervorzuheben ist noch der entschiedene Parallelismus, der zwischen diesen Panthermasken und denen mit menschlichen Gesichtern besteht; sie haben den gleichen Querschnitt und übereinstimmende Einrichtungen zum Festschnüren sowie längs des unteren Randes gleichartige kleine Ringe, in denen ab und zu noch jetzt Kettchen mit Schellen erhalten sind; viel auffallender ist aber auch das Vorkommen völlig gleichartiger Halskrausen auch bei diesen Panthermasken; Taf. 97 E zeigt uns ein Stück, bei dem die Krause mit einer Reihe von Kreisen mit konzentrischen oder spiraligen Rillen belegt ist, bei Abb. 571 sehen wir ein Flechtband, bei Abb. 570 sogar eine richtige Tolle — alles Dinge, die wir in genau der gleichen Art auch bei den Anhängern mit menschlichen Masken kennen gelernt haben. Leiden besitzt sogar ein Stück, 1310/2, das nach der freilich ganz unzulänglichen, kleinen Abbildung M. IV/5 die Panthermaske mit einer Halskrause von fünf Welsen geschmückt zeigt; diese selbe Maske hat auch längs der Mitte der Stirn und längs dem Nasenrücken einen flachen Streifen mit einem Flechtbande, der durchaus den eingelegten Streifen entspricht, die sich vielfach (vgl. Taf. 96) bei den menschlichen Masken finden. Die Maske 571 hat ein Flechtband, und die Fig. 570 abgebildete einen »Kranz« auch quer über den Scheitel ziehen. Diese selbe Maske hat zwischen den Enden der Tolle und denen des Scheitelkranzes auch jederseits die zwei durchlöcherten Bossen, die wir von menschlichen Masken (Abb. 556/7 und 568/9) kennen; sie hat auch runde Pupillen statt der spaltförmigen, die sonst für alle Panthermasken bezeichnend sind; so macht sie trotz dem gefleckten Fell einen fast menschlichen Eindruck, der noch dadurch verstärkt wird, daß die Eckzähne stark nach unten gerückt und verhältnismäßig klein sind.

Etwas aus der Reihe fällt unter den Panthermasken nur eine in Stuttgart befindliche. Sie ist rundum von einer Art schmalen Tolle umgeben und von rein elliptischer Form; auf der Hinterseite sind in der Nähe des Randes zehn Ringe mitgegossen, symmetrisch und derart, daß oben und unten je drei vorhanden sind, von denen die seitlichen von dem mittleren etwa fingerbreit abstehen; an den Längsseiten sind je zwei Ringe so eingeteilt, daß die Abstände zwischen ihnen und den nächsten Ringen oben und unten ungefähr gleich sind.

Ähnlich, wie wir für die Anhänger in der Form von menschlichen Masken gesehen haben, gibt es auch Panthermasken, die aus Elfenbein geschnitzt sind. Das schönste dieser Stücke, Berlin, III. C. 12 536, ist Taf. 97 D abgebildet; es hat eine richtige Halskrause mit sieben Welsen, deren Köpfe durchbohrt sind; in einem der Bohrlöcher hängt an einem Stück Kupferdraht eine sehr schlanke, schellenförmige Bommel aus Elfenbein. Die Flecken des Felles sind durch um ein großes Bohrloch tief eingeritzte Kreise wiedergegeben. Andere ähnliche Masken aus Elfenbein kenne ich noch aus Rushmore (P. R. 153) und aus Wien (64 704, früher Webster 5355, Heger 101). Ein viertes Stück war im Besitze von Miss M. H. Kingsley gewesen und ist von H. Ling Roth zweimal abgebildet worden (»Studio« 1898 und G. B. Fig. 215); es dürfte jetzt im P. R. Museum von Oxford seinen bleibenden Platz gefunden haben, wohin jedenfalls ein großer Teil der von dieser hochverdienten Reisenden hinterlassenen Sammlung gelangt ist. Keine dieser drei andern Masken hat eine Halskrause, wie die Berliner; dafür sind die Flecke durch tiefe, mit Blei gefüllte Bohrlöcher wiedergegeben.

B. Dieser großen Menge von Panthermasken entspricht nur eine ganz geringe Zahl anderer maskenförmiger Anhänger. So gibt es einen solchen Anhänger in Hamburg, der die Form eines Elefantenkopfes hat. Wie die Abb. 572 zeigt, ist es ein Stück von geringem Kunstwert, aber inhaltlich ganz eigenartig. Die fast hufeisenförmig geformten Schleifen in der Scheitelgegend sind als stilisierte Ohren zu betrachten. Der linke Stoßzahn ist nahe der Wurzel abgebrochen. Zu beiden Seiten des Kopfes scheint sich von hinten her je eine menschliche Hand über die Backengegend zu legen. Ob die Greifhand des Rüssels wirklich eine Tabakspfeife hält, oder ob das nur durch schlechte Retusche vorgetäuscht wird, kann erst durch sorgfältige Nachprüfung des Originals festgestellt werden.

C. S. 112 unten ist die Taf. 17 A abgebildete Berliner Platte erwähnt, auf der ein Benin-Mann mit einer Widdermaske dargestellt ist; eine solche trägt vom Gürtel herabhängend auch der König auf der großen Berliner Gruppe Taf. 81. Originale solcher Masken kenne ich drei, Berlin, III. C. 9951, Taf. 97 B, Dresden (Abb. 573) und Hamburg (Abb. 574); sie sind untereinander nicht unwesentlich verschieden, und wenn jemand behaupten wollte, daß die eine oder die andere oder vielleicht alle drei überhaupt nicht einem Widder, sondern irgend einer oder mehreren Antilopenarten zuzuschreiben sind, wäre er schwer zu widerlegen. Die Berliner Maske ist durch besonders kleine Ohren ausgezeichnet und durch die Verschnürung in der Stirngegend, die an eine ähnliche Behandlung des Rinderkopfes Taf. 45 B erinnert und vielleicht für die Auffassung des Kopfes als den eines Haustieres geltend gemacht werden könnte. An der Hamburger und an der Dresdener Maske sind die strahlenförmig angeordneten »Falten« bemerkenswert, die einen großen Teil der Kiefergegend umgeben; es schiene mir ganz abwegig, auch bei diesen Falten an die alte spanische Halskrause zu denken, von der wir wissen, daß sie in Benin Eingang gefunden hat und die wir (vgl. die Abb. 570) auch bei einer Panthermaske feststellen konnten; daß es Zähne sein könnten, ist gleichfalls ausgeschlossen, da die Benin-Leute natürlich wußten, daß die Wiederkäuer im Oberkiefer keine Schneidezähne haben; hingegen lassen Darstellungen auf geschnitzten Zähnen (vgl. Abb. 799 A) vermuten, daß die Falten als stilisiertes Futter aufzufassen sein könnten.

D. Anhänger in Form von Krokodilköpfen erscheinen auf einigen Platten zu dritt oder zu fünft an einem Hüftband oder am unteren Rande eines kurzen Perlhemdes hängend als Schmuck von Priestern oder sonst Personen mit sakralem Charakter. Ganz ausnahmsweise, im ganzen nur auf drei Platten, findet sich ein solcher Anhänger auch links am Gürtel, an derselben Stelle, an der sonst die Panthermasken befestigt sind. Auf Taf. 20 sind zwei Platten der Berliner Sammlung abgebildet, auf denen diese beiden Tragarten gut zu sehen sind; in der Größe und im Stil dieser Anhänger scheint kein Unterschied zu bestehen;

Abb. 573/4. Anhänger in Form von Widderköpfen, etwa 1/2 bzw. 1/3 d. w. Gr.; 573 nach Webster, Kat. 29, Abb. 112, jetzt in Dresden. 574 in Hamburg, nach Hagen 1900, Taf. V, 1. Vgl. das Berliner Stück, Taf. 97 B.

stilistisch lehnen sie sich durchaus an die großen Köpfe an, die wir einzeln auf Platten dargestellt gefunden haben und von denen auf Taf. 46 gute Vertreter abgebildet sind. Der einzige Bronze-Anhänger aber, der überhaupt im Original erhalten scheint (Berlin, III. C 9952, Taf. 9 A), weicht auffälligerweise von dem Typus der Krokodilköpfe auf den Platten nicht unerheblich ab; die Schnauze ist vorn weit weniger verjüngt, die zwei dachartig geneigten Flächen des Kopfes sind nicht mit nach vorn konvergierenden schmalen Feldern verziert, sondern mit geflammten Schlangenbändern, und die Schuppen in der Nackengegend sind wie fünf fingerartige Wülste gebildet, von denen der zweite und der vierte am oberen Ende eine Öse tragen. Der ganze Rand der Maske ist mit kleinen Ringen versehen, in denen meist noch kleine, zu einem Ring zusammengebogene Metallstreifen hängen. Die Pupillen sind wie bei den Panthern breitspaltförmig und durch eingelegte Kupferstreifen gebildet. Das Stück hat keine sehr gute Patina und gehört vermutlich erst in das späte 17. Jahrhundert. Ein neunmal Weiser hat es ebenso wie den auf derselben Tafel abgebildeten Widderkopf für »gefälscht« erklärt; zu einer solchen Annahme liegt nicht der Schatten eines ernsten Grundes vor. Auch an der Richtigkeit der Herkunftsangabe ist nicht zu zweifeln.

Es gibt auch einen Elfenbeinanhänger mit einem Krokodilkopf. Das Stück ist in Websters Katalog 29 von 1901 als Nr. 11 372 verzeichnet und dort Fig. 61 abgebildet. Ich habe es 1914 in einem Trödelladen in Sydney mit der Bezeichnung als »Jagdzauber der Benin-Indianer« wiedergesehen. Es ist stark gebräunt und durch langes Tragen abgegriffen; die Abbildung bei Webster ist daher recht unscharf, aber das auffallend schlanke Stück war doch leicht wiederzuerkennen.

E. Es gibt drei Benin-Platten (Taf. 25 E, Abb. 187 und 373), auf denen man sehen kann, wie vom Eingang einer Schwertscheide ein Pantherschädel mit einer kleinen, runden Glocke herabhängt. Ein Original eines solchen Pantherschädels, aus Bronze gegossen, befindet sich in Berlin (III. C. 18 153) und ist hier Fig. 575 A abgebildet. Es war uns als »Maske eines Widderkopfes« angeboten worden, ähnlich wie die gleichartig stilisierten Pantherschädel auf einer Londoner Platte sogar von Fachleuten als Schädel von Rindern veröffentlicht wurden; Berlin besitzt noch zwei weitere in Bronze gegossene Pantherschädel, ohne Glocken, III. C. 17 118 und 19 208; beide sind sehr viel naturwahrer geformt, besonders der erstere könnte beinahe als anatomisch richtig bezeichnet werden; gleich ausgezeichnete Stücke besitzt auch Dresden und Hamburg. Den letzteren hat Hagen im Bericht des H. M. f. V. für 1900 veröffentlicht. Bei den Fan werden wirkliche Schädel von Panthern noch heute ab und zu am Körper getragen, ob als Jagdtrophäe, wie man eigentlich annehmen möchte, oder nur als Schmuck, konnte ich nicht mit Sicherheit feststellen.

F. Auch mazerierte Schädel von Krokodilen haben in Benin als Vorlage für Bronzeguß gedient;

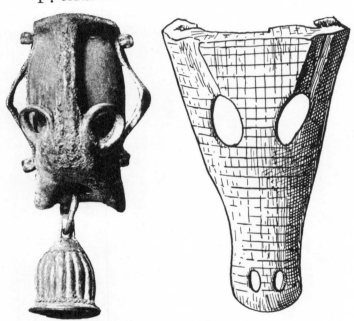

ich kenne zwei solche Stücke, Berlin, III. C. 18 944 (Abb. 575 b) und ein ähnliches, Hamburg, C. 3954, beide, wie ich jetzt sehe, im selben Jahre von einem deutschen Kaufmann, O. Kaiser, erworben, der sie also vermutlich als zusammengehörig beisammen gefunden hatte; vielleicht darf man daraus schließen, daß solche Bronzeschädel in ähnlicher Weise zu dritt oder zu fünft getragen wurden, wie die Bronzeköpfe von Krokodilen, vgl. die Abb. 195 auf S. 114, daß wir sie demnach als Insignien einer besonderen sakralen Würde zu betrachten haben.

Abb. 575 a, b. Anhänger in Form eines Panther- und Krokodilschädels, Berlin III. C. 18 153 und 18 944. ¹/₂ d. w. Gr.

G. In drei Exemplaren kenne ich schließlich Nachbildungen ganzer Schildkrötenpanzer, die vermutlich auch als Anhänger gedient haben und wohl schon wegen des Rasselgeräusches, das sie bei jeder Bewegung verursachten, als geschätzter Schmuck der Schwertscheide zu betrachten sind. Das beste dieser Stücke, Hamburg C. 4043, ist hier Fig. 575 c abgebildet; es mißt 12,5×16 cm bei einer Höhe von 8 cm. Ähnlich ist Wien 64 675 (vorher Webster 3213, Heger 59), dort als Schale von Cinixys homeana, Bell bestimmt; es ist sehr dickwandig gegossen. Recht minderwertig scheint dagegen, soweit nach der Abbildung ein Urteil möglich ist, das dritte Stück zu sein, P. R. 118. Es ist etwas größer als das Hamburger und anscheinend nur aus dünnen, ganz schlecht repoussiertem und gepunztem Blech zusammengebogen; im kurzen, begleitenden Text ist über die Technik nichts weiter gesagt, als daß jedes Feld in der Mitte mit einem kupfernen *bolt or stud* eingelegt sei.

Abb. 575 c. Anhänger in Form eines Schilkrötenpanzers, Hamburg, C. 4043. ¹/₃ d. w. Gr.

29. Kapitel.

Anhänger in der Form eines Wappenschildes.

[Hierzu Taf. 98 und die Abb. 576 bis 590.]

In diesem Kapitel sind kleine Anhänger von der Form eines heraldischen Schildes vereinigt, von denen man bisher nicht gewußt zu haben scheint, wie und wo sie ursprünglich getragen wurden; sie sind durchschnittlich rd. 15 cm hoch und haben mit wenig Ausnahmen in der Mitte ihres oberen Randes oder etwa an einem über diesen Rand vorragenden Kopf eine breite Öse für ein in frontaler Richtung durchlaufendes Band; P. R. hat für sie die ganz unpassende Bezeichnung »Aegis« gewählt und dadurch auch andern Autoren die Vorstellung suggeriert, daß sie als Halsschmuck gedient haben. Ihrer Form, Größe und ganzen Art nach würden sie dazu sicher auch ganz geeignet sein, ebenso etwa auch als Stirnschmuck für eine Pferderüstung; selbst daß sie in der gesamten Toreutik von Benin niemals als Halsschmuck getragen erscheinen, könnte noch damit erklärt werden, daß sie lediglich von Frauen getragen wurden, und daß Frauen niemals auf Platten dargestellt sind; da solche Anhänger aber auch auf andern Benin-Bildwerken niemals als Hals- oder Brustschmuck erscheinen, wird man die Bezeichnung als »Aegis« natürlich ablehnen müssen. Die richtige Auffassung ergibt sich leicht, sobald man einmal erkennt, daß unter den rund 60 uns erhaltenen Anhängern dieser Art mehr als zwei Drittel sich in Gruppen oder »Garnituren« einordnen lassen, die aus mindestens drei unter sich ganz gleichen Stücken bestehen, die offenkundig zusammengehören. Damit ist die alte Verwendung dieser Anhänger auch sofort gegeben. Man braucht sich nur an die S. 91 ff. beschriebenen Personen »dämonischer oder sakraler Art« und an die Abb. 166 bis 170 oder etwa an die Abb. 195 auf S. 114 zu erinnern, um sofort zu wissen, wo und wie diese schildförmigen Anhänger getragen wurden: sie gehören zur typischen Ausstattung jener Würdenträger, die durch ihr Perlhemd und durch den priesterlichen »apex« auf ihrem mit Perlen bedeckten Helm ausgezeichnet sind und werden zu dritt an einem Gurtbande um die Mitte getragen, genau wie wir das auch von den Krokodilköpfen und von einigen Masken wissen.

A. Anhänger mit einem berittenen Europäer (vgl. Berlin, III. C. 8528, Taf. 98 B und das hier Fig. 576 abgebildete Hamburger Exemplar) kenne ich im ganzen vier; darunter sind drei untereinander so ähnlich, als die Technik des Gusses in verlorener Form das nur überhaupt gestattet; man könnte sie auch bei sehr sorgfältiger Vergleichung verwechseln, wenn nicht Zufälligkeiten der Erhaltung eine Unterscheidung ermöglichten. Von dem dritten gleichen Stück, Dresden 16 173 (vgl. die Abb. 103 bei Webster 29 von 1901) ist das schmale untere Ende abgebrochen, auch ist es in der Halsgegend ganz leicht verbogen, so daß man zunächst daran denkt, der Künstler habe dem Kopfe absichtlich eine kleine Neigung geben und dadurch eine in Benin sonst kaum je erreichte Wirkung erzielen wollen. Im übrigen ist bei allen drei Stücken gerade auf den Kopf sehr viel Sorgfalt verwandt worden; um so weniger Mühe hat man sich mit dem Reittier gegeben, von dem nur der Kopf mit der üblichen Aufzäumung, der stark betonten Stirnmähne und dem breiten Halsband sorgfältig und geschickt modelliert ist, während man das übrige Tier in recht kindisch flüchtiger Weise hergestellt hat. Kopf und Beine des Reiters sind in Seitenansicht, der Rumpf aber in rein frontaler Ebene zur Anschauung gebracht; die Arme sind gleichmäßig halb gestreckt und im Ellbogengelenk etwa im rechten Winkel gebeugt, so daß sie wie ein lang ausgezogenes W wirken; die rechte Hand hält den Halfterstrick, die linke, mit der Spitze nach abwärts, jene Art von Spieß mit zwei halbmondförmigen, zurückgebogenen Haken, die man meist als Ranseur, aber auch als Spetum, Runca, Pike oder Sponton bezeichnet findet; die ganze Geste ist in ihrer Bedeutung unklar; eigentlich sehen alle drei Anhänger gleichmäßig so aus, als ob da ein junger Mann dargestellt wäre, der hilflos auf einem schlechten Pferde sitzt und sich mit allen Vieren vergebens bemüht, es vorwärts zu bringen; hinten scheint er es mit seinem Spieß zu schlagen, vorn es am Halfterstricke zu reißen; aber ich will diese Auffassung niemandem aufdrängen; es ist möglich, daß ich sie mir nur selbst suggeriere, aber es würde mir schwerfallen, die Szene anders zu deuten als in einem für den Europäer unfreundlichen Sinne. Er ist im übrigen bartlos dargestellt, mit glatter, eng anliegender Kappe und langen, schlichten Haaren; er hat einen gemusterten Rock mit kurzen, nur bis an die Ellenbogen reichenden Ärmeln, und über diesen einen richtigen Benin-Panzer, der auch nach einheimischer Art unter den Achselhöhlen mit einem Gurte festgebunden ist; an der Hüfte liegt ein kurzes Schwert mit einer Schutzspange am Griff; der Mann reitet ohne Sattel und ohne Decke. Über der Kappe erhebt sich noch die breite, in der Mitte mit einem Flecht-

bande verzierte Öse zum Anhängen des Stückes; die Grundfläche des Schildes ist mit einem Schuppenmuster bedeckt; unten und an den Seiten ist es von mitgegossenen kleinen Ösen umrahmt, die jetzt teilweise ausgebrochen sind; von den eingehängt gewesenen Kettchen und Schellen haben sich nur spärliche
Reste erhalten.   An diese drei unter sich gleichen und zweifellos zusammengehörigen Stücke reiht sich
ein viertes, P. R. 112; es ist in allen Einzelheiten durchaus gleichartig, aber im ganzen von geringerer
Qualität; es gehört sicher zu einer andern »Garnitur«; von dem ursprünglichen Behang sind noch vier
Kettchen erhalten, die mit der Schelle fast 6 cm lang sind.

   B. Anhänger mit einem Pantherkopf zwischen zwei sich zankenden Europäern; vgl. die Abb. 577
und 578.   Dieses schöne und auch kulturhistorisch interessante Stück ist in drei völlig gleichen Exemplaren erhalten, die nach Dresden (16 169, früher Webster, 29/1901), Hamburg (C. 2389, erworben 1899)
und London (R. D. XI. 6, erworben 1898) gelangt sind.   Sie sind alle drei gleichgroß, etwa 16 cm hoch
und 12 cm breit.   Den größten Teil der schildförmigen Fläche nimmt ein frontal gestellter Pantherkopf
ein; an den Seiten steht je ein Europäer, auch im wesentlichen frontal, nur die Köpfe sind einander in
etwas mehr als reiner Seitenansicht zugewandt; an der gegen die Europäer unfreundlichen Gesinnung
des Künstlers kann diesmal nicht gezweifelt werden: er hat ihnen häßliche und zänkische Gesichter gegeben und hält sie in der Szene eines Trunkenheitsexzesses fest; der eine hält eine Flasche und wird von
dem andern mit einem Spieß bedroht; dieser wird genau wagerecht, parallel mit der Oberkante des An-

hängers gehalten;
den schon hierdurch
erweckten Eindruck
strengster Symme-
trie verstärkt noch
ein über der Mitte
des oberen Randes
vorragender Kopf
eines dritten Euro-
päers, der als Zu-
seher der wider-
wärtigen Szene ge-
dacht ist und ein
entsprechend un-
glückliches Gesicht
zu machen scheint.

Abb. 576/7/8.   Anhänger von Bronze, 1/3 d. w. Gr.   576 = Hamburg, C. 4050, nach Hagen, 1904; vgl.
Berlin III. C. 8528, Taf. 98 B. — 577 = Dresden 16 169, nach der Abb. 97 bei Webster 29 von 1901. —
578 = Hamburg C. 2389, nach Hagen, A. v. B., Taf. V, 6.

Dieser Kopf trägt die breite Öse, an der das ganze Stück getragen wird.   An dem Londoner Exemplar
ist er samt der Öse abgebrochen, aber die vollkommen symmetrische Bruchlinie, die durch das Kinn
und die beiderseits herabhängenden langen Haare gegeben ist, gestattet eine Ergänzung mit derselben
absoluten Sicherheit, als wäre das abgebrochene Stück im Original erhalten und nicht nur an den zwei
identischen Exemplaren in Dresden und Hamburg.   Trotz aller Sparsamkeit habe ich es doch für richtig
gehalten, diese beiden Stücke, das Dresdener und das Hamburger, hier nebeneinander abzubilden, um zu
zeigen, wie weitgehend ihre Ähnlichkeit ist.   Natürlich können aber diese kleinen Abbildungen auch
nicht entfernt eine Vorstellung von der wirklichen Schönheit der Stücke geben.   Diese kann nur durch
Reproduktion in sehr viel größerem Maßstabe vermittelt werden.   Hingegen scheint mir auch aus den
ganz kleinen Ansichten schon hervorzugehen, daß diese Anhänger und die im ersten Abschnitt erwähnten
mit dem reitenden Europäer von ein und demselben Künstler gemacht sind.

   C. Auf einer größeren Anzahl dieser schildförmigen Anhänger erscheint die uns von zahlreichen
Platten her schon so wohlbekannte dämonische Trias, jene drei durch ihr Perlhemd und den *apex* auf
dem Helm charakterisierten Personen, von denen die mittlere von den beiden andern gestützt wird.
Ich kenne fünf verschiedene »Garnituren« mit dieser Trias und noch eine kleine Anzahl von
einzelnen Anhängern, die in die gleiche Gruppe gehören und zu denen die Gegenstücke einstweilen noch nicht zum Vorschein gekommen sind.   Die einfachste Form zeigt uns die drei Leute, gleichgroß
nebeneinander stehend, die mittlere Person von ihren Begleitern nur durch das an der Brust hängende
»Kleinod« und durch eine größere Anzahl von Kropfperlen ausgezeichnet, die auch noch den Mund bedecken, während bei seinen Begleitern die oberste Perlschnur noch unter der Unterlippe liegt.   Eine

(übrigens nicht gedruckte) Beschreibung eines dieser Anhänger erwähnt »vor dem Gesicht ein Visier, welches die Augen freiläßt«; das ist natürlich nur die unbeholfene Ausdrucksweise eines Anfängers, der sich mit den lithamartig einen Teil des Gesichts bedeckenden Perlschnüren noch nicht vertraut gemacht hatte. In diese erste Gruppe gehören neben mehreren Bruchstücken die sehr gut erhaltenen Anhänger Hamburg C. 2391 und die Nummer 14 der Sammlung von Admiral Rawson; die *apices* sind auffallend hoch, wesentlich höher als z. B. auf den Fig. 166 bis 170, Fig. 195 und Taf. 43 abgebildeten Platten, was vermutlich nur rein stilistische Bedeutung hat.

Eine zweite »Garnitur« ist durch die Stücke Berlin III. C. 8753 (Taf. 98 G), Leipzig (früher Webster Abb. 36 von 29, 1901) und P. R. III gegeben; die einzelnen Stücke sind den vorigen sehr ähnlich, nur findet sich zwischen den etwas auseinandergespreizten Unterschenkeln jeder Person noch ein längsgestreifter Frosch, mit dem Kopfe nach unten; bei dem Berliner Stücke ist der mittlere Frosch durch einen undeutlichen Knoten ersetzt; alle drei *apices* sind abgebrochen, zur Ergänzung ist daher auf Taf. 98 H ein Bruchstück eines ähnlichen Anhängers mit erhaltenem, wenn auch etwas verbogenem *apex* beigefügt. Das phallus-ähnliche Aussehen dieses einzelnen *apex* ist wohl nur Zufall; jedenfalls gibt die Behandlung des *apex* auf den großen Platten kaum Anlaß zu einer solchen Deutung.

Eine dritte »Garnitur« ist einstweilen, außer durch kleine Bruchstücke, nur durch ein ausgezeichnet schönes Stück bei H. Umlauff, Hamburg, vertreten; die drei Frösche sind da in dem freien Felde unter den Füßen der Trias eingeteilt.

Von ganz besonderer Schönheit sind die Stücke einer vierten »Garnitur«, von der ein Stück schon früh nach Leiden (1163/3 = M. Taf. III.4) gelangt ist, das zweite erst 1917

Abb. 579. Anhänger aus Bronze, nach Webster, 29, 1901, Abb. 109. Jetzt Dresden 16167. Vielleicht Darstellung eines kultischen Tanzes. — Abb. 580. Anhänger aus Bronze, Leiden 1163/3; etwa 1/3 d. w. Gr.

nach Wien. Das dritte ist noch ausständig. Wie sich aus der Abbildung 580 ergibt, hat der mittlere Mann der »dämonischen Trias« zwei[1]) Welse mit den Köpfen nach unten von seinen Hüften herabhängen, gleich den ihm auch sonst verwandten dämonischen Personen Taf. 43 A und C oder auf den Abb. 166/7/8 auf S. 92. Er steht auf dem großen Kopf eines Negers, aus dessen Mundwinkeln sich jederseits ein Wels nach oben windet. Unter den Füßen seiner beiden Begleiter hockt ein längsgestreifter Frosch, mit dem Kopfe nach unten. Die zum großen Teil durchbrochene schildförmige Grundplatte ist in der üblichen Art von kleinen Ösen umrahmt, nur in den beiden oberen Ecken findet sich noch je ein großer Wels, den Kopf nach oben gewandt und den Körper so nach außen geringelt, daß er eine kleine Öffnung einschließt, die gleichsam als Fortsetzung der Randösen wirken soll. Der alte Leidener Katalog bezeichnet das Bildwerk etwas ungenau als »Group van drie Krygslieden«; an dem dämonischen Charakter des kostbaren Stückes ist natürlich nicht zu zweifeln. Über den nach Wien gelangten ist der Beschreibung des Leidener Anhängers nichts hinzuzufügen.

Eine fünfte »Garnitur« scheint durch einige Anhänger vertreten zu sein, für die hier auf den Berliner III. C. 8754, Taf. 98 i als Vertreter verwiesen sei. Inhaltlich stimmt er mit den Stücken der drei ersten

---

[1]) Abb. 580 zeigt allerdings nur einen solchen Wels; der zweite, der wegen der mit voller Sicherheit anzunehmenden Symmetrie leicht ergänzt werden kann, ist abgebrochen; auf der von M. Taf. III, 4 gegebenen, sonst freilich recht mangelhaften Abbildung ist er noch vorhanden. Auch die neue, hier abgedruckte Ätzung wird dem Originale nicht entfernt gerecht. Das Museum in Leiden würde sich ein großes Verdienst erwerben, wenn es bald eine große und einwandfreie Abbildung dieses ungewöhnlich schönen und wichtigen Stückes veröffentlichen würde.

Garnituren ebenso überein, als er stilistisch von ihnen verschieden ist; die Oberkörper aller drei Personen sind unverhältnismäßig lang und nach unten zu unnatürlich verjüngt; die oberen Augenlider sind sehr groß und von oben nach unten wie zusammengedrückt, so daß sie dachartig vorragen; die mittlere Person steht je mit einem Fuße auf einem großen Tierkopfe. Die »apices« aller drei Personen sind verbogen, vermutlich meist absichtlich, aber das trägt auch zu dem grotesken Eindruck bei, den die ganze Gruppe macht. Ich kann über das Bildwerk zu keinem abschließenden Urteil kommen und wage auch nicht, es zu datieren; es kann primitiv und alt sein, oder dekadent und wesentlich jünger als das 16. Jahrhundert; unter andern Umständen könnte man an einen Künstlerscherz denken, aber ein solcher wäre in Benin schon an sich ganz unwahrscheinlich, und erst recht einer mit einem so ernsten, zweifellos dämonischen Vorwurf. Kleine Bruchstücke ähnlicher Anhänger habe ich bei englischen Händlern gesehen; ein etwas größeres Bruchstück eines vielleicht verwandten Bildwerkes, früher Webster 11 703 (Kat. 29, 1901, Abb. 140) ist nach Dresden gelangt. Gleich grotesk wirken zwei gut erhaltene Stücke, Wien 64 677 (Heger 61) und Dresden 16 167; von diesem kann ich hier, Fig. 579, eine kleine Abbildung geben, die wenigstens eine ungefähre Vorstellung von dem Stile dieses merkwürdigen Bildwerkes vermittelt. Der Kopf der Hauptperson ist abgebrochen, aber er ist mit großer Sicherheit im Stile des *apex*-Helmes ihrer Begleiter zu ergänzen. Die Körper aller drei Personen wirken wie Vogelleiber, aber sind sicher nicht als solche gedacht; ihre Form ist nur groteske Weiterentwicklung des Stiles, den wir eben auf dem Berliner Anhänger festgestellt haben; auch was wie Federn aussieht, sind nur die Perlhemden, die wir bei allen diesen dämonischen Personen finden; ebenso kann die Bekleidung der Hüftgegend nur verstanden werden, wenn man von der Bekleidung typischer Benin-Leute ausgeht. Da kennen wir als Regel für die dämonischen Personen, und zwar sowohl für die Hauptperson in der Mitte als für ihre beiden Begleiter, einen symmetrischen Schurz, der fast wie ein ganz kurzer Weiberrock aussieht. Es gibt aber einzelne Darstellungen, auf denen die Begleiter oder auch einzelne dämonische Personen mit Perlhemd und *apex*-Helm nicht diesen kurzen, symmetrischen »Rock« tragen, den wir eigentlich an ihnen erwarten, sondern das sonst allgemein in Benin übliche Lendentuch mit dem unsymmetrischen, gegen die linke Schulter hin hochragenden Zipfel. So ist auch die Bekleidung der grotesken Trias auf dem Dresdener Anhänger zu verstehen; alle drei haben Perlhemden; die Hauptperson in der Mitte hat den kurzen, symmetrischen Rock, wie er von den meisten dämonischen Personen getragen wird; ihre zwei Begleiter haben das typische Lendentuch mit dem unsymmetrischen Zipfel. Daß der Rock der Hauptperson dabei wie durchsichtig gebildet ist und die unter ihm liegenden Körperformen sichtbar werden läßt, ist vermutlich ganz unbeabsichtigt und nur durch Ungeschick zustande gekommen; auch daß die Füße aller drei Leute wie Pferdefüße aussehen, ist wohl nur Zufall. Immerhin aber haben wir es da mit einem höchst eigenartigen Bildwerk zu tun, das ich der Aufmerksamkeit der Kollegen auf das dringendste empfehlen möchte. Es wird vielleicht am besten im engen Anschluß an die zwei zu Beginn dieses Absatzes erwähnten grotesken Anhänger der Berliner und der Wiener Sammlung studiert; eine monographische Behandlung dieser drei Stücke schiene mir sehr dankenswert. Ich halte es nicht für ausgeschlossen, daß es sich um die Darstellung kultischer Tänze handelt.

Anhangsweise wird hier noch eine sechste »Garnitur« erwähnt, obwohl die dargestellten Personen nur mehr zum Teil dämonischer Art sind; aber es handelt sich doch immerhin, vgl. den Berliner Anhänger III. C. 12 518, Taf. 98 F, um eine Trias von Leuten, die in ihrer Haltung und Anordnung durchaus an die rein dämonischen Gruppen auf den oft erwähnten Platten und Anhängern erinnern; der Mann in der Mitte hat keinen Perlhelm mit *apex*, aber er hat eine Haartracht mit einem *tutulus* und statt des typischen Perlhemdes eine aus großen Perlen in weiten, rechteckigen Maschen genetzte Jacke; auf dem kurzen Rocke hängen drei Masken, in der Mitte anscheinend eine menschliche, zu beiden Seiten Panthermasken; unter seinen Füßen ist ein nach rechts schreitender Panther mit flüchtigen Strichen eingepunzt. Seine beiden Begleiter sind etwas kleiner als er und haben die Tracht und Tätowierung gewöhnlicher Benin-Leute. Der Schild, auf dem sich diese Trias befindet, ist wesentlich schmäler als bei allen den andern Anhängern, die in diesem Kapitel beschrieben werden, und hat fast parallele Seiten, die sich erst unten zu einem Halbkreis vereinigen; auch hat er oben keine Öse, sondern einen nahezu die ganze Breite des Stückes einnehmenden Bügel, wie von einem Scharnier; die drei andern Seiten sind mit dichtgestellten kleinen Ösen besetzt, an denen sich ab und zu noch ein spärlicher Rest des alten Behanges befindet. Zu diesem Berliner Stücke gehören zwei fast absolut identische: Dresden 16 066 und Liverpool, 7. 10. 97. 7. Von dem letzteren ist im Bull. Liverpool Mus. Vol. I. 1898, S. 50 eine ganz ausgezeichnete Abbildung veröffentlicht; im zugehörigen Text heißt es: ..... *obvious use, having been the lid of a box* ..... Dies ist etwas vorschnell; auf dem gleichen Stücke in Dresden haben sich sogar noch einige Kettchen mit Schellen erhalten; daß es sich also um zu dritt getragene Anhänger, nicht um Deckel, handelt, scheint mir einwandfrei gesichert.

D. Auf Taf. 98 A und C sind zwei ausgezeichnet schöne Berliner Anhänger abgebildet, III. C. 8529 und 9953 [1]), die unter sich fast ganz gleich sind. Sie zeigen eine Frau mit hoher Zipfelmütze, von der in der Schläfengegend beiderseits dichte Reihen von Perlschnüren bis an die Schulter herabhängen. Um den Hals liegt ein fast armdicker Wulst von Perlen, den wir noch auf einer großen Zahl verwandter Anhänger finden und als ein sehr beliebtes Schmuckstück von Benin-Frauen oder -Mädchen kennenlernen werden. Der Oberkörper ist nackt. Auf der Brust kreuzen sich bandelierartig getragene breite Bänder mit Perlen; die linke Hand hält eine Glocke, die mit einem in der rechten gehaltenen Stäbchen angeschlagen wird. Um die Hüften liegt ein sehr kurzer, nicht einmal bis an die Kniee reichender Schurz (oder Rock?), der mit Flechtbandmustern verziert ist. Die leeren Flächen zu den Seiten der Frau werden in Schurzhöhe je von einem längsgestreiften Frosch ausgefüllt. Ebenso entspricht der Glocke in der rechten Ecke auf der linken Seite eine knopfartige Erhöhung, die ich nicht deuten kann, die aber in wechselnder Form bei einer ganz großen Zahl von Anhängern an derselben Stelle wiederkehrt. Bei dem Stücke Taf. 98 C hat sie die Form eines kurzen, senkrecht von der Plattenfläche vorragenden Zylinders; bei dem andern Stücke Taf. 98 A scheinen diesem Zylinder oben und unten, rechts und links noch kleine, walzenförmige Erhöhungen angelegt, so daß man an einen kreuzförmigen Nagelkopf erinnert wird. Ein drittes, völlig gleichartiges Stück ist Dresden 16 068; ferner gibt es noch zwei weitere Anhänger derselben Art, Webster 11 618 und 11 620 (Kat. 29 von 1901, Abb. 111 und 127), die an den Rändern etwas bestoßen, aber sonst ganz ausgezeichnet schöne Vertreter dieses Typus sind; bei dem ersteren ist der Knopf auffallenderweise von der linken in die rechte Ecke, unmittelbar neben die Glocke, versetzt; sein Verständnis wird dadurch nicht erleichtert. So sind da also im ganzen fünf Exemplare eines sehr schönen Anhängers vorhanden, auf dem eine Frau mit einem Stäbchen an eine Glocke schlägt; vermutlich gehören sie zu zwei »Garnituren«; doch schien mir der Versuch, sie einzuteilen, allzu gewagt; einige der Frauen sind entschieden als sehr jung gedacht, andere wohl als älter, einige haben ein breites, andere ein auffallend schmales Gesicht, aber wir wissen nicht, inwieweit das innerhalb einer »Garnitur« zu schwanken pflegte; die wechselnden Formen des seiner Bedeutung nach unbekannten Knopfes würden eine sichere Einteilung noch weiter erschweren.

Eine Gruppe für sich bildet ein Anhänger, Webster 11 675 (Abb. 98 im Kat. 29 von 1901); da steht die Frau wesentlich schlanker mit angelegten Armen, so daß sie kaum mehr als ein Drittel der ganzen Schildfläche einnimmt; sie trägt eine spitze, kegelförmige, nach vorn geneigte Kappe, auf der mehrere Reihen von quergelegten großen, zylindrischen Perlen angebracht sind; der Rand des Schildes ist ringsum von einer Flechtbandkante umgeben. Das Stück stammt vermutlich aus derselben guten Zeit wie die bisher aufgezählten Anhänger; mit Sicherheit sind dagegen zwei andere Stücke, auf denen gleichfalls Frauen an eine Glocke schlagen, in eine spätere Zeit zu setzen: das Stück P. R. 292 ist sehr roh gearbeitet, aber immerhin noch dadurch lehrreich, daß es eine stilistische Übergangsform zwischen dem wulstartigen Halsring und den »Kropfperlen« zeigt; es ist in drei Stücke gebrochen und mit Blei geflickt. Noch ungleich roher ist der hier Fig. 581 abgebildete Anhänger, der aber mit dem von P. R. noch die breite Form der Glocke, die übertriebene Hervorhebung der Ziernarben am Rumpfe, die drahtähnlich dünnen Arme und die mit plumpen Wülsten geschmückten dicken Unterschenkel gemein hat.

Der Vollständigkeit wegen ist hier auch ein schöner, aus Elfenbein geschnitzter Anhänger zu erwähnen, Dresden 13 839, auf dem gleichfalls eine Frau mit hoher, kegelförmiger Kappe eine Glocke hält und sie mit einem (diesmal auffallend langen) Stabe anschlägt. Der freie Raum zwischen der Figur und den Rändern des Schildes ist durch kräftig in hohem Kerbschnitt ausgeführte quergestellte Gegenstände ausgefüllt, die etwas an Vogelfedern erinnern, für die ich aber keine Deutung zu geben vermag.

E. Auf neun weiteren Anhängern, die zu sechs »Garnituren« gehören, finden wir Frauen dargestellt, die in der Rechten dasselbe flache, rechteckige Gerät halten, das wir in der Hand von Männern vielfach

---

[1]) Dieser Anhänger ist hier schon S. 60 erwähnt; Abb. 72 gibt dort die eingeschlagene Zeichnung eines Ebere wieder, die sich auf seiner Rückseite findet. Das gleiche Zeichen läßt sich in genau derselben Art auf fast zwanzig dieser schildförmigen Anhänger, also fast auf einem Drittel der Gesamtzahl, nachweisen; es ist ausnahmslos mit schmalen Meißeln eingeschlagen; wo einzelne Autoren von »eingeritzt« oder »eingraviert« reden, ist das irrtümlich oder ungenau; man kann bei allen diesen Stücken die einzelnen Meißelhiebe erkennen.

auf Platten kennengelernt haben und für das auf S. 186 unten ff. sowie auf Taf. 36 zu verweisen ist. Dort ist gesagt worden, daß man diese früher meist als »Brief« bezeichneten flachen Tafeln wohl als Musikinstrumente aufzufassen und dann im Sinne von Curt Sachs als »Rahmentrommeln« zu bezeichnen hat. Da ist an erster Stelle der schöne Hamburger Anhänger zu nennen, der hier Fig. 582 abgebildet ist. Die Frau mit der Rahmentrommel hat die gleiche Tracht wie die Frauen mit den Glocken auf Taf. 98. Ähnlich, aber mit einer niedrigeren Kappe ist die Frau auf dem Stücke Frankfurt a. M., 4280. Ein drittes, gleichfalls vereinzeltes Stück aus der Sammlung von Admiral Rawson ist hier Fig. 583 abgebildet; es ist durch die ungewöhnliche Behandlung des Grundes mit geflammten Schlangenlinien und durch die vollständige Erhaltung des ursprünglichen Behanges mit Ketten und Schellen ganz besonders bemerkenswert. Von großer Schönheit ist auch der vierte Typus, zu dem drei unter sich ganz gleiche Stücke gehören: R. D. XI. 5, Tregaskis (Katalog 515 von 1902,

Abb. 586/7. Anhänger aus Bronze, nach Webster, Kat. 29 von 1901, 587 jetzt in Dresden. Etwa ²/₅ d. w. Gr.

Abb. 581. Besonders roher später Anhänger aus Bronze; vgl. die guten alten Stücke Taf. 98 A und C. Etwa ¹/₃ d. w. Gr.

Nr. 67, »*Amazon in pot helmet with spiked comb*«) und Webster 11 686 (Kat. 29 von 1901, 105), hier Fig. 584 abgebildet; die Frauen haben den gleichen Perlwulst um den Hals und eine eng anliegende Perlkappe mit zahlreichen, dicht aneinander bis über die Schulter herabhängenden Perlschnüren, auf der Kappe aber eine median-sagittale Crista aus sechs einzelnen, radiär hintereinander gesetzten großen Perlen oder sonst zylindrischen Gegenständen. Die drei Anhänger sind untereinander so ähnlich, daß sie nur durch die Daten ihrer Erwerbung und durch einige verbogene Randösen des Londoner Stückes überhaupt auseinanderzuhalten sind. Sehr ähnlich sind zwei weitere Stücke (Webster 11 692/3, Abb. 113 u. 99 des Katalogs 29 von 1901), von denen das erstere nach Cöln gekommen ist; beide haben sie Frösche zu den Seiten der Frau; auch ist bei beiden, gleichsam als Gegengewicht gegen die Rahmentrommel, einer der schon oben erwähnten »Nagelköpfe« in die rechte obere Ecke gesetzt; diese sind ungleich,

Abb. 582. Frau mit Rahmentrommel(?). Hamburg, nach Hagen, 1900. Etwa ¹/₃ d. w. Gr.

583

Abb. 583/4. Frauen mit »Rahmentrommeln«, etwa ¹/₃ d. w. Gr. 583 aus der Sammlung von Admiral Rawson; 584 = Webster 11 686, Abb. 105 von Kat. 29, fast identisch mit R. D. XI, 5.

Abb. 585. Anhänger, Bronze, ¹/₃ d. w. Gr. Sammlung von Admiral Rawson. Siehe S. 391 unter F.

der eine anscheinend ganz rund, der andere ausgesprochen kreuzförmig; das hindert wohl nicht, beide Stücke als zu einer »Garnitur« gehörig zu betrachten.

Auch zu dieser Gattung von Anhängern gibt es ein Stück aus Elfenbein: Dresden, 13 840; eine nackte Frau hält mit der Rechten die Rahmentrommel hoch und hat mit der Linken einen zylindrischen Gegenstand ergriffen, der, an einem Tragband von der rechten Schulter herabhängend, vielleicht auch als Lärminstrument zu deuten ist. Neben ihr ist jederseits eine Schlange mit dem Kopf nach oben, während der Schweif etwa in Hüfthöhe zu einer Spirale eingerollt ist. Neben den Füßen der Figur liegt jederseits ein stark stilisierter Tierkopf, den ich, als mir das Stück zum erstenmal vor die Augen kam, in meinem Notizbuch mit dem Zusatz »Elefant?« versah; bei einem späteren Besuche habe ich das Fragezeichen gestrichen, bei meinem letzten wieder hergestellt.

F. Anhänger von der Art des Fig. 585 abgebildeten kenne ich in drei Exemplaren; zwei, die früher bei Webster waren, sind jetzt in Cöln und in Leiden, das dritte war, als es für diese Abbildung photographiert wurde, im Besitze von Admiral Rawson; ein Vergleich mit den Websterschen Abbildungen der beiden andern Stücke ergibt, daß alle drei unter sich nahezu identisch sind; der einzige wesentliche Unterschied scheint in der Form des mehrerwähnten »Knopfes« zu liegen, der auch bei dieser Gruppe von Anhängern wiederkehrt; auf dem Stücke in Leiden ist die ganze Ecke abgebrochen; bei dem hier abgebildeten, R. 14, sind die seitlichen Teile des »Nagelkopfes« sehr klein, bei dem in Cöln größer und anscheinend leicht spiralig gerollt. Außerdem sind leichte Unterschiede in der Fingerhaltung vorhanden; der etwa kopfgroße, aber linsenförmig flache Gegenstand, den die Frauen mit beiden Händen halten, hat auf der nach vorn gewandten Fläche in der Mitte eine tiefe Delle, die bei dem Dresdener Stücke, das übrigens gerade an dieser Stelle beschädigt ist, größer scheint als bei den zwei andern Stücken; ich denke, daß es sich um zwei völlig gleiche, flache Metallschalen handelt, die wie Kastagnetten mit den Rändern aneinandergeschlagen werden.

G. Zwei Anhänger anscheinend grotesker Art habe ich hier nach Abbildungen bei Webster reproduziert; auf dem einen scheint ein Mann zu singen und dabei eine sanduhrförmige Trommel zu schlagen; auf dem andern ist eine bis auf die Hüftschnur und andern Schmuck nackte Frau dargestellt, die mit der Rechten wie salutierend den Scheitel berührt; es ist nicht ganz ausgeschlossen, daß sie auf dem Kopf eine Frucht von Telfairia trägt oder richtiger gesagt balanciert, denn für richtiges Tragen käme bei der Form der Frucht nur Querlage in Betracht. Ob es sich bei diesen zwei Stücken um bewußten Humor und etwa, wenn sie zusammengehören sollten, um die Darstellung einer akrobatischen Szene handelt, wage ich nicht zu entscheiden — auch in der Benin-Kunst gibt es unfreiwillige Komik.

H. Vielleicht mehr wegen ihrer Form als wegen ihres Inhalts kommen in diesem Kapitel auch die

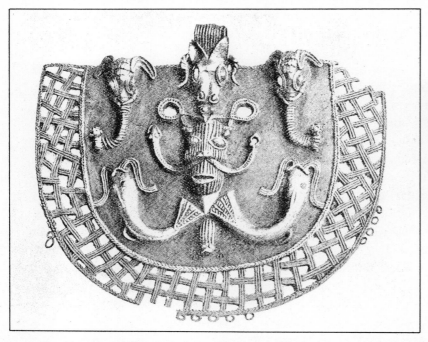

Abb. 588. Großer Anhänger aus Erz, etwa ¹/₄ d. w. Gr. Museum in Liverpool. Repr. nach Ling Roth, G. B., Fig. 268.

Abb. 589. Anhänger aus Erz, etwa ¹/₄ d. w. Gr. Dresden 16 178, reprod. nach Webster, Abb. 126 in Kat. 29 von 1901. Vgl. die nebenstehende Abb. 588 und für die »geriefelten« Köpfe auch die Glocken B und C auf Taf. 95.

zwei ganz großen, rund 35 cm hohen Anhänger zur Erwähnung, die hier Fig. 588/9 abgebildet sind. Sie haben vermutlich dämonischen Charakter, aber es ist zurzeit ganz unmöglich, sie im einzelnen zu deuten. Von dem einen dieser Stücke, das durch Dr. Felix N. Roth, einen der vier ausgezeichneten, auch um die Völkerkunde hochverdienten Brüder in das Museum von Liverpool gelangte und von H. Ling Roth in »Great Benin« S. 230 veröffentlicht wurde, kann ich hier Fig. 588 eine kleine Abbildung geben, die den bizarren Charakter des Stückes wenigstens annähernd wiedergibt. Von dem der Länge nach geriefelten Gesichte in der Mitte des Schildes kommen symmetrisch Schlangen aus den Nasenlöchern heraus sowie aus der Mitte des Stirnrandes; diese letzteren bilden je eine große Schleife, deren Inneres beiderseits wie ein offenes und rundes Fenster behandelt ist, und kehren mit ihren Köpfen wieder in die Gegend der äußeren Augenwinkel zurück. Zwischen diesem Gesichte und der breiten, bügelartigen Öse ist ein sehr breiter Antilopenkopf mit auffallend großen Ohren; zu beiden Seiten sind Elefanten mit langem Rüssel, dessen Greifhand etwas wie eine Klapper (?, vielleicht auch einen Blütenzweig?) gefaßt hält; in der Mitte unten ist ein Frosch; den Rest des Schildes füllen zwei große Welse. Etwas einfacher ist der zweite dieser Anhänger, Abb. 589. In der Mitte oben ist wiederum das längsgeriefelte Gesicht (bei dessen Betrachtung man sich übrigens, um einen falschen Eindruck zu vermeiden, die schadhafte Stelle am linken Oberlid zudecken muß) und unten der Frosch; zu beiden Seiten sind die großen Welse; es fehlen die Elefantenköpfe, der Antilopenkopf und die vier Schlangen; immerhin ist eine Art Parallelismus zwischen den beiden Anhängern unverkennbar; sie kommen aus derselben Werkstatt und gehören in die gleiche Zeit; auch das den eigentlichen Schild umgebende Flechtband ist bei beiden Stücken gleich nachlässig und sorglos behandelt. Ein Vergleich der geriefelten Gesichter dieser Anhänger mit den Köpfen auf den Taf. 95 abgebildeten Glocken ist naheliegend; ebenso muß man sich fragen, in welchem Verhältnis die großen, schildförmigen Stücke vom Typus des Taf. 43 B und der Fig. 424 und 425 abgebildeten zu unseren Anhängern stehen. Besonders das Fig. 426 abgebildete Berliner Stück steht derart mitten zwischen diesen beiden Gruppen, daß man es fast ebensogut in die eine wie in die andere hätte einreihen können.

Abb. 590. Schildförmiger Anhänger, Bronze, oben ein Widderkopf, darunter zwei Krokodile; die untere Hälfte des Schildes ganz glatt — ohne den sonst für Benin so typischen *horror vacui*. Repr. nach Webster, Cat. 29/1901, Fig. 106, jetzt in Dresden. ¹/₃ d. w. Gr.

I. Taf. 98 E ist das Bruchstück eines Anhängers abgebildet, Berlin, III. C. 10 875, das einen Mann auf einem Pferde zeigt. Von diesem fehlen nur die Beine; es ist aber nach dem ganzen Habitus des Stückes zu vermuten, daß es nicht nur die Breite, sondern auch die Höhe der großen Mehrzahl der in diesem Kapitel behandelten Anhänger hatte, daß also unten sehr viel fehlt. Diese Annahme wird durch ein Stück Dresden 16 168 bestätigt, von dem bisher nur eine kleine Abbildung bei Webster (Kat. 29, 1901, Fig. 100) veröffentlicht ist, die keine Reproduktion verträgt; dieses Dresdener Stück zeigt nun genau denselben Reiter auf demselben Pferde, unter diesem aber noch drei lange, sichelartig gebogene, nach oben konkave Leisten, die wie Schlittenkufen aussehen und zwei Reihen von Spiralscheiben einschließen. Beide Reiter und auch ihre Pferde machen einen durchaus archaischen Eindruck; jemand, der von afrikanischer Kunst nichts weiß, könnte sie leicht für altsardisch halten oder sonst mit der Mittelmeerkultur des 2. vorchristlichen Jahrtausends in Zusammenhang bringen; auch die große Streitaxt der Berliner und der kreisrunde Schild des Dresdener Reiters (die beschädigten Stücke ergänzen sich gegenseitig) würden sich mit einem ganz hohen Alter der Stücke gut vereinigen lassen. Im Sinne von Benin wird die Frage nur durch die über den Panzer herabhängende Glocke, durch die große Öse und den ganzen Habitus der beiden Stücke entschieden; der Panzer ist allerdings sehr eigenartig behandelt und scheint aus mehreren großen, kreisrunden Platten zu bestehen, was sonst in Benin nicht vorkommt; eine Datierung wage ich also schon deshalb vorläufig nicht zu geben. Sicher ist das Berliner Stück im Sinne des Dresdener zu ergänzen, und wenn jemand bei dem letzteren von einem europäischen Schaukelpferd als Vorbild sprechen würde, könnte er schwer widerlegt werden. Inzwischen meine ich, daß die beiden Stücke, das Berliner und das Dresdener, als zu einer Garnitur von richtigen Benin-Anhängern gehörig zu betrachten sind.

J. Völlig vereinzelt ist der Fig. 590 abgebildete Anhänger, dessen obere Hälfte mit zwei Krokodilen und einem Rinderkopf ausgefüllt ist, während die untere ohne Bildwerk blieb; ungewöhnlich ist auch die sehr geringe Zahl der Randösen und der große Abstand zwischen ihnen.

K. Auf zwei Anhängern (Berlin III. C. 12 519, Taf. 98 D und Wien 64 669, Heger 63) befindet sich in der Mitte des sonst leeren Feldes ein Frosch, in hohem Relief, mit dem Kopfe nach unten. Das Wiener Stück hat eine ganz besonders sorgfältige und zierliche, ringsum laufende Kante, das Berliner nur den üblichen Rand mit Ösenbesatz; so gehören die beiden Anhänger sicher zu zwei verschiedenen »Garnituren«.

L. In ähnlicher Art gibt es Anhänger, auf denen sich nur ein Krokodilkopf findet. Ich kenne drei Stücke, Berlin (III. C. 18 152), Bremen und Rushmore (P. R. 246), die untereinander so ähnlich sind, daß man sie als zusammengehörig betrachten kann.

M. Größere Mannigfaltigkeit zeigen Anhänger mit je zwei verschlungenen Welsen in der Art wie auf der Platte Taf. 48, 6; diesem Vorbilde kommen am nächsten drei vermutlich ursprünglich zusammengehörige Stücke, die bei Webster, Kat. 29, 1901, Fig. 104, 108 und 110 abgebildet sind; das erste von diesen ist jetzt in Köln a. Rh.; ein viertes mit größtenteils nicht durchgängigen Randösen gehört Bremen, es würde einer zweiten »Garnitur« angehören. Zu einer dritten gehört der Anhänger P. R. 276, bei diesem stehen die beiden verschlungenen Welse quer über dem Schild, den sie nahezu ausfüllen; ganz abweichend von allen übrigen Anhängern dieser Art hat das Stück statt der einen großen Öse in der Mitte des oberen Randes zwei stark gegen die Seiten gerückte; eine von diesen ist abgebrochen und — alt — durch einen dünnen, angenieteten Bügel ersetzt. Eine vierte »Garnitur« ist schließlich durch ein Bruchstück bei Webster (11 702, Kat. 29, 1901, Fig. 123) vertreten, bei dem die quergestellten Welse ganz an den oberen Rand des Schildes gerückt sind; nur dieses oberste Stück, mit weniger als einem Drittel der ursprünglichen Höhe, ist erhalten, der ganze Rest ist abgebrochen; ob die übrige Fläche des Schildes glatt gewesen war, ist nicht mit Sicherheit zu sagen; im allgemeinen ist die ganze Benin-Kunst durch einen sehr weitgehenden horror vacui gekennzeichnet, aber der Fig. 590 abgebildete Anhänger zeigt, daß es auch in Benin Ausnahmen von sonst ganz allgemeinen Regeln gab.

N. Noch gibt es einen einzelnen Anhänger, jetzt in Cöln a. Rh. (siehe die Abb. 102 bei Webster, Kat. 29, 1901), mit einem Fisch in Seitenansicht, der, den Kopf nach unten, die ganze Höhe des Schildes ausfüllt; er gleicht ungefähr den Fischen 15 und 16 auf Taf. 48. Anhangsweise sind auch einzelne kleine Bruchstücke zu erwähnen, die noch bei verschiedenen Händlern umherliegen; von Belang ist nur ein etwa 14 cm hohes Stück mit dem Kopf und kleinem Rest vom Körper eines Welses; es ist bei Webster 29, 1901 abgebildet und stammt vielleicht von einer Hängeplatte ähnlich den hier Fig. 588/9 abgebildeten.

Vorstehend sind im ganzen 62 schildförmige Anhänger besprochen worden, die zu 35 »Garnituren« gehören; rechnet man, was wahrscheinlich ist, mit drei Stücken auf jede ursprüngliche »Garnitur« und rechnet man weiter damit, was freilich recht unsicher scheint, daß aus keiner »Garnitur« alle drei Stücke ganz verschwunden sind, so ergäbe sich, daß von einer bestimmten Gruppe von Benin-Altertümern rund 60% auf uns gekommen sind. Eine Verallgemeinerung dieses Ergebnisses auf unseren Gesamtbestand an Benin-Altertümern würde ungefähr zu der Vermutung führen, daß bisher etwa die Hälfte des alten Bestandes in Sicherheit gebracht ist.

---

30. Kapitel.

Breite Armbänder aus Metall und aus Elfenbein.

[Hierzu Tafel 99 und die Abbildungen 591 bis 624 A.]

Armbänder kommen auf den Reliefplatten von Benin so regelmäßig und in so großer Zahl vor, daß es nicht überraschen kann, wenn auch sehr zahlreiche Originale auf uns gekommen sind; in Erstaunen setzt uns aber ihre schier unerschöpfliche Mannigfaltigkeit und ihre nicht selten wahrhaft künstlerische Schönheit. Ihre genaue Beschreibung würde einen Band füllen und schließlich doch kein vollständiges Bild von ihnen geben. So beschränke ich mich darauf, die einzelnen Typen in Gruppen zu ordnen und den Abbildungen einige allgemeine Bemerkungen vorauszusenden. Am Oberarm wurden meist schmale, am Vorderarm oft sehr breite Armbänder getragen, fast immer paarig, wie aus der großen Zahl der uns paarweise erhaltenen Stücke mit Sicherheit hervorgeht. Sehr viele Armbänder sind so eng, daß sie nur für die schlanken und schmalen Hände der Neger durchgängig sind, nicht für unsere eigenen, die sehr viel breiter sind. Einzelne sind viele Jahrzehnte lang getragen worden und deshalb oft bis zu vollständiger Unkenntlichkeit des Reliefs abgescheuert. Das Bildwerk ist in der Regel so angebracht und verteilt.

als ob zunächst der Träger selbst sich an ihm erfreuen sollte; so sind z. B., wo vier ganze Figuren auf einem Armband vorkommen, diese meist gegenständig angeordnet; dann sind wenigstens zwei der Figuren immer bequem zu betrachten, selbst wenn zwei andere auf den Kopf gestellt erscheinen. Das Berliner Armband III. C. 10 867, Taf. 99 A, zeigt in dieser Weise viermal denselben langlockigen Europäer; auf der Abbildung erscheint er einmal aufrecht genau von vorn und zweimal in Seitenansicht auf den Kopf gestellt. Auf andern Berliner Armbändern, so auf den zwei paarigen Stücken III. C. 8074/5, Taf. 99 B und auf III. c. 7663, Taf. 99 C sehen wir hingegen je vier Figuren von Eingebornen, alle aufrecht nebeneinander stehen. Die wichtigsten Gruppen sind die folgenden:

A. Mit ganzen Europäern; in diese gehören, neben dem schon erwähnten Berliner Stücke Taf. 99 A zwei gleiche, natürlich ein Paar bildende Armbänder, Berlin III. C. 23 972 und Dresden, früher Webster 11 280, vgl. hier die Abb. 591, ferner Hamburg C. 2405 mit vier ähnlichen, aber viel schlankeren Europäern, mit derselben, aber schon fast bis zur Unkenntlichkeit stilisierten Kopfbedeckung, die Figuren auch gegenständig, aber durch vier gitterartig gegossene Felder voneinander getrennt, so daß die Mantelfläche des ganzen Armbandes aus acht ungefähr gleichbreiten Streifen besteht, vier mit dem Europäer, vier mit Gitterwerk. Ganz gleichartig ist die Einteilung auf einem zusammengehörigen Paare, Webster, Kat. 29 von 1901, Fig. 10 und 12, Nr. 11 275 und 11 278, dessen Europäer aber mehr dem auf Taf. 99 A

gleicht; eines dieser beiden Stücke ist nach Cöln a. Rh. gelangt, ein ähnliches, aber nicht das Gegenstück zu dem Cölner, nach München.

B. Mit vier Eingebornen: das schon er-

Abb. 591. Armband, durchbrochen in Bronze gegossen, mit vier gegenständigen Figuren von Europäern, die Schwerter, Vögel und Geldringe tragen; die an die Krone von Kartenkönigen erinnernde Kopfbedeckung ist eine hohe Kappe, vorn mit einer Spirale, an den Seiten mit je einer Feder. In zwei fast gleichen Exemplaren vorhanden, Berlin III. C. 23 972 und in Dresden.

wähnte, durch Taf. 99 B vertretene Berliner Paar, gleich dem Stücke P. R. 128 mit vier losen (abgeschlagenen?) Köpfen von Eingebornen zwischen je zwei Figuren, ferner das Berliner Armband Taf. 99 C und ein ihm sehr ähnliches, das L. R. in G. B. Fig. 275 aus Privatbesitz in Halifax abbildet.

C. Mit Köpfen von Menschen und Tieren: 1. Das hier Fig. 593 abgebildete vergoldete Armband der Sammlung Egerton. 2. Das 594 abgebildete, Egerton 16 [c], auf dem große Europäerköpfe mit stark stilisierten verschlungenen Welsen abwechseln — nicht mit »Rosetten«, wie es in der Beschreibung eines nahe verwandten Stückes heißt. 3. Ein ähnliches, aber weniger sorgfältiges Stück, Leipzig, H. M. 96. 4. Ein ähnliches Stück mit etwas anders stilisierten Welsen, Abb. 595, bei dem die Europäerköpfe in raffinierter Technik gesondert aus einer gelben, messingähnlichen Legierung gegossen sind, während das ganze übrige Armband aus anscheinend nahezu reinem Kupfer gegossen ist. 5. Armband Berlin III. C. 23971, bei dem Krokodilköpfe und Welse mit geringeltem Körper nach dem Schema $\begin{vmatrix} K\,W\,K\,W\,K \\ W\,K\,W\,K\,W \end{vmatrix}$ miteinander abwechseln; doch folgen sich auf der Mantelfläche des Stückes in auffälliger Unbeholfenheit nur fünf statt sechs solcher Querreihen, so daß an einer Stelle zwei gleichmäßig mit dem Krokodilkopf beginnende Reihen unmittelbar aufeinander folgen. 6. Ähnliches Armband P. R. 384 mit vier Querreihen, in denen ein Europäerkopf mit ungewöhnlich zu Spiralen gedrehten Locken und ein Wels abwechseln. 7. Cöln, früher Webster 11 281, vgl. die Abb. 11 im Kat. 29 von 1901 mit 8 Querstreifen, von denen vier eine Art Schuppenmuster haben, die alternierenden vier andern aber abwechselnd mit einem Europäerkopf und zwei fünfstrahligen Blumensternen bzw. mit zwei Köpfen und einem Blumenstern auf glattem Grunde verziert sind. 8. Das hier 592 abgebildete Armband Egerton 16 [a], auf dem 50 Pantherköpfe mit ebensoviel Zeremonialschwertern (Ebere) abwechseln.

D. Zwei Armbänder, Egerton 14 b und 16 b, mit einer stilisierten Schlange, die in 11 Windungen die ganze Mantelfläche bildet; vgl. die Abb. 596.

E. Technisch bewundernswert und oft auch durch ihre Zierlichkeit anmutend sind breite, gegossene Armbänder, die, wie Taf. 99 E und F zeigen, aussehen, als wären sie aus dünnem Draht geflochten; durchbrochenes Netz- und Gitterwerk, Spirallinien und zahlreiche Arten von kunstvollen Flechtbändern sind neben »Schraubenköpfen« die Elemente, durch deren stets wechselnde Kombination zu Quer- und Längsstreifen überraschende Wirkungen erreicht sind. Berlin besitzt nur drei Stücke dieser Art und leider nicht die besten; drei sind noch im Handel, je zwei Stücke besitzen Bremen, Dresden und Wien, je ein Stück ist in Basel, Cöln, Frankfurt a. M., Hamburg, Hildesheim, Leiden und Rushmore; wohl das schönste von allen Stücken dieser Gattung ist das nach Cöln gelangte, vgl. Websters Abb. 11 im Kat. 24 von 1900. Etwas aus

Abb. 592. Armband aus Bronze; Pantherköpfe mit Zeremonialschwertern abwechselnd. Egerton, etwa ½ d. w. Gr.

Abb. 593. »Vergoldetes« Armband aus der Sammlung von Capt. Egerton. Vier Reihen mit einem Europäerkopf zwischen zwei Negerköpfen wechseln mit ebensoviel Reihen von kleineren Köpfen von Krokodilen und Panthern ab. Etwa ½ d. w. Gr.

Abb. 594. Armband aus Bronze, Europäerköpfe und verschlungene Welse. Sammlung Egerton, 16 c. Etwa ½ d. w. Gr.

Abb. 595. Armband aus Kupfer; die Europäerköpfe sind aus Messing. Nach P. R. 141, ½ d. w. Gr.

der Reihe fällt nur das Stück in Rushmore; es hat an beiden Rändern einen Streifen, in dem in der Mitte halbierte und »falsch« wieder zusammengesetzte, aus konzentrischen Kreisen bestehende Scheiben mit richtigen Malteser Kreuzen abwechseln.

F. Sehr unerfreulich sind anscheinend ganz späte Armbänder, die aus getriebenem Messingblech zusammengenietet oder richtiger mit kupfernen Klammern zusammengehalten sind. Das Berliner Stück III. C. 7666, Taf. 99 D¹) sowie die Abb. 597/8/9 geben eine ausreichende Vorstellung von dem Tiefstand, auf den die alte Benin-Kunst im Laufe weniger Jahrzehnte herabgesunken ist. Ebenso wie in Berlin hat man sich auch in Cöln, Dresden, Frankfurt, Leiden, Rushmore und Wien mit Recht bemüht, einzelne

¹) Dieses 14 cm hohe, aus Messingblech zusammengebogene Stück ist durch aufgeniete, etwa fingerbreite Streifen aus Kupferblech in 9 ungleich große rechteckige Felder geteilt, davon 4 größere in einer unteren und 5 kleinere in einer oberen Reihe; Streifen und Felder sind roh repoussiert und gepunzt. In der oberen Reihe sind 3, in der unteren 2 Felder mit einem Flechtband- oder Kettenmuster ausgefüllt, die vier übrigen Felder mit Europäerköpfen, in deren Stilisierung sich noch erstaunlich viel alte Tradition erhalten hat. Es würde aber ganz verfehlt sein, das Armband deshalb etwa für alt zu halten: Es gibt im alten Benin kein einziges Stück in einer so minderwertigen Technik.

597   598   599

Abb. 596. Armband, Bronze, Egerton 16 b, etwa ½ d. w. Gr. — Abb. 597 und 598. Armbänder aus getriebenem Messingblech, mit Kupferklammern zusammengehalten und verziert, nach Webster, Kat. 29 von 1901, Abb. 7 und 9. Etwa ½ d. w. Gr. Ein noch schlechteres Stück, Webster
3209, jetzt in Wien, zeigt statt der Nase nur mehr einen kurzen Spalt und ein einziges großes Auge in der Mitte eines kreisrunden Gesichtes. —
Abb. 599. Armband aus getriebenem Messingblech, mit kupfernen Klammern zusammengehalten. 19. Jahrh. Eigentum von Frau Martha Callsen.
Etwa ½ d. w. Gr.

Abb. 600 und 601. Ein zusammengehöriges Paar Armringe aus Elfenbein. Sammlung Campbell. Zu beiden Seiten des zwischen Europäern
stehenden gepanzerten Eingebornen je ein Elefantenkopf mit unsicher zu deutendem Gegenstand in der Greifhand des Rüssels; nach außen von
diesem jederseits ein Pantherkopf; oben, zwischen Schurzzipfel und dem Kopfe des Europäers anscheinend eine Schildkröte; zu den Füßen der Europäer fressende Fische. Diese kehren auch auf dem anderen Armband, 601, mehrfach wieder. Ganz ungewöhnlich ist auf diesem der unproportioniert
breite und kurze Fisch unter dem Ellbogen des Armes mit dem Ebere.

Abb. 602 und 603. Zwei Armbänder aus Elfenbein, Sammlung von Admiral Rawson. Das Kleid des wie ein Kartenkönig aussehenden Europäers wirkt,
wie mit großen zylindrischen Perlen bedeckt; das ist vermutlich nur rein stilistische Eigenheit in der Behandlung glatter Flächen durch den Elfenbeinschnitzer; das hat man auch für die Beurteilung der von dem Manne in den Händen gehaltenen Gegenstände zu berücksichtigen; vgl. Abb. 755 und 798.

Vertreter dieser üblen Gattung zu sichern, aber die meisten der in nicht ganz geringer Zahl nach Europa gelangten Stücke scheint doch bei den Händlern und in Privatbesitz geblieben zu sein.

G. Unter den breiten Armbändern aus Elfenbein sind einige vorwegzunehmen, bei denen ganze Figuren und Gruppen von solchen senkrecht auf die Breite so orientiert sind, daß sie bequem nur auf einer Abrollung der Mantelfläche zu sehen wären. Zwei vorzügliche Stücke dieser Art, zusammen ein Paar bildend, sind hier 600 und 601 abgebildet; sie zeigen je drei Gruppen von drei nebeneinanderstehenden Personen. Auf der Abb. 600 erscheint in der Mitte ein gepanzerter Eingeborner und zu seinen beiden Seiten je ein langhaariger Europäer mit stark schräg geneigtem Kopfe; Abb. 601 zeigt eine Gruppe, die durchaus an Darstellungen erinnert, die uns von den Reliefplatten her geläufig sind: in der Mitte zwischen zwei Begleitern mit Speer und Schild steht ein Eingeborner mit dem typischen, links hochragenden Lendenschurz mit einer Panthermaske am Gürtel und mit einem Ebere. Abweichend von dem Stil der Platten sind aber alle Zwischenräume mit den verschiedensten Emblemen ausgefüllt, die nicht immer leicht zu deuten sind. In gleicher Weise orientiert ist ein einzelner Europäer auf dem Fig. 602 abgebildeten Armband.

H. Es gibt etwa ein Dutzend Armbänder aus Benin, durchweg alte Stücke, auf denen Köpfe von Menschen und von Tieren in gleicher Weise alternieren, wie etwa die weißen und die schwarzen Felder eines Schachbrettes; die meisten dieser Armbänder haben eine schöne dunkelbraune Patina, die nicht nur von uns, sondern vermutlich auch von den Eingebornen geschätzt und bewundert wird, wie etwa die der angerauchten Meerschaumpfeifen von unseren Großvätern, aber sie sind durch langes Tragen oft so abgerieben, daß die Einzelheiten der Darstellung nicht mehr deutlich sind. Besonders lehrreich sind in dieser Beziehung die beiden Stücke des Brit. Museums R. D. VI 1 und 2; bei VI 1 ist wenigstens ein kleiner Teil der Köpfe noch nicht ganz unkenntlich geworden; so kann man feststellen, daß die Mantelfläche in $5 \times 8 = 40$ Feldern abwechselnd immer nur Köpfe von Europäern und von Panthern enthält; beide Arten von Köpfen sind gleichgroß und so stilisiert, daß sie sich in den Konturen möglichst gleichen und auch die einzelnen, übrigens nicht etwa durch Linien umgrenzten, rechteckigen Räume möglichst ausfüllen. R. D. VI 2 ist hingegen nicht mehr mit Sicherheit aufzulösen; die Mantelfläche zerfällt in vier Paare von Reihen, die man versuchen kann, in das Schema $\boxed{\begin{array}{c} \text{K E S E S E K} \\ \text{V N E}l\text{ F E}l\text{ N V} \end{array}}$ zu bringen, wobei K für Krokodil-, E für Europäerkopf und S für Schildkröte steht sowie V für Vogel, N für Neger- und El für Elefantenkopf; F steht für »Federball«, weil der Gegenstand ungefähr einem solchen gleicht, aber er kommt in der Benin-Kunst meines Wissens sonst nicht vor und ist auf diesem Armband zwar viermal vertreten, aber immer so abgescheuert, daß wohl nur ein glücklicher Zufall eine Deutung ermöglichen dürfte; R. D. denken an abweichend stilisierte Köpfe von Europäern und meinen von den kleinen, randständigen Gebilden (in denen ich abwechselnd Krokodilköpfe und in reiner Seitenansicht dargestellte Vögel zu erkennen glaube), daß sie wie Stachelschweine aussehen — non liquet. Dasselbe gilt von zwei Armbändern Webster Fig. 13 und 14 im Kat. 29 von 1901; bei diesen wechseln deutliche Europäerköpfe mit rätselhaften Dingen ab, die man noch ehestens mit sehr stark »verstilisierten« Pantherschädeln vergleichen könnte, die aber vermutlich anders zu deuten sind.

Etwas besser erhalten und dadurch besonders wichtig ist das Armband P. R. 237. Seine Formel ist $\boxed{\begin{array}{c} \text{V N E}l\text{ P E}l\text{ N V,} \\ \text{K E S E S E K} \end{array}}$ wobei die einzelnen Buchstaben dieselbe Bedeutung haben wie oben, nur P steht hier für einen kleinen, quergestellten Panther [1]). Dieses Armband ist schon in alter Zeit zerbrochen und mit Kupferklammern wieder geflickt worden; ein schmales Stück aus der ganzen Höhe der Mantelfläche ist durch eine dünne Metallplatte ergänzt, auf die ein geflammtes Band eingepunzt und getrieben ist.

Ein weiteres Armband dieser Art ist Dresden 16 098, von dem ich nur eine ganz kleine

---

[1]) Wer sich die Mühe nimmt, die Abbildung dieses Stückes bei P. R. mit der abgerollten Ansicht von R. D. VI 2 zu vergleichen, wird verstehen, warum ich bei dem letzteren Stücke da Krokodilköpfe und Vögel sehe, wo R. D. an Stachelschweine denken; das Armband in Rushmore ist gerade an einigen Randstellen so gut erhalten, daß auch P. R. da von Vögeln und von »Pferdeköpfen« spricht — wobei ich daran erinnern muß, daß dieser nicht nur durch sein hohes Alter ehrwürdige Gelehrte, durch irgendeinen tückischen Zufall veranlaßt, in seinem Benin-Buche ausnahmslos jeden Krokodilkopf, auch den allerdeutlichsten, als Pferdekopf bezeichnet; es kann also gar keinem Zweifel unterliegen, daß P. R. auch auf seinem Armbande wirkliche Krokodilköpfe gesehen hat; ich lege auf diese Übereinstimmung besonders deshalb Gewicht, weil auf diesen Armringen für die Krokodilköpfe nicht die absolute Symmetrie innegehalten ist wie auf den Bronzen; sie sind da, wo sie der Randkante aufliegen, wagrecht begrenzt, nach innen aber leicht konvex — im Anschluß natürlich an das lange Haupthaar des Europäerkopfes neben ihnen. Diese Unsymmetrie scheint mir eine ausreichende Erklärung dafür, daß R. D. die Krokodilköpfe nicht als solche erkannt haben.

Abbildung bei Webster, 143 in Kat. 21 von 1899 kenne. Es ist nach dem Schema

N	E	N
K	S	S	K
E	N	E
K	S	S	K

verziert, wobei die Köpfe des Negers und die der Europäer sehr viel größer sind als die der Krokodile und als die Schildkröten, so daß die Reihen stark ineinandergreifen. Das Armband ist so stark abgerieben, daß die richtige Deutung der in dem Schema mit S bezeichneten Gegenstände als »Schildkröte« keineswegs gesichert ist. Um so leichter ist das Fig. 603 abgebildete Armband zu deuten. Es geht nach dem Schema

W	P	E	P	W
S	E	P	E	S

wobei W für Wels steht; die anderen Zeichen sind dieselben wie oben. Die einzelnen

Abb. 610 a, b. Armband aus Elfenbein, Berlin III. C. 20 831, siehe S. 406 L, ²/₅ und etwa
¹/₃ d. w. Gr.

Reihen sind hier ausnahmsweise durch dünne Leisten voneinander getrennt; die Doppelreihen wiederholen sich viermal; wir haben es also im ganzen mit vierzig Bildern zu tun. Noch ist hier ein besonders schönes altes Stück, Berlin III C. 12 591, zu erwähnen, und das zwar auch stark abgeschliffene, aber durch ungewöhnlichen Bildschmuck und durch seine dunkelbraune, stellenweise fast schwarze Patina gleich ausgezeichnete

Abb. 611. Armband aus Elfenbein, Sammlung
Campbell, etwa ²/₃ d. w. Gr. Vgl. S. 406 unter L.

Armband Wien 64 759, von dessen Mantelfläche Abb. 604 einen Teil wiedergibt. Der Vollständigkeit wegen muß hier noch ein anscheinend schmales, nur 5 cm hohes Armband Hamburg C. 3735, erwähnt werden, das in der gleichen Art mit einer Reihe stark stilisierter Köpfe verziert ist. Die nähere Betrachtung ergibt aber, daß es unvollständig ist und nur ein mit der Säge abgetrenntes Stück, etwa ein Drittel eines breiten Armbandes, darstellt.

I. Eine weitere Reihe von Elfenbeinarmbändern ist durch gegenständige Figuren ausgezeichnet und erinnert so an einige im ersten Abschnitt dieses Kapitels beschriebene Armbänder aus Bronze; es sind von diesen Stücken, in deren Besitz sich jetzt Berlin, Dresden, Frankfurt, Hamburg und London teilen, zwei Typen zu unterscheiden; der eine zeigt vier Europäer, wohl alle mit Ringgeld in der Rechten und mit einem langen Schwert in der Linken; die leeren Räume sind mit Zweigen, Elefantenköpfen, Vögeln, Schlangen, Fröschen, Welsen usw. ausgefüllt; der zweite Typus zeigt zwei berittene Europäer mit je einem oder mit je zwei gleichfalls europäischen Begleitern zu Fuß; Fig. 605 gibt eine gute Ansicht eines dieser Armbänder mit allen Vorzügen und Mängeln des Stiles, der den sämtlichen Stücken dieser Gruppe derart gemeinsam ist, daß man sie ohne Ausnahme einem und demselben Künstler zuschreiben muß. Besonders die beiden Londoner Stücke R. D. VI 3 und 4 gleichen sich zum Verwechseln; das zweite von diesen, hier Abb. 606, unterscheidet sich von dem ersten nur durch die konzentrischen Kreise unter den Füßen der Reiter und durch die kleinen Elefantenköpfe, die auf ihm zwischen den Kopf des Pferdes und den des Begleiters einge-

schoben sind, auf dem ersten aber fehlen. Die Begleiter halten auf diesen Armbändern mit beiden Händen »what appears to be a barbed spear or a club«. In Wirklichkeit ist dieser quirlartig geschnitzte Gegenstand ein — zusammengeklappter Sonnenschirm! Es würde albern sein, R. D. etwa einen Vorwurf daraus zu machen, daß sie das nicht erkannt haben; es würde vielmehr als ein barocker Einfall erscheinen, wollte jemand die Darstellung auf den beiden Londoner Stücken aus sich selbst heraus in diesem Sinne deuten. Die richtige Lösung ergibt sich erst aus anderen Schnitzwerken, die solche Schirme geöffnet zeigen und dann natürlich ohne weiteres richtig zu deuten sind. Solche Schirme finden sich häufig auch auf geschnitzten Holzplatten, vgl. Taf. 124; ganz entscheidend für diese Frage ist aber das Armband Hamburg, C. 2323; vgl. die Abreibung Fig. 606 A; da sehen wir zwei Gruppen, jede mit einem Reiter und mit zwei Dienern, die Schirme über den Kopf des Reiters halten.

J. Ganz besonders eigenartig ist das hier Fig. 607/608 abgebildete Armband mit Einlagen aus vergoldeter Bronze. Die

Abb. 604. Teil der Mantelfläche eines Armbandes aus Elfenbein, Wien 64759, etwa 5/13 d. w. Gr. In vier von den acht Reihen wird ein Kopf eines Eingebornen von zwei gegen ihn schreitenden Panthern eingeschlossen; in den vier zwischenliegenden Streifen ein solcher Panther von zwei gleichen Köpfen; in diesen vier Streifen schreitet der Panther aber abwechselnd zweimal nach links und zweimal nach rechts. Die Abbildung ist mit Hilfe eines Papierabklatsches hergestellt, den ich dank der gütigen Erlaubnis von Herrn Direktor Heger für diesen Zweck machen durfte.

Abb. 605. Armband mit einem reitenden Europäer; über diesem ein Panther, der ein kleineres Tier geschlagen hat. Sammlung Rawson.

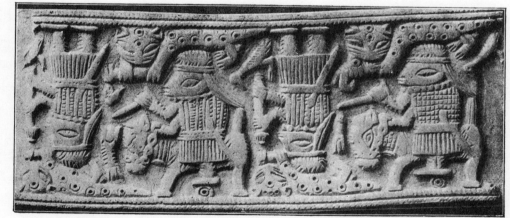

Abb. 606. Breites Armband aus Elfenbein. Gipsabguß nach einem Papierabklatsch. R. D. VI, 4. Zu jedem der beiden Reiter gehört ein Europäer zu Fuß, der einen geschlossenen Sonnenschirm mit beiden Händen vor sich hält. Man muß die Abbildung auf den Kopf stellen, um die zwei Begleiter bequem zu sehen. Über den Köpfen jedes der vier Europäer liegt langgestreckt ein Panther mit seiner Jagdbeute, einem kleineren vierfüßigen Tier.

Köpfe von Europäern und die von je zwei Schlangen umringelten kleinen Schälchen sind typische Benin-Arbeit, aber die eingelegten Säulen und Rankenbündel sind sicher von auswärts eingeführt, ebenso kömmt die Technik, in der diese Einlagen in mühsam ausgeschnittene und umwallte Gruben versenkt sind, in Benin sonst niemals wieder zur Beobachtung; trotzdem wird man kaum daran zweifeln dürfen, daß dieses Armband von einem Benin-Künstler und in Benin selbst geschnitzt wurde; die zwölf vergoldeten Bronzezierate und die acht kleinen Säulen stammen vermutlich von einem alten europäischen Gürtel; die Art, in der sie mit Drahtklammern befestigt sind, ist wiederum echt afrikanisch. Wenn man die Zeichnung 608 sorgfältig betrachtet, wird man mehrfach sowohl die leeren oder fast leeren Gruben, die eingelegten Bronzeranken und die Klammern sehen. Wo das Stück sich zurzeit befindet, weiß ich nicht; es war uns bald nach der Einnahme von Benin um einen Phantasiepreis angeboten worden und tauchte dann noch einmal im Pariser Kunsthandel auf mit der Angabe »byzantinisch« und mit einem Preise von frcs. 20 000! Ein verwandtes, freilich sehr schlechtes Stück, das vielleicht als späte Nachahmung aufgefaßt

Abb. 606 A.   Ausschnitt aus einer Abreibung des Elfenbeinarmbandes
Hamburg, C. 2323.   ¹/₃ d. w. Gr.

werden kann, ist hier Fig. 609 abgebildet. Da wechseln Europäerköpfe mit Doppelwelsen ab; Haupt- und Barthaar und die Augen der Europäer sowie die Augen und Bartfäden der Welse sind mit Messing- oder Kupferblech ausgelegt.

K. Zu den ganz großen Kostbarkeiten unter den Altertümern von Benin gehört eine Anzahl von breiten Armbändern, die aus zwei ineinandergeschachtelten und beweglich miteinander verbundenen Elfenbeinzylindern bestehen. Sie erinnern in ihrer Technik an die bekannten chinesischen Kugeln, die oft zu fünf und sechs ineinandergeschachtelt erscheinen und sind natürlich in der gleichen

Art mit viel Mühe und Geduld aus dem Vollen herausgeschnitten. Drei von diesen Stücken, III C. 4880 bis 82, siehe Taf. 618 und die Abb. B u. C, 612/3/4, sind schon seit fast einem Jahrhundert in Berlin und gehörten zum alten Bestande der Königlichen Kunstkammer, wo sie zuletzt mit der Herkunftsangabe »Bucharay« katalogisiert waren. Auch in den alten Katalogen des Mus. f. Völkerkunde erscheinen sie noch als vorderasiatisch; ebenso haben wir bei unseren Akten einen Brief des damaligen Direktors am Münzkabinett, J. Friedländer, vom 5. Februar 1872, der sich auf zwei von diesen Armbändern und auf die drei Taf. 121 abgebildeten geschnitzten Deckelbecher bezieht. Da heißt es wörtlich: »Die von meinem

Abb. 607.   Armband aus Elfenbein mit Einlagen aus vergoldeter Bronze.   Pariser Kunsthandel.

Abb. 609.   Armband aus Elfenbein, eingelegte Arbeit. Sammlung von Capt. Egerton.   Etwa ²/₃ d. w. Gr.

Großvater im Jahre 1831 dem Königl. Museum geschenkten 5 Gefäße aus fossilem Elfenbein waren durch Erbschaft, wahrscheinlich aus Königsberg, an meinen Großvater gelangt. Alexander v. Humboldt, welcher sie bei ihm gesehen hatte, glaubte teils nach dem Material, teils nach den mongolischen Formen des Dargestellten, daß sie sibirisch seien, und versicherte, daß er weder auf seiner Reise in Nordasien noch in den Museen von Petersburg ähnliche gesehen habe. Er fand sie sehr merkwürdig, und auf seine Veranlassung wurden sie dem Museum geschenkt.« An die Möglichkeit, daß derartige Arbeiten von afrikanischen »Wilden« gemacht seien, wurde damals überhaupt nicht gedacht, und so wurde das Elfenbein, das auch heute noch durchaus gesund und frisch aussieht, als fossil bezeichnet; die Armbänder aber galten als sibirisch, bis sie dann jemand sogar als aus Buchara stammend bezeichnete. Erst 1889 hat W. Grube, der damals die vorder- und ostasiatischen Sammlungen leitete, auf A. Bastians und meine Anregung die Stücke als afrikanisch anerkannt und mir für die westafrikanische Abteilung übergeben. Eine genauere Bestimmung der Herkunft wurde erst 1897 mit der Erschließung von Benin möglich; wie und wann sie nach Deutschland gekommen sind, läßt sich zurzeit nicht ermitteln; sicher ist nur, daß sie aus Benin oder dessen unmittelbarer Nachbarschaft und aus

dem späten 16. oder dem 17. Jahrh. stammen; ihre sehr gute Erhaltung läßt vermuten, daß sie schon verhältnismäßig früh dem täglichen Gebrauch entrückt und dann in Deutschland als Schaustücke verwahrt wurden.

Diese drei Armbänder haben unter sich gemein, daß ihre Mantelfläche aus drei ringsum laufenden Streifen bestehen, von denen die beiden randständigen untereinander gleich oder sehr ähnlich sind. Bei III. C. 4881, Taf. 118 A und Abb. B, 613 sind diese Randstreifen durch dicht nebeneinander stehende Vögel mit ausgebreiteten Flügeln gebildet; unterbrochen werden diese Reihen jede nur einmal, die obere durch einen Frosch, die untere durch einen zweiköpfigen Vogel; Frosch und dieser Vogel gehören aber zum inneren der beiden Zylinder und ragen durch fensterartige Öffnungen in der Mantelfläche des äußeren Zylinders wie Bossen vor, die zugleich den sonst frei beweglichen inneren Zylinder festhalten. Viel abwechslungsreicher ist der mittlere Streifen. Da sieht man (auf der Abrollung 613 links) eine Ziege oder Antilope, an einem Zweige fressend, dann eine symmetrische Gruppe mit einem Krokodil zwischen zwei knieenden Eingebornen, eine hockende Frau mit einer an Ammonshörner erinnernden Haartracht und — für Benin besonders typisch — einen Elefantenkopf mit Zweigen im Rüssel, mit aufrecht stehenden Ohren und mit einer Art Krone auf dem Kopfe.

Das zweite dieser Armbänder, III. C. 4880, Taf. 118 B und Abb. B, 612, hat auf jedem der beiden Randstreifen alternierend einmal je vier)(förmig sich berührende Schlangen, zwischen deren Schlingen ein frei beweglicher Ring aus dem Vollen geschnitzt ist, und dann je vier, in halbrund vorspringenden, durchbohrten Bossen frei bewegliche Zapfentüren; von diesen ist nur mehr eine erhalten, die anderen sieben sind ausgebrochen, aber auf der Abbildung teilweise mit

Abb. 608. Abrollung des Armbandes Abb. 607.

punktierten Linien ergänzt; nur links unten sieht man die kleinen quadratischen Türöffnungen. Der mittlere Streifen enthält eine Reihe von vier quergelegten, abgeschlagenen Köpfen von Eingebornen, an deren Halse sich Geier zu schaffen machen. Ein ganz gleichartiges Stück, aber dunkel gebräunt und mit der Herkunftsangabe Yoruba, befindet sich im Hamburger Museum.

Sehr viel reicher geschnitzt ist das dritte unserer Armbänder, III. C. 4882, Taf. 118 c und Abb. C, 614. Der untere Streifen zeigt in der Mitte der Abrollung eine große, in drei Doppelschleifen geringelte Schlange, die einen Mann im Rachen gefaßt hält; hinter ihm ist ein Krokodil mit einem Fisch zwischen den Kiefern und ein Elefantenkopf genau gleich dem auf der Abrollung 613; nach links von der Schlange ist, quer orientiert, eine nur mit einem kurzen Hüftschurz bekleidete Tänzerin (?), die in jeder Hand etwas hält, was man zunächst für einen Palmwedel halten möchte, was aber vermutlich zu ihrer Haartracht gehören dürfte. Der obere Streifen ist dem unteren fast gleich; er hat die gleiche, einen Mann verschlingende Schlange und dasselbe Krokodil mit der Kloakenmündung am Rücken und mit dem Fische im Rachen. Auch die quer orientierte »Tänzerin« ist da, diesmal mit beiden Händen ein von den Achseln herunter-hängendes Tympanon schlagend und mit denselben zweigartigen Gebilden, die die andere in den Händen zu halten schien, die aber hier ganz einwandfrei sich als zur Haartracht gehörig erweisen. Zwischen ihr und dem von der Schlange gefaßten Manne hockt noch ein weiterer Mann; daß die »Tänzerin« auf seinem Gesicht und auf seinen Händen zu stehen scheint, ist vielleicht nur durch die Art der Raumeinteilung bedingt und wohl nicht als beabsichtigte Darstellung einer wirklichen Szene aufzufassen. Beide diese Randstreifen zeigen noch je einen flachen Bügel, der, dem inneren Zylinder angehörig, über die Schlange der äußeren Mantelfläche greift und so die beiden Hohlzylinder beweglich miteinander verbindet. Noch ungleich reicher und kunstvoller aber als die Randstreifen ist die etwas breitere Mittelzone; da sehen wir

Abb. 615 a, b, c.   Drei Ansichten eines aus Elfenbein geschnitzten Armbandes.   Stuttgart L. 1422/1.

(wiederum von der Abrollung ausgehend, rechts zunächst den uns schon bekannten zweiköpfigen Vogel [1]), dann den stilisierten Elefantenkopf mit den Zweigen im Rüssel, dann aber, zweifellos der besondere Stolz des Künstlers, eine Person mit abenteuerlicher Kopftracht und mit langen Fischschwänzen statt der Beine, die sie jeden mit einer Hand erfaßt und senkrecht hochhebt, so daß eine heraldische Figur von großer Originalität und Schönheit entsteht, die übrigens, soviel ich weiß, in Europa schon im 13. Jahrh., und zwar auf einem Wiener Pfenning, erscheint. Ihr folgt dann noch (auch auf Taf. 118 c gut zu sehen) ein wundersames Gebilde, aus zwei miteinander verwachsenen Elefantenköpfen bestehend, aus deren »Kronen« je zwei große Welse herauswachsen. Alle drei Armbänder haben an den Rändern Reihen von aus dem Vollen geschnitzten Ösen, in denen sich noch mehrfach an Elfenbeinringen befestigte kleine, schellenförmige Bommeln erhalten haben. Bei allen erscheint der innere Zylinder siebartig durchbohrt,

---

[1]) Mit Absicht wird hier nur von einem zweiköpfigen Vogel gesprochen, nicht von einem Doppeladler. An sich ist es selbstverständlich sehr leicht möglich, daß der heraldische Doppeladler schon im 16. Jahrh. nach Benin gelangt ist, aber es fehlt dafür an einem zwingenden Beweis. Inzwischen wird man mit der Möglichkeit rechnen müssen, daß zweiköpfige Vögel sich auch ganz lokal und unabhängig von der europäischen Heraldik entwickeln konnten, vielleicht im Anschlusse an Mißbildungen; von den Huichol wird sogar erzählt, daß sie selbst den auf ihren Geweben sehr häufig vorkommenden Doppeladler auf die Schwierigkeit zurückführen, bei reiner Vorderansicht eines Vogels einen deutlichen Kopf darzustellen; man müsse diesen in Seitenansicht bringen, und dann sähe es so aus, als ob er nur zu einer Hälfte des Tieres gehörte; deshalb müsse auch ein zweiter Kopf zugefügt werden. Wenn die Huichol das wirklich zur Erklärung ihres Doppeladlers vorbringen, so beweist das natürlich nur, daß sie den wirk-lichen Zusammenhang ihres Doppeladlers mit dem heraldischen vergessen haben. Zur Geschichte des Doppeladlers vgl. meine Notiz in »Zusammenhänge und Konvergenz« (Mitt. der Wiener Anthr. Ges. Bd. 48, 1918, S. 27).

bei zweien, Taf. 118 A und C, überwiegt das Schnitzwerk des äußeren Mantels sehr wesentlich über das des inneren Zylinders, bei dem dritten aber ist es sehr stark reduziert und nur durch die beweglichen Ringe und Türen vertreten, während die Schlangen, die abgeschnittenen Köpfe und die Geier dem inneren angehören.

In denselben Kreis gehört ein viertes Armband, Stuttgart L. 1422/1, von dem ich hier, dank dem gütigen Entgegenkommen von Kollegen Koch-Grünberg, die drei Ansichten Abb. 615 a, b, c veröffentlichen kann; es besteht gleichfalls aus zwei beweglich ineinander geschachtelten Zylindern, die nur durch Messerrückendicke voneinander getrennt sind; von dem inneren ragen nur einige stark erhabene Flechtknoten und eine Reiterfigur in das Niveau der äußeren Mantelfläche vor; die schmale, mittlere Zone ist im wesentlichen durch eine Reihe von hintereinander herschreitenden Vögeln ausgefüllt; die obere aber zeigt uns eine merkwürdige, etwas an ein sehr bekanntes Maori-Schnitzwerk des Berliner Museums erinnernde Gruppe, anscheinend mythologischen Inhalts: in der Mitte eine Person mit großen Schlangen (oder Welsen?) statt der Beine und mit zwei ebenso großen Schlangen, die sich, symmetrische Schleifen bildend, von der Gegend der äußeren Augenwinkel aus nach unten ringeln; zu beiden Seiten, dieser Person zugewandt, je ein Vogel. Die untere Reihe enthält eine ähnliche kleinere Gruppe, dann eine Anzahl von bewaffneten Personen, darunter eine mit Bogen und Köcher und — dem inneren Zylinder angehörig und außer der unteren auch die mittlere Zone einnehmend — einen eingebornen Reiter; ebenso wie die kleineren bewaffneten Personen hält auch dieser bei sonst aufrechter Haltung seinen Kopf völlig wagerecht; anders als jene unterstützt er diese Haltung noch mit beiden Händen, mit denen er seinen Kopf gleichsam zurechtsetzt oder in dieser ganz unnatürlichen Lage festhält; es ist schwer zu sagen, ob diese Kopfhaltung etwa eine mythologische Bedeutung hat oder nur durch die beschränkten Raumverhältnisse bedingt ist. Sie kommt auch sonst in Benin nicht ganz selten zur Beobachtung.

Ein fünftes Armband ähnlicher Art ist in zwei gleichen Exemplaren 1910 aus dem Nachlaß von Sir Ralph Moor in den Besitz des Brit. Museums übergegangen; es ist schon 1898 im »Studio« und 1910 im »Man« abgebildet; beide Male in einer nicht entfernt ausreichenden Autotypie; eine solche ist hier Abb. 616 reproduziert, um wenigstens eine ungefähre Vorstellung von diesen kostbaren Stücken zu ermöglichen, die freilich eine bessere Wiedergabe in mindestens zwei Ansichten verdienen würden. Dem äußeren Zylinder gehört in vierfacher Wiederholung die typische Figur des dämonischen Mannes mit Perlhemd und *apex* an, der Welse statt der Beine hat und in den erhobenen Händen je einen Panther schwingt. Zwischen den Welsen kommt aus der Beckengegend ein Krokodilkopf zum Vorschein, der

Abb. 617 a, b. Zwei Armbänder aus Elfenbein mit Köpfen von Antilopen, Pferden usw. Museum in Liverpool. 19 cm hoch. Repr. nach Ling Roth, Great Benin.

Abb. 616. Armband mit vier dämonischen Männern und mit ebensovielen gedoppelten Elefantenköpfen; Brit. Museum, etwa ¹/₂ d. w. Gr.

eine menschliche Hand (oder das stilisierte Ende eines Elefantenrüssels) im Rachen hält. Zwischen diesen
vier dämonischen Wesen, aber dem sonst netzartig durchbrochenen inneren Zylinder angehörig, ragen,
fast den ganzen Rest der äußeren Mantelfläche füllend, vier gedoppelte Elefantenköpfe vor, die in der
Nackengegend miteinander verwachsen sind und mit der Greifhand des Rüssels je zwei Blattzweige (oder
Schlangen?) gefaßt halten.   Die Panther und Welse, der Krokodilkopf und die Elefantenköpfe sind mit

eingelegten Kupferplättchen verziert. In der kurzen Beschreibung
im »Studio« sind von den acht
Elefantenköpfen nur die Rüssel erwähnt und als Hände beschrieben;
die Köpfe sind ganz übersehen
worden, obwohl sie schon durch
die großen Stoßzähne deutlich genug als solche gekennzeichnet sind.
Die Armbänder sind, soweit aus
der Abbildung zu ersehen, von
tadelloser Erhaltung; sie sind aber
wegen der großen Gebrechlichkeit
der feinen Schnitzarbeit wohl nur
bei ganz besonders feierlichen Gelegenheiten getragen worden und
niemals in dauerndem Gebrauch
gewesen.

Gleichfalls paarweise hat sich
ein sechstes Armband erhalten, das

Abb. 618/9. Zwei zusammengehörige Armbänder, Sammlung Rawson, etwa ²/₃ d. w. Gr.

hier Abb. 617 wiedergegeben ist;
besonders schlanke
Antilopenköpfe
wechseln da mit
Krokodilen, Schlan-
gen, Welsen und an-
derem Getier in fast
rundem Hochrelief
ab, alles frei ge-
schnitzt, so daß von
der äußeren Mantel-
fläche nichts erhal-
ten ist als das
schwer zu ent-
wirrende Netzwerk
von Tierleibern und
Köpfen. Der innere
Zylinder ist in zier-
lich gemusterten
Streifen durch-
brochen gearbeitet;

Abb. 620/1. Zwei zusammengehörige Armbänder, Sammlung Campbell, etwa ²/₃ d. w. Gr.

ihm gehört auf der Abbildung links das nicht leicht zu deutende verschlungene Zwillingsgebilde an,
rechts ein Pferdekopf.

Eine größere Zahl gleichfalls in der Art von zwei ineinander steckenden Zylindern geschnitzter
Armbänder ist dadurch gekennzeichnet, daß ein oder zwei große ovale »Fenster« in der äußeren Mantelfläche durch eine dem inneren Zylinder angehörige Doppelfigur ausgefüllt werden. Solche Stücke haben
sich in Leipzig, London[1]) und Wien sowie in den Privatsammlungen der Herren Campbell, Egerton und

¹) R. D. erwähnen bei Beschreibung des Londoner Stückes, VI 5, ein *somewhat similar armlet* in Berlin, Nr. 2592;

Admiral Rawson erhalten; ihr Typus ist am deutlichsten aus den Abbildungen 620/1 zu erkennen. Sie sind durchaus mit sehr feinem Schnitzwerk bedeckt, das mythologischen Inhalt zu haben scheint und sich einstweilen noch jedem Versuch einer Deutung durchaus entzieht; deshalb muß es genügen, wenn hier nur etliche besonders in die Augen fallende Einzelheiten hervorgehoben werden, so z. B. Abb. 618 oben die Szene mit einem Chamäleon, das sich mit einem Menschen um eine Flinte (?) zu zanken scheint, und darunter wiederum das Fischweibchen, das die beiden langen Schwänze mit den Händen hochhebt. Auf dem Fig. 619 abgebildeten Armbande, das mit dem vorigen ein Paar bildet, sehen wir unten einen

622

623

Abb. 624. Armband der Sammlung Egerton, etwa ½ d. w. Gr.

Abb. 622/3. Zwei zusammengehörige Armbänder, Sammlung Egerton, etwa ⅔ d. w. Gr.

Abb. 623 A. Ausschnitt aus dem Fig. 623 abgeb. Armband der Sammlung Egerton.

Reiter, vor ihm Schlangen und oben zwei wie im Gespräch einander zugewandte Menschen mit mächtigem Haarschopf auf dem meist glatt geschorenen Scheitel. 620 zeigt uns oben eine Person in Vorderansicht zwischen zwei Menschen, die sie von der Seite her zu halten scheinen, und unten eine Gruppe von vier anscheinend streitenden Menschen; auf 621 ist die bei den meisten Stücken dieser Gruppe regelmäßig wiederkehrende gegenständige Doppelfigur zu sehen, die zwei sich aus ihrem Scheitel lösende und bis zu ihren Füßen herabreichende Schlangen mit den Händen festhält. Ein anderes, gleichfalls oft auf diesen Armbändern wiederkehrendes Motiv, Schlangen, die mit ihren Leibern einen Ring bilden, während ihre Köpfe nach außen abstehen, sehen wir auf der Abb. 622 oben; diesmal sind es fünf Schlangen, sonst meist nur vier, auf dem zu einer anderen Gruppe gehörigen Armbande Fig. 608, wie oben schon erwähnt, sogar nur zwei. Ganz besonders reich an vorzüglich geschnitzten, aber leider meist ganz unverständlichen Darstellungen ist das Fig. 623 abgebildete Armband; in der oberen Reihe sehen wir einen Reiter und zwei

zur Vermeidung künftiger zeitraubender Nachforschungen sei hier festgestellt, was sonst früher oder später ganz in Vergessenheit geraten könnte, daß die drei Taf. 118 abgebildeten Armbänder III. C. 4880 bis 82 vor dem Umzuge in das gegenwärtige Mus. f. Völkerkunde, im alten Museum am Lustgarten, also vor 1886, eine Zeit lang neben den Katalognummern mit den sog »Schaunummern« 2591 bis 2593 versehen waren; auf diese alte Zeit muß also die Notiz zurückgehen, die jener Bemerkung zugrunde liegt; die Ähnlichkeit ist übrigens wirklich nur eine ganz beiläufige.

andere Personen, die sich mit einer Kette (?) zu tun machen; der kolbenförmige Gegenstand in der Nähe des linken Randes der Abbildung ist ebensowenig zu deuten als das von einem richtigen Strahlenkranz umgebene Auge des Pferdes; noch ungewöhnlicher ist eine Szene in der unteren, gegenständigen Zone; sie ist hier, um dem Leser das Umdrehen des schweren Bandes zu ersparen, Fig. 623 A noch einmal in richtiger Orientierung und zugleich etwas vergrößert abgebildet. Wir sehen links wiederum eine Art »Fischweibchen«, diesmal aber mit zwei ganzen und sehr eigenartig stilisierten Welsen, die mit ihren Köpfen sich aus der Beckengegend der Figur loslösen; über das Geschlecht dieses dämonischen Wesens kann nichts gesagt werden; wenn wir es als »Fischweibchen« bezeichnen, so geschieht das nur wegen der allgemeinen Übereinstimmung seiner Form mit der uns von der Heraldik her geläufigen; wir können es ebensogut auch mit einer Weiterentwicklung des Olokum, des angeblichen »Welsgottes«, zu tun haben; rechts davon rudert ein Mann stehend in einem Kahne, in dem vorn noch der Kopf einer zweiten Person sichtbar ist. Die ganze Haltung des Ruderers, nicht zum mindesten auch sein Hut mit der breiten, hoch aufgebogenen Krempe macht einen etwas grotesken Eindruck; er scheint eine große Pfeife im Munde zu halten, aber diese Deutung ist nicht ganz sicher; es ist möglich, daß der anscheinende Kopf der Pfeife zu dem neben ihm kriechenden Krokodil gehört und daß, was als Pfeifenstiel wirkt, sein linker Vorderarm

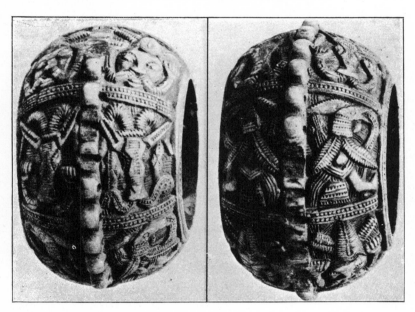

Abb. 624 A. Zwei Ansichten eines Armbandes aus Elfenbein, etwa ²/₃ d. w. Gr. Nach R. D. II, 1.

ist; dann würde er das Ruder mit beiden Händen fassen; man hat aber zunächst den Eindruck, als griffe er mit dem linken Arm nach hinten in die Höhe.

Sehr reich ist auch das Fig. 624 abgebildete Armband geschnitzt; wir sehen unten einen Reiter mit abenteuerlich großem und dickem Zopfe; sein Pferd wird von einem Begleiter geführt; er hat in der Rechten den gleichen tief gespaltenen Gegenstand, wie der Reiter in Abb. 619. Auch stilistisch stimmt dieses Armband mit den Fig. 618, 619 und 623 abgebildeten derart überein, daß es nahe liegt, alle vier Stücke demselben Künstler zuzuschreiben. Hingegen gibt es eine kleine Anzahl von Armbändern, die den zuletzt hier beschriebenen zwar von weitem ähnlich sind, aber durch ihre harte, steife, ungeschickte und wenig sorgfältige Arbeit sich als späte Nachahmungen erkennen lassen; als Beispiel genügt ein Hinweis auf P. R. 283 und auf Webster 11 267, Fig. 15 im Katalog 29 von 1901.

L. Zum Schlusse sind noch einige untypische Formen zu erwähnen; so das schon Fig. 610 abgebildete Armband, Berlin III. C. 20 831, das wir 1906 mit der Angabe »Benin« in England erwarben; ich bin nicht ganz sicher, ob das Stück wirklich aus Benin stammt, aber es gehört zum mindesten in die Nachbarschaft. Sicher aus Benin stammt das Fig. 611 abgebildete Armband aus der Sammlung Campbell; in drei Reihen übereinander wechseln je 16 Zeremonialschwerter (Ebere) mit ebensoviel bärtigen Europäerköpfen ab. Ihm verwandt scheint ein hohes Armband, Frankfurt a. M. 12 164, bei dem in 11 Querreihen Ebereschwerter und Europäerköpfe abwechseln. Dasselbe schwer verständliche Motiv kehrt auch am unteren Rande eines großen, reich geschnitzten Elefantenzahnes wieder, vgl. Abb. T, 788. Völlig aus der Reihe fällt ein fast kugelförmiger Armreif, der hier Fig. 624 A abgebildet ist und schon um 1868 in Lokodja am Niger für das Brit. Museum erworben wurde. Seiner Form nach erinnert er an manche ostafrikanische Armringe, die zum Schutze gegen den Rückprall der Bogensehne am linken Handgelenk getragen wurden, aber seine geschnitzten Verzierungen stammen sicher aus Benin oder dessen unmittelbarer Nachbarschaft. In zwölf Feldern wiederholen sich je viermal drei Darstellungen, ein Antilopenkopf, aus dessen Nasenlöchern sich Schlangen bzw. Elefantenrüssel (oder menschliche Arme?) entwickeln, dann ein Kampf zwischen einem Vogel und einer Schlange und ein menschlicher Kopf, auch mit aus den Nasenlöchern kommenden Elefantenrüsseln.

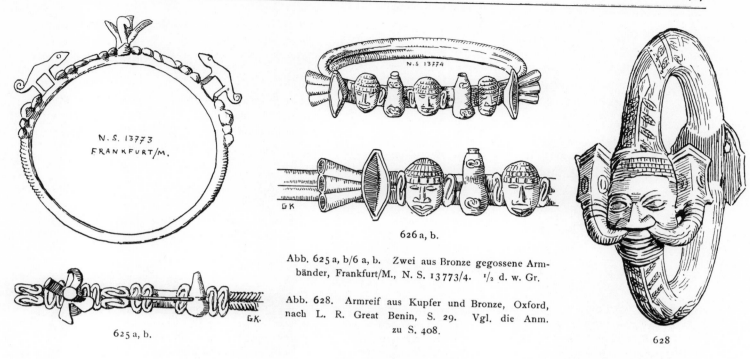

626 a, b.

Abb. 625 a, b/6 a, b. Zwei aus Bronze gegossene Armbänder, Frankfurt/M., N. S. 13773/4. ½ d. w. Gr.

Abb. 628. Armreif aus Kupfer und Bronze, Oxford,
nach L. R. Great Benin, S. 29. Vgl. die Anm.
zu S. 408.

625 a, b.

628

31. Kapitel.
Schmale Armbänder aus Bronze, Eisen und Elfenbein.
[Hierzu Taf. 100 und 101 sowie die Abb. 625 bis 631.]

Der großen Mannigfaltigkeit auch der schmalen Armbänder im alten Benin wird man am ehesten gerecht, wenn man sie ebenso in Gruppen bringt, wie wir das im vorigen Kapitel mit den breiten getan haben.

A. Gegossene Armbänder mit Masken, Chamäleonen, Schellen (?), Kürbissen und kleinen Flechtknoten sind Taf. 100 A, C, E und G abgebildet, sowie hier Fig. 625 und 626. Ihre Bedeutung ist unbekannt; ebenso sind auch die kahnförmigen Gegenstände, wie z. B. auf Taf. 100 G oder auf dem Fig. 626 abgebildeten Stücke nicht zu deuten; sie stimmen vermutlich mit den gleichgestalteten Gegenständen überein, die wir auf einigen maskenförmigen Anhängern gefunden haben, vgl. z. B. die Abb. 562. Einer der kleinen Flaschenkürbisse von Abb. 626 ist hohl gegossen und hat wohl zur Aufnahme von Gift oder »Medizin« gedient; sein massiv gegossenes Gegenstück auf demselben Armbande läßt einen Verschluß durch einen zylindrischen Pfropfen annehmen. Beide Behälter sind mit Flechtknoten verziert; ganz ungewöhnlicherweise sind auch die Ohren der Negerköpfe auf diesem und einem verwandten Armreif in der Art von Flechtknoten stilisiert. Dresden 12604 gehört in dieselbe Gruppe, nicht aber P. R. 49, wie man nach dem Texte (»Reihe von Eidechsen«) schließen könnte; auf der Abbildung kann ich nur neun aufeinanderfolgende Krokodilköpfe erkennen. Ein einzelner größerer Flaschenkürbis ist auf dem Berliner Armreifen III. C. 10887, Taf. 101 rechts unten nachgebildet. Solcher Armschmuck, der zugleich zum Verwahren von Medizin usw. dienen mochte, findet sich sehr häufig auf den Reliefplatten dargestellt.

B. Armbänder mit Masken und Köpfen von Menschen und von Pferden sind im alten Benin sehr verbreitet gewesen; von solchen mit menschlichen Masken sind vier in Berlin, vgl. Taf. 100 F, 101 P und Abb. 627 a, b, je einer in Bremen (Bruchstück), Dresden, Hamburg und Leiden und zwei oder drei in Privatbesitz. Meist sind vier solche Masken gleichmäßig über den Umfang des Reifens verteilt; nur bei dem Stück in Leiden, vgl. die Abb. bei M. VI. 3/4, werden fünf gezählt, bei dem Berliner III. C. 27489, Abb. 627 a nur drei. Die Mehrzahl dieser Armbänder ist in der gewöhnlichen Art in verlorener Form gegossen; bei einigen aber ist der eigentliche Reif aus Eisen geschmiedet; nur die Köpfe sind nachträglich um den Ring herum gegossen. Bei Berlin III. C. 27490 haben alle vier Köpfe je vier aus der Scheitelwie aus der Kinngegend hervorragende handartige Vorsprünge, die bei zwei Köpfen anliegend, bei den zwei anderen abstehend gebildet sind und da den Eindruck eines durch die Maske größtenteils verdeckten Andreaskreuzes machen. Ganz eigenartig ist der Armring Hamburg C. 2875 (Facsimile aus Gips in Berlin III. C. 10787); er ist drehrund aus Kupfer geschmiedet und hat an einer Stelle einen aus Messing gegossenen Negerkopf mit drei »Schnurrhaaren« in jedem Mundwinkel. Einen ähnlichen Ring besitzt Cöln;

einen mit zwei Köpfen Rushmore, P. R. 47; dieser ist bes nders auffallend dadurch, daß die eine Hälfte des Ringes quadratischen Querschnitt hat, die andere aber drehrund und wie fein torquiert ist. In drei nahezu völlig gleichen Exemplaren [1]) ist ein Ring bekannt, vgl. Abb. 628, mit zwei Negerköpfen, aus deren Nasenlöchern große Welse entspringen. Ähnliche Armringe, aber mit vier aufgeschirrten Pferdeköpfen, vgl. Taf. 100 D, und H sowie Abb. 627 d, kenne ich vier; die drei abgebildeten sind in Berlin, der vierte im Bankfield-Museum, Halifax.

C. Ein dritter, gut umgrenzter Typus ist durch das Überwiegen von verschlungenen Knoten gegeben. Zahlreiche Reliefplatten, hier sei nur auf die Abb. 192, 193, 202, 217, 248 und 291 verwiesen, lehren, daß solche Armreifen mit Vorliebe am rechten Oberarm getragen wurden. Gute Vertreter sind die Taf. 101, C und D abgebildeten Berliner Stücke III. C. 10886 und 12526. Zwei schöne Stücke aus dem Science and Art Museum in Philadelphia und eines aus dem P. R. Museum in Oxford hat L. R. abgebildet; auch sonst gibt es vielfach Übergänge von dem einzelnen großen Knoten bis zur Häufung von kleinen und sehr zahlreichen auf einem sonst glatten Ringe. Der Taf. 101 A abgebildete Berliner

Abb. 627 a, b, c, d. Armreifen. Berlin III. C. 27489/90.

Abb. 629. Armreif, Hamburg, vermut- Abb. 630. Geldring, Hamburg 2936,
lich Ringgeld; etwa ½ d. w. Gr.   1,965 Kilo schwer. Vgl. Taf. 5 C, D
                                       und Taf. 104 A.

Reif III. C. 12530 ist technisch merkwürdig, da er aus fünf einzelnen Stücken in Schleifen zusammengeschmiedet ist.

D. Verhältnismäßig selten sind Armspangen mit drei, vier und mehr dicht aneinander liegenden Spiralwindungen vom Typus der Taf. 101 K und L abgebildeten Berliner Stücke III. C. 10 930/1. Dresden 16 129 ist ganz ähnlich, hat aber sechs Windungen. Im Durchschnitt sind alle diese Stücke kreisrund; die freien Enden sind etwas verdickt und durch eine ebene, kreisrunde Fläche abgeschlossen. Das durch seine plumpe Form und sein großes Gewicht ausgezeichnete Stück Berlin III. C. 12 590, Taf. 101 M bildet zwar auch eine Spirale, gehört aber wohl zu den Geldringen und ist nicht als Schmuck zu deuten; das gleiche gilt von dem hier Fig. 630 abgebildeten Ring in Hamburg.

E. Fig. 629 ist ein 3 cm breiter Ring, Hamburg C. 3689, abgebildet, der an drei Stellen je drei Reihen mit drei im Gusse nachgeahmten Kaurischnecken hat, im ganzen also 27 solche Schnecken. Völlig gleichartige Ringe, nur manchmal mehr oder weniger verbogen, kenne ich noch zwei in Berlin (III. C. 20 073 a b), einen in Rushmore (P. R. 223) und zwei bei Webster (Abb. 204 im Kat. 21 und Abb. 92 im Kat. 24); einer von diesen ist mit der Angabe versehen, daß er von Frauen getragen wird; ich halte diese Angabe für nicht durchaus zuverlässig und denke an die Möglichkeit, daß wir es auch bei diesen Ringen überhaupt nicht mit Schmuck, sondern mit Geld zu tun haben. Die Verwendung der Kaurischnecken als Geldsurrogat ist noch vor kurzer Zeit durch das ganze tropische Afrika verbreitet gewesen, und so liegt es sehr nahe, auch Geldringe aus Erz durch einen solchen Schmuck besonders zu kennzeichnen.

F. Taf. 101 O und P sind zwei Armbänder (Berlin, III. C. 9956 und 10 933) als Vertreter einer

---

[1]) Leipzig 12 986, Pitt-Rivers Museum in Oxford und Rushmore P. R. 39; das erste Stück ist lange nach der Zerstörung von Benin von Herrn Diehl, einem um unsere deutschen Museen besonders verdienten Gönner in Assaba, erworben worden; das zweite, hier Fig. 628 abgebildete, stammt aus dem Nachlasse von Miss Mary Kingsley, das dritte dürfte P. R. von Webster gekauft haben. Zwei von den drei Ringen, vielleicht alle drei, sind aus Kupfer, nur die Köpfe sind aus Bronze; die Zweige mit Blättern sind zum Teil eingelegt, zum Teil nur gepunzt.

Gruppe abgebildet, bei der es trotz des innen kreisrunden Lumens außen zu fast rein quadratischem Umriß kommt; diese auffallenden Formen gehen von einem einfachen runden Reifen aus, der an vier Stellen anstatt der oben erwähnten Masken einfache Buckel bekommt, die, allmählich größer werdend, schließlich zu quadratischen Formen führen. Diese Erklärung ergibt sich zwingend aus dem häufigen Vorkommen solcher Armreife, bei denen der eigentliche Ring aus Eisen oder Kupfer geschmiedet ist und nur die Buckel aus Bronze angegossen wurden. Die ganz aus Erz gegossenen Ringe stehen dann am Ende der Entwicklung. Ein besonders großes Stück von dieser Form in Dresden hat hohle Buckel, die durch eingelegte Steinchen zu Schellen geworden sind und leitet so zu andern Fuß- und Armringen über, die, aus Eisen geschmiedet oder aus Bronze gegossen, drei richtige Schellen tragen. Aus einigen Dutzenden von anderen unwesentlichen Formen, auf die hier näher einzugehen kaum lohnen würde, sei hier nur ein eigenartiges Stück in Rushmore erwähnt, P. R. 241, das aus 12 einzelnen Masken besteht, von denen jede auf vier nebeneinander liegenden, in der Mitte durchlöcherten kreisrunden Scheibchen aufruht; die so entstandenen Einheiten sind mit Bindfäden zu einem Armband vereinigt, vermutlich nicht im Sinne ihrer ursprünglichen Verwendung. Ein sehr schwerer und dicker, torquierter offener Ring mit würfel-förmigen Enden, Hamburg C. 2307, ist zwar von einem ganz zuverlässigen Manne in Benin selbst erworben dürfte aber fremden Ursprungs sein und wohl aus einem der nordafrikanischen Küstenländer stammen. Auch zwei ähnliche Stücke bei H. Umlauff, Phot. 16 und 17, halte ich für recenten Import.

G. Ganz modern ist eine Anzahl von Messingringen, für die Taf. 101 F bis I einige typische Vertreter abgebildet sind; sie haben in ad hoc gegossene längliche Gruben zylindrische Stücke von Korallen oder von roten Glasperlen eingelegt und sind völlig reizlos.

H. Um so interessanter sind die schweren Ringe, die wir auf den Taf. 5 C, D und Fig. 55 bis 57 abgebildeten Platten in der Hand von Europäern kennengelernt und als Geldringe erkannt haben. Daß sie trotzdem hier unter den Armspangen aufgeführt werden, sei damit erklärt, daß einige kleinere Stücke ihrer Art auch als Schmuck gedient zu haben scheinen und daß es schwer oder ganz unmöglich wäre, eine sichere Grenze zwischen den beiden Gruppen zu finden. Das schönste Stück dieser Art, Berlin III. C. 8496, ist Taf. 104 A abgebildet. Ein ganz ähnliches, nur etwas schlankeres Stück ist Wien 64 801 (Heger 87), ein drittes, kleiner und mit fast kreisrundem Querschnitt, Hamburg 2936, ist hier Fig. 630 abgebildet. Es wiegt

Abb. 631. »Zwey Arm-Ring aus Elfenbein geschnitten, von allerhand Krotten und abscheulichen Thieren figuriert, so die Vivalgos oder Edelleut des Königs zu Haarder zu einer sonderlichen Zier und Hoffart an ihren Armen zu tragen pflegen.« Aus der Weickmann-Sammlung, Ulm, 1659.

1,965 kg, während der große Berliner Geldring 3,983 kg, also ungefähr das Doppelte, der Wiener sogar 4,60 kg wiegt. Über die chemische Zusammensetzung wird in Kap. 66 gehandelt werden. Daß es sich um aus Europa zu Tauschzwecken eingeführte Stücke handelt, scheint durch die oben erwähnten Platten durchaus gesichert. Dasselbe wird man aber auch von den sehr viel kleineren Ringen annehmen dürfen, für deren Form ich auf Taf. 101 J verweise; diese haben einen größten Durchmesser von durchschnittlich 8 cm und ein um 70 g schwankendes Gewicht. Solche Ringe sind schon viele Jahrzehnte vor der Zerstörung Benins von verschiedenen Orten der Küste von Oberguinea in unsere Museen gelangt, nicht selten auch mit der ganz richtigen Angabe, daß sie als Geld dienen; ein Stück, Berlin III. C. 185, ist mit der Angabe »Geldring, beim Handel mit Palmöl« schon 1861 durch Karl Ritter an das Museum gelangt; andere ganz gleichartige Ringe sind von R. Virchow 1887 und 1888 in den Verh. der Berliner Anthrop. Gesellsch. (Z f. E. XIX 566 und 723 und XX, 306) erwähnt worden.

I. Anhangsweise seien hier noch einige schmale Armreifen aus Elfenbein verzeichnet. Sie sind nicht entfernt so mannigfaltig als die breiten, geschnitzten Armbänder. Manche sind ganz glatt und unverziert, andere, so das hier Taf. 101 B abgebildete Berliner Stück III. C. 12 537 und ein Reif in Rushmore, P. R. 171 sind in der Art einer Schlange geschnitzt; einige sind mit einem Flechtband verziert, einige auch, so z. B. die beiden Hamburger Stücke C. 2906/7, ähnlich wie manche Bronzeringe, mit Masken von

Europäern und von Panthern. Besondere Beachtung verdienen nur die zwei hier Fig. 631 abgebildeten Stücke aus dem Städt. Gewerbe-Museum in Ulm. Sie stammen von Arder, also aus der unmittelbaren Nachbarschaft von Benin, und sind bereits 1659 in der Weickmannschen Kunstkammer nachweisbar. Auf dem einen dieser Ringe ist mehrfach die Darstellung eines Antilopenkopfes zwischen zwei Geiern wiederholt, auf dem anderen scheinen lang dahin kriechende Schnecken mit Fröschen abzuwechseln.

———

32. Kapitel.

Halsschmuck, Kopfbedeckungen, Fingerringe usw.

[Hierzu Abb. 632 bis 634.]

A. Unter den als Halsschmuck aufzufassenden Stücken nehmen Ringe mit Darstellungen von menschlichen Leichen und abgeschlagenen Köpfen wegen ihrer Eigenart wohl die erste Stelle ein. Leider ist keiner von ihnen nach Berlin gelangt und keiner ist bisher so gut abgebildet, als daß es möglich wäre, hier eine zur Veranschaulichung des Typus ausreichende Zeichnung zu geben; von zwei Stücken in Rushmore existieren nur ganz unzulängliche kleine Autotypien; P. R. erwähnt zwar für einen dieser Ringe einen *annexed woodcut*, doch ist dieser leider nicht vorhanden und auch von dem Stücke im Brit. Museum heißt es bei R. D. S. 31, daß eine Abbildung nicht gegeben werde, weil es wegen seiner Form für photographische Wiedergabe nicht geeignet sei. In beiden Fällen ist die Herstellung einer Zeichnung wohl aus Mangel an Zeit unterblieben. Immerhin hat L. R. (Great Benin S. 54) von dem Londoner Stücke wenigstens eine kleine Einzelheit abgebildet. Diese drei Ringe und drei andere, ihnen verwandte Stücke (Egerton, Hamburg und Leipzig) haben untereinander so viel gemein, daß man sie wohl als eine in sich geschlossene Gruppe auffassen kann. Sie sind alle in hohem, fast rundem Relief aus Bronze gegossen, die meisten (oder alle) um einen eisernen Kern, zweifellos um ihnen mehr Festigkeit zu geben. Wir werden in Kap. 47 eine große Zahl baumähnlicher Stücke kennenlernen, die zunächst aussehen, als ob sie ganz aus Bronze gegossen wären, die aber an beschädigten Stellen erkennen lassen, daß sie einen aus Eisen geschmiedeten Kern haben und nur mit Bronze »umfangen« sind; R. D. erinnern anläßlich des Londoner Halsringes daran, daß auch spätkeltisches Pferdegeschirr aus Bronze in gleicher Weise um einen eisernen Kern gegossen sei, anscheinend um Erz zu sparen; dies mag für jenes Pferdegeschirr wohl zutreffen; für Benin kommt sehr viel eher die große Brüchigkeit des meist stark bleihaltigen Erzes in Betracht; Eisen allein wäre zu sehr der Gefahr des Verrostens ausgesetzt gewesen, und so lag es sicher nahe, durch das Umfangen eines eisernen Kernes mit flüssigem Erz die Festigkeit des Eisens mit der fast unzerstörbaren Dauer der Bronze zu verbinden.

Der Londoner Ring zeigt drei kopflose Leichen, genau wie auf den Sockeln der beiden großen Berliner Gruppen Taf. 79 und 81, auf dem Bauche liegend und mit hinter dem Rücken festgebundenen Händen; am Hals und an den Füßen jeder solchen Leiche hackt ein Aasgeier ein. Zwischen diesen drei Gruppen liegen abgeschnittene Köpfe, sogar ein einzelner menschlicher Schädel mit einer Andeutung von Nähten, Messer und ein etwa halbmondförmiger, nicht zu deutender Gegenstand. Ähnlich sind die beiden Stücke in Rushmore, P. R. 158 und 337; von den letzteren, früher Webster 6924, ist nur eine Hälfte vorhanden; ganz rätselhaft sind bei diesem flache, kreisrunde Scheiben je mit fünf wie bei einem Spielwürfel angeordneten runden Gruben; P. R. hält sie für stilisierte Köpfe, vermutlich mit Unrecht, denn auf einem ähnlichen Ringe der Sammlung Egerton finden sich zweifellos analoge Scheiben, aber nur mit einer größeren Delle in der Mitte und mit einem Kreise von ringsum eingeschlagenen Punkten; bei diesen Scheiben ist aber an eine Ähnlichkeit mit menschlichen Köpfen auch nicht entfernt zu denken. Bei dem Stücke Hamburg, C. 2900 ragen zwischen den im flachen Relief gehaltenen Menschenleibern zwei Neger- und drei Pantherköpfe ganz rund in die Höhe. Die Ähnlichkeit dieser Ringe mit der oberen Fläche des Berliner Sockels III. C. 8492 vgl. Abb. 469, S. 323, ist unverkennbar; leider ist auch ihre Bedeutung unbekannt.

B. Ein sehr schönes Halsgehänge bestand aus zierlich facettierten und mit Metall eingelegten schlanken Elfenbeinkegeln, die etwa 85 mm hoch, an der Basis 10 mm dick und an der Spitze zur Aufnahme einer Schnur durchlöchert waren; 11 einzelne solcher Stücke sind nach Berlin gelangt, 3 in die Sammlung Campbell, je 2 nach Dresden und nach Frankfurt a. M. Von einem zweiten ähnlichen Gehänge stammen 6 kegelförmige Elfenbeinstücke mit Flechtbandmustern in der Sammlung Egerton, von einem dritten 6 glatte, flaschenförmige Anhänger in Dresden. In Rushmore befinden sich die Reste von zwei besonders bemerkenswerten Gehängen, P. R. 230 und 231. Von dem einen sind 8 in Bronze gegossen und vergoldete Nachbildungen einer schlanken Cerithium-Schnecke erhalten, die etwa 4 cm hoch und am Mündungsende zum Anreihen an eine Schnur durchbohrt sind; von dem zweiten sind 10 ganz ähnliche, nur größere, 5 cm hohe Stücke vorhanden, aus Gold, gegossen, und zusammen »8¾ Unzen«, also etwa 272 g. Auf die Angabe, daß diese goldenen Schnecken von dem Halsbande des Königs stammen, ist natürlich kein Gewicht zu legen, da derartige Angaben sich in den Katalogen der Händler allzu oft wiederholen; überhaupt ist es fraglich, ob die Stücke nicht eher von der Goldküste stammen. Jedenfalls ist

Goldschmuck in Benin überaus selten gewesen. Ein ausgezeichnet schöner, vergoldeter Anhänger ist hier Abb. 633 nach L. R. Great Benin S. 31 wiedergegeben;

Abb. 632. Teil eines Halsgehänges, Sammlung Rawson.

ihm nahe verwandt ist eine Halskette aus in ganz ähnlicher Weise zusammengebogenen Fischen und kleinen Schellen; je vier solche Fische mit den zugehörigen Schellen und Drahtringen sind in den Sammlungen Egerton und Rawson. In der letzteren Sammlung befindet sich auch der Fig. 632 abgebildete Rest einer ähnlichen Schmuckkette.

C. In einem seltsamen Gegensatze zu der großen Häufigkeit geradezu monströser Mengen von Perlschmuck, die wir auf den Platten dargestellt finden, steht die geringe Zahl der greifbar zu uns gelangten Schnüre mit Perlen. Je ein oder zwei Paare Halsschnüre mit Perlen aus Achat, aus Glas und aus Korallen — das ist alles, was in unsere Museen gelangt ist; und die sind fast alle ganz unscheinbar, nur Wien 64762 (Heger 137) ist eine etwa 140 cm lange Schnur mit über 200 runden Perlen aus roten Korallen, zwischen denen noch 13 kleine, beilchenförmig geschliffene Steine hängen. Ein solcher ziert auch die Mitte einer Schnur in Rushmore, P. R. 227, bei der sonst kleine Perlen aus Achat und Korallen abwechseln. Alte Beilchen dieser Art sowie einzelne Perlen und Armbänder sollen in Kap. 33 erwähnt werden.

D. Aus der großen Anzahl von verschiedenen Helmen, die wir auf den Platten kennengelernt haben, ist bisher nicht ein einziges Stück zum Vorschein gekommen. L. R. bildet G. B. S. 231 einen 21,3 cm hohen »Morion« aus Bronze ab, eine Art Sturmhaube mit schmaler Krempe und mit 3- bis 6 blättrigen Blütensternen verziert. Das ganz eigenartige Stück ist aus dem Nachlasse von Miss M. Kingsley in das P. R. Museum, Oxford gelangt. Es ist sicher nicht europäisch, aber es ist ohne Parallele auch

Abb. 633. Halsschmuck, Sammlung Dr. Allmann, nach L. R. Gr. B. S. 31. ½ d. w. Gr.

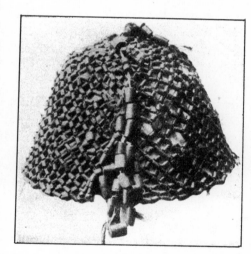

Abb. 634. Kopfbedeckung mit Korallen, nach R. D. VIII, 2. Etwa ¼ d. w. Gr.

in dem ganzen Schatze an Benin-Platten. Vermutlich ist es eine einheimische Nachbildung eines jener hohen Filzhüte, die im 16. Jahrh. in Europa vielfach getragen wurden. Hingegen besitzt das Brit. Museum (R. D. VIII. 2, hier Abb. 634) ein schönes Original einer ganz aus einem Netzwerk von Korallen bestehenden Kappe, wie wir solche so oft auf Platten und Köpfen dargestellt gefunden haben. P. R. hat eine ähnliche Kappe aus Achatperlen herstellen lassen, die bei ihm Fig. 121 abgebildet ist und von einem flüchtigen Betrachter leicht für ein altes Original genommen werden könnte.

E. Fingerringe scheinen dem alten Benin fremd gewesen zu sein; ich kenne im ganzen etwa ein Dutzend, die aus Benin stammen, aber alle ganz modern sind; von den größeren wird ausdrücklich berichtet, daß sie von König Overami stammen, so von Berlin, III. C. 21931, auf dessen schmaler, über 7 cm langer Leiste sich noch zwei einander gegenüberstehende Vögel von fast 5 cm Höhe erheben. Fast

ebenso unbequem zu tragen wäre der gleichfalls Overami zugeschriebene Ring Hamburg, 11/107 : 1,
der eine über 9 cm lange schmale, mit roten Steinperlen eingelegte Platte hat, die einen großen Teil des
Fingers und der Mittelhand bedeckt. Armbänder aus Schnüren von Korallen kenne ich im ganzen sechs;
die einzelnen Perlen sind teilweise unregelmäßig oval, teilweise rundlich oder zylindrisch.

33. Kapitel.

Einzelne Perlen und Anhänger aus Stein und Glas, Beilchen aus Bronze.

[Hierzu Ergänzungsblatt C, Abb. 635.]

Auf Taf. 43 und in den Textbildern 166, 168 bis 170 sind »dämonische« Personen mit dem *apex*
abgebildet, die auf der Brust einen ei- oder spindelförmigen Anhänger tragen. Ähnlich geformte Steine
haben sich mehrfach im Original erhalten; drei sind nach Dresden gelangt (18 055/6/7), einer ist in Wien
(64 744, Heger 129). Sie sind jaspis- oder chalzedonartig und in der Nähe des oberen Endes quer durchbohrt; hingegen sind von den großen zylindrischen Perlen, die so häufig auf den Kopfbedeckungen erscheinen, nur ganz wenige in unsere Sammlungen gekommen; eine ist in Berlin (III. C. 8516), aus rotem
Karneol, 36 mm lang und 12 mm breit; eine ungefähr gleichgroße aus rotem Glas ist in Dresden. Auffallend zahlreich sind aber ganz kleine, etwa 3 cm hohe Anhänger erhalten, die aus Bronze gegossen und
meist mit eingepunztem Zierat versehen, genau die Form von Steinbeilen haben, sicher auch solche vorstellen und vielleicht als Amulette gegen Blitzschlag aufzufassen sind. Sieben sehr schön patinierte
Stücke dieser Art, s. Abb. C. 635, sind nach Berlin gekommen, fünf nach Cöln und je zwei nach Dresden
und nach Oxford, die letzten sind in »Man« III. 1903 S. 182 abgebildet. Die Berliner Sammlung besitzt
einen großen Kopf vom Typus des Taf. 59 abgebildeten, auf dem ein solches verziertes Beilchen am Rande
der Kappe befestigt dargestellt ist; ähnlich kleine Beilchen, aus Stein geschliffen und in gleicher Weise
am schmalen Ende durchbohrt, finden sich mehrfach zwischen verschiedenen Perlen auf Halsschnüren,
aber es scheint nicht sicher, ob ein solches Vorkommen altem Brauche entspricht oder nur in der Phantasie
der Sammler und Händler wurzelt. Ein wirkliches altes Steinbeil von etwa 6 cm Höhe und 4 cm Breite
in aus Bronze gegossener, gitterartig durchbrochener Fassung und mit Ösen zum Anhängen ist 1901
nach Oxford gelangt. Man wird ihm ebenso kultische Bedeutung zuschreiben dürfen als wie den Bronze-
nachbildungen von Steinbeilen, die wir auf den Taf. 79, 81, 84 und 85 abgebildeten großen Gruppen
kennengelernt haben; ebenso ist in diesem Zusammenhang auf die beiden Taf. 108 B und Fig. 733 abgebildeten Stücke zu verweisen.

34. Kapitel.

Signalglocken und Rasseln.

[Hierzu Taf. 105 A, B und die Abb. 298 sowie 636 bis 641.]

Von Reliefplatten mit Glocken wurde S. 177 ff. und S. 280 ausführlich gehandelt; da wurden auch
schon die einzelnen Formen der in Benin üblichen Glocken beschrieben und erklärt, so daß jetzt nur die
im Original erhaltenen Stücke aufzuzählen sind. Eiserne Glocken waren sicher ursprünglich sehr
häufig, aber begreiflicherweise sind nur wenige alte Stücke auf uns gekommen. Ganz dem alten Typus,
wie er uns z. B. auf den Taf. 49 rechts unten abgebildeten Platten erhalten ist, entspricht allein nur eine
49 cm hohe Glocke, die erst im Auktionskatalog von Stevens vom 12. 2. 1901, dann im Katalog 29
von Webster Fig. 46 abgebildet ist. Andere eiserne Glocken, die mehrfach in den europäischen Sammlungen sub titulo Benin vorhanden sind, haben andere Formen und stammen vermutlich aus anderen
Gegenden; besonders scheint mir das von Doppelglocken zu gelten, die nicht hinter-, sondern nebeneinander auf einem gemeinsamen Bügel sitzen. Ling Roth (R. u. J. A. 1898) bildet eine anscheinend ganz

rezente eiserne Doppelglocke aus Yoruba ab, die glatt und schmucklos ist, aber in ihrer Form durchaus mit den schönsten alten Doppelglocken aus Benin übereinstimmt, die uns in Bronze und in Elfenbein erhalten sind. Alle diese Glocken sind etwa 30 cm hoch, die ersteren in einem Gusse gegossen, die anderen aus dem Vollen geschnitzt.

A. Doppelglocken aus Bronze kenne ich außer den beiden Berliner, die Taf. 105 A und B abgebildet sind, noch die gleichfalls durch vieljährigen Gebrauch stark mitgenommenen Stücke Hamburg C. 2882 und Rushmore P. R. 341 (früher Webster 6921, Kat. 21 von 1899) sowie das mit reichem Figurenschmuck versehene schöne Stück P. R. 76, von dem hier die Abb. 636 eine freilich nur recht unvollkommene Vorstellung vermitteln kann. Es ist, wie manche andere Benin-Kostbarkeit, von Dr. Felix N. Roth geborgen und von seinem Bruder Ling Roth zuerst veröffentlicht worden (G. B. S. 224). Die größere Glocke zeigt auf der Vorderseite die typische dämonische Trias, alle drei Personen stehend, mit ungewöhnlich hohen *apices* auf ihren Perlhelmen. Zwischen ihren Köpfen befinden sich rechteckige Rahmentrommeln, je von einer menschlichen Hand gehalten, die ganz unvermittelt aus der teppichartig gemusterten Grundfläche herauszugreifen scheint und sicher den S. 84 ff. beschriebenen *busti* analog ist, also wohl im Hintergrund befindliche und zum Gefolge der Trias gehörige Personen mit Rahmentrommeln vertritt und andeutet; eine ähnliche Trias ist auch auf der hinteren Seite der großen Glocke dargestellt, nur hat die Hauptperson in der Mitte Welse statt der Beine und zwischen diesen Welsen einen großen Krokodilskopf [1]). Der nach unten stark verschmälerte Raum unter dieser Gruppe wird von den *busti* [2]) zweier bärtiger Europäer mit auffallend großen Nasen ausgefüllt, die, wie wir das auch von den Platten her kennen, eine flache Scheibe halten. Die kleinere Glocke trägt auf ihrer vorderen Fläche die in hohem Relief vortretende

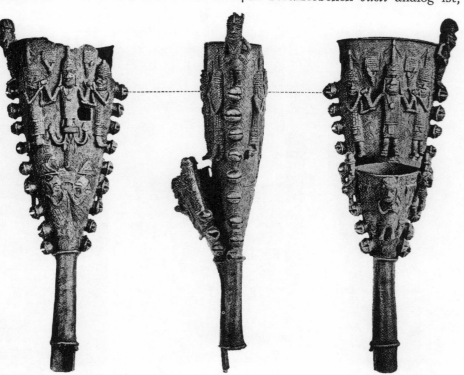

Abb. 636. Drei Ansichten einer Doppelglocke aus Bronze, nach P. R. 76. ¹/₃ d. w. Gr.

Figur eines Benin-Mannes mit einer Rasselkugel; zu dessen beiden Seiten ist oben noch je ein Krokodilkopf und unten (anscheinend, ich kenne das Stück nur aus Abbildungen) ein Europäerkopf dargestellt. Die, wie früher schon ausgeführt, von den ursprünglich aus Eisen geschmiedeten Glocken überkommenen Verlängerungen der seitlichen Ränder sind bei dem größeren Schallbecher zu nach außen gewandten Figuren von Eingeborenen, bei dem kleineren zu nach vorn gerichteten Europäern ausgestaltet worden; der freie Rand beider Becher ist mit hohl gegossenen Schellen besetzt. Man wird die Frage aufwerfen, ob eine derart reich verzierte Glocke für wirklichen Gebrauch bestimmt war oder nur als reines Zeremonialgerät aufzufassen ist; ich habe selbst lange geschwankt, ob ich sie (und dann erst recht die ähnlichen, aus Elfenbein geschnitzten Stücke) mit den früher erwähnten einfacher verzierten Glocken in dieses Kapitel aufnehmen oder mit einwandfreien Zeremonialgeräten erst in Kap. 48 beschreiben soll; die Entscheidung ist nicht leicht und vielleicht gerade deshalb auch ohne wesentliche Bedeutung. Es ist wahrscheinlich, daß diese reich verzierten Glocken irgendwie zum höfischen Zeremoniell

---

[1]) Die Beschreibung »*the chiefs legs are transformed into upturned semicircles, capped with the catfish head, the whole on a horse's full face*« ist also nicht ganz zutreffend.

[2]) Man beachte die Art der Abgrenzung dieser Europäer gegen den Hintergrund; sie gleicht durchaus der Abgrenzung der *busti* auf den Platten, vgl. Taf. 23. Da und dort ragen die Europäer wie aus einem Schlitze im Vorhang hervor.

gehörten, aber sie sind doch wiederum auch unmittelbar praktisch brauchbar; selbst die aus Elfenbein geschnitzten Glocken geben zwar keine reinen und klaren Töne, aber man kann sie doch für Signalzwecke benutzen; auch muß man sich sagen, daß gerade bei sehr feierlichen Anlässen eine Glocke nicht übermäßig laut zu sein braucht, weil die Anwesenden ohnehin andächtig lauschen. In diesem Sinne kann man wohl auch diese ganz reich verzierten Glocken noch sehr viel eher zu den Gebrauchsgeräten rechnen, als z. B. den in der Regel »künstlerisch« verzierten Hammer oder die silberne Kelle, die wir bei uns bei Grundsteinlegungen oder ähnlichen Feierlichkeiten verwenden. Hingegen habe ich den Fig. 730 links abgebildeten Gegenstand, obwohl er die Form einer Doppelglocke hat, nach reiflicher Überlegung zu den Zeremonialgeräten gesetzt, weil ich denke, daß er überhaupt keinen richtigen Ton gibt und niemals als Glocke gedient hat. Für die unmittelbare praktische Verwendbarkeit auch der reich verzierten Glocken scheint mir die S. 178 Fig. 297 abgebildete Platte zu sprechen; da ist neben der Glocke auch das Stäbchen dargestellt, mit dem sie angeschlagen wird; der vergrößerte Ausschnitt auf S. 179 zeigt, wie sehr diese Glocke mit den uns im Original erhaltenen übereinstimmt. Wenn ich sie dort als »Zeremonialglocke« bezeichnet habe, so ist das in der Vorstellung geschehen, daß sie bei feierlichen Gelegenheiten benutzt wurde; ich lege jetzt mehr Gewicht darauf, daß sie überhaupt benutzt wurde und als Glocke brauchbar war, also nicht zu den Zeremonialgeräten im engeren Sinne des Wortes gehört, von denen in Kap. 48 die Rede sein wird.

Von den Stäbchen, mit denen die Bronzeglocken angeschlagen wurden, haben sich mehrere erhalten; sie sind untereinander sehr ähnlich, 36 cm lang, drehrund, etwa 6 mm dick, oben und gegen die Mitte zu mit einem Negerkopfe verziert. Das beste Stück ist in Rushmore, P. R. 196; Berlin besitzt nur ein Facsimile, III. C. 8096.

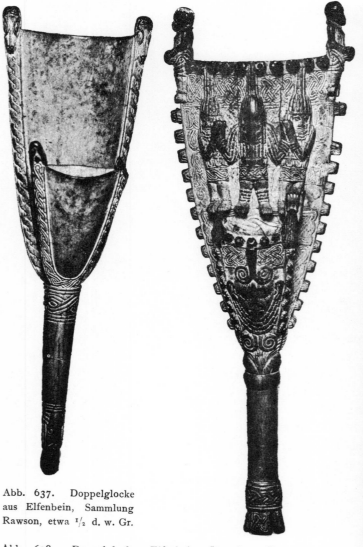

Abb. 637. Doppelglocke aus Elfenbein, Sammlung Rawson, etwa ¹/₂ d. w. Gr.

Abb. 638. Doppelglocke, Elfenbein, Sammlung Rawson, etwa ¹/₂ d. w. Gr.

Abb. 639 a. Doppelglocke aus Elfenbein, Sammlung Egerton, etwa ³/₇ d. w. Gr. — Abb. 639 b. Griff eines Wedels, vgl. die Abb. 805/6.

B. Die uns erhaltenen fünf Doppelglocken aus Elfenbein gehören zu den schönsten und kostbarsten Stücken der ganzen Benin-Beute; zwei sind im Besitze von Admiral Rawson gewesen, eine nur mit Flechtbändern und Schlangenköpfen verziert, vgl. Abb. 637, und die zweite, Abb. 638, durchaus mit Schnitzwerk bedeckt, so daß sich schon aus dem allgemeinen Charakter dieser beiden Stücke eine volle Analogie mit den aus Bronze gegossenen Doppelglocken ergibt; diese kommt in den Einzelheiten der geschnitzten Darstellungen dann erst recht zum Ausdruck. Von einem mit Flechtknoten und mit Welsen ausgefüllten Grunde hebt sich auf der vorderen Fläche des größeren Bechers wiederum die dämonische Trias ab; der kleinere Becher hat die Form einer menschlichen Maske, die unten in denselben Vogelkopf endet, aus dem sich auch der größere Becher in fein empfundener Weise loslöst. Die seitlichen Ränder sind bei diesem zu zwei nach außen gewandten stehenden Figuren von Eingeborenen verlängert, bei dem kleineren zu Schlangenköpfen, die je eine menschliche Hand gefaßt halten.

Von dieser reich geschnitzten Doppelglocke der Sammlung Rawson unterscheidet sich die Fig. 639 abgebildete aus dem Besitze von Capt. Egerton nur in so unwesentlichen Einzelheiten, daß man sie bei flüchtiger Betrachtung leicht verwechseln könnte; die mittlere Person der Trias hat (ähnlich wie auf der Fig. 167 abgebildeten Platte) zwei Welse vom Gürtel herabhängen; die seitlichen Ränder des kleineren Bechers sind zu frontal gestellten ganzen Figuren von Eingeborenen verlängert; die entsprechenden Figuren der größeren Glocke haben um den Hals und von der kappenartigen Kopfbedeckung herabhängend

so reichen Perlschmuck, daß sie, selbst bei nicht ganz flüchtiger Betrachtung, den Eindruck von bärtigen und langhaarigen Europäern machen; man muß schon einmal einem ähnlichen Irrtum zum Opfer gefallen sein, um in ihnen Eingeborne zu erkennen. Diese und die vorerwähnte Glocke der Rawsonschen Sammlung sind beide durch starken Gebrauch stellenweise stark abgerieben.

Eine vierte gleichartige Glocke ist im Besitze von E. R. S. Roupell Esq.; Fig. D, 640 ist die hintere Seite des größeren Bechers abgebildet, die zum größten Teile von dem angeblichen »Olokum«, dem mittleren Mann aus unserer dämonischen Trias, eingenommen wird; er schwingt Krokodile in den erhobenen Armen und hat Welse statt der Beine;

Abb. 641 a. Rasselgefäß nach Webster. — 641 b, c. Hals eines Rasselgefäßes, P. R. 367, etwa ⅕ d. w. Gr.

zwischen diesen entspringt ein Krokodilkopf mit einer menschlichen Hand. Der Raum zu beiden Seiten des »Olokum«, zwischen den Krokodilen und den Köpfen der Welse ist je durch eine Schildkröte ausgefüllt; unter seinen Ellenbogen windet sich beiderseits eine Schlange, deren Zusammenhang mit der Hüftgegend aus der Zeichnung nicht ersichtlich ist. Ganz unklar endlich wird die Zeichnung auf dem unteren schmäleren Ende der ganzen Fläche; da ist, durch Flechtbänder von dem oberen Teile der Glocke abgetrennt, ein dreieckiges Feld von einer mythischen Figur ausgefüllt, die der Zeichner anscheinend ganz mißverstanden hat; leider ist auch die gleich zu erwähnende fünfte Glocke dieser Art, P. R. 155, von der eine freilich unzulängliche Autotypie existiert, an der entscheidenden Stelle, auf der sich eine völlig gleichartige Figur befunden hatte, schadhaft, so daß sie für die Ergänzung nicht herangezogen werden kann; ebenso sind von den verwandten Glocken Abb. 638 und 639 nur die Vorderseiten photographiert worden, so daß die Hinterseiten, die vielleicht Aufklärung bringen könnten, mir zur Zeit nicht zugänglich sind. Inzwischen möchte ich vermuten, daß die Figur einen menschlichen Kopf getragen hat und dann dem dämonischen Wesen vergleichbar wäre, das auf dem Berliner Deckelgefäß III. C. 4884 Abb. 825 einzeln zwischen den beiden Dreiergruppen dargestellt ist. Unter ihr ist noch die vordere Hälfte einer Schildkröte sichtbar, die gefiederte Blätter oder Zweige im Munde hält.

Von der fünften Glocke dieser Serie gibt es eine Abbildung bei L. R. (Studio 1898) und drei Ansichten bei P. R. 155/6/7. Sie ist der vierten so ähnlich, daß hier auf eine Abbildung und Beschreibung leicht verzichtet werden kann; auch sie ist stark beschädigt und unvollständig.

C. Kolbenförmige Rasseln. Auf fünf Platten, Taf. 41 F, Abb. 156, 161, 196 und 308, haben wir Personen, vermutlich Tänzer, kennengelernt, die kolbenförmige Rasseln halten, deren Griff in einen Tierkopf endet; S. 185 ist unter η schon ausgeführt, daß sich auch einzelne Originale solcher Rasseln erhalten haben; keines ist ganz vollständig, aber es ist so viel von ihnen vorhanden, daß wir uns ein gutes Bild von ihnen machen können. Das weitaus schönste Stück, Berlin III. W. 8329, ist Taf. 72 B abgebildet; der Kolben ist mit drei ungewöhnlich kräftig und lebenswahr geformten Negermasken geschmückt, das Ende des Griffes fehlt leider. Von dem zweiten Berliner Exemplar, III. C. 8499, ist nur das eigentliche bauchige Gefäß erhalten, der ganze Griff fehlt. Wesentlich vollständiger ist das hier Abb. 641 a nach Webster reproduzierte Stück mit einem Hahn, über dessen Verbleib ich nicht unterrichtet bin; 641 b sind zwei Ansichten eines Griffes mit einem Widder (?)kopf, jetzt in Rushmore, früher mit der Angabe »wahrscheinlich Spitze eines Holzstockes« bei Webster (Kat. 21, 1899 Abb. 153). Es scheint, daß dieser Griff sich unmittelbar an das Taf. 104 B abgebildete Gefäß anpassen läßt; jedenfalls zeigt er an mehreren Stellen den Beginn plötzlicher Ausbauchung.

Abb. 642. Aufschlag-Idiophon, Hamburg, C. 2407, nach Hagen, etwa ½ d. w. Gr.

---

35. Kapitel.

Aufschlag-Idiophone in Vogelform.

[Hierzu Taf. 106 A, B und Abb. 642.]

S. 180 ff. ist eine Anzahl von Platten beschrieben und abgebildet, auf denen Eingeborne in der linken Hand einen auf einem zylindrischen Griff stehenden ibisähnlichen Vogel halten; auf den meisten dieser Platten wird dieser Vogel mit einem Stäbchen angeschlagen. Originale solcher Idiophone haben sich vielfach erhalten; ich kenne je zwei in Berlin, Hamburg und Leipzig und je eines in Cöln, Dresden, Leiden, Rushmore und Wien, sowie noch vier bei Händlern, im ganzen 15 Exemplare; sie unterscheiden sich voneinander nicht mehr als die hier 642 und Taf. 106 abgebildeten Formen, so daß eine nähere Beschreibung überflüssig wäre; nur daß die Gesamthöhe dieser Stücke meist gegen 30 cm beträgt, daß der Griff hohl ist und daß der Vogel fast stets — ich glaube, mit einer einzigen Ausnahme — eine rundliche kleine Beere im Schnabel hält, soll noch erwähnt werden; frühere Bezeichnungen, wie Aufsatz, Zeremonialgerät, Hoheits- oder Würdezeichen, sind natürlich fallen zu lassen; ebenso auch die Vorstellung, als seien solche Vögel auf lange Stäbe gesteckt gewesen.

---

36. Kapitel.

Gefäße aus Bronze.

[Hierzu Taf. 87 bis 91 sowie 104 und Abb. 643 bis 671.]

A. Henkelkannen. Taf. 88 ist eine etwa 35 cm hohe, aus Bronze gegossene Kanne, Berlin, III. C. 8497, abgebildet, die bei ganz flüchtiger Betrachtung orientalisch scheint, sich aber bei sorgfältigem Vergleich als einheimische Nachbildung einer westeuropäischen Form des frühen 16. Jahrh. erweist. Der Körper der Kanne hat die Form von zwei abgestumpften Kegeln, die mit den Grundflächen aufeinandergesetzt sind; der Henkel ist als Schlange, der Ausguß als Panther geformt, der auf einem Absatz der Kanne mit ganz gestrecktem Körper wie ein Mensch sitzt; bis auf einige zierliche Flechtbandstreifen ist das Gefäß ohne Verzierung. Deckel und Fuß sind in Berlin ergänzt. Von genau derselben Form, aber sehr viel reicher verziert, ist eine gleichgroße Kanne in Leipzig, die zuerst 1900 auf einer Auktion bei Stevens auftauchte. Wie die Abb. 643 zeigt, ist der als Panther geformte Ausguß viel höher als bei der Berliner Kanne und ganz mit dem Halse verschmolzen. Auf der oberen Mantelfläche des eigentlichen Gefäßes wechseln im Relief gegossene Malteser Kreuze mit großen eingepunzten Blütensternen; die untere Mantelfläche ist in der gleichen Art in Felder geteilt, in denen ähnliche Blütensterne, Schlangenlinien und große flache Negergesichter miteinander abwechseln. Der Boden der Kanne ruht auf vier wie menschliche gebildeten

Füßen, zwischen denen, völlig zwecklos, aber in einer für Benin nicht ungewöhnlichen Art, noch ein fünfter drehrunder Fuß angebracht ist. Eine dritte gleichartige Kanne ist im Brit. Museum, R. D. X. 1. Die sitzende Figur auf dem Deckel hält mit beiden Händen einen »Donnerkeil«. Auf der oberen Mantel-fläche sind runde Masken von Negern in recht hohem Relief angebracht und dieselben Blütensterne ein-gepunzt wie auf der Leipziger Kanne. Zwei weitere Stücke derselben Art sind in Rushmore, P. R. 45 und 151; die Abbildung des ersteren ist trotz ihrer Unvollkommenheit hier Abb. 644 wiedergegeben, sowohl als Beleg für die große Ähnlichkeit mit der Leipziger Kanne als wegen der eigenartigen Maske (?).

Abb. 643 a, b. Henkelkanne, Leipzig, ²/₉ d. w. Gr.   Abb. 644 a, b. Henkelkanne, Rushmore, P. R. 45.   ²/₉ d. w. Gr.

die sich, viermal wiederholt, auf dem oberen Kegelmantel findet; sie liegt anscheinend auf Händen und Füßen, die sich unter ihr wie die Schenkel eines Andreaskreuzes zu schneiden scheinen. Sehr wunderbar und, soviel ich weiß, ganz ohne Analogie in der Benin-Kunst ist die Verdopp-lung des Pantherschweifs; trotz der Unvollkommenheit der Abbildung 644 kann man erkennen, daß der in der Seitenansicht ganz deutlich lange Schwanz des Panthers in der Vorderansicht auf beiden Seiten des Tieres völlig symmetrisch dargestellt ist. Die Angabe im Texte, daß der Schnabel der Kanne aus einer menschlichen Figur bestünde, ist zweifellos irrtümlich; es ist einwandfrei ein Panther, auch wenn sein Genitale wie bei den andern Kannen dieser Gruppe menschliche Form hat. Die zweite Kanne in Rushmore gleicht der Berliner fast in allen Einzelheiten, nur ist der wiederum als Panther gebildete Schnabel noch niedriger als der Berliner. Zwei von diesen fünf Kannen haben ihre Deckel verloren, bei den drei andern sind diese gleichmäßig durch ein sehr derbes, aus

Abb. 645. Henkelkanne, Bronzeguß. Hamburg, C. 3862. Etwa ¹/₄ d. w. Gr.

Ringen bestehendes Scharnier mit dem hinteren Rande der Kanne verbunden; wie die Abbildungen zeigen, finden sich genau die gleichen Ringe, nur ohne den durchgehenden Stift, auch auf der Vorderseite des Randes, anscheinend in gedankenloser Anlehnung an ein europäisches Vorbild etwa bei einer Kiste, bei der dem Scharnier auch vorn eine ähnliche Einrichtung zum Anlegen eines Vorlegeschlosses entsprach. Wenn diese Erklärung richtig ist, schiene sie mir der Psyche des Negers vollkommen zu entsprechen: Der primitive Mensch kann aus sich selbst heraus und ebenso auch in Jahrhunderte lang dauernder allmählicher Über-nahme fremder Errungenschaften zu vollendeten Leistungen gelangen; er versagt aber und erscheint töricht, wenn er sich plötzlich vor neue Vorbilder gestellt sieht, die er nachbildet, ohne sie zu verstehen.

In gewissem Maße gilt das selbst von der Nachbildung einer anderen Kannenform, die freilich nur bei ganz sorgfältiger Prüfung als solche zu erkennen ist. Die Fig. 645 abgebildete Kanne Hamburg C. 3862 gleicht alten westeuropäischen Stücken so sehr, daß selbst unsere ersten Kenner eine Zeit lang über ihren Ursprung zweifelhaft waren; wäre sie vor dem Bekanntwerden der Benin-Altertümer, also vor 1897 und etwa mit der Angabe Spanien in den Handel gekommen, würde kaum jemand an dieser Angabe gezweifelt haben. Jetzt entdeckt man doch fremdartige Züge und wundert sich vor allem über den ungeschickten Knauf in der Nähe des Scharniers, der zum Heben des Deckels gänzlich ungeeignet ist. Trotzdem haben wir es hier mit einem Museumsstück allerersten Ranges zu tun, das technisch und kulturhistorisch gleich interessant ist.

B. Bauchige Gefäße. Unter den vielen Stücken, die der leichteren Übersicht willen unter dieser Bezeichnung zusammengefaßt sind, ist eine kleine, flache, schön patinierte Schale, Dresden 13 842, wohl an erster Stelle zu nennen; sie ist drehrund und so sorgfältig gearbeitet, daß man zunächst versucht wäre, sie für japanisch zu halten; auch der tadellos eingepaßte Deckel mit dem birnförmigen Knopf würde nicht gegen solche Herkunft sprechen; nur die an zwei einander gegenüberliegenden Stellen angebrachten Ringscharniere in der Art der auf den Fig. 643/4 abgebildeten Kannen vorhandenen lassen die Angabe »Benin« unbedenklich erscheinen, obwohl ganz ähnliche Doppelscharniere auch an modernen Stücken aus Indien beobachtet werden. Kaum minder schön ist das Fig. A.646 abgebildete Gefäß in Frankfurt a. M.

Abb. 648. Bronzegefäß der Sammlung von Dr. Felix Roth, jetzt in Rushmore, reprod. nach P. R. 64. Etwa ¹/₃ d. w. Gr.

Abb. 647. Henkelkrug, Bronze. Hamburg, C. 2435. ¹/₄ d. w. Gr. Deckel fehlt.
Abb. 646 siehe auf dem Ergänzungsblatt A.

Sehr unafrikanisch sieht das in Rushmore befindliche Stück P. R. 387 aus, das in der Form einer sehr stark abgeplatteten Kugel bei einem größten Umfange von 35 cm 7,5 cm hoch ist und nur eine ganz kleine, kaum für einen Finger durchgängige Öffnung hat. An vier Stellen des größten Umfanges sind fünfteilige Rosetten eingeschlagen, eine gleiche umgibt die Öffnung des Gefäßes, eine ähnliche, in einen Kreis eingeschlossen, ziert den Boden. Abb. 647 zeigt ein topfartiges Gefäß der Hamburger Sammlung, fast kugelrund, mit kurzem Hals und mit wulstigem Bodenring; rings um den Hals sind in gleichen Abständen sechs Ringe mitgegossen, in deren einem noch ein weiterer Ring frei beweglich ist. Der Henkel ist im Verhältnis zur Größe des Stückes etwas schwächlich geraten; ein im Scharnier beweglich gewesener Deckel ist nicht erhalten. Diesem Hamburger Henkeltopf gleicht ein gleichgroßes Stück in Rushmore, P. R. 142 zum Verwechseln. Ähnlich, fast rein kugelförmig, aber ohne Henkel, nur mit zwei einander gegenüberstehenden großen ringförmigen Ösen ist P. R. 388, das an seiner Oberfläche, unregelmäßig verteilt, 11 fünfschenklige Kreuze hat (nicht »Malteser Kreuze«, wie es irrtümlich in der Beschriftung der Abbildung bei P. R. heißt). Verwandt mit diesem Stücke scheint Wien 64 758 (Heger 71), das unabhängig von seiner Verzierung mit vier Schlangen, die von hinten her einen Frosch gefaßt haben, noch an 13 Stellen, ganz willkürlich verteilt, flache, kaum sichtbare, rechteckige Vertiefungen mit einem ovalen Schilde hat. Ein ähnlich kugelförmiges Gefäß, Hamburg C. 4046, hängt an einer 54 cm langen Tragkette. Ganz besondere Aufmerksamkeit verdient das Fig. 648 abgebildete Stück in Rushmore, P. R. 64. Es ist an vier Stellen mit großen menschlichen Masken verziert, von denen zwei, ähnlich wie die Gesichter auf den alten Glocken, Taf. 95 B, C, mit lotrechten schmalen Rippen »schraffiert« sind. Über den beiden Masken dieser Art befindet sich ein stilisierter Elefantenkopf mit ganz kurzem, breitem Rüssel, der sich unter die Maske zu verlieren scheint. Über den beiden anderen Masken steht nur eine mit konzentrischen Kreisen ausgefüllte Scheibe und über dieser eine dreieckige Verzierung.

C. Hohe Bronzevasen. Taf. 87 B ist eine sehr große Bronzevase abgebildet, Berlin III. C. 8510, 90 cm hoch, sehr schlank, mit breiten Flechtbändern in Punztechnik verziert und mit zwei in paarigen Ösen beweglichen omegaförmigen Henkeln [1]). Ein ebenso großes und auch sonst fast gleiches Stück (vgl. die Abb. 62 im Kat. Websters 19 von I 99) ist in Dresden. Ein ähnliches Gefäß, Berlin III. C. 9959, ist Taf. 87 A abgebildet; es ist nur 36,5 cm hoch und ruht auf drei Stützen in der Form menschlicher Beine. Zwei einander gegenüberstehende Paare von Ringen lassen annehmen, daß auch an diesem Gefäße, ebenso wie an den zwei größeren, ursprünglich omegaförmige Handhaben beweglich eingehängt waren. Am Halse, nahe der Mündung, befindet sich eine im Gusse mißlungene Maske eines Panthers (?) oder eines Menschen.

D. Taschenförmige Gefäße mit zwei menschlichen Beinen; dieser ganz eigenartige Typus ist durch drei Stücke vertreten, die sic in Berlin, Cöln und Dresden befinden. Das Berliner, III. C. 10 883, vgl. Taf. 103 A und Taf. 104 links unten, ist 13,5 cm hoch und erinnert von vorn gesehen durchaus an die Taf. 96 abgebildeten maskenförmigen Anhänger; aus der hinteren glatten Fläche ragen zwei nach vorn gerichtete menschliche Beine heraus; als dritter Fuß dient ein kleiner Ansatz unter dem Kinne der Maske.

Abb. 649 und 650. Zwei beutelförmige Gefäße mit menschlichen Füßen, nach Webster, Kat. 29, Fig. 83 und 84; jetzt Cöln und Dresden (16 181). Vgl. das Berliner Stück auf Taf. 103 A und 104, links unten.

Abb. 651. Seitenansicht und Deckel des ampelartigen Gefäßes Berlin, III. C. 10885, vgl. Taf. 89 A und Taf. 104 H.

Das sonst im Durchschnitte querovale Gefäß wird oben kreisrund und ist durch einen Deckel verschlossen, der, siehe Taf. 104 links unten, mit einer Negermaske in Flechtbandumrahmung geschmückt ist; dieser Deckel ist in derselben Weise wie bei den eben besprochenen Kannen in einem Ösenscharnier beweglich, dem auch vorn drei gleiche ringförmige Ösen entsprechen. Das ähnliche Stück in Köln a. Rh. ist hier, 649, nach einer kleinen Photographie von Webster reproduziert, es ist vorn mit einer stehenden Figur (anscheinend eines Europäers) in hohem Relief geschmückt; zur Rechten der Figur und, gleichfalls im Relief, oben ein Flechtknoten, unten eine Rosette, in der Mitte ein zunächst nicht leicht zu deutender Gegenstand angebracht, der vielleicht als Antilopenschädel zu deuten ist, an den die beiden Unterkieferhälften verkehrt, d. h. mit dem hinteren Ende nach vorn, angelegt sind, wofür auf Taf. 129 unten eine Analogie gegeben wäre — aber ich habe das Stück nur ganz flüchtig gesehen und bin für die Deutung auf die kleine und ganz ungenügende Abbildung angewiesen, die hier gegeben ist, möchte also keine Verantwortung für sie übernehmen. Das dritte Stück dieser Art, Dresden 16 181, ist hier Fig. 650 abgebildet; es ist vorn mit einem Rinderschädel geschmückt; von beiden Stücken, dem in Cöln und diesem, sind die Deckel in Verlust geraten, nur die Ringösen für die Scharniere sind erhalten; außer diesen größeren Ringen hat das Cölner Gefäß noch drei, das Dresdener sieben kleinere Ösen auf jeder Seite, deren Zweck unklar ist, da sie wegen ihrer Anordnung kaum zur Anbringung von Ketten mit Schellen gedient haben können. Auch das Berliner Gefäß hat auf jeder Seite zwei größere Ringe, doch konnte man bei diesen

[1]) Beide nach dem Dresdener Stücke in Berlin ersetzt worden, also nicht etwa zu einer chemischen Analyse zu benutzen!

noch an die Möglichkeit denken, daß sie als zu der Maske gehörig aufzufassen seien; jetzt liegt es näher, bei allen drei Gefäßen für diese seitlich angebrachten Ösen eine einheitliche Bestimmung anzunehmen, die uns freilich ebenso unbekannt ist als die Bedeutung dieser Gefäße selbst.

E. Ampelartige Gefäße an einer Kette. Auch von dieser durch besonders reichen Schmuck ausgezeichneten Gattung kenne ich nur drei Exemplare, zwei in Berlin, das dritte in Oxford. Von den Berlinern ist das eine, III. C. 10 885, Taf. 89 A (Boden Taf. 104 H) abgebildet; es hat die Form einer leicht abgeplatteten Kugel; die untere Hälfte ist mit ringsumlaufenden Zierstreifen in eingepunzter Technik bedeckt, die in der oberen ohne ersichlichen Grund nur auf zwei einander gegenüberstehende Quadranten beschränkt sind, während die zwei anderen Quadranten flächenhaft mit einem einheitlichen geflammten Rankenmuster bedeckt sind. In der unteren Hälfte sind die Zierstreifen an zwei Stellen durch ein großes, fast ihre ganze Höhe einnehmendes Bild eines Europäerkopfes unterbrochen, das, in reiner Vorderansicht eingepunzt, durch die lange schmale Nase und das ungewöhnlich reiche Haupthaar auffällt, sowie ganz besonders auch durch die in der Benin-Kunst sonst nur selten und ausnahmsweise [1]) zu beobachtende Pupille, die als kleiner Kreis in den größeren der Iris eingetragen ist. Ein gleicher Kopf, mit einem Zweige auf jeder Seite, füllt auch den kreisrunden Boden des Gefäßes; wie Taf. 104 H zu sehen ist, sind die zwei zum Hute des Mannes gehörigen Federn schon in die Wand versetzt, obwohl die Bodenfläche von einem hohen Randwulst eingeschlossen ist.

Die obere Hälfte des Gefäßes ist auf beiden Seiten gleichmäßig durch einen Europäer mit Flinte und zwei Panther im Relief belebt; außerdem ist neben dem rechts schreitenden Panther noch eine kleine menschliche Figur eingepunzt, mit langem Gewand und kopflos. Die Zweiteilung dieser oberen Hälfte des Gefäßes wird noch besonders durch die starken paarigen Doppelösen hervorgehoben, an denen die lange Tragkette befestigt ist. Sehr reich ist auch der Deckel verziert, der durch eine besondere kleinere Kette

Abb. 652/3. Zwei Ansichten eines ampelförmigen Bronzegefäßes, Berlin III. C. 20 300.

mit dem Gefäße verbunden ist. In seiner Mitte knien zwei nackte Benin-Neger, von denen der eine,

[1]) Meines Wissens ist die Pupille sonst nur auf einigen großen Köpfen angedeutet gewesen, bei denen die ganze Iris aus Eisen eingelegt ist; durch Rostbildung hat da aber die Oberfläche meist so gelitten, daß der Rest eines besonderen kleinen Kreises für die Pupille kaum jemals noch mit einiger Sicherheit nachzuweisen ist. In diesem Zusammenhang muß erwähnt werden, daß ein ganz besonders gelehrter Autor gerade die regelmäßige Wiedergabe der Pupille als eine besondere Eigenheit der Benin-Kunst hervorhebt. Diese irrige Angabe beruht auf einer Verwechslung von Iris und Pupille; die gleiche Verwechslung kehrt übrigens auch sonst in der Benin-Literatur so oft und so regelmäßig wieder, daß es wohl gerechtfertigt ist, sie ausdrücklich abzulehnen und hier in aller Form festzustellen, daß die Benin-Kunst zwar stets die Iris, aber nur ganz ausnahmsweise auch die Pupille wiedergibt. Es ist hier nicht der Ort, die Darstellung der Pupille in der großen Kunst historisch zu untersuchen, aber es sei hier wenigstens darauf hingewiesen, daß bei ganz dunklen Augen die Pupille als solche überhaupt leicht ganz übersehen wird. Nur bei helleren Augen drängt sich die Pupille als ein schwarzes Loch in einer farbigen Scheibe auch dem Künstler auf. So ergibt sich eine rein anthropologische Grundlage für die künstlerische Darstellung des Auges, und es wäre von vornherein verfehlt, gerade von westafrikanischen Negern mit ihrer oft schwarzen Iris eine besondere Berücksichtigung der Pupille zu erwarten. Wenn nun aber auf einem einzelnen Benin-Gefäß dreimal ein Europäerkopf mit deutlichen Pupillen erscheint, so müßte man fremden Einfluß auch dann als gesichert annehmen, wenn dieser Kopf nicht auch sonst auf europäische Vorbilder zurückgehen würde. Inwieweit diese Vorbilder etwa ihrerseits mit dem bekannten Selbstporträt von Albrecht Dürer zusammenhängen, wäre Gegenstand einer Untersuchung, die nicht mehr in den Rahmen dieses Buches fallen würde.

wie es scheint, eine viereckige umflochtene Flasche, der andere eine flache runde Schale mit beiden Händen vor sich hinhält; die übrige kreisrunde Fläche ist durch zwei radiär gelegte große Fische in zwei gleiche Hälften geteilt, von denen jede durch einen Europäer mit Flinte und einen ihm folgenden Panther ganz ausgefüllt wird. Von diesen zwei Europäern erscheint der auf der Abb. 651 oben befindliche in der falschen, durch die zufällige Stellung des Deckels bedingten Orientierung wie auf einem Vexierbild als ein großer Kopf eines Europäers mit spitzer Nase und mit sehr hoher, mit Federn gekrönter Kappe. Das ist sicher nur Zufall, aber diese Auffassung drängt sich bei jeder Betrachtung des Deckels ganz ungesucht immer wieder von neuem so lebhaft auf, daß es mir richtig scheint, die Zweideutigkeit der Darstellung ausdrücklich als zufällig und unbeabsichtigt zu bezeichnen. Noch ist zu erwähnen, daß der Deckel, der Rand und der größte Umfang des Gefäßes von einer zopfartig geflochtenen Schnur eingefaßt erscheinen, die in engen Abständen von Schrauben festgehalten scheint; dieses Motiv ist auch sonst in der Benin-Kunst sehr häufig verwandt, nur sind hier die Schraubenköpfe größer als sonst, so daß sie wie Schellen wirken und von Unkundigen leicht für solche gehalten werden können.

Von dem zweiten Gefäße dieser Art, Berlin III. C. 20 300, geben die Abbildungen 652/3/4 eine so gute Vorstellung, daß nur wenige Worte beizufügen sind. Die Henkel sind als große Schlangen gebildet, die einen quer ausgestreckten Menschen in der Hüftgegend erfaßt halten; links von der Schlange ist eine Ziege (?) dargestellt, rechts kriecht eine ganz unverhältnismäßig große Schnecke mit weit vorgestreckten Fühlern. Genau in der Mitte zwischen den Henkeln sitzt auf beiden Seiten des Gefäßes gleich-

654 655 656

Abb. 654. Scheitelansicht des Fig. 652/3 abgebildeten Bronzegefäßes, Berlin III. C. 20 300. — Abb. 655. Deckel eines ampelförmigen Bronzegefäßes, Oxford. Nach L. R. Gr. B. Abb. 264, S. 227. — Abb. 656. Dünnwandig gegossenes Bronzegefäß. Hamburg C. 3688, etwa ⁵/₉ d. w. Gr.

mäßig ein Eingeborner mit langen überschlagenen Beinen, der in der einen Hand einen Stock (oder eine Flinte?) in der anderen ein Horn hält. Die Schulter des Gefäßes, auf der die beiden Leute sitzen, ist so steil, daß man den Eindruck erhält, sie müßten abgleiten; das hat wohl auch der Künstler gefühlt und sie deshalb so breitspurig hingesetzt. Auf dem runden, in Scharnieren beweglichen Deckel ist in sehr hohem Relief ein Pantherschädel und vor ihm eine Schildkröte angebracht; ein unregelmäßig viereckiges Loch in der Mitte läßt darauf schließen, daß da ursprünglich noch eine aufrechte Figur gestanden hatte, die ausgebrochen ist.

Das dritte ähnliche Gefäß, damals noch im Besitze von Miss Mary Kingsley, ist schon 1898 von H. Ling Roth im »Halifax Naturalist« abgebildet worden und seither in das P. R. Museum, Oxford, gelangt; L. R. hat dann in seinem »Great Benin« weitere Abbildungen veröffentlicht; es ist in seiner ganzen Anlage dem auf Taf. 89 abgebildeten Berliner Stücke sehr ähnlich, aber wesentlich einfacher verziert. Besondere Sorgfalt ist nur auf den Deckel und auf den Boden verwandt; dieser ist mit einem System konzentrisch kreisrunder Streifen geschmückt, die mit sehr mannigfaltigen Mustern in zierlichster Punztechnik bearbeitet sind. Der Deckel ist hier Fig. 655 nach L. R. (Great Benin S. 227) abgebildet; er ist in radiär gestellte Felder geteilt, in denen Eidechsen und Panther mit Schlangen und mit Flechtbändern abwechseln. Die Mitte nimmt ein Negerkopf ein, aus dessen Ohr- und Nasenlöchern Schlangen entspringen, deren

Leiber sich auf der Seitenwand des Gefäßes fortsetzen; jede von ihnen hat einen Menschen verschlungen, von dem nur mehr Kopf und Arme vorragen.

Die Frage nach der Bestimmung dieser drei so ganz eigenartigen Gefäße ist ebenso naheliegend als schwierig zu beantworten; wenn man nur das an erster Stelle beschriebene kennen würde, läge es nahe, einen ganz profanen Zweck anzunehmen und sich vorzustellen, daß es dazu gedient haben könne, einem europäischen Jäger sein Mittagessen in den Wald nachzubringen. Die beiden anderen Stücke aber lassen eine solche Auffassung als wenig wahrscheinlich erkennen; man wird vielleicht nicht irren, wenn man die verschiedenen Darstellungen von Ziege und Schnecke, von Panther und Schildkröte, von Schlangen und Fischen auf landläufige Märchen und Tierfabeln bezieht. Für solche Zusammenhänge ließen sich auch aus

Abb. 660. Aus Bronze gegossene Flasche, Rushmore, nach P. R. 56, etwa ¹/₅ d. w. Gr.

den Kreisen anderer primitiver Völker mehrfache Analogien beibringen, ganz abgesehen etwa von den alten geschnitzten Junggesellenhäusern auf Pelao, die man mit wenig Übertreibung als »illustrierte Märchenbücher« bezeichnen kann, wie uns die schönen Untersuchungen von Professor und Frau Krämer gelehrt haben. Darauf, daß bei den Kulturvölkern die Kunst immer wieder von neuem aus der Mythologie schöpft, brauchte wohl nicht erst hingewiesen zu werden, aber ich möchte trotzdem hier an die japanischen Stichblätter erinnern, die zum großen Teil auf einzelne ganz bestimmte Märchen zurückgehen, die freilich leider den meisten Europäern unbekannt sind, weshalb die wahre Freude an diesen in ihrer Art unübertrefflichen Leistungen liebevollster Kleinkunst sich nur bei wenigen bevorzugten Europäern einstellen kann.

Abb. 659. Flasche aus Bronze, Sammlung Campbell, jetzt Leipzig H. M. 49. Etwa ¹/₂ d. w. Gr.

F. Ein sehr dünnwandig gegossenes, 12,8 cm hohes Bronzegefäß in Gestalt einer knienden, anscheinend hoch graviden Frau, Hamburg C. 3688, ist Fig. 656 abgebildet; um den Hals hängt eine gedrehte Schnur mit zwei Zähnen.

G. Schalen, Becher u. dergl. Taf. 107 B ist ein kelchförmiger Becher abgebildet, Berlin, III. C. 8498, dessen äußere Oberfläche mit gepunzten Flechtbändern und geflammtem Rankenwerk bedeckt ist; nur an einer Stelle findet sich, gleichfalls in gepunzter Technik, ein eingeborner Reiter, vgl. Abb. A. 657, dessen Haltung, Kleidung und Ausrüstung lebhaft an die Taf. 73 abgebildete Reiterfigur und an die S. 174 Fig. 295 abgebildete Platte erinnert. Eine leicht zu ergänzende Fußplatte ist abgebrochen. Ebenso läßt die kleine vertiefte rechteckige Marke, die am oberen Rande das Flechtband scheinbar unmotiviert unterbricht, mit voller Sicherheit darauf schließen, daß der Becher einen Deckel hatte; ein solcher, wahrscheinlich von einem ganz gleichartigen Gefäße, Berlin, III. C. 8526, ist Taf. 104 D abgebildet; die Zeichnung Fig. A. 658 zeigt die dafür entscheidende Randmarke; hingegen ist es nicht möglich, das aus der Mitte des Deckels herausgebrochene Stück zu rekonstruieren; aus den spärlichen, am inneren Rande des Stückes erhaltenen Resten könnte man annehmen, daß der Deckel eine tiefe, kegelförmige Einbuchtung hatte, genau wie ein

Stück in Rushmore, P. R. 225; von diesem Stücke wird freilich nur gesagt, daß es *of unknown use* sei, und auch eine Randmarke ist weder im Texte erwähnt noch auf den zwei Abbildungen nachzuweisen; doch ist die Ähnlichkeit mit dem Berliner Stücke Taf. 104 D so groß, daß man es auch für einen Deckel halten darf, wenigstens solange das Fehlen einer Randmarke nicht ausdrücklich festgestellt ist; man würde dann auch annehmen dürfen, daß sich aus dem Grunde der Einstülpung ein gestielter Knopf erhob, bei dem der Deckel gefaßt werden konnte; die Gefäße auf den S. 236, Fig. 367 und 368 abgebildeten Platten könnten da als Analogie herangezogen werden. Alle Ränder des Stückes in Rushmore sind wie bei denen in Berlin mit einfachen Flechtbändern verziert; der Meinung von P. R., daß solche Flechtbänder aus degenerierten Darstellungen von verschlungenen Welsen entstanden sein könnten, kann ich mich nicht anschließen.

Zwei wirkliche Schalen aus Bronze besitzt Hamburg; die eine, C. 4047, ist 7 cm hoch bei einem Durchmesser von 16,5 cm und hat am Rande ein Flechtband, die andere, 11,75 : 2, hat einen Durchmesser von 23,4 und eine Höhe von 23,4 cm; ihre Außenfläche zeigt auf einem mit Rankenmustern bedeckten Grunde vier gleiche und gleichmäßig verteilte Europäer in strenger Vorderansicht und so groß, daß sie fast die ganze Höhe der Schale einnehmen. Noch ist hier auf die Taf. 104 C abgebildete flache Scheibe zu verweisen, die vermutlich als der Fuß eines Bechers in der Art des Taf. 107 B abgebildeten zu betrachten ist.

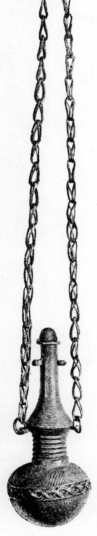

H. Flaschenförmige Gefäße. Eine besonders große Flasche von der Form eines Benin-Kopfes aus der Sammlung Campbell, jetzt Leipzig, H. M. 49, ist Fig. 659 abgebildet; sie ist, von geringen, durch das Relief des Gesichtes bedingten Vorsprüngen abgesehen, fast drehrund; der Scheitel ist wie zu einem engen Flaschenhals ausgezogen; unter dem Kinne verläuft als Rand ein breiter, in quadratische Felder abgeteilter Streifen mit sehr rohen Verzierungen; jedes zweite Feld enthält die typische Vorderansicht eines Europäerkopfes mit langen, beiderseits in eine Spirale endenden Haaren, aber in so schlechtem Stile, daß man das ganze Gefäß schon deshalb, auch abgesehen von seiner sonstigen Roheit, für recht spät halten muß; die Verbindung mit der guten Zeit wird nur durch die anscheinend weiblichen Figuren aufrechterhalten, die in halbrundem Relief vortretend an den Flaschenhals gelehnt sind; die eine von diesen hat eine auffallend hohe Kopf- oder Haartracht und hält mit jeder Hand einen Stock hoch, die andere scheint wie eine Judith einen abgeschlagenen Kopf zu betrachten, den sie mit beiden Händen vor sich hinhält. Hinter den Augen sind eben noch, stark verkürzt, die Ohren zu sehen, ebenso an den Mundwinkeln große Köpfe von Schlangen, die sich über die ganze Wangengegend ringeln. Noch ungleich schlechter und sicher auch ganz spät ist die Fig. 660 abgebildete Flasche aus Rushmore, P. R. 56, in der Form einer weiblichen Figur mit spitz kegelförmiger Kopfbedeckung, auf der sich noch, im Scharnier beweglich, ein kleines dreieckiges Hütchen befindet. Von den Mundwinkeln stehen Dinge wie Pfeilspitzen nach außen weg; in der rechten Hand hält die Frau einen nicht zu deutenden Gegenstand mit vier Zacken. Gleichfalls spät und schlecht ist die Fig. 661, Ergänzungsblatt X, abgebildete Flasche aus dem Brit. Museum. Etwas älter ist vielleicht eine 17,5 cm hohe Flasche in Hamburg, C. 2400, mit rundem Boden, mit zwei übereinander stehenden Ösen auf jeder Seite und leicht kantig zugefeilt, so daß elf lange, schmale Felder zu unterscheiden sind. Ein etwas größeres Stück, Dresden 13 596, ist wurstartig gebogen, hat auf der konvexen Seite zwei Ösen zum Anhängen und an einem Ende eine kleine Öffnung. Ein vermutlich ähnliches Stück, als *sausage shaped* beschrieben, kenne ich nur aus dem Auktionskatalog von Stevens, 12. 2. 1901; es ist 22 cm lang und 6 cm dick, mit drei Ösen auf jeder Seite und mit vier symmetrischen Reihen von je vier kleinen erhabenen rechteckigen Knöpfchen. Noch größer, 31 cm lang, ist ein walzenförmiger Behälter, Wien 64 729, mit zwei kleinen Ösen und einem ganz engen und kurzen, zwölfkantigen Hals, in den ein zweifellos europäisches Schraubengewinde eingeschnitten ist; das aus dem englischen Handel stammende Stück ist vielleicht überhaupt ganz europäischen Ursprungs und nur durch Zufall nach Benin oder unter Benin-Altertümer gelangt. Sehr typisch hingegen ist eine Anzahl von freilich durchweg späten kleinen Flaschen, die alle mehr oder weniger deutlich die Form von Doppelkolben oder von in der Mitte eingezogenen Kalebassen haben und an einer Kette um den

Abb. 662. Kolbenförmige Flasche, Bronze, P. R. 135. 1/4 d. w. Gr.

Hals getragen wurden; ein für die ganze Reihe bezeichnendes Stück ist Fig. 662 abgebildet; aus ihr heraus fällt nur Hamburg C. 3060, von dem eine kleine und leider recht schlechte Abbildung bei Webster, 29 von 1901, Fig. 136 gegeben ist; das Stück dürfte älter sein als die übrigen und hat auf jeder der beiden kolbigen Auftreibungen eine Negermaske, aber unverständlicherweise so orientiert, daß sie verkehrt stehen, wenn das Fläschchen in der richtigen Art an seinen Ringen aufgehängt wird; beide Masken liegen, ähnlich wie bei der Fig. 644 abgebildeten Kanne, anscheinend auf Händen und Füßen, die wie die Enden eines Andreaskreuzes vorstehen; wir werden an besseren Stücken auf diese sonderbaren Gebilde noch zurückkommen, die in Benin nicht selten sind.

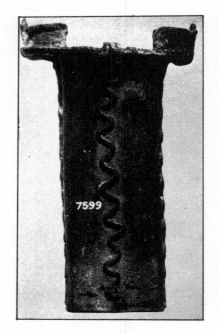

Abb. 664. Prismatischer Gegenstand, unten offen: Leiden 1243/11, etwa ²/₅ d. w. Gr.

I. Gefäße mit rechteckigem Querschnitt. Unter diesen ist ein Stück, Dresden 16 151, ganz besonders auffallend; es ist eine rein parallelopipedische Büchse mit Scharnierdeckel, 35 cm hoch und mit einer Grundfläche von 40 × 50 mm. Die Oberfläche ist behandelt, als ob sie dicht mit quergelegten gezopften Bändern umwickelt wäre; auf diesem Grunde erheben sich im Relief nach oben gerichtete Schlangen mit Negerköpfen im Rachen, Krokodile, menschliche Köpfe u. a. Ähnlich ist ein 14 cm hohes, rechteckiges, prismatisches Kästchen, Dresden 16 157, das auf vier schlanken, in der Verlängerung der lotrechten Kanten gelegenen Füßen aufruht. Die vordere Fläche ist mit einem Schuppenmuster verziert, die drei anderen Seitenflächen sind einfach quadriert mit einem einzelnen Punkt in der Mitte eines jeden Feldes. Andere rechteckige Kästchen dieser Art sind Berlin, III. C. 19 145, ohne Deckel und nur 7,3 cm hoch, sowie Hamburg, C. 2399, 17,6 cm hoch, mit der stehenden Figur eines Negers in Relief auf der Vorderseite. Ganz besonders auffallend sind zwei Stücke, Hamburg 2872 und Leiden 1243, 11, vgl. die Abb. 663 (auf Ergänzungsblatt X) und 664; sie sind unten offen; über die Art ihrer Verwendung wage ich nicht einmal eine Vermutung [1]) zu äußern.

J. Ein 41 cm hohes, 6,5 cm im Durchmesser haltendes zylindrisches Gefäß aus Bronze, Berlin, III. C. 9960, ist Taf. 89 B abgebildet. Die ganze Mantelfläche erscheint wie mit einer zopfartig geflochtenen Schnur umwickelt; außerdem liegen ihr noch 4 Schlangen, 20 Eidechsen und 4 Köpfe von Eingebornen auf; in 4 Reihen sind je 4 kleine Doppelösen verteilt; auf einen jetzt nicht mehr vorhandenen Deckel lassen die erhaltenen Scharnierösen und ein niedriger verdünnter Rand schließen. Der Boden, siehe Taf. 104 E, ist in sorgfältiger Punzarbeit mit einer Benin-Maske in Vorderansicht und einer sich in den Schwanz beißenden Schlange verziert. Auch die Bestimmung dieses Gefäßes ist unbekannt; man könnte vielleicht an einen Köcher denken, aber ein ähnlich geformtes Stück in Rushmore, P. R. 385, ist nur 7″, also nicht ganz 18 cm hoch, also sehr niedrig, außer etwa für ganz kurze vergiftete Stäbchen, wie sie

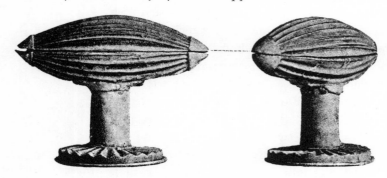

Abb. 665. Bronzeschale in der Form der Frucht von Telfairia occidentalis, nach P. R. 51. Etwa ²/₉ d. w. Gr.

mit der Armbrust der Fang geschossen werden; auch müssen wir aus Darstellungen auf Platten auf flache Köcher aus Flechtwerk schließen. Der Behälter in Rushmore ist mit großen erhabenen Rinderköpfen geschmückt, die mit eingepunzten Köpfen langlockiger Europäer abwechseln; auch er hatte, wie der Berliner, einen jetzt nicht mehr vorhandenen, im Scharnier beweglichen Deckel.

K. In Rushmore befindet sich das hier Fig. 665 abgebildete schöne Bronzegefäß P. R. 51 in der Form einer Frucht von Telfairia occidentalis; die Beschreibung »*pointed dish on stand, with ribbed cover,*

---

[1]) Die beiden Stücke hatten bei Webster die Nummern 7598 und 7599. Vielleicht darf man daraus schließen, daß sie gleichzeitig und aus derselben Quelle an ihn gelangt sind und dann vielleicht als Paar zusammengehören. Webster scheint übrigens vorher noch ein drittes Stück derselben Art gehabt zu haben, Nr. 6941, vgl. seine Abb. 35 in Kat. 21 von 1899.

rabbetted; use unknown, perhaps an European ecclesiastical utensil« ist unzutreffend; europäischer Ursprung ist natürlich ganz ausgeschlossen, und für sakrale Bestimmung liegt keinerlei Anhalt vor; vermutlich diente das Gefäß, ähnlich wie der Antilopenkopf aus Elfenbein auf Taf. 122 und die ihm verwandten, aus Holz geschnitzten Stücke, zur Aufbewahrung von Kolanüssen oder anderen Leckerbissen, von denen wir hören, daß sie in kostbaren Behältern als Ge-

schenk gegeben wurden, so wie etwa in Uganda geröstete Kaffeefrüchte in zierlich geflochtenen Täschchen geschenkt werden, die unseren Bonbonnièren vergleichbar sind.

L. Ein ganz schmuckloses und rohes, sehr dickwandiges Bronzegefäß in der Form eines europäischen irdenen Topfes [1] ist nach Berlin gelangt, III. C. 18 148; es ist 31 cm hoch, hat oben 30 cm im Durchmesser und wiegt 38,5 kg; es hat einen ganz wenig eingezogenen Hals und an den kaum angedeuteten Schultern zwei einander gegenüberstehende derbe Ösen mit kreisrundem Querschnitt; das unschöne Gefäß ist keinesfalls alt und gehört sicher schon in die Verfallzeit von Benin.

M. S. 199 ff. ist hier ausführlich eine Anzahl von Platten beschrieben worden, auf denen Eingeborene kleine, kreisrunde Schemel tragen oder auf solchen sitzen; da ist auch schon gesagt, daß diese Schemel aus Rinde genäht waren und zugleich als Büchsen dienten; zum Vergleiche wurden Fig. 325 A zwei gleichartige genähte Schemel von den Bayansi am Kongo abgebildet. Eine völlig gleiche Büchse ist uns auch in einer alten Bronzenachbildung erhalten, Berlin, III. C. 8500 a b, die vermutlich auch als Schemel gedient hat, siehe Abb. 666. Die Nähte sind sehr sorgfältig wiedergegeben. Ein verwandtes, ganz spätes Stück ist hier Fig. 683 abgebildet.

Abb. 666.   Deckelgefäß, Bronzeguß, Berlin III. C. 8500.   Vgl. Abb. 325 A.

N. Ganz ohne Analogie scheint das Fig. 667 abgebildete Bruchstück eines Bronzegefäßes mit durchbrochener Wand zu sein, Hamburg, C. 3346. Stark konventionell stilisiert zeigt es einen Wels, der in seiner Mitte von einem Krokodil erfaßt wird, und neben ihm noch ein zweites Krokodil mit gelappten Schuppen. Der Zweck dieses nach oben becherartig erweiterten Gefäßes ist unbekannt.

O. Unbekannt ist auch die Bestimmung zahlreicher großer Stücke, für die statt jeder Beschreibung auf Taf. 91 und auf Abb. 669 verwiesen werden kann; von diesen, wie Teile riesiger Zuckermelonen aussehenden, teilweise unvollständigen Stücken sind drei in Berlin und je eines in Hamburg, Leiden, Rushmore, Stuttgart und Wien [2]. Vermutlich sind diese durchschnittlich 47 cm hohen und rund 20 kg schweren

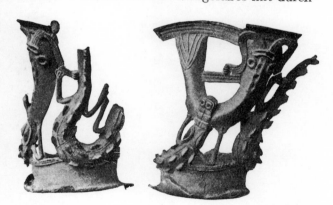

Abb. 667.   Bruchstück eines durchbrochenen Bronzegefäßes. Hamburg C. 3346, etwa ¹/₃ d. w. Gr. nach Hagen.

Stücke ursprünglich alle als »ganze Hälften« einer tonnenartigen Umhüllung gegossen worden, aber nur

---

[1]) Das Stück ist seinerzeit von mir in dem Verzeichnis der Neuerwerbungen des Königl. M. f. V. kurz als »großer Bronzetopf« aufgeführt worden. Im I. A. f. E. XVI, 1903, S. 47 hat J. D. E. Schmeltz daraus einen »Kopf« gemacht und in Klammern beigefügt, »Topf« sei wohl Druckfehler; tatsächlich weiß ich keine bessere Bezeichnung für diese Gefäß als eben »Topf«.

[2]) Berlin, III. C 8518/9/20 ab, Hamburg C. 2896, Leiden 1335/4, P. R. 249, Stuttgart 5374 und Wien 64 740 (Heger 73);

Berlin, Hamburg und Rushmore besitzen wenigstens annähernd vollständige Stücke dieser Art; die übrigen sind alle auf einer oder sogar auf beiden Langseiten schadhaft; die vollständigen sind fast so breit wie hoch und haben in der Mitte beider Langseiten große Ösen zu einer scharnierartigen Verbindung; einige Stücke haben in der Nähe des unteren und des oberen Randes und nahe am seitlichen je zwei über-

einanderstehende Bohrlöcher; bei dem Wiener Bruchstücke ist da am unteren Ende eine rechteckige kleine Metallplatte angenietet; eines der Berliner Stücke hat auch in der Nähe des Randes einen Ring mitgegossen, in dem noch einige Kettenglieder hängen. Die sämtlichen Stücke sind außen gleichmäßig mit großer Sorgfalt geglättet und in gepunzter Technik mit Flechtbändern und verwandten Mustern verziert, innen aber ist die Gußhaut erhalten; für die Art des Abschlusses oben und unten liegt kein Anhalt vor. Es ist möglich, daß die Stücke zur Verkleidung von Tonnen für Alkohol (oder Schießpulver?) gedient haben; auch an Umkleidung von tonnenförmigen Pfeilerbasen könnte gedacht werden, aber eine sichere Deutung steht noch aus.

Abb. 669. Faßdaubenförmiges Bruchstück, Bronzeguß, vielleicht von der Verkleidung eines tonnenförmigen Gegenstandes, vgl. Taf. 91. Stuttgart 5374. Etwa 1/6 d. w. Gr.

P. Eine sehr wenig erfreuliche Gruppe bilden Stücke in der Art des hier Fig. 670 abgebildeten, Hamburg, C. 2941; Hamburg, C. 3692 und 3699 sind ähnlich, stehen aber nur auf drei Füßen und sind noch schlechter. Ganz spät und schlecht sind auch die ähnlichen Stücke Leiden S. 1310, 7 und Halifax (bei L. R. Fig. 97, S. 102); nur wenig besser ist ein Stück Hamburg, Umlauff 2941, das dem Fig. 670 abgebildeten zum Verwechseln gleicht. Anhangsweise sei hier ein kleines Messingköpfchen erwähnt, Berlin, III. C. 23 975, Abb. 668, das mit der Angabe »Benin, Behälter für Schnupftabak« erworben wurde; das Stück ist keineswegs alt; der Tätowierung und dem Stile nach gehört es vielleicht eher nach der Goldküste als nach Benin.

Q. Noch sind einige ganz kleine Gefäße zu erwähnen, anscheinend Stücke des täglichen Gebrauches, die sich in vereinzelten Exemplaren erhalten haben; so die nur 36 mm hohe Tasse, Berlin, III. C. 23 974, Abb. 671, die durch besonders sorgfältige Arbeit ausgezeichnet ist. Ein glatter, runder Trinkbecher, 6,6 cm hoch, am Boden 3,0, am oberen Rande 5,2 cm im

668   670   671

Abb. 668. Behälter, angeblich für Schnupftabak, Messing, etwa 5/6 d. w. Gr. Angeblich Benin, vielleicht Aschanti? Auktion Ansorge 1909. Berlin, III. C. 23975. — Abb. 670. Negerkopf auf vier Füßen, Bronze. Spät. Hamburg C. 2941, etwa 1/3 d. w. Gr. — Abb. 671. Kleine Bronzeschale. Berlin III. C. 23974. 36 mm hoch, also leicht vergrößert.

Durchmesser haltend, ist in Rushmore, P. R. 34 im Katalog 21 von Webster ist Fig. 28 ein nur 5 cm

outerdem zerstreut einige kleinere Bruchstücke; die jetzt in Stuttgart und Wien befindlichen Stücke sind ursprünglich auch nach Berlin gelangt und dann als Doubletten abgegeben worden. Daß je vier »Platten« zusammengehören, wie von dem Leidener Stücke gesagt wird, ist unrichtig oder ungenau ausgedrückt; gemeint ist wohl, daß vier Bruchstücke von der Größe des Leidener nötig wären, um einen tonnenförmigen Körper ganz zu umkleiden.

hohes Bronzegefäß in Gestalt eines menschlichen Fußes mit zahlreichen Knöchelringen abgebildet, und im selben Kataloge Fig. 136 ein nicht ganz 8 cm hohes, anscheinend ganz rezentes Messinggefäß in der Form eines Eierbechers. Vielleicht ist unter den Gefäßen auch noch der bereits Fig. 456 abgebildete kleine Hamburger Panther mit abnehmbarem Kopf aufzuführen.

R. Anhangsweise ist hier noch unsere vollständige Unkenntnis der alten Keramik von Benin festzustellen; sie wird begreiflich, wenn man bedenkt, daß mit ganz verschwindenden Ausnahmen alles, was wir bisher an Benin-Altertümern besitzen, das Ergebnis einer nur wenige Tage dauernden Plünderung ist; da hat sich natürlich niemand um alte Töpfe und Scherben kümmern können; um so reicher wird die Ausbeute sein, wenn einst eine systematische Ausgrabung gemacht werden kann. Einstweilen hat L. R. (Great Benin S. 75) zwei angeblich aus Benin stammende Tongefäße aus dem Brit. Museum abgebildet, die vermutlich aus einer viel weiter westlich gelegenen Landschaft stammen, und ebenso erscheint mir die Herkunft zweier unscheinbarer Töpfchen in Leiden (1243/2, 3, früher Webster Kat. 21, Abb. 149 u. 160) sehr wenig gesichert.

---

37. Kapitel.

Ware = Mankala = Mbao.

[Hierzu die Abb. 672 bis 678.]

Das von den Arabern *mankal'ah*, bei den meisten Bantu *mbao*, im westlichen Sudân in der Regel *ware* genannte Spiel ist für die Aschanti schon seit 1817 durch Bowdich literarisch festgelegt. Im alten Benin hat es nach den erhaltenen »Brettern« aus Bronze zwei ganz verschiedene Arten des Spieles gegeben, eine mit 12, die andere mit 182 bis 378 oder gar 395 Grübchen. Das Spiel scheint ursprünglich in Arabien heimisch und nach einer brieflichen Mitteilung von Bernhard Struck vorislâmisch zu sein. Jedenfalls ist es von den Arabern nach Indonesien und nach Afrika, wie dann von den Negern auch nach Amerika gebracht worden, so daß es jetzt im Osten

Abb. 672. Mankala (*ware*), Bronze, ¼ d. w. Gr. Rushmore P. R. 116.

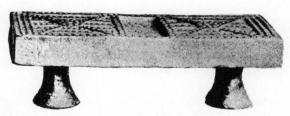

Abb. 673. Mankala (*ware*), Bronze, nach Webster, Kat. 21 von 1899, Abb. 219; jetzt Dresden 16 071, etwa ⅛ d. w. Gr.

bis nach den Marianen, im Westen bis nach S. Francisco verfolgt werden kann. In den »Mitt. d. Wiener Anthrop. Ges.« Bd. 48, 1918, S. 51 ff. habe ich so ausführlich über das Mankala-Spiel gehandelt, daß ich mich hier ganz kurz fassen kann; die heutigen Mankala-Bretter sind in Afrika ausnahmslos aus Holz, soweit die Leute nicht etwa vorziehen, sich die nötigen Gruben in den Erdboden zu machen; in Indonesien sind sie nicht selten aus Messing. Vermutlich gab es hölzerne auch im alten Benin, doch sind sie nicht auf uns gekommen; das Fig. 677 abgebildete hölzerne Stück ist zweifellos ganz modern. Das von Bowdich erwähnte *ware*-Brett des Aschanti-Königs war aus Gold; wir wissen leider nicht, wieviel Gruben es hatte; die modernen Spielbretter in Afrika haben meist 12, selten über 32 Gruben und 2 Mulden, die in Indonesien wohl durchweg 14 Gruben und 2 Mulden; das moderne Benin-Brett hat, ähnlich wie die meisten anderen, die wir sonst aus dem westlichen Sudân kennen, 12 Gruben und 2 Mulden. Unter den fünf bisher bekannt gewordenen alten »Bronzebrettern« aus Benin sind zwei (Leipzig und Rushmore) einander sehr ähnlich; sie haben, vgl. Abb. 672, zwei symmetrische Gruppen von je fünf runden Gruben, die je eine etwas größere, unregelmäßige Mulde einschließen; das Stück in Rushmore ist mit verschiedenartigen Flechtbändern verziert, das Leipziger rundum mit fünfstrahligen Blütensternen. Völlig anders als diese beiden alten und auch als alle bekannten modernen Mankala-Bretter sind die drei hier Fig. 673 bis 676 abgebildeten Stücke aus Dresden, Hamburg und

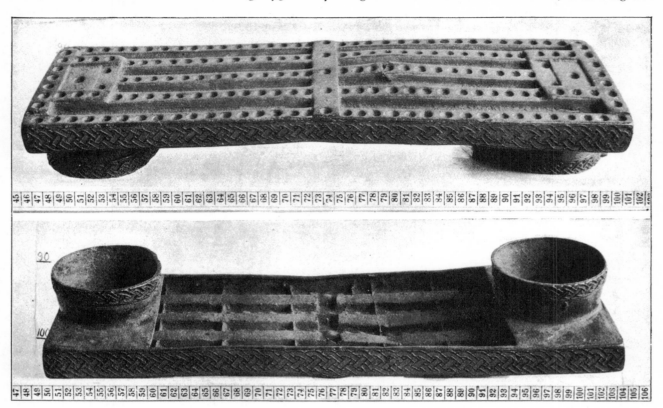

Abb. 674/5.   Zwei Ansichten des Mankala (*ware*).   Hamburg, C. 4041.   Etwa ¹/₃ d. w. Gr.

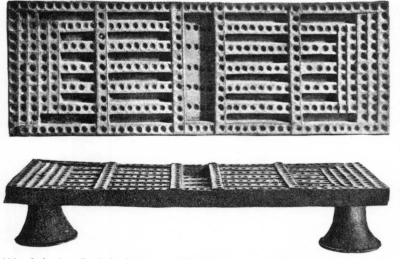

Abb. 676a, b.   Zwei Ansichten des Mankala (*ware*) in Rushmore, nach P. R.
184, etwa ¹/₈ d. w. Gr.

Abb. 677.   Recentes Mankala (*ware*), Holz, Sammlung Egerton, 17 c.

Rushmore; untereinander sind diese recht ähnlich, nur die Zahl und Einteilung der Grübchen und Form der Füße ist etwas verschieden; besonders bei dem Hamburger sind die Füße so ausgesprochen schalenförmig gebildet, daß einer der dortigen Kollegen sogar an die Möglichkeit dachte, daß das Brett beim Spielen umzukehren wäre, daß also die hohlen Füße als becherförmige Schalen nach oben sehen würden [1]). Die untere Seite des Stückes hat aber zum allergrößten Teile noch ihre ursprüngliche Gußhaut, während die obere sehr sorgfältig geglättet ist. Auf dieser oberen Fläche sind in streng symmetrischer Anordnung 182 Grübchen verteilt; das *ware* in Dresden hat nach einer gütigen Mitteilung von Dr. Nuoffer 395 Grübchen, und auf dem von Rushmore habe ich in wiederholter Zählung 378 festgestellt,

---

[1]) Eine solche Auffassung wäre nicht a limine abzulehnen, da gerade an der Küste von Oberguinea bis gegen Liberia hin die beiden Mulden des *ware* von den kleineren Gruben oft etwas abgerückt und becherartig stilisiert sind.   Man würde dann an eine Verwendbarkeit à *double usage* zu denken haben, ähnlich wie bei manchen unserer modernen kästchenartigen Schachbretter, die auch für andere Spiele eingerichtet sind.   Entscheidend gegen eine solche Annahme ist aber der durchaus rohe Zustand der Unterseite; die Abb. 675 lehrt, daß diese, der Gußtechnik entsprechend, nur ein verwaschenes Negativ der Oberseite darstellt; bei dem gleichartigen Stücke in Dresden sind die Füße sogar noch mit den ursprünglichen Gußkernen ausgefüllt.

während P. R. ihre Zahl mit nur 352 angibt. Ein rezentes Spielbrett mit 12 viereckigen Gruben und zwei runden Mulden, siehe Abb. 677, hat Capt. Egerton aus Benin gebracht, ein anderes, mit 12 runden Gruben, aber auffallenderweise ganz ohne Mulden, ist schon 1886 mit der Angabe »Benin« nach Hamburg gelangt (C. 1176); es hat an beiden Schmalseiten geschnitzte und bemalte, sitzende Figuren, eine männliche und eine weibliche; die Angabe »Benin« ist nicht unbedenklich; ich würde das Stück sehr viel eher nach Dahome verlegen; außerdem ist mit der Möglichkeit zu rechnen, daß ursprünglich an den Schmalseiten vorhanden gewesene Mulden weggebrochen sind und dann durch die geschnitzten Figuren ersetzt wurden. Zum Vergleiche mit dem rezenten Brett aus Benin ist Fig. 678 ein Spielbrett von Bali bei Java abgebildet.

Abb. 678. Spielbrett aus Bali (bei Java) nach Lucian Scherman, Ber. des Kgl. ethnogr. Mus. München I, 1908. Etwa $^1\!/_{11}$ d. w. Gr. (121 cm lang).

38. Kapitel.

Lampen.

[Hierzu Abb. 679 und Taf. 103 B.]

Als »Lampen« werden in der bisherigen Literatur drei unter sich ganz verschiedene Geräte zusammengefaßt, von denen typische Vertreter hier Fig. 679 wiedergegeben sind. Dabei soll nicht verhehlt werden, daß nur der mit D bezeichnete Typus mit Sicherheit als Lampe aufzufassen ist; die beiden anderen Typen sind hier nur wegen der gleichartigen Vorrichtung zum Tragen und Aufhängen in der herkömmlichen Weise auch als Lampen aufgeführt und weil es schließlich für die Sache selbst ohne große Bedeutung wäre, wenn die Stücke etwa richtiger die einen als Räuchergefäße, die anderen als Träger für Lampen bezeichnet würden. Zum Tragen und Aufhängen dient stets gleichmäßig eine aus drei Gliedern bestehende Kette, von der das mittlere Glied die Form einer 8 hat, während die beiden anderen runde oder ovale Ringe sind. In den oberen Ring ist ein großer, bequem in der Hand liegender Haken eingehängt, in den unteren eine kleine Rundfigur, meist ein nacktes Männchen wie bei A und C oder ein Vogel mit ausgebreiteten Schwingen wie bei B; einmal (bei einem Stücke vom Typus C, das bei L. R., Great Benin, S. 121 abgebildet ist) ist das nackte Männchen durch zwei kleine Figuren von einheimischen Frauen ersetzt; nur bei den Lampen vom Typus D ist statt der Figur ein einfacher großer Haken gleich dem oberen auch am unteren Ende der Kette angebracht. Dieser Typus D hat auch sonst nichts, was für Benin unmittelbar bezeichnend

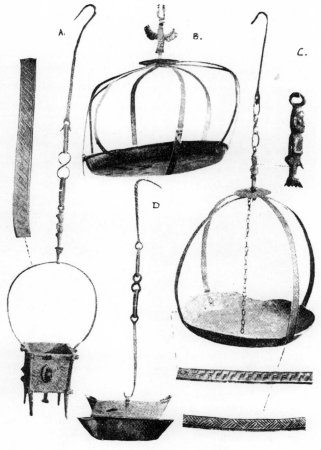

Abb. 679. A. Lampe (oder Räuchergefäß?) nach P. R. 382. B. Tragegestell, vielleicht für eine Lampe, nach Webster 21. 1899, Abb. 202, Nr. 7306. C. Ähnliches Tragegestell, nach P. R. 310. D. Lampe, nach P. R. 309. — B in etwa $^1\!/_{10}$, die drei anderen in etwa $^1\!/_6$ d. w. Gr.

wäre; nach der Abbildung könnte man sogar an eine alte europäische Grubenlampe denken; zwei ganz ähnliche Stücke, auch mit der Angabe Benin, waren 12. 2. 1901 als Lot 80 bei der Auktion von J. C. Stevens; man wird sie ebenso wie das nach Rushmore gelangte Stück vielleicht als alte einheimische Nachbildungen eines europäischen Originals betrachten dürfen, ähnlich wie die Tragegestelle vom Typus B und C wohl sicher auf ein mediterranes Vorbild zurückgehen; ich kenne ein sehr ähnliches Stück aus Kairo, das auch, wie das hier 679 c abgebildete, ein dünnes Kettchen für einen spitzen Metalldorn zum Richtigstellen der Lampendochte hat. Ganz typisch für Benin dagegen ist das 679 A abgebildete Stück in Rushmore und ein ihm fast zum Verwechseln ähnliches, Hamburg, 1050/05. Bei beiden ruht das im Stile der viereckigen Halsglocken gegossene rechteckige Gefäß auf vier Füßen und hat außer diesen in der Mitte des Bodens noch einen fünften, etwas zu kurz geratenen, gänzlich überflüssigen Fuß, wie ein solcher vielfach im alten Benin vorkommt, vgl. z. B. die Abb. 644 und 686. Das Stück in Rushmore ist mit einer Negermaske, das Hamburger mit der eines langlockigen Europäers verziert. Einzelne Kettenhaken von zweifellos ähnlichen Geräten sind mehrfach in unsere Sammlungen gelangt; die schönsten sind in Hamburg (C. 2310) mit einem Panther und in Leipzig (11 650) mit einer nackten männlichen Figur; auch einige ähnliche Figuren ohne Kette, wie z. B. die Taf. 103 B abgebildete, stammen von gleichartigen Geräten, wie aus den Ringen am Kopf- und am Fußende zu ersehen ist; daß diese Figuren meist einen Hammer in der Hand halten, ist kaum Zufall; vielleicht darf man aus ihm auf die Verwendung solcher Lampen in dunklen Werkstätten oder gar im Stollenbetrieb schließen; jedenfalls wissen wir aus dem nahen Aschanti von richtigen alten Stollen und Minen, die auf Gold bearbeitet wurden.

<hr>

39. Kapitel.
Aus Erz gegossene Kästchen und Schreine.
[Hierzu Taf. 90 und die Abb. 680 a bis c.]

Zu den schönsten, größten und lehrreichsten Stücken der Benin-Beute gehört die Taf. 90 in zwei Ansichten, von vorn und von hinten abgebildete, aus Bronze gegossene Berliner Ciste, III. C. 8488, die wir 1898 mit der Sammlung H. Bey erworben haben; 60 cm lang, hat sie die Form eines Benin-Hauses mit steilem Schindeldach; von dem hohen Turm hängt, genau wie es in den zeitgenössischen Berichten zu lesen ist, eine große erzene Schlange herab; auf dem Turme sowie auf dem Dachfirst stehen große ibisartige Vögel und zwei Europäer, die in der uns bekannten, für Benin so typischen halb knieenden oder wenigstens »knieweichen« Haltung mit Flinten nach diesen Vögeln zu schießen scheinen. Die Seitenflächen des Hauses sind in Felder geteilt, die durch Flechtbänder voneinander getrennt und abwechselnd glatt und mit sternartigen Mustern in Punztechnik ausgefüllt sind. Der Deckel ist

Abb. 680 A. Bronzekästchen, Rushmore, P. R. 182. Arbeit von Benin, nach einem europäischen Vorbild. Etwa 3/8 d. w. Gr. (Etwa 28 cm lang.) Die Seitenflächen sind wie mit Randbeschlägen eingerahmt, ebenso erscheinen die Füße auf den Schmalseiten wie aus Brettchen geschnitten; das ursprüngliche Vorbild war also vermutlich aus Holz.

hinten in festen Ringscharnieren beweglich, denen vorn ganz gleichartige Scharnierringe entsprechen, wie das für Benin typisch ist, vgl. die Abb. 643 und 644. Hausförmige Schreine ähnlicher Form sind bei uns schon seit dem 13. Jahrh. bekannt; ob aber unser Benin-Schrein durch ein europäisches Vorbild angeregt wurde, ist eine Frage, die leichter gestellt als beantwortet wird; die Ausführung hingegen ist zweifellos ohne jeden europäischen Einfluß. Daß wir es mit einer treuen Nachbildung eines einheimischen Hauses zu tun haben, erhellt aus der überraschenden Ähnlichkeit mit den Häusern auf dem alten Holzschnitte bei Dapper, von dem hier Abb. 680 C ein Teil reproduziert ist. Dieser malerisch ungewöhnlich

wirksame Holzschnitt ist zweifellos wie die meisten Abbildungen in den Reisewerken des 17. Jahrh. nach bloßen Beschreibungen oder aus dem Gedächtnis gemacht, aber gerade für die Häuser muß der Künstler eine verhältnismäßig genaue Vorlage zur Verfügung gehabt haben, da diese sonst mit dem Berliner Schrein nicht so gut übereinstimmen könnten. Es scheint, daß man damals große Bronzevögel auf die Türme zu setzen pflegte; vielleicht ist das große Bruchstück Taf. 107 C als Fuß eines solchen Vogels aufzufassen. Auf der hinteren Wand des Turmes hängt, der Schlange auf der Vorderseite entsprechend,

Abb. 680 B. Emaillierter Schrein, italien. Schule, 14. Jahrh. 28 cm lang. Nach Rupin, l'œuvre de Limoges, Paris, 1890.

eine lange, im Relief gegossene Kette herab, an der vielleicht der mittlere Vogel angehängt zu denken ist; in ähnlicher Weise waren auch die beiden seitlichen Vögel, von denen einer jetzt abgebrochen ist, ursprünglich angekettet; bei dem einen sind noch mehrere frei bewegliche Kettenglieder vorhanden, bei dem anderen kann man zwischen den Resten der Füße und eines Gußsteges noch die Stelle erkennen,

Abb. 680 C. Feierlicher Umzug des Königs von Benin; in seinem Gefolge Zwerge, Narren und Verwachsene, Musikanten, Panther usw.; im Hintergrunde sein Palast und die Stadt Benin; nach Dapper, 1670. Vgl. hierzu die hausförmige Ciste auf Taf. 90.

an der ein Kettenglied eingehängt war. Die Bedachung des Hauses ist in derselben Art behandelt wie auf der Taf. 40 abgebildeten Platte; ob es sich wirklich, wie ich annehme, um hölzerne Schindeln handelt, wie Legroing für das Dach des königlichen Palastes berichtet, oder um Platten aus Kupferblech oder etwa nur um große Blattstreifen, muß dahingestellt bleiben; Erwähnung verdient noch, daß die schmalen Randflächen des eigentlichen Kastens, die, wenn er mit dem Deckel verschlossen ist, nicht sichtbar sind, ein sorgfältig eingepunztes Muster haben, bei dem immer drei Striche mit einem kleinen Kreise abwechseln.

Eine ähnliche, aber sehr viel kleinere und einfachere Ciste, die sich im Museum von Liverpool befindet, ist von L. R. zweimal (Halifax Naturalist 1898 und Great Benin S. 164) abgebildet worden; sie stellt ein einfaches schmales Haus mit glatten Wänden vor; der Deckel ist wie bei der Berliner Ciste hoch, dachförmig, geschindelt; vom Turme hängt eine Schlange mit vorgestrecktem Kopf und weit geöffnetem Rachen herab; vorn in der Mitte sind an dem Kasten zwei, auf dem Deckel ein Ring vorhanden, wie bei dem Scharnier hinten und wie bei der Berliner Ciste.

Völlig anders sieht ein nach Rushmore gelangtes Kästchen aus, P. R. 182, das hier Abb. 680 A reproduziert ist; bei oberflächlicher Betrachtung möchte man es für europäisch halten und in das 15. Jahrh. setzen; doch weisen die Flechtbänder, die Rosetten und das geflammte Rankenwerk mit großer Sicherheit auf einheimische Arbeit; zweifeln könnte man nur an der Herkunft des angenieteten Schlosses, das nach der Abbildung und von außen einem europäischen zum Verwechseln gleicht; nur eine sorgfältige Untersuchung des Originals könnte zu einem sicheren Ergebnis führen, einstweilen gebe ich hier, 680 B, eine Abbildung eines ähnlichen Kästchens, dessen italienische (oder wenigstens westeuropäische) Herkunft feststeht. Es dürfte nicht schwer halten, in den französischen und spanischen Sammlungen kleine Cisten oder Schreine zu finden, die dem sicher in Benin, aber nach einem europäischen Vorbild gearbeiteten Schränkchen in Rushmore noch etwas näher stehen; aber schon das hier abgebildete Kästchen genügt zur Klarlegung des Verhältnisses zwischen den europäischen Originalen und der afrikanischen Nachbildung.

---

40. Kapitel.

Schlüssel.

[Hierzu Taf. 103 D, E, F.]

Die Berliner Sammlung besitzt drei ausgezeichnet schöne und große, reich verzierte Schlüssel III. C. 7668, 8043 und 12 485; die Abbildungen Taf. 103 D, F und E sind hier nur durch wenige Worte zu erläutern. Die Stücke sind durchweg um einen eisernen Kern gegossen und lehnen sich in ihrer Form an die westeuropäischen Schlüssel an, die sich im Laufe des Mittelalters aus römischen Vorbildern entwickelt hatten. Der Taf. 103 D abgebildete Schlüssel könnte mit seinen niedlichen Puttenköpfchen und der kleinen Öse auf dem Ringe, sowie mit der einem vielseitigen Prisma aufgesetzten Kugel zwischen Ring und Schaft auch von einem guten Kenner des alten Handwerks für europäisch gehalten werden; daß er in Benin gemacht ist, ergibt sich mit Sicherheit nur aus dem Vergleiche mit den anderen Schlüsseln und aus der reichlichen Verwendung von »Schraubenköpfen« als Ornament. Ganz besonders reich ist der Schmuck des 103 E abgebildeten Stückes. Der Ring ist auf beiden Hauptflächen je mit drei menschlichen und zwei Panthermasken und auf der etwa 16 mm hohen Mantelfläche mit einem Panther verziert, der den Kopf einer Antilope im Rachen hält; oben trägt dieser Ring noch einen Januskopf mit einer Öse am Scheitel. Das Verbindungsglied zwischen Ring und Schaft ist auf beiden seitlichen Flächen je mit der Darstellung eines Benin-Mannes geschmückt, auf den zwei schmäleren oben und unten je mit einem Elefantenkopf, dessen großer Rüssel mit der Greifhand einen blätterreichen Zweig gefaßt hält. Der dritte Berliner Schlüssel, Taf. 103 F, ist dem zweiten sehr ähnlich, nur etwas kleiner; auch fehlt ihm die Öse auf dem Januskopfe.

Sieben weitere Schlüssel dieser Art (Dresden 13 628, Hamburg C. 3059, P. R. 115 und vier, die ich aus dem Handel kenne) sind kleiner und sehr viel einfacher verziert; der Ring ist nur in der Art von dicken, geflochtenen Zöpfen behandelt und mit drei Schraubenköpfen geschmückt; in einem Falle ist er nicht kreisrund, wie sonst immer in Benin, sondern queroval, wie bei den meisten unserer modernen Schlüssel; dieses Stück ist auf einer schönen Tafel mit zahlreichen Benin-Schlüsseln abgebildet, die dem Auktionskataloge von J. C. Stevens vom 12. 2. 1901 beigegeben ist; auf dieser Tafel ist auch ein großer eiserner Schlüssel mit einem ähnlichen ʃ-förmigen gebogen Bart abgebildet sowie ein Bund mit vier unter sich verschiedenen kleineren Schlüsseln an einer Messingkette. Dieselbe Tafel zeigt auch zwei schlüsselartige Geräte von ganz anderer Form; von diesen besteht das eine (jetzt in Dresden) aus einem etwa 50 cm langen eisernen Dorn, der an dem einen leicht verjüngten Ende wie ein Dietrich kurz im rechten Winkel abgebogen ist und am anderen gleichfalls kurz, aber unter einem stumpfen Winkel abgebogenen Ende in einen aus Messing gegossenen »gezopften« Ring übergeht; das zweite dieser Stücke ist etwas kleiner, aber nicht wesentlich verschieden; der Messingring hat drei große, zylindrische Zapfen; das wie ein Dietrich umgebogene dünnere Ende hat an der Spitze noch eine ganz kurze weitere Umbiegung; ein drittes ähnliches Stück, Berlin, III. C. 7625, auch aus Eisen, mit einem flachen, etwa herzförmigen Griff aus Messing ist sogar 88 cm lang; es läge nahe, daraus auf ganz besonders dicke Haustore zu schließen; man kann sich aber leicht einen Verschluß vorstellen, bei dem diese langen Schlüssel parallel mit der Türfläche eingeführt wurden.

---

41. Kapitel.
Repoussierte Arbeiten.
[Hierzu die Abb. 681 bis 686.]

Im Verhältnis zu der großen Menge von gegossenen Stücken, die wir aus Benin kennen, sind repoussierte Arbeiten sehr selten; sie sind auch durchgehend spät und wohl ohne Ausnahme mit Benutzung

von europäischem Blech hergestellt. Der guten alten Benin - Kunst scheint die Technik des Repoussierens fremd gewesen zu sein — wenn man nicht etwa annehmen will, daß die leichtere Vergänglichkeit dünnen Bleches die Erhaltung guter alter Stücke verhindert oder erschwert hat.

A. Unter den repoussierten Arbeiten sind an erster Stelle einige

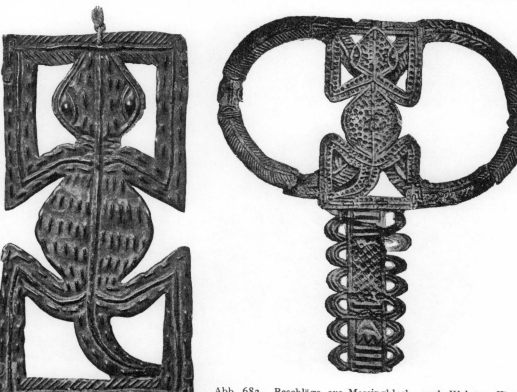

Abb. 682. Beschläge aus Messingblech, nach Webster, Kat. 24, Abb. 28. Etwa ¼ d. w. Gr.

Abb. 681. Krokodil aus Blech, getrieben und repoussiert, Original in Privatbesitz, Essen/Ruhr; ¼ d. w. Gr.

Beschläge zu nennen, die hier durch die Abbildungen 681 und 682 vertreten sind; in ein langes Rechteck von etwa 5 × 10 cm Seitenlänge ist ein Krokodil komponiert; rechts und links sind an dieses Rechteck etwa halbkreisförmige Bögen angenietet, die, wie es scheint, mit stark stilisierten Welsen und mit Pantherschädeln (?) verziert sind; an das Schwanzende des Mittelstückes schließt sich, gleichfalls angenietet, ein bis zu 1 m langer Blechstreifen an, mit gezackten Rändern und bei den besseren Stücken mit einer stilisierten und »geflammten« Schlange, bei anderen mit quadratischen Feldern, in denen sich noch einzelne Reste des Schlangenornamentes erhalten haben; das beste Stück dieser Art, P. R. 306, ist in Rushmore, zwei gute Bruchstücke, von denen eines jetzt in Cöln ist, sind bei Webster (Kat. 21, Fig. 195 und Kat. 27, Fig. 76) abgebildet; von einem dieser Stücke heißt es, daß es von einem Holzstuhle stammt, alle anderen werden als zu Kopfgestellen einer Pferderüstung oder zu Sattelbeschlägen gehörig bezeichnet.

Abb. 683. Büchse aus repoussiertem Blech, P. R. 122. Etwa ⅛ d. w. Gr. Schlechte moderne Arbeit; vgl. Abb. 666 und 635 A.

B. Eine weitere Gruppe von Arbeiten in repoussierter Technik ist durch runde, niedrige Büchsen gebildet, die zugleich als Schemel gedient haben; in der guten alten Zeit waren solche wohl aus Rindenbast genäht oder, wie das Fig. 666 abgebildete Stück, aus Bronze gegossen; später kam es dann zu so abscheulichen Stücken, wie deren eines hier Fig. 683 abgebildet ist; im Mittelfeld erkennt man eben noch das dämonische Wesen, das in jeder Hand ein Krokodil schwingt und Welse statt der Beine hat (*the legs terminate in a band turned up on each side, as shown in other designs in Benin art*, heißt es bei P. R., dem also der wirkliche Zusammenhang verborgen geblieben war); der leere Raum in der Kartusche ist beiderseits unter den Ellbogen durch eine große Rosette und neben dem apex durch zwei nicht sicher zu deutende Gegenstände ausgefüllt, die wie Frauenbrüste aussehen. Rings um die Kartusche ist radiär eine große Zahl von Feldern angeordnet, die ganz unsymmetrisch mit den verschiedensten Mustern ausgefüllt sind, unter denen Masken, vielspeichige Räder und Flechtbänder vorherrschen; in der gleichen Art ist auch die Mantelfläche der Büchse verziert. Vielleicht von demselben Handwerker (jedenfalls von keinem geschickteren) stammt auch die 25 × 53 cm messende ovale Büchse her, die in Websters Kat. 24 als Fig. 83 abgebildet ist; unter ihren Verzierungen taucht aber ein neues Motiv auf, das mit Sicherheit auf einen bärtigen Europäerkopf mit langen Locken zurückzuführen ist; bei Webster ist freilich von Leoparden

Abb. 684/5. Holzschale mit Deckel, Sammlung von Capt. Egerton. Etwa ⅐ d. w. Gr. Mit Streifen aus dünnem repoussierten Blech verziert.

die Rede! Womöglich noch unerfreulicher ist eine ovale Büchse in Stuttgart mit einem Scharnierdeckel; sie erinnert in Form und Größe an die europäischen Zuckerbüchsen vor 100 Jahren, ist aber durchaus mit den typischen Flechtbändern, geflammten Schlangen, Rosetten usw. der Spätzeit von Benin bedeckt. In Websters Kat. 21 ist Fig. 209 eine runde Messingscheibe von etwa 25 cm Durchmesser abgebildet (jetzt Dresden 16 127), deren von einem Flechtband umrahmte Fläche fast ganz in der gleichen Weise wie die mittlere Kartusche auf unserer Abb. 683 von dem Krokodile schwingenden »Dämon« mit den Welsbeinen ausgefüllt ist; unter seinen ausgestreckten Armen ist je ein nach innen schreitender Panther und unter diesen links noch ein bärtiger Europäerkopf und rechts ein zweiter Panther; um den Kopf des Dämons füllen noch einige Rosetten den letzten Rest freien Raumes. Noch ungleich schlechter und später sind zwei Stücke Webster 9804 und 9805 (Kat. 24, Abb. 30 u. 31), runde Blechscheiben von etwa 17 cm Dm.; auf der einen ist zwischen 6 Rosetten ein Mann mit einem Ebere dargestellt, auf der anderen ein Mann, dessen Körper anscheinend wie ein Skelett aus einzelnen Wirbeln und Rippen gebildet ist.

C. Eine dritte Gruppe bilden einige große, schüsselartige Holzgefäße, meist mit Deckel, die in verschiedenartigen Mustern mit gepunzten Blechstreifen überzogen sind. Das verhältnismäßig beste dieser Stücke, aus der Sammlung Egerton, ist hier Fig. 684 und 685 abgebildet; von anderen noch ungleich schlechteren Stücken aus den Sammlungen von Adm. Rawson und Capt. Campbell besitzen wir gute Photographien, ich habe aber geglaubt, auf ihre Wiedergabe verzichten zu dürfen. Hingegen ist hier Fig. 686 noch eine ganz mit Blech überzogene Holzschale abgebildet, die zeigt, in wie späte Zeit hinein sich noch der überflüssige fünfte Fuß erhalten hat, den wir mehrfach bereits bei älteren Bronzen festgestellt haben.

Abb. 686. Mit repoussiertem Blech überzogene Holzschale der Sammlung Egerton, $^1/_4$ d. w. Gr.

D. An vierter Stelle sind einige kleine, ganz mit gepunztem Messingblech überzogene tonnenförmige Holzgefäße zu nennen. Ich kenne drei solche Stücke, alle drei unter sich fast gleich groß, etwa $1^1/_2$ l fassend, nahezu zylindrisch, an einer Seitenwand mit einem Spundloch, das durch einen hölzernen Pfropfen geschlossen ist. Unter den gepunzten Verzierungen überwiegen Flechtbänder und große Köpfe von langhaarigen bärtigen Europäern; das freie Ende des Propfens ist in der Art eines menschlichen Kopfes, einmal auch wie eine Schelle geschnitzt; am oberen und unteren Rande ist je ein Ring zur Aufnahme einer Tragschnur angebracht. Wenn man diese Fäßchen als *powder keg* und als »Pulverfaß« bezeichnet, so übersieht man, daß ganz gleichgeformte und gleichgroße Fäßchen im 16. Jahrhundert in Westeuropa ganz allgemein für Wasser und für Wein auch auf den Tisch gestellt wurden. Von den drei mir bekannten Stücken ist eines (Wien 74 728) von Heger ausführlich beschrieben worden; ein anderes ist nach einer schönen Zeichnung von C. Punch von L. R. (Great Benin, S. 129) veröffentlicht.

E. Noch ist in diesem Zusammenhang eine einzelne flache Scheibe aus Bronzeblech zu erwähnen, Berlin, III. C. 12 531, die etwa die Form eines ovalen Bilderrähmchens von 14,4 × 15,8 cm Größe hat und mit zwei Reihen von halbmondförmigen Verzierungen versehen ist; das Stück hat gute Patina und ist wohl etwas älter als die bisher aufgezählten Arbeiten in gepunzter Technik; seine Bestimmung ist unbekannt; vielleicht diente es, ähnlich wie die hier S. 110 ff. beschriebenen kreisrunden Scheiben, als Gürtelschmuck.

---

42. Kapitel.
Kämme, Haarnadeln, Fächer, Wedel usw.
[Hierzu Abb. 687 bis 692.]

A. Die aus Benin zu uns gelangten Kämme sind alle aus dem Vollen geschnitzt, aus Holz oder Elfenbein, von 23 bis zu 28 cm hoch, mit langen Zinken, deren Zahl zwischen 6 und 12 schwankt und mit einer flachen Griffplatte, die oft fast so hoch ist wie die Zinken und meist mit Reliefs geschmückt oder auch zu rundem Bildwerk ausgeschnitten ist. Die Abbildungen 687/8 ersetzen lange Beschreibungen. Bei den zwei Kämmen Abb. 687 könnte man zweifelhaft sein, ob die Reiter Eingeborene sind oder Europäer; tatsächlich würde die Prognathie der Gesichter eher auf Eingeborene zu beziehen sein, aber man wird sie wohl besser nur auf die Ungeschicklichkeit des Schnitzers zurückführen und mehr Gewicht auf die rein europäische Tracht legen; freilich scheint diese bei flüchtiger Betrachtung aus Perlen zu bestehen, aber das ist sicher nur im Stile und in der Technik begründet. Wer daran zweifeln sollte, sei auf die Abbildungen 605 und 606 verwiesen; da haben die Reiter ähnliche Tracht und die gleiche extreme Prognathie, sind aber durch ihre langen Haare mit voller Sicherheit als Europäer gekennzeichnet; ein dritter ganz ähnlicher Kamm aus Holz, auch mit einem Flechtband unter dem Reiter genau wie bei dem Berliner, war im Besitze von Miss M. H. Kingsley und ist jetzt wohl im P. R. Museum in Oxford; vgl. die Abb. 22 in »Studio« 1898 und 242 in G. B. An beiden Stellen wird das Stück, dessen Zähne alle nahe der Wurzel abgebrochen sind, als *top of staff* bezeichnet. Alle drei Kämme sind zweifellos jünger als jene Armbänder mit den langhaarigen Reitern; es scheint mir möglich, daß sie nicht nach der Natur oder aus der Erinnerung geschnitzt sind, sondern nach irgendwelchen älteren Vorbildern, vielleicht in der Art der erwähnten Armbänder. Außer diesen und den Fig. 688 abgebildeten Kämmen kenne ich noch einen, Frankfurt a. M., 12 170, der ungefähr dem Kamme 688 a gleicht, zwei in Leiden, M, Taf. IX 4, 5, 6, 9, und zwei in Rushmore, P. R. 272 und 386; bei dem einen von diesen hat der Griff die Form einer kleinen menschlichen Figur, die auf einigen Kettengliedern steht (was eine auch sonst mehrfach in Afrika vorkommende kindische und stillose Spielerei ist); bei dem anderen ist die Griffplatte so stilisiert, daß sie nicht mehr mit Sicherheit zu deuten ist; vermutlich liegt ihr auch eine menschliche Figur zugrunde. Alle diese Stücke sind ganz rezent und ohne Interesse.

B. Zwei schöne Haarnadeln aus Elfenbein in der Form einer Vogelfeder waren als Lot 93 bei der

Abb. 687. Kämme aus Elfenbein, ¹/₄ d. w. Gr. a Berlin   Abb. 688. Kämme aus Holz, etwa ¹/₄ d. w. Gr. nach Abb. bei
III. C. 21 928; b und c Wien 85 081.   Webster; c ist jetzt in Leiden, e in Dresden.

Auktion von J. C. Stevens vom 12. 2. 1901. Die eine ist jetzt in Dresden (13 613), die andere habe ich 1914 in San Francisco mit der Angabe »Benin-Indians« wiedergesehen. Eine dritte Haarnadel, auch aus Elfenbein, mit einer schildartigen Erweiterung am Kopfe, die vielleicht aus einer stark stilisierten Eidechse hervorgegangen ist, befindet sich in Frankfurt a. M. (12 176); ob sie wirklich aus Benin stammt, scheint mir nicht ganz gesichert. Sehr unerfreulich ist eine größere Zahl von rezenten Haarnadeln aus Messing, die teilweise mit Stückchen von Korallen und roten Steinen besetzt sind. Berlin Dresden, Frankfurt a. M. und Rushmore teilen sich in den Besitz von etwa 20 solchen Stücken; einige haben die Form einer gewöhnlichen Krawattennadel, andere die eines T; bei diesen ist die horizontale Haste manchmal bis zu 40 cm lang, die senkrechte etwa 10.

C. Auf Taf. 49 A ist eine Platte mit einem Fächer abgebildet; S. 280 ist diese und eine ähnliche in Frankfurt a. M. beschrieben. Von solchen Fächern sind drei Stücke aus Bronze im Original erhalten geblieben, ein recht spätes und rohes, P. R. 322, in Rushmore und zwei gute alte, leider beschädigte Stücke III. C. 8504 und 9958 in Berlin; diese beiden sind hier Fig. 690 und 692 abgebildet; alle drei Stücke sind mit Sicherheit als sekundäre Nachbildungen von Leder- oder Fellfächern zu betrachten, wie solche noch bis auf den heutigen Tag im Lande gemacht werden. Moderne Stücke dieser Art sind zwei in Berlin (III. C. 21 938 und 26 812, Abb. 689 und 691), eines in Rushmore (P. R. 323) und eines in Wien (64 713, Heger 161, früher Webster 4940). Bei allen vier Stücken ist die Fellscheibe in genau derselben Art mit großen Stichen an dem Holzstiel befestigt, wie die alten Blechscheiben an den Metallgriff genietet sind. Besonders schön ist der Fig. 689 abgebildete Berliner Fächer; er ist aus Pantherfell geschnitten; auf seine vordere Fläche sind aus rotem Zeug zwei sechseckige Sterne und drei Masken aufgenäht, von denen wie die Schenkel eines Andreaskreuzes vier Füße abgehen.

689   690   691

Abb. 689 und 691 zwei moderne Fellfächer, Berlin III. C. 21938 und 26812. Etwa $\frac{1}{5}$ d. w. Gr. Abb. 690. Alter Fächer aus Bronze, Berlin III. C. 8504.

D. Wedel, die wir mehrfach auf alten Platten dargestellt gesehen haben, haben sich aus der Blütezeit von Benin begreiflicherweise nicht erhalten. Zwei sonderbare Stücke, beide mit sehr zahlreichen, fast meterlangen Korallenschnüren (Rushmore P. P. 166 und R. D. VIII 1) waren wohl nur reine Zeremonialgeräte; ihre praktische Verwendung wäre ebenso unvernünftig gewesen, wie etwa das Werfen mit einem großen Steine nach einer Fliege; der eine dieser Wedel hat einen mit Korallen umflochtenen Holzgriff; der Griff des anderen besteht aus vier großen langen Perlen aus rotem Jaspis oder Karneol, die vermutlich europäischer Herkunft sind, ebenso wie auch die Korallen selbst wohl sämtlich in Europa geschliffen sein dürften. Wien besitzt (64714, Heger 162) einen Wedel aus einem Roßschweif an einem mit farbigen Lederstreifen umflochtenen Holzstiel; bei Webster, Kat. 21 von 1899, sind Fig. 169 und 176 zwei weitere Wedel abgebildet, der eine mit einem Tierschweif, der andere mit einem Bündel von dünn gespaltenen Rohrstäbchen an einem Holzgriff, der in einen Doppelkopf endet.

E. Auf den zwei Fig. 357 und 365 abgebildeten Platten halten Eingeborne einen Gegenstand, der vielleicht als Peitsche zu deuten ist, vielleicht als Fliegenpracker; Heger (163) bezeichnet ein rezentes ähnliches Stück der Wiener Sammlung (64712) als »Klatsche«. Ähnliche Stücke, alle ganz modern, finden sich mehrfach in unseren aus Benin stammenden Sammlungen; vgl. S. 237 δ.

Abb. 692. Verzierte Scheibe eines Bronzefächers, Berlin III. C. 9958. Etwa $\frac{1}{3}$ d. w. Gr. Bei sorgfältiger Betrachtung erkennt man in ganz fein gepunzter Technik beiderseits vom Stiel je zwei eidechsenartige Figuren, die sich den Rücken zukehren, aber ihre auf langen Hälsen ruhenden Köpfe in neckisch wirkender Art einander zuwenden. Die langen dünnen Schweife enden bei den zwei inneren Tieren je in einen Rhombus, bei den zwei äußeren in einen Kreis.

43. Kapitel.
Runde Scheiben und Teller.

[Hierzu die Abb. 693 bis 695.]

Aus der Spätzeit von Benin sind einige große runde gegossene Scheiben zu uns gelangt, über deren ursprüngliche Bestimmung wir unwissend sind; so müssen wir uns auf eine Beschreibung und Abbildung beschränken; am figurenreichsten ist das Fig. 693 abgebildete Stück, das im runden Mittelfelde das bekannte dämonische Wesen mit den Welsen statt der Beine zeigt; die Ausführung ist fast so spät und schlecht wie etwa auf dem Fig. 683 abgebildeten Schemel, wenn auch der größere Maßstab wesentlich mehr Einzelheiten anzubringen gestattete; so zeigt der reifrockartige Lendenschurz außer den Flechtbändern noch zwei Reihen mit Masken von Menschen und Panthern; zwei kleine Welse stehen wie die

Enden eines Gürtels in der Lendengegend nach den Seiten ab; zwischen den großen, die Beine ersetzenden Welsen ist ein Krokodil dargestellt. Der aus der übrigen Tracht mit einiger Sicherheit zu erschließende *apex* der Kopfbedeckung ist aus Raummangel unterdrückt; in der Rechten hält die Figur ein Ebere, in der Linken etwas wie ein Scepter (?) oder einen Wedel (?). Oberhalb der ausgestreckten Arme ist jederseits ein Steinbeil dargestellt, unter dem rechten ein Hiebschwert, unter dem linken ein undeutlicher Gegenstand, vielleicht eine kleine Tonne, unter diesen, neben den breiten Hüften der Figur, jederseits noch ein rechteckiger Schemel. Den Rest des freien Raumes füllen noch links drei, rechts vier sternförmige Rosetten. Dieses kreisrunde Mittelfeld wird von einer langen, vielfach gewundenen Schlange umgeben, zwischen deren

Abb. 693. Gegossene und gepunzte Scheibe, Bronze, etwa ¼ d. w. Gr. Jetzt in Berliner Privatbesitz, Abb. nach Webster, Kat. 29 von 1901.

Rachen und Schwanz sich noch ein kleines, nicht zu bestimmendes Tier findet, das wohl als halb verschlungen aufzufassen ist. Darauf folgen, radiär geordnet, 16 Felder, von denen immer je 4 nebeneinander stehende verschieden sind, während jedes 5. Feld nahezu gleichen Inhalt mit dem 1. hat. Im 1., 5., 9. und 13. Felde sind in wechselnden Posen zwei nackte, übermäßig fleischige Figuren dargestellt, vielleicht Ringer oder Kämpfer; im 2., 6. usw. eine mit langem Faltenrock bekleidete Figur mit verschränkten Armen, vielleicht eine europäische Frau (?), neben ihr ein becherförmiges Gefäß. Das 3., 7. usw. Feld zeigt einen nackten Mann, auf einem Beine kniend, das andere vorgestreckt, der eine unverhältnismäßig große Pistole handhabt; im 4., 8. usw. Feld endlich sehen wir einen Europäer in reiner Vorderansicht, langhaarig, in bis über die Knie reichendem Faltenrock, auf einen Stock gestützt; im Hintergrunde ein Becher und eine Tonne (?). Auch diese 16 Felder sind von einem bandförmigen Streifen eingefaßt, der von einer »geflammten« Schlange ausgefüllt wird, die ein Krokodil zu verschlingen im Begriffe ist. Gerade vor ihrem Rachen ist noch der Rest einer wohl erst nachträglich angenieteten Schleife erhalten.

Zwei verwandte Stücke kenne ich nur aus künstlerisch sehr schönen, aber vielleicht in manchen Einzelheiten ungenauen Zeichnungen, von denen eine hier Abb. 694 reproduziert ist; die Platten sollen Eigentum des Brit. Museums sein, ich habe sie da aber niemals ausgestellt gesehen. Das Mittelstück der hier abgebildeten nimmt ein Europäer ein, der in der Rechten einen (wenigstens nach der Zeichnung) unbestimmbaren Gegenstand hält und mit der Linken einen Panther (?) an einer Kette führt; den übrigen Raum füllen vierkantige Flaschen, glockenförmige Becher (?), zwei Stühlchen, die der Zeichner für Kästchen gehalten zu haben scheint, und vier Rosetten aus. Der äußere flache Rand ist genau wie bei dem Fig. 693 abgebildeten Stücke durch eine Schlange mit zahlreichen »geflammten« Windungen ausgefüllt.

Eine vierte Scheibe, Rushmore, P. R. 102, hier Abb. 695, gehört wohl in dieselbe Gruppe, wenn sie sich auch durch einen in der Mitte befindlichen quadratischen Ausschnitt von den drei andern Stücken unterscheidet. Auf das innerste kreisrunde Feld mit dem rechteckigen Loch folgen acht durch radiär gelegte glatte Streifen getrennte Felder, jeder mit einem großen sechsstrahligen Blütenstern, dann folgt ein von schmalen konzentrischen Kreisen eingeschlossener Ring mit einer großen, sich in den Schwanz beißenden Schlange. Der breite äußere Rand zerfällt dann in 15 Felder, 1 unpaares mit einem Ebere

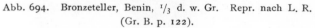

Abb. 694. Bronzeteller, Benin, ⅓ d. w. Gr. Repr. nach L. R.
(Gr. B. p. 122).   Abb. 695. Runde Scheibe, Bronze, nach P. R. 102.
⅑ d. w. Gr.

und 2 Hauschwertern und 7 paarig-symmetrische, in denen immer ein schreitender Panther mit einem Europäerkopf abwechselt. P. R. beschreibt das 2 cm dicke und etwa 65 cm im Durchmesser haltende Stück als Schild und meint, der quadratische Ausschnitt hätte zur Befestigung der Handhabe gedient. Das trifft nicht zu; die Benin-Schilde sehen ganz anders aus; aber ich kann leider keine bessere Deutung an die Stelle der abgelehnten setzen.

Große scheibenförmige Messingteller von etwa 1 m Dm., ungefähr von der Art wie die bekannten, in Europa vielfach als Rauchtische usw. benutzten Eßplatten des vorderen Orients, meist in wenig sorgfältiger Art mit allerhand Rankenornamenten in Punztechnik bedeckt, wurden 1908 von einem englischen Händler mit der Angabe »Benin« in Verkehr gesetzt. Wir haben die besseren Exemplare erworben, halten aber die Herkunftsangabe für bedenklich; auch sind die Stücke keinesfalls alt, brauchen uns also hier nicht weiter zu beschäftigen.

---

44. Kapitel.

Schwerter, Messer, Dolche.

[Hierzu die Abb. 696 bis 704, davon 696, 698/9 und 701 auf den Ergänzungsblättern E u. F, sowie 326 bis 344.]

S. 202—210 sind die Schwerter und Dolche, soweit sie auf den Reliefplatten dargestellt wurden, ausführlich beschrieben und abgebildet; hier soll nun kurz über die uns erhaltenen Originale berichtet werden. Da ist in erster Linie das Ebere zu behandeln, das ganz aus Eisen geschmiedete Tanz- oder

Zeremonialschwert mit dem großen Ringe unterhalb des Griffes und der dünnen, breitsohlenförmigen, spitz zulaufenden Klinge. Ein besonders schönes und typisches Stück dieser Gattung, Berlin III C.

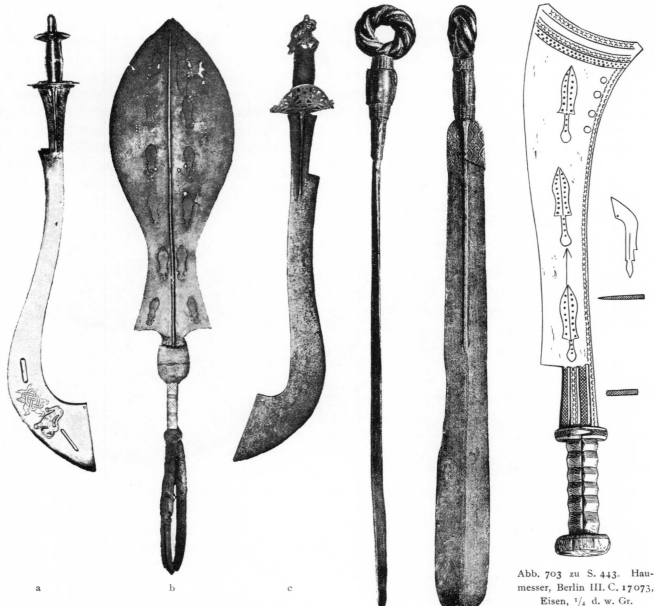

a   b   c

Abb. 697. Die beiden Hauptformen von Benin-Schwertern, a und c *ada*, b *ebere* [a mit einem europäischen Korb und Knauf] Sammlung Rawson, etwa 1/6 d. w. Gr.

Abb. 700. Ungewöhnliches Schwert, Bronze. Rushmore, P. R. 284, 1/4 d. w. Gr.

Abb. 703 zu S. 443. Haumesser, Berlin III. C. 17073, Eisen, 1/4 d. w. Gr.

7672, ist E Fig. 696 b abgebildet, samt den Querschnitten, die alle Einzelheiten erkennen lassen. Unter den 26 [1]) mir bekannt gewordenen Stücken sind nur drei aus Bronze, die anderen sind aus Eisen ge-

---

[1]) 1. Berlin, III. C 7672, vgl. die Abb. 696 B. — 1. 2. Bremen, Bruchstück einer Klinge, Bronze, mehrfach geflickt und verstärkt. — 3. Cöln Rh. — 4. 5. Dresden 16123 und 16069, dieses wohl das größte in der ganzen Serie, mit sehr zahlreich angenieteten kleinen Panthern und Eberes aus Messing auf beiden Flächen der Klinge. — 6. Frankfurt a. M. 12214, s. die Abb. 44 in Webster Kat. 24, großes und gut gearbeitetes Stück, an der Spitze beschädigt, an mehreren Stellen alt geflickt. — 7 bis 12. Hamburg, C. 2438 mit schönen Elfenbeinplatten am Griff; C. 2439 die oben erwähnte schlechte und mißverstandene europäische Nachbildung mit der Palmette; C. 2903 mit einer kleinen kegelförmigen Anschwellung am Griff, der also in diesem Falle anders als mit den sonst üblichen Elfenbeinschalen handgerecht gemacht wurde; C. 2904 mit einer großen geflickten Stelle am Übergang zwischen Griff und Klinge; C. 2905 Klinge aus Bronze, wie üblich mit in Mustern angeordneten Löchern verziert; außerdem ist an der Stelle der größten Breite ein ovales Rähmchen aufgelegt; C. 3956 Klinge aus Bronze, mehrfach alt geflickt. — 13, 14. Leiden 1355/5 und 1286/2, dieses untypisch, nur 64 cm lang, ohne Mittelrippe; der Griff ungewöhnlich lang, der Ring sehr klein, nur 8 cm im Durchmesser, ähnlich (oder identisch) mit Webster 9746, Abb. 43 in Kat. 24. — 15, 16. Leipzig, davon eines mit zahlreichen aufgesetzten kleinen Eberes und Panthern aus Messingblech; s. die Abb. 42 in Websters Kat. 24 (£ 40. o. o.!). — 17, 18. Rushmore, P. R. 326 und 328. — 19. Europäische Kopie, abgeb. bei L. R. G. B. Fig. 69. — 20. Das Fig. 699 abgebildete Prunkstück bei L. R. G. B. Fig. 70. — 21 bis 26. Sechs Stücke im Handel, jetzt wohl meist in

schmiedet; bei einem Stück ist der große schleifenförmige Ring anscheinend ganz aus Bronze, aber vermutlich nur über einen eisengeschmiedeten Kern mit Bronze überfangen. Der stets leicht torquierte Ring steht meist senkrecht auf der Ebene der Klinge und scheint hauptsächlich als Gegengewicht gegen die breite Klinge bestimmt zu sein, also ein leichteres »Arbeiten« zu ermöglichen. Sehr große Sorgfalt ist auf die in den Ring hineinragende Verlängerung des Griffes verwandt; dieser an sich unwesentliche, aber trotzdem niemals fehlende Bestandteil des Ebere ist erst in zahlreiche drahtähnliche Stücke gespalten und dann wieder in kunstvoller Schmiedearbeit zierlich geflochten; er endet etwa im Mittelpunkte der großen Schleife in einigen geschlossenen Spiralen, in einer flachen Scheibe oder in einer Art Blumenknauf. Die breite Klinge ist in der Regel durch zahlreiche meist in Doppelreihen angeordnete Löcher verziert; in einigen Fällen sind ihr außerdem noch kleine, aus Messing geschnittene Eberes und kleine Panther aufgenietet; ganz vereinzelt ist das Blatt F Fig. 699 abgebildete Stück, dessen Klinge mit Europäerköpfen und Panthern bedeckt ist. Der eigentliche Griff ist, soweit die Schmiedearbeit in Frage kommt, stets dünn, flach rechteckig, mit scharfen Kanten und sehr unhandlich; einige vollständig erhaltene Stücke lehren aber, daß er wie etwa viele unserer Küchenmesser mit »Schalen« aus Elfenbein versehen wurde, vgl. die Abb. E 698 und 699. Zwei solche Schalenstücke sind lose nach Wien gelangt; sie werden (Heger 120 u. 121) einzeln als »kurze, auf der einen Seite flache, auf der anderen Seite gewölbte und verzierte Stäbchen« beschrieben; tatsächlich können sie als Griffbeschläge nicht leicht erkannt werden, wenn man kein vollständig erhaltenes Ebere kennt. Diese Schwerter sind durchschnittlich im ganzen rund 1 m hoch; einige wenige erreichen 1,20 und darüber. Ein besonders blutdürstiger (oder geldhungriger) Händler bezeichnet sie als »Richtschwerter«, sicher mit Unrecht; sie sind auch sonst als Waffen gänzlich ungeeignet und können nur als Tanz- oder Zeremonialgeräte aufgefaßt werden; den Europäern müssen sie schon früh großen Eindruck gemacht haben, da mehrfach alte europäische Nachbildungen vorhanden sind, die anscheinend als Geschenke an Eingeborene gegeben wurden. Ein solches Stück mit etwa 30 cm langem geraden Griff, in dessen Mitte sich ein großer Ring frei bewegt, ist bei L. R. Great Benin S. 60 abgebildet; seine Klinge *appears to be iron, nickel plated* und ist wie ein Sieb mit in engen Reihen nebeneinander stehenden Bohrlöchern versehen, also eine sicher recht wenig gelungene Kopie; Dr. F. N. Roth fand 1894 bei der Einnahme von Chief Nana's Town eine große Menge ähnlicher Geräte, alle »silberplattiert und aus einer bekannten Fabrik in Birmingham«. Eine ganz besonders üble Kopie besitzt auch Hamburg; das aus der Beute von 1897 stammende Stück (C. 2439) ist aus Messingblech und hat einen Griff aus Elfenbein; die Verlängerung des Griffes ist so lang wie der ganze Durchmesser des Ringes. Die Verbindung zwischen Griff und Klinge ist durch eine richtige Palmette in spätem Empirestil gegeben.

Völlig anders sind die schweren Hiebwaffen vom Typus der E 696 A u. C abgebildeten Stücke, für die Cyril Punch den einheimischen Namen *ada* ermittelt haben will; wir haben sie als die eigentlichen Schlachtschwerter des alten Benin zu betrachten; daß sie gelegentlich auch bei Hinrichtungen benutzt wurden, soll nicht in Abrede gestellt werden, aber die landläufige Bezeichnung als »Richtschwert« ist sicher eine Übertreibung in der Art jener alten Prähistoriker, die in jedem ungewöhnlich aussehenden Kochtopf eine »Blutschale« sahen und in jedem irgendwie auffallenden Felsblock einen »Opferstein« erblickten. Diese Schwerter, von denen ich 21 [1]) kenne, die alle unter sich sehr ähnlich sind und eine voll-

---

Amerika. Anhangsweise ist hier noch ein kleines Modell eines Ebere zu erwähnen, 17 cm lang, sehr roh aus Eisen geschmiedet, mit 11 Löchern in der Klinge, ohne Mittelrippe und ohne Ring; es ist zugleich mit einem gleichgroßen und roh geschmiedeten Modell eines Schlachtschwertes nach Berlin gelangt (III. C. 20 075).

[1]) 1. 2. Berlin, III. C. 7618/9, Abb. 696 A und C. — 3. Berlin, III. C. 18 943, Abb. 701. Bruchstück, Bronze. — 4. Cöln, Rh. — 5. 6. Dresden, zwei Stücke, davon eines ein großes Prachtstück allererster Ranges, die Klinge mit Figuren von Vögeln und mit Kreuzen, der Griff aus gebräuntem Elfenbein, die obere Platte rund, auf der unteren eine hockende Figur, vgl. Abb. 702 und T 782; das zweite Stück, 13 632, hat an seiner breitesten Stelle einen Panther aus Kupfer aufgenietet und über diesem einen großen Flechtknoten, aus dem ein Vogelkopf vortritt. — 7. Frankfurt a. M. 12 181. Die ganze Klinge mit Bronze (oder Kupfer?) überzogen; an der breitesten Stelle ein in einen Kreis eingeschriebener vierteiliger Flechtknoten. — 8 bis 11. Hamburg, C. 2314/5/6 und 3957, vier nicht ganz typiche Stücke, zwei ohne Griff; das vierte nur zur oberen Hälfte erhalten, Bronze, mit auf beiden Flächen aufgenieteten je drei Panthern aus dünnem Bronzeblech. — 12. bis 14. Rushmore, P. R. 110, 338, 339; von diesen eines mit Holzgriff und mit drei kleinen Löchern statt des einen am Knicke des Rückens. — 15. Sammlung Egerton. — 16. 17. Zwei Stücke bei Admiral Rawson, darunter eines mit einem aufgenieteten Panther und einem Flechtknoten. — 18.—20. Drei Stücke bei Händlern, jetzt wohl in Amerika. — 21. Sammlung Egerton, Abb. 704 a, mit einem engen Flechtwerk aus Korallenperlen bedecktes Modell, vermutlich mit einem Kern aus Holz. — Ein weiteres Modell, Berlin, III. C. 20 076, ist roh aus Eisen geschmiedet und nur etwa 18 cm lang; es wird daher hier ohne Nummer angeführt und nicht mitgezählt; es ist gleichzeitig mit dem am Schlusse der vorhergehenden Anm. aufgeführten Modell eines Ebere nach Berlin gekommen und ist als dessen unmittelbares Gegenstück aufzufassen. Bei beiden Stücken ist das Griffende wie bei den Antennenschwertern

kommen einheitliche, in sich geschlossene Gruppe bilden, sind unsymmetrisch, mit einer Schneide nur an der konvexen Seite und mit verdicktem Rücken; gegen die Spitze zu sind sie sehr stark verbreitert, dabei ist die konvexe Schneide sehr viel länger als der konkave Rücken, der aber durch ein 15 bis 20 cm langes gerades Stück verlängert wird; in dem stumpfen Winkel, der so zwischen dem konvexen und dem geraden Teil des Rückens gegeben ist, findet sich regelmäßig ein rundes, etwa 3 mm im Durchmesser haltendes Loch, dessen Bedeutung unbekannt ist. Die eiserne Klinge ist mittels einer Zunge in einem meist drehrunden Griff befestigt, der oben und unten eine rundliche Scheibe etwa von der Form eines kleinen Stichblattes hat und daher ganz besonders fest und sicher in der Hand liegt; nur in einem einzigen Falle, s. Abb. 697 a,

Abb. 702. Griff eines großen Schlachtschwertes, *ada*, Elfenbein mit Korallen eingelegt, etwa ¹/₂ d. w. Gr. Jetzt in Dresden. Repr. nach einer Photographie von Webster; vgl. hierzu die beiden Abb. 782 und 783 auf Ergänzungsblatt T sowie den Hinweis auf die *sambiki saru*, S. 463 Anmerkung unter Nr. 27. Ob die Darstellung wirklich auf *iwazaru* zu beziehen sein könnte, lasse ich dahingestellt.

      a   b

Abb. 704 a, b. Ungewöhnliche Schwerter, Sammlung Egerton, etwa ¹/₆ d. w. Gr.

ist dieser Griff (wohl nachträglich) durch einen europäischen ersetzt worden mit einem häßlichen durchbrochenen Korb und einem sehr ungeschickt liegenden Knauf. Bei den typischen Stücken ist am äußeren Ende des Griffes unterhalb der unteren Platte, gleichsam in Verlängerung der Schwertzunge, noch ein zylindrisches Stück angebracht, das in einigen Fällen, vgl. Abb. 696 A, die Form eines Doppelkopfes hat. Vielleicht gehört auch die kleine weibliche Doppelfigur in Rushmore, P. R. 147, zu einem solchen Schwert; ausnahmsweise, bei einem Berliner und bei einem Hamburger Bruchstück, ist die Klinge nicht aus Eisen, sondern aus Bronze; das Berliner hat, vgl. Abb. F 701, außer einem Flechtknoten und einer kreuzartigen Figur auch einen typischen »Malapterurus-Dämon« späten Stils eingepunzt, der in jeder Hand ein Krokodil schwingt. Die Welse statt der Beine würden an sich nicht zu erkennen sein, und auch der *apex* mit den von seiner Spitze herabhängenden Perlen ist so stilisiert, daß niemand ihn richtig deuten könnte, der ihn nicht von guten älteren Darstellungen her kennt; man wird sogar an die Möglichkeit denken müssen, daß der Arbeiter selbst eine ältere Vorlage nur ganz verständnislos kopierte.

Eine dritte Art von Schwertern, die wir auf den Taf. 28 B, 31 A, C und D kennengelernt haben und Fig. 333 und 334 besonders abgebildet finden, scheint ihrer Seltenheit entsprechend in keinem einzigen alten Original erhalten zu sein; ich kenne nur das Fig. 704 b abgebildete rund 70 cm lange, anscheinend rezente Holzmodell der Sammlung Egerton. Zwei eiserne Schwerter von ähnlicher Form in Rushmore, P. R. 376 und 380, sind gleichfalls nicht alt; auch scheint mir ihre Herkunft aus Benin nicht gesichert.

In zwei Exemplaren ist ein kurzes zweischneidiges Schwert bekannt, das ähnlich wie ein Ebere hinter dem Griffe noch einen Ring hat, dessen Klinge aber geradlinig begrenzt und nach vorn etwas verbreitert, am Ende abgerundet ist. Der leicht torquierte Ring ist sehr plump, seine Öffnung hat ungefähr denselben Durchmesser wie sein Querschnitt; beide Stücke sind aus Bronze oder Messing, bei dem einen (Dresden) liegen Ring und Klinge in derselben Ebene, bei dem anderen (Rushmore, P. R. 284, hier Abb. 700 S. 440) ist der Ring senkrecht auf die Ebene der Klinge orientiert.

gespalten und in einer freilich nur ganz kurzen Spirale zurückgebogen; trotz aller Roheit der Ausführung, die sonst keinerlei Einzelheiten berücksichtigt, ist das typische Loch am Knicke des Rückens wiedergegeben; man kann daraus wohl schließen, daß es für die richtigen Schlachtschwerter von wesentlicher Bedeutung gewesen sein muß. Ein 50 cm langes Stück, Berlin, III. C. 26 811 gehört vielleicht in die gleiche Gruppe, ist aber sicher wesentlich jünger; es hat am letzten Abschnitt des Rückens 5 Löcher.

Eine weitere Gruppe ist hier S. 440 durch die Abb. 703 vertreten; das Berliner Stück III. C. 17 073 ist 60 cm lang, mit leicht konvexer Scheide und dickem Rücken; der Holzgriff ist dicht mit 6 breiten Ringen umfaßt, von denen der vorderste aus Messing, die anderen aus Eisen sind. Die Klinge ist auf der einen Fläche mit drei eingepunzten Darstellungen von Eberes, auf der anderen mit solchen von Schlachtschwertern, auf beiden außerdem noch mit sehr sorgfältig eingeschlagenen zierlichen Randmustern geschmückt; in der Gegend des vorderen Endes befinden sich längs des Rückens hintereinander vier runde Löcher. Die ganze Waffe muß, trotz ihrer geringen Größe, als ein vorzügliches Hiebschwert bezeichnet werden. Ein fast völlig gleiches, nur um 15 cm längeres Schwert befindet sich in der Sammlung Egerton; verwandt, aber von etwas anderer Form sind auch das 76,5 cm lange Haumesser in Rushmore, P. R. 198, an dessen Griff Messing- und Eisenringe abwechseln, und das 66 cm lange Messer Wien 64 802, Heger 130. In denselben Kreis gehört auch ein 66 cm langes Messer Hamburg, C. 2415, wenn auch der Holzgriff nur durch einen einzigen Eisenring verstärkt ist. Ganz rezent hingegen sind zwei Hiebmesser mit Scheide, Berlin III. C. 12 377 und Rushmore, P. R. 212, 78,5 und etwa 80 cm lang; die Scheiden sind mit buntem europäischen Stoff überzogen; ob die Stücke in Benin gemacht sind, erscheint ganz unsicher; der Griff des Messers in Rushmore, vielleicht auch das Messer selbst ist europäischer Herkunft; das Gehänge mit Quasten scheint nach der Abbildung Haussa- oder Fulbe-Arbeit zu sein.

Taf. 105 D und E sind zwei Messer abgebildet, Berlin III. C. 8077 und 10 869, die bei oberflächlicher Betrachtung an prähistorische Rasiermesser erinnern; die Form ist auch sonst mehrfach [1]) aus Benin vertreten; die landläufige, wohl auf die englischen Händler zurückgehende Bezeichnung als »Opfermesser« ist völlig unbegründet; vermutlich handelt es sich um Werkzeuge bei der Bearbeitung von Leder; bei uns haben Riemer, Sattler und Schuster ähnliche Geräte.

Schließlich sind hier noch einige Dutzende von rezenten Dolchen und Dolchmessern zu erwähnen, die bei P. R. und in den Katalogen der Händler mit der Angabe »Benin« bezeichnet sind; sie stammen vom Kongo, aus den Haussa-Ländern, aus Liberia und eines auch aus Südafrika; eines oder das andere mag vielleicht auch in Benin erworben sein, aber es lohnt nicht, sich hier näher mit diesen wenig erfreulichen und ganz gleichgültigen Stücken zu beschäftigen.

---

45. Kapitel.

Speere, Pfeile, Köcher.

[Hierzu die Abb. 705 bis 710 sowie 115 bis 124.]

Unter den Speeren, die mit der Angabe »Benin« in unsere Museen gelangt sind, stammen nur wenige aus der älteren Zeit und wirklich aus Benin; auch diese decken sich nur teilweise mit den schönen Typen, die wir auf den Reliefplatten kennen gelernt haben und die hier S. 70 und 71 auf den Abb. 115 bis 124 zusammengestellt sind. Drei ausgezeichnet schöne Stücke der Berliner Sammlung, III. C. 7620—22, sind Fig. 705 bis 707 abgebildet; bei einem ist der Schaft aus Eisen, die zwei anderen sind ganz aus Messing;

---

[1]) 1. 2. Die beiden oben erwähnten Berliner Stücke, das eine, Taf. 105 D, ist aus Eisen; der Griff ist aus Bronze gegossen und endet in eine Art Januskopf, bei dem zwei unter sich fast gleiche Europäerköpfe unter einem kegelförmigen Hut vereinigt sind; bei dem anderen Messer aus Bronze ist der lange Griff mit einer Schlange verziert, aus deren Rachen ein menschlicher Kopf hervorsieht. — 3. Dresden, 16 154. Eisen, nur am Ende des Griffes ein schlechter (»hydrokephaler«) Negerkopf aus Erz. — 4. Leiden, 1295/3. Der Griff ist etwas länger als bei dem anderen Messer dieser Gruppe, aber die Bezeichnung »Sichelschwert« ist deshalb doch verfehlt, schon weil die Schneide auf der konvexen Seite ist; ganz abwegig ist auch der Hinweis auf die Platte R. D. XXIV. 3, denn die Beizeichen auf dieser Platte sind wirkliche Mondsicheln, keine Messer. — 5. Rushmore, P. R. 108. Sehr breites Messer aus Bronze, mit eingepunzten Verzierungen (Eidechsen oder Krokodile usw.), sehr kurzer Griff mit kugelförmigem Knauf. — 6. Rushmore, P. R. 275, sehr ähnlich dem Berliner auf Taf. 105 D, nur endet der Griff nicht in einen Januskopf, sondern in eine menschliche Hand mit gebeugten Fingern und wegstehendem Daumen; Klinge Eisen, der Griff Messing. 7. Webster Kat. 24, Abb. 75, Nr. 9381. Ein dem vorigen fast zum Verwechseln gleichendes Stück. — 8. Ein drittes gleiches Stück — wenn es nicht etwa mit Nr. 7 identisch ist, was ich zur Zeit nicht feststellen kann — wird im Katalog 515 von Tregaskis, London 1902 als Nr. 58, wie folgt beschrieben: »*Sacrificial knive, iron chopper-like curved blade, brass handle terminating in a clenched fist with thumb extended, pointing downwards, an interesting piece of symbolism, the sign of death.*« Trotz dieser blutigen Reminiscenz an die circensischen Spiele war das Stück, ein harmloses Handwerksgerät, nur auf 2 Guineen bewertet, während ein gleiches (oder dasselbe?) zwei Jahre vorher bei Webster mit £ 5. 0. 0 notiert war. — 9. 10. Zwei einfachere Messer der gleichen Art, Webster, Kat. 29, 11 379 und 81, Abb. 63 und 64.

der Schaft des 705 abgebildeten besteht aus zwei hintereinander gesetzten Stücken, die durch die schöne Spirale so fest miteinander verbunden sind, daß dieser einzigartige Befund leicht ganz übersehen werden kann; ich vermag auch nicht anzugeben, ob er von vornherein beabsichtigt war oder ob etwa eine er-

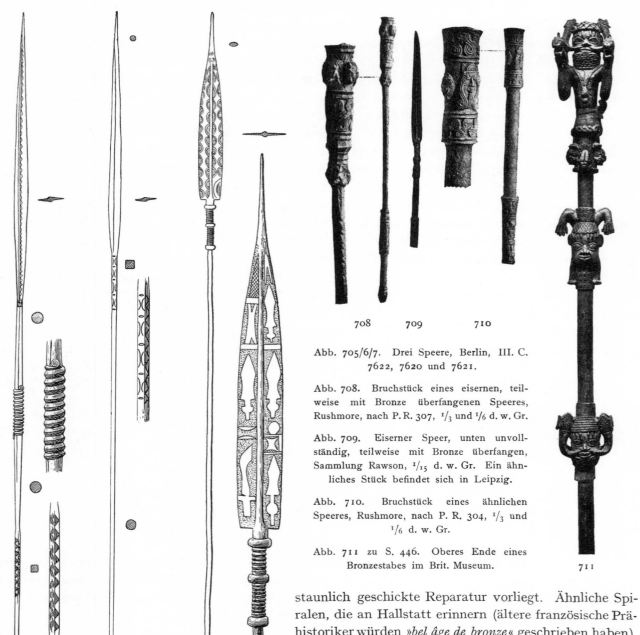

708   709   710

Abb. 705/6/7. Drei Speere, Berlin, III. C. 7622, 7620 und 7621.

Abb. 708. Bruchstück eines eisernen, teilweise mit Bronze überfangenen Speeres, Rushmore, nach P. R. 307, $^1/_3$ und $^1/_6$ d. w. Gr.

Abb. 709. Eiserner Speer, unten unvollständig, teilweise mit Bronze überfangen, Sammlung Rawson, $^1/_{15}$ d. w. Gr. Ein ähnliches Stück befindet sich in Leipzig.

Abb. 710. Bruchstück eines ähnlichen Speeres, Rushmore, nach P. R. 304, $^1/_3$ und $^1/_6$ d. w. Gr.

Abb. 711 zu S. 446. Oberes Ende eines Bronzestabes im Brit. Museum.

705   706   707   711

staunlich geschickte Reparatur vorliegt. Ähnliche Spiralen, die an Hallstatt erinnern (ältere französische Prähistoriker würden »bel âge de bronze« geschrieben haben), sind an Benin-Speeren nicht selten gewesen, wie die Fig. 116 und 118 abgebildeten Stücke lehren. Persönlich denke ich dabei an einen wirklichen Zusammenhang und an alte Tradition, aber es muß natürlich jedem freigestellt bleiben, nur eine zufällige Ähnlichkeit oder bloße Konvergenz anzunehmen. Einen den Berlinern ähnlichen Speer besitzt Hamburg (C. 2396); dort ist auch eine schöne Doppelspitze, 1049 : 05, die, von der Dülle an gabelförmig geteilt, aus zwei unter sich gleich langen, dicht nebeneinander stehenden schlanken Blättern besteht, die ganz mit sorgfältig eingeschlagenen, unter sich verschiedenen Flechtband-, Schlangen- und anderen Mustern verziert sind.

Reste von schweren Stoßspeeren ganz anderer Art, wie jene leichten Wurfspeere, sind nach Leipzig, Rushmore und in die Sammlung Rawson gelangt; sie sind hier Abb. 708 bis 710 in sehr kleinem Maßstabe wiedergegeben, würden aber sicher große Abbildungen und sorgfältige Beschreibung verdienen. Einigermaßen vollständig sind nur die beiden Stücke der Sammlung Rawson, von denen eines anscheinend nach Leipzig (H. M. 6) gelangt ist oder wenigstens dem Leipziger zum Verwechseln gleicht. Die beiden Stücke in Rushmore, P. R. 304 und 307, sind an sich sehr schön, aber unvollständig, vor allem ohne die Spitzen, so daß sie an sich kaum als Bruchstücke von Speeren gedeutet werden könnten; P. R. selbst bezeichnet sie nur als »Stücke von eisernen Stäben«. Diese Speere sind aus Eisen geschmiedet und an drei Stellen mit breiten Bändern aus Bronze umgossen, die mit Fröschen, mit Köpfen von Panthern und von Europäern sowie mit Flechtbändern geschmückt sind. Unter den anderen Speeren, die bei P. R. und in den Händlerkatalogen mit der Angabe Benin bezeichnet sind, verdient hier nur P. R. 215 Erwähnuug; es ist ein schönes Stück, aus Eisen geschmiedet, an zwei Stellen mit Messing umfangen und mit vier kleinen, in Rundguß vorragenden Panthern und zwei stilisierten Elefantenköpfen geschmückt.

Bei Webster, Kat. 21 von 1899, ist unter Nr. 7284, Fig. 175 ein kleiner, flacher Köcher abgebildet, der aus Baumbast zusammengenäht ist und eine Anzahl ganz dünner Stäbchen mit Blattfiederung enthält. Ähnliche Pfeile aus dem Brit. Museum sind hier bereits S. 80 erwähnt; sie sind wohl recent, aber es ist anzunehmen, daß es schon im 16. Jahrhundert (neben den Pfeilen mit den großen breiten Spitzen, die wir auf den Jägerplatten kennengelernt haben) kleine stäbchenförmige vergiftete Pfeile gegeben hat; wir haben ja gesehen, wie sehr der alte Benin-Bogen dem der westafrikanischen Pygmäen gleicht, mit dem er auch die bandförmige Rotangsehne gemein hat. Die Berliner Sammlung besitzt zwei eiserne Spitzen mit Widerhaken, III. C. 7674 a b, 14 und 15 cm lang, die aus Benin stammen sollen; in ihrer Form erinnern sie etwas an die Speerspitzen auf den Abb. 120 bis 125, aber sie sind für Speerspitzen zu klein und für Pfeilspitzen beinahe zu groß; jedenfalls sind sie ganz recent.

<hr/>

46. Kapitel.

Hammer, Zangen, Äxte, Nägel usw.

Handwerkszeug aller Art erscheint so häufig in den Listen der Sammlungen und der Händler, daß es die Behandlung in einem besonderen Kapitel zu verdienen schien. Bei näherer Prüfung schwindet das Material freilich sehr zusammen, da viele Stücke von fremder Herkunft auszuscheiden sind. Auch das, was wohl wirklich einheimisch ist, dürfte kaum sehr alt sein, wenn auch angenommen werden kann, daß es alte Formen bewahrt hat. Am wertvollsten ist eine Reihe von 5 Schmiedewerkzeugen, die in Websters Kat. 21, Fig. 171, 172, 177, 183 und 187 abgebildet sind; nach der Analogie von ost- und innerafrikanischen Werkzeugen, über die wir besser unterrichtet sind, kann angenommen werden, daß da ein in sich geschlossener und vollständiger Satz vorlag; es ist zu hoffen, daß er auch geschlossen in ein Museum gerettet wurde; er war bereits verkauft, als der Katalog versandt wurde, und ich habe über seinen Verbleib nichts weiter erfahren. Für Benin besonders charakteristisch ist ein Hammer von der Form eines plumpen Hakens, wie wir ihn vielfach auf den alten Bronzen (vgl. z. B. Abb. 159, Taf. 84 und Taf. 85 B) kennen gelernt haben, auf denen er wohl meist kultische Bedeutung hat, während er hier nur reines Handwerksgerät ist; dementsprechend fehlt ihm die verzierte runde Scheibe, die manchmal bei den »kultischen« Hämmern den Griff abschließt, die aber für den praktischen Gebrauch nur hinderlich wäre. Ein zweiter Hammer dieses Satzes ist drehrund, spindelförmig, an einem Ende rasch sich verjüngend, am Griffende nahezu zylindrisch; ein dritter Hammer hat die Form eines langgestielten Schuhleistens von etwa 28 cm Länge; der zugehörige Amboß hat die Form eines plumpen Nagels mit kreisrundem Kopf und ist etwa 15 cm hoch; das fünfte Stück ist eine schmiedeeiserne Zange, die sich nicht wesentlich von den Zangen unserer europäischen Hufschmiede unterscheidet. Eine ähnliche Zange aus Bronze (Websters Kat. 24, Fig. 61), 62 cm lang, mit eingepunzten Verzierungen hat flache Branchen, die fast ebenso lang sind wie die Griffe. Ein hakenförmiger Hammer, gleich dem von Webster abgebildeten (wenn nicht etwa derselbe), liegt in Rushmore, P. R. 363. Vielleicht als Symbol eines Schmiedewerkzeuges aufzufassen ist ein hohl gegossener kolbenförmiger Gegenstand aus Erz, Dresden 14 059, der auf einer Seite das Relief einer fratzenhaften rohen menschlichen Figur mit gespreizten Beinen aufweist, aber in Form und Größe sonst sehr an das Gerät erinnert, das auf dem Fig. 815 abgebildeten Bronzestuhl unmittelbar rechts von der zentralen runden Scheibe, also mitten unter sicheren Schmiedewerkzeugen dargestellt ist.

In diesem Zusammenhange sind wohl auch einige große eiserne Nägel von etwa 20 cm Länge zu verzeichnen, die am oberen Ende mit einem Kopfe aus Erz überfangen sind; ein solcher mit einem Januskopf ist in Websters Kat. 29, Fig. 29 abgebildet; ein anderer, Leipzig 12 996, hat einen einfachen menschlichen Kopf mit einem runden Hut; die Art der Verwendung dieser Nägel ist unbekannt; dasselbe gilt von zwei etwa 40 cm langen drehrunden Bronzestäbchen mit einer kreisrunden Scheibe an einem Ende; ein solches, Webster 9623, ist in seinem Kataloge 24, Fig. 74, abgebildet; das andere, Dresden 13 594, hat eine etwas größere Scheibe von etwa 3 cm Durchmesser und 2 mm Dicke; unbekannt ist auch die Bedeutung eines drehrunden, an beiden Enden verjüngten Messingstabes, Berlin, III. C. 7624; er ist 110 cm lang und hat 14 mm im Durchmesser; beide Enden sind leicht abgebogen, das eine wenig und vielleicht nur zufällig, das andere um etwa 45°. Die Angabe »Marterwerkzeug«, unter der wir das Stück schon 1897 erworben, ist wohl aus der Luft gegriffen; einige rezente Äxte und Erdhauen, die mit der Angabe »Benin« im Handel waren, stammen aus Togo und aus dem Kongobecken; Erwähnung verdient noch eine an sich sehr schöne Axt in Rushmore, P. R. 362; sie stammt von Webster, wo sie als Nr. 7270 in Kat. 21 Fig. 174 abgebildet ist; zu der falschen Bezeichnung »Benin« ist sie vielleicht durch die sechs menschlichen Masken mit aus Blei eingelegten Augensternen gekommen, die den hölzernen Griff schmücken; sie scheint aus dem südlichen Ostafrika zu stammen, vielleicht von den Yao; mit Benin hat sie sicher keinerlei Zusammenhang.

---

47. Kapitel.

Große Stäbe, „Stammbäume“, Rasselstäbe, baumähnliche Ständer usw.

[Hierzu Taf. 108 bis 112 und Abb. 711 bis 728.]

Die in diesem Kapitel vereinigten Altertümer sind durch ihre Größe, ihre Technik und durch die Fülle der an ihnen zu beobachtenden Einzelheiten gleich bemerkenswert. Leider ist ihnen auch die vollkommene Hilflosigkeit gemein, mit der wir ihnen gegenüberstehen; wir haben über ihre wahre Bedeutung gar keine oder nur ganz unsichere Kenntnis und müssen uns darauf beschränken, sie in Gruppen zu bringen und in Wort und Bild festzulegen.

A. Stäbe. Unter diesen ist der schwere massive Stab Berlin III. C. 8217, Taf. 110, B, der verhältnismäßig einfachste; 153 cm lang, etwa 5 cm im Durchmesser haltend, fast zylindrisch, nach unten zu konisch verjüngt, oben flach abschneidend, ist dieser Stab in ungefähr gleichen Abständen an 24 Stellen von wagrecht ringsumlaufenden zierlich geknoteten Reliefbändern umgeben und unter diesen von einem großmaschigen Netzwerk von dünnen Schnüren. An einer Stelle ist in fast rundem Relief eine Eidechse dargestellt, die von einer langen und dünnen Schlange am Halse gefaßt wird. Der Stab ist um einen eisernen Kern gegossen, aber auffallenderweise nicht in einem Gusse, sondern in drei Absätzen; diese sind auch auf der Abbildung noch zu erkennen; die untere Fuge liegt unmittelbar über dem, von unten gezählt, dritten Knotenbande, die obere über dem achten von oben.

Von einem anderen Bronzestabe, der erst nach Abschluß des Werkes von R. D. in das Brit. Museum gelangte, ist Fig. 711 das obere Ende abgebildet. Die oberste Figur trägt zwei Panther, die mit ihren Hinterfüßen auf den Schultern, mit den Vorderfüßen auf den erhobenen Händen der Figur zu stehen scheinen; aus den Nasenlöchern dieser Figur, die durch Tracht und Tätowierung als Benin-Mann gekennzeichnet ist, sind Welse hervorgewachsen; ihre Füße ruhen auf (wohl abgeschnitten zu denkenden) Negerköpfen, zwischen denen ich ein vierfüßiges Tier zu erkennen glaube. Etwas unterhalb folgt ein Kopf mit den typischen Benin-Narben, aus dessen Hinterhauptsgegend Arme, aus dessen Nacken Beine wachsen, noch weiter unten folgt ein zweiter solcher Kopf mit großen, aus den Nasenlöchern gekommenen Welsen.

Ganz besonders reich geschmückt ist der Fig. 712 abgebildete Gegenstand P. R. 53, der wohl als Keulenkopf oder Stockknauf zu deuten ist. Das 24 cm hohe, im wesentlichen zylindrisch geformte und 4 cm im Durchmesser haltende Stück kann man schematisch in fünf übereinander liegende Zonen einteilen, von denen die erste, dritte und fünfte flach und nur mit einfachen Flechtbändern verziert ist. Hingegen ist die zweitunterste durch die Rundfigur eines schreitenden Panthers gebildet, zu dessen beiden Seiten je ein anscheinend trinkender Europäer steht. Die zweitoberste Zone zeigt auf schuppenartig verziertem Grunde zwei symmetrische Reihen von je vier Darstellungen übereinander; in der unteren Reihe ist vorn ein Europäerkopf in reiner Vorderansicht, zu beiden Seiten je ein Wels und hinten eine große Rosette, in der oberen Reihe ein Benin-Kopf in Vorderansicht, zu beiden Seiten je ein Europäerkopf in reiner Seitenansicht und hinten ein solcher in Vorderansicht. Die vier Europäerköpfe sind alle gleichmäßig bärtig, mit langen schlichten Haaren, großnasig und mit einem runden Hut; P. R. meint, sie schienen weiße Leute zu sein, »vielleicht Araber oder Mischlinge«. Zu einer solchen Annahme liegt kein Grund vor, es sind sicher Europäer und auch wohl Portugiesen; für die Erklärung des ganzen Bildwerkes ist mit einer solchen Feststellung freilich noch nichts gewonnen.

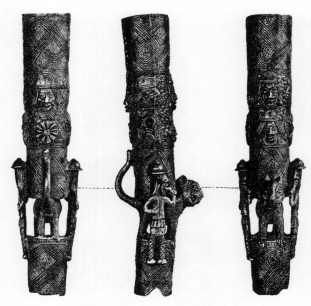

Abb. 712. Keulenkopf oder Stockknauf aus Bronze, Rushmore. $^1/_3$ d. w. Gr. Nach P. R. 53. Die zweite Seitenansicht ist zweimal von L. R. abgebildet, im »Reliquary«, IV, S. 162 und in G. B. S. 219.

Abb. 713a zu S. 454 Anm. Nr. 4. Unteres Ende eines baumartigen Ständers, jetzt in Dresden; 713b Bruchstück eines baumartigen Ständers mit einer Doppelfigur und mit dem Reste einer »Baumkrone«, auf die Panther und Chamäleone klettern, nach einer Abb. von Webster (früher Lot 56 bei Stevens Auktion am 12. 2. 1901).

713a   713b

Ein sehr viel einfacherer Knauf, Webster 9502, ist in dessen Kat. 24, Fig. 66 abgebildet; das ganze Stück ist gegen 15 cm hoch; auf einem zylindrischen Sockel steht ein Europäer mit einer Flinte.

B. »Stammbäume«; mit diesem Worte bezeichne ich, zunächst nur der Kürze wegen, baumartige Stäbe mit in regelmäßigen Zwischenräumen übereinander stehenden Figuren von Königen; es liegt nahe, bei solchen Darstellungen an wirkliche Stammbäume und an aufeinanderfolgende Generationen von Herrschern zu denken; aber da uns jede einheimische Tradition über diese Stücke abgeht, scheint es mir vorsichtiger, das Wort, wenigstens bei seiner ersten Anwendung, zwischen »Anführungszeichen« zu setzen. Es gibt im ganzen 9[1]) Stäbe dieser Art, von denen freilich die meisten nur als Bruchstücke erhalten sind; dabei ist ein kleines Stück

[1]) 1. Berlin, Taf. 110 C, 130 cm hoch, mit vier Königen, oben vollständig. — 2. Berlin, Taf. 110 A, 94 cm hoch, mit drei Königen, oben und unten unvollständig. — 3. Berlin, III. C. 14 498, 70 cm hoch, mit zwei Königen, oben vollständig, vgl. die Abb. 714 A u. B. — 4. Hamburg, C. 2337, mit der etwa 44 cm langen, unverzierten »Pfahlwurzel« 172 cm hoch, vollständig mit vier Königen. — 5. Leiden, 1243/42, 31,5 cm hoch, von M. als »obere Hälfte eines schweren massiven bronzenen Gestelles« beschrieben; das oberste Stück eines vermutlich rund 172 cm hohen Stammbaumes, oben vollständig; es ist wahrscheinlich, daß dieses Bruchstück zu einem der sonst nach Europa gelangten Stücke dieser Art gehört; in Frage kämen zunächst die hier unter den Nummern 2 und 9 aufgezählten Stücke; Sicherheit wäre nur durch Anpassen und genaues vergleichendes Studium der Originale oder Abgüsse zu erzielen. Das Bruchstück stammt von Webster (9751) und ist in seinem Kataloge 24 als Fig. 53 abgebildet; andere Abbildungen siehe »Verslag« XII, 26 und M. III. 1; hier kann ich Fig. 715 nach einer größeren Photographie des Leidener Museums eine bessere Abbildung des Königs geben. — 6. München, Hälfte einer kleinen Königsfigur, die vielleicht das obere Ende eines solchen Stammbaums bildete. — 7. Rushmore, P. R. 279, Bruchstück mit einem sitzenden Könige und der »Pfahlwurzel«, zwischen dem König und der untersten Plinthe ist noch eine kleine nackte kniende Figur eingeschaltet; untypisch, weil der König allein sitzt, ohne die sonst kaum je fehlenden Panther oder Chamäleone zu seinen Seiten; doch hat er in der typischen Art ein Scepter mit menschlichem Kopf in der Rechten und ein Steinbeil in der Linken. Das Stück ist etwas roher gearbeitet und anscheinend jünger als die übrigen dieser Gruppe. Der obere Teil der »Pfahlwurzel« ist mit gezopften Bändern und mit einer Schlange verziert. — 8. Wien, 64 668 (Heger 64, früher Webster 3216), oberes Stück eines Stammbaumes, das mit zwei Königen

einer einzelnen Figur mitgezählt, von dem nicht feststeht, ob es überhaupt zu einem solchen Stabe gehört. Unter sich sind diese »Stammbäume« (vgl. Taf. 110 A und C) so ähnlich, daß es genügt, einen von ihnen zu beschreiben. Unten beginnt er mit einer spitzkonischen glatten, 40—50 cm langen »Pfahlwurzel«, die vermutlich in einen Holz- oder Steinsockel eingelassen war; in gewöhnlicher Erde würde der schwere und lange Stab wohl kaum genügend sicher gestanden haben, auch ist diese »Pfahlwurzel« in einigen Fällen in ihrem oberen Drittel mit Flechtbändern usw. verziert, muß also wohl teilweise sichtbar gewesen sein; es folgt eine kreisrunde Scheibe, eine Art Plinthe, die in der üblichen Art am Rande mit einem Zopfband und mit »Schraubenköpfen« geschmückt ist; auf ihr ruht dann der eigentliche Stab, zylindrisch, nicht ganz 4 cm im Durchmesser haltend, ganz wie mit Schnüren oder Zöpfen umwickelt und der Länge nach mit einzelnen dünnen Schlangen und Eidechsen

Abb. 714 a, b. Einzelheiten vom oberen Teile eines Stammbaumes, Berlin III. C. 14498. ⅓ d. w. Gr. Vgl. die Abb. desselben Stückes bei L. R. Gr. B. S. 58.   Abb. 715. Oberes Ende eines »Stammbaums«, Leiden 1243/42.

besetzt. Bei einigen Stäben findet sich auf der untersten Plinthe vor dem Stabe noch eine knieende Figur eines nackten Mannes, bei den meisten, und auch bei dem am vollständigsten erhaltenen Berliner Stücke Taf. 110 C, von dem die nun folgende Schilderung ausgeht, steht in der Mitte der Plinthe ein König mit Scepter (oder Rasselstab) in der Rechten und mit einem Donnerkeil in der Linken; neben ihm steht jeder-

fast bis in die letzten Einzelheiten dem entsprechenden Teile des Taf. 110 C abgebildeten großen Berliner Stammbaumes entspricht, besonders auch, was die »Baumkrone« unter der oberen und die Glocken unter der unteren Figur betrifft. Beide Könige sind von Leoparden begleitet. Von den beiden Knotenstäben zu den Seiten des Antilopenkopfes hat nur einer ein steigendes Chamäleon; diese ganz ungewöhnliche Unsymmetrie ist wohl nicht beabsichtigt, sondern vermutlich auf eine zufällige Beschädigung des Wachsmodelles zurückzuführen. — 9. Wien, 64 724 (Heger 65, früher Webster 6376), unteres Ende eines solchen Baumes, mit »Pfahlwurzel«, ober der Plinthe zunächst eine knieende nackte männliche Figur, die mit beiden Händen einen flachen rundlichen Gegenstand vor sich hinhält, über ihr ein sitzender König mit Rasselstab und Steinbeil; sein runder Stuhl hat rechts und links je ein rechteckiges Fenster, aus dem eine gewundene Schlange herauskriecht, deren Kopf zu beiden Seiten der knieenden Figur auf der Plinthe aufruht. Von dem ganzen Bildwerk sind vermutlich oben drei weitere Könige abgebrochen; Hegers Angabe, daß es oben »vollständig« sei, ist ein Druckfehler; es muß heißen »unvollständig«; H. stellt später selbst fest, daß der Stab oben abgebrochen sei. Im übrigen ist für beide Stücke, 8 und 9, auf die sehr ausführlichen Beschreibungen H.s zu verweisen, wenn ich auch manche Einzelheit anders deuten möchte. Für die Pfahlwurzel von 9 habe ich notiert, daß sie unten sorgfältig »alt angestückt« ist.

seits ein Panther, vor seinen Füßen liegt ein Donnerkeil; hinter diesem hat die Plinthe ein kleines rechteckiges Loch, dessen Zweck oder Bedeutung unbekannt ist. Auf dem Kopfe des Königs ruht dann der eigentliche Stab, der in einer Höhe von 16 cm über dem Scheitel eine weitere Plinthe trägt, die der ersten ganz gleicht und auf der ein zweiter König steht, mit Scepter und Donnerkeil, genau wie der erste, nur jederseits statt von einem Panther von einem Chamäleon begleitet; auch das Steinbeil vor seinen Füßen und hinter diesem das viereckige Loch sind wiederholt. Auf der unteren Fläche der Plinthe sind radiär gestellt zahlreiche kleine, ringförmige Ösen, in die ursprünglich wohl Kettchen mit Schellen eingehängt waren. Auch dieser zweite König trägt wie der erste auf seinem Scheitel die Fortsetzung des Stabes, der im gleichen Abstand wiederum von einer Plinthe unterbrochen ist, von der diesmal acht röhrenförmige Glocken oder Schellen nach unten abgehen, jede mit einem steigenden Chamäleon auf der nach außen gewandten Fläche; auf dieser Plinthe steht der dritte König, diesmal wieder zwischen zwei Panthern wie der erste, sonst durchaus den beiden unteren gleichend, nur ist sein Donnerkeil nicht glatt, wie bei diesen, sondern mit erhabenen Flechtbändern und kleinen Schlangen verziert; vor seinen Füßen liegen da, wo sonst ein Steinbeil zu sehen war, drei Tierköpfe; auf dem mittleren von diesen ruht ein kleiner, gestielter, aus Schwertern gebildeter Kelch, in dem sich ein nach vorn schreitender Panther befindet. Auf dem Scheitel dieses Königs ruht wieder ein Stück Stab, das aber diesmal nicht unmittelbar eine weitere Plinthe, sondern erst eine Art Kelch trägt, für dessen merkwürdige Einzelheiten auf Taf. 112 zu verweisen ist; dieser »Kelch«, dem wir in genau derselben Art auch auf anderen verwandten Bildwerken begegnen werden, schließt eine große Antilope ein und besteht aus fünf Paaren von symmetrisch angeordneten Gebilden; unter diesen sind zunächst vorn, zu beiden Seiten des Antilopenkopfes, zwei rundliche Stäbe, die oben in einen verschlungenen Knoten enden; diesen Stäben entsprechen hinten zwei lange, wie Hahnenfedern aussehende Fortsätze, von denen auf Taf. 112 nur ein kleines Ende zu erkennen ist, die aber Abb. 719 (Hinteransicht eines verwandten Stückes) um so deutlicher zu sehen sind. Diese »Federn« scheinen mit jenen Knotenstäben irgendwie zusammenzugehören; wir finden sie ohne jede Ausnahme überall da paarweise hinten hochstehen, wo sich vorn ein Paar »Knotenstäbe« befindet. Zu beiden Seiten der Antilope, also jederseits zwischen »Knotenstab« und »Hahnenfeder«, sind wie Kelchblätter, drei, im ganzen also sechs schlanke Fortsätze angebracht, die in wechselnder Weise die Form eines Ebere, eines Hiebschwertes, eines Fächers (?) und eines Meißels (?) haben. Die beiden »Knotenstäbe« sind von je einem gegen die Mitte zu schreitenden Panther gekrönt, außerdem haben die Stäbe und einzelne der Schwerter usw. in der Nähe ihrer Wurzel je ein steigendes Chamäleon; auch sind alle »Kelchblätter« sowie der Kopf der Antilope mit leicht erhabenen Doppelspiralen geschmückt; schließlich ist noch hinten zwischen den zwei großen »Vogelfedern« unter dem Schweife der Antilope ein kleines steigendes Chamäleon angebracht. Aus diesem Kelche nun erhebt sich, gleichsam auf dem Rücken der Antilope, die Fortsetzung des Stammes, auf der dann die oberste Plinthe mit dem vierten König ruht. Er hat am linken Oberarm ein ganz besonders breites Armband mit Flechtknoten und hält in der Rechten das typische Scepter in der Form eines Rasselstabes, der mit dem Kopf eines Benin-Negers gekrönt ist, und in der Linken das mit geflochtenen Schnüren und vier Schlangen verzierte Steinbeil. Vor jedem seiner Füße liegt ein Widderkopf und zwischen diesen ein auffallend flaches Steinbeil. Hinten liegt auf der Plinthe noch eine ganz kleine Schlange, die mit dem vordersten Teil ihres Leibes dem Schurze des Königs aufliegt, so daß ihr geöffneter Rachen mit der heraustehenden Zunge bis zur Höhe des Gürtels reicht. Da das Bildwerk mit diesem Könige abschließt, so kann man auch seine Kopftracht genau feststellen; sie ist von der des Königs auf der großen, Taf. 79 abgebildeten Gruppe nicht wesentlich unterschieden; auch sonst scheinen die beiden Bildwerke sich zeitlich nahezustehen; vermutlich ist die Gruppe nur etwa um eine Generation jünger als der Stammbaum.

Dieser Stammbaum ist im Vorstehenden so eingehend beschrieben worden, weil er das am besten erhaltene und schönste Stück einer Reihe von merkwürdigen und rätselvollen Bildwerken ist; die Beschreibung ist rein objektiv und ohne den geringsten Versuch zur Deutung der wohl meist symbolischen Einzelheiten; ich habe sogar jeden Versuch unterdrückt, zu entscheiden, was von den schier zahllosen Einzelheiten wirklich symbolisch aufzufassen ist und was etwa nur auf Rechnung gedankenloser Spielerei zu setzen wäre. Aus Raummangel verzichte ich auch auf jede Erörterung der Rolle etwa des Panthers und des Chamäleons in der Mythologie von Westafrika und beschränke mich auf die Erwähnung einer Abhandlung von Bernh. Struck über das Chamäleon in der afrikanischen Mythologie (»Globus«) Bd. 96, S. 174 ff.); in dieser gelehrten Studie wird gezeigt, in wie großen Teilen von Süd- und Westafrika die

Sagen vom Ursprunge des Todes an das Chamäleon geknüpft sind. Seine bizarre Gestalt, seine sprich-
wörtlich langsame Bewegung und sein Farbenwechsel haben das Chamäleon ebenso zu einer wichtigen
Rolle in der afrikanischen Mythologie prädestiniert, wie den Panther die Behendigkeit, Kraft und Grausamkeit. Im übrigen gestattet mir die ausführliche Beschreibung jenes einen Stammbaumes, auf eine weitere
Schilderung der übrigen Stücke zu verzichten. Was über die anderen »Stammbäume« zu wissen unmittelbar nötig ist, erhellt aus der Anmerkung S. 447 f. und aus den Abbildungen.

      C. Rasselstäbe. Auf den eben besprochenen Stammbäumen halten die meisten Könige eine

Abb. 716. Rasselstab, Bronze, Rushmore, P. R. 161/2/3.

Art Scepter in der Rechten, das oben in einen Negerkopf
endet und unter diesem eine schlitzförmige Öffnung hat.
Solche Stücke sind vielfach im Original auf uns gekommen,
mehrere aus Bronze, eines aus Elfenbein, viele aus Holz.
Der längliche Schlitz entspricht einer Höhlung, in die ein
Stäbchen so hineingezwängt wurde, daß es nicht leicht
mehr aus ihr zu entfernen ist und also bei jeder Bewegung ein klapperndes Geräusch entsteht. Von diesen
Stäben steht bei M. zu lesen: »Die Juju-Rasseln werden
mit Wucht auf den Boden gestoßen, um durch das Geräusch die Aufmerksamkeit des Fetisches zu erregen.«
Diese Angabe geht wohl auf eine Bemerkung von Cyril
Punch zurück, daß durch das Rasseln mit solchen Stäben
die Aufmerksamkeit der Geister, die man anrufen wolle,
erregt würde. Ich glaube nicht, daß diese Bemerkung für
alle diese Rassel- oder Klapperstäbe zutrifft; einige
scheinen in erster Linie Würdezeichen zu sein; kleinere
hält der König selbst wie ein Scepter in der rechten Hand,
die größeren wurden vermutlich von einem Würdenträger
seiner Umgebung gehalten; einige sind reich mit figür-
lichem Beiwerk wohl mythologischer Art ausgestattet. So
endet der 160 cm lange Stab Berlin, III. C. 9955, Taf. 109 D,
oben in einen Schlangenkopf, aus dem eben noch Kopf
und Vorderarme eines sonst verschlungen zu denkenden
Negers hervorragen; jede Hand hält einen Panther so am
Schweife fest, daß die beiden Tiere einander gegenüber
steigend mit ihren Hinterbeinen auf seinem Kopfe aufruhen und mit den Vorderbeinen einen kleinen Elefanten
tragen. Nach unten gehört zu dem schuppenbedeckten
Schlangenkopf noch ein Stück Hals, dann folgen durch
ringsumlaufende Flechtbandstreifen getrennt zwei hohle
Abschnitte, jeder mit einem langen Schlitz und mit einem
klappernden Metallstäbchen in der Höhlung; der eigentliche Stab ist wie ein Stück Rohr stilisiert und hat sieben
gleichlange glatte Internodien; unten endet er mit einem
vierkantigen Abschnitt, deren Flächen mit Flechtbändern
verziert sind.

      Ähnlich, nur einfacher und kleiner ist ein solcher Stab in Dresden (13 336); er hat nur 5 Inter-
nodien, und auf die beiden hohlen Abschnitte oben folgt nur eine kleine rechteckige Plinthe, auf der ein
Elefant steht. Ein fast ganz gleicher Stab, aber aus zwei Stücken Elfenbein zusammengesetzt, im ganzen
1,49 cm lang, ist im Brit. Museum, R. D. VII 4; der stark konventionell stilisierte Elefant steht auf einer
etwas dickeren, kreisrunden Plinthe, deren Mantelfläche wie ein Zahnrad gezähnt ist; der Stab hat sieben
Internodien; sicher hatte er unten noch ein vermutlich glattes Fußstück, aber ich habe keine Notiz
darüber, und auch im Text von R. D. wird das Fehlen des Fußstückes nicht erwähnt; wahrscheinlich ist
es nur auf der Abbildung weggeschnitten; die Angabe, daß der letzte König von Benin diesen Stab
benutzt habe, um mit ihm den Menschen oder das Tier zu bezeichnen, das er als Opfer bestimmte, hat

nicht viel innere Wahrscheinlichkeit — das Stück ist im Handel erworben. In den gleichen Kreis gehört der hier Fig. 716 abgebildete, etwa 1,50 cm lange Bronzestab in Rushmore, P. R. 161; der Schaft ist aus kleinen, nicht zu deutenden Figuren gebildet, die mit Kugeln abwechseln; der Fuß hat quadratischen Querschnitt, oben sind zwei Kammern mit Rasselstäben gekrönt von einer schlanken menschlichen Hand, die einen schleifenförmig gebogenen Wels hält; es liegt nahe, anzunehmen, daß diese Hand eigentlich als die Greifhand eines Elefantenrüssels aufzufassen ist. Ganz besonders reich mit mythologischen Emblemen ausgestattet ist der 1,63 cm lange, hier Abb. 717 reproduzierte Stab in Rushmore, P. R. 66; da folgt auf die beiden hohlen Abschnitte mit den Klappern eine rechteckige Plinthe, auf der ein Elefant steht, der rechts und links von einem Panther begleitet ist; auf ihm steht der typische König mit Zepter und Donnerkeil; die Angabe bei P. R., der König sei in der gewöhnlichen Tracht der Benin-Krieger, ist unzutreffend; er hat zwar den üblichen Lendenschurz mit dem bis zur Schulterhöhe aufragenden Zipfel, aber

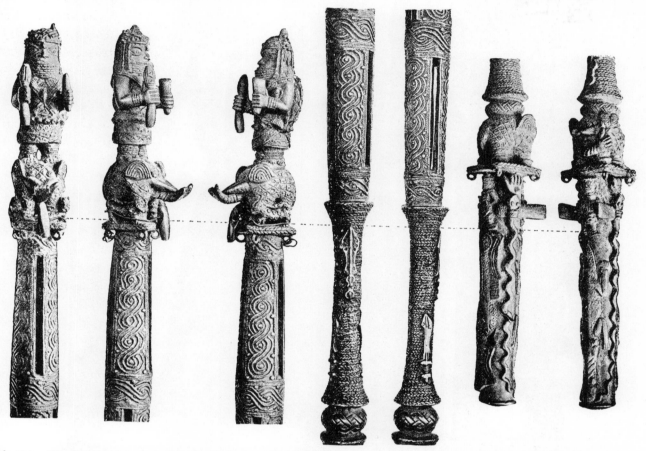

Abb. 717. Einzelheiten eines etwa 1,60 langen Rasselstabes aus Bronze, Rushmore, P. R. 66 bis 72. ¹/₃ d. w. Gr. Angeblich das historische Würdezeichen des letzten Königs von Benin, Duboar.

sein reicher Perlschmuck, besonders die über der Brust gekreuzten breiten Gehänge mit dem mehr erwähnten Kleinod erinnern an den König auf der großen Gruppe Taf. 79 und an eine Reihe von anderen Bildwerken, in denen wir immer die Darstellung eines Herrschers erkennen mußten. Der Schaft des Stabes erscheint durchaus wie mit gezopften Schnüren umwickelt; ein als Handhabe aufzufassendes Internodium hat außerdem noch kleine, mitgegossene Auflagen in der Form von Tanz- und Schlachtschwertern. Ganz ungewöhnlich reich ist auch das Fußende ausgestaltet; ein drehrundes Stück von 20 cm Höhe ist ganz mit Reliefs von Schlangen, Welsen und Krokodilen bedeckt; die Schlangen haben menschliche Hände im Rachen und richtige Beilklingen in ihre Köpfe eingelassen; außerdem sind noch zwei menschliche Figuren dargestellt: Die beiden Leute mit dem Malteserkreuz um den Hals, mit Stock und Hammer, mit den Schnurrhaaren eines Panthers und mit dem flachen Hut, wie sie uns von einigen Platten und von den »Prozessionen« auf Sockeln in der Art der Taf. 84 und Taf. 85 B abgebildeten bekannt sind. Dieser runde Fuß wird durch eine rechteckige Plinthe abgeschlossen, auf der ein Elefant steht; sein Rüssel endet, wie üblich, in eine Greifhand, die diesmal etwas wie eine stachlige Frucht zu halten scheint. Auf seinem Rücken ruht dann erst der eigentliche Stab. P. R. berichtet, daß dieses ungewöhnlich reich ausgestattete

Stück 1897 von einem Teilnehmer der Strafexpedition in der großen Halle des königlichen Palaverhauses gefunden und späterhin von König Duboar als sein Scepter bezeichnet worden sei, das sich seit vielen Jahrhunderten von einem König auf den anderen vererbt habe.

Ein ganz einfacher Rasselstab ist in Websters Katalog 21, Fig. 15 abgebildet; er ist nur 63 cm lang, hat 7 Internodien, einen einzelnen Hohlraum für die Klapper und wird von einer geschlossenen mensch-

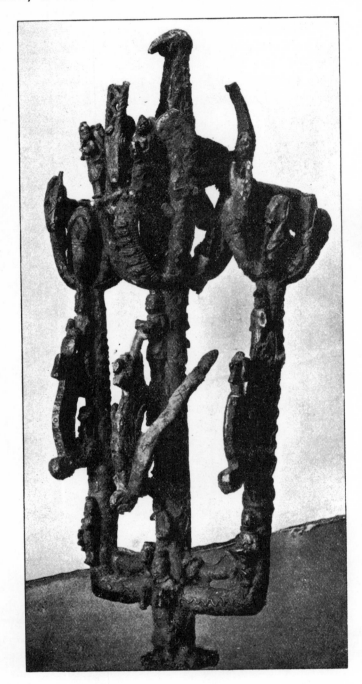

Abb. 718. Oberer Teil des baumähnlichen Ständers Stuttgart 5360, schräg von vorne gesehen.

Abb. 719. Oberer Teil des baumähnlichen Ständers Stuttgart 5360, von hinten gesehen. Etwa ¼ d. w. Gr.

lichen Faust gekrönt. Der letzte mir bekannte Bronzestab dieser Art ist in Rushmore, P. R. 251; nur das obere Ende mit dem Hohlraum und mit etwas mehr als einem Internodium ist erhalten; oben steht eine menschliche Figur mit einem Donnerkeil, das ganze nur 31 cm lang, sehr roh, zweifellos ganz jung und ohne besonderen Wert. Noch ist hier eine Anzahl[1]) solcher Stäbe zu erwähnen, die, aus Holz ge-

_____

[1]) Cöln. 1. — 2. Dresden 16 190, oben eine Figur mit Scepter, unten noch eine zweite weibliche, mit beiden Händen eine Schüssel mit vier Klößen (?) haltend. — 3. Dresden, 13 335 (= Websters Fig. 200 in Kat. 21). Oben ein Negerkopf. — 4. Dresden, ähnlich oder gleich Websters Fig. 37 in Kat. 24. — 5. Frankfurt a. M , 13 600 = Websters Fig 39 in Kat. 24. —

schnitzt, genau die Form der Bronzestäbe haben; ihre Länge schwankt zwischen 80 und 140 cm; fast durchweg haben sie oberhalb des hohlen Abschnittes für die Rassel noch einen Negerkopf, nur in einem Falle (Leiden) statt dessen eine geballte Faust; einige sehen recht alt aus und mögen sich wohl noch aus dem 17. Jahrhundert erhalten haben; die meisten sind sehr viel jünger.

D. Baumähnliche Ständer, aus Eisen geschmiedet und mit Bronze umfangen. Für die baumähnlichen Gegenstände von der Art der Taf. 108 und Taf. 109 A bis C abgebildeten habe ich 1901 bei meiner Beschreibung der Stuttgarter Benin-Sammlung die Bezeichnung »Fetischbäume« gebraucht, obwohl das Wort »Fetisch« vieldeutig und verwerflich ist und von einem Ethnographen eigentlich gar nicht in den Mund genommen werden sollte. Ich bezeichne dieselben Dinge heute als »baumähnliche Ständer«, was freilich fast ebenso nichtssagend ist, aber ich weiß auch jetzt noch kein wirklich zutreffendes Wort für diese merkwürdigen Bildwerke, deren wahre Bedeutung noch heute ebenso unbekannt ist als zur Zeit ihrer Entdeckung. Die Angaben der Händler, daß die Köpfe von Enthaupteten auf diese Ständer gesteckt wurden, sind nicht ganz aus der Luft gegriffen; wie aus der Abb. 515, S. 348 zu ersehen, hat es 1897 einen, allerdings viel einfacher gestalteten, Ständer gegeben, auf den Bronzeköpfe gesteckt waren. Eine andere, wohl ganz haltlose Notiz sagt, daß diese Ständer auf den Pflanzungen des Königs aufgestellt waren, um Schädlinge abzuhalten, und auch als *apotropaia* gegen »*bad luck*«; ebenso würden die Köpfe von Felddieben, Tieren und Menschen, an ihnen befestigt.

Alle diese Ständer sind ursprünglich aus Eisen geschmiedet. Einige sind so geblieben, andere sind teilweise oder auch ganz mit Bronze überfangen. Von der letzteren Art kenne ich im ganzen nur fünf Stücke, die ursprünglich alle mit der H. Bey-Sammlung nach Berlin gelangt waren. Wir haben nur zwei behalten und die drei anderen nach Leipzig, Stuttgart und Wien abgegeben; das erste soll inzwischen nach St. Petersburg weitergegeben worden sein, das Stuttgarter habe ich 1901 mit den übrigen Stücken der dortigen Benin-Sammlung, das Wiener hat Heger 1916 als Nr. 66 beschrieben. Die beiden in Berlin gebliebenen Stücke, III. C. 8505/6, sind Taf. 108 A und C abgebildet; sie sind untereinander so ähnlich, daß es genügt, eines ausführlicher zu beschreiben; gewählt wird dazu das zweite, etwas besser erhaltene, dessen Krone daher auch Taf. 111 in größerem Maßstabe, etwa ⅓ der wirklichen Größe, abgebildet wird.

Der Ständer III. C. 8506 ist ohne die unterhalb der Plinthe liegende glatte, spitz kegelförmig verjüngte »Pfahlwurzel« 1,40 cm hoch; die 10 cm im Durchmesser haltende Plinthe ist im Guß teilweise verunglückt; es scheint, als ob beabsichtigt gewesen wäre, sie mit 12 Masken, immer abwechselnd einer menschlichen und einer Panthermaske, zu schmücken; nur die im Gusse gelungenen vier Masken sind regelrecht ziseliert. Der unterste Abschnitt des Schaftes trägt ein steigendes Krokodil, der Rest ist, soweit frei sichtbar und nicht durch Bildwerk bedeckt, größtenteils wie mit einem tief eingeschnittenen Schraubengewinde geschmückt; 30 und 62 cm über der Plinthe ist je ein Kranz von 6 bzw. 8 nach unten hängenden dütenförmigen Glocken angebracht, die als solche freilich nur dadurch sicher zu deuten sind, daß auf verwandten Stücken noch Reste eines eingehängten eisernen Klöppels erhalten sind; zwischen den beiden Glockenkränzen kriecht ein großes Chamäleon den Stamm hinauf. Fast unmittelbar über den oberen Kranz folgt (vgl. von hier an Taf. 111) eine zweite Plinthe von etwa 8 cm Durchmesser, auf der (vor der Verlängerung des Stammes) ein von zwei liegenden Panthern begleiteter Benin-Mann steht; vor und hinter den Füßen dieser Figur liegen Steinbeile, hinten auch ein Rinderkopf; zwischen Nase und Mundwinkeln der Figur entspringen Schlangen, die sich weithin nach beiden Seiten winden. In Kopfhöhe des Mannes gehen kandelaberartig zwei dicke symmetrische Äste von dem Stamme ab, erst wagrecht, dann fast senkrecht nach oben abbiegend. Auf den wagrechten Teilen der zwei Äste schreitet je ein kleiner Panther nach außen; auf ihren fast senkrecht aufsteigenden klettert je ein großes Chamäleon nach oben. Auf den Vorderfüßen dieses Chamäleons steht auf dem (vom Beschauer aus) linken Ast eine menschliche Figur in Benin-Tracht, die einem der Schnauze des Chamäleons aufruhenden vierfüßigen Tier, vielleicht einer Ziege, ein gekrümmtes Messer an den Hals setzt; auf dem rechten Aste wiederholt sich die gleiche Szene, nur ist das Opfertier mit Sicherheit als Schildkröte zu erkennen. Beide Seitenäste enden gleichmäßig in einen aus sechs Knotenstäben gebildeten Kelch, der eine Antilope mit geflecktem Fell umschließt. Der mittlere etwas stärkere Stamm trägt zunächst gleich den beiden seitlichen ein großes steigendes Chamäleon, aber zu dessen Seiten ragt je eine große, mit gestreiften Dreiecken gemusterte Schlange frei

6. Leiden, 1355/4 oben in einem Arm mit geballter Faust endend. — 7. Sammlung von L. R ; siehe die Abb. 76 in G. B., nur zwei Internodien, ober der Klapper ein Negerkopf. — 8. 9. Wien, 64 812/3, Heger 159 u. 160, mit zwei und mit vier Internodien. — 10. Im Handel.

empor, von denen die eine im Begriffe steht, einen Benin-Mann zu verschlingen; nur Kopf und Arme sind noch sichtbar. Hinter dem Kopfe des Chamäleons aber steht, mit seinem Kopfe nach vorn gewandt, ein steigender Panther und legt seine Vorderbeine symmetrisch auf die Schultern eines vierbeinigen, nicht näher zu bestimmenden, aber deutlich längsgestreiften Tieres, das mit Schweif und Hinterfüßen dem Maule des Chamäleons aufruht. Handbreit oberhalb endet dann der Stamm in einen großen Kelch, der gleich dem des Stammbaumes Taf. 112 aus 10 paarig geordneten Elementen besteht. Vorn sind wiederum die zwei, diesmal einer gemeinsamen Wurzel entspringenden »Knotenstäbe«, hinten die zugehörigen »Vogelfedern«, zu beiden Seiten, von vorn nach hinten aufgeführt, die Schwerter (links ein Ebere, rechts ein Hiebschwert), zwei meißelartige, vorn verbreiterte Geräte und zwei leicht sichelartig gekrümmte Messer. In dem so gebildeten Kelche steht eine große Antilope, der ein das ganze Bildwerk gleichsam krönender Ibis aufruht; im Schnabel hält dieser das Schwanzende einer Schlange, deren Kopf zwischen die Hörner der Antilope herabreicht [1]).

[1]) 2. Der zweite Berliner Ständer dieser Art, III. C. 8505, Taf. 108 A, gleicht in seiner Anordnung durchaus dem ersten und ist nur in Einzelheiten von ihm verschieden; so liegen auf seiner unteren Plinthe drei Steinbeile, davon das mittlere, wie es scheint, auf einer flachen, runden Schüssel, links steht anscheinend noch ein topfartiges Gefäß auf drei Beinen. Der unterste Teil des Stammes ist als menschliche Figur gebildet, die in den erhobenen Händen ein Horn und ein Steinbeil (?) hält. Zwischen den Köpfen der auf den wagrechten Seitenästen schreitenden Panther liegt dem Stamme das Relief einer menschlichen Maske mit vier gekreuzten Armen auf. Der Benin-Mann unter dem Kelche des Hauptstammes hält in jeder Hand eine große Signalglocke; auf den zwei vorderen schwertförmigen Blättern des Kelches befindet sich in sehr hohem, fast rundem Relief je eine anscheinend weibliche Figur; von diesen greift die eine mit der Rechten, die andere mit der Linken nach dem für die beiden Knotenstäbe gemeinsamen Stück des Kelches, auf dem ein Elefant steht. In der Mitte des Kelches steht wiederum eine große Antilope, deren weit herausgestreckte Zunge dem Kopfe des Elefanten aufliegt. — 3. Cöln a. Rh. besitzt ein Bruchstück eines ähnlichen Baumes. — 4. Dresden, 16 165; ein sehr merkwürdiges Bruchstück; vorhanden ist nur die Pfahlwurzel, die unweit von ihrem oberen Ende eine kleine runde Plinthe trägt, die erst etwa 5 cm höher die eigentliche Plinthe mit dem gezopften Rande folgt; auf dieser stehen, vgl. Abb. 713, ein Mann mit Flinte, ein Eingeborner mit Speer und einem für Benin sehr auffällig geformten Schild und ein Eingeborner mit Pfeil und Bogen; hinten entspricht dem Manne mit Pfeil und Bogen ein menschliches Gesicht, oben mit einem Schlangenkopf; hinter dem Scheitel kommen zwei Arme, unter dem Kinn zwei Füße heraus, im Munde werden zwei Palmwedel festgehalten. Webster, der das Bruchstück auf der Auktion bei J. C. Stevens am 12. 2. 01 erworben und dann nach Dresden verkauft hat, beschreibt diese Maske in Kat. 29 als *figure with arms and legs in the form of catfish*. — 5. Dresden, 16 186, ein ungewöhnlich schönes und höchst sorgfältig ziseliertes Stück; auf die in ihrer oberen Hälfte reich geschmückte Pfahlwurzel folgen zwei etwa 10 cm voneinander entfernte Plinthen, die nur an ihren Rändern durch 10 dünne torquierte Stangen miteinander verbunden sind, so daß sie einen tonnenförmigen Hohlraum einschließen; auf der oberen Plinthe steht ein Mann mit erhobenen Händen; er hat ein Fläschchen um den Hals hängen und auf der Stirn wie über den Ohren je eine nach unten offene Mondsichel; auf dem Scheitel hat er einen kronenförmigen Aufsatz mit 6 Tanzschwertern (Ebere), die um einen zentralen zylindrischen Zapfen, der oben eine Delle trägt, regelmäßig angeordnet sind; die obere Fläche dieses Zapfens ist geglättet, verziert und ebenso patiniert wie das übrige Bildwerk; gleichwohl ist es möglich, daß wir es nur mit dem untersten Stücke eines »Baumes« zu tun haben und daß die Bruchfläche schon in alter Zeit überarbeitet wurde. — 6. Rushmore, P. R. 354, hier Abb. 720, früher Webster 6944, Kat. 21, 1899, Fig. 3, großes Bruchstück, dem nur die Pfahlwurzel, die unterste Plinthe und ein vielleicht handgroßes Stück oberhalb dieser Plinthe fehlt. Das Bildwerk schließt oben mit einem Kelche von 10 Schwertern ab, in dem ein Ibis (angeblich auf einem Leoparden, nicht wie sonst ganz ausnahmslos auf einer Antilope oder auf einem Chamäleon) sitzt. Gleich unter diesem »Kelche« steht ein Benin-Mann mit wagrecht vorgestreckten Vorderarmen und mit geschlossenen, monströs vergrößerten Händen, die wohl auf einen individuellen pathologischen Fall von partiellem Riesenwuchs zurückgehen. Auf derselben Plinthe mit dieser Figur, da, wo man sonst zwei Chamäleone oder zwei Panther erwarten würde, stehen »ein Affe und eine Antilope«, wie es bei Webster, oder »ein Affe und ein Stier«, wie es bei P. R. heißt. Etwas unterhalb ist eine kleine, aufrecht stehende Figur an den Stamm gelehnt; noch weiter darunter ist der Stamm durch eine kniende Figur unterbrochen, die in den wagrecht vorgestreckten Händen einen Hahn hält. — 7. Rushmore, P. R. 355 (Webster, Kat. 21, Fig. 8). Ein Bruchstück, oben mit einem typischen Schwerterkelch, unten mit einer Plinthe, von der Glocken herabhängen; auf der Plinthe ein König mit Zepter und Donnerkeil. Webster gibt an und P. R. schreibt ihm allzu leichtgläubig nach, daß dieses Bruchstück als Basis zu dem eben unter 6. erwähnten gehört; das scheint mir durchaus ausgeschlossen. — 8. Stuttgart 5360 Berliner Doublette (Nr. 26 der Sammlung H. Bey), vgl. meine Beschreibung von 1901 und die ihr entnommenen Abbildungen 718/9. Das Stück hat zahlreiche Gußfehler, ist aber sonst von den beiden Berliner Ständern nicht wesentlich unterschieden; von den vielen kleinen Schlangen abgesehen, die bei diesen Ständern vielleicht ganz ohne besondere Bedeutung und nur zur Raumfüllung angebracht sind, hat der Stuttgarter 8 Menschen, 2 Affen, 1 Hund (?), 2 Panther, 3 Antilopen. 1 Ibis, 1 Krokodil, 15 Schlangen und 5 Chamäleons aufzuweisen, im ganzen also 38 lebende Wesen. Dagegen hat der erste Berliner Ständer 4 Menschen, 5 Panther, 3 Antilopen, 1 Ibis, 1 Krokodil, 20 Schlangen und 4 Chamäleone; die ein in einen Knoten endenden Stäbe sind in beiden Fällen als Schlangen gezählt. — 9. Wien 64 742 (Heger 66. früher Berlin, H. Bey 25); den Nummern 1, 2 und 8 sehr ähnlich; die Pfahlwurzel ist 39 cm lang; auf der untersten Plinthe liegen zahlreiche kleine Köpfe und Steinbeile; im obersten Kelch eine Antilope, auf der ein Ibis sitzt. — 10. St. Petersburg (?), früher Berlin, H. Bey 17, dann Leipzig. Den beiden Berliner Ständern 1 und 2 ganz besonders ähnlich, nur mit sehr vielen Gußfehlern und wenig ziseliert; auf allen drei großen Ästen, dem mittleren und den zwei seitlichen, stehen über den Köpfen der Chamäleone in fast rundem Relief an den Stamm gelehnt je eine menschliche Figur, die mittlere mit einem topfförmigen Gefäß, die zwei seitlichen je mit einem Hahn. Die zwei seitlichen Kelche sind aus je sechs Knotenstäben gebildet, die ein Chamäleon einschließen; auch im großen Mittelkelch sitzt der Ibis diesmal auf einem Chamäleon, nicht auf einer Antilope. Auf dem Kopfe des Chamäleons hockt ein Affe (Pavian?), dessen Kopf mit dem Schnabel des Ibis durch ein kurzes krummes Stäbchen (wohl einen Strick, vielleicht aber auch eine Schlange oder auch nur einen Gußsteg)

E. Baumähnliche Ständer, aus Eisen geschmiedet und teilweise mit Bronze überfangen, sind in Benin ungefähr ebenso häufig gewesen als die im vorigen Abschnitte be-
sprochenen, bei denen der eiserne Kern nur
an verletzten Stellen zufällig sichtbar wird.
Ich kenne im ganzen 9 [1]) solche Stücke,

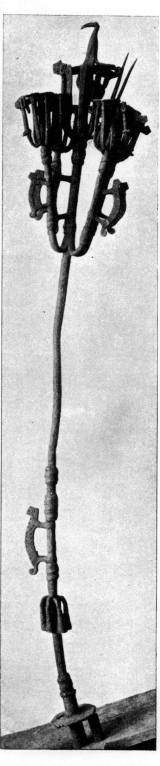

Abb. 720. Baumähnlicher Ständer, Rushmore. (Par-
tieller Riesenwuchs der Hände!); nach P. R. 354.

Abb. 721. Baumartiger Ständer.
Stuttgart 5362, etwa ¹/₉ d. w. Gr.

Abb. 722. Baumartiger Ständer.
Stuttgart 5361, etwa ¹/₆ d. w. Gr.

verbunden ist; dieser Affe gleicht durchaus dem Fig. 57 meiner Bearbeitung der Stuttgarter Sammlung abgebildeten; dort hockt er
auf den Hinterbeinen eines steigenden Chamäleons. Daß ich die Stücke 8, 9 und 10 als Doubletten abgegeben und von den fünf
an uns gelangten ähnlichen nur zwei für Berlin behalten habe, wird man mir vielleicht einmal zum Vorwurf machen; aber diese
Abgabe ermöglichte mir die Erwerbung einer neuen und wichtigen Benin-Sammlung mit vielen kostbaren Stücken, zu deren Ankauf
ich sonst nur schwer die nötigen Mittel hätte beschaffen können. — 11. Webster 11 341, Abb. 38 in Kat. 29, 1901; hier Abb. 713 b
reproduziert; Bruchstück anscheinend aus der Mitte eines baumähnlichen Ständers; Janusfigur, unter ihr ein Kranz von Glocken,
ober ihr eine Art Kelch mit steigenden Panthern und Chamäleonen. Alle diese Stücke sind aus Bronze, aber über einen Kern aus
Schmiedeeisen gegossen; der Zweck dieser seltenen und schwierigen Technik war natürlich der Wunsch, die Zähigkeit des Eisens
mit der durch Rost unzerstörbaren Dauerhaftigkeit der Bronze zu verbinden.

[1]) 1. Berlin, III. C. 8507; siehe Taf. 109 C; ohne die Pfahlwurzel 1,55 m hoch; Plinthe aus Bronze, in der üblichen Art

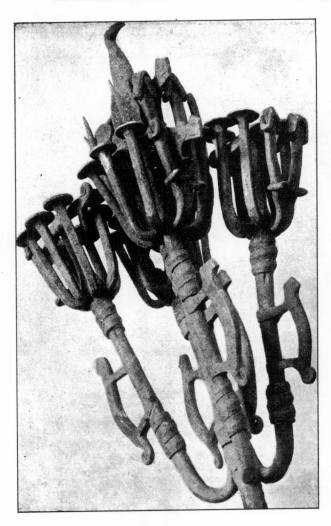

Abb. 723. Krone des Fig. 721 abgebildeten Baumes. Stuttgart 5362. Etwa ¹/₅ d. w. Gr.

Abb. 724. Krone des Fig. 722 abgebildeten Baumes. Stuttgart 5361. Etwa ¹/₃ d. w. Gr.

von denen zwei freilich nur in kleinen Resten erhalten sind; jedes einzelne von ihnen bietet irgendeine
merkwürdige Variante, aber im ganzen schließen sie sich doch durchaus an die großen Ständer des Ab-

am Rande mit Flechtband und Schraubenköpfen verziert. Der schlanke Stamm ist mehrfach mit Spiralbändern umwickelt, deren
verjüngte Enden selbst wieder in der Fläche gekrümmte Spiralen bilden (wie bei dem Fig. 705 abgebildeten Speer) und endet
oben in eine kandelaberartige Krone mit vier unter sich gleichen Seitenästen, die rasch wieder senkrecht ansteigend den etwas
höheren Mittelstab umgeben; jeder der Seitenäste endet in eine Krone, von denen zwei aus Knotenstäben, zwei aus kleinen Schwertern, Sichelmessern, Meißeln usw. gebildet sind; alle vier schließen je ein Chamäleon ein. Der Hauptstamm endet genau wie
bei den großen Bronzebäumen Taf. 108 A und C in einen Kelch, vorn mit zwei Knotenstäben, hinten mit den zwei »Federn«,
zu beiden Seiten mit je zwei Messern, Schwertern und dergl.; in der Mitte sitzt ein Ibis auf einem Chamäleon — 2. Berlin, III. C.
8508; siehe Taf. 109 B und Abb. 727; der ganze Stamm, von der Plinthe bis zur Krone mit Bronze überfangen, leicht in Schlangenlinien gewellt, als ob eine Schlange sich einen Stab entlang winden würde; tatsächlich löst sich kurz unterhalb der Krone ein
Stück einer Schlange mit aufwärts gewandtem Kopfe; den Stamm entlang klettern fünf Chamäleone nach oben; der Kelch hat
vorn zwei Knotenstäbe, hinten die üblichen zwei »Federn« (eine abgebrochen) und an den Seiten je drei mit den Köpfen nach
oben gerichtete Schlangen; er schließt ein Chamäleon ein, auf dem ein Ibis reitet; die ganze Krone ist verhältnismäßig dürftig
aus Eisen geschmiedet; man wird wohl annehmen dürfen, daß sie bestimmt war, wie der Stamm mit Bronze überfangen zu
werden. Die Plinthe, vgl. Abb. 727, weist vorn drei Steinbeile auf, hinten ein Schneckenhaus zwischen zwei Fröschen. — 3. Berlin,
III. 8509; siehe Taf. 109, A ähnlich den beiden vorigen; in großer Ausdehnung mit Bronze umfangen; von den vier Nebenästen
sind die zwei seitlichen wesentlich höher als der vordere und der hintere, die nur je zwei Knotenstäbe tragen; die zwei seitlichen
Äste enden in Kelche mit je sechs Knotenstäben, die ein Chamäleon einschließen; der Hauptkelch wird in der typischen Art
von Schwertern gebildet; auch fehlen vorn die zwei Knotenstäbe nicht und hinten die Federn; er schließt eine Antilope ein,
auf der ein Ibis reitet. Da, wo die vier Äste abgehen, sind sie samt dem Stamme in besonders sorgfältiger Weise kandelaberartig
mit Bronze umgossen; der Stamm selbst ist an dieser Stelle mit vier Panthermasken geschmückt. — 4. Berlin, III. C. 9954,

schnittes D an. Zweck und Bedeutung müssen notwendig dieselben gewesen sein. Ganz besonders merkwürdig ist das Taf. 108 B abgebildete Berliner Stück III. C. 9954; bei diesem ist oben handbreit unter der eigentlichen Baumkrone (von der freilich die meisten Kelchblätter nachträglich abgebrochen sind) quer zum Stamme die aus Bronze gegossene Nachbildung eines in ein Schafhorn eingelassenen neolithischen Steinbeils eingefügt. Ein in gleicher Weise geschäftetes Beil, vgl. Abb. 734, werden wir S. 459 unter den Zeremonialgeräten zu besprechen haben; über die kultische Bedeutung solcher Beile ist wohl kaum ein Zweifel möglich.

F. Ähnliche Ständer ganz ohne jeden Überzug von Bronze sind mir im ganzen 14 [1]) Stücke bekannt geworden; sie haben meist durchaus den Charakter der unter D und E beschriebenen Ständer und

 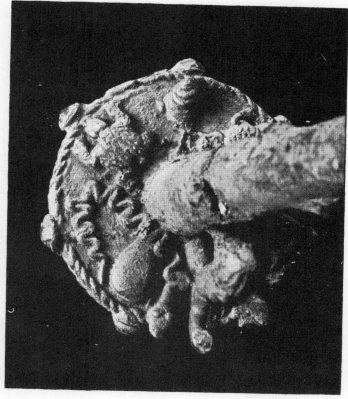

Abb. 725 und 726. Plinthe des Fig. 722 abgebildeten Baumes, Stuttgart 5361, von der Seite und schräg von oben gesehen. Etwa 7/₁₀ d. w. Gr.

haben kaum irgendein neues, uns nicht schon bekanntes Motiv aufzuweisen. Hervorragend reich,

Taf. 108 B, oben im Texte beschrieben. — 5. Dresden, 16 153, den Berliner Stücken 1 bis 3 ähnlich, nur die Plinthe aus Erz, sonst nur Schmiedearbeit; oben ein Ibis auf einem Chamäleon. — 6. Stuttgart 5361, vgl. die Abb. 722 und 724 bis 726. — 7. Stuttgart 5362, vgl. die Abb. 721 und 723; diese beiden schönen Stücke, die den drei hier unter Nr. 1 bis 3 aufgeführten Berliner Stücken nahe verwandt sind, habe ich in meiner Arbeit über die Stuttgarter Benin-Sammlung, 1901, S. 68—73 [212—217] ausführlich beschrieben; ich kann jetzt auf diese Beschreibung und auf die hier reproduzierten Abbildungen verweisen; nur die Fig. 725 und 726 abgebildete Plinthe verdient noch besondere Erwähnung; sie trägt vorn eine 9 cm hohe menschliche Figur; zu deren Füßen liegt rechts und links je ein Steinbeil, das von einer Schlange umringelt ist, hinten ist, wie bei der Fig. 727 abgebildeten Plinthe, wieder ein Schneckenhaus zwischen zwei Fröschen. — 8. Stuttgart; spätere Erwerbung. Bruchstück mit der Pfahlwurzel, der Plinthe und einem etwa 12 cm hohen Schaftstück mit einem steigenden Chamäleon; da man zwischen den Schaft und den Leib des »steigenden« Chamäleons hineingreifen kann, liegt die Möglichkeit vor, daß ein Unkundiger das Bruchstück für einen plumpen Dolch mit Griff, Korb und Stichblatt hält. — 9. Ein kleines Bruchstück eines solchen Baumes, vierkantig und mit vierkantigem Eisenkern, mehrfach beschädigt und geplatzt, war als Nr. 2 der Sammlung Stumpf im Handel.

[1]) 1. Berlin, III. C. 12 376, siehe Abb. 728; nur die Krone vorhanden. — 2. 3. Chicago, 89 836 und 89 837, vgl. Webster 6718, Fig. 54 in Kat. 19 und 7334, Fig. 194 in Kat. 21. — 4. Cöln a. Rh., vgl. Webster 10 223, Fig. 78 des Kat. 27. — 5. Frankfurt a. M., 13 782, sehr großes Stück, ungefähr in der Art der Taf. 108A u. C abgebildeten, vielleicht zum Überfangen mit Bronze bestimmt gewesen. — 6. Hamburg, C. 2433, oben im Texte bereits erwähnt. — 7. Hamburg, C. 3958, stark beschädigtes Bruchstück mit einem Rest der Krone und einem Stück Schaft. — 8. Leiden, 1243/37, siehe M. Taf. VI 1. — 9. Leipzig, sehr ähnlich dem Berliner, Taf. 109 C. — 10. Rushmore, P. R. 330, früher Webster 6719, vgl. dessen Abb. 56 in Kat. 19. — 11 bis 13. Drei Stücke im Handel; von einem dieser Stücke heißt es in der gedruckten Liste, daß oben ein Vogel auf einem Pferde sitze; das ist sicher ebenso falsch als die Angabe für Webster 6720, daß ein Vogel auf einem Krokodil sitze, gemeint ist auf einem Chamäleon. — 14. Berlin besitzt noch ein Bruchstück, das wohl in diese Reihe gehört; auf einem drehrunden Eisenstab ruht ein aus sechs stehenden Vögeln gebildeter Kelch; das 48,5 cm hohe Stück ist wohl als Seitenarm eines großen Ständers aufzufassen.

Veröffentlichungen a. d. Kgl. Museum f. Völkerkunde.

sorgfältig gearbeitet und gut erhalten ist die Fig. 728 abgebildete Krone, Berlin III. 12376. Sehr eigenartig ist Hamburg C. 2433; da wachsen am oberen Ende des Stammes zwei Vorderarme mit Händen heraus, der eine von der Volar-, der andere von der Dorsalseite aus gesehen und so etwas an die Handhaltung der tanzenden Derwische erinnernd; die Hände halten einen mit zwei Zapfen versehenen Ring, von dem dann die, wie es scheint, schadhaft gewordene Krone des Baumes getragen wird. Zu diesen Ständern scheinen ursprünglich auch eiserne Ketten gehört zu haben; wenigstens haben sich einzelne Glieder von solchen noch an einigen Ständern erhalten. Berlin besitzt eine längere Kette, III. C. 8512, die mit der H. Bey-Sammlung erworben wurde, deren Herkunft also durchaus feststeht; sie ist jetzt mit dem Taf. 109 C abgebildeten Ständer vereinigt.

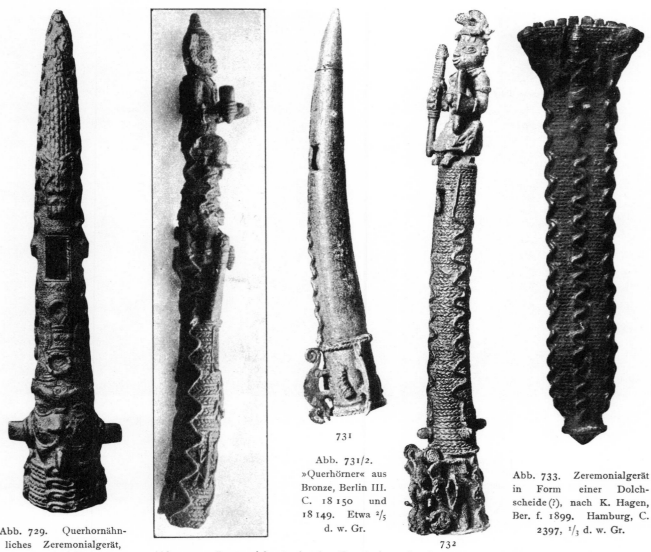

731

Abb. 731/2.
»Querhörner« aus
Bronze, Berlin III.
C. 18150 und
18149. Etwa ²/₅
d. w. Gr.

Abb. 733. Zeremonialgerät
in Form einer Dolch-
scheide (?), nach K. Hagen,
Ber. f. 1899. Hamburg, C.
2397, ¹/₃ d. w. Gr.

732

Abb. 729. Querhornähn-
liches Zeremonialgerät,
Bronze, nach K. Hagen,
Ber. f. 1904, Hamburg C. 3952, ¹/₂ d. w. Gr.

Abb. 730. Zeremonialgerät in der Form eines Querhornes, nach Webster. Etwa ¹/₂ d. w. Gr.
Der mit großen Zähnen ausgestattete Kopf hat drei wie Steinbeile geformte Vorsprünge.

48. Kapitel.

Zeremonialgeräte.

[Hierzu Taf. 105, C und F sowie die Abb. 729—734.]

Als »Zeremonialgeräte« sind hier Stücke zusammengefaßt, die zwar in ihrer Form Gegenständen des täglichen Gebrauches gleichen, die aber zu praktischem Gebrauche trotzdem wenig oder gar nicht geeignet erscheinen; es ist vielleicht nicht streng logisch, sie in solcher Art von den im nächsten Kapitel zu beschreibenden »Tanzstäben« zu trennen, aber ich denke doch, daß sie im wesentlichen eine in sich geschlossene Gruppe bilden. Am zahlreichsten unter ihnen sind A. aus Bronze gegossene Stücke in der Form von Querhörnern. Gleich den wirklichen Tuthörnern sind sie durchweg leicht gekrümmt und haben ein Blasloch, recht weit ab von der Spitze, auf der konvexen Seite; sie sind alle sehr dickwandig und schwer anzublasen; kundige Hornbläser, denen ich einige solche Stücke im Original vorlegen konnte, stimmen darin überein, daß sie nur die Form eines Blashornes haben, aber nicht als solche gedient haben können; einige von ihnen haben in der Nähe der Schallmündung zapfenartige Vorsprünge, welche den Vergleich mit einer Schlagkeule nahelegen; wir haben aber keine zwingenden Beweise für eine solche Verwendung; bei dem Fig. 729 abgebildeten Stücke erscheint sie nicht unwahrscheinlich, besonders wenn man die Fig. 657 A, Ergänzungsblatt A abgebildete Doppelglocke mit ihren langen Stacheln zum Vergleiche heranzieht; dafür treten aber bei dem Fig. 732 abgebildeten Stücke die entsprechenden Vorsprünge gegen die in ihrer unmittelbaren Nähe in ganz hohem Relief, eigentlich als Rundfiguren angebrachten Panther so weit vor, daß bei einer Verwendung des Gerätes als Schlagwaffe nur diese und nicht die beilartigen Vorsprünge in Frage kommen würden. So werden wir uns auf die bloße Beschreibung eines typischen Vertreters beschränken müssen. Unter den 8[1]) in diese Gruppe gehörigen Stücken ist wohl das Fig. 732 abgebildete Berliner, III. C. 18 149, das schönste. Die 10 cm hohe Spitze ist durch die Figur eines Königs mit Rasselstab und Steinbeil (?) gebildet; das etwa 6 cm hohe Trichterstück ist mit Panthern, Chamäleonen, Schlangen, Steinbeilen usw. geschmückt; an zwei Stellen sind auch die hohlen kahnförmigen Gebilde wieder vertreten, die wir mehrfach auf Armbändern gefunden haben, vgl. Abb. 626, ohne sie deuten zu können. Der eigentliche, 20 cm lange Schaft des Hornes ist wie mit gezopften Bändern dicht umwickelt und mit langen, dünnen Schlangen geschmückt, gegen das Trichterstück zu trägt er vier beilartige Vorragungen.

Abb. 734. Zeremonialgerät in Form eines geschäfteten Steinbeils, nach K. Hagen, Bericht für 1904, Hamburg, C. 3959, etwa ½ d. w. Gr.

B. Taf. 105 c ist eine im ganzen 27 cm hohe, langgestielte Schelle abgebildet, Berlin, III. C. 8082, die in ihrer Form etwas an einen Glockenklöppel erinnert, aber wohl als selbständiges Gerät aufzufassen ist; der nach oben verjüngte Griff endet in eine Ringöse, unten befindet sich eine richtige geschlitzte Schelle. Das ganze übrige Stück ist durch vier mit Kupfer eingelegte Ringe in drei Glieder geteilt; von diesen ist das unterste durch zwei janusartig aneinander gefügte Europäerköpfe gebildet, das mittlere durch zwei Krokodile, das oberste durch zwei Welse. Ein zweites fast gleiches, aber beschädigtes und vielleicht etwas jüngeres Stück, Dresden 16 183, ist als Fig. 11 in Websters Kat. 21 abgebildet und dort als *Palaver-stick* bezeichnet.

C. Nachbildungen von geschäfteten Steinbeilen, wie wir eine solche bereits auf dem Taf. 108 B abgebildeten Ständer kennengelernt haben, kommen zweimal auch an kleineren Stücken vor: 1. Berlin, III. C. 12 510, Taf. 105 F; das ist ein 27 cm langer Gegenstand aus Bronze, in der Form einer einfachen geschmiedeten Glocke, deren ganze Oberfläche mit einem engen, erhabenen Maschenwerk bedeckt ist, dem Schlangen, Krokodilköpfe usw. aufliegen; von diesen hält einer, der als Abschluß des Griffes dient, einen zu einem Ringe verschlungenen Wels im Rachen, zwei andere eine menschliche Hand, die vermutlich als die Greifhand eines Elefantenrüssels aufzufassen ist; in dieser Glocke befindet sich nun, mit ihr zugleich modelliert und gegossen, die Nachbildung eines kleinen neolithischen Steinbeils, das also wie in einen glockenförmigen Kelch gefaßt erscheint; auch dieses Beilchen ist mit Schlangen und Eidechsen im Relief bedeckt. Ein verwandtes Stück ist 2. Hamburg, C. 3959, vgl. die Abb. 734; bei diesem erscheint das Beil in ein reich verziertes Ziegenhorn eingelassen.

---

[1]) Berlin, III. C. 18 149, Abb. 732, im Texte beschrieben. — 2. Berlin, III. C. 18 150, Abb. 731, 28 cm lang. — 3. Dresden, 16 122, ähnliches Stück, vgl. die Abb. 17 bei Webster, Kat. 21. — 4. Hamburg, C. 3952, siehe die Abb. 729, fast ganz mit Reliefdarstellungen von großen Krokodilen, Welsen und Schlangen bedeckt; sowohl auf der konvexen als auf der konkaven Seite hat das Krokodil eine menschliche Hand mit geballter Faust (Elefantenrüssel?) im Rachen. Der große menschliche Kopf unten ist durch die eingepunzten kleinen Kreise auffallend. — 5. Rushmore, P. R. 350, früher Webster, Abb. 19 in Kat. 21, dem Hamburger sehr ähnlich, nur etwas einfacher, auch mit drei vorragenden Beilklingen. — 6. Webster, 11 645, hier in Abb. 730 reproduziert; die Spitze durch eine sitzende Figur gebildet, die ein Steinbeil hält; unter ihr stehen Rücken an Rücken zwei weitere Figuren. — 7. 8. Zwei weitere unbedeutende Stücke waren vor einigen Jahren noch im Handel.

D. Hamburg besitzt auch die Figur 734 abgebildete Nachbildung einer Messerscheide (?); der Rand der Öffnung scheint wie mit Zähnen umstellt; unten am Knauf ist eine menschliche Maske; von den langen, enge gewundenen Schlangen, die der Länge nach dem Stücke aufliegen, haben die seitlichen menschliche Köpfe im Rachen; oberhalb des mittleren steht die ganze Figur eines Eingebornen mit Stock und Schwert.

E. Ein eigenartiges Gerät schließlich besitzt das Museum in Liverpool; wie die Abb. 657 A (Ergänzungsblatt A) zeigt, hat es die Form einer sehr langgestielten Doppelglocke, aus deren Wurzel drei scharfe Meißel wagrecht vorragen; die Angabe, daß es als Keule zum Erschlagen von Menschen diente und daß in den schalenförmigen Glocken das Blut der Opfer aufgefangen wurde, um damit die großen geschnitzten Zähne und andere Votivgaben zu besprengen, ist nicht weiter beglaubigt. Stilistisch reiht sich das Stück durchaus an die Arbeiten der Spätzeit von Benin an; die aufrechte menschliche Figur auf der Vorderseite der größeren Glocke ist vom Zeichner vermutlich nicht ganz genau wiedergegeben; besonders dürfte der Hut nicht so spitz sein; es handelt sich wohl um den bekannten Mann mit Stock und Schmiedehammer, der sonst immer mit einem ganz flachen Hut dargestellt wird.

---

49. Kapitel.

„Tanzstäbe.“

[Hierzu Tafel 102.]

Die in diesem Kapitel zusammengefaßten 33 [1]) Stücke sind nur technisch und ethnographisch interessant, künstlerisch aber recht minderwertig; auch sind sie sicher jung und gehören vermutlich

---

[1]) 1. Berlin, III. C. 7669, Taf. 102, C und F, 74 cm lang; der Griff besteht aus drei fest miteinander verbundenen Kettengliedern, oben und unten je mit einem »Januskopf« eines Europäers; die Klinge ist auf beiden Flächen mit einem doppelten Flechtband verziert und hat unweit von ihrem freien Ende ein kleines rundes Loch; sie ist mittelst eines kurzen Dornes so fest in den unteren Kopf des Griffes eingetrieben, daß man auch bei genauer Untersuchung die Fuge kaum wahrnimmt. — 2. Berlin, III. C. 7670, Taf. 102 B, 80 cm lang; der Griff besteht aus zwei durch eine kurze, drehrunde Stange voneinander getrennten nackten männlichen Figuren mit unverhältnismäßig großen Genitalien; die obere hält in der Linken einen kleinen Ring, die untere, die durch einen langen und fast armdicken Zopf ausgezeichnet ist, scheint einen Tanzstab (?) zu halten. Die Klinge ist nur auf einer Fläche mit einem schlecht ausgeführten Dreieckmuster verziert, auf der andern glatt geblieben; Stab und Klinge scheinen gehämmert und erst nachträglich beim Guß der beiden Figuren miteinander verbunden worden zu sein. Dieses Stück ist wohl noch jünger als die andern dieser Gruppe und kaum älter als einige Dezennien vor Zerstörung der Stadt. — 3. Berlin, III. C. 8072 a, Taf. 102 D und G, 85 cm lang; typisches Stück von recht sorgfältiger Technik; der Griff hat 5 Glieder und oben und unten je eine männliche Doppelfigur mit Benintracht; die beiden oberen Figuren halten in der Linken je ein Ebere, in der Rechten je einen langen Stab; die zwei unteren halten vogelförmige Aufschlag-Idiophone. Die Klinge ist auf beiden Seiten mit Flechtbändern geschmückt und mit 3 Nieten zwischen zwei zungenförmigen Fortsätzen des Heftes befestigt. — 4. Berlin, III. C. 8072 b, Taf. 102 A, 93 cm lang, Griff mit 5 Gliedern, oben und unten je eine Doppelfigur mit genauer Wiedergabe aller Einzelheiten der männlichen Benintracht; sogar die typische Tätowierung und die Panthermaske am Gürtel sind dargestellt; die oberen Figuren halten Ebere und »Tanzstab«, die unteren Aufschlag-Idiophone in Vogelform. Der Griff endet nach unten in einen gabelförmig gespaltenen Teil, der auf jeder Seite mit 4 menschlichen Masken verziert ist; die dünne Klinge ist zwischen diese Zunge eingelassen und mit 4 kupfernen Nieten befestigt. Die Klinge ist zu beiden Seiten der Zunge mit einem Flechtbande und auf beiden freien Flächen je mit einer Schlange in »geflammten« Windungen geschmückt. — 5. Berlin, III. C. 8531, Taf. 102, E und H, dem Stücke Nr. 4 sehr ähnlich. Die beiden oberen Figuren halten Ebere und Stab, die unteren, die auffallenderweise nicht mit dem typischen Lendenschurz, sondern mit einem kurzen »Frauenrock« bekleidet sind, halten Aufschlagidiophone. Die Klinge ist auf einer Fläche mit einem Flechtbande, auf der andern mit einer wie bei Nr. 4 stilisierten Schlange versehen und zwischen zwei langen, zungenförmigen Fortsätzen des Griffes mit 4 Kupfernieten befestigt. — 6. Chicago, 89 819 unbedeutendes Bruchstück eines ähnlichen Gerätes. — 7. 8. Cöln a. Rh., zwei ähnliche Stäbe, davon einer unvollständig. — 9. Dresden 16 182, bisher Webster 11 346, siehe die Abb. 51 in dessen Kat. 29 von 1901, mit drei übereinanderstehenden Figuren am Griffe. — 10. Frankfurt a. M., 12 168, am oberen Ende des Griffes eine einfache Figur, am unteren ein Krokodilkopf, in den die Klinge eingelassen ist. — 11. Hamburg, C. 2331, durchaus dem Taf. 102 E und H abgebildeten Berliner Stücke gleichend; nur sind die Figuren des Griffes nicht doppelte, sondern einfache; die eine Fläche des Blattes hat ein Flechtband, die andere eine Schlange mit geflammten Windungen. — 12. Hamburg, C. 2395; am Griff 5 Glieder, zwei Doppelfiguren, auch die obere mit Schwertern, die untere mit Klangvögeln; auf beiden Flächen des Blattes Schlangen mit geflammten Windungen; auf einer Fläche ist der gegen das freie Ende gerichtete Kopf besonders deutlich; im geöffneten Rachen ist eine ⌡ ähnliche Zunge sichtbar. — 13.—15. Leiden, 1310/6, 1243/36 und 1243/44, drei den vorigen ähnliche Stücke; die Angabe, daß die Klinge »gegossen« sei, ist wohl nicht buchstäblich zu nehmen. — 16.—18. Leipzig, darunter ein auffallend kleines, nur 58 cm langes Stück; das Blatt ist in der Mitte gebrochen und mit einem Kupfernagel genietet. — 19. 20. London, R. D. XI, 10 und 11; von dem einen Stücke fehlt ein großes Stück der Klinge; das *courious scroll* ist sicher ein Stück einer stilisierten Schlange und hat mit dem zum Vergleiche herangezogenen Rankenwerk in der Türöffnung von R. D. XIX, 3 nur eine zufällige Ähnlichkeit. — 21. München. Am Griff in der üblichen

erst dem 18. Jahrh. an; noch ist die Technik und der Formenschatz der guten Zeit erhalten, aber die Ausführung ist roh und sorglos; nur in der Verzierung der langen Klingenflächen ist die alte Sorgfalt lebendig geblieben. Wesentlich für alle diese aus einer wie Messing aussehenden Legierung hergestellten Stücke ist, daß nur der lange, dünne Griff gegossen, das schmale und biegsame Blatt aber geschmiedet ist. Die Vereinigung zwischen Griff und Blatt ist in verschiedener Weise, aber immer mit erstaunlichem Geschick und mit vollendeter Sorgfalt bewerkstelligt worden, so daß keines der erhaltenen Stücke an dieser Stelle gebrochen ist. Die meisten Autoren haben ganz übersehen, daß diese Stäbe aus zwei ursprünglich getrennten Stücken zusammengesetzt sind, und einer beschreibt sogar die beiden Zungen des Griffes, zwischen denen das Blatt festgenietet ist, als bloße Zierstreifen. Das ist im übrigen die am häufigsten gefundene Art der Befestigung: mit dem Griffe zugleich sind zwei sehr schlanke, meist um 10 cm lange »Zungen« gegossen, die manchmal glatt, manchmal wie mit Nietenköpfen, einmal auch mit kleinen menschlichen Masken verziert sind; zwischen diese Zungen wird das dünne Blatt eingeschoben und dann mit Kupfernieten festgeschlagen; vermutlich ist außerdem noch regelmäßig ein vom Blatte ausgehender Dorn in den Griff eingesenkt. Etwas seltener ist die Befestigung ohne Zungen; dann ist nur ein mit dem Blatte geschmiedeter Dorn in den Griff eingelassen; ein- oder zweimal scheint der Griff um das Ende des Blattes herumgegossen zu sein.

Der auffallend lange und oft vierkantige Griff ist entweder als Stab oder so gegossen, daß er aus fünf länglichen Kettengliedern zu bestehen scheint, die durch eine Art Internodien fest miteinander verbunden sind; in der Regel trägt er am oberen und am unteren Ende je eine Doppelfigur, d. h. zwei Rücken an Rücken gelehnte Figuren, die denp Hut oder ie Haartracht miteinander gemein haben; manchmal sind drei solche Doppelfiguren vorhanden, selten nur eine; zweimal ist der Griff da, wo er das Blatt umschließt, als Krokodilkopf gebildet, einmal befindet sich an dieser Stelle nur ein Negerkopf. Einmal sind die zwei Figuren auf dem Griffe nur einfach und ganz nackt; sonst haben sie fast immer die typische Tracht und Ausrüstung der Benin-Männer; sehr häufig haben sie ein Ebere, fast ebenso oft die uns längst bekannten Aufschlag-Idiophone in Vogelform (vgl. die Abb. 300—302 und Taf. 106 A B). Die Orientierung dieser Doppelfiguren scheint ganz willkürlich zu sein; wenn man das Gerät so hält, daß man eine Fläche des Blattes voll vor sich sieht, erscheinen bei einigen Stücken die Figuren in reiner Seitenansicht; bei andern aber genau in Vorderansicht, so daß man von vornherein gar nicht an Doppelfiguren denken würde.

Das flach gehämmerte Blatt ist fast stets auf beiden Flächen mit eingepunztem Zierat versehen; ich kenne ein einziges Stück, Nr. 2 der Anmerkung, bei dem nur eine Seite verziert, die andere glatt ist. Als Schmuck überwiegen Flechtbänder verschiedener Gattung; recht häufig findet sich aber eine Schlange mit zahlreichen engen und eigenartig »geflammten« Windungen, die im Stile durchaus an die äußere Schlange auf der gleichfalls späten runden Scheibe erinnert, die Fig. 693 abgebildet ist; P. R. spricht im Texte zu seiner Abb. 210 freilich von *a sinuous line of branching leaves (floral guilloche)*, aber er würde das sicher nicht tun, wenn er die zahlreichen Stücke gesehen hätte, bei denen diese geflammten Windungen in einen richtigen Schlangenkopf enden.

Über die Bestimmung dieser uns so zahlreich erhaltenen Geräte sind wir nicht unterrichtet; die in den Katalogen usw. gelegentlich auftauchenden Bezeichnungen wie Zepter, Würdezeichen, Zeremonial- oder Kommandostab sind ganz nichtssagend; auch die Angabe eines Händlers *»used by king of Benin's war-chief on state occasions«* ist wohl aus der Luft gegriffen; die Angabe bei M. »von jungen Mädchen beim Tanze geschwungen« und die von P. R., *»used by virgins in their dances«* gehen vermutlich beide auf die gleiche Notiz eines Händlers zurück und sind nicht weiter beglaubigt. Immerhin ist es wahrscheinlich, daß diese Geräte in später Zeit bei rhythmischen Tänzen gebraucht wurden und an die Stelle der früher bei diesen benutzten einfachen Holzstäbe getreten sind; dafür, daß sie von Mädchen oder Frauen

Art zwei Doppelfiguren, die untere mit Klangvögeln; auf beiden Flächen des Blattes Schlangen mit gefl. Windungen; bei der einen im offenen Rachen eine Zunge in der Form einer großen Pfeilspitze mit zwei Widerhaken. — 22.—26. Rushmore, P. R. 202 bis 211; fünf Stücke, alle mit zwei Doppelfiguren; nur bei einem ist der Griff wie eine Kette gegossen, bei den vier andern als verzierter vierkantiger Stab, wie bei R. D. XI. 11. — 29. Stuttgart, am Griff oben eine Doppelfigur, fünf sehr lange Glieder, unten ein Krokodilkopf, mit dem Rachen den Griff umfassend, nicht wie bei Nr. 12, Frankfurt, den Beginn des Blattes. — 27. 28. Wien, 64 676 und 64 795, Heger 79 und 80, das eine Stück, früher Webster, 3217, mit drei Doppelfiguren, das andere mit einem glockenförmigen Abschluß am freien oberen und mit einem Negerkopf am unteren Ende des Griffes. Beide Blätter haben sorgfältig durchgeführte Schlangen mit geflammten Windungen. — 29.—33. Fünf Stücke im Handel oder in Privatbesitz, darunter zwei belanglose Bruchstücke.

gehalten wurden, kenne ich keinen ernsten Beleg; im Gegenteil möchte ich glauben, daß in den Händen einiger der Doppelfiguren, die zum Griffe dieser Geräte gehören, die gleichen »Stäbe« dargestellt sind; diese Figuren aber sind ganz zweifellos männlich; immerhin scheinen diese Geräte mit Tanzschwertern und mit Aufschlag-Idiophonen vergesellschaftet aufzutreten, und man wird sie daher bis auf weiteres als »Tanzstäbe« bezeichnen dürfen; aber ich halte es für richtig, die Bezeichnung einstweilen noch zwischen »Anführungszeichen« zu setzen.

In den gleichen Kreis gehört sicher auch ein Gerät in Rushmore, P. R. 352; es hat zwei Doppelfiguren, genau wie die »Tanzstäbe«, aber diese stehen einander symmetrisch gegenüber und sind durch einen aus vier starr verbundenen Kettengliedern bestehenden Griff von einander getrennt. In Rushmore befindet sich auch eine kleine, etwa 6 cm hohe weibliche Doppelfigur, P. R. 147, von der gesagt wird, daß sie zu einem ähnlichen »Tanzstab« gehöre. Ich halte das für unwahrscheinlich und möchte eher annehmen, daß sie von einem Hauschwert, gleich dem Fig. 696 A abgebildeten, stammen könnte.

----

50. Kapitel.
Verzierte Elefantenzähne.

[Hierzu Taf. 113 bis 115 und die Abb. 735 bis 799.]

A. Große, ganz mit Schnitzwerk bedeckte Zähne. In diese Gruppe gehören im ganzen 54 [1]) Stücke. Sie alle einzeln genau zu beschreiben, würde allein einen Band füllen und ebenso zeit-

----

[1]) 1. Basel. — 2. Berlin, III. C. 7638, Taf. 113 H, ein ganz besonders großer und gut erhaltener Zahn mit einer äußeren Bogenlänge von 2,48 cm, 2 m hoch und unten 55 cm im Umfang messend. Unten schönes Flechtband, dann in der 1. (untersten) Zone vorn in der Mitte der typische Mann mit Stab, Hammer und Halskreuz, zu beiden Seiten je ein Europäer in der Art der beiden auf Blatt N, Abb. 755, hinten zwei Panther, die je einen Eingebornen überwältigt haben, ähnlich wie auf Blatt S, Abb. 773/4/5. In der 2. Zone ist ein Mann mit Ebere dargestellt mit kleinen und großen, meist gepanzerten Eingebornen; die 3. Zone, siehe Blatt H, Abb. 739, zeigt in der Mitte einen ganz kleinen Mann mit unsymmetrischem Halsschmuck und mit einem ruderkeulenartigen Gegenstand in der Rechten, einem Hiebschwert in der Linken; zu beiden Seiten, symmetrisch je ein »Olokum«, hinten ein Elefantenkopf. In der 4. Zone steht vorn in der Mitte der kleine, schlichthaarige Mann mit einem Schwert, Blatt S, Abb. 779; einzig in seiner Art hat er auf seiner Stirn, unmittelbar unter dem Rande seiner fast kronenartigen Kappe, eine halbkreisförmige, verzierte Scheibe, die nicht mit Sicherheit zu deuten ist; vielleicht ist sie nur als zu klein geratener Augenschirm aufzufassen, aber auch eine ungeschickt wiedergegebene Bemalung ist nicht ganz auszuschließen; in diesem Falle könnte vielleicht an einen Inder und an ein freilich gänzlich mißverstandenes und falsch wiedergegebenes Kastenzeichen gedacht werden. Neben ihm steht ein Europäer mit einer Flinte (Abb. 778); diesem folgt, auf der andern Seite des Zahnes symmetrisch wiederholt, ein Europäer, Abb. 737, der mit einer Armbrust auf eine Ziege (?) anlegt; die Mitte hinten ist durch einen großen Wels ausgefüllt. In der 5. Zone steht vorn die typische dämonische Trias, ähnlich der auf Blatt G, Abb. 736, doch haben die zwei Begleiter deutliche Krokodilmasken am Gürtel; zu beiden Seiten dieser Gruppe stehen Frauen mit nacktem Oberkörper; die 6. Zone zeigt vorn einen einheimischen Würdenträger zwischen zwei gepanzerten Begleitern mit Schild und Speer, hinten, die ganze Höhe von Zone 6 und 7 ausfüllend, zwei große verschlungene Welse (Abb. 759); in der 7. Zone sind zwei gegeneinander reitende Europäer dargestellt, siehe Abb. 754. Besonders die beiden Pferde mit ihren senkrecht aufgerichteten Schwänzen und den übergroßen Köpfen sind roh und häßlich; gleichwohl wird man unwillkürlich an das sassanidische Relief von Naksch-i-Rustem erinnert, auf dem Ardeschir I. von Ahuramazda den Ring der Herrschaft erhält. Doch ist die Ähnlichkeit wohl nur eine ganz zufällige, um so mehr, als auf dem Benin-Zahne die zwei Leute vermutlich nicht wirklich gegeneinander reiten, sondern sich nur als nahezu symmetrische Darstellungen berühren; freilich ist die Symmetrie lange nicht vollkommen; die zwei Reiter sind nicht ganz gleich gekleidet, auch ist der eine bärtig und hat schrägstehende Augen, der andere bartlos mit geraden Augen. Der Raum oberhalb dieser Reitergruppe ist mit zwei kleinen Europäern, einem Krokodilkopf und einer Perle (?) ausgefüllt; über und unter den Pferdeköpfen finden sich noch drei kleine Scheiben mit je drei konzentrischen Kreisen und eine achtstrahlige Rosette. Aus der 8. Zone ist nur die Fig. 752 abgebildete Gruppe besonders hervorzuheben, die zeigt uns einen Mann, der mit beiden Händen eine vor ihm stehende Trommel (vom Typus der von Ankermann im »Ethn. Notizbl.« Bd. III, Fig. 138 und 141 abgebildeten Stehtrommeln) schlägt. Seine Hände sind so nachlässig behandelt, daß man sie leicht für verkrüppelt halten oder sie sogar mit den Stoßzähnen von Elefanten vergleichen könnte; aus der rechten Hüftgegend steht wagrecht ein Vorderarm mit einer richtigen menschlichen Hand heraus, die einen fast mannshohen Speer hält. Es ist möglich, daß hier eine wirklich beobachtete Mißbildung festgehalten ist, genau wie wir das für die zwei schönen mikromelen Zwerge der Wiener Sammlung (hier Abb. 445/6) und für den partiellen Riesenwuchs der Hände (Abb. 720) wissen und für andere Bildwerke aus Benin vermuten; vielleicht liegt der Darstellung aber auch eine mythologische Tradition zugrunde, die uns hoffentlich noch bekannt wird, wenn wir erst einmal anfangen werden, etwas über die geistige Kultur der heutigen Bewohner von Benin zu erfahren. Die nächsten Zonen bieten nichts besonders Bemerkenswertes, nur aus der Zone 11 sind die beiden Fig. 762 und 770 abgebildeten Typen hervorzuheben, die eine zeigt uns einen schlichthaarigen Mann mit ganz ungewöhnlich starkem Schrägstand der Augen und mit einem Sonnenschirm, die andere einen Mann mit langem Hemd und mit einem Stab in der erhobenen Rechten; er entspricht ganz zweifellos den Verwachsenen, die wir von den Taf. 41 A, B und C abgebildeten Platten kennen, vgl. S. 213 unter ε; daß die »Hühnerbrust« kaum oder gar nicht angedeutet

raubend und mühevoll als ermüdend und überflüssig sein; wenn man erst einmal eine Anzahl solcher Zähne eingehend studiert hat, erkennt man bald, daß einzelne Figuren und Gruppen sich bei den meisten

ist, liegt wohl nur an der rohen Ausführung. Die schon sehr stark verjüngte 12. Zone zeigt, vgl. die Abb. 790, 791 und 795, vorn einen Panther, links ein Krokodil und rechts ein durch den Sonnenschirm des unter ihm stehenden Mannes in seinen Konturen etwas beeinträchtigtes Tier, wohl eine Ziege; die Spitze des Zahnes endet in einen bärtigen Kopf mit hohem Helm. — 3. Berlin, III. C. 7639, Taf. 113 G sowie Abb. 743, 753, 768, 773 und 789. — 4. Berlin, III C. 7640, Taf. 113 B sowie Abb. 760, 764, 772 und 775. — 5. Berlin, III. C. 7641, Taf. 113 F; dieser Zahn ist unten stark verwittert, sonst aber, wie auch auf der Tafel ersichtlich, in großer Ausdehnung abgerieben und geglättet; ähnliche Veränderungen der ursprünglichen Oberfläche kenne ich nur von Stirnpfeilern oder von Eichenpfosten, an denen sich Pferde oder Rinder viele Jahre lang gescheuert haben. — 6. Berlin, III. C. 7642, Taf. 113¦A, sowie die Abb. 751, 762 B, 763, 766, 769, 785 und 792. — 7. Berlin, III. C. 7643, Taf. 113 E, sowie die Abb. 741, 758, 761, 771, 774, 776 und 777; der auf dieser letzten Abb. dargestellte, zoologisch kaum bestimmbare Vogel findet sich etwa in der Mitte der konkaven Innenseite über dem Welse, siehe auch die Abb. Taf. 113 E. — 8. Berlin, III. C. 7644, Taf. 113 D, sowie die Abb. 744, 749, 786 und 788. — 9. Berlin, III. C. 7761, Taf. 113 C, sowie die Abb. 735 (auf S. 465) 736, 740, 742, 748, 750, 755, 767 und 794 Siehe die ausführliche Beschreibung auf S. 465 ff. — 10./11. Dresden, 16 191/2, früher Webster Kat. 15, Fig. 19 und Kat. 21, Fig. 201; der zweite, zwar an einer Stelle etwas verkohlt, aber sonst ungewöhnlich gut erhalten. — 12/3/4. Chicago 8143/4/5. — 15. Cöln 2014, vgl. die Abb. im »Führer«, III. Aufl. S. 209. — 16./17. Frankfurt a. M., darunter einer mit zwei symmetrischen Reitern, ähnlich den Fig. 754 abgebildeten auf dem Berliner Zahn III. C. 7638. — 18. Karlsruhe, A. 7519, ein besonders gut erhaltener großer Zahn (Nr. III der Sammlung Campbell); in der untersten Zone rechts und links je ein großer stilistischer Elefantenkopf mit zwei Rüsseln, vgl. Fig. 796 auf S. 467 in der 7. Zone vorn ein Eingeborner mit hohem Tutulus, zu den Seiten je ein abgeschnittener (?) oder vielleicht wie ein *busto* aufzufassender Europäerkopf, daneben beiderseits je eine nackte Frau, die einen Widder (?) führt. — 19. Leiden, 1148/1, vgl. M, S. 75 ff., dessen Tafeln XI, XII und XIII sowie dessen hier Fig. 797 reprod. Abb. 25. Genaueste Untersuchung verdient ein auf der konkaven Seite des Zahnes befindliches »merkwürdiges Mischwesen: Rumpf und Beine eines Europäers in langen Hosen, der durch einen gewaltigen Penis (?) charakterisiert ist und oben in einen Vogel mit langem Schnabel und ausgebreiteten Flügeln endet«. Ich selbst habe freilich in diesem Tiere einfach einen von vorn gesehenen Widder erkennen zu dürfen geglaubt und habe die »Flügel« für Hörner und den »Penis (?)« für eine Glocke gehalten. Mit Recht verweist M. auf die Ähnlichkeit dieses Tieres mit der hier Abb. 787 a (Beiblatt T) reproduzierten Zeichnung bei R. D.; dagegen vermag ich seiner in diesem Zusammenhang auf S. 80 wiederholten und schon S. 12 und S. 15 ausgesprochenen Auffassung der Europäerköpfe auf den Lendenschurzen als »stilisierte Vögel« nicht beizustimmen; vgl. hier die Abb. 85 bis 96 auf S. 64. — 20/1/2/3. Leipzig, vier große und sehr gut erhaltene Zähne. — 24/5/6. London, R. D. VII. 1, 2, 3; auf dem 2. ein gepanzerter Eingeborner auf einem Pferde reitend. — 27. München, in kleinem Maßstabe auf einer Ansichtskarte des Museums; außer den üblichen Darstellungen noch die eines hockenden Affen (?), der die Arme unter den Knieen durchgezogen hat und sich mit den Händen die Augen zuhält, vgl. die Abb. 783. Es ist mir unmöglich, diese für Benin ganz ungewöhnliche und singuläre Darstellung zu erwähnen, ohne an die drei *sámbiki saru* der Japaner zu erinnern, *mizaru*, *kikazaru* und *iwazaru*, die drei Affen (*saru* = Inuus speciosus), von denen sich einer die Augen, der andere die Ohren, der Dritte den Mund zuhält, um nichts Schlechtes zu sehen, zu hören und zu sprechen. Darstellungen dieser drei Affen aus Stein, Holz und Elfenbein sind aus Japan schon im 17. Jahrh. bekannt und werden neuestens für den Export in großen Mengen hergestellt. Daß A. Brockhaus (Netsuke, Leipzig, 1909, II. Aufl., S. 427) von diesen Affen als von einer »Dreieinigkeit« spricht, anstatt von einer »Dreiheit«, ist wohl nur als zufälliger Lapsus zu betrachten; ganz abwegig ist aber die Angabe bei O. Münsterberg (Jap. Kunstgeschichte II, S. 39), daß jene Affen »durch ihre Handbewegungen die Sinne: Gesicht, Gehör und Geruch darstellen«. Dagegen verdanke ich Prof. F. W. K. Müller einen wichtigen Hinweis auf das in den drei Namen liegende rebusartige Wortspiel, das nur im Japanischen möglich sei und zeige, wie das anmutige Motiv in Japan selbst bodenständig sein müsse. Daß nun auch in Benin ein solcher »mizaru« erscheint, ist wohl nur rein zufällige Konvergenz. Erst wenn auch die beiden andern weisen Affen in Westafrika auftauchen sollten, müßte an irgendeine Art von wirklicher Übertragung gedacht werden. — 28 bis 31. New York, Nat. Hist. Museum, vier große, aber stark verwitterte Zähne, ohne besondere Bedeutung. — 32. Rushmore, P. R. 167/8; eine sehr willkommene dritte Ansicht dieses schönen Zahnes ist schon 1898 von L. R. im »Studio« mitgeteilt worden; in der untersten Zone steht zu beiden Seiten des Mannes mit dem Hammer, Stab und Halskreuz je ein schlichthaariger Mann mit stark schrägen Augen und mit einem Kreis in der Mitte der Stirn (vgl. S. 467 und Abb. 800). — Ohne Nummer führe ich an dieser Stelle den auf Umwegen vermutlich nach St. Petersburg gelangten Zahn an, dessen Gipsabguß hier bereits unter Nr. 9 aufgeführt und auf S. 465 ff. beschrieben wurde. — 33 bis 36. Stuttgart. Von den vier großen Zähnen sind zwei nicht nur durch ihre sehr gute Erhaltung, sondern auch dadurch besonders wertvoll, weil sie eine größere Anzahl von Darstellungen jener eben unter Nr. 32 erwähnten schlichthaarigen Leute mit schrägen Augen und mit einem Kreise auf der Stirn aufweisen. Diese durch H. Umlauff nach Stuttgart gelangten zwei Zähne kenne ich schon seit 1908. Damals waren sie bei Rogers in London als Stützen für *a lady's robing mirror* schwer in Silber gefaßt und mit der Angabe ausgestellt »*looted at Benin City, when that place was sacked and fired . . . . . in 1897*«. Damals war der Symmetrie wegen die Spitze des einen etwas größeren Zahnes abgesägt gewesen; seither ist sie so sorgfältig wieder festgemacht worden, daß man in Stuttgart von der Wiederherstellung gar nichts gemerkt hatte, und daß auch mir selbst trotz der »Ähnlichkeit« der Stücke deren wirkliche Identität lange Zeit unbekannt blieb. — 37. Weimar, bemerkenswert durch einen einzelnen Reiter und einen bärtigen Mann mit schräggeschlitzten Augen und schlichtem Haar, der ein Kreuz (Portug. Christusorden?) um den Hals trägt. — 38 bis 41. Wien, 64 659, 64 732/3 (Heger 102/3/4) und ein vierter, noch nicht katalogisierter Zahn; von diesen ist der erste durch die nebenstehend skizzierte Maske (?) bemerkenswert, die auf zwei gekreuzten Armen aufzuruhen scheint; derselbe Zahn weist auch eine nackte Frau mit einem Widder (?) auf, ähnlich der T. 784 abgebildeten Frau von dem Zahn in Karlsruhe. — 42 bis 44. Sammlung Campbell; von den ursprünglich vier Zähnen dieser Sammlung ist einer nach Karlsruhe gelangt und hier unter Nr. 18 bereits erwähnt worden; C. l. ist besonders durch seine glänzende Erhaltung ausgezeichnet sowie durch eine größere Zahl von schlichthaarigen Männern mit schrägstehenden Augen und Stirnmaske, immer in den charakteristischen Haltungen, wie sie Fig. 800 von zwei Stuttgarter Zähnen abgebildet sind; sehr auffallend sind auch zwei unter sich fast übereinstimmende Darstellungen eines dämonischen Wesens ähnlich den E. 740 ud K, 747 abgebildeten mit stilisiertem Welskopf über dem menschlichen Gesicht; ab-

mit großer Regelmäßigkeit wiederholen, und daß sie nicht so wirr und regellos über die ganze Oberfläche des Zahnes verteilt sind, wie es zuerst scheint, sondern daß sie in ringsum laufende Zonen gegliedert werden können, die freilich nicht in jedem einzelnen Falle zu scheiden sind und manchmal ineinander übergehen. Außerdem kann man vorweg feststellen, daß die in diese Gruppe gehörigen Zähne sämtlich an ihrem Wurzelende durch ein besonders behandeltes breites Band gleichsam eingefaßt und zusammengehalten sind und daß ihre Spitze in einen Kopf endet. Jenes Band ist bei der großen Mehrzahl der Zähne ein zwischen Stabkanten eingeschlossenes richtiges Flechtband von etwa 16 cm Breite, das wir bei einer andern Gruppe von Zähnen, vgl. Taf. 115 B und I, auch als alleiniges Ziermotiv wiederfinden werden und das, ausnahmslos mit der größten Sorgfalt und mit Kunstfertigkeit behandelt, stets einen wohltuenden Eindruck auf den Beschauer macht. Es mag sein, daß diese Flechtbänder ursprünglich auf fremden Einfluß zurückgehen und irgendwie, etwa von Ravenna und von der longobardischen Kunst, abzuleiten sind; es ist aber sehr viel wahrscheinlicher, daß sie mit den aus dünnen Ruten geflochtenen Bändern zusammenhängen, die man mehrfach noch heute in Afrika um die großen Zähne legt, um sie bequemer transportieren zu können. Bei einigen andern Zähnen hat die Umfassung die Form eines Netzwerkes mit rhombischen, oft unregelmäßigen Maschen, vgl. Taf. 113 G und die Abb. T. 789; ein einziges Mal, vgl. Taf. 113 D und die Abb. T. 788, ist sie, ähnlich wie bei dem Fig. 611 abgebildeten Armband, aus Tanzschwertern zusammengesetzt, die mit Europäerköpfen abwechseln. Da die meisten dieser Zähne lange Zeit in oder auf feuchter Erde gestanden haben, hat, wie auch aus Taf. 113 hervorgeht, diese untere Umfassung häufig durch Verwitterung etwas gelitten. An ihrem oberen Ende sind unsere Zähne wohl ausnahmslos durch einen menschlichen Kopf mit hoher, helmartiger Mütze, manchmal auch durch einen »Januskopf« abgeschlossen. Auf dem Ergänzungsblatt U, Abb. 790 bis 795, sind einige dieser Köpfe zusammengestellt; die nie fehlenden lithamartigen Kropfperlen wirken da bei einzelnen Zähnen wie ein Bart und sind auch wirklich von manchen für einen solchen gehalten worden; besonders in den ersten englischen Zeitungsberichten über die Benin-Beute verglich man deshalb diese Köpfe und mit ihnen

weichend von der allgemeinen Regel stehen diese beiden »Dämonen« nicht symmetrisch an den Seiten des Zahnes, sondern auf der konvexen Vorderseite, übereinander und nur durch eine schöne Gruppe einer dämonischen Trias getrennt; sonst ist für diesen Zahn noch ein nackter Mann, ein Reiter und die Fig. 799 abgebildete, einen Widder (?) führende nackte Frau hervorzuheben, sowie eine Figur mit einer kugelförmigen Flasche (?) und einer Art T-Binde, die mit der P. 763 abgebildeten Figur auf einem Berliner Zahne nahe verwandt ist. C. II hat einen Welsdämon ähnlich den beiden von C. I, ferner ober diesem denselben Mann mit der ganz ungewöhnlichen Tracht, den wir bereits von dem Fig. 735 abgebildeten Zahne (Mitte der 6. Zone, siehe auch Abb. L. 750) kennen, sowie einen Mann mit einer Schlange, ähnlich dem auf K. 748 (Berlin) und dem auf T. 780 abgebildeten von einem Zahne des Brit. Museums. C. III ist jetzt in Karlsruhe. C. IV ist kleiner als die große Mehrzahl der geschnitzten Zähne und durch schöne, sehr dunkle Patina und durch ganz glatte Oberfläche ausgezeichnet. Er war sicher niemals den zerstörenden Einflüssen des Regens usw. ausgesetzt, sondern immer in geschlossenen Räumen aufbewahrt gewesen; Abb. 798 a gibt eine wenigstens annähernde Vorstellung von diesem ungewöhnlich schönen Stücke; auffallend sind die anscheinend regellos, nur zur Raumfüllung über seine Oberfläche verstreuten doppelkonischen Perlen (?). Ein vergrößerter Ausschnitt (798 b) zeigt oben einen Teil einer dämonischen Trias, unten zwei Europäer, einen mit einem Schirm, einen andern mit den so oft wiederkehrenden, aber gerade bei diesem Zahne besonders deutlichen »Perlenschnüren«, die hier fast die Form einer mit einer Handschlinge versehenen Knute (oder »siebenschwänzigen Katze«) haben. — 45 und 46. Sammlung Egerton, zwei Zähne, von denen der eine stark verwittert, der andere an seinem dicken Ende defekt ist; dieser hat eine Anzahl von schlichthaarigen Leuten mit »Stirnauge« in der Art der Fig. 800 abgebildeten aufzuweisen, einen stilisierten Elefantenkopf, der einen Wels in der Greifhand des Rüssels festhält und einen mir nicht verständlichen Gegenstand mit einem dem »Stirnauge« genau gleichenden Kreis mit zentralem Punkt. — 47 und 48. Sammlung Rawson, zwei Zähne mit den gewöhnlichen Einzelheiten, einer unten stark beschädigt, auf dem andern Reiter (Europäer, aber mit sehr ungeschickter extremer Prognathie, etwa wie auf den Fig. 605/6 abgebildeten Armbändern), außerdem ein anscheinend auf zwei menschlichen Füßen ruhender Pantherkopf. — 49 bis 54. Sechs weitere Zähne in Privatbesitz und im Handel, meist ohne besondere Einzelheiten; nur ein ursprünglich sehr groß gewesener Zahn, von dem aber fast die ganze obere Hälfte durch Feuer zerstört ist, fällt stilistisch und durch mehrere ungewöhnliche Darstellungen etwas aus der Reihe. Er war einer von den elf Zähnen, die schon 1897 bei Hale & Son zur Auktion standen und von denen ich damals sieben für Berlin erwarb, während drei auf Umwegen in das Brit. Museum kamen; der elfte wurde, wie es schien, durch ein Versehen zurückgestellt und ist mir seither nicht mehr vor die Augen gekommen; es ist leider nicht unmöglich, daß man ihn zersägt und als Elfenbein verarbeitet hat. Aus einer vor der Auktion von mir gemachten photographischen Aufnahme entnehme ich, daß die meisten Figuren dieses Zahnes auffallend breite, rundliche Gesichter haben; sehr ungewöhnlich ist ein anscheinend greisenhafter Europäer, der von einem eingebornen Mädchen an der Hand geführt wird; unter diesem befindet sich, quergestellt, ein Benin-Kopf oder eine Maske mit menschlichen Händen und Füßen, darunter eine Frau, die einen hohen zylindrischen Schemel auf der linken Schulter trägt; zur Rechten dieser Frau ist ein Elefantenkopf mit einem langen, aufrechten Palmblatt in der Greifhand des Rüssels und unter diesem eine quergestellte Schildkröte. Neben dem Mädchen mit dem Europäer steht ein nackter Junge, über ihm eine nackte Frau, ähnlich wie auf den Abb. 799 und T. 784 mit einem an der Leine geführten Tiere, das aber diesmal keine Hörner zu haben scheint.

Ein anderer von jenen sechs Zähnen war 1908 im Besitz des seither verstorbenen Gouverneurs von Kamerun, v. Puttkamer. Ich habe den Zahn damals in Gips abformen lassen dürfen; wo sich das Original jetzt befindet, ist mir unbekannt; der Abguß ist bei uns unter Nr. III. C. 22 614 katalogisiert; der Zahn ist durch eine größere Anzahl von schlichthaarigen Leuten mit »Stirnauge« ausgezeichnet.

die ganzen Zähne mit assyrischen Bildwerken, und ich selbst habe mich in einer ersten vorläufigen Mitteilung über Benin-Altertümer (Z. f. E. Bd. 30, 1898, Verh. S. 158) verleiten lassen, einen solchen »bärtigen« Kopf auf alte portugiesische Darstellungen von — Gott Vater zurückzuführen, »der, gleichsam als Herrscher über das ganze Weltgetriebe, sehr gut auf der Spitze eines solchen Zahnes dargestellt werden konnte«. Das ist natürlich reiner Unsinn, wurde aber doch in der Folge mehrfach von andern Autoren übernommen.

Für die ganze, scheinbar völlig unübersehbare Fülle von Einzeldarstellungen nun, die wir zwischen dem breiten Bande an der Wurzel und dem Kopfe an der Spitze dieser Zähne finden, empfiehlt es sich, zunächst nur einen oder zwei Zähne sorgfältig zu studieren und in allen Einzelheiten abzubilden; man braucht dann bei den übrigen Zähnen nur die neu auftretenden Elemente besonders hervorzuheben und kann über die schon bekannten Gruppen und Figuren rasch hinweggehen. Für eine solche eingehende Betrachtung wähle ich einen Zahn, der lange Jahre als »Leihgabe« in Berlin war und von dem ein Abguß, III. C. 7761, Taf. 113 c, unter den Berliner Originalen abgebildet ist. Seine sämtlichen Gruppen, Figuren und andern Einzelheiten sind in den Federzeichnungen Abb. 755, 748, 736, 740, 750, 742, 767 und 794 festgehalten, wobei die Abbildungen hier in der Reihe angeführt sind, in der die einzelnen Zonen von unten nach oben aufeinander folgen. Außerdem aber wurden diese Federzeichnungen in ihrer gegenseitig richtigen Lage auf ein großes Brett befestigt und dann als Vorlage für die Abb. 735 in verkleinertem Maßstabe photographiert; diese gibt also eine genaue Vorstellung von dem gesamten Figurenschmuck des Zahnes und seiner Anordnung; dabei muß man sich nur dessen bewußt bleiben, daß es sich gleichsam um eine Abrollung einer Kegelmantelfläche handelt; ebenso ist daran festzuhalten, daß bei allen diesen Zähnen die Symmetrieachse in die Mitte der konvexen Vorderfläche gelegt ist, daß die Seitenflächen meist symmetrisch behandelt sind und daß die konkave Innenfläche fast durchweg nur mit weniger bedeutenden Darstellungen ausgestattet ist, die oft nur den Eindruck von bloßen Lückenbüßern machen; diese sind bei der Zusammenstellung der Vorlage für Abb. 735, da es nicht anging, sie in der Mitte entzweizuschneiden, durchweg rechts angefügt worden; dadurch ist zwar die Symmetrieachse der ganzen Zeichnung etwas nach links verschoben worden, aber das erschien als das geringere Übel und kann die Übersicht über das Ganze nicht beeinträchtigen.

In der I. (untersten) Zone, Abb. N, 755, sehen wir in der Mitte den uns von Platten und Sockelgruppen her längst bekannten Mann mit Stock und Hammer, Halskreuz und Spitzenkragen; zu seinen Seiten steht je ein bärtiger Europäer, mit Gegenständen in den Händen, die nicht mit Sicherheit zu deuten sind; man könnte zunächst natürlich an große Stücke Ringgeld denken, besonders wenn man weiß, wie sehr der Stil der alten Elfenbeinschnitzer dazu neigte, glatte Flächen durch Kerben zu beleben; es wäre aber ebensogut möglich, obwohl dafür keinerlei Analogie auf den Platten vorliegt, an Perlenschnüre zu denken; dafür würde z. B. die Abb. T, 781 heranzuziehen sein; eine weitere Deutung würde sich aus der Abb. 798 b ergeben, bei der man am ehesten an einen Wedel oder eine Knute denken möchte. Auf der konkaven Seite steht ein großer Eingeborner, mit Hiebschwert und Ruderkeule (?) und mit einer Panthermaske am

Abb. 735. Schematische Skizze eines typischen geschnitzten Benin-Zahnes, Abguß in Berlin III. C. 7761, Original vermutlich in St. Petersburg. Die neben den einzelnen Zonen stehenden Zahlen beziehen sich auf die größeren Federzeichnungen auf den Ergänzungsblättern N, K, G usw.

Gürtel; als weitere Raumausfüllung erscheint noch ein Wels. In der II. Zone (Abb. K, 748) steht in der Mitte ein Mann, der in beiden Armen je einen Wels schwingt und auf seinem Scheitel einen Panther trägt; zu seiner Rechten ein Elefantenkopf und ein Eingeborner mit einem Ebere, zur Linken eine Schlange, die einen Menschen verschlingen zu wollen scheint, dann wieder der Mann mit Stock, Hammer und Halskreuz; hinten schließlich ein Fisch. Die III. Zone (Abb. G, 736 unten) zeigt uns die bekannte dämonische Trias, der mittlere Mann hat Welse am Gürtel und ist sonst ganz menschlich, wie seine beiden Begleiter; zur Rechten noch ein gepanzerter Eingeborner mit Schild und Speer, zur Linken eine Benin-Frau; in der IV. Zone (Abb. G, 736 oben) steht in der Mitte ein gepanzerter Krieger mit hohem Helm, Panzer, Glocke, Ebere und Speer; neben seinem Kopfe, gleichsam als Gegenstück zu dem hochragenden Schurzzipfel, ein Elefantenkopf; zu beiden Seiten des Mannes je eine Frau mit viereckiger Rahmentrommel; beiden Zonen ist rechts eine kleine, links eine große Schlange gemeinsam. In der Mitte der V. Zone (Abb. H, 740) ist »Olokum«, der »Welsgott«, mit Welsen statt der Beine, mit menschlichem Gesicht, aber mit den mächtigen Bartfäden eines Welses um den Kopf und mit einem Schlangengürtel; er hält in der Linken ein Zepter, in der Rechten ein Ebere; auf jeder Seite von ihm steht eine Frau, hinter und zwischen diesen ist ein Elefantenkopf mit fast mannshohem Rüssel. In der Mitte der VI. Zone, L, 750, steht ein Benin-Mann mit Speer und Ebere, aber in einer sehr auffallenden Tracht, für die es nicht leicht ist, aus dem uns in den Bronzeplatten erhaltenen Formenschatz eine sichere Analogie zu finden. Auf seiner einen Seite steht eine Frau mit Rahmentrommel, auf der andern ein gepanzerter Krieger mit Speer und Schild und mit ganz schiefem Gesicht (wohl Facialis-Lähmung). Die VII. Zone (Abb. I, 742) zeigt in der Mitte wiederum einen »Olokum«, mit Welsen statt der Beine, in jeder Hand ein Krokodil schwingend und mit Schlangengürtel; zu seiner Linken steht eine Benin-Frau, zur Rechten ein gepanzerter Krieger mit einem Speer. In der VIII. Zone, der obersten (Abb. Q, 767), steht vorn nur ein Mann mit langem Hemd, in jeder Hand einen Stab haltend, natürlich den Verwachsenen entsprechend, die wir auf den Bronzeplatten kennen gelernt haben, auch mit derselben Tracht und Kopfbedeckung. Hinten entspricht diesem Manne ein Panther mit seiner Beute; der leere Raum ist mit den stilisierten Köpfen eines Elefanten, eines Krokodils und einer Ziege sowie mit einem zusammengerollten Fisch ausgefüllt. Das Ganze ist von einem sehr nachlässig behandelten behelmten Kopf (Abb. U, 794) gekrönt.

Ein zweiter Zahn, Berlin, III. C. 7638, ist in der Anmerkung S. 462 unter Nr. 2 ausführlich beschrieben. Im weiteren Texte dieser Anmerkung sind dann auch die wichtigsten Besonderheiten der übrigen 52 Zähne kurz notiert. Im allgemeinen ist dabei festzustellen, daß die Hauptdarstellungen regelmäßig in die Mitte der konvexen Vorderfläche des Zahnes gelegt sind. Da fehlt wohl niemals die typische dämonische Trias, wie wir sie auf so vielen Platten und schildförmigen Anhängern kennengelernt haben; es genügt, die Abb. 169 und 170 auf S. 93 und 580 auf S. 387 mit der Abb. G 736 an einem der Berliner Zähne zu vergleichen, um trotz aller Verschiedenheit des Stiles die völlige Gleichheit des Inhaltes zu erkennen. Die Perlhemden, die Kopftracht mit den *apices*, die Masken am Gürtel, die bevorzugte Stellung des mittleren Mannes und sein reicherer Schmuck, all das stimmt auf beiden Arten von Denkmälern durchaus überein. Niemals fehlt dann der angebliche »Olokum«, der sogenannte »Welsgott«, dessen verschiedene Typen hier in den Abb. H, 739 und 740, I, 741 und 742, J, 743 und 744 sowie K, 745 bis 748 festgelegt sind. Er findet sich auf manchen Zähnen einzeln, in der Mitte der Vorderseite so auf Abb. 740, wo er rechts und links je von einer Frau mit nacktem Oberkörper begleitet ist oder auf Abb. 742, wo er zur Linken eine Frau, zur Rechten einen vollgepanzerten Krieger hat, oder auf Abb. 748, wo ihm zur Linken ein Männchen mit einer Schlange und der typische Mann mit Hammer und Halskreuz, zur Rechten ein Elefantenkopf und ein Mann mit Ebere beigegeben ist; auf andern Zähnen erscheint er aber paarig und streng symmetrisch auf den beiden Seitenflächen einer Zone. Typisch für dieses sehr häufige Vorkommen ist die Abb. H, 739; da sehen wir in der Mitte einer Zone vorn nur ein Männchen mit unsymmetrischem Halsschmuck und hinten einen Elefantenkopf mit einem Fische in der Greifhand; den ganzen übrigen Umfang des Zahnes nehmen die beiden »Olokum« ein; Taf. 114 gibt in großem Maßstab einen solchen »Welsgott« von der rechten Seite eines Zahnes; der entsprechende von der linken Seite ist Taf. 113 D und größer Abb. J, 744 zu sehen; man erkennt, wie sehr der Künstler auf vollständige Symmetrie bedacht war. Der »Olokum« selbst hat fast stets Welse statt der Beine, manchmal auch einen großen Welskopf über dem menschlichen Gesicht, manchmal schwingt er Welse oder Krokodile auch mit den Händen, oder hat wie in K, 746 Welse auch noch vom Gürtel herabhängen. Zwischen den Beinen kommt fast regelmäßig ein Krokodil zum Vorschein, meist mit einer Ziege oder einer ähnlichen Beute im Rachen. Oberhalb des Gürtels verschlingen sich zwei Schlangen, deren Kopfenden weit herabhängen und die meist auch eine Beute, einen Frosch oder einen kleinen Vogel gefaßt haben. Aus dem behaarten Scheitel wachsen oft zwei große Krokodile heraus, die mit dem Kopfende bis gegen die Hüften herabreichen; manchmal bedeckt den Kopf eine einfache Perlkappe mit *apex*, manchmal, wie schon erwähnt, wird das menschliche Gesicht noch von einem Welskopf überragt.

Ganz regelmäßig erscheinen auf den Zähnen auch die rätselhaften Leute mit Hammer und Halskreuz, vgl. K, 748 und N, 755, ebenso gibt es wohl auch kaum einen Zahn ohne den typischen von zwei Kriegern gestützten Würdenträger und ohne eine Anzahl von Europäern, die meist Perlschnüre (?) oder Knuten (?) zu halten scheinen. Andere lang- und schlichthaarige, wie Europäer gekleidete Menschen haben mitten auf der Stirn, wie ein Kyklopenauge, einen Kreis mit einem zentralen Punkt, vgl. Abb. 800 und die Anmerkung S. 463 unter Nr. 32/3. Ich weiß keine irgendwie befriedigende Erklärung für dieses »Stirnauge«. Man könnte fast versucht sein, an Bemalung als Kastenzeichen zu denken und die Leute also für Inder zu halten. Ich selbst glaube persönlich nicht ganz an den von einigen Autoren vermuteten oder behaupteten indischen Einfluß auf Benin, aber ich will deshalb erst recht nicht unterlassen, auf die Möglichkeit, jene Leute mit dem »Stirnauge« als Inder aufzufassen, mit besonderem Nachdruck hinzuweisen; ja ich möchte sogar daran erinnern, daß selbst die gänzlich unindischen, sehr stark schrägge-

stellten Augen jener langhaarigen Menschen nicht zwingend gegen deren Auffassung als Inder geltend gemacht werden können — wissen wir doch aus der täglichen Erfahrung, daß einfache Menschen irgendwelche ihnen fremdartige Dinge gern noch fremdartiger darstellen, als sie ohnehin schon

Abb. 796. Elefantenkopf mit zwei Rüsseln, aus der untersten Zone des Benin-Zahnes in Karlsruhe.

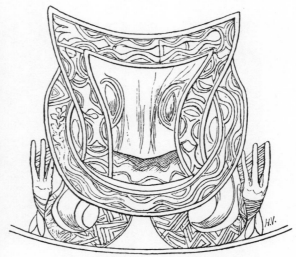

Abb. 797. Elefantenkopf mit zwei Rüsseln, von einem Zahne in Leiden; (von dem dortigen Zeichner mißverstanden; das Original gleicht durchaus dem gleichartigen Kopfe auf dem Fig. 796 abgebildeten Zahne in Karlsruhe).

sind. Einstweilen möchte ich auch einen Zusammenhang dieses »Stirnauges« mit Brillengläsern für denkbar halten oder einen solchen mit irgendwelchen Mythen, die vielleicht auf eine wirklich gesehene Mißbildung mit einem Kyklopenauge zurückgehen. Pathologische Mißbildungen haben ja sicher die Phantasie auch der Benin-Künstler mächtig angeregt. Ich erinnere an die zwei schönen Mikromelen, Abb. 445/6 auf S. 300/1, an den partiellen Riesenwuchs der Vorderarme, Abb. 720, S. 455, an die so häufig vorkommenden Vögel mit zwei Köpfen und an die Elefantenköpfe mit zwei Rüsseln, vgl. besonders die Abb. V. 825, die uns zeigt, wie auf ein und demselben Becher gleichzeitig sogar beide Mißbildungen dargestellt sind. Ein solcher Elefantenkopf mit zwei Rüsseln erscheint mehrfach auch paarweise auf unseren Zähnen, so rechts und links symmetrisch in der untersten Zone eines ganz besonders schönen und großen Zahnes, der aus der Sammlung Campbell nach Karlsruhe gelangt ist; Abb. 796 läßt sehr deutlich die kurzen Zähne und die beiden dicken Rüssel erkennen, von denen jeder in der Greifhand einen langen, gefiederten Zweig hält. Genau die gleiche Darstellung findet sich auf einem Zahne des Museums in Leiden, 1148/1; auch da wieder auf der untersten Zone, und wie in Karlsruhe zweimal, rechts und links symmetrisch; der Zeichner von M.s Abb. 25 auf S. 78, die ich hier, Fig. 797, reproduziere, hat die an sich ganz klare Darstellung freilich völlig mißverstanden, so daß auch M. selbst nicht zu der richtigen Deutung gelangen konnte. Ich stelle die beiden Abbildungen, die nach dem Originale und die nach der Zeichnung, absichtlich nebeneinander, um zu zeigen, wie nah und doch so fern die Zeichnung zu ihrem Vorbild steht, und wie es kommen konnte, daß M. die Stoßzähne des Elefanten als »vielleicht Vogelköpfe (?) darstellend« bezeichnet und die zwei Rüssel als »divergierende Arme« beschreibt, »die wie Fischleiber aussehen und vielleicht mit gestrickten Ärmeln bekleidet sind«.

Sehr häufig sind auch Europäer mit Armbrust (z. B. Abb. K. 737/8 und R. 772), stets in der uns von den Platten und Rundfiguren schießender Europäer bekannten knieweichen Haltung und mit ganz wagrecht gehaltenem Kopf; sehr viel seltener sind Europäer mit Schirm, vgl. P. 762 und die Abb. 798 a b; häufiger sind wiederum berittene Europäer, meist gegenständig zu zweit auf einem Zahne, vgl. N. 754. Ganz vereinzelt ist die Gruppe R. 768, die man vielleicht mit der Berliner Bronzeplatte Taf. 6 D vergleichen und unter dem scherzhaften Stichwort »Vater mit zwei Söhnen« vereinigen darf.

798 a   798 b   799

Abb. 798 a. Zahn IV der Sammlung Campbell. — Abb. 798 b. Ausschnitt aus dem nebenstehend abgebildeten Zahne IV der Sammlung Campbell. Etwa ¹/₂ d. w. Gr. — Abb. 799. Frau, einen Widder an einem Seile führend; von dem Zahne I der Sammlung Campbell. Etwa ²/₃ d. w. Gr.

Noch ist die sonderbare Gruppe P. 761 hervorzuheben, die freilich bisher jedem Deutungsversuche widersteht; der Europäer im Hintergrund mit der Flinte gehört vielleicht nicht zu ihr; von dem Europäer in der Mitte mit dem Schwerte möchte man fast glauben, daß er von dem neben ihm stehenden Eingebornen »vor einer raschen Tat« zurückgehalten wird. Eine solche Auffassung wird durch eine geschnitzte Tür, III. C. 16 858 a b, nahegelegt, die E. R. Flegel schon 1880 im Hause des Häuptlings von Eiré im nördlichen Yoruba, also in nächster Nähe von Benin, erwerben konnte und an das Berliner Museum sandte: Neben vielen Bildern aus dem täglichen Leben ist da in hohem Relief auch eine Szene dargestellt, in der ein Eingeborner seine Frau in flagranti antrifft und beide Schuldige spießen will, aber von einem bedächtigen Freunde zurückgehalten wird.

Unter den Darstellungen von Eingebornen überwiegen auf den Benin-Zähnen Gepanzerte mit Speer und Schild oder mit Schwertern, ferner Trommler, Leute mit Schemeln, Leute mit unsymmetrischem Halsschmuck, Verwachsene usw., alles Typen, die uns von den Bronzen her geläufig sind. Auf einem Berliner Zahn befindet sich sogar (vgl. L. 749) eine Gruppe mit drei auf einem Baumstamme sitzenden Jägern, die in allen Einzelheiten, selbst mit den zwei gefesselten Panthern an die Fig. 377/8, S. 242/3 abgebildeten und andere verwandten Platten erinnert. Ganz ohne jedwede Analogie ist aber das häufige Vorkommen von Frauen auf den Zähnen. Während es nicht eine einzige Platte gibt, auf der eine Frau dargestellt wäre, gibt es kaum einen Zahn, auf dem nicht Frauen zu sehen sind. Ich kenne keine sichere Erklärung für diese Tatsache, die um so befremdlicher scheint, als auf den kleinen, schildförmigen Anhängern (vgl. die Abb. 581 bis 587 auf S. 390) die doch zeitlich nur durch wenige Generationen von den Platten getrennt sein können, die Frauen sogar überwiegen; daß auf diesen Anhängern wie auf den Zähnen die Frauen meist »Rahmentrommeln« oder Glocken halten, ist sicher auch kein Zufall und führt uns ganz von selbst zu der Frage, ob die geschnitzten Zähne aus derselben Zeit stammen wie die Platten, oder ob sie wesentlich später entstanden sind; stilistisch besteht ja zwischen den beiden Gruppen jedenfalls ein großer Unterschied: Die Arbeit an den Zähnen ist meist roh, hart und eckig und läßt durchweg jene glatte Durchbildung ver- missen, die wir an den meisten Platten und an den älteren Köpfen so sehr bewundern; eine rein sti- listische Betrachtung könnte also leicht dazu führen, die Zähne um viele Gene- rationen später anzusetzen als die Platten; beachtet man aber vorwiegend den fast vollständigen Paralle- lismus des Inhalts beider Gruppen, wird man leicht dazu verführt werden, den nicht wegzuleugnenden sti- listischen Unterschied auf rein technische Gründe, d. h. auf das Material zurück- zuführen: es ist ja zweifel-

Abb. 800. Schlichthaarige Leute mit schräggeschlitzten Augen und mit einem »Stirnauge«. Von zwei Benin-Zähnen in Stuttgart. Vgl. S. 467.

los unendlich viel leichter, im weichen Wachs gefällige Formen zu erzielen, als im harten und spröden Elfen- bein. So war ich selbst viele Jahre lang geneigt, Platten und Zähne für im wesentlichen gleichaltrig zu halten; erst in den letzten Monaten bin ich zu einer mittleren Auffassung gelangt und nehme jetzt an, daß die geschnitzten Zähne um einige wenige Generationen, rund um ein Jahrhundert jünge sind als die Mehrzahl der Platten; sie würden also mit den späten Köpfen und den Sockelgruppen in das 17. Jahrh. gehören und so zu den geschnitzten Holzbänkchen überleiten, die wir in das 18. und 19. Jahrh. setzen müssen. Damit würde dann auch erklärt sein, warum gleichmäßig auf den Zähnen und auf den späten Sockelgruppen so viele Frauen erscheinen, während sie auf den Platten gänzlich fehlen. Ohne den Tat- sachen Gewalt anzutun, würde man dann auch annehmen dürfen, daß die kleinen schildförmigen Anhänger, auf denen so häufig Frauen dargestellt sind, etwas jünger sind als die Platten und also aus dem frühen 17. Jahrh. stammen. Diese Frauen aber scheinen in den Kreis der kultischen Musik zu gehören, und so ist es vielleicht nicht ganz phantastisch, wenn wir uns vorstellen, daß in Benin mit dem Beginn des 17. Jahrh. ein gewisser Umschwung in der sozialen Stellung der Frau einsetzt und daß die Frauen von der kultischen Musik aus anfangen, Objekte der Plastik zu werden, was sie im 16. Jahrh. noch nicht ge- wesen waren.

B. Zähne mit mehreren Flechtbändern. Den Übergang zu dieser zweiten Gruppe mit 25 [1]) bekannt gewordenen und erhalten gebliebenen Stücken bildet ein Zahn in Rushmore, P. R. 28,

[1]) 1. Berlin, III. C. 7645, Taf. 115 B, dicker und stark gekrümmter Zahn mit vier breiten Flechtbändern und mit drei

mit 5 ungefähr gleichmäßig über die ganze Fläche verteilten breiten Flechtbändern, deren Zwischenräume mit Figuren von Europäern, Krokodilen, Schlangen, Vögeln, Baumzweigen und Rosetten ausgefüllt sind; die Europäer haben zum Teil ihre Arme über der Brust verschränkt, genau wie zwei von den Fig. 799 B abgebildeten auf Zähnen aus Stuttgart; die andern halten die gleichen Gegenstände, die Fig. 755 und 781 in den Händen der Europäer erscheinen; durchweg aber haben alle auf diesem Zahne dargestellten »Europäer« das im vorstehenden Absatz erwähnte »Kyklopenauge« auf der Stirn, und zwar wiederum ganz besonders scharf umrissen und selbst auf den nicht sehr vollkommenen Autotypien bei P. R. so auf den ersten Blick in die Augen fallend, daß man kaum begreift, wie P. R. es übersehen konnte oder wenigstens mit Stillschweigen übergeht. In dem obersten sehr schmalen Streifen dieses Zahnes finden sich statt der ganzen Figuren nur zwei Köpfe von Europäern, gleichfalls mit dem »Kyklopenauge«. Die andern 25 Zähne mit Flechtbändern sind ohne figürlichen Schmuck; nur sind sie oft mit eigenartigen vertieften Zeichen versehen, die in ihrer einfachsten Form wie eine römische Eins oder wie eine schmucklose senkrechte Hasta, etwa wie ein großes lateinisches I aussehen; bei andern Zähnen werden die Ecken leicht ausgezogen, bei andern sowohl die seitlichen als die oberen und unteren Begrenzungslinien so eingezogen, daß fast sanduhrähnliche Formen entstehen, wie z. B. auf den Taf. 115, F und G abgebildeten Zähnen; vielleicht führte die gleiche Entwicklung dann noch weiter zu dem roh eingeschnittenen Zeichen auf dem Zahne E derselben Tafel; ab und zu sind die beiden seitlichen Begrenzungslinien des Zeichens etwas mehr vertieft als die Mitte; dann wird, besonders bei scharfem Seitenlicht, das Bild einer römischen II vorgetäuscht. In den Listen der Händler und auch in der spärlichen wissenschaftlichen Literatur erscheinen diese Zeichen als »Eigentumszeichen«, als »Königsmarken« oder mit besonderer Vorliebe, wie alles, was man sonst nicht unterbringen kann, als »Ju-Ju-Marken« bezeichnet; wir werden gut tun, solange wir über die wirkliche Bedeutung dieser Zeichen nichts wissen, einfach nur von »Marken« zu sprechen. Sie sind fast ausschließlich in der Mitte der konvexen Vorderseite angebracht, gewöhnlich nur eines, selten zwei übereinander, zwischen je zwei Flechtbändern. Ganz ausnahmsweise findet man auch drei solche Marken nebeneinander, so auf dem Taf. 115 I abgebildeten Zahne, wo dann eine von ihnen auch in der Seitenansicht zu sehen ist; häufig finden sich außer diesen vertieften »Marken« noch kleine, gegen die übrige Fläche leicht erhabene Darstellungen von Schwertern;

»Marken« zwischen ihnen; oder der mittleren ein Ebere, unter ihr ein Hiebschwert. — 2. Berlin, III. C. 7646, Taf. 115, i, großer Zahn, etwa 110 cm lang, mit fünf Flechtbändern. — 3. Berlin, III. C. 7647, Taf. 115 C, schlanker, kleiner Zahn, etwa 108 cm lang, mit drei Flechtbändern; zwischen den zwei unteren ein Hiebschwert und darüber eine »Marke« mit stark eingezogenen Rändern, im nächsten Raum zwischen den Flechtbändern eine gleiche Maske und über ihr ein Ebere. — 4. Berlin, III. C. 7648, Taf. 115 D, plumper Zahn, 105 cm lang, mit vier Flechtbändern, ober dem 1. und 3. je ein Ebere und ober dem 2. und 4. je ein gleichschenkliges Kreuz. — 5/6. Berlin, III. C. 7649 und 8218, Taf. 115 F und G, zwei unter sich fast gleiche Zähne, 130 und 120 cm lang, jeder mit fünf Flechtbändern und einer »Marke« ober jedem Flechtband. — 7. Berlin, III. C. 7650, Taf. 115 E, 98 cm hoch, ganz ohne Flechtband, mit einem Ebere, einem X-förmigen Zeichen und einem Hiebschwert. — 8. Berlin, III. C. 12 603, Taf. 115 H. schlanker Zahn, 132 cm in der Sehne messend; an zwei Stellen mit wirklichen schmalen Flechtbändern, an drei andern mit geichfalls ringsum laufenden Rändern, die mit einem Fischgrätenmuster verziert sind; in den Zwischenräumen 3 Ebere und 8 gekrümmte Welse; die beiden wirklichen Flechtbänder und die 3 Ebere waren ursprünglich mit Bronze- oder Messingblech beschlagen gewesen; einige Kupfernieten und eine intensiv grüne Färbung sind da noch als Reste dieser Beschläge erhalten. — 9. Dresden, 16 193, früher Webster 4951, siehe die Abb. 94 in dessen Kat. 19 von 1899, großer Zahn, 152 cm lang, ähnlich dem Berliner, Taf. 115, I, aber mit 5 Flechtbändern, die auf beiden Seiten mit einer schmalen, einen Besatz mit Kaurischnecken nachahmenden Kante; zwischen je zwei Flechtbändern jedesmal zwei »Marken«. — 10. 11. Hamburg, C. 2948 und C. 3645, beide ähnlich dem Berliner, Taf. 115 H; wie dieser mit grüngefärbten Flechtbändern, Schwertern und Fischen, bei dem letzteren noch drei aufgenietete Schwerter erhalten. — 12. Hamburg (bei Ad. Meyer), mannshoher, sehr gut erhaltener Zahn, ähnlich dem Berliner, Taf. 115 I, mit vier breiten Flechtbändern; im mittleren Zwischenraum ein Ebere, in den beiden andern je ein Hiebschwert. — 13. Leiden, 1286/10. Großer Zahn, 1,69 cm lang, mit 7 Flechtbändern; in jedem Zwischenraum auf der konvexen Seite je eine »Marke«. — 14. 15. Leipzig, H. Meyer, ein sehr großer Zahn mit 5, ein kleinerer mit 3 Flechtbändern. — 16. London, Brit. Mus. Großer Zahn mit 4 Flechtbändern. — 17. Stuttgart, I. C. 10 324, etwa 1m lang, mit 3 Flechtbändern. — 18 bis 23. Wien, Heger 105 bis 110. Sechs Zähne, darunter zwei große von 182 und 139 cm Länge; der eine mit 5, der andere mit 3 Flechtbändern, dieser auch mit je 2 »Marken« zwischen je 2 Flechtbändern; Heger 107, früher Webster 5853, ist rund 100 cm hoch, ganz unverhältnismäßig schlank, vermutlich künstlich verdünnt, mit 6 Flechtbändern; Heger 108 ist 98 cm hoch und hat 7 Flechtbänder mit je einer »Marke« zwischen diesen; Heger 109 ist 118 cm lang, sehr schlank, aus 2 Stücken so geschickt zusammengesteckt, daß man es leicht ganz übersehen könnte; im ganzen mit 4 Flechtbändern und ebenso vielen »Marken«; Heger 110 ist 101 cm lang und hat 2 Marken, außerdem an 2 Stellen ringsum laufende, ganz helle Bänder, während der übrige Zahn dunkel gebräunt ist; er war an diesen Stellen offenbar früher umwickelt gewesen. Solche Umwicklungen mit Zeug und mit dünnem Rutengeflecht habe ich vielfach in einem großen Zahnlager im Zollhaus von Mombassa und auch in den London-Docks gesehen; wie oben schon bemerkt, waren solche Umwicklungen vermutlich der Anlaß zu den schönen geschnitzten Flechtbändern von Benin. — 24. u. 25. Zwei im Handel, einer mit 2, einer mit 3 Flechtbändern Außerdem sind meines Wissens 3, vielleicht mehr, große, schöne Zähne mit solchen Flechtbändern von törichten und kurzsichtigen Leuten zersägt und auf Billardkugeln usw. verarbeitet worden.

dabei kommen Ebere und wirkliche Hiebschwerter (»Ada«) immer gemeinsam auf demselben Zahne vor; die drei Taf. 115 C, D und E abgebildeten Zähne geben dafür gute Beispiele. Etwas aus der Reihe fällt nur der Berliner Zahn Taf. 115 H; bei diesem kommt auf drei Ebere nur ein einziges »Ada«; auch sind bei diesem Zahne 9 gekrümmte Welse angebracht; ebenso sind die Flechtbänder nur zweisträhnig und waren, wie die Schwerter ursprünglich mit Bronzeblech überkleidet. Die gleiche Technik findet sich sonst nur bei den in der Anmerkung zu S. 470 mit 10 und 11 bezeichneten Hamburger Zähnen, wobei vielleicht erwähnt werden darf, daß auch der Berliner Zahn uns aus dem Hamburger Museum zugegangen ist; es liegt daher nahe, anzunehmen, daß diese drei Zähne ursprünglich zusammengehört haben oder wenigstens als eine einheitliche Variante aufzufassen sind. Drei weitere kleine Zähne, darunter Hamburg C. 2333, haben keine Flechtbänder, aber richtige, tief und sorgfältig eingeschnittene Marken. Von dem Berliner Zahn III. C. 7648, Taf. 115 D, ist in der Anmerkung unter Nr. 4 erwähnt, daß er zwei + förmige Kreuze aufweist; ich halte es für möglich, daß diese genau die Stelle der üblichen »Marken« einnehmenden Kreuze sich auch wirklich aus solchen entwickelt haben und so als »gekreuzte Marken« aufzufassen wären. Auch das noch eingeritzte X-förmige Zeichen auf dem Berliner Zahn Taf. 115 E mag sich aus der typischen »Marke« entwickelt haben; für diesen Zahn ist bereits bemerkt worden, daß er keine richtigen Flechtbänder aufweist; er ist trotzdem in die Reihe mit aufgenommen worden, weil er mit freilich ganz verrotteten Resten einer wirklichen Umflechtung einging und dieser entsprechend an zwei Stellen dunkle Bänder hatte, die freilich inzwischen fast völlig ausgeblichen und jetzt kaum mehr als solche zu erkennen sind.

Anhangsweise ist hier noch ein ganz besonderes Prachtstück zu erwähnen, Berlin, III. C. 4296, das hier Taf. 115 A zum Vergleich abgebildet ist. Ich habe es 1887 ohne Herkunftsangabe für Berlin erworben und denke, daß es vielleicht aus Dahome stammen dürfte, aber auch das südliche Kongobecken wäre nicht mit Sicherheit auszuschließen. Das mittlere Drittel des rund 2 m hohen Zahnes ist ganz von einem aus dem Vollen geschnitzten großen Reiter eingenommen, der auf einem der Knappheit des Materials entsprechend kleinen Pferde sitzt; der Mann hält in der Rechten ein breites Schwert, in der Linken eine sehr dicke, geflochtene Halfterschnur und einen schmalen Schild, hinter dem oben drei kurze, kegelförmige Stücke vorragen, wohl die Spitzen von drei Speeren; unter der linken Schulter wird, wie so oft in Benin, ein Dolch getragen, der in einer Scheide versorgt ist; die Stirn ist mit dicht nebeneinander liegenden vertikalen Ziernarben wie durchfurcht; auch an dem Oberarm finden sich jederseits drei lange Reihen von quergestellten Einschnitten; der Mann scheint bis auf einen Lendenschurz unbekleidet zu sein. Auf den sonst glatten Teilen des Zahnes ist vorn über dem Kopfe des Reiters in flachem Relief noch eine große Schildkröte und unter den Vorderfüßen des Reittieres der Kopf einer Antilope oder Ziege geschnitzt, die, wie in der Benin-Kunst, blattartig gefiederte Ohren hat und in jedem Mundwinkel einen Zweig festhält.

---

51. Kapitel.

Querhörner aus Elfenbein.

[Hierzu Taf. 116 und die Abb. 801—802 A.]

S. 191 (unter x) ff. sind die auf den Platten so häufig dargestellten Querhörner ausführlich behandelt; da ist bereits festgestellt, daß diese Instrumente das Blasloch stets auf der konvexen Seite hatten, und daß sie in der Regel aus Antilopenhörnern, sehr viel seltener aus Elfenbein geschnitten waren; naturgemäß haben sich nur die letzteren erhalten, und so kommt es, daß kaum mehr als 30 [1]) Stücke auf uns

---

[1]) 1 bis 3. Berlin, III. C. 7673, 20 074 und 26 374. — 4. Cöln, 5275, vgl. die Abb. im »Führer«, 3. Aufl. S. 206, 112 cm lang; »vielleicht Benin, jedenfalls Westnigerien«. — 5 bis 7. Dresden, zwei Querhörner, darunter eines, 16 121, vgl. Abb. 137 bei Webster, Kat. 21, sehr schlank, mit einem aufgesetzten kleinen Bronzezylinder; außerdem ein ähnlicher größerer Zylinder aus Bronze, mit drei Figuren, Masken, Schlangen usw., vgl. Taf. 103 C und die Abb. 29 in Websters Kat. 21. — 8 bis 11. Hamburg, darunter C. 2877, vgl. die Abb. 101 in Websters Kat. 24, mit dem Blasloch auf der konkaven Seite, also wohl nicht ursprünglich aus Benin stammend; von Hamburg, C. 3061 = Webster 11 586 ist nur der 4,5 cm hohe Bronzebeschlag erhalten, der durch sehr zahlreiche kleine Darstellungen von meist nicht zu deutenden Gegenständen ausgezeichnet ist. — 12/3. Leiden, 1286/8 und 1243/1. — 14—17. Rushmore, P. R. 178, 192, 261 und 302; die drei ersten Stücke sind 36, 32 und 36,5 cm lang und in der typischen Weise mit Schlangen, Krokodilen usw. verziert; dagegen ist das vierte Stück 117 cm lang und hat in dem sehr langen Abschnitt zwischen Spitze und Blasloch eine spindelförmige, mit Flechtbändern und Welsen verzierte An-

gekommen sind; auch von diesen ist die Mehrzahl sicher nicht sehr alt, aber doch gibt es einige, die wohl noch aus der großen Zeit von Benin stammen; mit ihrer unvergleichlich schönen dunkelbraunen Patina und matt glänzenden Oberfläche würden sie schon an sich Bewunderung verdienen, auch wenn sie

schwellung, die in der Art der Rasselstäbe (vgl. S. 450) ausgehöhlt ist. — 18 bis 23. Wien, 84 780, 64 756, 64 727, 64 785/6 = Heger 114 bis 118 und ein ganz besonders merkwürdiges Stück (II. 4058 der kunsthistor. Samml. des österr. Kaiserhauses, das kindischerweise nicht mit den übrigen Benin-Sammlungen, sondern in einem ganz andern Museum ausgestellt ist, wo niemand es sucht, wo es niemandem etwas sagt und wo es in den Köpfen der Besucher nur Verwirrung anstiften muß, während es an seinem richtigen Platz als ein schönes und lehrreiches Stück geschätzt und bewundert werden würde. So ist es doppelt dankenswert, daß F. Heger es 1899 in den »Mitt. d. Wiener anthrop. Ges.« Bd. 29, S. 101 ff. sehr sorgfältig beschrieben und Taf. III, Fig. 1 ab abgebildet hat. Es

stammt, wie schon Heger nachweist, unzweifelhaft aus Benin und zeigt, vgl. hier Abb. 801 a b, einen richtigen Benin-Mann, der auf einem Elefanten reitet; eine solche Darstellung ist kulturhistorisch sehr auffallend und für Benin nicht weiter belegt. Daß im 15. Jahrh. in Portugal bei festlichen Gelegenheiten auf Elefanten geritten wurde, geht aus der hier S. 28 erwähnten Beschreibung eines Volksfestes hervor; außerdem wissen wir, daß schon im 3. vorchristl. Jahrhundert afrikanische Elefanten von den Karthagern für Kriegszwecke gezähmt wurden; es liegt also kein Grund vor, für jenen Elefantenreiter auf einem Benin - Horn unmittelbaren Einfluß aus Indien anzunehmen. Sehr auffallend ist auf diesem Horn aber der unter den Füßen des Elefanten angebrachte Vogel: er hat ausgesprochenen heraldischen Charakter! Unter den andern Wiener Hörnern ist das hier Fig. 802 abgebildete durch seinen reichen bildnerischen Schmuck und seine ganz ungewöhnlich schöne dunkelbraune Patina gleich ausgezeichnet. Besondere Erwähnung verdient das Wiener Horn 64 756, Heger 115, das in der Nähe seiner Schallöffnung den hier Erg.-Bl. X 802 a abgebildeten Kopf trägt. Ich bin Herrn Kollegen Heger für die Erlaubnis, diesen sonderbaren und mir durchaus unverständlichen Kopf hier abzu-

Abb. 801 a. Querhorn, Wien, etwa ²/₅ d. w. Gr.
Abb. 801 b. Oberes Ende desselben Hornes, etwa 5/6 d. w. Gr.

Abb. 802. Querhorn, Wien 64727, Gips in Berlin III. C. 20 828. Abgerollte schematische Zeichnung, ¹/₂ d. w. Gr.

nicht durch feine Schnitzarbeit ausgezeichnet wären. Die weite Schallöffnung hat, um sie gegen Bruch zu schützen, häufig verdickte Wände; bei mehreren Stücken ist das Horn noch durch ein angenietetes oder aufgesetztes röhrenförmiges Ansatzstück aus Bronze verlängert. Auch einige lose Zierstücke dieser Art haben sich erhalten. Das Blasloch hat in der Regel die Form einer rechteckigen Grube von etwa 3 cm Länge und etwas über 1 cm Breite und Tiefe; seine Fortsetzung liegt nicht etwa am Boden dieser Grube, sondern an einer ihrer Schmalwände und kann daher leicht ganz übersehen werden. Ich habe selbst einmal beobachtet, wie jemand ein solches Stück erst bewundernd in der Hand hielt und es dann plötzlich ganz erstaunt weglegte — das sei überhaupt kein Horn, denn es habe kein Blasloch. Bei andern Stücken ist das Blasloch gegen die übrige Oberfläche nicht vertieft, sondern in einen Höcker von geringer Wandstärke eingelassen, der beim Blasen von den Lippen umfaßt wird. Einige Hörner sind ähnlich den großen Zähnen in der Gegend der Mündung mit Flechtbändern verziert; ein vorzügliches altes Stück, Nr. 17 der Anmerkung auf S. 471, erweist sich sogar als mit einem Rasselstabe kombiniert. Manche Sammlungen führen unter der Angabe »Benin« auch Hörner mit dem Blasloch auf der konkaven Seite; bei keinem einzigen von ihnen wird die Angabe durch innere Gründe gestützt; man wird ihr also bis auf weiteres mit Mißtrauen gegenüberstehen dürfen. Für weitere Einzelheiten verweise ich auf die Liste in der Anmerkung zu S. 471.

Hingegen sind hier noch die beiden schönen Berliner Hörner zu erwähnen, die Taf. 116 abgebildet sind; von den größeren, III. C. 8094, Taf. 116 A und D, besitzen wir im M. f. V. nur einen Abguß; das Original liegt ohne Herkunftsangabe im Berliner Zeughaus. Es ist 64 cm lang und in einem Stile geschnitzt, der etwa an die Taf. 120 abgebildeten Kelche erinnert. Das wie trichterförmig aufgesetzte Blasloch ist auf der konkaven Seite. Das Horn ist also wohl nicht in Benin selbst gemacht, doch dürfte es aus einer nicht allzu weit entfernten Landschaft der Küste von Oberguinea stammen; ich werde in einer andern Schrift auf dieses Stück und seine Verwandten wieder zurückkommen. Das kleinere Horn Taf. 116 B, C, Berlin, III. C. 8281, haben wir 1898 mit der Angabe »Dahome« erworben, sie scheint nicht sehr zuverlässig, aber ich wüßte keine bessere an ihre Stelle zu setzen. Das Blasloch hat genau die Form und Art wie bei den Querhörnern aus Benin selbst, aber es liegt auf der konkaven Seite; auch kenne ich aus Benin keinerlei Analogien weder für die Maske mit den in Spiralen ausgehenden Bartfäden, noch für die so kraftvoll stilisierte Heuschrecke mit den langen, gegliederten Fühlhörnern, noch für den langzackigen, wie eine Krone gestellten Kelch, noch für das drachenartige Tier an der Spitze des Hornes. Jedenfalls gehört das 47 cm lange und tadellos erhaltene Stück zu den schönsten Querhörnern, die uns aus der näheren oder weiteren Umgebung von Benin bekannt geworden sind.

---

52. Kapitel.

Figuren, Köpfe und kleinere Schnitzwerke aus Elfenbein und Holz.

[Hierzu Taf. 117 C bis F und die Abb. 803 bis 810, davon 809/10 auf Erg.-Blatt X.]

A. Unter den in diesem Kapitel zusammengefaßten Altertümern nehmen sechs in Hamburg, Leiden, Rushmore und Wien befindliche Figuren trotz ihrer gleichmäßig sehr schlechten Erhaltung, was künstlerische Bedeutung angeht, weitaus die erste Stelle ein. In der Abb. 803 habe ich versucht, nach den mir zur Verfügung stehenden, meist minderwertigen Vorlagen wenigstens eine ungefähre Vorstellung von der Eigenart dieser Bildwerke zu geben; ich kann nur hoffen, daß gerade die ganz unzureichenden Abbildungen, die ich hier bringen muß, die glücklichen Verwalter dieser kostbaren Schätze veranlassen werden, uns recht bald mit einer einwandfreien Veröffentlichung zu erfreuen. Inzwischen genügen die hier gegebenen Ansichten, um zu zeigen, wie sehr diese Bildwerke unter sich zusammengehören und wie sehr sie von allem abweichen, was wir sonst aus Benin kennen. Die großen weit geöffneten Augen, deren

---

bilden, aufrichtig verbunden. — 24—29. Sechs im Handel oder in Privatbesitz befindliche Querhörner, belanglos, meist auch mit dem Blasloche auf der konkaven Seite, also quoad Ursprung bedenklich. — 30. Sammlung Egerton, 78 cm lang, ganz in der Art der Kap. 50 A beschriebenen geschnitzten Zähne behandelt, auch mit einem breiten Flechtband um die Schallöffnung; mit menschlichen Figuren, fressenden Tieren, zweiköpfigen Vögeln usw. geschmückt, die dem Stile nach etwa um eine Generation jünger sein mögen als die auf den Zähnen; die Spitze des Hornes endet in einen menschlichen Kopf.

Iris einst sicher mit schwarzem Holz eingelegt war, die dicken, wulstigen, in der Mitte aber stark eingezogenen Lippen, die mächtige Entwicklung der Kieferwinkelgegend, vor allem aber die ungemein geringe
Kinnhöhe und die tiefen Falten, die von der Mitte der Nasenwurzel[1]) zu den inneren Augenwinkeln
ziehen, würden diese Figuren als eine in sich geschlossene Gruppe erkennen lassen, auch wenn sie nicht
durch eine eigentümliche und sonst in Benin nicht beobachtete Art der Verwitterung von vornherein als
zusammengehörig gekennzeichnet wären. Außerdem aber hatten sie, von der einen weit kleineren Figur
in Leiden abgesehen, alle gleichmäßig eingedübelte Arme und stehen alle gleichartig auf niedrigen, auffallend kleinen Sockeln, die alle durchaus den Eindruck machen, als wären sie nicht die eigentlichen Stand-
sockel, sondern als wären die Figuren mittelst dieser rechteckigen Klötze in einen größeren Untersatz
oder etwa in ein gemeinsames Brett eingesenkt gewesen.

Von der schönsten dieser Figuren existieren zwei unter sich fast ganz gleiche Exemplare, eines

803 a   803 b   803 c   803 d

Abb. 803 a—d. Elfenbeinfiguren, a bis c etwa ¹/₅, d ²/₅ d. w. Gr. — a. Weibliche Figur nach einer Abb. von L. R. in »Studio«,
damals im Besitze von R. K. Granville, seither in Rushmore, P. R. 164. — b. Wien, 64 725, Heger 90; weibliche Figur mit hoher
kegelförmiger Mütze. — c. Wien 64 784, Heger 88, männliche Figur, die in den fehlenden Händen zweifellos einen Hammer und
einen Stab gehalten hatte. Bei allen diesen drei Figuren waren die Arme aus besonderen Stücken Elfenbein geschnitzt und in die
Schultergegend eingedübelt; daß sie beweglich und wahrscheinlich verstellbar angebracht waren, wie einmal gesagt wird, möchte ich
nicht annehmen. Bei der Wiener Figur 64 725 ist noch ein Rest des eingedübelten rechten Armes und ein Kupfernagel erhalten, der
ihn festhielt. — d. Männliche Figur, Leiden 1164/11. 26 cm hoch.

P. R. 164, in Rushmore, hier Fig. 803 a, das andere, 64 701 (Heger 89) in Wien; sie sind 53 cm hoch,
ohne Arme, aber mit großen, quadratischen Dübellöchern von etwa 3 cm Seitenlänge. Der Oberkörper
ist unbekleidet, mit kleinen, sehr diskret angedeuteten welken Hängebrüsten; von der Mitte bis in die
Kniegegend reicht ein glatter »Rock«, vom Gürtel hängen bei beiden Figuren fünf schildförmige Masken
mit einem Schellenkranz; Heger spricht von »abgerundeten verzierten Lappen«, ich glaube an der Wiener
Figur Panthermasken zu erkennen; solche werden von P. R. auch für die Figur in Rushmore angegeben;
ich möchte aber bei dieser sehr viel eher an Krokodilköpfe denken; jedenfalls haben aber beide Figuren
am Gürtel Masken von der Art hängen, wie wir sie im Kap. 28, S. 381 ff. beschrieben und abgebildet haben.

Gleichfalls paarweise ist eine andere solche Figur vorhanden, Hamburg, C. 2425 und Wien, 64 725,
Heger 90, hier Abb. 803 b; sie ist weiblich, mit nacktem Oberkörper, kleinen Brüsten und der für die

---

[1]) Unter Nasenwurzel ist die wirkliche Nasenwurzel im anatomischen Sinne verstanden, also die Gegend des Nasion-Punktes,
in der die beiden Nasenbeine mit dem Stirnbein zusammenstoßen. Die tiefste Einsattlung des Nasenrückens, die manche Laien
als »Nasenwurzel« bezeichnen, liegt sehr viel tiefer.

Benin-Frauen typischen Körpertätowierung; den Kopf bedeckt eine hohe, kegelförmige Haube, der kurze »Rock« scheint unverziert und ohne Gürtelgehänge. Besonders merkwürdig ist die fünfte Figur, Wien 64 784, Heger 88, hier Abb. 803 c; an der niedrigen Kopfbedeckung, den »Schnurrhaaren« an den Mundwinkeln, den »Spitzenkragen« und dem Halskreuz erkennt man auf den ersten Blick den uns längst vertrauten Mann mit Stab und Hammer; dieselben Attribute hat er selbstverständlich auch auf der Elfenbeinfigur gehabt; leider sind sie mit den Armen verloren gegangen. Auch die beiden Lendenschurze stimmen durchaus mit denen, die wir auf den Taf. 68 sowie auf den Fig. 428, 433 und 434 abgebildeten Bronzen kennengelernt haben. Wir wissen, daß diese Leute meist paarweise auftreten, und werden daher annehmen, daß es auch zu dieser Wiener Figur ein bisher noch unbekanntes Gegenstück von genau gleicher Größe, 53 cm, gegeben haben muß. Wir werden uns aber noch weiter denken dürfen, daß die bisher erwähnten fünf Elfenbeinfiguren und noch einige mehr ursprünglich auf einer gemeinsamen Unterlage befestigt waren und so ein einheitliches Kunstwerk bildeten, das ähnlich wie die Taf. 84 und 85 abgebildeten Bronzegruppen einen feierlichen Umzug darstellte. Leiden besitzt einen sehr verwitterten menschlichen Arm 1286/9, der, nach den erhaltenen Dübelresten zu urteilen, einer solchen Figur angehörte; stilistisch gehört auch die Fig. 803 d abgebildete nackte männliche Figur, Leiden 1164/11, in denselben Kreis; sie ist nur 26 cm hoch, hat die Arme nicht eingedübelt, sondern aus dem Vollen geschnitzt und steht auch auf einem etwas anders geformten Sockel; ob sie trotzdem zu demselben Bildwerk gehörte, muß unentschieden bleiben.

Unter den 15 [1]) kleineren Figuren aus Elfenbein, Knochen und Holz, die sonst aus Benin stammen, schließt sich stilistisch nur eine, R. D. II. 3, an die 5 großen an; es ist eine knieende junge Frau von tadelloser Erhaltung, nackt, mit einer Perlschnur um die Hüften und zwei solchen um den Hals, mit den Händen die Brüste stützend, die Augensterne mit dunklem Holz eingelegt, ohne Stirnnarben, aber mit der für die Frauen der guten Zeit typischen Rumpftätowierung. Das schöne, 15 cm hohe Figürchen ist schon lange vor der Zerstörung Benins in das Brit. Museum gelangt und gehört in den Kreis der Taf. 121 und Erg.-Blatt V und W, Fig. 825 bis 828 abgebildeten Deckelgefäße, die ja auch schon vor vielen Generationen nach Europa gekommen sind.

B. Gleich wie den zahlreichen Bronzefiguren auch solche aus Elfenbein entsprechen, so gibt es neben den vielen gegossenen Köpfen auch einige aus Elfenbein geschnitzte. Das Berliner Stück III. C. 17 109 ist Taf. 117 c abgebildet, ein sehr ähnliches aus der Sammlung Egerton hier, Fig. 804; von dem dritten, jetzt in Dresden befindlichen, stark verwitterten und nur 24 cm hohen Kopfe gibt es eine schlechte Abbildung im Katalog 24 von Webster. Diese drei Köpfe, andere kenne ich nicht, entsprechen etwa den Taf. 54 abgebildeten Bronzeköpfen, dürften aber nicht unwesentlich jünger sein. Die Augensterne sind mit dunklem Holz, bei dem Dresdener mit Eisen eingelegt; ebenso sind die Stirnnarben behandelt und eine Y-förmige Tätowierung, die bei allen dreien vom Rande der genetzten Kappe über Stirn und Nasenrücken gegen die Nasenspitze zu verläuft, wobei der zur Kappe gehörige spindelförmige Anhänger von den Schenkeln des Y eingeschlossen wird; daß die »Kropfperlen« durchweg spindelförmig sind, wie sonst nur bei dem Berliner Bronzekopf Taf. 63 B und bei den großen Zähnen, ist vermutlich nur im Stile der Elfenbeinschneider begründet; ebenso ist das Scheitelloch durch die Form der Pulpahöhle bedingt und darf daher mit den Scheitellöchern der Bronzeköpfe in keinen Zusammenhang gebracht werden.

C. Auf Taf. 117 ist in der Mitte ein 45,5 cm hohes Schnitzwerk, Berlin, III. C. 8752, mit einem

---

[1]) 1. Berlin, III. C. D. 8061, Elfenbein, 9,7 cm hoch, siehe Taf. 117 D. — 2. Berlin, III. C. 26 375, gebräuntes E, 12 cm hoch. — 3. Hamburg, C. 2955, Holz, hinten ein langer Zopf bis fast an den Schurz herabhängend. — 4. Leiden, 1243/32. Sehr rohe weibliche Figur, Holz, 24 cm hoch. — 5. London, R. D. II. 3. Knieende weibliche Figur, Elfenbein, vgl. oben im Text. — 6. London, erst nach Abschluß des Werkes von R. erworben, sehr roh, Holz, etwa 35 cm hoch. — 7. Rushmore, P. R. 31, Elfenbein, ganz besonders rohe weibliche Figur mit extrem kurzen Beinen, Augensterne und Stirntätowierung schwarz eingelegt. — 8 bis 15. Wien, darunter: 64 702 = Heger 91. ♂. 18 cm hoch, Elfenbein, mit einer durchgehenden zylindrischen Durchbohrung von der Standfläche bis zum Scheitel; 64ᵢ790 = Heger 95, nackte knieende weibliche Figur, unter der gewöhnlichen Stirntätowierung noch ein breiter siebenter Streifen vom Haarrand zur Nasenwurzel; vielfach von Ratten benagt; 64 791 = Heger 126, ♀, Holz, 19,6 cm hoch, mit gekreuzten Perlbändern über Brust und Rücken, Königin? 64 703 = Heger 93, Knochen, nicht Elfenbein, ♀, 10,5 cm hoch, am Scheitel und unten je eine scharfkantige ovale Vertiefung, anscheinend zur Aufnahme von eingedübelten Gegenständen, durchgehende Dübellöcher sind vorhanden; die Stifte waren wohl aus Kupfer, da die Figur stellenweise grünlich gefärbt ist; 64 806 = Heger 96, knieende ♀ Figur, Elfenbein, 11 cm hoch, in den Händen anscheinend einen verzierten Flaschenkürbis haltend (Heger hat »Gegenstand von der beiläufigen Form einer sehr großen Spinne«), auf dem Kopfe eine Höhlung, wohl zur Aufnahme eines weiteren Gegenstandes; zahlreiche Nagespuren von Ratten; 64 807 a Doppelfigur, Efenbein, etwa 7,5 cm hoch; war bei der Erwerbung, zweifellos mit Unrecht, als Klöppel im Innern einer Elfenbeinglocke, 64 807 = Heger 119 (siehe hier S. 372), befestigt gewesen.

auf europäische Art reitenden gepanzerten Benin-Krieger abgebildet. Das etwas klein geratene Pferd steht auf einer Plinthe, die ihrerseits einem drehrunden »Griff« aufsitzt; dieser sichtlich durch vieles Angreifen geglättete Teil ist unten bis zu etwa 4 cm Tiefe ausgebildet und hat seitlich ein kleines Dübelloch; was da ursprünglich hineingesteckt war, ist unbekannt. Man könnte das Stück als Wedelgriff deuten, aber es gibt keinerlei sicheren Beleg für eine solche Auffassung. Ein ganz gleichartiges Stück im Brit. Museum wird »Man« X. p. 50 mit den von einem Vogel gekrönten Aufschlag-Idiophonen verglichen, was der Form nach ungefähr zutrifft, aber, was die Funktion angeht, sicher abwegig ist. Ganz verkehrt ist sicherlich die Angabe im Auktionskatalog Ansorge 1909, wo das gleiche Stück als Türverschluß (*door peg*) bezeichnet wird. Es gibt noch einige weitere ganz gleichartige Stücke [1]), alle mit derselben kurzen und dünnwandigen Dülle, die für ein Musikinstrument ganz zwecklos wäre, und alle sehr stark abgegriffen.

Abb. 804. Aus Elfenbein geschnitzter Kopf der Sammlung Egerton. Etwa 1/3 d. w. Gr.

Abb. 805/6. Schnitzwerke aus Elfenbein mit ganz kurzer Tülle, nach K. Hagen Ber. f. 1901, Hamburg C. 2935, 1/3 d. w. Gr. und Rawson 17, etwa 1/5 d. w. Gr.

Abb. 807. Schwertförmiges Schnitzwerk aus Elfenbein, 52 cm lang. C. C. 987. Erworben 1878.

805 806

807

D. Tierfiguren aus Elfenbein sind sehr selten. Berlin besitzt das ausgezeichnet schöne, nur 68 mm lange, kleine Chamäleon III. C. 8062, das, wie Taf. 122 lehrt, mit erstaunlicher Naturwahrheit und mit genauester Wiedergabe aller Einzelheiten in der Kopfform, Zehenbildung, Haltung usw. geschnitzt ist. Ebenso besitzt Berlin einen ohne die fehlenden Zehen 16 cm hohen Ibis, III. C. 10 870, Taf. 117 F. Sonst ist hier nur noch das flache Relief eines Panthers zu nennen, das 1909 bei der Auktion Ansorge

---

[1]) Hamburg, C. 2935, Abb. 805, mit hohem Helm, sonst dem Berliner und dem Londoner Stücke durchaus gleichartig. Weiter gibt es sechs solche Stücke, bei denen aber auf der Plinthe statt dem gepanzerten Reiter eine Frau steht, die eine Glocke anschlägt, vgl. Abb. 806. Auch bei diesen sechs Stücken (Dresden 13 841, Leipzig London [R. D. S. 40], Wien 64 726 [Heger 98], Egerton [hier Fig. 639 rechts abgebildet] und dem Fig. 806 abgebildeten Stück aus der Sammlung von Admiral Rawson) bildet das untere Ende des Griffes eine Dülle, und ebenso sind regelmäßig Dübellöcher vorhanden; sowohl die mit dem Reiter als die mit der musizierenden Frau müssen also notwendig demselben Zwecke gedient haben. Berlin besitzt noch ein weiteres Stück dieser Art, mit einem Reiter, von großer Schönheit und sehr dunkel gebräunt, III. C. 12 533, leider unvollständig, siehe die Abb. 36 in Kat. 29 von Webster, 1901, Nr. 11 373.

aus dem Nachlaß von Sir Ralph Moor in das Brit. Museum gelangte. Die beiden großen Panther aus Elfenbein, die 1897 aus der Kriegsbeute von Benin an die Königin Viktoria gesandt wurden, sind schon in der Anmerkung zu S. 337 erwähnt worden, ebenso der schöne Pantherkopf Wien 64 760, Heger 100, der zweifellos zu einem ganzen solchen Tiere gehörte. Mit Bezug besonders auf das oben erwähnte alte Chamäleon verweise ich noch auf Abb. 491, S. 334, mit Tierdarstellungen aus Dahome, unter denen ein großes, aus Holz geschnitztes Chamäleon gleichfalls durch seine Naturwahrheit überrascht. Ganz eigenartig ist das hier Abb. 808 reproduzierte kleine Schnitzwerk. Seine Zugehörigkeit nach Benin ist zweifelhaft; es ist ohne Herkunftsangabe schon 1874 in London aufgetaucht.

E. Als »Prunkstücke« seien hier einige Schnitzwerke verzeichnet, darunter zunächst zwei, die vielleicht ebensogut schon im Anschluß an die aus Bronze gegossenen »Zeremonialgeräte« hätten erwähnt werden können; so das schöne »Schwert« aus Elfenbein, Abb. 807, das ich schon 1878 gemeinsam mit A. W. Franks bewundern konnte, der es damals ohne Herkunftsangabe erworben und der Christy-Collection geschenkt hatte; nach den Tätowierungen wird man das Stück kaum nach Benin selbst setzen dürfen, aber es gehört wohl in seine unmittelbare Nachbarschaft. Dasselbe gilt von dem Fig. 808 abgebildeten, fast an gotische Wasserspeier erinnernden grotesken Kopf. Aus Benin selbst stammt aber sicher ein leicht gekrümmter Stab von der Form eines großen Querhornes, das L. R. im »Studio« 1898 abgebildet hat (Fig. 12, 15 und 34) und auf dem die ganze Fülle der Tiersymbolik von Benin in vorzüglicher und typischer Technik vertreten ist. Ganz rätselhaft erscheinen einstweilen die drei Geräte, die auf dem Ergänzungsblatt X Fig. 809 und 810 a b abgebildet sind; in England bezeichnete man die zwei letzteren als *door-bolts*, aber die wirkliche Bestimmung dieser schönen und ganz im Stile der alten Benin-Kunst verzierten Stücke ist unbekannt; sicher ist nur, daß die Stücke unter sich zusammengehören; das schönste von den dreien, Wien 64 781 (Heger 99), hat als Griff eine rund gearbeitete Figur eines Eingebornen und auf einer der Breitseiten die Relieffigur eines Europäers in der Art der Fig. 755, 762 und 781 abgebildeten; der Auffassung der von ihm in den Händen gehaltenen Gegenstände als »Gürtelenden« kann ich mich nicht anschließen; sein Gesicht wird als »typisch negerhaft« beschrieben, aber das lange, schlichte Haupthaar und die Tracht des Mannes gestatten keinen Zweifel an der europäischen (oder indischen??) Herkunft des Mannes.

Abb. 808. Schnitzwerk aus Elfenbein, 10 cm hoch. Brit. Museum Geschenk von A. W. Franks 1874.

Gleichfalls als »*door-bolts*« werden einige 26 bis 35 cm lange runde, an einem Ende verjüngte Geräte bezeichnet, die aus den spitzen Enden kleinerer Zähne gefertigt und am stumpfen Ende mit einem menschlichen Kopfe oder mit einer knieenden Figur geschmückt sind; das beste dieser Stücke ist in Rushmore, vgl. die Abb. P. R. 190; ein anderes ist in Websters Kat. 24, Fig. 65 abgebildet. In die gleiche Reihe gehört vielleicht auch das kuriose Stück Webster 9797 (Abb. 27 in W.s Kat. 24); es ist 29 cm lang und schlank kegelförmig; das spitze Ende scheint beschädigt, das stumpfe ist als Benin-Kopf geschnitzt. In der »Schultergegend« sind zwei kleine eiserne Arme um einen Eisenstift beweglich angebracht. Andere dieser Stücke, so z. B. auch eines aus Holz, Leiden 1243/40, früher Webster 9504, Abb. 65 im Kat. 24 von 1900, erinnern auffallend an die »Setznägel« unserer Gärtner und haben vielleicht demselben Zwecke gedient. Ähnliche Formen haben Rasseln oder Klappern von 25 bis 40 cm Länge, die aus Crevellen (Stoßzähnen ganz junger Elefanten) hergestellt sind; das offene Ende dient als Glocke und ein an einem quer durchgesteckten Dorn befestigtes Stück Elfenbein oder Holz als Klöppel; das beste Stück dieser Art ist Hamburg C. 2899, mit einer knieenden Frau und mit schön dunkelbrauner Patina. Ein zweites, mit einem Benin-Kopf zwischen Griff und Glocke ist P. R. 172 abgebildet; einige andere waren schon vor 1897 und ohne sichere Herkunftsangabe in das Brit. Museum gelangt. Völlig vereinzelt ist ein 7 cm langer und 2 cm dicker, drehrunder Elfenbeinzylinder, Wien 64 826 (Heger 122), dessen Mantelfläche durch schmale Querbänder in 6 leicht gezähnt aussehende Abschnitte geteilt ist; sein wirklicher Ursprung scheint unsicher; vielleicht ist es ein Ohrpflock von einem benachbarten Stamme im Hinterland.

Abb. 811. Abgerollte Zeichnung eines Gefäßfußes aus Elfenbein, Berlin III. C. 168. Etwa 1/3 d. w. Gr.

53. Kapitel.

Unter europäischem Einfluß entstandene Schnitzarbeiten aus Elfenbein.

[Hierzu Taf. 119 und 120 sowie die Abb. 811 und 812.]

Die in den Bereich dieses Kapitels fallenden Blashörner, Becher, Kelche, Löffel usw. sind von so großer Mannigfaltigkeit, von so auserlesener Schönheit und von so allgemeinem Interesse, daß es wünschenswert erscheint, sie zum Gegenstand einer selbständigen Untersuchung zu machen, statt sie hier gleichsam nur nebenher zu besprechen. Wie sehr diese Stücke außerhalb des diesem Buche gesteckten Rahmens fallen, erhellt auch schon aus einem zwar ganz äußerlichen, aber doch sehr bezeichnenden Umstande: Nicht ein einziges dieser Schnitzwerke ist mit den übrigen Benin-Altertümern 1897 nach

Abb. 812 a, b. Fuß eines kelchartigen Gefäßes aus Elfenbein, Leiden, 1131/1. Nach Marquart X. 1. 2. Auch abgebildet von Schmeltz, I. A. E. 1897, T. XVIII, 5 und S. 262, sowie in zwei anderen Ansichten bei Pettazzoni, Avori scolpiti africani, Roma, Calzone 1912 (Estr. dal »Bollettino d'Arte«).

Europa gelangt — alle sind sie schon seit Jahrhunderten in unseren Raritätenkammern und in fürstlichem Besitz. Sie sind, wo immer sie gemacht wurden, niemals volkstümlich gewesen; von Fall zu Fall, auf Bestellung, meist wohl nach fremden Vorlagen oder Zeichnungen gearbeitet, wurden sie abgeliefert, sobald sie fertig waren, und sind ebenso ohne jeden Einfluß auf die einheimische Kunst geblieben, wie sie auch ihrerseits von dieser nicht innerlich, sondern nur technisch beeinflußt waren. Deshalb genügt es, in diesem Buche nur einige Proben mitzuteilen; ich habe besonders bezeichnende gewählt; so sieht man bei den drei Kelchen auf Taf. 120 sofort, daß sie europäischen Metallarbeiten nachgebildet sind, und ebenso können die beiden Gefäße auf Taf. 119 ihren Ursprung nicht verleugnen; sie sind unvollständig, aber leicht zu ergänzen; der fehlende Untersatz ist halbkugelförmig, genau wie die obere Schale und wird von den Beinen der vier Männer bzw. der zwei Pferde gestützt, die ihrerseits auf einer kreisrunden Plinthe aufruhen. Außerdem gebe ich hier Fig. 811 und 812 noch Abbildungen von zwei Bruchstücken, Berlin, III. C. 168 und Leiden 1131/1. Beides sind untere Stücke von kelchartigen Gefäßen gleich den auf Taf. 120 abgebildeten. Die »abgerollte« Federzeichnung des Berliner Stückes habe ich wegen seiner ganz besonders zierlichen Arbeit gewählt, die zwei Abbildungen des Leidener Kelchfußes [1]) wegen der mißglückten Wiedergabe des heraldischen Wappens und wegen der Frau mit dem Kinde, die man vielleicht für die Nachbildung einer Madonna halten darf. Andere denken an eine Nonne und dann gleich auch an ein ganzes portugiesisches Nonnenkloster in Benin, so daß sie in diesem Zusammenhang an eine Mitteilung von eingebornen Würdenträgern vom Jahre 1897 erinnern können, nach der Ahammangiva, der angebliche weiße Lehrer des Bronzegusses, »viele Frauen und keine Kinder« gehabt habe, also etwa im Hauptamte Beichtvater eines solchen Nonnenklosters gewesen sei; ich will solche Möglichkeiten nicht *a limine* abweisen, muß mich aber einstweilen darauf beschränken, sie einfach zu verzeichnen, ohne irgendwie Stellung zu ihnen zu nehmen.

Abb. 813. Stuhl aus Bronze, Berlin, III. C. 20 295, etwa ²/₉ d. w. Gr.   Abb. 814. Stuhl aus Bronze, Berlin III. C. 20 296, etwa ¹/₄ d. w. Gr.

54. Kapitel.
Runde Schemel aus Bronze und aus Holz.
[Hierzu die Abb. 813 bis 824.]

Im Gegensatze zu den meist dreibeinigen Stühlchen, die in großen Teilen von Ostafrika verbreitet sind, finden sich im Westen durchweg etwas größere Schemel, wie jene auch aus dem Vollen geschnitzt, aber meist mit einer kreisrunden Bodenplatte von derselben Größe wie die Sitzfläche. Besonders aus Nordwestkamerun besitzt das Berliner Museum große Serien von solchen Schemeln, darunter manche von wirklich künstlerischer Schönheit. Einige sind ganz mit bunten europäischen Perlen, andere mit Kaurischnecken bedeckt oder wenigstens an den Rändern mit solchen eingefaßt. Die Sitzfläche ist meist von menschlichen oder Tierfiguren gestützt, die in durchbrochener Technik geschnitzt sind. Im alten Benin waren diese Stühle anscheinend durchweg von zwei mehrfach verschlungenen Schlangen getragen, von

---

[1]) Selbstverständlich ist es ein Fuß, nicht ein Deckel. Bei M. S. 69 heißt es zwar: v. L. »behauptet, aber ohne Beweis, daß es sich nicht um den Deckel, sondern um den Fuß eines kelchförmigen Gefäßes handle, und Dr. Schmeltz (I. A. XIV. S. 216) hat ihm beigepflichtet«; der gelehrte Kollege hat sich da im Ausdrucke wohl etwas vergriffen: Ich habe in dieser Sache nichts »behauptet«, sondern nur einen völlig offenkundigen Sachverhalt mitgeteilt. Die richtige Auffassung des Bruchstückes wäre auch für M. ganz leicht gewesen, wenn er die ganzen Stücke gekannt hätte, die in diesen Kreis gehören.

Abb. 815. Sitzfläche des Fig. 813 abgebildeten Stuhles aus Bronze. Etwa ¹/₄ d. w. Gr.

Abb. 816. Die dem Boden zugewandte Fläche des Fig. 813 abgebildeten Bronzestuhles.

denen eine immer ihren Kopf auf der oberen Fläche der Bodenplatte aufruhen hatte, während die andere mit ihm die Sitzfläche zu stützen schien. Von solchen Stühlen kenne ich 5 ¹), die alle ihrem Erhaltungs- zustande nach ganz gut noch aus dem 16. oder 17. Jahrh. stammen könnten, da sie aus einem sehr harten Holz geschnitzt sind.

Diesen hölzernen Schemeln entsprechen nun auch die beiden aus Erz gegossenen Berliner Rund- stühle, III. C. 20 295/6, kostbare Prachtstücke allerersten Ranges, die zur Kriegsbeute von Sir Ralph Moor gehörten und 1905 in offener Auktion (J. C. Stevens) für Berlin erworben wurden. Das erste dieser Stücke ist 40 cm hoch; der Durchmesser der Sitzfläche beträgt 40,5 cm. Die beiden Schlangenleiber sind dicht mit erhaben gegossenen Schuppen, sämtliche andern Flächen des Stuhles durchaus, teilweise mit eingepunztem Zierat, teilweise mit Reliefs bedeckt. Am reichsten ist die Sitzfläche (Abb. 815) aus- gestattet. Sie ist leicht konkav, nur ein schmaler Rand ist etwas nach außen abfallend; diesen schmücken zwei Schlangen, jede mit einer menschlichen Hand (oder Greifhand eines Elefantenrüssels?) im Rachen; die eigentliche Sitzfläche ist dann von einem breiten Flechtband umgeben, das nach innen und außen wie von einer mit Schrauben festgehaltenen Schnur eingefaßt wird; auf vier symmetrisch verteilten Stellen des Flechtbandes liegen Masken mit großen Henkelohren. In der Mitte der Sitzfläche liegt eine kleine, kreisrunde, glatte Scheibe, zu ihren beiden Seiten sind Schmiedewerkzeuge dargestellt, ein Schlacht- schwert und ein Ebere, unter ihr ein Gegenstand wie ein umwalltes Schachtloch (??) und dann, von links nach rechts, etwas wie ein Blasbalg (Doppelschalengebläse), eine Sonnen- oder Mondscheibe, ein »Mal- teserkreuz«, eine Mondsichel und ein langgestieltes Gartenmesser; in dem oberen Kreisabschnitt sind zwei Elefantenköpfe eingeteilt, eine Maske mit aus der Kinngegend herauswachsenden Welsen und wiederum eine umrahmte rechteckige Vertiefung gleich der unmittelbar unter der zentralen Scheibe befindlichen. In ähnlich sorgfältiger Weise ist sogar die Standfläche geschmückt, die nur sichtbar wird,

¹) Dresden, 16 118, siehe die Abb. 64 im Kat. 19 von Webster, 1899. Der untere Schlangenkopf faßt einen in flachem Relief geschnitzten, mit einem Hackmesser bewehrten Eingebornen an der Hüfte. — 2. Cöln a. Rh., siehe die Abb. 33 im Kat. 28 von Webster 1901, ähnlich dem vorigen, 41 cm hoch; auf der unteren Scheibe u. a auch jene eigenartige »Maske« mit vier Händen oder Füßen, die wir schon mehrfach kennengelernt haben. — 3. Hamburg, C. 3348, ähnlich, 43 cm hoch, vgl. Abb. 824; dem nicht zu deutenden Gegenstand, der auf der Bodenscheibe aufliegt, entspricht auf der andern Seite ein Frosch. — 4. Rushmore, P. R. 315; 40 cm hoch; von den beiden Schlangenköpfen hält der untere, wie bei dem Stücke in Dresden, einen Eingebornen fest, der obere einen Panther; die untere Fläche zeigt außerdem einen Elefantenkopf mit sehr großem breiten Rüssel und mit einem Zweige in der Greifhand; die Sitzfläche ist mit einem ringsum laufenden, tief eingeschnittenen, fast 8 cm breiten Flechtband verziert. — 5. Webster 6710, jetzt unbekannt wo, vgl. die Abb. 66 im Kat. 19 von 1899.

wenn man das 107,5 kg schwere Stück hochhebt; Abb. 816 zeigt, wie da auf einem gleich der Sitzfläche mit eingepunzten Sternen usw. bedeckten Grunde zwei Krokodile und zwei Fische aufliegen. Noch

Abb. 817/8. Masken von dem Fig. 813 abgebildeten Bronzestuhl.

Abb. 819 und 820. Schuppentier und Fische von dem Fig. 813 abgebildeten Bronzestuhl.

Abb. 822/3. Die Fig. 817 und 819 abgebildeten Einzelheiten, nach Federzeichnungen von Cyril Punch nach L. R. Great Benin.

Abb. 821. Frosch von dem Fig. 813 abgebildeten Bronzestuhl.

reicher sind die beiden stark konvexen Flächen, die untere der Sitz- und die obere der Bodenplatte ausgestattet; sie sind mit Reihen von Kaurischnecken und mit breiten, erhabenen Flechtbändern eingefaßt, während der übrige Grund mit eingepunzten Sternen und Europäerköpfen ausgefüllt ist; darauf aber

liegen in recht hohem Relief verschiedene groteske Masken, Frösche, Fische und Elefantenköpfe. Der
zweite Stuhl, III. C. 20 296, Abb. 814, ist um ein
weniges kleiner, nur 38,5 cm hoch, und ohne
den eingepunzten Zierat; auch sind die beiden
Schlangenleiber ohne Schuppen und ganz glatt;
doch hat er die gleichen mythologischen Embleme wie der erste, und zu ihnen noch ein eng
zusammengerolltes und an einer Strickschleife
festgepflöcktes Schuppentier (Manis longicau-
data). Diese Embleme beider Stühle sind Fig. 817
bis 821 abgebildet, und zwar nach Gipsabgüssen,
da sie direkter photographischer Aufnahme nicht
gut zugänglich sind und eine möglichst genaue
mechanische Wiedergabe gleichwohl wünschenswert erschien; außerdem sind Abb. 822/3 des
Vergleiches wegen noch die zwei Federzeichnungen von C. Punch beigefügt, die L. R. in seinem
Buche Great Benin S. 113 veröffentlichte, als die
beiden Stühle noch Eigentum von Sir Ralph
Moor gewesen waren.

Abb. 824. Aus Holz geschnitzter Stuhl, Hamburg C. 3348, nach
Hagen, Ber. f. 1902. ¹/₅ d. w. Gr.

Die enge Verwandtschaft dieser beiden
Bronzestühle mit den aus dem alten Benin erhaltenen hölzernen ist in die Augen springend [1]).
Aber auch die Übereinstimmung der Benin-
Stühle mit denen aus Nordwestkamerun kann nicht gut auf bloßer Konvergenz beruhen; sie ist vielmehr
als ein weiterer Beleg für einen alten Zusammenhang aufzufassen, auf den hier schon mehrfach hingewiesen wurde.

---

55. Kapitel.
Büchsen aus Elfenbein und Holz.

[Hierzu die Tafeln 117, 121 und 122 sowie die Abb. 825 bis 841 davon 825 bis 830 auf den Erg.-Blättern V, W und X.]

A. Aus dem alten Bestande der königlichen Kunstkammer besitzt das Berliner Museum die drei
schönen Becher oder Deckelbüchsen aus Elfenbein, die Taf. 121 und V, W Fig. 825 bis 827 abgebildet
sind. Daß sie aus Benin stammen und in seine große Zeit gehören, ist von vornherein wahrscheinlich
und kann aus zahlreichen engen Übereinstimmungen vieler Einzelheiten erschlossen werden; ein zwingender
Beweis ist freilich erst durch das vierte Stück dieser Art geliefert, das sich durch Zufall nach Lille
hat und dort in einem kleinen Provinzmuseum erhalten blieb; da hat es vor langen Jahren Prof. Max
Buchner entdeckt und in vier Ansichten photographieren lassen; diese mir gütigst überlassenen Aufnahmen liegen der Federzeichnung Abb. 828 zugrunde. Man sieht, daß der Becher von Lille zweifellos
aus derselben Werkstatt hervorging, ja vermutlich sogar von demselben Künstler geschnitzt ist wie die
drei Berliner Becher; aber er läßt an allen 5 Eingebornen die typischen Benin-Narben über den Augen
erkennen und liefert damit auch für die drei andern Becher einen sicheren Beweis für ihre Herkunft.
Die große Schlange, die einen Menschen verschlingt, hat vermutlich eine mythologische Bedeutung,
aber ich wage nicht, sie auf einen bestimmten Mythus zurückzuführen; ebenso verzichte ich auf eine
Beschreibung all der zahlreichen Einzelheiten, die an diesen Bechern zu bewundern sind; das wäre sicher

---

[1]) In der englischen Benin-Literatur erscheint mehrfach die Angabe, der einfachere dieser zwei Bronzestühle sei portugiesische Arbeit und als Geschenk nach Benin gelangt; der reicher verzierte sei darauf hier in Benin selbst von Schwarzen gemacht
worden. Das geht vermutlich auf irgendein mißverstandenes oder albernes Geschwätz von Eingebornen zurück und entbehrt
jeder ernsten Grundlage.

eine angenehme und vergnügliche Arbeit, aber die Photographien und die Federzeichnungen sind so gut, daß der Fachmann sicher unendlich mehr Freude daran haben wird, alle die vielen schönen Einzelheiten und Parallelen selbst herauszufinden, als sie hier beschrieben und festgestellt zu sehen; Laien aber würden lange Beschreibungen sicher überschlagen; sie wären auch bloßer Ballast für die große Mehrheit der Kunsthandwerker, von denen ich im übrigen annehme, daß sie aus den Abbildungen dieses Buches großen Gewinn schöpfen werden. Nur auf die Dolche mit dem schleifenförmigen Griff möchte ich noch besonders hinweisen, die sich einmal auf dem Fig. 826 und zweimal auf dem Fig. 828 abgebildeten Becher finden; solche Dolche dienen auch zum Bogenspannen, und es ist kein Zufall, wenn sie sich hier immer nur in der einen Hand von Leuten finden, die in der andern einen Bogen halten. Ich habe die gleichen Spanndolche schon 1891 (Z. f. E. Bd. 23, Verh. S. 676) von den Wute in Kamerun veröffentlicht und damals ihr Vorkommen auch in den Benuë-Ländern und in Togo betont. Daß die drei letzten Personen auf dem Becher von Lille Europäer sind, braucht nicht hervorgehoben zu werden; nur auf die große Verschiedenheit in ihren Kopfbedeckungen möchte ich hinweisen. Daß zwei von den Leuten richtige kleine Handkanonen auf der Schulter tragen, ist einleuchtend; aber ich kann mir gut vorstellen, daß ich selbst die Waffe des vorderen nicht auf den ersten Blick als solche erkannt hätte; erst der gekerbte Schaft der zweiten Waffe sichert die sofortige Deutung. Hingegen weiß ich mit den zwei Geräten, die der bärtige Mann trägt, leider gar nichts anzufangen; ich wäre dankbar, wenn ein scharfsinnigerer Kollege mich recht bald mit der richtigen Deutung erfreuen würde. Rein technisch ist noch nachzutragen, daß diese Stücke durchweg aus den Wurzelenden von Zähnen und mit teilweiser Benutzung der natürlichen Pulpahöhlen geschnitzt sind; das bedingt, daß sowohl die Schalen als die Deckel am Grunde mit einer fest eingekeilten, rundlichen Elfenbeinplatte abgeschlossen werden mußten; der schematische Schnitt, Ergänzungsblatt X, Abb. 829, soll das noch weiter verdeutlichen. Die Arbeit aus freier Hand bringt es mit sich, daß der Deckel nicht in jeder Stellung so genau auf die Schale paßt wie bei Arbeiten auf der Drehbank; deshalb war der Künstler bemüht, die richtige Stellung durch eine besondere Marke anzuzeigen; bei unseren vier Gefäßen haben diese Zeichen gleichmäßig die Form eines M. Gelegentlich, aber, wie ich denke, mit Unrecht, hat man dieses M auf die hl. Maria bezogen, was dann weiter dazu führte, daß man den ganzen Gefäßen kirchlichen Charakter zuschrieb und sie als Ciborien mit den bereits erwähnten geschnitzten Kelchen in Zusammenhang brachte.

Das Brit. Museum besitzt aus alter Zeit zwei Deckel von ähnlichen Gefäßen; der eine, R. D. IV. 3, ist genau im Stile der vier eben erwähnten Stücke und vermutlich von demselben Künstler geschnitzt, der zweite ist technisch auch gleichartig, aber stilistisch nicht ganz auf derselben Höhe und vielleicht etwas jünger; auch er hat einen Eingebornen mit Bogen und Spanndolch aufzuweisen.

In den gleichen Kreis wie diese schönen Becher gehört eine Kanne im Museum von Bern; in den Verh. der Berliner Anthrop. Gesellschaft 1884, S. 465, wird berichtet, daß Herr v. Fellenberg das Stück ohne Herkunftsangabe erworben habe, und daß man es in der Schweiz für hinterindisch halte, während manche an Celebes oder Borneo dächten; A. Bastian erinnerte schon damals an die portugiesischen Kolonialgründungen in Westafrika. Inzwischen hat die Berliner Sammlung einen alten Abguß die er Kanne erhalten, der, aus gebranntem und innen glasiertem Ton hergestellt, eine recht gute Vorstellung des Originals vermittelt; er hat als Vorlage für Taf. 117 G gedient, während die Abb. X 830 a b mit Benutzung der 1884 von Herrn v. Fellenberg eingesandten Photographie hergestellt sind. Das Berner Original hat noch seinen ursprünglichen Deckel, auf dem in recht plumper Art ein Huhn geschnitzt ist. Bei der Berliner Kopie ist dieser Deckel nicht mehr vorhanden. Die Form der Kanne geht wohl auf ein europäisches Vorbild zurück, das Schnitzwerk aber ist »rein Benin«; man möchte sogar weiter gehen und es demselben Manne zuschreiben, von dem die Deckelbecher stammen; mit diesen hat sie auch den aus einem fremden Stück Elfenbein eingesetzten Boden gemeinsam.

B. Von nicht geringerem Interesse sind einige niedrige Kästchen mit Deckel: von diesen lehnt sich das Fig. 831 abgebildete, stilistisch durchaus an die oben aufgeführten Deckelbecher sowie an die Taf. 118 abgebildeten Armbänder an und ist sicher aus derselben Werkstatt hervorgegangen; auffallend ist nur die lange Feder (?), die anscheinend aus dem Scheitel des einzelnen Vogels herauswächst. Völlig anders ist die Fig. 832 abgebildete Büchse; auf dem ovalen, mit dicht nebeneinander geschnitzten kleinen Schellen eingerahmten Deckel ist links eine kulturhistorisch lehrreiche Szene dargestellt: Zwei Europäer, die handgemein geworden, sich gegenseitig bei den Haaren reißen und mit Stöcken aufeinander losgehen; eine am Boden liegende vierkantige Schnapsflasche erklärt die Lage. Die ganze Szene ist überaus lebhaft und anschaulich; besonders der gemeine Ausdruck in den Gesichtern der beiden Betrunkenen verrät nicht geringe Künstlerschaft. In drastischem Gegensatz zu der unruhigen Szene auf der linken Seite des Deckels steht rechts das ruhig zusammengerollte Schuppentier, das genau so mit einer Seilschlinge an einem Pflock befestigt ist wie auf dem schönen Berliner Bronzestuhl; ein Vergleich mit Abb. 819 lehrt, wie sehr sich die beiden Darstellungen auch stilistisch gleichen. Bei der Verschiedenheit von Technik und Material gibt eine so weitgehende Übereinstimmung doppelt zu denken; es liegt nahe, beide Arbeiten auf denselben Künstler zurückzuführen; wir würden dann für das hervorragendste Gußwerk und für eines der kostbarsten Schnitzwerke einen gemeinsamen Ursprung aus derselben Werkstatt anzunehmen haben.

Abb. 831. Deckelkästchen aus Elfenbein. 1873 als Geschenk an die C. C. gelangt; nach R. D. II, 4. 19 cm lang, etwa ⁴/₇ d. w. Gr.

Ein drittes Kästchen ist Taf. 117 B abgebildet; das von Webster (Fig. 206, Kat. 21 von 1899) stammende Original ist jetzt in Leipzig; ich vermag die sehr sorgfältig geschnitzte Darstellung auf dem Deckel nicht mit Sicherheit zu deuten; es scheint, als seien zwei hummerartige Kruster mit langen Fühlern einander gegenübergestellt; auf den Seitenflächen ist oben der Kranz von Schellen auffallend, der auch den Deckel umrahmt; unter ihm ein wie mattenartig geflochtener Streifen; darunter ein einfaches Fischgrätenmuster.

C. Von ganz besonders hervorragender Schönheit ist ein Elfenbeingefäß, Berlin, III. C. 7633, in der Form eines Antilopenkopfes; Taf. 122 zeigt, in wie geistreicher Weise der Künstler die Knappheit des Stoffes überwunden hat; da er auf das Eindübeln der langen Hörner verzichten und sie aus dem Vollen schnitzen wollte, hat er sie von zwei aus der vorderen Stirngegend herauswachsenden Händen gleichsam herabziehen lassen; das ist eine ebenso künstlerische als witzige Lösung eines schwierigen Problems und verdient in einen ausdrücklichen Gegensatz zu der stumpfsinnigen Art gesetzt zu werden, in der eine ähnliche, bei

Abb. 832. Deckelkästchen aus Elfenbein; aus der Benin-Beute von Sir Ralph Moor, jetzt anscheinend verschollen, nach L. R. G. B. Abb. 220.

Reiterfiguren entstehende Schwierigkeit durch Verkleinerung des Pferdes nicht gelöst, sondern umgangen wird. Das unvergleichlich schöne Stück habe ich schon 1897 auf einer Londoner Auktion erworben; ich kenne kein zweites solches aus Elfenbein; es gibt aber 8 [1]) Repliken aus Holz, von denen

[1]) 1. Berlin, III. C. 10 793 a b, 30 cm lang. — 2. Hamburg, C. 2939, vgl die Abb. 833. — 3. Leiden 1243/41. — 4. London, R.D. XI. 9. — 5. Rushmore, P. R. 336, wie die meisten dieser Stücke, aber besonders reich mit dünnem Messingblech überzogen, auf dem Flechtbänder usw. repoussiert sind. — 6. Ein sehr schönes Stück, früher im Besitze von Miss M. H. Kingsley, jetzt wohl in Oxford. — 7. 8. Zwei Stücke im Handel. Daß auch bei den hölzernen Gefäßen dieser Art die Hörner wie von Händen herabgezogen dargestellt werden, deutet vielleicht darauf hin, daß die Form ursprünglich vom Elfenbein ausging, das eine solche Beschränkung verlangt; man darf sich vielleicht weiter vorstellen, daß die Hände dann auch für die aus Holz geschnitzten Stücke deshalb beibehalten wurden, weil sie die Gebrechlichkeit der Hörner minderten. Die meisten dieser Stücke und so auch das schöne Berliner Elfenbeingefäß haben in der Hinterhauptgegend des Kopfes eine große, kreisrunde, radartig verzierte Scheibe, die man für einen stilisierten Haarwirbel halten könnte, wenn sie nicht mit der Scheibe oder Rosette auf der Fig. 841 abgebildeten Elfenbeinschale verwandt zu sein schiene.

eine zum Vergleiche hier, Fig. 833, abgebildet ist. Einige von ihnen sind nicht ohne künstlerischen Reiz;
daß sie mehrfach auf Platten dargestellt sind, wurde bereits erwähnt. Vermutlich haben sie zur Aufbewahrung von Kola gedient; für die Bezeichnung als »*sacrificial cup*« scheint mir kein Grund vorzuliegen, ebensowenig für die Angabe »*carved as the head of
a monster*«, unter der wir unser Elfenbeingefäß erwarben.
Ich nehme an, daß ein Antilopenkopf als Vorlage gedient
hat. Die Stücke in Leiden, London und Rushmore sind
freilich als Rinderköpfe bezeichnet; Websters 9808 erscheint im Kat. 24, Fig. 107, sogar als *mule's head*, und
ein ähnliches, aber sehr viel schlechteres, ganz modernes
Stück ohne Herkunftsangabe sah ich in einem großen
Museum als Schweinskopf ausgestellt. Alle diese Köpfe
ruhen regelmäßig auf einem kurzen, zylindrischen
Sockel, der seinerseits auf einer kreisrunden Plinthe
steht; diese ist mit radiär gestellten länglichen Feldern
verziert, die von einem Autor als Kaurischnecken aufgefaßt
werden; derselbe Kollege sieht »verlängerte« Kauris auch
in den langen Lappen, die auf einzelnen geschnitzten
Zähnen (siehe z. B. Abb. 795) hinten und seitlich vom
Helm herabhängen; ich kann mich diesen Auffassungen
nicht anschließen; hingegen ist hier auf das Fig. 665 abgebildete Bronzegefäß in der Form einer Telfairia-Frucht
hinzuweisen, das auf einer sicher ganz gleichartigen Plinthe
ruht; bei dieser wird man aber sehr viel eher an einen gefalteten Kragen denken dürfen.

Abb. 833. Holzgefäß, nach K. Hagen, Ber. f. 1901.
Hamburg. ¹/₅ d. w. Gr.

In denselben Zusammenhang gehört eine Anzahl[1]
von teilweise ganz späten Büchsen in Form von Fischen
(Polypterus?); die schönste und älteste von diesen, P. R.
372 (vgl. Taf. 117 A, nach einem in Berlin befindlichen
Gipsabguß) ist aus Elfenbein und hat leider ihren Deckel
verloren; der sich in den Schwanz beißende Fisch hat im
Ober- und Unterkiefer zahlreiche dicht nebeneinander
stehende große Zähne; der Schwanz ist außerdem durch
zwei kreuzweise gestellte rundliche Stäbe an den Körper
herangeholt. Ganz spät ist aber eine 13 × 27,5 cm große
und 4,5 cm hohe Deckelschachtel, Wien, 64752, Heger
165, deren Deckel Fig. 834 nach einem Abklatsch wiedergibt.
Kaum älter ist ein großer, 30 × 75 cm großer und 20 cm
tiefer Holzkasten, Rushmore, P. R. 268, mit fünf menschlichen Figuren in sehr hohem Relief: ein Eingeborner wird
von zwei Begleitern gestützt, zwei andere haben Trommeln.
Recht spät sind auch 13[2] rechteckige Büchsen, meist lang
und schmal, wie unsere Handschuhkästen, häufig mit Flechtbändern, seltener mit figuralem Schnitzwerk verziert, manchmal auch mit repoussiertem Messingblech überzogen. Ein
weiteres Kästchen ähnlicher Art ist Fig. 837 abgebildet; ein
Deckel hat die Form von zwei einander gegenübergestellten

Abb. 834. Deckel eines späten Holzkästchens, Wien
64752, nach einem Abklatsche, etwa ¹/₂ d. w. Gr.

[1] 1. Berlin, III. C. 14486, Holz, ähnlich dem Taf. 117 A abgebildeten alten Stücke aus Elfenbein, aber ganz rezent und
sehr roh. — 2. Hamburg, C. 2876, dem Berliner ähnlich, auch rezent, etwa 40 cm breit; siehe die Abb. 69 im Kat. 27 von
Webster, 1900, Nr. 10221; die Augen aus Stücken von Kokosnußschale eingesetzt. — 3. Hamburg, C. 3963, gestreckt, etwa
37 cm lang. — 4. Rushmore, P. R. 372, Elfenbein; Abguß in Berlin, s. Taf. 117 A. — Verwandt ist eine ähnliche Büchse, Webster
11301, Abb. 71 in Kat. 29 von 1901, Holz, fast kreisrund, 24×26 cm, in der Form eines sich in den Schwanz beißenden Krokodils (?). Ein den schönsten Benin-Büchsen dieser Gruppe ebenbürtiges Stück bildet L. Frobenius aus Yoruba ab (»Und
Afrika sprach« Bd. I, Taf. bei S. 320).
[2] 1. Berlin, III. C. 19147, Holz, 46,5×6,5 cm und 5,5 cm hoch. — 2. Berlin, III. C. 19210, Holz, breit und flach,

Köpfen im Stile jener aus Holz geschnitzten, die vermutlich im 18. oder frühen 19. Jahrhundert an die Stelle der aus Bronze gegossenen Köpfe traten, vgl. Taf. 107 D und Abb. 866. Über die ursprüngliche Bestimmung aller dieser Kästchen sind wir nicht sicher unterrichtet; einige von ihnen haben die Angabe »für Kolanüsse«, eines ist angeblich für »Räucherwerk« bestimmt; vielleicht dienten sie auch

zur Aufbewahrung von Schmuckfedern, wofür in den schön geschnitzten *waka* der Maori eine gute Analogie gegeben wäre. Inzwischen steht fest, daß Behälter mit Kolanüssen an der Küste von Ober-Guinea mehrfach als beliebte Geschenke erwähnt werden, analog den zierlich geflochtenen Körbchen mit gerösteten Kaffeebohnen in Uganda oder unseren Bonbonnièren.

Abb. 835. Geschnitztes Deckelkästchen aus Holz. Brit. Mus., etwa ⅕ d. w. Gr.

Abb. 836. Deckel einer Holzbüchse nach Webster Kat. 24, Abb. 95. Etwa ²/₉ d. w. Gr.

Schließlich sind hier noch die drei großen runden Schalen aus Elfenbein zu erwähnen, die Fig. 838 bis 841 abgebildet sind; von diesen ist die mit den vier breiten Füßen und dem für Benin so bezeichnenden überflüssigen fünften Fuß anscheinend vollständig und hat wohl niemals einen Deckel gehabt (soweit sie nicht etwa selbst auch als Deckel gedacht ist, was mir nach der Abbildung nicht völlig ausgeschlossen erscheint; das Original selbst habe ich nicht gesehen); die beiden becherförmigen Gefäße hatten jedenfalls Deckel, die aber bisher nicht zum Vorschein gekommen sind; ihrem Durchmesser von etwa rund 25 cm entsprechend sind sie aus mehreren Stücken zusammengedübelt, was mit erstaunlicher Sorgfalt geschehen ist; auch die tadellose Durchführung der Flechtbänder und des übrigen Schmuckes würde uns gestatten, diese Schalen in die Blütezeit von Benin zu setzen — soweit sie überhaupt dort gemacht und nicht etwa von auswärts eingeführt sind. Schon das viermal auf der Fußplatte und zweimal auf der Außenseite der Fig. 839 und 841 abgebildeten Schale wiederholte, aus 12 miteinander verschlungenen Quadraten gebildete kreuzförmige Zeichen macht einen ganz unafrikanischen Eindruck und würde eher nach Jerusalem oder Malta weisen; ebenso möchte man die anscheinend geflügelte Figur auf dem zylindrischen Mittelstück mit ihrer faltigen Tracht, ihren blanken Augen und mit dem Versuche, in das von vorn gesehene Gesicht eine im Profil gebildete Nase einzusetzen, am liebsten aus Abessinien ableiten; ganz ohne westafrikanische Analogie sind auch die übrigen Darstellungen auf der Außenseite des Schalenbodens; sie sind so merkwürdig und fallen so vollkommen aus allem heraus, was wir sonst von Benin kennen, daß mir eine

Abb. 837. Deckel einer Büchse, Holz, z. T. mit repoussiertem Blech überzogen, nach Webster 24, 1900, Abb. 81. Etwa ⅕ d. w. Gr.

14×22 cm und 8,5 cm hoch. — 3. Berlin, III. C. 23 976, Holz, 33×7 cm und 7,5 cm hoch; Deckel ganz im Stile der Fig. 834 abgebildeten Wiener Kästchen geschnitzt; zwei Figuren, ein „Olokum", mit einem geschäfteten Steinbeil in der Linken und einem Szepter mit Elefantenrüssel und Fisch in der Rechten; unter ihm ein Europäer mit hoher Schiffermütze und mit einem Säbel; ganz rezent. — 4. Frankfurt a. M., 12 379, Holz, 44 cm lang, ähnlich dem Fig. 835 abgebildeten. — 5. Hamburg 1262/07, Holz, 47×9 cm, 9,5 cm hoch; am Deckel ein Mann mit sanduhrförmiger Trommel zwischen zwei Panthern. — 6. Leipzig, H. M. 62, 60,5×12 cm, 7,3 cm hoch; auf dem Deckel zwei kleinere Felder und zwischen ihnen ein größeres; auf diesem ein Mann mit Schirm, neben ihm eine Flasche und eine zweite Figur, die eine Peitsche ergreift, die der erste Mann in der Hand hält; diese Figur geht aber auf eine Schmalseite über, so daß nur Kopf und Schulter auf der Deckelseite liegen; auf einem der kleineren Felder ein Palmbaum mit zwei Schlangen, auf dem anderen eine Palme und ein Panther. Der Kasten selbst ist im Innern durch eine Scheidewand geteilt. — 7. Liverpool, Holz, 23 cm lang, ähnlich Fig. 835. — 8. London, B. M., siehe Abb. 835, Holz etwa 51 cm lang. — 8/9. Wien, 64 753/4, Heger 166/7, 47 und 70 cm lang. — 10. Wien, 64 793, Heger 125, Unterteil einer ähnlichen Büchse, Elfenbein, Deckel fehlt; 18,3×7 cm, 3 cm hoch, sehr dickwandig. — 11 bis 13, drei Stücke im Handel, darunter Webster 9793 mit Schlangen usw. am Deckel, siehe Abb. 836; 49×11,5 cm und 6,4 cm hoch.

genaue Beschreibung geboten erscheint. Die von dem breiten Flechtband umschlossene Kreisfläche ist so durch schmale Streifen geteilt, daß vier gleichgroße, sich aber etwas überschneidende Segmente ein Quadrat einschließen; zwei von diesen Segmenten haben in der Mitte je eine radförmige Rosette, die zwei andern je dasselbe »Jerusalemer«-Kreuz, das wir schon von der Fußplatte der Schale her kennen; auf allen vier Segmenten findet sich symmetrisch auf beiden Seiten der Rosette oder des Kreuzes je eine menschliche Büste in demselben »abessinischen« Stile wie die größere Figur auf dem zylindrischen Fuße der Schale; die vier, immer je zwei Segmenten gemeinsamen kleinen Zwickelstücke schließlich sind alle mit einer unter sich gleichen Darstellung ausgefüllt, die ich nicht deuten kann, wenn sie nicht etwa als die eines Löwen aufzufassen sein sollte, dessen Rumpf von der Seite und dessen Kopf von vorn gesehen ist, wie

Abb. 838/9. Zwei Becherschalen der Sammlung Egerton, Elfenbein, etwa ¹/₃ d. w. Gr.

Abb. 840. Becherschale der Sammlung Rawson, Elfenbein, etwa ¹/₃ d. w. Gr.

Abb. 841. Teilansicht der Fig. 839 abgebildeten Elfenbeinschale der Sammlung Egerton, etwa ²/₅ d. w. Gr.

in Persien oder in Abessinien. Das um die Fußplatte herumlaufende Kettenband ist gleichfalls ohne genaue Analogie in Benin, und selbst das breite Flechtband oben erscheint bei mißtrauischer Betrachtung etwas anders behandelt, als sonst in Benin die Regel. So stehe ich dieser sonderbaren und rätselvollen Schale einstweilen noch hilflos gegenüber, besonders weil ja auch die Herkunftsangabe »Benin« nicht über jeden Zweifel feststeht; sicher scheint nur die Angabe zu sein, daß die Fig. 838 und 839 abgebildeten Schalen zur Benin-Beute von Capt. Egerton und das Fig. 840 abgebildete zu der von Admiral Rawson gehörten; ebenso scheint mir aber sicher, daß alle drei Schalen einheitlichen Ursprung haben. Ebenso würde jemand, der mit Benin-Altertümern vertraut ist, für Fig. 838 die Angabe Benin nicht leicht in Zweifel ziehen, da die Flechtbänder und vor allem der fünfte Fuß als starke Stützen gelten müssen. Auf der andern Seite aber ist es schwer, über die Tatsache hinwegzusehen, daß die zweite Schale der Sammlung Egerton in einem Stile verziert ist, den wir aus Benin nicht kennen. Leider habe ich die Originale nicht selbst gesehen; ich kenne nur die hier reproduzierten Photographien und bin mir der Möglichkeit bewußt, daß eine Untersuchung der Originale sofort Licht auf ihre Herkunft werfen würde; auch zögere ich nicht, einzugestehen, daß ich die Stücke für langobardisch gehalten hätte, wenn mir die Photographien ohne Herkunftsangabe vorgelegt worden wären. Von dieser Meinung hätte mich nicht einmal die anscheinend tadellose Erhaltung der Schalen abgebracht, denn die Möglichkeit, daß sich Elfenbeingeräte, etwa in einem Kirchenschatze, durch rund 12 Jahrhunderte so gut erhalten können, ist nicht ganz abzuweisen, nur in einem tropischen Lande schiene mir das ganz undenkbar. Immerhin wird man für diese Schalen irgendeine Art von Zusammenhang mit der »langobardischen Kunst« nicht a limine ablehnen dürfen. Dabei möchte ich freilich, und zwar mit dem größten Nachdruck feststellen, daß ich da den Begriff der »langobardischen Kunst« nur im rein geographischen Sinne gefaßt wissen will: Kunst und Kunsthandwerk in der späteren Lombardei und in Venetien sind für mich einfach die unmittelbaren Nachkommen spätrömischer Provinzkunst, zu der die Einwanderer aus dem Norden nichts Wesentliches beigetragen haben und beitragen konnten. Mit dieser ketzerischen Anschauung stehe ich übrigens nicht allein; sie wird von keinem geringeren als Otto v. Falke geteilt. Diesem verdanke ich auch die Kenntnis von zwei langobardischen Reliefs in Cividale, auf denen die Madonna ein großes Kreuz in die Stirn eingemeißelt hat, womit die »Stirnaugen« einiger Benin-Zähne eine kaum ganz außer acht zu lassende Parallele finden.

Inzwischen werden wir kaum anders können, als jene schönen drei Becherschalen wirklich auch da entstanden sein zu lassen, wo sie 1897 aufgefunden wurden, also in Benin; freilich darf man dann nicht die verschiedenen fremdartigen Elemente in den Vordergrund bringen, die sie aufweisen, sondern muß sich an jene Einzelheiten halten, die sie mit einwandfreien Benin-Stücken gemein haben, an die allgemeine Form, in der zwei von ihnen mit den Metallbechern vom Typus des Taf. 107 B abgebildeten Stückes übereinstimmen, an die Rosette, die sich durchaus gleichartig auf dem Scheitel des Taf. 122 abgebildeten Antilopenkopfes findet, an die Flechtbänder und an den fünften Fuß. Eine Untersuchung der Originale und künftige Ausgrabungen können vielleicht zu anderen Ergebnissen führen, einstweilen aber werden wir für diese Schalen Benin als Heimat anerkennen müssen, auch wenn sie mehrfach fremden Einfluß verraten und vielleicht wirklich irgendwie von Abessinien her angeregt sind. Ähnlich könnte z. B. auch für die hier S. 164/5 abgebildeten rechteckigen Helme, die sonst ganz ohne moderne Analogie wären, ein Zusammenhang mit den abessinischen Prozessionskronen vermutet werden, von denen wir durch Theodor v. Lüpke Kenntnis haben (s. dessen »Profan- und Kultbauten Nordabessiniens« S. 102 und Taf. VIII).

56. Kapitel.
Geschnitzte Stäbe.

Seite 211 ff. ist eine große Anzahl von Platten aufgeführt und teilweise abgebildet, auf denen Leute mit Stäben dargestellt sind; auch die Abb. 178 auf S. 99 und 253/4 auf S. 148 zeigen solche Platten; ebenso war schon aus der Abb. 5 auf S. 4 zu ersehen, wie Stäbe mit Kaurischnecken und andern Weihgaben auf einem »Juju-Altar« aufgestellt wurden. Von den vielen Stäben, die demnach im alten Benin sicher vorhanden waren, sind aus begreiflichen Gründen nur sehr wenige im Original auf uns gekommen und auch diese sind mit seltenen Ausnahmen verhältnismäßig jung. In größerer Zahl haben sich nur Stäbe mit Rasseln erhalten, die nach dem ursprünglichen Plane in diesem Kapitel hätten besprochen werden sollen; sie wurden dann aber schon in Kap. 47 S. 450 ff. behandelt, wo sie sich organisch eingliedern ließen; so bleiben hier nur wenige und unbedeutende Stäbe zu erwähnen übrig. Je ein Stück ist nach Basel, Berlin, Dresden, Cöln, Hamburg und Wien gelangt; eines mit reichem Behang und Besatz aus Kauri-Schnecken war in der Sammlung Egerton, fünf oder sechs andere waren vor einigen Jahren noch käuflich zu haben. Bei einigen dieser Stücke hat sich noch eine eiserne Zwinge erhalten, die wie eine Speerspitze oder wie ein Speerschuh aussieht und meist zwei Schaftlappen hat. Auch einige Webeschwerter waren sub titulo Benin-Stäbe im Handel.

57. Kapitel.
Geschnitzte Kokosschalen.
[Hierzu die Abb. 842.]

Von den 13 [1]) mir bekannten geschnitzten Schalen, Flaschen und Bechern aus Kokosnuß gehört keine einzige in die große Zeit von Benin; alle sind wesentlich jünger; die meisten stammen wohl erst aus dem 19. Jahrhundert. Das schließt natürlich nicht aus, daß in Benin auch schon früher solche Gefäße geschnitzt wurden; sie mögen aber wegen der Gebrechlichkeit des Materials und vielleicht auch wegen dessen geringen Wertes nicht auf uns gekommen sein. Die besseren von den erhaltenen Stücken stimmen stilistisch auffallend mit einigen späten Holzschnitzereien überein, am meisten mit den Fig. 834, 846, 849 und 851 abgebildeten, so daß man fast meinen könnte, sie seien von denselben Leuten geschnitzt worden; auch die Mischung von Kerb- und Keiltechnik ist beiden Gruppen gemeinsam. Sämtliche Stücke, auch die künstlerisch ganz minderwertigen, sind durch die gleichmäßige Tiefe und Schärfe des Schnittes ausgezeichnet so wie durch das Fehlen von unbeabsichtigten Strichen, was bei der Härte des Materials ein vollständiges Beherrschen der Technik voraussetzt; künstlerisch ist die Mehrzahl freilich sehr unbedeutend. Besondere Beachtung verdient nur die Berliner Schale III. C. 21935 a, Abb. 842, mit einem europäisch gekleideten Büchsenmacher, der sich mit größter Beflissenheit über seine Arbeit beugt. Neben ihm liegen vier regelmäßig in ein Viereck gelegte Schrauben und ein abgenommenes Flintenschloß. In der Linken hält er eine Schmiedezange mit einem Stück Eisen, das er zwischen Hammer und Amboß bearbeitet. Im Hintergrund ist ein bemanntes Plankenboot, auf dessen Steuerruder mit lateinischen Initialen das Wort BOAT eingeschnitten ist. Außerdem verläuft dem Rande parallel ein schmales Feld mit der Inschrift AGVBASIMI, die vermutlich als Name des Mannes aufzufassen ist und dann wohl mit den bei L. R. erwähnten Männernamen Aguramassi und Ahuraka in Parallele zu bringen ist. Berlin besitzt noch eine zweite Kokosschale, III. C. 21935 b, mit Inschrift; neben einer von zwei Figuren von Eingebornen steht HARESEGIE. Selbstverständlich handelt es sich in beiden Fällen um ganz recenten europäischen Einfluß; der alten Benin-Kultur liegt jegliche Art von Schrift durchaus fern.

Abb. 842. Geschnitzte Kokosschale mit einem Büchsenmacher, Berlin, III. C. 21935 a.

[1]) 1. Berlin, III. C. 17351, mit der Darstellung eines Krokodils. — 2. Berlin, III. C. 21934, mit Blattornamenten. — 3/4. Berlin, III. C. 21935 a b, vgl. die Beschreibung oben. — 5. Berlin, III. C. 27491, Schale mit Blattverzierungen und mit aus dem Vollen geschnitztem Henkel. — 6. Berlin, III. C. 27492, Flasche mit ganz besonders roh geschnitzter menschlicher Figur. — 7/8. Berlin, III. C. 27493 a b, zwei Schalen mit rohen Flechtbandstreifen. — 9/10. Hamburg C. 2320 und 2414 zwei Becher, der eine mit roh stilisierten Fischen, der andere mit der Figur eines Eingebornen. — 11. Rushmore, P. R. 217, Flasche mit drei Figuren; unter diesen ist ein in einem Boote stehender Europäer und ein Eingeborner, der mittels einer Seilschlinge auf einen Baum geklettert ist, um den Saft anzuzapfen; S. 263 ist unter 10 eine Platte erwähnt, auf der ein Mann angeblich »einen Baum fällt«: vielleicht ist eine ähnliche Szene gemeint oder auch nur das Abschneiden einer Frucht. — 12. Rushmore, P. R. 219. Flasche mit Pfropfen, an einer europäischen Kette hängend; vier Figuren, darunter ein Mann mit einer Art Jakobinermütze und mit einer sanduhrförmigen Trommel, ein Mann in einem Boote stehend und ein eingeborener Reiter mit hoher, kegelförmiger Mütze, von der mehrere große Quasten und Troddeln herabhängen, darunter auch eine an einer langen und dicken, geflochtenen Schnur. Der Kopf des Pferdes ist in grotesk erscheinender Art so gedreht, daß der Beschauer ihn in reiner Vorderansicht erblickt. Der leere Raum zwischen dem Trommler und dem vierten Mann ist mit einem großen Schlachtschwert und einer richtigen Flinte mit Steinschloß ausgefüllt; dasselbe Stück war ursprünglich im Besitze von L. R. und ist bereits im »Studio« von 1898 beschrieben und abgebildet. — 13. Schale mit Flechtbandmustern, Auktion von J. C. Stevens vom 12. 2. 01. Diese Schnitzwerke erinnern in bemerkenswerter Weise an moderne »kubistische« Bilder; so kann ich den oben abgebildeten Büchsenmacher niemals sehen, ohne zugleich an den Viehhändler von Marc Chagall zu denken; nur scheinen mir jene Schnitzwerke stets liebenswürdig, kindlich und naiv zu sein, niemals kindisch, albern oder psychopathisch.

58. Kapitel.

Geschnitzte Bänkchen, Stühle, Bretter, Kisten, Türen, Spiegelrahmen usw.

[Hierzu Taf. 124 und die Abb. 843 bis 865.]

A. Zu den runden und aus dem Vollen geschnitzten oder aus Erz gegossenen Stühlen der alten Benin-Zeit sind im Laufe der Jahrhunderte und unter dem verderblichen Einflusse der Europäer viereckige

845

847

Abb. 845. Geschnitztes Brett, Hamburg C. 2898, eine Ecke durch Brand zerstört, nach Hagen, Bericht für 1900. Eingeborener Würdenträger mit einer Steinschloßpistole in der Linken und einer zweiten solchen neben seinem Kopfe, mit Pantherfell und mit ganz ungewöhnlich verziertem Lendenschurz. Neben ihm zwei einheimische Musiker, beide mit sanduhrförmigen Trommeln; von diesen bläst einer auf einer Langpfeife. Etwa 1/3 d. w. Gr.

Abb. 847. Kleines Brett aus dunklem Holz, Brit. Museum, etwa 2/5 d. w. Gr. (26 cm hoch), vermutlich eine der ältesten auf uns gekommenen Holzschnitzereien.

Abb. 848. Geschnitzte Brettchen von einem Stuhle, vgl. Abb. 852. Brit. Museum. Etwa 1/4 d. w. Gr. In das unterste war vermutlich ein Spiegel eingelassen gewesen.

Abb. 846. Stuhlplatte, R. D. VIII, 3. Etwa 1/5 d. w. Gr. In der Mitte ein »König« mit Ebere und mit einem phantastischen Szepter, das in zwei Hände ausgeht; neben ihm eine Frau (R. D. sprechen nur von *an attendant*), die einen Schirm über seinen Kopf hält; zu seiner Rechten ein Europäer in einem Boot. In den vier Ecken erhöhte Leisten mit je drei Nägeln zur Befestigung der Stuhlbeine. Im leeren Raum Schlangen, Krokodile, Tonnen, Flaschen, ein Becher usw. Bei R. D. VIII, 3a sind auch zwei von den breiten flachen Beine dieses Stuhles abgebildet; auf einem von diesen ist ein Würdenträger dargestellt, der in der einen Hand ein Ebere hält, in der anderen anscheinend eine Büchse in der Form eines Antilopenkopfes, nicht, wie es bei R. D. heißt, einen Elefantenkopf. Der Stuhl soll Eigentum des letzten Königs von Benin gewesen sein.

Bänkchen mit eingesetzten Füßen gekommen und schließlich sogar häßliche Nachahmungen von europäischen Lehnstühlen, die aber auch noch, wie die Bänkchen, über und über mit geschnitzten Figuren usw. bedeckt sind. In diesem Schnitzwerk steckt so viel alte Tradition, daß es mir richtig scheint, eine größere Zahl dieser Bänkchen und Stühle hier abzubilden, obwohl die Stücke selbst nicht alt sind und mit einer einzigen Ausnahme wohl alle erst dem 19. Jahrhundert angehören; hingegen würde es sich kaum lohnen,

Abb. 850. Geschnitztes Brett, nach P. R. 317, ¹/₆ d. w. Gr.

Abb. 849. Sitzbrett eines Stühlchens, P. R. 27, vgl. das sehr ähnliche von Abb. 846. Im Boote liegen anscheinend Tauschwaren, obenauf wohl gewebte Stoffe in flachen Ballen; der Europäer scheint mit Kanne und Becher die Kauflust anzuregen; etwa ¹/₆ d. w. Gr. Ein drittes ähnliches Stück habe ich in meinem Beitrage über Afrika zur »Illustr. Völkerkunde«, Stuttgart, Strecker und Schröder, S. 407 abgebildet; ich weiß nicht, wo es sich zurzeit befindet; auch da hält der in der Mitte stehende König in der Linken ein in zwei Hände endigendes Szepter. Zu seiner Rechten trommelt eine Frau und steht ein Mann mit Ebere, zur Linken steht ein Europäer mit langem Säbel; neben diesem lehnt ein großes Perkussions(Kapsel-)gewehr.

Abb. 851. Sitzbrett eines Stühlchens, Webster 11441, Abb. 32 von Kat. 29, 1901. Etwa ¹/₆ d. w. Gr.

852

Abb. 852. Stühlchen, Auktion Ansorge, 1909, etwa ¹/₇ d. w. Gr. Im Kataloge überschwänglich als *Trone seat, magnificent carving, unique specimen* bezeichnet; modernes schlechtes Stück; für die Nägel der zwei (oberen) Stuhlbeine sind nicht einmal, wie sonst üblich, Felder ausgespart, so daß die Nägel durch den Reiter und durch die Begleiterin des Mannes mit der Armbrust hindurchgehen.

sie alle einzeln zu beschreiben; auf einige besondere Einzelheiten ist in der Beschriftung der Abbildungen hingewiesen, alle andern wird jeder auch von sich aus erkennen und richtig deuten, der mit den Bronzen und Elfenbeinschnitzwerken der älteren Zeit von Benin bekannt ist. Im übrigen ist der Ideenkreis, der auf diesen neueren Stücken zum Ausdruck gebracht ist, recht beschränkt, und dieselben Typen wiederholen sich immer wieder von neuem, so der breitspurig in einem kleinen Boote stehende Europäer und ein Mann mit einem Sonnenschirm, dessen Stock oft in grotesker Weise gebogen oder geknickt ist, um nicht

62*

854

Abb. 853. Sitzfläche eines Lehnstuhls der Sammlung Rawson, vgl. Abb. 855. — Abb. 854. Teile eines Lehnstuhles, Dresden 15519, früher Webster 1013. — Abb. 855. Lehnstuhl der Sammlung Rawson, vgl. Abb. 853.

853

855

über das Gesicht geführt zu werden. Zweimal (Berlin und Leipzig) stehen Europäer auf einem Pferde, häufiger sind sie reitend dargestellt. Die Eingebornen sind, wie auf den alten Platten und auf den Zähnen, noch meist mit dem Ebere ausgerüstet oder mit Schild und Speeren, gelegentlich mit einer Armbrust oder mit Pistolen; auch ihre Begleiter mit Trommeln und Pfeifen werden nicht vermißt. Mehrfach finden

856

857

Abb. 856. Widderkopf aus Holz nach Webster, Kat. 31 von 1901, Abb. 172, etwa ⅛ d. w. Gr. — Abb. 857. Holzbrett, angeblich Verschluß für eine »Opfergrube«, nach Webster, Kat. 29 von 1901, Abb. 31. Die beiden stilisierten Elefantenköpfe zu den Seiten des Rinderkopfes sind dort als Welse gedeutet, deren Schweif in eine menschliche Hand endet. Etwa ⅛ d. w. Gr.

Abb. 859. Ausschnitt aus dem unten abgebildeten Brett; man beachte den Versuch, die Signaturen der Kisten wiederzugeben. Etwa ⅓ d. w. Gr.

Abb. 858. Geschnitztes Brett im Besitze von Frau Erdmann, Altona; ¹/₁₃ d. w. Gr. (Länge 128 cm). Links ein Warenlager mit großen und kleinen Tonnen, signierten und anderen Kisten, davon zwei mit gewöhnlichen Schlössern, eine mit einem Vorlegeschloß; rechts zwei Europäer auf verstellbaren Liegestühlen, anscheinend unter einer Punka.

wir einen »Olokum« mit Welsen statt der Beine; verhältnismäßig selten sind Frauen, sie halten meist einen Schirm über einen Würdenträger; einmal, auf dem ganz rezenten Berliner Stuhlbein, Taf. 124 F, ist eine Frau auch *in actu* dargestellt, auf einem anscheinend sitzenden Manne sitzend — die einzige »angehörige« Darstellung im Bereiche der ganzen Benin-Kunst. Leere Räume sind mit Panthern, Krokodilen, Schlangen, Fischen, aber auch mit umflochtenen und anderen Flaschen, Bechern, Tonnen usw. ausgefüllt. Seltener finden wir die ganzen Flächen nur mit Flechtbändern oder mit den beiden alten Schwertformen, Ebere und Ada, geschmückt; ab und zu sind die Sitzflächen ganz oder teilweise mit repoussiertem Blech überzogen. Die vier Beine waren meist noch in halber Höhe durch gleichfalls reich geschnitzte Querleisten verbunden, die freilich oft verloren gegangen sind. Auffallend und für den vorgeschrittenen Verfall der alten Kunstübung bezeichnend ist das gelegentliche Fehlen einer Symmetrieachse oder der mehrfach zu beobachtende Verzicht auf eine einheitliche Horizontale.

Außer diesen unter sich recht ähnlichen Bänkchen mit den brettförmigen Beinen kenne ich noch die beiden Fig. 853/4/5 abgebildeten Lehnstühle und einen viereckigen Stuhl ohne Lehne mit einem großen Flechtbandmuster auf der Sitzfläche und mit vier Beinen, die ungefähr quadratischen Querschnitt haben; das einem europäischen Vorbild nachgearbeitete Stück ist im Auktionskatalog von J. C. Stevens vom 12. 2. 1901 abgebildet.

B. In diesem Zusammenhange sind einige geschnitzte Bretter zu erwähnen, von denen das größte, P. R. 331, 320 cm lang und 58 cm breit ist; durchaus mit in fünf Gruppen angeordneten Rosetten, Flechtbändern und Schlangen bedeckt, hatte es ursprünglich einen Überzug von repoussiertem Blech, von dem aber nur mehr kärgliche Reste erhalten sind. Etwas kleiner ist das in Hamburger Privatbesitz befindliche,

Abb. 860. »Opferbrett von erhabenen und wunderseltzamen und abscheulichen Teufelsbildern geschnitten, welches der König zu Haarder, so des größten Königs von Benin Vasall ist, sammt den größten Officieren und Naturelen derselbigen Provinz bey ihrer Götter Opffer oder Fetisie zu gebrauchen und darauf zu opffern pflegen und dieses Opfferbrett von dem jetzt regierenden König zu Haarder selbsten infestiert und von ihme gebraucht worden.« So wörtlich in dem 1659 gedruckten Katalog der Weickmann-Sammlung. Etwa ⅕ d. w. Gr. Das Stück war zurzeit von R. Andree's Nachforschungen in Ulm verschollen, ist aber seither dort wieder zum Vorschein gekommen. (Vgl. die »Ifa-Bretter« bei L. Frobenius, »Und Afrika sprach«, Bd. I, Taf. bei S. 320 und Bd. II, Taf. bei S. 368.)

ganz rezente Brett, das hier Fig. 858/9 abgebildet ist. Es zeigt zwei europäische Kaufleute, die in Liegestühlen unter einer Punka ausgestreckt einen Bericht entgegennehmen. Die verschiedenen Arten und Formen von Kisten, Kasten und Tonnen sind sorgfältig auseinandergehalten, selbst die Signaturen der Kisten sind mühevoll, aber verständnislos nachgeschnitten. Ein drittes Brett ist hier Fig. 857 abgebildet; inwieweit die Händlerangabe zutrifft, daß es zum Verschluß einer Opfergrube gedient habe, bleibt einstweilen besser unentschieden. Sicher sakrale Bedeutung hat hingegen das Fig. 860 abgebildete Brett aus Haarder, also aus der unmittelbaren Nachbarschaft von Benin; es befindet sich im Gewerbe-Museum von Ulm und stammt aus dem berühmten Exoticophylacium Weickmannianum, ist also schon vor 1659 nach Deutschland gelangt — wenn nicht etwa eine Verwechslung vorliegt; mit einer solchen muß immerhin gerechnet werden, da die Weickmannschen Erben die von ihrem Ahnherrn gegründete Sammlung in entsetzlicher Weise haben verwahrlosen lassen. Das Stück selbst ist tadellos erhalten und stimmt mit manchen ähnlichen Schnitzwerken aus Yoruba, die Herrn Frobenius zu danken sind, sehr gut überein; dagegen hat es wider alles Erwarten kaum irgendwelche Analogien mit den zeitgenössischen Arbeiten in Benin; von der runden Vertiefung in der Mitte, in die man sich ganz gut etwa einen abgeschnittenen Kopf gelegt denken kann, führt unten, dem oben geschnitzten Kopfe gerade gegenüber, ein Bohrloch nach außen.

Ganz rezent und hier (Ergänzungsblatt Z, Fig. 863/4/5) nur wegen der mehrfachen Übereinstimmungen mit alten Stücken abgebildet ist eine aus Brettern mit Drahtstiften zusammengenagelte Kiste, Hamburg 1047, 05, mit einer Hinrichtungsszene auf dem Deckel und auf den vier Seitenwänden.

C. Geschnitzte Türen und Rahmen für Spiegel scheinen in der Spätzeit von Benin nicht selten gewesen zu sein. Das beste dieser Stücke, Wien 64 706, Heger 164, früher Webster 4952, ist bereits durch eine schöne Abbildung bei L. R. (»Studio«, 1898) allgemein bekannt; trotzdem und obwohl es keinesfalls alt ist, gebe ich hier, Fig. 861/2, noch einmal eine Gesamtansicht und eine Abbildung des oberen Randes; der liebenswürdige Humor, der da in den Szenen aus einer Kinderstube zum Ausdruck gelangt, scheint mir solcher Wertschätzung nicht unwürdig; ebenso lohnt es wohl, darauf hinzuweisen, wie sorgfältig noch die Arbeit der Flechtbänder ist und wie gut sich auch in den vier Europäerköpfen die alte Tradition erhalten hat. Noch sehr viel älter ist freilich die »Zapfentür« als solche; es ist wenigstens kaum wahrschein-

Abb. 862. Der obere Rand der nebenstehend abgebildeten Tür mit Darstellungen aus einer »Kinderstube«.

Abb. 861. Geschnitzte Tür, Wien 64 706 (Heger 164), früher Webster 4952, etwa ¹/₁₀ d. w. Gr.

lich, daß sie irgendwo im tropischen Afrika selbständig neu erfunden ist; über diese Frage habe ich seit 1898 mehrfach [1]) gehandelt, so daß ich hier auf die in der Anmerkung mitgeteilten Stellen verweisen kann. Ganz minderwertig ist an der Wiener Tür die gegenwärtige Füllung; ursprünglich war in die etwa aus der Mitte des 19. Jahrhunderts stammende Tür ein Spiegel eingelassen; dieser war aber schon, als ich 1898 das Stück zum ersten Male in London sah, durch die ganz rezente, windschief gebogene Holzplatte mit schlechtem Schnitzwerk ersetzt, die noch heute schlecht und recht in den Rahmen hineingezwängt ist; damals roch sie noch nach Firnis und machte Fettflecke; auch ist sie aus anderem Holze als der Rahmen und wohl überhaupt gar nicht von Benin-Leuten gemacht.

Ein ähnlicher Spiegelrahmen von etwa 86 cm Höhe ist bei Webster, Fig. 93, Kat. 24 von 1900, abgebildet; er ruht auf drei Fußpaaren, und auch auf seinem oberen Rande standen ursprünglich drei ganze menschliche Figuren; von diesen ist nur die mittlere erhalten; von den beiden seitlichen sind nur ganz unscheinbare Reste, die W. übersehen zu haben scheint, nachweisbar; nach dem Stile der Figur zu schließen,

---

[1]) Zuerst, soweit ich erinnere, in meinem Beitrage zu C. W. Werther, Die mittleren Hochländer des nördlichen Deutsch-Ostafrika, Berlin, Paetel, 1898, S. 345 ff.; an dieser Stelle habe ich auch schon die Tembe des abflußlosen Gebiets auf das vorderasiatische Haus mit flachem Dach zurückgeführt. Seither habe ich Zapfentüren auch im tropischen Westen von Afrika vielfach nachweisen können, wo sie mehrfach sogar noch mit einem altbabylonischen Schloß kombiniert vorkommen, das sich in ganz Vorderasien bis auf den heutigen Tag erhalten hat und mit den Arabern auch nach Afrika gelangt ist, vgl. meine Abh. »Zusammenhänge und Konvergenz«, Mitt. d. Wiener anthrop. Ges. Bd. 48, S. 102—108. Mein Kollege Heinrich Schäfer hat mich seither gütigst aufmerksam gemacht, daß bei den altägyptischen Türen der untere Zapfen nicht wie bei den vorderasiatischen drehrund, sondern spitz dreieckig ist; es liegt wohl nahe, daraus zu schließen, daß die Zapfentüren im tropischen Afrika mit Vorderasien, also zunächst mit den Arabern, zusammenhängen und nicht mit Ägypten.

kann das Stück noch in das 18., vielleicht sogar noch in das späte 17. Jahrhundert gehören. Zwei kleinere, in solcher Art gerahmte Spiegel, darunter einer mit einer sitzenden Frau und einem Kinde wie auf den Wiener Stücke, waren 1901 auf einer Auktion von J. C. Stevens; ein weiteres Stück, Frankfurt 12 169, ist durch einen hohen, dreieckigen Giebel auf dem oberen Rande ausgezeichnet; es ist auch dadurch bemerkenswert, daß der Spiegel wirklich von vornherein durch einen Schiebedeckel aus Holz geschützt war; daß es sich hier um späte Nachbildungen europäischer Reisespiegel handelt, scheint mir durchaus gesichert.

59. Kapitel.
Aus Holz geschnitzte Köpfe, Truthühner und sog. „Richtblöcke".
[Hierzu Taf. 107 D, Taf. 123 und die Abb. 866 bis 868.]

A. Späte und ganz schlechte Holzköpfe in der Art der hier Fig. 866 und Taf. 107 D abgebildeten sind mir im ganzen 17 bekannt geworden, je zwei in Berlin, Dresden, Hamburg und Leiden, je einer in Basel, Cöln, London und Rushmore und fünf, die vor mehreren Jahren noch im Handel waren; sie sind teilweise mit sehr roh repoussiertem Messingblech überzogen; die Augensterne und die Stirnnarben sind durch eingelegte Stücke von dunklem Holz wiedergegeben; einige Köpfe haben auch noch einen besonderen »Schmuck« aus eingeschlagenen Tapeziernägeln mit runden Messingköpfen. Sie sind durchweg sehr unerfreulich, roh und ganz spät, wenn auch einige Stücke unter Termitenfraß gelitten haben; wir haben sie ohne Zweifel als einen späten und sehr minderwertigen Ersatz für die großen, aus Erz gegossenen Köpfe aufzufassen, was auch P. R. annimmt, obwohl er zu seinem

Abb. 866. Aus dunklem Holz geschnitzter Kopf, Brit. Museum, etwa ¼ d. w. Gr. Vgl. Taf. 107 D.

Abb. 867. Aus dunklem Holz geschnitzter Vogel, Museum Umlauff, Hamburg. Etwa ⅕ d. w. Gr.

Holzkopfe 277 in allzu großer Gewissenhaftigkeit bemerkt, es sei schwer zu sagen, ob es nicht älter sei als die Einführung der Gußtechnik. Ich habe an anderer Stelle darauf hingewiesen, daß es manchmal wirklich nicht ganz leicht sei, sehr alte und kindlich primitive Stücke von späten und kindisch dekadenten stilistisch zu trennen, aber gerade bei diesen geschnitzten Köpfen scheint mir jede Möglichkeit, sie für älter zu halten, als die gegossenen, mit voller Sicherheit ausgeschlossen; ich glaube nicht, daß auch nur ein einziges von ihnen älter ist als das späte 18. Jahrhundert; die meisten stammen wohl erst aus dem frühen 19. Untereinander stimmen sie durchweg nicht nur stilistisch überein, sondern auch in mancherlei Einzelheiten, so haben sie alle links eine aus der Schläfengegend steil aufragende Feder und zwei Zöpfe, rechts nur einen; hinten ist vom Halse bis zum Scheitel eine etwa 5 cm breite und ebenso tiefe Rinne mit annähernd quadratischem Querschnitt vorhanden, die nur ganz unten und ganz oben überbrückt ist und so etwas an das kuriose rechteckige Fenster erinnert, das wir bei einigen Bronzeköpfen festgestellt haben, vgl. Abb. 524, S. 358. Ich habe schon 1901 in meiner Beschreibung der Knorrschen Sammlung darauf hingewiesen, daß jene Holzköpfe ursprünglich auf Pfähle gesteckt gewesen sein dürften; ich bin noch jetzt dieser Meinung und glaube, daß sie ursprünglich zum Gräberkult gehörten, wofür besonders der alte, hier S. 347 wiedergegebene Holzschnitt bei De Bry zu sprechen scheint; später hat man solche Köpfe dann auch auf die Stufen eines »Zauberaltars« gesetzt, aber das war wohl nur eine sekundäre Verwendung, genau wie etwa die Benutzung der großen Bronzeköpfe zu Untersätzen für die geschnitzten Elefantenzähne. In einem der Hamburger Holzköpfe hat sich in der Rinne noch ein Stück des ursprünglichen Pfahles erhalten; ein solcher wäre ganz zwecklos gewesen, wenn man die Köpfe von Haus aus so auf eine »Altarstufe« hätte stellen wollen, wie das die schöne, von L. R. (Gr.-Benin S. 67) reproduzierte Photographie Mr. Granvilles zeigt. Die drei der auf der oberen Stufe stehenden Holzköpfe lassen übrigens sehr deutlich erkennen, wie das obere Ende des Pfahles noch etwa 25 cm lang über den Scheitel des Kopfes hinausragte.

Auf der Pariser Ausstellung von 1900 war mitten in einer Art Trophäe mit verschiedenen höchst merkwürdigen Masken und Figuren von der Zahnküste auch ein solcher Holzkopf aus Benin ausgestellt; er war zweifellos durch irgendeinen Zufall aus Benin verschleppt und in eine Gruppe verschlagen worden, mit der er nicht das Geringste zu tun hat. Die Originalbezeichnung *tête de grand fétiche d'un modèle très rare aujourd'-hui* gestattet vielleicht einen Schluß darauf, daß der Kopf nicht erst nach der Eroberung von Benin nach der Zahnküste verschleppt wurde. So besitzt ja auch das Leipziger Museum schon seit seinen ältesten Anfängen einen aus Benin stammenden, aus Holz geschnitzten Vogel.

In Leiden befindet sich noch ein Holzkopf völlig anderer Art, der von J. D. E. Schmeltz im I. A. XV, S. 207 beschrieben und abgebildet wurde. Er befand sich ohne Herkunftsangabe im ehemaligen »Kabinet van Zeldzaamheden« und ist seither mehrfach als aus Benin stammend besprochen und neu abgebildet worden. Ich halte diese Zuweisung für durchaus verfehlt und nehme an, daß man gerade in Leiden selbst die richtige Herkunft des eigenartigen Stückes bald feststellen können wird.

B. In ähnlicher Weise, wie bei den unter A. beschriebenen Köpfen ursprünglich die Spitze eines Pfahles in der Scheitelgegend weit vorragte, finden wir einen aus dem Vollen geschnitzten Dorn von etwa 15 cm Länge aus dem Rücken von truthahnähnlich geschnitzten Vögeln herausstehen, für die hier Fig. 867 ein typischer Vertreter abgebildet ist; ich kenne zehn solche Stücke, je zwei in Berlin und in Hamburg, je eines in Dresden, Leipzig und in Rushmore sowie drei im Handel. Sie stimmen alle untereinander auf das engste überein, so daß die einzelnen Stücke unter sich oft mehr durch ihren zufälligen Erhaltungszustand als durch die Einzelheiten der Ausführung unterschieden sind; zeitlich sind sie vermutlich ebenso spät anzusetzen wie die eben beschriebenen Holzköpfe; auch ist es nicht ganz unwahrscheinlich, daß sie ebenso als die letzten degenerierten Ausläufer der schönen, großen Bronzehähne zu betrachten sind, wie die Holzköpfe als kümmerlicher Ersatz für die alten gegossenen Köpfe aufgefaßt werden können. Die mit aus dem Vollen geschnitzte Sockelplatte für diese Truthühner ist stets rund, während die alten Bronzehähne ausnahmslos auf einer quadratischen Basis stehen. Bei sämtlichen Stücken kann man gleichmäßig beobachten, daß die ganze Oberfläche des Sockels und des Vogels selbst trotz aller Entartung des Stiles doch sorgfältig überarbeitet und geglättet ist, nur der senkrecht aufragende Dorn ist roh zugeschnitten und ohne Verzierung; daraus kann mit voller Sicherheit geschlossen werden, daß bei der ursprünglichen Verwendung dieser Hähne der Dorn nicht sichtbar gewesen sein kann, daß also irgend etwas auf ihn aufgesteckt gewesen sein muß; was das war, wissen wir noch nicht; bei dem blutdürstigen Ritual der Benin-Leute könnte man etwa an menschliche Köpfe denken, die mit dem Hinterhauptsloch auf den Dorn gesteckt werden; bei dem hier abgebildeten Stücke könnte das leicht geschehen; die Vermutung wird aber hinfällig, da bei mehreren anderen Stücken der Dorn einen Durchmesser von 5 und 6 cm hat und ganz stumpf endet. So muß die Frage nach der Bestimmung dieser geschnitzten Truthühner einstweilen noch offen bleiben; Sir Richard Burton hat 1862 drei solche Vögel in einer Nische des Hauses gesehen, das er in Benin bewohnte, und erwähnt sie als *household gods* (Frasers Magazine, 47. 1863, S. 135 ff.).

C. Ganz unwissend sind wir auch über die sogenannten »Richtblöcke«, bei denen sich gleichfalls ein ähnlich roh zugeschnittener und unverzierter Dorn findet. Zwei vollständige Stücke dieser Art sind hier abgebildet, das Berliner, III. C. 8758, auf Taf. 123, und das Cölner Fig. 868. Es gibt noch ein drittes, ganz ähnliches Stück, P. R. 333, in Rushmore. Außerdem sind noch zwei unvollständige erhalten, in Rushmore und in Wien, von denen die untere Sockelplatte verloren gegangen ist; aber was von ihnen vorliegt, stimmt derart mit den drei vollständigen überein, daß wir von fünf unter sich ganz gleichartigen Stücken sprechen können, die nur durch unwesentliche Einzelheiten voneinander verschieden waren und sich in Form, Größe, Stil usw. durchaus glichen. Alle fünf stammen aus dem englischen Handel, eines, das Wiener, war da als *carved wooden fetish having many strange devices* bezeichnet, die vier anderen, die alle von Mr. Webster stammen, als *execution block*; auf Webster oder auf einen seiner Gewährsmänner gehen dann wohl auch die weiterhin von P. R. übernommenen Ausführungen zurück, das Haupt des Opfers wäre auf den zugespitzten Dorn und seine Daumen auf die länglichen Grübchen gelegt worden, die zu beiden Seiten des Dornes durch die stark gebogenen Welse gebildet seien. Dabei dachte wenigstens P. R. sicher nicht etwa an abgeschnittene Leichenteile, sondern an das noch lebende Opfer, denn in der Beschreibung seines Stückes 258 heißt es ausdrücklich, daß der spitze Dorn für die Stirn bestimmt sei. Er hat sich die Webstersche Angabe also wohl so ausgelegt, daß man den Delinquenten veranlaßt habe, seine Daumen in die Grübchen und seine Stirn auf den spitzen Dorn zu legen; ein solches Balancieren scheint mir nun vor allem technisch ganz unwahrscheinlich, besonders wenn man sich dann etwa weiter vorstellen sollte, das unglückliche Opfer hätte in dieser schwierigen Lage verbleiben müssen, bis man ihm durch einen stumpfen Hieb auf den Kopf den Dorn in das Innere des Schädels getrieben habe. Das Grauenhafte dieser Vorstellung wird noch unheimlicher, wenn wir bei P. R. weiter lesen, sein Block sei *much worn, as if by constant use*. Nun gab es sicherlich in Benin Menschenopfer ohne Zahl und vermutlich sehr verschiedene Arten der Hinrichtung, aber es scheint mir von vornherein nicht sehr wahrscheinlich, daß man sich überhaupt oder gar ständig eines so ausgesucht schwierigen Verfahrens bedient habe. Die Schnitzwerke auf der Mantelfläche des Blockes und auf dem Untersatze gestatten keinerlei Rückschluß auf die wirkliche Bestimmung der Stücke; allerdings muß zugegeben werden, daß einer von

Abb. 868. Sog. »Richtblock«, Joest-Rautenstrauch-Museum, Cöln a. Rh. Vgl. das Berliner Stück Taf. 123. Etwa ¹/₅ d. w. Gr.

den drei Benin-Leuten, die auf dem Wiener Block geschnitzt sind, in der erhobenen Linken etwas hält, was man zunächst als einen abgeschnittenen und dann in der Scheitelgegend gespeerten Kopf deuten muß; auch daß der Kopf an einer kurzen Schnur getragen wird, die ihrerseits mit den Scheitelhaaren zusammen verschnürt ist, erscheint nicht ausgeschlossen, wenn man nicht etwa, was mir unrichtig erschiene, überhaupt an keinen abgeschnittenen Kopf, sondern an eine große, kopfförmige Rassel denken will. Andere Zusammenhänge mit Menschenopfern scheinen unter den Schnitzereien dieser Gruppe überhaupt nicht vorzukommen; auf der oberen Fläche der Sockelplatte liegen (vgl. Taf. 123) bei sämtlichen Stücken rings um die kreisrunde, zur Aufnahme des eigentlichen Blockes bestimmte, leicht vertiefte Fläche zwei Krokodile; auf ihrer rechteckigen Vorderfläche sind außer Figuren von Eingebornen die immer wiederkehrenden mythologischen Embleme geschnitzt, Welse, Krokodilköpfe, Elefantenrüssel und Schmiede- (oder Donner-?) Hämmer, außerdem noch rechteckige Tassen oder Tröge (?) mit neun rundlichen, in der Mitte vertieften Gegenständen; auf dem Berliner Stück und auf dem P. R. 333 hält die Frau in der Mitte der Sockelplatte einen ähnlichen, aber kreisrunden Trog (?) mit 12 gleichen Gegenständen, zu deren Deutung einstweilen jeder Anhalt zu fehlen scheint — ebenso wie zurzeit auch noch eine befriedigende Erklärung des Dornes an den »Richtblöcken« und an den Truthühnern aussteht; dasselbe gilt ebenso auch von dem Dorne, der nach der eingangs erwähnten Granvilleschen Photographie wenigstens bei einem Teile der aus Holz geschnitzten menschlichen Köpfe vorhanden gewesen war.

60. Kapitel.

Geschnitzte Masken und Kopfbedeckungen.

[Hierzu Abb. 869.]

In der Literatur, in den Händlerkatalogen und in einzelnen Sammlungen erscheint eine nicht geringe Zahl von geschnitzten Masken und anderen Kopfbedeckungen, die entweder den Benin-Leuten selbst oder nahen Nachbarn, wie den Jekri und den Sobo, zugeschrieben werden. Stilistisch fallen sie durchaus weit außerhalb des Benin-Kreises, auch ergeben die alten Platten und Schnitzwerke keinerlei Anhalt dafür, daß in der guten Zeit von Benin, Masken üblich gewesen wären, aber die Angaben lauten so bestimmt,

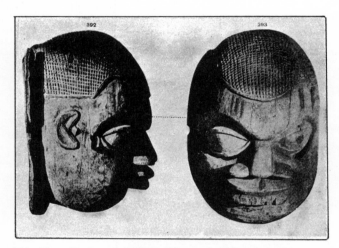

Abb. 869. Maske mit halbmondförmigen Schlitzen in den Unterlidern, angeblich Benin, P. R. 392. Etwa ¹/₆ d. w. Gr.

daß sie hier nicht ganz übergangen werden dürfen. So besitzt z. B. Berlin eine ganz monströse Maske, III. C. 7671, die, auf zwei Ringe verteilt, gegen 30 etwa spannhohe, rund geschnitzte und bunt bemalte Figuren trägt; das Stück ist uns von einem sonst bewährten Kenner des Landes als »Tanzmaske des Königs von Benin« und als große Kostbarkeit geschenkt worden; vermutlich stammt das ganz moderne und trotz seiner Größe recht wenig erfreuliche Stück aus Yoruba; es soll gelegentlich in einem anderen Zusammenhang abgebildet werden. Erwähnung verdient ferner die hier Fig. 869 abgebildete Maske P. R. 392; sie hat ober den Augen dunkle Streifen, die an die typische Benin-Tätowierung erinnern (oder erinnern sollen!), aber mir etwas bedenklich erscheinen; immerhin wird man mit der Möglichkeit, daß sie wirklich aus Benin stammt, so lange rechnen müssen, bis es gelingt, ihre richtige Herkunft mit Sicherheit festzustellen; das gleiche gilt von den Stücken P. R. 176 und 183, von dem hohen, von L. R. im »Studio« 1898, Fig. 30, und in G. B. S. 200 abgebildeten »Sobo-Fetisch« des Brit. Museums sowie von den Stücken Egerton 6b und Rawson 16, die bisher noch nicht veröffentlicht sind, von denen aber das Berliner Museum Photographien besitzt.

---

61. Kapitel.

Geschnitzte Ruder.

Die Sammlungen in Berlin, Cöln, Frankfurt a. M., Hamburg, Leiden und Rushmore besitzen im ganzen 16 geschnitzte Ruder, für die hier auf die Abbildung bei M., Taf. IX, und bei P. R. 256/7 sowie auf die sehr eingehende Beschreibung bei M., S. 74 ff., verwiesen sein mag. Die meisten dieser Stücke sind ganz rezent; da sie in durchbrochener Technik geschnitzt sind, kommen sie für ernsthafte praktische Verwendung überhaupt nicht in Frage; *bottled for export* sagte mir A. W. Franks, als wir 1878 in Paris einmal vor einem solchen Stücke standen, und hatte damit wohl den Nagel auf den Kopf getroffen, obwohl man zugeben muß, daß die Arbeit dieser Ruder eigentlich sorgfältiger ist, als man bei Stücken erwarten sollte, die nur für den dummen Weißen gemacht werden; es ist auch nicht unmöglich, daß sie ursprünglich etwa in der Art von Tanzkeulen von den Eingebornen selbst verwandt wurden; außerdem ist zu berücksichtigen, daß wenigstens für einzelne dieser Ruder mit voller Bestimmtheit angegeben wird, daß sie von den Jekri stammen, also von Leuten, die zwar auch am Benin-Flusse wohnen, aber mit dem alten Königreich von Benin nur ganz lockeren Zusammenhang haben; auch war den Benin-Leuten selbst nach recht glaubwürdigen Angaben das Befahren und das Kreuzen von Flüssen untersagt.

62. Kapitel.
Gewebte Zeuge, Kleidung, Panzerhemd.

In englischem Privatbesitz befinden sich verschiedene aus Benin stammende Baumwollzeuge, fast alle aus ganz schmal gewebten Streifen zusammengenäht und durchaus den Zeugen gleichend, die wir aus Togo kennen. Ich glaube nicht, daß irgendein älteres Stück darunter ist, und verzichte deshalb hier auf eine weitere Beschreibung. Was sonst an gewebten Stoffen aus Benin gekommen ist, stammt durchweg aus Europa, nur die Wiener Sammlung besitzt ein interessantes Stück, 64 811, das zwar auch kaum sehr alt sein dürfte, aber doch hier erwähnt werden muß; es ist ein fast quadratisches, einheimisches Baumwollgewebe von 21,5 cm Breite, das mit europäischen Wollfäden in blauer, roter und gelber Farbe bestickt ist; an den Kanten sind die üblichen Flechtbänder und verwandte Muster, das Mittelfeld ist von der Vorderansicht eines stilisierten, langhaarigen Europäerkopfes eingenommen; am unteren Rande des Stückes sind lange Franzen.

Wien besitzt auch ein Stück vom Ärmel eines Kettenpanzers; die Arbeit ist sehr sorgfältig; die einzelnen Ringe sind aus etwa 0,3 mm starkem Eisendraht zu offenen Kreisen von 4 mm Durchmesser zusammengebogen. Die Meinungen der Fachleute gehen darüber auseinander, ob es sich um eine europäische, orientalische oder afrikanische Arbeit handelt, und ich kann mir selbst kein Urteil erlauben; doch ist hier zu erwähnen, daß im Berliner Museum mehrere ganze Panzerhemden aus den Haussa-Ländern sich befinden, von denen Flegel und andere gute Kenner meinten, daß sie einheimische Arbeit seien. Frankfurt a. M. besitzt schon seit 1869 ein 50 × 220 cm großes, aus schmalen Streifen zusammengesetztes Baumwolltuch, von dem ausdrücklich bemerkt ist, daß es über die Schulter geworfen getragen wird, und daß die Baumwolle in Benin selbst gebaut, gesponnen, gewebt und gefärbt wird.

Noch ist hier an den schon früher einmal erwähnten schönen Lederpanzer des Brit. Museums zu erinnern, der bei R. D. p. 57 abgebildet ist, und wenn er auch selbst kaum sehr alt sein dürfte. doch eine gute alte Form und Technik in erstaunlicher Art erhalten hat.

---

63. Kapitel.

„Verschiedenes.“

[Hierzu Taf. 107 C und die Abb. 870 bis 880.]

Wie es im Wesen aller künstlichen Einteilungen liegt, daß sie niemals restlos durchgeführt werden können, so ergibt sich auch bei dem hier für die Behandlung der Benin-Altertümer gewählten Schema einmal die unerwünschte und manchem wohl auch schimpflich erscheinende Notwendigkeit, um die Reihe der Kapitel nicht ins Ungemessene wachsen zu lassen, schließlich eine Anzahl von ganz heterogenen Gegenständen unter dem nichtssagenden Titel »Verschiedenes« zu vereinigen und so im selben Kapitel etwa eine Tabakspfeife und eine Kanone zu beschreiben.

Taf. 107 C ist ein gabelförmiger Gegenstand aus Bronze abgebildet, Berlin, III. C. 8501, 36 cm hoch und oben abgebrochen, so daß man sehen kann, wie es sich um ein Bruchstück eines unten massiven, oben aber hohlgegossenen Gegenstandes handelt; vermutlich haben wir es mit einem Fuß eines jener fast mannshohen, ibisartigen Vögel zu tun, die auf den Türmen und Dachfirsten der königlichen Paläste angebracht waren, wie wir aus den Taf. 40 und 90 und der Abb. 680 C wissen. Drei mächtige, nicht weiter gegliederte Zehen, von denen die mittlere zur Hälfte abgebrochen ist, stehen nach vorn, eine vierte, schon nahe der Wurzel abgebrochen, greift nach hinten. Vier große Dübellöcher vorn und eines hinten dienten der sicheren Befestigung des gewaltigen Stückes auf dem Firstbalken. — Das Leipziger Museum besitzt eine etwa spannlange, späte Bronze von der Form einer querliegenden zylindrischen Walze, die unten vier kümmerliche Füße hat und vorn in einen mit dem Gesicht nach oben gewandten menschlichen Kopf endet; hinten ist der walzenförmige Leib flach abgeschnitten; einige unregelmäßige Grübchen in der nahezu kreisrunden Fläche sind wohl nur als Gußfehler zu betrachten; der Zweck des Gerätes ist unbekannt; vielleicht hat man an irgendwelche phallische Beziehungen zu denken. — Berlin, III. C. 23 963, ist eine

63*

etwa kreisrunde Bronzescheibe von 9 cm Durchmesser, in der Mitte mit einem haselnußgroß vorspringenden Buckel und mit vier Nietlöchern am Rande; es läge nahe, an einen Schildbuckel zu denken, aber die Form erscheint auf den Platten und anderen Bildwerken für Benin nicht weiter belegt. — Berlin, III. C. 19 144 ist ein 14 cm langes Bruchstück einer um einen Eisenkern gegossenen Bronzestange mit ganz besonders sorgfältiger Ziselierung. — Hamburg 11.75 : 3 ist ein etwa zuckerhutförmig gestaltetes Bronzestück, hohl, 18,5 cm hoch, mit zwei rechteckigen Dübellöchern, ähnlich denen, die wir bei den großen Schlangenköpfen gefunden haben; wenn es etwas länger wäre, würde man es für ein Schwanzstück einer jener großen Schlangen halten können, von denen S. 340 ff. die Rede war. — Leiden 1355/3 ist eine 50 cm lange Holzkeule, vgl. die Abb. M. IX. 3. Dort ist nicht erwähnt, daß eine solche Keule im ganzen Kreise der Benin-Kultur völlig einzig und ohne jede Analogie wäre. Ich bezweifle die Zuverlässigkeit der Herkunftsangabe. — Die in mehreren Sammlungen vorhandenen Messinglöffel sind moderne Nachbildungen von europäischen; auch die aus Holz geschnitzten Löffel der Sammlungen sind wohl durchweg rezent. Über die unvergleichlich schön geschnitzten alten Elfenbeinlöffel, die anscheinend im 16. und 17. Jahrhundert aus Benin kamen, soll an anderer Stelle gehandelt werden, vgl. Kap. 53, S. 478. — Die in die europäischen Sammlungen gelangten Benin-Trommeln sind meist ganz rezente Stücke; älter ist nur die hier Fig. 870 abgebildete (Webster 8819, Abb. 82 im Katalog 24 von 1900), über deren gegenwärtigen Verbleib ich nicht unterrichtet bin.

Abb. 870. Trommel, angeblich aus Benin, nach Webster, Abb. 82 in Kat. 24 von 1900, etwa ¹/₉ d. w. Gr.; die Tätowierung der weiblichen Figur spricht nicht für die Sicherheit der Herkunftsangabe, auch der Stil der verschiedenen kleineren Schnitzereien, mit denen die übrige Mantelfläche bedeckt ist, scheint nicht nach Benin zu weisen; nur der große Geldring könnte unmittelbar auf Benin bezogen werden. Ein zweiter Fuß, der sicher vorhanden war, ist abgebrochen. Ähnliche Trommeln sind aus Dahome bekannt, wo sie meist paarweise und in verschieden hoher Stimmung vorkommen; sie werden deshalb als männliche und weibliche bezeichnet und mit entsprechenden Attributen geschmückt; wohl das schönste Paar dieser Art befindet sich jetzt in Leipzig; ich habe es noch in Paris auf einer Kolonialausstellung photographieren können, ehe es Obst für Deutschland zu gewinnen vermochte.

Mit der großen Sammlung von H. Bey hat das Berliner Museum 1898 auch eine richtige alte Hinterlader-Kanone erworben, von der Art, wie sie vor rund vier Jahrhunderten als Drehbassen oder, um das von Kaiser Maximilian gebrauchte Wort

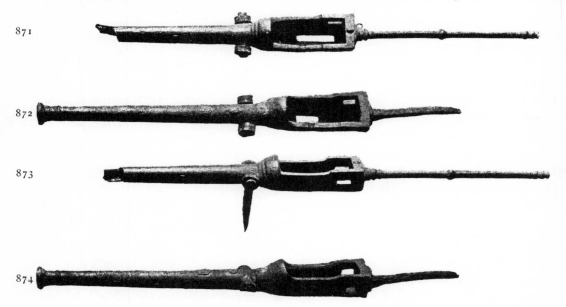

Abb. 871 und 873. Hinterlader-Kanone, Erzguß, Arbeit von Benin, etwa ¹/₁₈ d. w. Gr. — Abb. 872 und 874. Portugiesische Drehbasse, Bronze, Griffstange und Gabel aus Eisen, frühes 17. Jahrh., etwa ¹/₁₈ d. w. Gr. Der Stiel der Gabel ist irrtümlich abgedeckt worden; er hat genau die gleiche Form und Größe wie an dem Beninstück. — Abb. 875. Die Wappen von Portugal und Brasilien auf der portugiesischen Drehbasse Abb. 872 und 874.

anzuwenden, »Mör-rören« in Deutschland und in Westeuropa üblich waren. Dieses Geschütz, III. C. 8511, erweist sich bei genauerer Betrachtung als zweifellose Arbeit von Eingebornen, wenn es sich auch ganz an ein europäisches Vorbild anlehnt. Es ist nicht weit von der ursprünglichen Mündung geplatzt; das erhaltene Stück ist 211 cm lang, die ursprüngliche Länge kann auf rund 240 cm geschätzt werden; davon entfallen rund 110 auf den Lauf, 40 cm auf den Raum für die Kammer und 90 cm auf den langen Drehgriff. Die Länge des Laufes beträgt rund 25 Kaliber. Die Kammer ist nicht erhalten, aber die Einrichtung des Bodenstückes stimmt bis in alle Einzelheiten mit der bei den europäischen Drehbassen üblichen. Auch ist außen am Boden rechts noch ein mitgegossener Ring vorhanden, an dem der Verschluß-keil mit einer Kette befestigt war; die Schildzapfen ruhen auf einer eisernen Gabel, die genau so ge-schmiedet ist wie die Gabeln, die bei den europäischen »Mör-rören« drehbar in die Bordwand der Galeeren eingelassen waren. Zweifelhaft ist nur die Art der Herstellung der Seele; einige Büchsen-meister und andere Techniker, die ich darüber befragen konnte, meinten, daß das Rohr gebohrt sei; ich habe aber persönlich die Überzeugung, daß der Lauf von vornherein hohl gegossen wurde. Das ganze

Geschütz war so eine formell tadellos gelungene Nachbildung eines europäi-schen Vorbildes, aber es war ebenso sicher technisch ganz minderwertig und mag wohl schon beim ersten Schießversuch geplatzt sein.

Zum Vergleich ist hier Fig. 872 und 874 eine ganz ähnliche und ge-nau gleichgroße portugiesische Dreh-basse, wohl aus der ersten Hälfte des 17. Jahrhunderts, abgebildet, die bei Mayumba (an der Küste des Franz. Kongogebietes) am Meeresstrand auf-gefunden wurde. Sie war 1900 auf der Pariser Weltausstellung ausgestellt gewesen und wurde von mir für Berlin erworben; das Original steht jetzt im Berliner Zeughaus; eine genaue Nach-bildung, III. C. 12 604, ist zum Ver-gleiche mit der Benin-Kanone im Museum für Völkerkunde ausgestellt. Die Griffstange ist aus Eisen und zum Teil verrostet, sonst stimmen beide Stücke äußerlich durchaus überein,

Abb. 876. Maske auf der Fig. 871 und 873 abgebildeten Benin-Kanone, leicht vergrößert. Die Bedeutung des rundlichen Gebildes neben dem rechten Mundwinkel ist unbekannt. Auch ist die richtige Orientierung der Maske nicht ganz ein-wandfrei gesichert; die Abbildung könnte vielleicht auch auf den Kopf gestellt werden.

Abb. 877 a. Vorhängeschloß, Bronze, etwa 4/5 d. w. Gr. Vgl. die Feder-zeichnungen 877 b auf dem Er-gänzungsblatt X.

so sehr sie naturgemäß in der Technik ihrer Herstellung verschieden sind. Die auf den Abb. 872 und 874 nur ganz undeutlich erkennbaren Embleme zu beiden Seiten der Schildzapfenachse sind Fig. 875 in größerem Maßstabe abgebildet; es sind die heraldischen Wappen von Portugal und von Brasilien sowie eine rechteckige Kartusche mit einem schönen und reich verzierten Buchstaben L. Auch das Benin-Stück ist nicht ohne solchen Schmuck; es hat in der Mitte der oberen Fläche des Kammerbodens eine kleine Maske in hohem Relief, die Abb. 876 leicht vergrößert wiedergegeben ist.

In einem interessanten Gegensatze zu dieser alten Benin-Kanone steht das Vorhängeschloß, Berlin, III. C. 23 973, das zweifellos auch einem europäischen Vorbilde nachgeahmt, aber auf seiner ganzen Oberfläche in typischem Benin-Stile ausgeschmückt ist. Die beiden Abbildungen 877 a b (b auf dem Er-gänzungsblatt X) machen eine lange Beschreibung entbehrlich; es ist nur darauf hinzuweisen, daß die flache Hinterseite eingepunzte Flechtband-, Ketten- und verwandte Muster hat, während die stark ge-bogene Vorderfläche ebenso wie die Seitenteile mit im Relief gegossenen und sehr sorgfältig ziselierten, kaum 4 cm hohen Figuren geziert ist. Auf den Schmalseiten sehen wir je zwei europäische Jäger mit Flinten, auf der Vorderseite in der unteren Reihe nebeneinander drei Benin-Krieger, in der oberen die »dämonische Trias«, aber mit vier von Vorderarmen gehaltenen Rahmentrommeln; von diesen sind die zwei oberen frei und ohne Verbindung mit den Figuren zwischen die drei Köpfe gesetzt, während unten die zwei Arme aus der Kniegegend des mittleren Mannes herauszuwachsen scheinen; das kann Absicht sein, obwohl das Motiv für Benin neu wäre, ist aber vielleicht nur scheinbar und unbeabsichtigt, durch die Enge des Raumes bedingt, der ja bei diesem Schlosse in bemerkenswerter Weise ausgenutzt ist. Auch der rechteckige Bügel ist durchaus verziert, hinten und an den Schmalseiten mit Flecht- und Kettenbändern, vorn mit zwei Panthern, die eine Ziege (?) angreifen (keinesfalls ein Krokodil, wie es im Kataloge der Auktion von Dr. Ansorge bei der Beschreibung des Stückes heißt). Auf einer der Seitenflächen finden sich zwei Löcher, ein rundes und ein längliches für den Schlüssel; ich nehme an, daß ähnliche Schloßformen im 16. und 17. Jahrhundert auf der iberischen Halbinsel vorkamen, aber ich habe das nicht mit Sicherheit

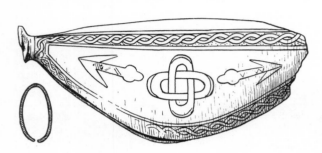

Vorderseite   Rückseite

Abb. 878. Bruchstück eines hohlgegossenen Gegenstandes aus Bronze, vielleicht einer Schelle. Berlin, III. C. 18945, ¹/₂ d. w. Gr. Daneben ein schematischer Querschnitt durch die Mitte.

Abb. 879. Zwei Ansichten eines glockenförmigen Gegenstandes, Leipzig 11645, ¹/₃ d. w. Gr. Zweck unbekannt; späte und schlechte Arbeit.

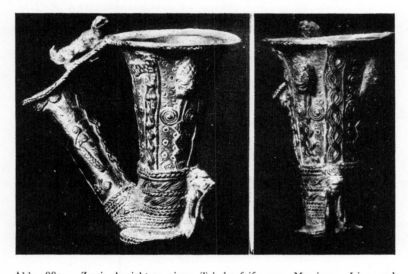

Abb. 880. Zwei Ansichten einer Tabakspfeife aus Messing. Liverpool 21. 12. 97. i, etwa ¹/₂ d. w. Gr. (Faksimile in Berlin, III. C. 7617.)

feststellen können; jedenfalls gehört das Berliner Stück durch seine sorgfältige Ausschmückung zü den Perlen der alten Kleinkunst von Benin.

Den Abbildungen 878 und 879 ist hier weiter nichts hinzuzufügen. Hingegen sei auf die Fig. 880 abgebildete Tabakspfeife noch besonders hingewiesen. Berlin besitzt nur eine Nachbildung des Stückes, das Original ist in Liverpool und in Bd. I des »Bulletin of the Liverpool Museum« S. 49 ff. abgebildet und so ausführlich beschrieben, daß hier nur noch der vorn unten hockende Affe wegen der Ähnlichkeit hervorgehoben werden muß, die er mit den Fig. 782/3 (Ergänzungsblatt T) abgebildeten Figuren aufweist. Andere, weniger reich verzierte Pfeifenköpfe aus Messing und aus Kupfer sind in Berlin (III. C. 21 933) und in Leiden; das letztere Stück und ein kleineres sind bei Webster Kat. 21 von 1899, Fig. 7 und 10, abgebildet. Keines der Stücke kann auch nur einigermaßen sicher datiert werden; das in Liverpool ist vermutlich noch in das späte 17. oder frühe 18. Jahrhundert zu setzen; die andern sind wohl noch jünger. Bei M., S. 59, ist zu der Bezeichnung des Stückes als Tabakspfeife ein »?« gesetzt, anscheinend, weil der Verfasser die Richtigkeit bezweifelte. Ich würde ein solches Bedenken in keiner Weise teilen; wir wissen daß die Tabakpflanze schon sehr bald nach der Entdeckung Amerikas mit geradezu unheimlicher Schnelligkeit ihren Weg über die ganze Erde fand und z. B. in Sierra Leone schon 1607 in weit verbreiteter Kultur stand (cfr. Stuhlmann, Beitr. z. Kulturgeschichte, S. 369). Wir wissen ja auch, daß Tabakpflanzen bei fast jedem Negerdorf auf allen Schutthaufen gedeihen, und wissen, welche ungeheure Mengen von teilweise monströs großen Tabakspfeifen in Nordwest-Kamerun bei vielen Stämmen vorgefunden wurden, die vor der kolonialen Erschließung am Ende des vorigen Jahrhunderts den Europäern kaum dem Namen nach bekannt waren.

64. Kapitel.

In alter Zeit aus Europa in Benin eingeführte Gegenstände.

[Hierzu die Abb. 881 bis 883.]

Aus den alten Kosmographien haben wir eine recht genaue Kenntnis der erstaunlich mannigfaltigen Handels- und Tauschwaren, die im 17. Jahrhundert aus Europa nach der Küste von Oberguinea verschifft wurden; die langen Listen von ihnen sind auch kulturhistorisch nicht ohne Interesse, aber sie würden weit außerhalb des Rahmens dieses Buches fallen; hingegen ist es nötig, hier einige Gegenstände zu besprechen, die damals anscheinend mehr durch individuellen Zufall, als im wirklichen Handel nach Benin kamen und jetzt, nach der Zerstörung der Stadt, wieder nach Europa zurückgelangten und teilweise für Benin-Arbeit gehalten wurden. So finden wir bei P. R. unter Nr. 35 einen auf einem Sockel liegenden Löwen aus Bronze abgebildet, von dem er stillschweigend anzunehmen scheint, daß er in Benin gegossen wurde; ein zweites, völlig gleichartiges Stück habe ich in der Sammlung von Admiral Rawson photographieren lassen dürfen, zu dessen Kriegsbeute es gehörte; es ist hier Fig. 881 abgebildet. Beide Stücke sind roh und künstlerisch sicher sehr minderwertig, aber sie verraten doch wiederum gänzlich andere Traditionen, als wir sie in der Benin-Kunst kennen; sie dürften wohl von der iberischen Halbinsel, vielleicht auch aus Italien oder Frankreich, stammen und ursprünglich zu dritt als Untersätze für ein Metallbecken gedient haben.

Abb. 881. Löwe aus der Sammlung von Admiral Rawson; ein zweites gleichartiges Stück ist gleichfalls aus Benin in die Sammlung von P. R. gelangt: Westeuropäische Arbeit des 17. Jahrh.

Fig. 882 ist, stark verkleinert, eine quadratische Messingplatte von 13 cm Seitenlänge und 6 mm Dicke abgebildet, aus der mit einer feinen Stahlsäge vier in diagonaler Richtung verlaufende, etwa fingerbreite Streifen so herausgesägt sind, daß die Platte die Form eines Malteserkreuzes hat; ich kannte das Stück schon, als es unter Nr. 7315 bei W. D. Webster war; es ist seither nach Hamburg gelangt, C. 2874; ich möchte glauben, daß es irgendwie in Holz oder Stein eingelegt war. Gleichfalls in der Hamburger Benin-Sammlung befindet sich ein zwar beschädigtes, aber immer noch wertvolles Kruzifix (922, 06), europäische Arbeit des 16. oder 17. Jahrhunderts. Ebenso stammt der Hamburger Mörser, C. 4048, sicher von der iberischen Halbinsel; zwar ist der ganze obere Rand abgebrochen und der Boden durchstoßen, aber die sechs die Mantelfläche verstärkenden mächtigen vertikalen Rippen und die großen, ringförmigen Henkel sind gerade für das westliche Europa besonders charakteristisch. In diesem Zusammenhang muß auch die

Abb. 882. Kreuzförmig gesägte Messingplatte aus Benin, Hamburg, C. 2874. Nach Hagen. 13 × 13 cm, 0,6 cm dick; europäische Arbeit.

schon Fig. 645, S. 417 abgebildete und S. 418 besprochene Hamburger Henkelkanne C. 3862 noch einmal erwähnt werden; sie wurde von sehr hervorragenden Kennern lange Zeit hindurch für spanisch gehalten, und erst ein sorgfältiges Studium hat ergeben, daß sie doch eine einheimische Nachbildung eines iberischen Originals ist. Spanische Kannen derselben Form und derselben Technik sind zwar selten, aber haben sich doch in einigen Sammlungen erhalten und lassen sich genau datieren; es ist sehr wahrscheinlich, daß arabisch-persische Kannen nicht ohne Einfluß auf die spanischen Formen geblieben sind, und eine gewisse, allerdings nur sehr entfernte und oberflächliche Ähnlichkeit der Hamburger Benin-Kanne auch mit indischen Gefäßen ist nicht zu verkennen; aber es ist gerade darum erst recht notwendig, hier mit allem Nachdruck hervorzuheben, daß Hamburg C. 3862 einem spanischen (oder portugiesischen?) Original nachgeformt ist und keinem indischen.

Sehr interessant ist auch der schöne, 11 cm im Durchmesser haltende Reichsapfel, Wien 64 674 (Heger 78); er hat die für Benin so bezeichnende, nur leicht unter dem Lateritstaub durchscheinende grüne Patina, läßt aber an einigen besonders geschützten Stellen noch Reste alter Vergoldung erkennen. Die eigentliche Kugel ist getrieben und genietet, das aufgesetzte Kreuz gegossen. An dem europäischen

Ursprunge des wertvollen Stückes kann nicht gezweifelt werden. Schließlich sind hier noch die Fig. 883 abgebildeten Röhrchen zu erwähnen, nicht wegen ihres sehr geringen inneren Wertes, sondern wegen des psychologischen Interesses, das sich an sie knüpft. Die Stücke A und B sind uns unmittelbar aus Benin zugegangen; einer unserer begabtesten Mitarbeiter hat bei ihrer Katalogisierung mit Recht bemerkt, daß sie »an Gewehrläufe erinnern«. Das in drei Ansichten F, G und H abgebildete zugespitzte Röhrchen habe ich 1914 in einem Trödelladen in San Francisco mit der Angabe »Arrowhead, Benin

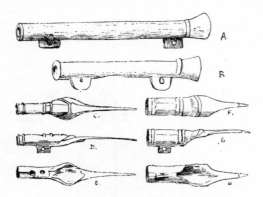

Abb. 883. A und B, Röhrchen für den Putz-stock europäischer Pistolen. Bronze. C, D und E, »Spitzröhrchen« für das Ende des Putzstockes, von einer europäischen Pistole des 17. Jahrh. Eisen. F, G und H, Spitzröhrchen aus Benin, erworben in San Francisco. Alle 8 Zeichnungen in ¹/₂ d. w. Gr. Das Museum in Dresden besitzt ein ganz ähnliches Stück, gleichfalls aus Benin, aber 9,5 cm lang, von einer europäischen Flinte.

Indians« gefunden und erworben, weil ich mich an ein völlig gleichartiges, nur doppelt so großes Stück erinnerte, das 1902, auch mit der Angabe Benin, bei Tregaskis in London zu Verkauf stand und dann nach Dresden gekommen war. Auch diese beiden Stücke, das Berliner und das Dresdener, »erinnern« an Gewehr- oder Pistolenläufe; man könnte sie für Modelle von solchen halten, wenn sie ein Zündloch hätten. Ich habe nun jahrelang diese Stücke vor Augen gehabt, ohne sie zu verstehen; erst Kollege Wandolleck und Herr Inspektor Hänisch von der Gewehrgalerie in Dresden haben mich belehrt, daß es sich um die Röhrchen handelt, die auf der unteren Seite des Pistolenschaftes angebracht werden und zum Festhalten des Putzstockes dienen; diese Belehrung war für mich um so beschämender, als ich selbst eine ganze Anzahl von alten Pistolen mit solchen Röhrchen besitze und sie oft genug in der Hand gehabt hatte; die drei Abbildungen C, D und E zeigen ein solches »Spitzröhrchen« von einer meiner eigenen Pistolen. Die Übereinstimmung könnte nicht größer sein, und der »Fall« ist schmerzlich; aber man muß aus ihm die Lehre ziehen, wie leicht auch jemand, der sich sonst sogar etwas darauf zugute tut, daß er »sehen« gelernt hat, über die allereinfachsten und selbstverständlichsten Dinge »hinwegsehen« kann; in diesem Sinne hoffe ich freilich auch, daß noch viele andere Einzelheiten an Benin-Altertümern, die mir selbst dunkel geblieben sind, von Andern ebenso leicht und spielend erkannt werden möchten, als jene über Benin und San Francisco wieder zu uns zurückgekehrten Hülsen für Putz- und Ladestöcke europäischer Pistolen.

---

65. Kapitel.

Beizeichen.

[Hierzu Abb. 884 und 885.]

Auf einer sehr großen Anzahl von Platten finden wir Köpfe von Europäern, von Panthern und von Krokodilen, ferner Fische, Geldringe, Mondsicheln und vor allen mannigfaltige Rosetten als »Beizeichen« angebracht, ohne daß wir einen sicheren Zusammenhang mit dem eigentlichen Inhalte der Darstellung zu erkennen vermögen. In den ersten Jahren unserer Bekanntschaft mit den Benin-Altertümern schien die Hoffnung erlaubt, daß es gelingen würde, Einblick auch in die Symbolik zu bekommen; deshalb wurde geplant, die Beizeichen auf den Bronzeplatten in einem besonderen Kapitel zusammenfassend zu behandeln; wenn dies jetzt ausgeführt wird, so geschieht es eigentlich nur der Ordnung wegen und um an dem ursprünglichen Plane des ganzen Buches nichts zu ändern; sachlich kann nur eine kurze Übersicht über das Vorkommen und die relative Häufigkeit der einzelnen Beizeichen gegeben werden; über ihre innere Bedeutung sind wir heute noch genau so unwissend wie vor 20 Jahren; besonders hat es sich leider als ganz unmöglich erwiesen, irgendwelche sicheren Beziehungen zwischen diesen Beizeichen und den Symbolen nachzuweisen, die wir auf anderen Bronzen und auf den geschnitzten Zähnen kennengelernt haben.

Beginnen wir mit den Platten, auf denen Europäerköpfe als Beizeichen erscheinen, so ist die hier Fig. 375 abgebildete aus München an erster Stelle zu nennen; sie zeigt zwei schwer gepanzerte Benin-

Krieger und in drei Ecken je einen bärtigen Europäerkopf; die vierte Ecke ist durch das Ebere eines der Krieger ausgefüllt. Ein einzelner ähnlicher Kopf erscheint auf der hier Abb. 884 reproduzierten Platte R. D. XV. 5; er wirkt durch die übergroße Nase, das lange, weit abhängende Haupthaar, den kleinen Helm mit der monströsen Feder geradezu grotesk; aber es wäre voreilig, diese Wirkung als beabsichtigt aufzufassen; es kann sich ebensogut nur um eine unbewußte Übertreibung handeln. Fast wie »Kartenkönige« wirken die zwei großen Köpfe auf der hier Abb. 348 reproduzierten Dresdener Platte, während die drei Köpfe auf der Leipziger Platte, Abb. 349, mit ihren großen gebogenen Nasen einen so ausgesprochen jüdischen Eindruck machen, daß man fast begreift, wie ein unfreundlicher Kritiker einmal die ganze Benin-Kunst als von »portugiesischen Juden« getragen und geschaffen bezeichnen konnte; dabei ist freilich zu bedenken, daß nicht einmal für diese eine Platte ernsthaft feststeht, daß die drei Köpfe wirklich jüdische sind; ich würde auch hier sehr viel eher an eine unbewußte Übertreibung gerade der Eigenschaften denken, die einen europäischen Kopf von dem eines Negers unterscheiden. Sehr viel wichtiger wäre es, zu wissen, was die Köpfe gerade auf diesen beiden Platten 348 und 349 bedeuten, die beide gleichmäßig als Hauptfigur einen Benin-Mann mit nacktem Oberkörper haben, der in der Rechten einen langen Stab hält. Von den vielen Platten mit *busti* von Europäern ist hier S. 84 ff. sehr ausführlich die Rede gewesen. Ich glaube, daß diese *busti* mit den eben beschriebenen Köpfen nichts gemein haben; ebenso nehme ich selbstverständlich auch umgekehrt an, daß die auf den eben erwähnten vier Platten vorkommenden Köpfe nicht nur quantitativ, sondern auch qualitativ von den *busti*

Abb. 884. Bronzeplatte mit einem gepanzerten Krieger, nach R. D. XV, 5, etwa 1/6 d. w. Gr.

Abb. 885. Grotesker Kopf eines Europäers, Beizeichen auf der nebenstehend abgebildeten Platte, nach R. D. XV, 5, etwa 7/10 d. w. Gr.

zu trennen sind; dafür scheint mir schon die Art zu sprechen, wie die wirklichen *busti* stets aus einem Schlitze im Vorhang heraussehen, während die Köpfe einfach dem Plattengrunde aufliegen und nirgends auch nur die geringste Andeutung eines Schlitzes erkennen lassen.

Auf drei Platten erscheinen Pantherköpfe als Beizeichen; auf einer, Abb. 251, sehen wir zwei solche, je einen in den unteren Ecken, während die oberen durch ein Ebere und durch einen hochragenden Speer genügend ausgefüllt sind; die Hauptfigur dieser Platte ist ein gepanzerter Krieger mit sehr hohem Helm; auf den beiden andern Platten, Abb. 229 und 361, sind Musikanten dargestellt, der eine mit einer umgehängten Rahmentrommel, der andere mit einer Rassel; auf beiden Platten sind Köpfe von Panthern in den oberen Ecken und Krokodilköpfe in den unteren; die Übereinstimmung gibt zu denken; sie mag Zufall sein; erklären können wir sie jedenfalls nicht. Krokodilköpfe habe ich auf 29 Platten festgestellt; sie sind zu dritt oder zu viert in sonst leere Ecken gesetzt oder zu zweit, anscheinend wahllos, mit *busti*, Fischen, Rosetten, einer Mondsichel, einmal, wie wir eben gesehen haben, auch mit zwei Pantherköpfen kombiniert; auf der Platte Webster 11 394 (vgl. S. 148, Nr. 16) befindet sich nur in einer Ecke ein Krokodilkopf, die drei andern Ecken sind (oder waren) durch Ebere, Speerschuh und Speerspitze genügend besetzt. Wahllos erscheint erst recht die Anbringung dieser Köpfe im Verhältnis zu der sozialen Stellung der dargestellten Hauptperson; große Würdenträger, schwer gepanzerte Krieger und nur mit Lendentüchern bekleidete Musiker haben gleichmäßig solche Krokodilköpfe als Beizeichen erhalten.

Erwähnung verdient vielleicht noch die S. 184 Fig. 307 abgebildete Platte R. D. XXIX, 4; bei ihr sind die Krokodilköpfe abweichend von der sonst allgemein festgehaltenen Regel mit dem schmalen Ende nach oben orientiert, statt wie sonst nach unten; ebenso schwimmen auch in den unteren Ecken die zwei Fische nach oben, statt wie sonst immer nach unten; man wird sich vielleicht vorstellen dürfen, daß hier nur ein Versehen des Arbeiters vorliegt. Auf zwei Platten, Berlin III. C. 8205, Taf. 20 A, und auf der ihr sehr ähnlichen R. D. XVIII, 4, sind vier ganz gleichartige Krokodile angebracht, aber nicht in den Ecken, sondern zu den Seiten der mittleren Figur, zwischen ihr und ihren Begleitern. Fische als Beizeichen finde ich bei 9 Platten notiert, einmal zugleich mit Rosetten und dreimal mit Krokodilköpfen, fünfmal ohne andere Beizeichen; dabei ist die S. 154, Fig. 265 abgebildete Platte mitgezählt, auf der außer zwei Fischen auch eine Schlange erscheint, aber dort ist ausgeführt, daß diese Schlange kaum als »Beizeichen« im engeren Sinne des Wortes aufzufassen sei, sondern ihr Dasein vielleicht nur einer Künstlerlaune verdanke. Auf vier Platten (vgl. die Abb. 40, 45, 46 und 65) erscheinen Geldringe so angebracht, daß man wohl recht tut, sie auch als Beizeichen aufzufassen; in zwei Fällen sind sie halbiert dargestellt, was mit ihrer ursprünglichen Bedeutung als Tauschmittel und Geldersatz zusammenhängen dürfte. Mondsicheln finden sich auf 13 Platten, von denen die Mehrzahl hier (Taf. 35 E, Taf. 38 E, Fig. 217, 219, 220, 350, 352 und 417 A) abgebildet ist; mit einer einzigen Ausnahme sind sie stets nach unten offen, allein nur bei der Platte P. R. 180, die hier S. 156 als Nr. 13 beschrieben ist, wendet die untere Sichel ihren konkaven Rand nach oben, aber sie tut das nur gleichsam unter dem Zwange des großen Schildes, den der gepanzerte Krieger neben sich herhält; es scheint gerade bei dieser Platte, als ob die beiden Mondsicheln bloßer Zierat ohne innere Bedeutung wären und als ob sie ihre konkaven Ränder »zwangläufig« den konvexen Rändern des Schildes zuwenden würden. Es wird noch von einer andern Platte gesagt, daß ihre Halbmonde nach oben offen seien, aber diese Angabe beruht auf einem Mißverständnis; es handelt sich um die Platte R. D. XXX, 2 mit zwei großen Pantherschädeln und 6 Halbmonden; wie ich S. 278 zur Abb. 417 A näher ausgeführt habe, waren die Pantherschädel ursprünglich für Rinderköpfe gehalten worden; deshalb wurde die Platte auf den Kopf gestellt und deshalb entstand auch die unrichtige Angabe über die Orientierung der Mondsicheln.

Weitaus am häufigsten, auf über 60 Platten, also auf mehr als 8% ihrer Gesamtzahl, erscheinen vielstrahlige Rosetten als Beizeichen; sie stehen auch meist in den Ecken, meist zu viert, oft auch nur zu dritt, wenn etwa die vierte Ecke durch das breite Blatt eines Ebere schon genügend gefüllt ist. Ihre Größe und die Zahl ihrer Strahlen wechselt; sehr groß sind die Rosetten in einigen Fällen, in denen nur eine einzige schlanke Figur auf einer breiten Platte steht; da kommt es auch nicht selten vor, daß, wie die Abb. 139, 325 und 344 zeigen, auf jedem Seitenrande 3, im ganzen 6 Rosetten angebracht sind; besonders lehrreich für dieses Verhältnis ist auch die schöne Platte Dresden 16 082, vgl. deren Abbildung bei Webster, Kat. 21, Fig. 32, mit 6 ungewöhnlich großen und vielstrahligen Rosetten. Auch auf ein und derselben Platte sind die R. nicht immer unter sich gleich; auffallend ist ein solcher Befund besonders bei der Platte R. D. XX, 4; wie auch auf dem S. 210, Abb. 344 gegebenen Ausschnitte, freilich weniger gut, als aus der ursprünglichen Abbildung bei R. D. hervorgeht, ist da von drei Rosettenpaaren das unterste wesentlich kleiner als die beiden andern; es würde einer harmonischen Raumverteilung sehr viel besser entsprechen, wenn die kleinen Rosetten in die Mitte gerückt wären; vermutlich ist das auch die ursprüngliche Absicht des Künstlers gewesen und dann nur durch ein Versehen unterblieben, wozu gußtechnisch zu erwähnen ist, daß auch die größeren Beizeichen ebenso wie die Rosetten in Benin nicht einheitlich hergestellt wurden; bei einigen Platten hat man sie schon auf dem ursprünglichen Tonkern angelegt, bei andern erst auf dem Wachsmodell; davon kann man sich leicht überzeugen, wenn man eine größere Zahl von Platten auf der rückwärtigen Seite durchmustert. Bei einer einzelnen, auch sonst ungewöhnlich hohen und schmalen Platte, S. 279, Abb. 419, steigt die Zahl der Rosetten bis auf 10. Es ist schwer, angesichts dieser Vielzahl an ihrer symbolischen Bedeutung festzuhalten.

Schließlich sind hier noch zwei untypische Formen von Rosetten zu erwähnen, die vierstrahligen Blumensterne S. 177, Abb. 296, und ähnliche auf Taf. 17 A. Ganz besondere Erwähnung aber verdient die schon wegen ihrer monumentalen Einfachheit bewundernswerte Platte S. 263, Abb. 394 mit einer Palme und zwei genau wie Rosetten stilisierten abgefallenen Blättern. Ebenso vereinzelt ist die Taf. 5 B abgebildete Berliner Platte mit einem Europäer, auf der die Rosetten durch 6 runde, flach konkave, wohl als große Nagelköpfe zu deutende Scheiben ersetzt sind.

Bei dem gegenwärtigen Stande unserer Kenntnis könnte jemand die vorstehend aufgeführten Beizeichen als gedankenlos und willkürlich angebrachte bloße Raumfüllsel deuten, ohne daß man ihn entscheidend widerlegen könnte; mich würde er freilich lebhaft an Otto Finsch erinnern, der (Annalen des Naturh. Hofm. Wien 1888, III. S. 133) es fertiggebracht hat, von den Schnitzwerken aus Neu-Irland zu sagen, daß ihnen ein tieferer Gedanke nicht zugrunde liegt und daß sie ihre Entstehung nur zufälliger Laune und rein spielerischer Tätigkeit verdanken. Eine solche Auffassung würde uns heute, nach 30 Jahren, als sehr töricht und leichtfertig erscheinen; in diesem Sinne werden wir vielleicht erwarten dürfen, daß wir nach abermals 30 Jahren auch über das Wesen der Beizeichen auf den Benin-Platten besser unterrichtet sein werden. Inzwischen liegt es nahe, für die Schlangen, Panther und Krokodile der Benin-Kunst dämonische Bedeutung anzunehmen und zu vermuten, daß wo als Beizeichen nur die Köpfe von gefürchteten Raubtieren erscheinen, diese nur als *pars pro toto* aufzufassen sind. Vielleicht gilt das dann auch für die Europäerköpfe, bei denen an die Möglichkeit zu denken wäre, daß die ersten Portugiesen für die Eingeborenen als weiße Wilde oder als »weiße Götter« ebenso Gegenstand dämonischer Furcht waren wie Krokodile und Panther.

---

66. Kapitel.

Die chemische Zusammensetzung der Benin-Bronzen.

Schon 1897, kurz nach dem Falle von Benin, hat W. Gowland in einer Sitzung des R. A. I. Analysen von vier Benin-Platten mitgeteilt und dazu bemerkt, die Art der Legierung spräche für fremden, also wohl europäischen Ursprung; das Metall sei also vielleicht von den Portugiesen als Tauschartikel eingeführt worden; auch schiene das Vorkommen von Arsenik und Antimon sowie das von Nikel eher auf die iberische Halbinsel hinzuweisen, als auf Nordeuropa. Er drückt sich also sehr vorsichtig aus, wird aber trotzdem später mehrfach so zitiert, als hätte er nachgewiesen, das Metall sei »*certainly Portuguese*«. Nun kennen wir in der Tat, vgl. hier S. 46 ff., sechs Platten, auf denen Europäer große *Manilla's* so tragen, daß es naheliegt, dabei an Tauschware zu denken, und ebenso wird man die zwei S. 99 abgebildeten Platten, auf denen Eingeborene mit den gleichen Ringen dargestellt sind, zwanglos auf solchen Tauschhandel beziehen, der für das 17. Jahrhundert ja auch literarisch belegt ist, denn Kupferstäbe (»rode kopere stoofjes«) und »kupferne« Armringe werden bei Dapper ausdrücklich unter den holländischen Einfuhrartikeln in Arder aufgeführt. Es ist wohl kein Zufall, daß in der Dapperschen Liste nur die Kupferstäbe ausdrücklich als r o t bezeichnet werden, nicht aber die Ringe; jedenfalls sind alle mir überhaupt bekannten großen und kleinen *Manilla's* gelb und nicht rot; der große, nach Berlin gelangte Geldring hat dementsprechend auch einen Gehalt von 20.66% Zink und 2,67% Blei. Eine solche Legierung ist sicher für das Gießen in verlorener Form sehr geeignet, aber sie ist völlig unbrauchbar zum Treiben von Gefäßen, zum Schmieden von irgendwelchen Waffen und Geräten oder zum Ziehen von Draht. Man wird also wohl fragen dürfen, wie jene Europäer überhaupt auf den Gedanken verfallen konnten, den Eingebornen ausgesucht gerade solche Legierungen zu verhandeln, die für jeden Zweck, für den sonst in Afrika Messing oder Kupfer verwandt wird, ganz ungeeignet waren. Es liegt nahe, eine solche Frage dahin zu beantworten, daß schon die ersten Europäer, die überhaupt in die Gegend von Benin kamen, dort eine völlig entwickelte Gußtechnik vorfanden; nur dann wird verständlich, warum sie später nicht fertig verwendbaren Draht und andere »Ganzfabrikate« aus Messing usw. als Tauschware mitbrachten, sondern jene *Manilla's*, die wir doch sicher nur als ein »Halbfabrikat« im Sinne unseres modernen Handels auffassen können. Die Dinge lagen also damals wohl genau so, wie sie heute mit unserem Eisenexport nach Afrika und nach der Südsee liegen: überall, wo in Afrika eine uralte [1]) Eisentechnik mit »Hochöfen«, Gebläsen usw. besteht, da findet europäisches Band- und Stabeisen so reißenden Absatz, daß an manchen Orten die einheimische Eisenverhüttung völlig zu verschwinden im Begriffe ist. Zu Stämmen aber, die keine Eisentechnik haben, bringt man kein Stab- oder Bandeisen und überhaupt keine Halbfabrikate, mit denen die Leute nichts anzufangen wüßten, sondern fertige Äxte, Messer und dergleichen. So scheint mir allein schon aus der alten Einfuhr jener europäischen Geldringe in Benin mit einiger Sicherheit hervor-

---

[1]) Vgl. hierzu meine Abhandlung »Eisentechnik in Afrika«. Z. f. E. 1909, S. 22 ff.

zugehen, daß die ersten Europäer dort eine fertig entwickelte Gelbgußtechnik vorgefunden haben. So ist es auch nicht unmöglich, daß der Name Braß (Stadt, Fluß und Distrikt im Niger-Delta, 200 km SSO. von Benin) irgendwie mit altem einheimischen Gelbguß oder mit dem Messinghandel zusammenhängt, und ebenso ist ein Zusammenhang der sagenhaften Erzählung von der Kupferstadt in 1001 Nacht (455. bis 460. Nacht) mit Benin nicht a limine abzuweisen; jedenfalls scheint aus der Erzählung hervorzugehen, daß die Araber schon recht früh Nachrichten über eine erzgeschmückte Stadt im westlichen Sudân hatten.

Man sollte meinen, daß sorgfältige Analyse einer möglichst großen Zahl von Benin-Gußwerken aus verschiedenen Zeiten rasch und einfach zu sicheren Ergebnissen auch über die Geschichte der einheimischen Gußtechnik führen würde. Leider sind meine Bemühungen, die fremden Museen zu Analysen wenigstens ihrer Geldringe und einzelner anderer typischer Stücke zu veranlassen, bisher ganz erfolglos geblieben, nur die Engländer haben gleich von vornherein die wissenschaftliche Bedeutung einer solchen Arbeit erkannt, so daß schon ihre allerersten vorläufigen Publikationen von Benin-Altertümern über

	Alte portug. Kanone	Benin-Kanone	Großer Geldring	Hamburger Handelskupfer	Hamburger Handelsmessing	Platte Bey 211	Platte Bey 245	Kopf von vorne	Kopf von hinten	Brit. Mus. Platte	Brit. Mus. Platte	Liverpool Figur A	Dorn der Figur A	Liverpool Figur B	Dorn der Figur B	Liverpool Figur C	Dorn der Figur C	Liverpool Figur D	Dorn der Figur D	Liverpool Weibl. Figur
Kupfer ...	90.74	90.35	75.85	99.84	61.29	70.33	67.86	92.1	94.0	78.50	84.76	84	92	83	95	88	98	62	64	84
Zinn	9.01	1.50	0.21	—	—	0.23	0.60	2.0	0.6	0.57	2.75	—	7	—	—	—	—	—	—	3
Zink	—	4.14	20.66	—	37.85	17.98	16.21	3.4	2.3	14.34	1.54	12	—	14	4	9	2	36	33	10
Blei	0.23	2.72	2.67	0.04	0.58	9.72	13.07	1.7	1.8	5.85	8.38	4	1	3	1	3	Spur	2	3	3
Eisen	0.19	0.43	0.14	0.07	0.06	0.64	0.54	0.4	0.4	0.54	0.59	Spur	Spur	Spur	Spur	Spur	Spur	Spur	Spur	Spur
Arsenik ..	Spur	0.18	Spur	—	—	Spur	0.10	—	—	0.11	0.61	—	—	—	—	—	—	—	—	—
Antimon..	—	0.34	—	—	—	—	0.11	—	—	0.09	0.78	—	—	—	—	—	—	—	—	—
Nickel und Kobalt ..	Spur	0,16	0.12	Spur	—	0.38	0,44	—	—	Spur	0.35									Spur
Summe ...	100.17	99.82	99.65	99.95	99.78	99.28	98.93	99.6	99.1	100	99.76	100	100	100	100	100	100	100	100	100
Autor.....	Professor Rathgen									Gowland		Mr. Watson Gray								

die Ergebnisse von Analysen berichten. In der nebenstehenden Tabelle sind diese und die Berliner übersichtlich nebeneinandergestellt; für die letzteren bin ich dem Chemiker an den staatlichen Museen, Herrn Prof. Rathgen, zu großem Danke verpflichtet; er hat die folgenden Stücke untersucht: 1. die alte, bei Mayumba gefundene portugiesische Kanone, vgl. S. 501; 2. die in Benin gegossene Nachbildung eines ähnlichen portugiesischen Geschützes, vgl. S. 500; 3. den großen, fast 4 kg schweren Geldring III. C. 8496, der Taf. 104 A abgebildet ist; 4. eine Probe Kupfer, wie es gegenwärtig von Hamburg aus dem westafrikanischen Handel zugeführt wird; 5. eine Probe Hamburger Handelsmessing; 6. und 7. zwei Bruchstücke von typischen Benin-Platten, H. Bey 211 und 245, sowie 8. und 9. zwei Proben von einem der großen Köpfe vom Typus des Taf. 59 abgebildeten.

Von diesen Analysen entsprach zunächst die des in Portugal gegossenen Geschützes durchaus der an sie geknüpften Erwartung; es hat die Zusammensetzung des damals schon für ganz West- und Mitteleuropa üblich gewordenen Kanonengutes mit fast 91% Kupfer und 9% Zinn, ohne Spur von Zink und mit ganz geringen, wohl unbeabsichtigten Mengen von Blei und Eisen. In einem sehr drastischen Gegensatz dazu steht die Zusammensetzung der in Benin gegossenen Kanone; sie hat auch etwas über 90% Kupfer, nur 1½% Zinn, aber fast 3% Blei und über 4% Zink; es ist kein Wunder, daß ein solches Geschütz geplatzt ist. Bei dem großen Berliner Geldring sinkt der Kupfergehalt auf etwas unter 76%; dagegen sind aber fast 21% Zink und 3% Blei vorhanden, während das heutige Hamburger Handelsmessing rund 61% Kupfer und 38% Zink mit nur 0,58% Blei aufweist. Bei den zwei Berliner und den zwei Londoner Platten schwankt der Kupfergehalt zwischen rund 68 und rund 85%, der an Zink zwischen 1,5 und rund 18%, der an Blei zwischen rund 8 und 13%. Aber noch ungleich größer sind die Schwankungen in der Zusammensetzung von vier äußerlich unter sich völlig gleichartigen und fast bis zum Verwechseln ähnlichen großen Bronzefiguren in Liverpool von der Form der hier S. 295 Fig. 440/1 abgebildeten Stücke; diese haben durchweg einen auf den Abbildungen vernachlässigten langen Stachel, mit dem sie in einen Sockel eingelassen waren und der, unabhängig von ihnen hergestellt, erst während des Gusses der Figuren mit ihnen verbunden wurde. Es wurden nun Proben von jeder der vier Figuren und von jedem der vier

Stacheln untersucht; es schwankt nun bei den Figuren der Kupfergehalt zwischen 62 und 88, der an Zink zwischen 9 und 36 und der an Blei zwischen 2 und 4%; in ähnlicher Art fand sich für die vier Stacheln Kupfer zwischen 64 und 98, Zink zwischen 0 und 33 und Blei zwischen 1 und 3%. Gerade aus diesen letzten Zahlen ergibt sich, mit welcher anscheinenden Willkür die Benin-Gießer verfahren sind; die vier Figuren in Liverpool sind ganz zweifellos in derselben Werkstatt, zur gleichen Zeit und von demselben Künstler gemacht und weisen in ihrer Zusammensetzung trotzdem Unterschiede auf, die überhaupt fast bis an die Grenze des Möglichen gehen; man wird also wohl annehmen können, daß die Benin-Leute ihre Gußspeise genommen haben, wie sie sich ihnen von Fall zu Fall bot; auf einen größeren Gehalt an Zinn waren sie anscheinend niemals bedacht, nur Zink und Blei durften nicht fehlen, um die Legierung leicht flüssig und doch hart zu machen. Daß sie dabei sehr spröde wurde und ganz aufhörte, hämmerbar zu sein, war ihnen anscheinend gleichgültig; wo es ihnen auf eine gewisse Zähigkeit ankam, wie etwa bei den großen »Stammbäumen«, Ständern usw., erreichten sie diese, wie wir gesehen haben, durch einen Kern aus Schmiedeeisen.

Woher die Benin-Leute ursprünglich die für ihre Toreutik unentbehrlichen Metalle und Erze bekommen haben, wissen wir nicht; aber bei dem großen Reichtum Afrikas an Kupfer und andern Metallen haben wir sicher nicht nötig, von vornherein an europäische Herkunft zu denken. Wir wissen ja auch nicht, woher die alten Ägypter und die Babylonier, deren Toreutik wir auf ein Alter von fünf und sechs Jahrtausenden schätzen müssen, ihr Rohmaterial bezogen. Wenn man für das Kupfer in Afrika zunächst an die reichen Minen von Katanga und für das im alten Orient an Cypern denkt, so sind doch auch andere Quellen nicht ausgeschlossen, und wir wissen, daß die Kupferminen des Sinaï schon in vorgeschichtlicher Zeit in Betrieb waren. Über westafrikanisches Zinn sind wir schon seit den Zeiten von Dapper unterrichtet, doch wurden diese alten Angaben meist übersehen. Es ist daher ein großes Verdienst von P. Staudinger (Z. f. E. 43, 1911, S. 147 ff.), neues Material über diese in Nigeria einheimische Industrie beigebracht und uns mit der Zinngewinnung in Bautschi bekannt gemacht zu haben. Ebenso ist die Beschaffung von Zink betreffend von vornherein anzunehmen, daß messingähnliche Legierungen zu allen Zeiten durch Verschmelzen von Kupfer mit Galmei gewonnen wurden. Es ist nicht unwahrscheinlich, daß wir später einmal auch durch den Gehalt einzelner Legierungen an Antimon, Nickel und Kobalt wichtige Aufschlüsse über deren Herkunft erhalten werden, aber einstweilen ist die Zahl der gemachten Analysen noch viel zu klein; ebenso sind auch die an sich so wertvollen Analysen der Figuren von Liverpool zu wenig genau, da sie nur auf die abgerundeten Zehner und Einheiten eingehen und keinerlei Dezimalstellen angeben und uns daher nur über die vier Hauptbestandteile unterrichten. So muß es als ein *nobile officium* der Chemiker und der Museen bezeichnet werden, möglichst bald für genaue Analysen einer großen Anzahl von afrikanischen Bronzen zu sorgen. Viele einstweilen noch sehr dunkle Fragen der Völkerkunde würden dann ihrer Aufhellung nähergerückt werden. In diesem Zusammenhange möchte ich besonders auch auf die zahlreichen kleinen Geldringe aufmerksam machen, von denen einer als erster in der dritten Reihe der Taf. 101 abgebildet ist. Diese schönen Ringe, die als wirkliche Armspangen nur von Kindern getragen werden könnten, kommen schon seit sehr vielen Jahrzehnten ab und zu mit westafrikanischen Ölkernen zu uns, wie es scheint, stets nur zufällig, ähnlich wie gelegentlich in Reisoder Kaffee-Säcken auch mal ein europäisches Taschenmesser gefunden wird. Sie sind gegossen und untereinander sehr ähnlich; zwei, die von R. Virchow (Z. f. E. 19, Verh. S. 723) beschrieben wurden, haben gleichmäßig ein Gewicht von 77,7 g; sie waren ursprünglich für prähistorisch gehalten worden, und Forrer hat sie einmal als eine »Landplage« für die archäologischen Museen bezeichnet. Leider wissen wir gar nichts über ihre wirkliche Herkunft; nur ein einziges Stück ist chemisch untersucht worden und ergab den überraschenden Gehalt von 5,15% Antimon auf 24,65% Blei und 68,32% Kupfer, während 1,88% auf »Eisen und Verlust« entfiel. Nach dem ganz ähnlichen Aussehen der übrigen Ringe dieser Art, ihrer fahlgelbgrauen Farbe und ihrer sich fettig anfühlenden Oberfläche dürften sie alle ähnlich zusammengesetzt sein, aber weitere Analysen wären doch dringend erwünscht; 10 bis 20% Blei enthalten übrigens auch viele japanische Bronzen und einzelne altägyptische haben einen noch größeren Bleigehalt, wie aus einer Zusammenstellung von 17 Analysen hervorgeht, die gleichfalls Friedrich Rathgen zu verdanken (und in den von Diergart zum Gedächtnis von Georg Kahlbaum herausgegebenen »Beiträgen aus der Geschichte der Chemie«, Deuticke, 1909, veröffentlicht) sind. Von diesen 17 Analysen haben 2 fast reines Kupfer ergeben; einmal fanden sich neben 97,11% Kupfer nur noch 1,72% Arsen und 0,53% Eisen. Sonst schwankte der Zinngehalt zwischen 4 und 14% und der an Blei zwischen 0,12 und 25%. Ein so hoher Bleigehalt tritt zuerst bei einer Osiris-Figur von etwa 1200 v. Chr. auf, während ältere Bronzen sehr viel weniger Blei enthalten. Doch genügen die bisher gemachten Analysen nicht entfernt zu einer wirklichen Geschichte der Bronze. Außer den von Rathgen gemachten sind nur wenig andere veröffentlicht und nirgends übersichtlich zusammengestellt, was eine empfindliche Lücke unseres Wissens bedeutet; selbst über die Mischungsverhältnisse unserer großen alten und neuen Statuen sind wir ganz ungenügend unterrichtet; man erfährt nur gelegentlich, daß der Große Kurfürst in Berlin über 4% Zink und Blei neben rund 7% Zinn enthalte, und daß von zwei durch besonders schöne Patinierung ausgezeichneten Münchener Statuen eine Diana über 19% Zink, die aus dem Jahre 1585 stammende Gruppe Mars und Venus dagegen über 94% Kupfer, nahe an 5% Zinn und nur ganz unbedeutende Mengen von Zink und Blei aufweise — aber über derartige weit zerstreute und seltene Angaben hinaus scheint nur sehr wenig über die Zusammensetzung kulturhistorisch wichtiger Bronzen bekannt zu sein; nur die moderne Technik überrascht uns immer wieder von neuem durch die unerwarteten und unerhörten Eigenschaften mancher Legierungen, unter denen besonders die mit verschiedenen seltenen und den Alten unbekannt gewesenen Metallen eine Rolle spielen.

Zusammenfassend ist also festzustellen, daß die Benin-Bronzen trotz ihrer im einzelnen stark wechselnden Zusammensetzung meist durch einen oft sehr großen Gehalt an Zink und an Blei ausgezeichnet sind. So sind sie von der eigentlichen Bronze im engsten Sinne des Wortes, also von der Glockenspeise und vom alten Kanonengut, in der Regel stark unterschieden; wir bezeichnen sie aber trotzdem schlechtweg als Bronzen und tun das mit vollem Bewußtsein und mit genau demselben Recht, als ganz allgemein von altägyptischen und von japanischen »Bronzen« gesprochen wird, auch wenn sie einen großen Gehalt von Zink und von Blei aufweisen.

---

67. Kapitel.
Kunst und Technik der Küstenvölker von Oberguinea.

Ist im Rahmen dieses Buches bisher im wesentlichen nur von Benin selbst die Rede gewesen, empfiehlt es sich nun zum Schlusse noch, auch bei den näheren und weiteren Nachbarn Umschau zu halten, inwieweit da ähnliche oder verwandte Erscheinungen festzustellen sind. Da sind vor allem die bewundernswerten kleinen Gelbgußarbeiten der Aschanti zu erwähnen, die wenigstens zum Teil als Gewichte für Goldstaub gedient haben und jetzt in unseren Museen das freudige Interesse nicht nur der Fachleute, sondern auch des großen Publikums erregen. Wie in Benin, handelt es sich um Guß in verlorener Form und um vollendete Beherrschung der Technik. Die meisten Stücke sind erst in Wachs modelliert, andere unmittelbar »über Natur« geformt worden; so hat man Käfer und Heuschrecken, Krabben und Krebsscheren, Erdnüsse und verschiedene Fruchtkerne, gelegentlich auch einen zierlichen Vogelfuß oder einen ganzen Blütenstand mit einem Formmantel umgeben und diesen dann ausgeglüht; R. Zellers wertvolle Monographie »Die Goldgewichte der Asante« (Beiheft III zum B. A. 1912) ist hier bereits einmal erwähnt worden; meine eigene Studie über »die Kleinkunst der Aschanti« war ursprünglich als Anhang zu dem vorliegenden Benin-Buche gedacht; sie wird, da der über Erwarten groß geratene Umfang des Buches keine Erweiterung mehr verträgt, nun an anderer Stelle in Druck gehen. Inzwischen sei hier nur darauf hingewiesen, daß bereits mehr als ein Jahrhundert vergangen ist, seit wir durch J. A. de Marrée (1817) zum ersten Male von diesen Kunstwerken erfuhren und daß seither niemals auch nur der leiseste Versuch gemacht wurde, ihre Bodenständigkeit in Zweifel zu ziehen. Das ist psychologisch nicht ohne Interesse, da die verwandte Benin-Kunst schon bald nach ihrem ersten Bekanntwerden auch von einigen sonst ganz ernst zu nehmenden Autoren mit großer Hartnäckigkeit auf fremden Einfluß zurückgeführt wurde. Persönlich halte ich beide Kunstformen, die von Benin und die der Aschanti, für durchaus bodenständig und nur in unwesentlichen Einzelheiten von außen her beeinflußt; gerade deshalb aber möchte ich hier das Hakenkreuz erwähnen, das sich auf den Aschanti-Gewichten in ganz reiner Form findet; mit diesem Hinweise liefere ich selbst Wasser auf die Mühle derjenigen, die indischen Einfluß auf Benin annehmen. Die Möglichkeit, daß diese schönste unter allen einfachen Zierformen durch europäische Vermittlung aus Indien oder aus dem fernen Osten nach Oberguinea gelangt sein könnte, kann sicher nicht ganz geleugnet werden, aber sie kann da ebensogut selbständig entstanden sein, und R. Zeller weist darauf hin, daß bei den Aschanti das Hakenkreuz sich bodenständig aus »Zinkenmotiven« entwickelt haben könne; ebenso würde es bei den vielfachen alten Beziehungen, die zwischen den südlichen Mittelmeerländern und dem Sudân bestanden, in keiner Weise erstaunlich sein, wenn auch das Hakenkreuz seinen Weg etwa von Cypern bis nach der Küste von Oberguinea gefunden hätte.

Sehr viel enger noch als die Beziehungen Benins mit Aschanti scheinen die mit Yoruba zu sein; da und dort gibt es einzelne Stücke, die so eng miteinander übereinstimmen, daß man an zufällige Verschleppung denken möchte, aber es gibt zahlreiche andere, die eine nahe Kulturverwandtschaft beweisen, wie das ja auch durch die historischen Beziehungen zwischen beiden Gebieten schon an sich zu erwarten war; es wird überliefert, daß die Könige von Benin aus Yoruba stammen, ja man könnte in mancher Beziehung Benin sogar als einen Teil Yorubas bezeichnen. Uns interessieren hier vor allem die merkwürdigen Altertümer, die L. Frobenius (»Und Afrika sprach«, Bd. I. »Auf den Trümmern des klassischen Atlantis«, S. 318 ff.) in Ife entdeckt hat. Hier kann ich nur auf den Originalbericht des glücklichen Entdeckers verweisen und muß sogar auf den Versuch verzichten, näher auf die chronologische Stellung dieser Funde einzugehen. Frobenius selbst hat ihr Alter ursprünglich sehr hoch eingeschätzt; ich weiß nicht, ob er auch jetzt noch an seiner Datierung festhält; persönlich sehe ich keinen zwingenden Grund, die Altertümer von Ife für wesentlich älter einzuschätzen als die von Benin, aber ich bin mir sehr gut bewußt, wie große Schwierigkeiten sich zur Zeit einer auch nur annähernd chronologischen Einordnung der Funde entgegenstellen; vermutlich werden erst ausgedehnte systematische Grabungen in Benin und in Ife zu befriedigenden Aufschlüssen führen; inzwischen scheint mir große Zurückhaltung geboten; nur auf ein einziges Stück der Sammlung Frobenius, Berlin, III. C. 27 548, das er S. 318 des oben angeführten Bandes abbildet und S. 332 kurz erwähnt, möchte ich kurz eingehen, es ist ein 8 cm hohes Bruchstück aus Quarz, anscheinend der Henkel eines Gefäßes, mit einer hockenden Figur, die ihre Arme unter den Knien durchgezogen hat und das Gesicht auf beide Hände stützt. Die Ähnlichkeit dieser Figur mit der S. 463 erwähnten und Ergänzungsblatt T, Fig. 783 abgebildeten, auf dem Münchener Benin-Zahne ist schlagend. Stilistisch steht zweifellos die Ife-Figur sehr viel höher als die von Benin, aber inhaltlich sind beide einander so ähnlich, daß es schwer angeht, einen großen Zeitunterschied zwischen ihnen anzunehmen. Anscheinend ist da und dort eine bestimmte mythologische Person gemeint, für die eine solche, sonst nirgends vorkommende Haltung traditionell gegeben war, aber daß eine derartige Tradition sehr viele Jahrhunderte überdauern sollte, ist wenig wahrscheinlich; andrerseits steht für die geschnitzten Benin-Zähne fest, daß sie etwas jünger sind als die Mehrzahl der Platten, und daß man sie etwa in das frühe 17. Jahrhundert zu setzen hat. Freilich ist die Möglichkeit nicht ganz auszuschließen, daß eine sehr viel ältere Hockerfigur dieser Art einmal aus Ife nach Benin gelangte und dort nachgebildet wurde — wirkliche Sicherheit kann, wie schon oben gesagt, nur von systematischen Ausgrabungen erwartet werden. Dasselbe gilt auch von dem schönen Bronzekopf, dem »Poseidon des atlantischen Afrika« von Frobenius, den manche für antik halten; es scheint mir ganz unmöglich, nach den vorhandenen Abbildungen (auch die drei Photographien auf Taf. IV scheinen nicht nach dem Original gemacht zu sein) zu einem abschließenden Urteil über den Stil und über das Alter dieses bis jetzt einzigartigen Fundes zu gelangen; mein persönlicher Eindruck, und nur von einem solchen kann die Rede sein, ist, daß der Kopf reine Negerarbeit ist, daß er zeitlich mit der Blütezeit von Benin zusammenfällt und daß er stilistisch mit einigen der erlesensten Benin-Arbeiten auf eine Stufe gehört. Für einen solchen engen Anschluß an Benin scheint mir vor allem die Behandlung des Halses zu sprechen, die mit der auf einigen Benin-Köpfen genau übereinstimmt; aber auch das soll nur als meine persönliche Meinung hingestellt sein, die ich niemandem aufdrängen will. Das Original ist wohl inzwischen in das Britische Museum gelangt und wird hoffentlich früher oder später so veröffentlicht, daß man zu einem sicheren Urteil über seine kulturhistorische Bedeutung gelangen kann; inzwischen würde vielleicht auch schon die chemische Untersuchung des abgesprungenen Stückes, von dem Frobenius berichtet, einiges Licht auf die Herkunft des Kopfes werfen.

Gegenwärtig ist die alte Kunst von Yoruba auf ein sehr tiefes Niveau herabgesunken; 1909 haben fast gleichzeitig H. Balfour (Journal R. A. J. Bd. 40, S. 525 ff.) und P. Staudinger (Z. f. E. 41, S. 855 ff.) ausführlich über moderne Arbeiten eines in Togo lebenden Yoruba-Mannes, Ali Amonikoyi, berichtet und in London wie in Berlin Proben seiner »Kunst« vorgelegt; die muß nun freilich als kläglich bezeichnet werden, aber seine Gußtechnik, über die beide Herren sehr ausführlich berichteten, stand noch immer unter dem guten Einfluß einer alten und gefesteten Tradition. Einige etwa um eine Generation ältere Stücke aus der Berliner Sammlung sind hier Taf. 125 und 126 abgebildet; sie sind nicht sehr viel besser als die von Balfour und Staudinger mitgeteilten; ich habe sie trotzdem und auch trotz ihrer teilweise »bedenklichen« Darstellungen ausgewählt, weil sie technisch, stilistisch und ethnographisch gleich interessant sind und auch weil die *in actu* dargestellten Personen nur wenig auffallen und leicht ganz übersehen werden; ich würde auf diese hier überhaupt nicht aufmerksam machen, wenn sie nicht eine immerhin lehrreiche Illustration zu den vielfachen und ausführlichen Angaben von L. Frobenius im III. Bande von »Und Afrika sprach« geben würden, die er dort in den obersten Zeilen von S. 501 zusammenfaßt. Im übrigen sind die drei großen Gruppen auf Taf. 125 nicht etwa als ganze gegossen; bei näherem Zusehen erkennt man auch auf den Abbildungen, daß die Figuren oder Paare einzeln für sich fertiggestellt und dann mit ihrer niedrigen Standfläche in eine Art Schleife auf der Sockelplatte eingeschoben sind. Ob die Körbe mit Hühnern tragenden Frauen nach dem Markte oder zu einer Opferhandlung unterwegs sind, mag dahingestellt bleiben — die Ähnlichkeit dieser Gruppen mit dem alten Opferwagen von Stretweg ist vielleicht ganz zufällig, aber sie ist so groß, daß ich sie nicht ganz unerwähnt lassen möchte; sicher würde man bloße Konvergenz annehmen müssen, wenn es nicht so viele andere Einzelheiten gäbe, die einen prähistorischen Zusammenhang zwischen Südeuropa und dem westlichen Sudân wahrscheinlich machen würden; ich habe seit 10 Jahren auf solche Einzelheiten mehrfach hingewiesen, zuletzt in den Mitt. d. Wiener A. G. Bd. 48, S. 13 und 69 ff.

Sehr gering sind unsere Kenntnisse von der gegenwärtigen materiellen Kultur der Zahnküste; was wir überhaupt von ihr wissen, deutet auf die allerengsten Beziehungen mit dem benachbarten Aschanti. Da und dort finden wir vor allem die gleiche hoch entwickelte Technik des Gusses in verlorener Form, sowohl in Messing als in Gold. Auf der Weltausstellung Paris 1900 war in der Kolonial-Abteilung hervorragend schöner Goldschmuck von den Baoulé zu sehen und ebenso Gewichte für Goldstaub, die denen der Aschanti nicht nachstehen. Im Ausstellungskatalogе dieser Kolonie von Pierre Mille (Paris, Frédéric Hébert, 1900) sind einige der schönsten dieser Stücke gut abgebildet, ebenso wie da auch einige sonst wohl unbekannt gebliebene Wägungen von Goldgewichten mitgeteilt sind.

Auf die engen Beziehungen zwischen Benin und Dahome ist in diesem Buche schon zur Genüge hingewiesen worden; hingegen scheint es mir richtig, an dieser Stelle noch einmal ausdrücklich auf die vielfachen alten Beziehungen hinzuweisen, die zwischen Benin und dem Fan-Gebiet zweifellos bestanden haben müssen. Ebenso ist hier noch ein kurzes Wort über die beiden Tafeln 127 und 128 zu sagen; auf der einen gebe ich zwei Ansichten einer auch sonst schon mehrfach abgebildeten Baluba-Figur, einfach nur um an einem ganz besonders typischen Beispiele einige Besonderheiten westafrikanischer Kunstübung zu demonstrieren. Hingegen scheint mir die Ekoi-Maske auf Taf. 128 ein hervorragendes Beispiel für die monumentale Höhe zu sein, zu der sich reine und zweifellos von Europa ganz unbeeinflußte Negerkunst aufschwingen kann.

---

68. Kapitel.

Zur Geschichte von Benin.

Die Geschichte von Benin ist keine andere als die der übrigen Küstenlandschaften von Oberguinea. So könnte man sie nach der Meinung einiger mit dem Buch der Könige, I, 9^{26} oder 22^{49}, ^{50} beginnen lassen, wo von den Tarsis-Schiffen die Rede ist, die nach Ophir fahren sollten. Man kann näheres darüber am bequemsten bei Dahse, »Ein zweites Goldland Salomos« (Z. f. E. 43, 1911, S. 1 ff.) nachlesen. Dort sind auch zwei etwa aus dem frühen 19. Jahrhundert stammende Kürbisschalen von der Goldküste abgebildet, auf denen neben mannigfachen anderen Dingen wie einem Schwert, einem Schlüssel, einem Vorlegeschloß, einem europäischen Schiff usw. auch Sonne, Mond, ein Stern und die Plejaden eingeritzt sind. Es liegt gewiß nahe, solche Darstellungen von Himmelskörpern auf uralte Zusammenhänge mit Vorderasien zu beziehen, wo sie in gleicher Art auf den assyrischen Königsstelen und anderen großen und berühmten Denkmälern erscheinen — aber Sonne, Mond und Sterne leuchten doch auch noch anderen Menschen, die nicht vom alten Orient beeinflußt sind, und gerade die Plejaden sind fast auf der ganzen Oberfläche der Erde gekannt. Bei einiger Vertrautheit mit völkerkundlicher Literatur ist man sich darüber klar, daß die Plejaden eigentlich nur dem modernen Kultur- und Großstadtmenschen nichts sagen (wenn er nicht etwa von den griechischen Dichtern und vom Schild des Achilles her etwas von ihnen weiß), daß hingegen der ursprüngliche Mensch, sei er nun Ackerbauer oder Schiffer, überall auf das Erscheinen und das Verschwinden der Plejaden achtet und sie vielfach zur Grundlage seiner Zeiteinteilung macht. So darf man das Auftreten dieser himmlischen Zeichen auf modernen Trinkschalen der Goldküste nicht überschätzen. Auch den berühmten Drachenbaum von Orotawa kann ich als einen Beweis für einen uralten Verkehr der Phöniker mit den Kanarischen Inseln nicht gelten lassen. Man kann gern zugeben, daß jener Baum schon mehrere Jahrtausende alt war, als ihn 1493 die ersten Spanier erblickten, aber der Schluß, daß deshalb phönikische Seefahrer vor rund dritthalbtausend Jahren den Baum als jungen Schößling auf der Insel Sokotra in einen Kübel getan, ihn dann lebend um ganz Afrika herumgebracht und auf Orotawa wieder eingepflanzt haben, ist schon deshalb falsch, weil der Draco der Kanarischen Inseln eine ganz andere Spezies ist als die Dracaena von Sokotra.

So will ich mich hier darauf beschränken, die Abhandlung von Dahse einfach zu erwähnen, und will zu ihr nicht weiter Stellung nehmen. Genau dasselbe gilt von der Atlantis-Theorie und von den »unsträflichen Äthiopen« in dem hier schon mehrfach zitierten Werke von Leo Frobenius »Und Afrika sprach«. Ebenso will ich es offen lassen, ob wirklich Benin, wie erzählt wird, 1485 von dem Portugiesen Affonso de Arrio »entdeckt« wurde, oder ob nicht vielleicht schon einige Jahrzehnte früher andere Portugiesen oder etwa Kaufleute aus Dieppe in die Nähe des Niger-Delta und an den Benin-Fluß gelangt sind. Aber auch das große Werk von Jos. Marquart über die Leidener Benin-Sammlung mit seinen »Prolegomena zur Geschichte der Handelswege und Völkerbewegungen in Nordafrika« kann ich hier nur eben erwähnen. Wenn ich auch nicht mit allen Einzelheiten des ethnographischen Anhanges übereinstimme, so bin ich doch voll Bewunderung für den historischen Hauptteil des Werkes; man muß es notwendig im Originale studieren, wenn man sich über die älteren Beziehungen im westlichen Sudân unterrichten will; ich verzichte deshalb darauf, es hier auszuziehen. Die orientalischen Quellen zur Geschichte von Westafrika hat M. jedenfalls so erschöpfend behandelt, daß für einen Nachfolger kaum etwas zu tun übrig bleibt; hingegen ist uns eine andere Quelle für die ältere Geschichte von Benin bisher noch unerschlossen: die portugiesischen Archive. Ich habe selbst schon vor 20 Jahren begonnen, in Lissabon, Porto und Coimbra nach den westafrikanischen Berichten des 16. Jahrhunderts forschen zu lassen, doch waren die Antworten durchweg nach dem südslavischen Schema *nesnam, neimam, neću* orientiert, »man« wußte nicht, »man« hatte nicht, »man« wollte nicht, bis ich einsah, daß ich mich nicht an die richtigen Leute gewandt hatte, und es aufgab, weiter lästig zu fallen; und doch eröffnet gerade die letzte Kategorie von Antworten günstige Ausblicke; wenn man die alten Berichte nicht mitteilen will, dann sind sie wenigstens noch erhalten und dann besteht die Hoffnung, sie kennenzulernen. Hoffentlich veranlaßt gerade das Buch von Marquart und meines hier die portugiesischen Kollegen einmal ernsthaft an ihre alten Archive heranzugehen und die auf Benin bezüglichen Teile vollständig zu veröffentlichen; erst dann werden wir auch über den sozialen Aufbau des großen Benin und über das wahre Verhältnis der »weißen Götter« zu den Eingeborenen die Aufklärung bekommen, die wir bis jetzt so schmerzlich vermissen; bis dahin möchte ich fast vermuten, daß dem ersten Stadium einer fast abergläubischen Scheu vor den Europäern bald eine Zeit der Geringschätzung gefolgt ist; es scheint mir jedenfalls schwierig, einzelne Darstellungen von trinkenden, trunkenen und gewalttätigen Europäern in einem weniger unfreundlichen Sinne zu deuten.

Einstweilen sind wir nicht einmal über die Anzahl der Europäer unterrichtet, die sich etwa im 16. und 17. Jahrhundert in der Stadt oder im Lande Benin aufzuhalten pflegten. Ich selbst vermute, daß wir für diese Zeit überhaupt nicht mit ansässigen Kolonisten zu rechnen haben, sondern nur mit gelegentlichen Besuchen von Händlern, von denen einzelne vielleicht öfter und in regelmäßigen Zwischenräumen wiedergekommen sein mögen. Die Angabe (Z. f. E. 30, 1898, Verh. S. 163), daß »im Orte, nach alten Abbildungen zu urteilen, viele Kirchen standen«, scheint auf einer mißverständlichen Auffassung des bekannten, hier S. 431 reproduzierten Bildes bei Dapper zu beruhen; da haben wohl die Türme der Königspaläste vielleicht den Gedanken an »viele Kirchen« entstehen lassen; sonst kenne ich überhaupt keine alte Abbildung, die eine solche Angabe erklärlich machen könnte. Ebenso scheint mir das hier S. 479 bereits erwähnte »Nonnenkloster« historisch wenig gesichert zu sein; sicher ist nur, daß ein König von Benin einmal eine »weiße Frau« verlangt und, weil er als Gegenleistung Christ werden wollte, auch erhalten hat; ein Bild dieses Tauschopfers scheint nicht auf uns gekommen zu sein. Die auf Taf. 70 abgebildete Rundfigur ist zwar sicher nicht die einer eingeborenen Benin-Frau, aber es ist doch sehr unwahrscheinlich, daß gerade eine Europäerin ihre Herkunft so ganz vergessen haben sollte und in so uneuropäischer Tracht hätte dargestellt werden können; so werden wir das Urbild dieser Rundfigur wohl eher bei einem der hellen und schmalnasigen Stämme von Nordafrika unterzubringen haben.

Es würde naheliegen, diesem Kapitel eine ausführliche Untersuchung der aus dem westlichen

Sudân bekannten Glas- und Steinperlen anzugliedern; doch ist dem, was Marquart in seinem großen Buche über solche beigebracht hat, zur Zeit nichts Neues von wesentlicher Bedeutung hinzuzufügen. Die nach seinem Sachregister leicht aufzufindenden Einzelangaben müssen zunächst mit den in unseren Museen vorhandenen Originalperlen verglichen werden, aber das bis jetzt zugängliche Material dürfte kaum genügen, die an den alten Perlhandel im Sudân geknüpften Fragen restlos zu beantworten; wir werden wohl auch hier das Ergebnis systematischer Ausgrabungen abzuwarten haben. Inzwischen muß hier die Feststellung genügen, daß gegenwärtig an mehreren Orten in Oberguinea, ebenso wie gläserne Armringe, auch Glasperlen von Eingeborenen selbst hergestellt werden; wir wissen aber nicht, wie alt diese einheimische Technik ist und ob wir es mit Nachahmungen von jedenfalls schon seit dem 15. Jahrhundert eingeführten europäischen Perlen zu tun haben oder ob es sich um die letzten Ausklänge einer alten ägyptischen oder phönikischen Technik oder etwa um eine bodenständige Erfindung handelt; daß die gläsernen Armbänder von Nupe mit Benutzung von europäischen Flaschen hergestellt werden, macht freilich den einheimischen Ursprung der Glastechnik dort und auch sonst im tropischen Westafrika wenig wahrscheinlich; die weitaus größte Menge der besonders seit der Entdeckung Amerikas über die ganze Erde als Tausch- und Handelsware verbreiteten Perlen kam aus Murano; sehr viel später kamen auch böhmische Perlen in größeren Mengen in den überseeischen Handel; manche Gattungen von Perlen, über deren Herkunft nichts Sicheres feststeht, dürften aus Ragusa stammen, wo schon sehr früh eine ursprünglich von Murano abhängige Glastechnik bestand. Noch unbekannt ist besonders das Alter und die Herkunft der schönen, fast hühnereigroßen, außen tiefblauen, innen faltig oder gezähnt weiß, grün und rot geschichteten Perlen, die, an beiden Polen angeschliffen, durch das Ebenmaß ihrer bunten und doch harmonischen Musterung auffallen; daß solche Perlen auch schon in altägyptischen und in vorkolumbisch-amerikanischen Gräbern gefunden worden, wird mehrfach behauptet, geht aber vermutlich auf unzuverlässige und mißverstandene Angaben zurück; sie dürften wohl erst im 15. Jahrhundert in den afrikanischen Handel gekommen sein. Es ist wahrscheinlich, aber nicht mit Sicherheit nachzuweisen, daß gerade diese großen Perlen es waren, die bei Dapper als »Akori« und als »blaues Koral, das man mit Tauchen aus dem Grunde hohlet«, erwähnt werden. Leider sind Dapper und seine Zeitgenossen in ihrer Terminologie so inkonsequent, daß sie vielfach die gleichen Worte für verschiedene Dinge und verschiedene Worte für die gleiche Sache gebrauchen; in solcher Art wird auch die wohl aus »Akori« entstandene und in unserer neuen Literatur sehr häufige Bezeichnung »Aggri-Perlen« für so viele ganz verschiedene antike und jüngere bunte Perlen gebraucht, daß man es als eine Wohltat empfinden würde, wenn das vieldeutige Wort ganz aus der ethnographischen Literatur ausgemerzt werden könnte. In ähnlicher Weise sprechen die älteren Autoren von *Kralen, Koraelen* und von *Peerlen*, ohne daß im einzelnen Falle mit Sicherheit zu entnehmen wäre, ob Glas- oder Steinperlen oder echte Korallen gemeint sind. Ein eigenartiges Mißverständnis findet sich übrigens in der sonst sehr verdienstlichen Monographie über die Aggri-Perlen von C. P. Rouffaer (Waar kwamen die raadselachtige Moetisalah's . . . . . van daan?; »Bijdr. t. d. T. L. en V. v. N. I. 6. Volgr., Deel VI). Da wird S. 68 die aus einer älteren Arbeit von mir stammende Angabe, auf manchen Benin-Bronzen seien die Halsschnüre mit Perlen so zahlreich, daß sie oft »wie ein Litham« den Mund bedecken und kaum die Nasenlöcher für die Atmung freilassen, wörtlich angeführt, dabei aber das Wort *litham* mit *steenband* übersetzt, als ob es etwa griechischen Ursprungs wäre und nicht arabisch.

Nicht viel besser sind wir über die aus Steinen hergestellten Perlen unterrichtet; wir wissen, daß vielfach Achat, Jaspis, Karneol und andere verwandte Halbedelsteine auch in Westafrika von den Eingeborenen selbst zu Perlen geschliffen und regelrecht durchbohrt werden, aber wir vermögen diese einheimischen Perlen nicht immer mit Sicherheit von den importierten zu unterscheiden. Im alten Benin selbst scheinen übrigens aus echten Korallen geschliffene Perlen sehr viel häufiger gewesen zu sein als solche aus Glas oder Stein, wenigstens soweit man aus den bisher in unsere Museen gelangten Stücken schließen kann; da sind Perlen aus Glas oder Stein immer nur ganz vereinzelt vorhanden, während es an ganzen Schnüren mit echten Korallen nicht fehlt; das Brit. Museum besitzt eine alte Kopfbedeckung und einen großen Wedel, in die zusammen sehr viele Hunderte von wirklichen Korallen-Perlen verarbeitet sind, und ebenso wird berichtet, daß der letzte König von Benin, als er sich 1897 den Engländern unterwarf, am ganzen Körper wie mit Korallen bedeckt war. Selbstverständlich stammen alle diese Korallen von den westlichen Mittelmeergestaden, aber auch da wissen wir noch nicht, ob sie ihren Weg nach Oberguinea über Land, also auf den alten Karawanenwegen durch die Wüste, genommen haben, oder ob sie nicht etwa überwiegend von den Europäern über See gebracht wurden.

69. Kapitel.

Verzeichnis einiger Bücher, Schriften und Notizen über Benin und seine Nachbarn.

Andree, Richard. Globus Bd. 74, 1898, S. 104. (Mit Abb. eines Bronzekopfes in Liverpool.)

— Globus Bd. 76, 1899, S. 280. (Abb. des Leidener Bronzehahnes nach Schmeltz' Bericht für 1897/8. Die von S. stammende falsche Vermutung, der Hahn hätte als Verzierung eines Hausgiebels gedient, wird von A. mit Recht zwischen »Gänsefüßchen« gesetzt.)

— Alte westafrikanische Elfenbeinschnitzwerke im Herzogl. Mus. zu Braunschweig. Globus Bd. 79, 1901, S. 156 ff.

— Seltene Ethnographica des städt. Gewerbemuseums Ulm. (Baeßler-Archiv IV, Heft 1, S. 29—38. Mit 10 Abb.)

Auchterlonie, T. B., und Pinnock, James, The city of Benin (Transactions Liverpool Geogr. Society, VI, 1898).

Bacon, Commander R. H. S. Benin, the city of blood. London und New York 1897.

Balfour, Henry. Modern Brass-casting in West Africa. (I. R. A. I. Vol. 40, 1909, S. 525 ff.) Mit 2 Tafeln.

Barros, João de. Asia, Decade I. Part I.

Boisragon, Capt. Alan. The Benin massacre. 190 S. London 1898.

Bosman, Wilhelm. Reyse nach Guinea. Hamburg 1708. (Darin ein vom 1. 9. 1701 datierter Brief Nyendals über Benin.)

Bowen, T. J. Adventures and Missionary Labours in the Interior of Africa. 1857.

Brinckmann, Justus. Afrikanische Bronzen aus Benin. Jahrb. d. Hamb. Wissensch. Anst. 1898, S. 121 ff.

— Bronzen aus Benin im M. f. Kunst u. Gewerbe. (Hamburger Fremdenblatt 13. 3. 98.)

Buchner, Max. Afrikanische Altertümer. (Beil. Allg. Ztg. 1898, Nr. 286.)

— Benin und die Portugiesen. (Z. f. E. 40, 1908, S. 981 ff.)

Burton, Richard (Benin). Fraser's Magazine Bd. 67, 1863, S. 135 ff.

— Abeokuta. London 1863. 2 Bde.

— A Mission to Gelele, King of Dahomey. London 1864. 2 Bde.

Carlsen, F. Benin in Guinea und seine rätselhaften Bronzen. Globus Bd. 72, 1897, S. 309 ff.

Chappet. Quatre ans au Dahomé. (»Bull. de la soc. de Geogr.«, Lyon 1882.)

Crahmer, W. Über den Ursprung der »Benin-Kunst«. Globus 94, 1908, S. 301—303.

— Über den indo-portugiesischen Ursprung der »Benin-Kunst«. Globus 95, 1909, S. 345—349 und 360—365.

— Zur Frage nach der Entstehung der »Benin-Kunst«. Globus 97, 1910, S. 78/9.

Dalzel. Mission to Dahomey. London 1793.

Dapper, O., Dr. Umbständliche und Eigentliche Beschreibung von Africa ..... ausz unterschiedlichen neuen Land- und Reise-Beschreibungen mit fleisz zusammen gebracht. Amsterdam 1670, 695 S. folio. Mit Anhang (Beschreibung der Insulen in Afrika usw.) 1671, 101 S.

Dennett, R. E. At the back of the black Man's mind. 288 S. London, Macmillan, 1906.

— Nigerian Studies or the religious and political system of Yoruba. 254 S. London 1910.

Forbes, F. E. Dahomey and the Dahomians. London 1851.

Forbes, H. O. On a collection of cast metalwork from Benin. Bull. Liverpool Mus. I, 1897, S. 49 ff.

— Cast metalwork from Benin. Bull. Liverpool Mus. II, 1899, S. 13 ff.

Foy, W. Ethnographische Objekte von Benin, im Kgl. Ethn. Mus. Dresden. »Dresdner Journal« 1898, Nr. 152/3.

Foy, W. Zur Frage nach der Herkunft einiger alter Jagdhörner aus Elfenbein: Portugal oder Benin? und Anhang: Bibliographie über Benin. (Abh. u. Ber. des Kgl. Zool. u. A. E. Museums, Dresden 1900/01, Bd. 9, S. 20—22.)

Franz, A. Entdeckung der Bronzegötter von Benin. (Velhagen u. Klasings Monatshefte XIII, Heft 8, April 1899, S. 229—233. Mit 5 Abb.)

Granville, R. K. and Roth, F. N. Notes on the Jekri. J. A. I. 28, 1899.

Guillevin. Voyage dans l'interieur de Dahomé. Paris 1862.

Hagen, Karl. Museum f. Völkerkunde, Hamburg. Berichte für die Jahre 1899 bis 1904, S. S. aus »Jahrbuch der Hamb. Wissenschaftl. Anstalten« Bd. 17 bis 22, 1900 bis 1905. Sechs Hefte.

— Altertümer von Benin im M. f. V. zu Hamburg. Teil I. Hamburg 1900. 8⁰. 26 S. Mit 19 Abb. auf 5 Tafeln. Teil II. Hamburg 1918. 4⁰. (»Mitt. a. d. M. f. V. i. Hamb.« VI). 90 S. Mit 10 Taf. u. 46 Abb. im Text.

Heger, Franz. Alte Elfenbeinarbeiten aus Afrika in den Wiener Sammlungen. Mitt. d. Wiener Anthr. Ges. Bd. 29, 1899, S. 101—109. Mit 3 Tafeln.

— Benin und seine Altertümer. Mitt. d. Anthr. Ges. Wien Bd. 29, 1899, S. [2—6].

— Ein Emporium alter Kultur in Westafrika. (»Monatsblätter des Wissensch. Klubs«, Wien, Bd. 22, 1900, S. 12—20.)

— Die Altertümer von Benin. (»Mitt. Geogr. Ges.«, Wien 1901, S. 9—28.)

— Drei merkwürdige Metallfiguren von Benin, mit einem Anhang: Die Benin-Sammlung des Naturhist. Hofmuseums in Wien. Mit 1 Taf. und 2 Abb. im Text. (Mitt. der Anthr. Ges. Wien Bd. 46, 1916, S. 132—182.)

Hein, Dr. Wilhelm. Reliefplatte von Benin [Reiter]. (Mitt. d. Wiener A. G. 31, 1901, S. [120].)

Joyce, T. A. Note on the relation of the Bronze-Heads to the carved tusks, Benin-City. (Man. VIII, Nr. 1, 1908.)

Landolphe. Mémoires du Capitaine (rédigés sur son Ms. par J. S. Quesné). 3 Vols. Paris 1823.

Leonard, Major Arthur Glyn. The lower Niger and its Tribes. London, Macmillan, 1906.

Luschan, F. v. Altertümer von Benin. (Z. f. E. Bd. 30, Verh. S. 146—162. Mit 3 Tafeln. 1898.)

— Über die alten Handelsbeziehungen von Benin. (Verh. des VII. intern. Geogr.-Kongresses, Berlin 1899, S. 607—612.)

— Bruchstück einer Benin-Platte. (Globus Bd. 78, 1900, S. 306/7.)

— Die K. Knorrsche Sammlung von Benin-Altertümern im Mus. f. L. u. V. zu Stuttgart. (Jahresber. 17 und 18 des W. V. f. Handelsgeographie, Stuttgart 1901. 8⁰. 96 S. Mit 72 Abb. auf 12 Taf. und im Text.)

— Über Benin-Altertümer. Z. f. E. Bd. 48, 1916, S. 307—327. Mit 6 Abb.

Marquart, Jos. Die Benin-Sammlung des Reichsmuseums für Völkerkunde in Leiden und Prolegomena zur Geschichte der Handelswege und Völkerbewegungen in Nordafrika. Groß 4⁰. 16, CCCLXVII und 132 S. 14 Tafeln, 2 Karten und 27 Abb. im Text. Leiden, Brill, 1913.

Marees, Peter de, in De Bry's India Orientalis Bd. VI. Frankfurt a. M. 1600.

Ogilby, John. Collection of African Travels. 1670. Vgl. auch Transactions Liverpool Geogr. Soc. V, 1897.

Pettazzoni, Raffaele. Civiltà africane. Rom 1912. (Estr. d. »Bolletino d. Soc. Geogr. Ital.« 1912, p. 594—618.)

— Avori scolpiti africani. (Estr. dal »Boll. d'Arte«. Roma, Calzone, 1912.)

Pitt Rivers, Ltnt. General. Antique works of art from Benin. Mit 393 Abb. auf 50 Tafeln. 4⁰. London 1900. Privatdruck. (Hier durchweg als P. R. zitiert.)

Ramseyer and Kühne. Four years in Ashantee. London, Nisbet, 1875. (320 S. Einige interess. Parallelen mit Benin.)

Read, C. H. Ancient works of art from Benin City. Rep. Brit. Ass. Bd. 68, 1899, S. 1020.

— and Dalton, O. M. Works of art from Benin City. J. A. I. Bd. 27, 1898, S. 362 ff. (p. 1—21). Mit Taf. 17 bis 22.

— — Antiquities from the city of Benin and from other parts of West Africa in the Brit. Mus. 61 S. 32 Tafeln Großfol. London 1899. (In diesem Buch durchweg als R. D. zitiert.)

Robertson, G. A. Notes on Africa. London 1819

Roth, H. Ling. Notes on Benin Art. (»The Reliquary and ill. Archaeologist«, July 1898.) 12 S. Mit 9 Abb.

— Toreutic art from Benin. (Repr. from »the Studio« Dec. 1898, with additional matter.) 12 S. Mit 38 Abb.

— Personal ornaments from Benin. (Bull. Free Mus. of Science and Art, Univ. of Penns. vol. 2, S. 28—35. Philadelphia 1899.)

— Stray Articles from Benin. J. A. E. Bd. 13. 1900, S. 194 ff.

— Great Benin, its Customs, Art and Horrors. Mit 275 Abb.

Halifax, F. King and Sons, 1903. 8⁰. (Hier durchweg als L. R. oder als L. R. Gr. B. zitiert.)

Rouffaer, G. P. Waar kwamen de raadselachtige Moetisalah's (Aggri-kralen) in de Timorgroep oorspronkelijk van daan? 1899. (Aus B. T. L. V. v. N. I. Deel VI. S. 1—267.)

Schmeltz, J. D. E. (Rijks Ethn. Mus. Leiden, Verslag Jan. 1897—Sept. 1898.) 1899, S. 19 ff. Mit 2 Tafeln.

— Neuere Literatur über Benin. (J. A. E. Bd. 16, 1903, S. 46 ff.)

Skertchly. Dahomey as it is. London 1874.

Springer, Balthasar. Meerfahrt 1509. (Erwähnt »lange blaue Kristallen« als Tauschmittel an der Guineaküste.)

Starr, Frederick. The art of Benin City. (American Antiquarian XXII, 1900, S. 17—23.) Mit 2 Tafeln.

Staudinger, P. Über Bronzeguß in Togo. (Z. f. E. 41, 1909, S. 855 ff.)

Stevens, J. C. Zahlreiche Auktionskataloge, teilweise mit Abbildungen. London 38, King Street, Covent Garden W. C.

Webster, W. D. Catalogues of ethnographical specimens Nr. 15 bis 1925, 1897 ff. Mit rund 500 teilweise sehr guten Abbildungen.

Weißbuch, Britisches. »Africa«, 6, 1897. (Papers relating to the Massacre of Brit. Officials near Benin and the consequent Punitive Expedition. London, Harrison and Sons, 1897.)

Abb. 887. Hinteransicht des Taf. 122 abgebildeten Antilopenkopfes aus Elfenbein. ¹/₄ d. w. Gr. Wegen der Rosette vgl. die Abb. 841 auf S. 487.

Sachregister.

Abb. 889. Nürnberger Grabplatte mit Fischweibchen.

A

Abb. 658 zu S. 422 G, Teilansicht des Taf. 104 D abgebildeten Gefäßdeckels Berlin III. C 8526. Bronze gepunzt. ¹/₁ d. w. Gr.

Abb. 657 zu S. 422 G, Teilansicht des Taf. 107 B abgeb. Bechers, Berlin III. C. 8498. ¹/₁ d. w. Gr.

Abb. 657 A. Keule in der Form einer Doppelglocke, etwa ¹/₆ d. w. Gr.; rechts Einzelheiten derselben Schlagwaffe. In der Mitte Keule in der Form eines Querhornes, etwa ¹/₅ d. w. Gr., vgl. S. 459 und die Abb. 729 auf S. 458. Alles nach L. R. Great Benin, S. 56.

Abb. 646 zu S. 418 B, Bronzegefäß, gegossen und gepunzt, Frankfurt M. ¹/₂ d. w. Gr.

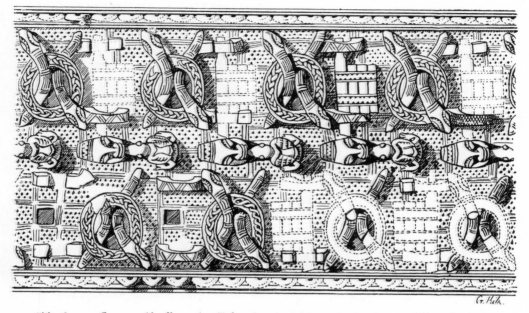

Abb. 612 zu S. 401. Abrollung des Taf. 118 B abgebildeten Armbandes aus Elfenbein, Berlin III. C. 4880. Aus dem alten Bestande der Königl. Kunstkammer.

Abb. 613 zu S. 401. Abrollung des Taf. 118 A abgebildeten Armbandes aus Elfenbein, Berlin III. C. 4881. Aus dem alten Bestande der Königl. Kunstkammer.

Abb. 614 zu S. 401 unten. Abrollung des Taf. 118 C abgebildeten Elfenbeinarmbandes, Berlin III. C. 4882.
Aus dem alten Bestande der Königl. Kunstkammer.

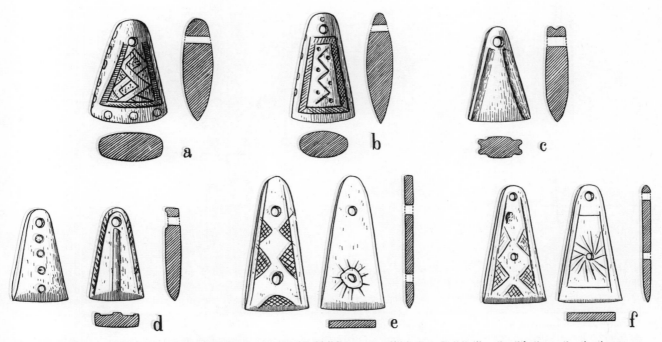

Abb. 635 zu S. 412. Sechs aus Bronze gegossene kleine Nachbildungen neolithischer Steinbeile, durchlocht und mit eingepunzten
Verzierungen. Berlin III. C. $^1/_1$ d. w. Gr.

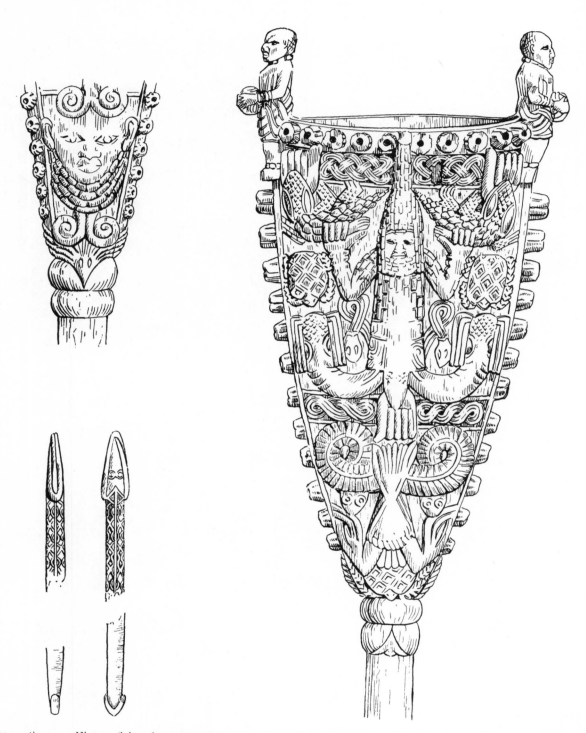

Abb. 640 zu S. 415. Hintere Seite des größeren Bechers einer Doppelglocke aus Elfenbein, vergl. Taf. 105 A u. B sowie die Abbildungen 636 bis 639. (Mechanische Reproduktion einer Strichzeichnung bei L. R. Great Benin, S. 206, Abb. 226; die Zeichnung ist vielleicht nicht in allen Einzelheiten wissenschaftlich korrekt; so ist besonders auf dem unteren Ende des Glockenbechers die Figur, von der die zwei Schlangen abgehen, vom Zeichner anscheinend mißverstanden worden; eine neue Abbildung des Originals in Zinkätzung oder Lichtdruck wäre dringend erwünscht.)

Links oben ist der Übergang zwischen Griff und kleinerer Glocke skizziert, links unten in zwei Ansichten das gleichfalls aus Elfenbein geschnitzte Stäbchen zum Anschlagen der Glocke, wohl das einzige seiner Art, das überhaupt erhalten ist. Ähnlich geformte Stäbchen aus Bronze sind S. 414 erwähnt.

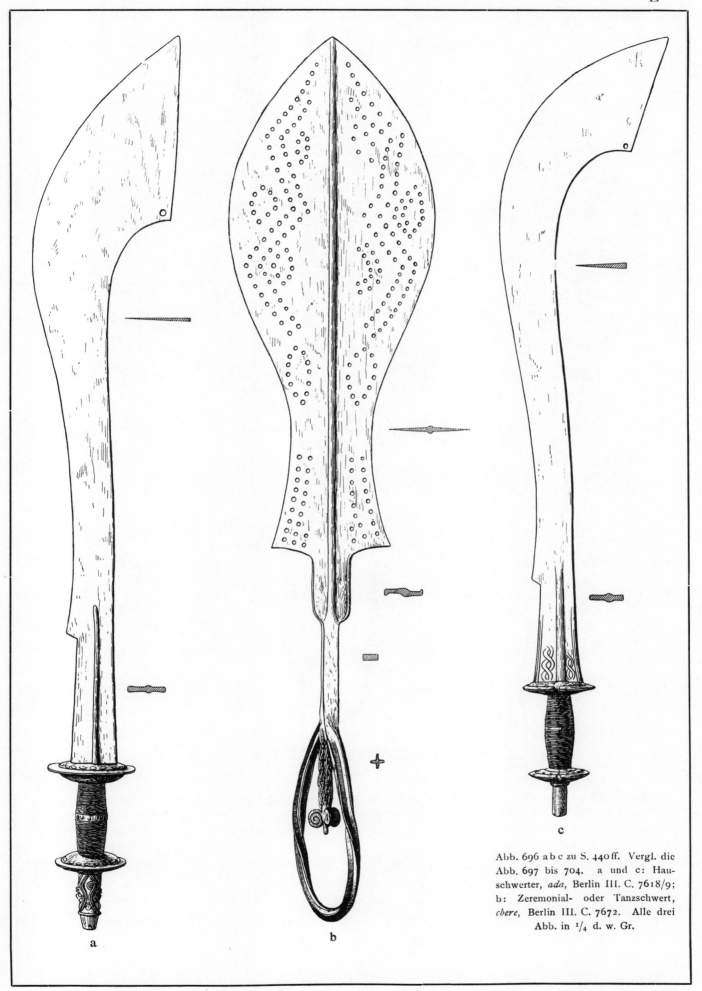

Abb. 696 a b c zu S. 440 ff. Vergl. die
Abb. 697 bis 704. a und c: Hauschwerter, *ada*, Berlin III. C. 7618/9;
b: Zeremonial- oder Tanzschwert,
ebere, Berlin III. C. 7672. Alle drei
Abb. in ¹/₄ d. w. Gr.

a   b

F

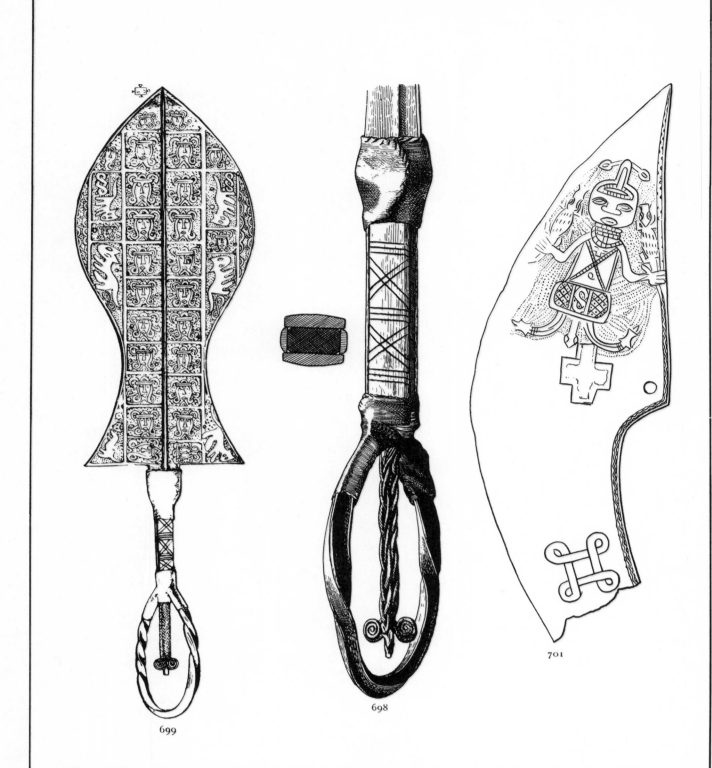

699

698

701

Abb. 699 zu S. 441. Besonders reich verziertes Zeremonialschwert, *ebere*, nach einer Zeichnung von Cyril Punch bei L. R. Great Benin, S. 60. Etwa ¹/₆ d. w. G. (97,5 cm lang).

Abb. 698. Griff eines *ebere*, vollständig auch mit dem sonst meist in Verlust geratenen Schalenstücken aus Elfenbein. ¹/₂ d. w. G. Ankermann delin.

Abb. 701. Bruchstück eines Hauschwertes, *ada*, aus Bronze, Berlin III. C. 18943. ¹/₂ d. w. Gr. Der eingepunzte *»olokum«* ist anscheinend späte, jedenfalls sehr schlechte Arbeit.

Abb. 736 zu S. 466, vergl. Abb. 735 auf S. 465. Zone III und IV des Zahnes in St. Petersburg (?), [Abguß Berlin III. C. 7761]. Alle drei Männer der »kultischen Trias« haben Masken am Gürtel; von einer dieser Masken fehlen, wohl nur durch ein Versehen, alle Einzelheiten. Der Krieger in der Mitte der IV. Zone ist besonders roh stilisiert, sein Panzer und seine viereckige Glocke wären ohne Kenntnis besserer Darstellungen kaum zu erkennen.

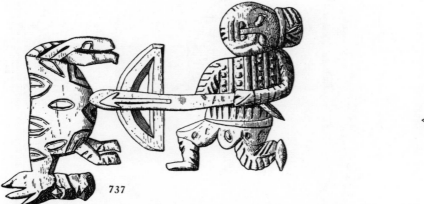

737

738

Abb. 737/8. Schießende Europäer mit Armbrust, der eine aus Zone IV des Berliner Zahnes III. C. 7638, der andere von einem Zahne im Brit. Museum nach R. D., S. 15. Vergl. auch Abb. 772 auf Ergänzungsblatt R.

Abb. 739 zu S. 462 Anm. Die dritte Zone des Berliner Zahnes III. C. 7638: Zwei fast symmetrische Darstellungen des »*olokum*«, zwischen ihnen vorne ein Mann mit Schlachtschwert und einer Art Ruderkeule (?), hinten ein stilisierter Elefantenkopf.

Abb. 740 zu S. 466. Die V. Zone des Berliner Zahnes III. C. 7761, vergl. Abb. 735. Die Symmetrieebene geht durch den »*olokum*« und den stilisierten Elefantenkopf, so daß der »*olokum*« sich zwischen den beiden Frauen befindet.

Abb. 741 zu S. 463. »*Olokum*« von dem Berliner Zahn III. C. 7643.

Abb. 742 zu S. 466. VII. Zone des Zahnes III. C. 7761, vgl. Abb. 735.
In der Mitte ein »*Olokum*«, der in jeder Hand ein Krokodil
schwingt; zu seiner Linken eine Frau, zu seiner Rechten (hier
neben der Frau stehend) ein gepanzerter Krieger mit Speer;
die Behandlung des Halsbandes mit den großen Zähnen, der
viereckigen Glocke und des Pantherkopfes auf dem Panzer ist
sehr lehrreich für die summarische und sorglose Arbeit sowie
für den späten Stil des Zahnes. NB. Die Bezeichnung
olokum sollte stets zwischen »Anführungszeichen« gesetzt werden.
Sie stammt von Eingebornen und ist bisher weder sprach-
wissenschaftlich noch mythologisch erklärt; ich selbst kenne
das Wort nur im Zusammenhang mit Welsen selbst oder mit
Darstellungen von Leuten, die Welse halten oder statt der
Beine haben; L. Frobenius (»Und Afrika sprach«) hörte das
Wort für den von ihm gesehenen großen Bronzekopf; aber
auch in diesem Falle ist ein Zusammenhang mit dem Wels-
Kult nicht ganz ausgeschlossen.

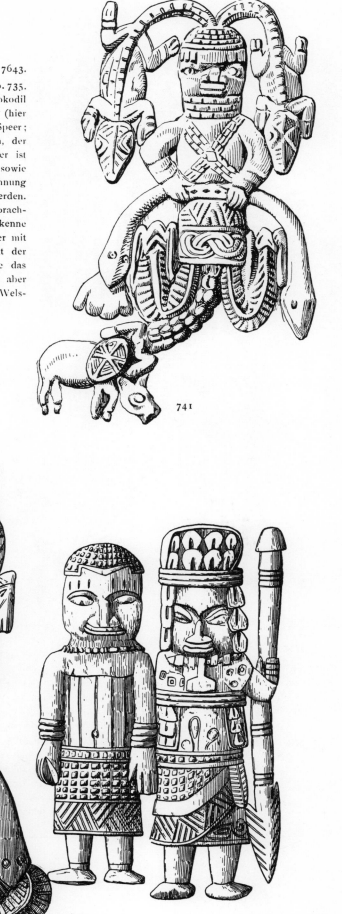

741

742

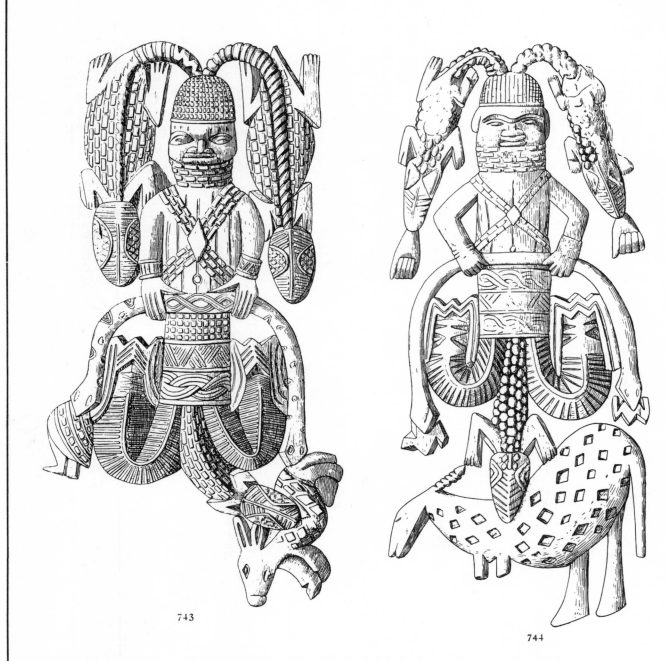

743

744

Abb. 743 zu S. 463. »*Olokum*« aus der III. Zone des Berliner Zahnes III. C. 7639. Vom Scheitel hängen zwei Krokodile herab; zwischen den beiden statt der Beine geschnitzten Welsen kommt ein stark nach außen gebogener langer und übermäßig schlanker Vorderkörper eines Krokodils zum Vorschein, das ein großes geflecktes Tier (Ziege?) im Rachen hält. Aus dem Gürtel des »*Olokum*« entwickeln sich zwei Schlangen, von denen die eine einen Vogel zu verschlingen anhebt.

Abb. 744 zu S. 463. »*Olokum*« aus der III. Zone des Berliner Zahnes III. C. 7644; vergl. das vollkommen symmetrische Gegenstück von der anderen Seite derselben Zone auf Tafel 114. Die beiden vom Scheitel herabhängenden Krokodile lassen aus ihrem Rachen je eine menschliche Hand (oder vielleicht eher das handförmig stilisierte Ende eines Elefantenrüssels) herausragen. Die vom »*Olokum*« vor dem Gürtel gehaltenen Schlangen haben jede einen Frosch gefaßt; ob es sich wirklich um zwei Schlangen handelt, oder nicht etwa um eine Schlange mit zwei Köpfen, muß offen bleiben. Das zwischen den die Beine ersetzenden Welsen vorragende schlanke Krokodil hat ein großes gehörntes Tier erfaßt, dessen Vorderteil auffallend viel kleiner ist, als der Hinterkörper.

745 746 747

Abb. 745 bis 747. Drei weitere Darstellungen des »Olokum«, von Zähnen im Brit. Museum, nach Zeichnungen bei R. D., S. 15. Der erste ist bemerkenswert durch die drei schönen Europäermasken über (?) dem Gürtel, der zweite wegen der Häufung von Welsen; er trägt über seinem eigenen Kopf noch den eines Welses mit mächtigen Bartfäden, zwei Welse schwingt er mit den Händen und zwei weitere hat er am Gürtel hängen.

Abb. 748 zu S. 466. Zone II des Zahnes III. C. 7761, vergl. Abb. 735. Auffallend ist die starke Asymmetrie der Darstellung, in welcher dem großen Manne mit dem Ebere nur der kleine Mann mit Hammer, Stock, Halskreuz usw. entspricht, der übrigens sonst auf Benin-Zähnen meist nur in der I. Zone und fast stets symmetrisch erscheint, vergl. z. B. die Abb. N. 755. Der »Olokum« und der Mann mit dem Ebere haben beide je eine Panthermaske als Gürtelschmuck.

Abb. 749 zu S. 463. Aus der IV. Zone des Berliner Zahnes III. C. 7644. Drei Jäger, vergl.
die Bronzeplatten Taf. 30 und Abb. 377/8 auf den Seiten 242/3.

Abb. 750 zu S. 466. S. auch Abb. 735. Die VI. Zone des Zahnes III. C. 7761. In der Mitte (des Originals, links auf der
Zeichnung) ein Mann mit Ebere und Speer, anscheinend mit zwei Haussa-Amuletten um den Hals; zu seiner Linken eine Frau mit
Rasselbrett, zur Rechten ein Gepanzerter mit Facialis-Lähmung.

Abb. 751 zu S. 463. Die VII. Zone des Berliner Zahnes III. C. 7642. In der Mitte ein Mann mit der gleichen sehr ungewöhnlichen Tracht wie der auf der Abb. 750; zu seinen Seiten je ein gepanzerter Benin-Krieger mit »Mitra«; unter dem Ebere ein nacktes Männchen mit Benin-Narben am Rumpfe, unter der Hauptfigur zwei Panther, nach außen von ihnen je eine Hand mit einer Rahmentrommel, vielleicht analog den *busti* als Ersatz für ganze Frauen mit Rahmentrommeln aufzufassen.

752   753

Abb. 752. Aus der VIII. Zone des Berliner Zahnes III. C. 7638. Zu der dritten Hand des Trommlers vergl. S. 462; wegen der beiden Hände auf der Trommel vgl. die rechte Hand des Trommlers auf Abb. 785. Blatt T. Abb. 753. Aus der VI. Zone des Berliner Zahnes III. C. 7639.

Abb. 745, vergl. S. 462. Die VII. Zone des Berliner Zahnes III. C. 7638. Die lotrecht in die Höhe stehenden Schweife der Pferde finden sich in gleicher Weise auch auf mehreren anderen Zähnen sowie auf Armbändern, vergl. Abb. 606, 606 A usw. Was die Reiter in der gegen den Pferdekopf ausgestreckten Hand halten, ist einstweilen nicht zu deuten. Auf dem Zahne in Weimar ist ein ähnlicher Gegenstand dargestellt, der aber den Pferdekopf nicht berührt und nach unten verdickt scheint.

Abb. 755 zu S. 465. Die unterste Zone des Zahnes III. C. 7761, vergl. die Abb. 735.

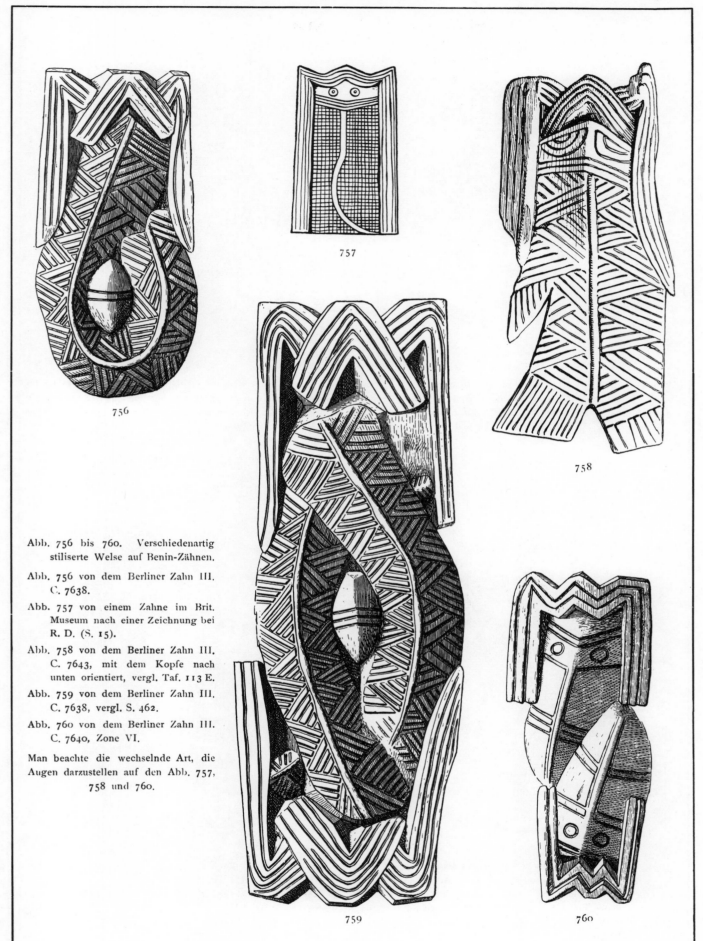

756

757

758

759

760

Abb. 756 bis 760. Verschiedenartig stiliserte Welse auf Benin-Zähnen.

Abb. 756 von dem Berliner Zahn III. C. 7638.

Abb. 757 von einem Zahne im Brit. Museum nach einer Zeichnung bei R. D. (S. 15).

Abb. 758 von dem Berliner Zahn III. C. 7643, mit dem Kopfe nach unten orientiert, vergl. Taf. 113 E.

Abb. 759 von dem Berliner Zahn III. C. 7638, vergl. S. 462.

Abb. 760 von dem Berliner Zahn III. C. 7640, Zone VI.

Man beachte die wechselnde Art, die Augen darzustellen auf den Abb. 757, 758 und 760.

761

Abb. 761. Aus Zone IV des Berliner Zahnes III. C. 7643, anscheinend eine Eifersuchtsszene, vergl. S. 468. Nicht gut zu deuten ist das halbkugelige Gebilde zwischen den Beinen des Mannes mit der Flinte, das in ähnlicher Art, nur noch deutlicher auch bei anderen Europäern wiederkehrt, vergl. Abb. 778 und 779 auf Ergänzungsblatt S. Die Ähnlichkeit mit der »Peniskapsel« bei manchen Rüstungen des 16. Jahrhunderts ist wohl nur äußerlich und zufällig.

762 A

762   763

Abb. 762. Europäer mit Schirm und mit starkem Schrägstand der Augen, von dem Berliner Zahn III. C. 7638; vergl. S. 462.
Abb. 762 A. Benin-Mann mit Panzer und »Mitra«, aus Zone II des Berliner Zahns III. C. 7642.
Abb. 763. Benin-Mann mit ganz ungewöhnlicher Kopftracht und mit einer Art T-Binde; er scheint einen Flaschenkürbis zu halten; neben ihm ein nackter Junge, der einen Schemel am Kopfe trägt.

764

765

766

767

Abb. 764. Zone VI des Berliner Zahnes III. C. 7640. Links ein Mann mit Querhorn (?), dann ein Trommler; auch der dritte Mann scheint eine Trommel zu halten; der vierte trägt einen Schemel.

Abb. 765. Hand mit Rahmentrommel vom Berliner Zahn III. C. 7638 } beides häufig als Raumfüllung.
Abb. 766. Vogel mit Schlange, vom Berliner Zahn III. C. 7642 }

Abb. 767, s. Abb. 735 und S. 466. Zone VIII des Zahnes III. C. 7761. Auf diese Zone folgt unmittelbar der nur roh angedeutete auf Ergänzungsblatt U, Fig. 794 a b abgebildete Kopf.

768

769

770   771   772

Abb. 768. Aus Zone IV des Berliner Zahns III. C. 7639. Vergl. die Bronzeplatte auf Taf. 6 D. Die beiden Panther sind wohl ohne inneren Zusammenhang mit den drei Europäern.

Abb. 769. Frau mit Rahmentrommel, neben ihr ein nacktes Mädchen und ein ausnahmsweise mit dem Rüsselende nach oben orientierter Elefantenkopf.

Abb. 770. Vom Zahn Berlin III. C. 7638, Verwachsener mit Stab, vergl. S. 462.

Abb. 771. Europäer aus Zone III des Berliner Zahns III. C. 7643.

Abb. 772. Europäer mit Armbrust aus Zone IV des Berliner Zahns III. C. 7644. Vergl. die Abb. 737/8 auf Erg.-Blatt G.

773

774

775

776

777

778

779

Abb. 773 bis 775 aus der untersten Zone der Berliner Zähne III. C. 7639, 7643 und 7640. Der Kopf des Panthers ist bei allen Darstellungen dieser Art stets nach unten gerichtet, als ob das Tier seine Beute *ad inferos* tragen würde.

Abb. 776. Benin-Krieger mit ungewöhnlicher Behandlung des Pantherkopfes auf dem Panzer, vom Berliner Zahn III. C. 7643.

Abb. 777. Auffallend stilisierter Vogel von der Mitte der konkaven Seite des Berliner Zahns III. C. 7643, vergl. den etwas ähnlichen Vogel auf dem Armband Abb. W. 828 links unten.

Abb. 778/9. Europäer mit Flinte und mit Schwert aus Zone IV des Berliner Zahns III. C. 7638. In den halbkugligen Gebilden zwischen den Beinen vergl. die Beschriftung zu Abb. 761 auf Ergänzungsblatt P und zu dem Zeichen auf der Stirne des zweiten Mannes die Anmerkung auf S. 462. Der Fig. 779 abgebildete Mann könnte vielleicht als Inder aufgefaßt werden; dann wäre an ein ungewöhnlich verziertes *tilaka* zu denken.

T

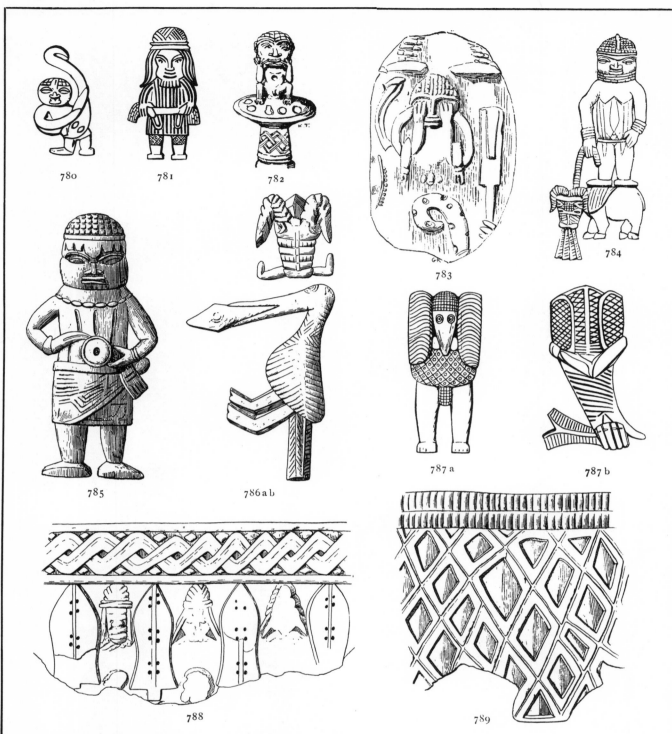

Abb. 780/1. Einzelheiten von Zähnen im Brit. Museum, nach Zeichnungen bei R. D., S. 15.

Abb. 782. Skizze des Kopfes der hockenden Figur auf dem Dresdener Schwertgriff, siehe Abb. 702, S. 442 und den Hinweis auf die drei Affen auf S. 463, Anmerkung zu Nr. 27. Ob die Figur auf dem Schwertgriffe einen Menschen oder einen Affen darstellt, muß einstweilen offen bleiben; der lotrecht den Rücken entlang laufende „Strang" kann als Lehne oder als Schwanz aufgefaßt werden (vergl. den fressenden Affen, Abb. 828 auf Blatt W). Auch ist die Haltung und Lage der Hände in keiner Weise überzeugend für einen wirklichen Zusammenhang der Figur mit dem japanischen weisen Affen.

Abb. 783. Hockender Affe (?), der, die langen Arme unter die Kniee geschoben, sich mit den Händen die Augen zuhält. Von dem Benin-Zahne des Museums in München, vergl. S. 442, Anmerkung zu Nr. 27.

Abb. 784. Nackte Frau eine Ziege (?) führend, von dem Zahne in Karlsruhe 7519. Vergl. die Abb. 799, S. 468.

Abb. 785. Trommler von Zone I des Berliner Zahnes III. C. 7642. Vergl. Abb. 752 auf Blatt M.

Abb. 786 a b. Einzelheiten aus Zone I u. II des Berliner Zahnes III. C. 7644.

Abb. 787 a b. Einzelheiten von Zähnen im Brit. Museum nach Zeichnungen bei R. D., S. 15; 787a wird von manchen als Vorderansicht eines Elefanten mit menschlichen Beinen, also einer Art Ganescha aufgefaßt; ich kann mich dieser Auffassung nicht anschließen und denke sogar an die Möglichkeit, daß die Vorderansicht eines Widders vorliegen könne. 787b ist ein ganz besonders typisch stilisierter Elefantenkopf.

Abb. 788. Rest der unteren Kante des Berliner Zahnes III. C. 7644, vergl. Taf. 113, D und das Armband Abb. 406.

Abb. 789. Rest der unteren Kante des Berliner Zahnes III. C. 7639, vergl. Taf. 113, G mit unregelmäßigen Kassetten.

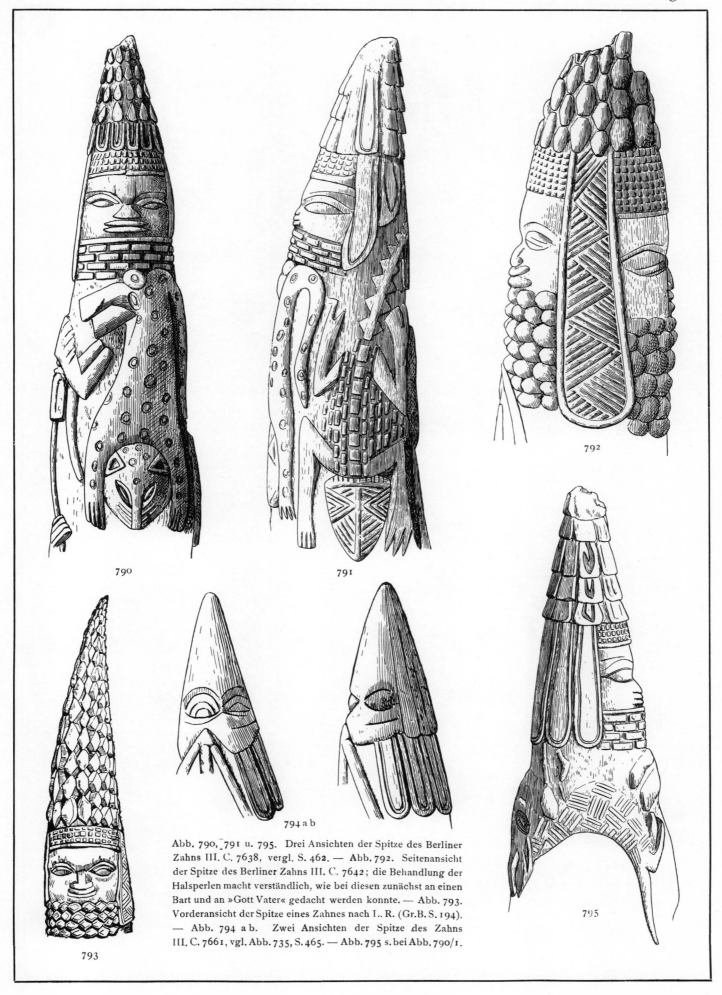

790   791   792

794 a b

793   795

Abb. 790, 791 u. 795. Drei Ansichten der Spitze des Berliner
Zahns III. C. 7638, vergl. S. 462. — Abb. 792. Seitenansicht
der Spitze des Berliner Zahns III. C. 7642; die Behandlung der
Halsperlen macht verständlich, wie bei diesen zunächst an einen
Bart und an »Gott Vater« gedacht werden konnte. — Abb. 793.
Vorderansicht der Spitze eines Zahnes nach L. R. (Gr.B.S. 194).
— Abb. 794 a b. Zwei Ansichten der Spitze des Zahns
III. C. 7661, vgl. Abb. 735, S. 465. — Abb. 795 s. bei Abb. 790/1.

Abb. 825 zu S. 482. Abgerollte Zeichnung des auf Taf. 121 A abgebildeten Bechers aus Elfenbein, Berlin III. C. 4884. Das anscheinend an der Schlange aufgehängte Fabelwesen in der oberen Reihe gibt vielleicht den Schlüssel zum Verständnis der Fig. 640 (Ergänzungsblatt D) abgebildeten Figur. Zu dem Elefantenkopf mit den zwei Rüsseln vergl. die Abb. 796/7 auf S. 467. Zu dem Krokodil, das anscheinend die Kloakenöffnung auf der Dorsalseite hat, ist zu bemerken, daß das Tier wohl auf dem Rücken liegend dargestellt ist; was wie Augen wirkt, wären dann die in der Gegend der Kiefergelenke liegenden Drüsen.

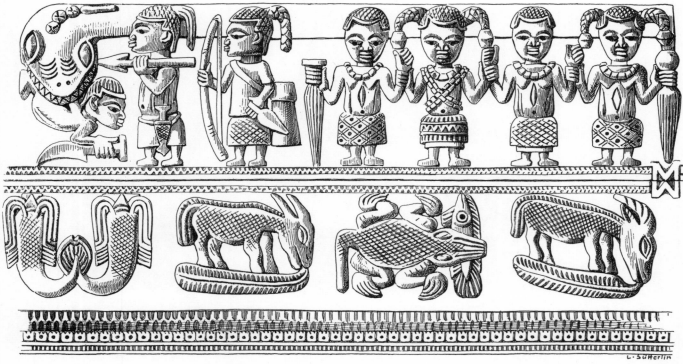

Abb. 826 zu S. 482. Abgerollte Zeichnung des Taf. 121 B abgebildeten Bechers aus Elfenbein, Berlin III. C. 4885.

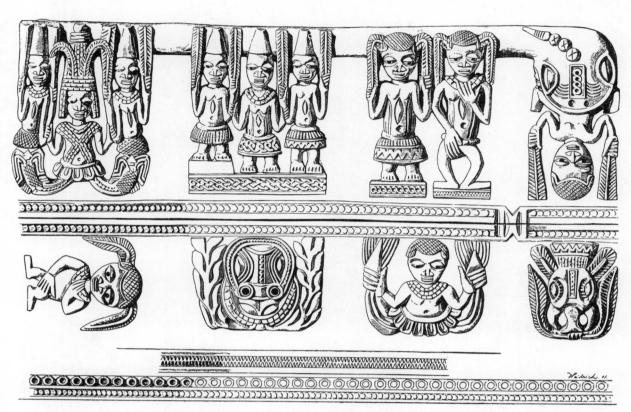

Abb. 827 zu S. 482. Abgerollte Zeichnung des Taf. 121 c abgebildeten Elfenbeinbechers, Berlin III. C. 4883.

Abb. 828 zu S. 482. Abgerollte Zeichnung eines Elfenbeinbechers im Museum zu Lille, nach von Prof. Max Buchner gütigst überlassenen Photographien.

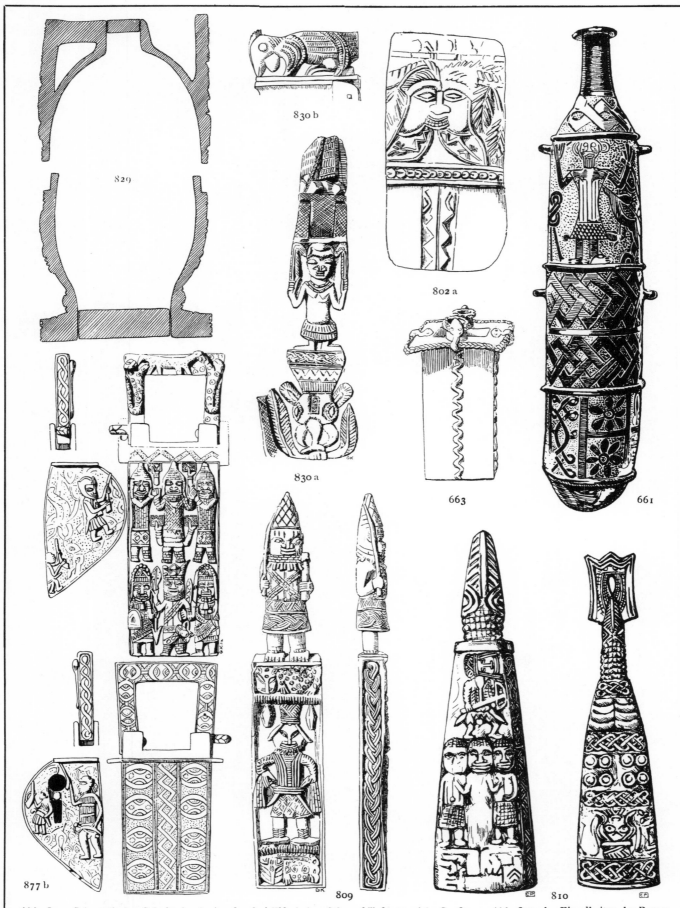

Abb. 829. Schematischer Schnitt durch eins der drei Elfenbeingefäße auf Taf. 121, siehe S. 482. — Abb. 830 a b. Einzelheiten der Berner Deckelkanne, siehe S. 483 u. Taf. 117 G. — Abb. 802 a. Bärtiger Kopf auf dem Wiener Querhorn 64756, siehe S. 472. — Abb. 663. Prismatischer Gegenstand, Hamburg 2872, vergl. Abb. 664 auf S. 424. — Abb. 661. Messingflasche, Brit. Museum, nach einer Abb. bei L. R. Great Benin, S. 44. 1/3 d. w. Gr. — Abb. 877 b. Vorlegeschloß, Bronze, siehe die Abb. 877 a auf S. 501. — Abb. 809. Gegenstand aus Elfenbein, Wien, 64781, siehe S. 477. 1/3 d. w. Gr. — Abb. 810. Zwei ähnliche Gegenstände, angeblich Türriegel, nach Zeichnungen von Cyril Punch bei L. R. Great Benin, S. 188. 1/3 d. w. Gr.

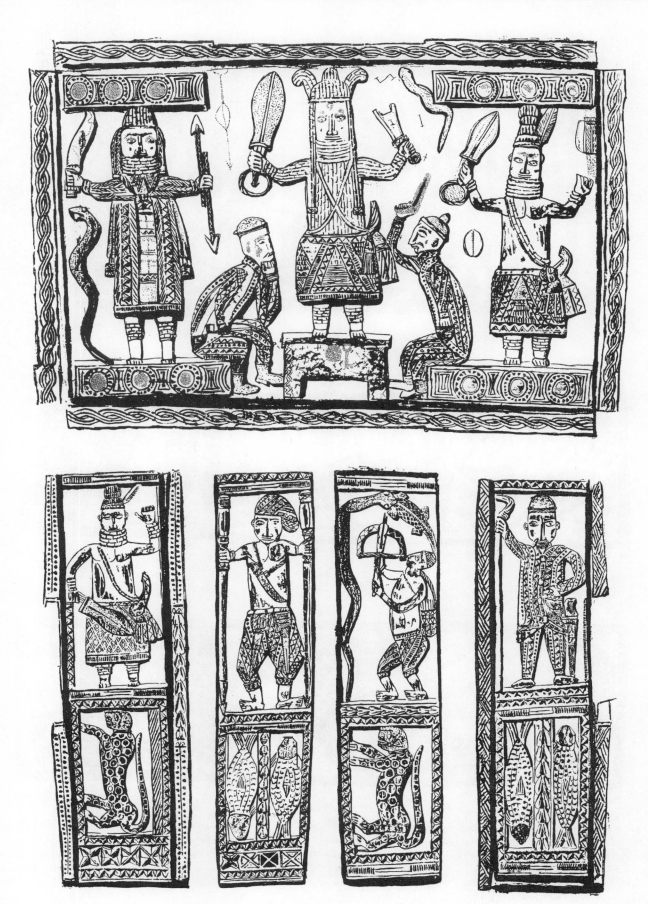

Abb. 843 und 844 a–d. Geschnitztes Bänkchen, rezent; Sitzfläche und vier Beine, Hamburg, C. 3698. Nach Abreibungen, etwa ¼ d. w. Gr. Vergl. Taf. 124 und die Abbildungen 845 bis 852, S. 490 ff.

Abb. 863 zu S. 494. Deckel einer Holzkiste, Hamburg C. 1047 : 05 etwa ¼ d. n. Gr.

864

865

Abb. 864/5 zu S. 494. Die vier Seiten derselben Holzkiste, Hamburg C. 1047 : 05, ⅕ d. n. Gr. Auf der Schmalseite neben dem großen Baume sind drei Trommler dargestellt, auf der anderen ein Mann mit Richtschwert und ein zweiter, der sich mit dem ver- schnürten Leichnam einer Enthaupteten zu schaffen macht. Auf der Deckelplatte (Abb. 863) trägt ein Mann den abgeschlagenen Kopf; neben ihm tanzen zwei Leute, links ein nackter, rechts ein bekleideter Mann, jeder mit einem Hiebschwert und einem gebogenen Stock in den halb erhobenen Händen. Rechts wiederum eine Gruppe von drei Trommlern. Moderne Arbeit. Auch die Rumpf- tätowierung der Leute ist die der Spätzeit.

Druck der Vereinigung wissenschaftlicher Verleger Walter de Gruyter & Co., Berlin W. 10.

EUROPAEER, JAEGER MIT ARMBRUST UND SPANNGABEL.

LICHTDRUCK VON W. NEUMANN UND CO., BERLIN SW. 68

F. VON LUSCHAN, ALTERTUEMER VON BENIN.

EUROPAEER MIT HAKENBUECHSEN UND LUNTEN.

EUROPAEER: B. MIT HAKENBUECHSE.

LICHTDRUCK VON W. NEUMANN UND CO., BERLIN SW. 68.

EUROPAEER; A. MIT EINER ART SPONTON, B. MIT EINER DREIZINKIGEN STURMGABEL.

LICHTDRUCK VON W. NEUMANN UND CO., BERLIN SW. 68.

EUROPAEISCHE KAUFHERREN: C UND D MIT GELDRINGEN.

LICHTDRUCK VON W. NEUMANN UND CO., BERLIN SW. 68.

EUROPAEER.

LICHTDRUCK VON W. NEUMANN UND CO., BERLIN SW. 68.

EINGEBORNER KRIEGER MIT SCHWERT UND SPEER.

EINGEBORNE KRIEGER MIT HOHEN HELMEN.

EINGEBORNER KRIEGER.

LICHTDRUCK VON W. NEUMANN UND CO., BERLIN SW. 68.

EINGEBORNE: A. UND C. MIT TROMMELN.

LICHTDRUCK VON W. NEUMANN UND CO., BERLIN SW. 68.

EINGEBORNE KRIEGER IN PRUNKRUESTUNGEN MIT KINDLICHEN BEGLEITERN.

LICHTDRUCK VON W. NEUMANN UND CO., BERLIN SW. 68.

VORNEHMER EINGEBORNER MIT FEDERHELM. VON ZWEI KNABEN MIT BLASHOERNERN
BEGLEITET.

VORNEHMER EINGEBORNER MIT ZWEI BEGLEITERN.

EINGEBORNER IM FEDERKLEID.

LICHTDRUCK VON W. NEUMANN UND CO., BERLIN SW. 68.

EINGEBORNER, EINEN SCHILD UEBER EINEN PANTHER HALTEND.

LICHTDRUCK VON W. NEUMANN UND CO., BERLIN SW. 68.

F. VON LUSCHAN, ALTERTUEMER VON BENIN

EINGEBORNE MIT MITRAFOERMIGER KOPFBEDECKUNG.

EINGEBORNE; C. UND D. MIT BUEGELHELMEN.

LICHTDRUCK VON W. NEUMANN UND CO., BERLIN SW. 68.

EINGEBORNE; KORBHELME MIT CYLINDRISCHEN PERLEN.

LICHTDRUCK VON W. NEUMANN UND CO., BERLIN SW. 68.

EINGEBORNE.

LICHTDRUCK-VON W. NEUMANN UND CO., BERLIN SW. 68.

F. VON LUSCHAN, ALTERTUEMER VON BENIN.

A. KOENIG ODER PRIESTER, VON ZWEI BEGLEITERN GESTUETZT,

B. EINGEBORNER MIT GLOCKENFOERMIGEM HELM.

A. EINGEBORNER, IN DEN ECKEN EUROPAEER. B. EINGEBORNER MIT HELM AUS KROKODILHAUT.

LICHTDRUCK VON W. NEUMANN UND CO., BERLIN SW. 68.

EINGEBORNER MIT TRICHTERFOERMIGER KOPFBEDECKUNG; ZIERNARBEN AUF STIRNE
UND NASENRUECKEN.

LICHTDRUCK VON W. NEUMANN UND CO., BERLIN SW. 68.

EINGEBORNER KRIEGER MIT DREI BEGLEITERN; OBEN IN DEN ECKEN TRINKENDE
EUROPAEER.

LICHTDRUCK VON W. NEUMANN UND CO., BERLIN SW. 68.

EINGEBORNER ZU PFERD, VON ZWEI BEGLEITERN GESTUETZT, VON ZWEI ANDEREN
MIT SCHILDEN BESCHIRMT.

LICHTDRUCK VON W. NEUMANN UND CO., BERLIN SW. 68.

EINGEBORNE.

EINGEBORNE: A. MIT FAECHER, C. MIT STIRNBINDE, E. MIT STAB UND BEIL.

LICHTDRUCK VON W. NEUMANN UND CO., BERLIN SW. 68.

EINGEBORNE; A. EIN BLINDER (?), C. BOTEN, D. MANN, FRUECHTE PFLUECKEND.

LICHTDRUCK VON W. NEUMANN UND CO., BERLIN SW. 68.

EINGEBORNE MIT REICHVERZIERTEN SCHULTERRIEMEN UND MIT UNGEWOEHNLICHEN
HAARTRACHTEN.

LICHTDRUCK VON W. NEUMANN UND CO., BERLIN SW. 68.

EINGEBORNER AUF DER VOGELJAGD.

LICHTDRUCK VON W. NEUMANN UND CO., BERLIN SW. 68.

EINGEBORNE JAEGER MIT JAGDBEUTE, BOGEN UND PFEILEN.

LICHTDRUCK VON W. NEUMANN UND CO., BERLIN SW. 68.

EINGEBORNE MIT BOGEN UND SCHWERTERN.

LICHTDRUCK VON W. NEUMANN UND CO., BERLIN SW. 68.

EINGEBORNER MIT HOERNERARTIGER HAARTRACHT, EINE SCHALE MIT SPEISE
TRAGEND.

LICHTDRUCK VON W. NEUMANN UND CO., BERLIN SW. 68.

JUGENDLICHE EINGEBORNE.

LICHTDRUCK VON W. NEUMANN UND CO., BERLIN SW. 68.

F. VON LUSCHAN, ALTERTUEMER VON BENIN.

FINGFRORNE· A. WASSERTRAEGER. B. MIT FLASCHENKUERBIS UND SCHALE.
C. MIT SCHUESSEL.

LICHTDRUCK VON W. NEUMANN UND CO., BERLIN SW. 68.

EINGEBORNE MIT CYLINDRISCHER BUECHSE, DIE ZUGLEICH ALS SCHEMEL DIENT.

LICHTDRUCK VON W. NEUMANN UND CO., BERLIN SW. 68

EINGEBORNE MIT TASCHEN (?).

LICHTDRUCK VON W. NEUMANN UND CO., BERLIN SW. 68.

GLOCKENSCHLAEGER.

LICHTDRUCK VON W. NEUMANN UND CO., BERLIN SW. 68.

GLOCKENSCHLAEGER.

LICHTDRUCK VON W. NEUMANN UND CO., BERLIN SW. 68.

EINGEBORNE MIT KLAPPERN UND BLASHOERNERN.

LICHTDRUCK VON W. NEUMANN UND CO., BERLIN SW. 68.

EINGANG IN DEN KOENIGLICHEN PALAST.

ZWERGE UND BUCKLIGE AUS DEM GEFOLGE DES KOENIGS.

LICHTDRUCK VON W. NEUMANN UND CO., BERLIN SW. 68.

FREMDE EINGEBORNE MIT REICHER TAETOWIERUNG.

LICHTDRUCK VON W. NEUMANN UND CO., BERLIN SW. 68.

EINGEBORNE MIT SPITZEN HELMEN, A. UND C. MIT WELSEN IN DEN HAENDEN,
B. UND D. MIT WELSEN STATT DER BEINE.

LICHTDRUCK VON W. NEUMANN UND CO., BERLIN SW. 68.

PANTHER.

LICHTDRUCK VON W. NEUMANN UND CO., BERLIN SW. 68.

JBISVOEGEL, RINDERKOPF.

LICHTDRUCK VON W. NEUMANN UND CO., BERLIN SW. 68.

KROKODILE UND KOEPFE VON SOLCHEN, D. FISCH.

LICHTDRUCK VON W. NEUMANN UND CO., BERLIN SW. 68.

SCHLANGEN.

LICHTDRUCK VON W. NEUMANN UND CO., BERLIN SW. 68.

WELSE UND ANDERE FISCHE.

LICHTDRUCK VON W. NEUMANN UND CO., BERLIN SW. 68.

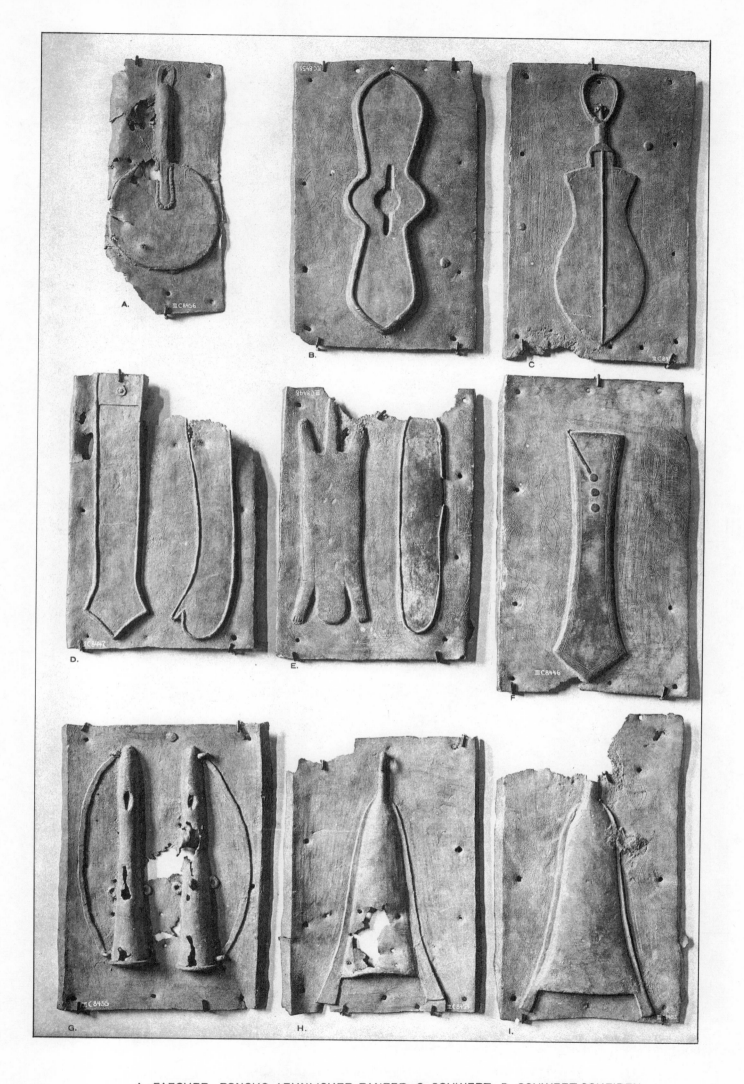

A. FAECHER, PONCHO-AEHNLICHER PANZER, C. SCHWERT, D. SCHWERT-SCHEIDEN,
E. PANTHERDECKE, F. KOECHER, G. SIGNALHOERNER, H. UND I. GLOCKEN.

LICHTDRUCK VON W. NEUMANN UND CO., BERLIN SW. 68.

PLATTEN MIT ROSETTEN, STERNEN, MOND UND SONNE (?).

LICHTDRUCK VON W. NEUMANN UND CO., BERLIN SW. 68.

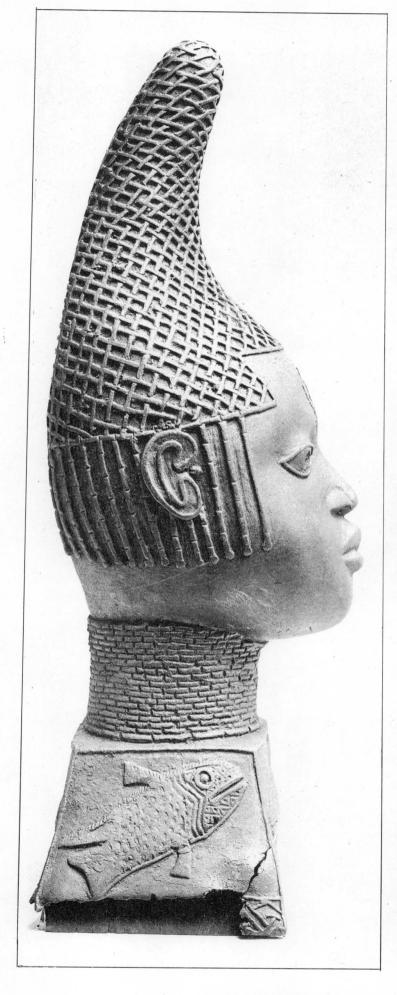

KOPF EINES JUNGEN MAEDCHENS MIT TAETOWIERTER STIRNE.

LICHTDRUCK VON W. NEUMANN UND CO., BERLIN SW. 68.

F. VON LUSCHAN, ALTERTUEMER VON BENIN.

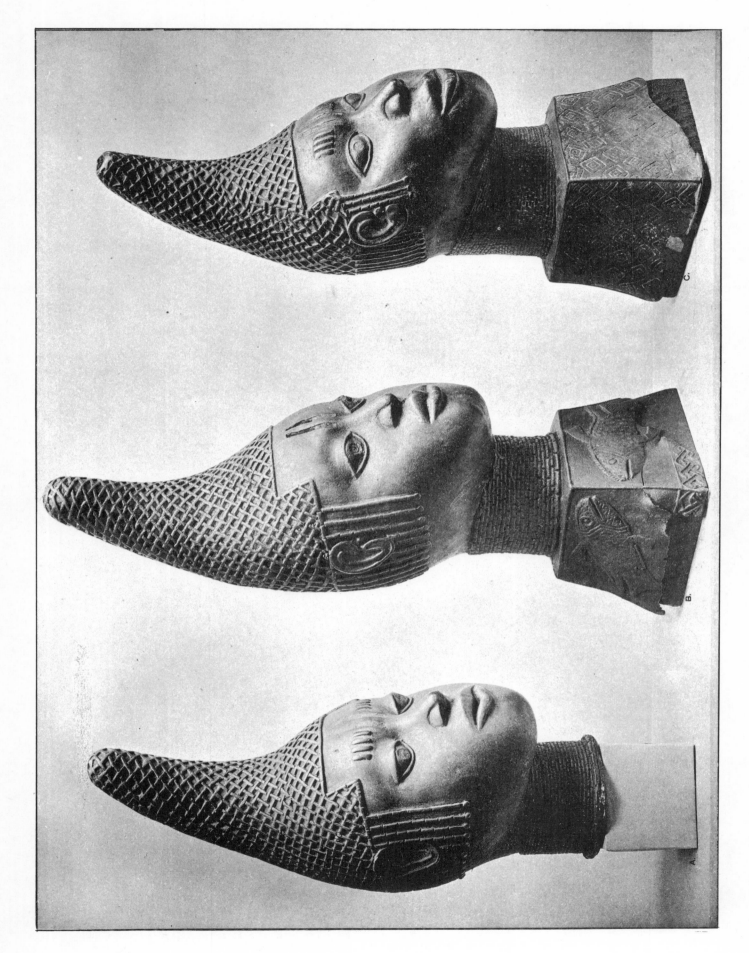

KOEPFE VON JUNGEN MAEDCHEN. A. NACH EINEM ABGUSSE, ORIGINAL IN LONDON.
B. UND C. IN BERLIN.

WEIBLICHER KOPF MIT HAUBE AUS PERLENGEFLECHT.

LICHTDRUCK VON W. NEUMANN UND CO., BERLIN SW. 68.

WEIBLICHE KOEPFE, A. UND C., B. UND D. JE DERSELBE KOPF.

LICHTDRUCK VON W. NEUMANN UND CO., BERLIN SW. 68.

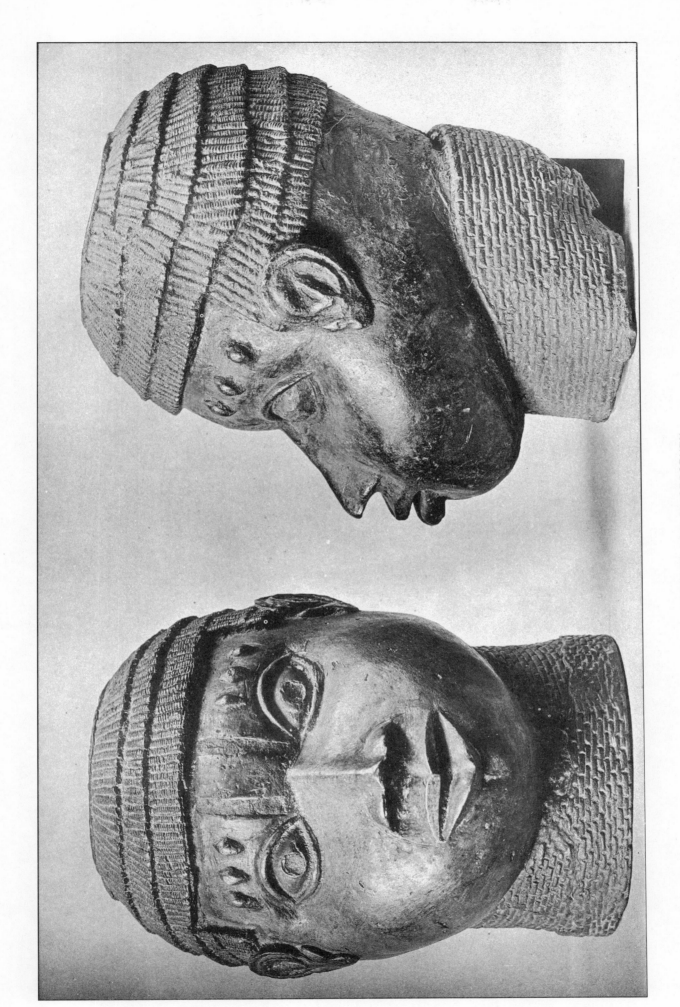

KOEPFE VON EINGEBORNEN.

LICHTDRUCK VON W. NEUMANN UND CO., BERLIN SW. 68.

A. UND C. SEITEN- UND VORDERANSICHT EINES MAENNLICHEN, B. UND D. EINES
WEIBLICHEN KOPFES.

LICHTDRUCK VON W. NEUMANN UND CO., BERLIN SW. 68.

F. VON LUSCHAN, ALTERTUEMER VON BENIN.

KOEPFE VON KINDERN.

LICHTDRUCK VON W. NEUMANN UND CO., BERLIN SW. 68.

SEITENANSICHTEN DER BEIDEN KINDERKOEPFE VON TAFEL 57.

LICHTDRUCK VON W. NEUMANN UND CO., BERLIN SW. 68.

GROSSER KOPF MIT HAUBE AUS PERLENGEFLECHT MIT FLUEGELFOERMIGEN
AUFSAETZEN UND SCHLAEFENBUEGELN.

LICHTDRUCK VON W. NEUMANN UND CO., BERLIN SW. 68.

VERZIERTE RANDLEISTEN VON KOEPFEN. VGL. TAFEL 59.

LICHTDRUCK VON W. NEUMANN UND CO., BERLIN SW. 68.

VIER VERSCHIEDENE KOEPFE MIT REICHEM PERLSCHMUCK.

LICHTDRUCK VON W. NEUMANN UND CO., BERLIN SW. 68.

ZWEI KOEPFE MIT ZIPFELFOERMIGEN MUETZEN AUS PERLENGEFLECHT.

F. VON LUSCHAN, ALTERTUEMER VON BENIN.

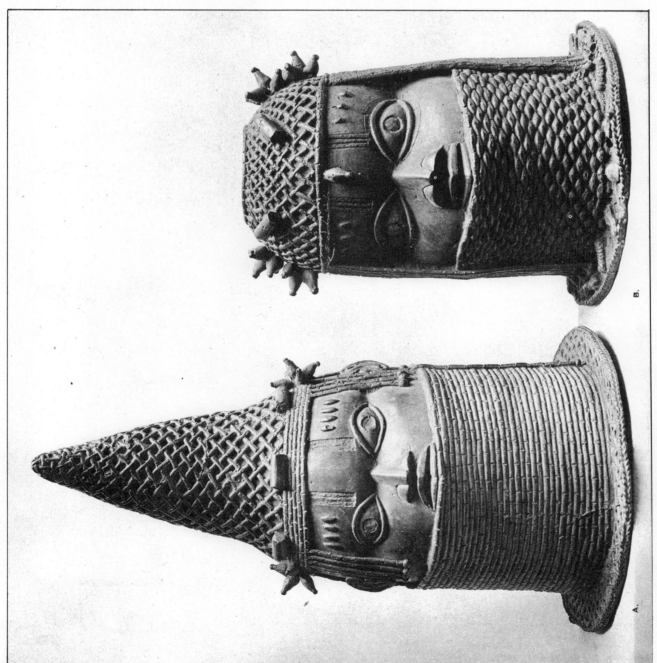

ZWEI KOEPFE VON FRAUEN. C. HINTERANSICHT VON A.

LICHTDRUCK VON W. NEUMANN UND CO., BERLIN SW. 68.

KOPF MIT SCHLANGEN UND VOEGELN.

LICHTDRUCK VON W. NEUMANN UND CO., BERLIN SW. 68.

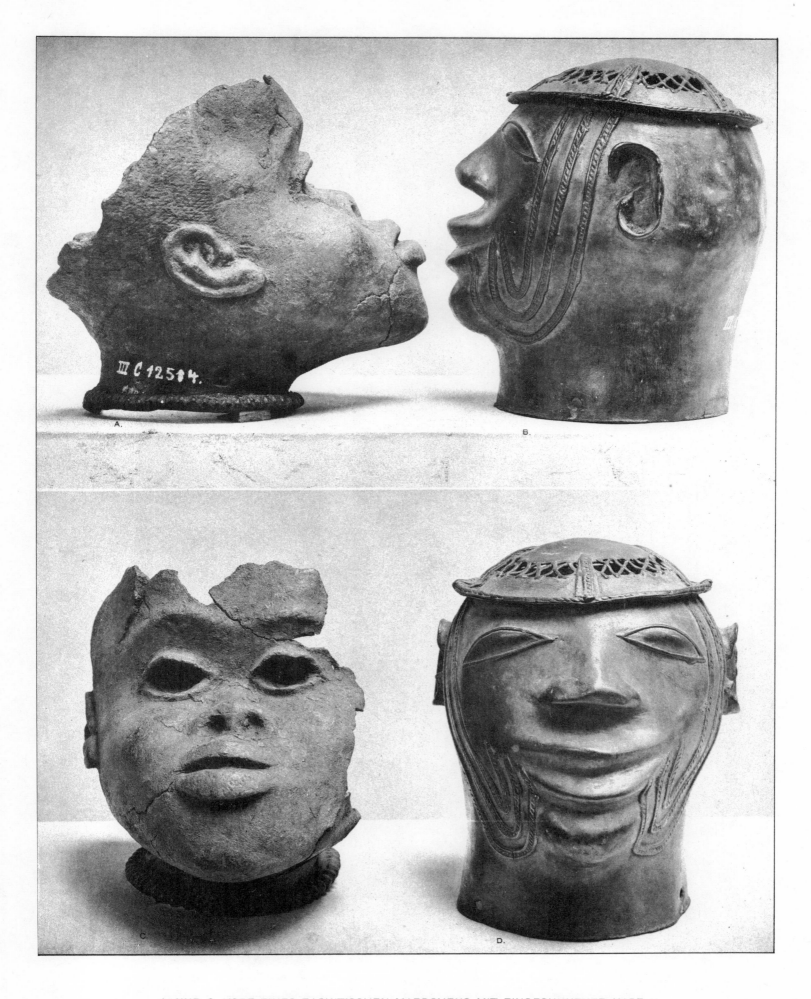

A. UND C. KOPF EINES RACHITISCHEN MAEDCHENS MIT EINGESUNKENER NASE.
B. UND D. FRATZENARTIGER KOPF UNBEKANNTER BEDEUTUNG.

LICHTDRUCK VON W. NEUMANN UND CO., BERLIN SW. 68.

F. VON LUSCHAN, ALTERTUEMER VON BENIN.

AUFSAETZE IN DER ART VON TURBANGEWINDEN.

KRIEGER MIT SCHWERT UND BOGEN.

LICHTDRUCK VON W. NEUMANN UND CO., BERLIN SW. 68.

VORDER- UND SEITENANSICHT EINES KOENIGS.

LICHTDRUCK VON W. NEUMANN UND CO., BERLIN SW. 68.

FIGUR MIT STEINBEIL.

LICHTDRUCK VON W. NEUMANN UND CO., BERLIN SW. 68.

WEIBLICHE FIGUR.

LICHTDRUCK VON W. NEUMANN UND CO., BERLIN SW. 68.

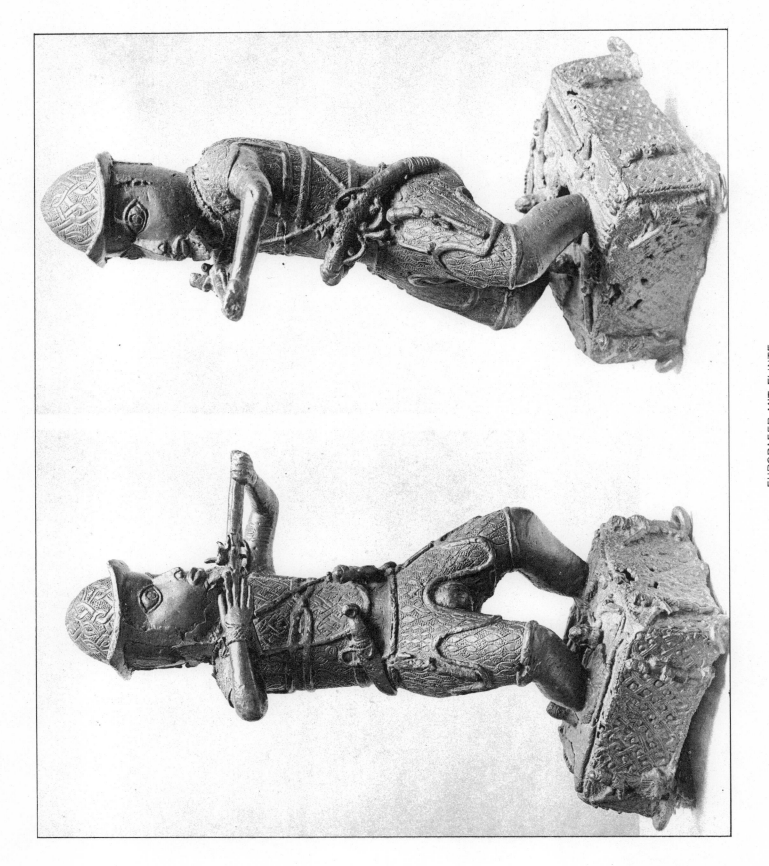

EUROPAEER MIT FLINTE.

LICHTDRUCK VON W. NEUMANN UND CO., BERLIN SW. 68.

EINGEBORNER MIT BLASHORN, FLASCHE AUS ERZ MIT NEGERKOEPFEN

LICHTDRUCK VON W. NEUMANN UND CO., BERLIN SW. 68

EINGEBORNER MIT FEDERHELM AUF EINEM MAULTIERE.

LICHTDRUCK VON W. NEUMANN UND CO., BERLIN SW. 68.

MENSCHLICHE FIGUR MIT DEM KOPFE EINES WELSES.

LICHTDRUCK VON W. NEUMANN UND CO., BERLIN SW. 68.

PANTHER AUS ERZ.

LICHTDRUCK VON W. NEUMANN UND CO., BERLIN SW. 68.

F. VON LUSCHAN, ALTERTUEMER VON BENIN.

ZWEI HAEHNE AUS ERZ.

LICHTDRUCK VON W. NEUMANN UND CO., BERLIN SW. 68.

VIER KOEPFE VON GROSSEN SCHLANGEN AUS ERZ.

LICHTDRUCK VON W. NEUMANN UND CO., BERLIN SW. 68.

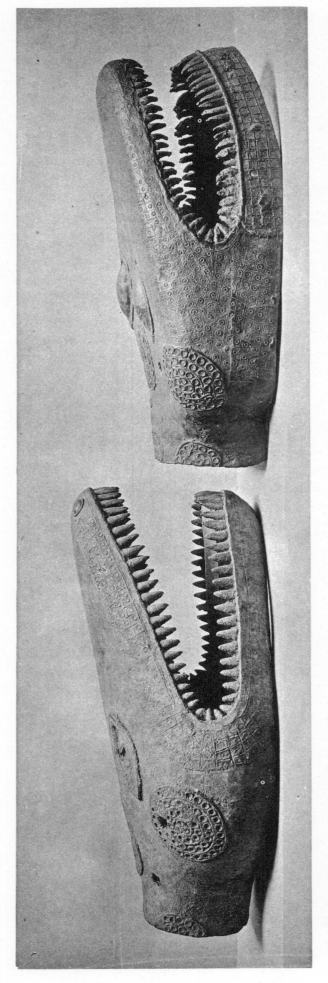

F. VON LUSCHAN, ALTERTUEMER VON BENIN.

DIE VIER SCHLANGENKOEPFE VON TAFEL 77 IN SEITENANSICHT.

LICHTDRUCK VON W. NEUMANN UND CO., BERLIN SW. 68.

KOENIG MIT SZEPTER UND STEINBEIL, VON ZWEI BEGLEITERN GESTUETZT.
AUF DER SOCKELLEISTE ZWEI ENTHAUPTETE

LICHTDRUCK VON W. NEUMANN UND CO., BERLIN SW. 68.

SEITENANSICHT DER TAFEL 79 ABGEBILDETEN GRUPPE.

LICHTDRUCK VON W. NEUMANN UND CO., BERLIN SW. 68.

KOENIG MIT SZEPTER UND STEINBEIL, AUF EINEN KNABEN UND EIN MAEDCHEN
GESTUETZT.

LICHTDRUCK VON W. NEUMANN UND CO., BERLIN SW. 68.

GRUPPE MIT DARSTELLUNG DER ERSCHIESSUNG EINES GEFESSELTEN EINGEBORNEN
DURCH EINEN EUROPAEER.

LICHTDRUCK VON W. NEUMANN UND CO., BERLIN SW. 68.

KOENIGIN MIT ACHT BEGLEITERINNEN.

LICHTDRUCK VON W. NEUMANN UND CO., BERLIN SW. 68.

GRUPPE MIT DARSTELLUNG EINES FESTLICHEN AUFZUGES.

LICHTDRUCK VON W. NEUMANN UND CO., BERLIN SW. 68.

OBEN GRUPPE MIT PANTHERN UND ELEPHANTEN, UNTEN FESTLICHER AUFZUG.

LICHTDRUCK VON W. NEUMANN UND CO., BERLIN SW. 68.

F. VON LUSCHAN, ALTERTUEMER VON BENIN

FRAUEN MIT KLANGFIGUREN.

LICHTDRUCK VON W. NEUMANN UND CO., BERLIN SW. 68.

GROSSE GEFAESSE AUS ERZ.

LICHTDRUCK VON W. NEUMANN UND CO., BERLIN SW. 68.

WASSERKANNE AUS ERZ. VORDER- UND SEITENANSICHT, DECKEL ERGAENZT.

LINKS AMPELFOERMIGES, RECHTS CYLINDRISCHES GEFAESS AUS ERZ, VERGL. TAFEL 104.

DECKELKISTE AUS ERZ IN DER FORM EINES EINGEBORNENHAUSES.
VORDER- UND HINTERANSICHT.

LICHTDRUCK VON W. NEUMANN UND CO., BERLIN SW. 68.

MANTELSTUECKE AUS ERZ, VIELLEICHT ZUR VERKLEIDUNG EINER HOELZERNEN TONNE

ZWEI ANSICHTEN EINES CYLINDRISCHEN UNTERSATZES MIT HINRICHTUNGSSZENEN.

LICHTDRUCK VON W. NEUMANN UND CO., BERLIN SW. 68.

VORDER- UND SEITENANSICHT EINES CYLINDRISCHEN UNTERSATZES
MIT WEIBLICHEN FIGUREN.

LICHTDRUCK VON W. NEUMANN UND CO., BERLIN SW. 68.

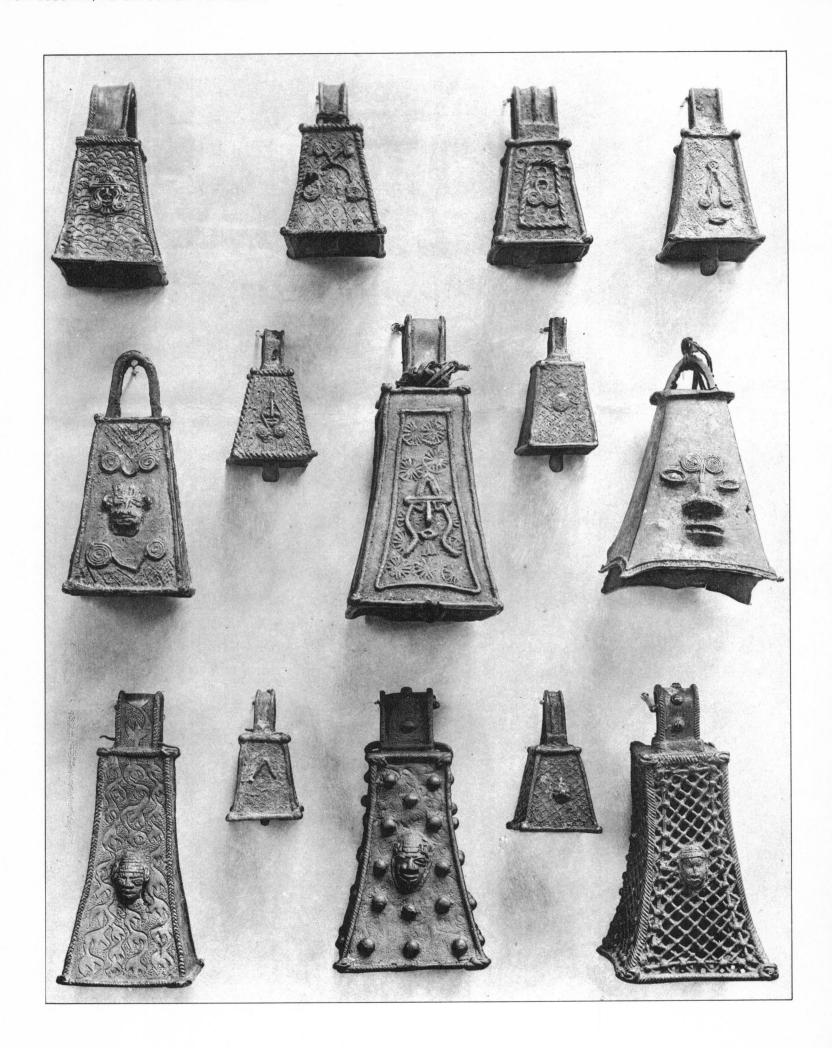

VIERECKIGE GLOCKEN.

LICHTDRUCK VON W. NEUMANN UND CO., BERLIN SW. 68.

RUNDE GLOCKEN UND SCHELLEN.

LICHTDRUCK VON W. NEUMANN UND CO., BERLIN SW. 68.

MENSCHLICHE MASKEN ALS GUERTELSCHMUCK

LICHTDRUCK VON W. NEUMANN UND CO., BERLIN SW. 68.

TIERMASKEN ALS GUERTELSCHMUCK.

LICHTDRUCK VON W. NEUMANN UND CO., BERLIN SW. 68.

SCHMUCKPLATTEN.

LICHTDRUCK VON W. NEUMANN UND CO., BERLIN SW. 68.

CYLINDRISCHE ARMBAENDER, D. GETRIEBEN, DIE ANDEREN GEGOSSEN.

LICHTDRUCK VON W. NEUMANN UND CO., BERLIN SW. 68.

GEGOSSENE ARMRINGE.

LICHTDRUCK VON W. NEUMANN UND CO., BERLIN SW. 68.

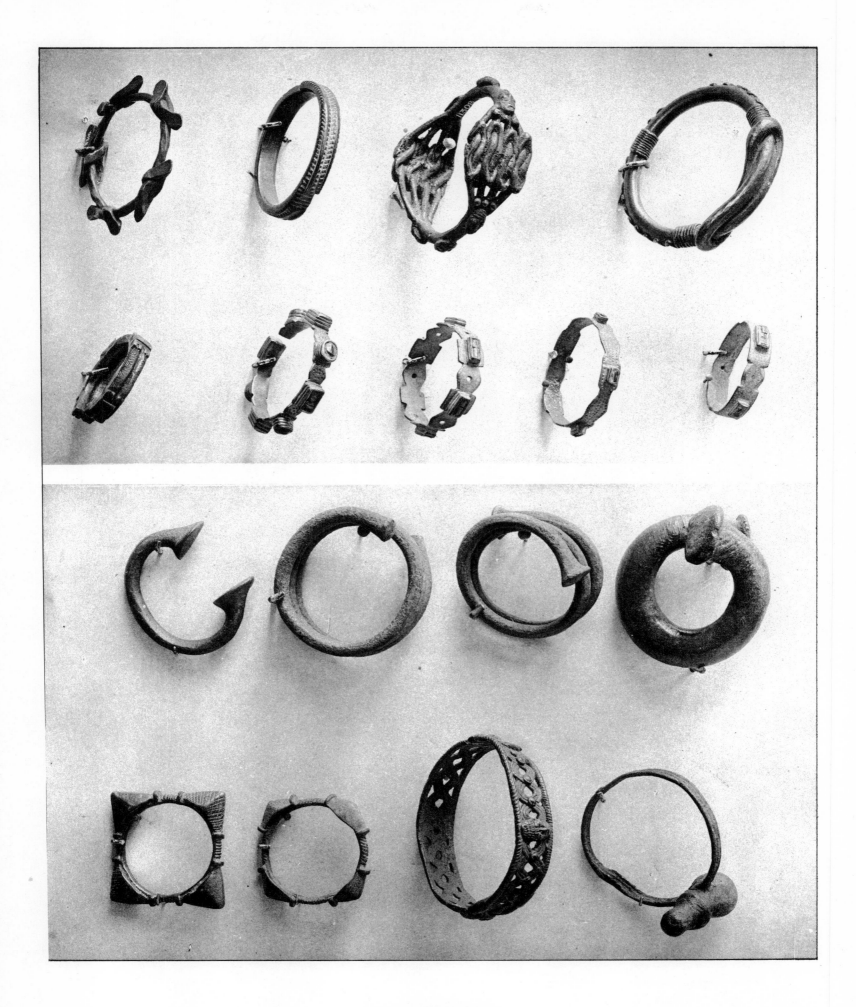

ARM- UND GELDRINGE.

LICHTDRUCK VON W. NEUMANN UND CO., BERLIN SW. 68.

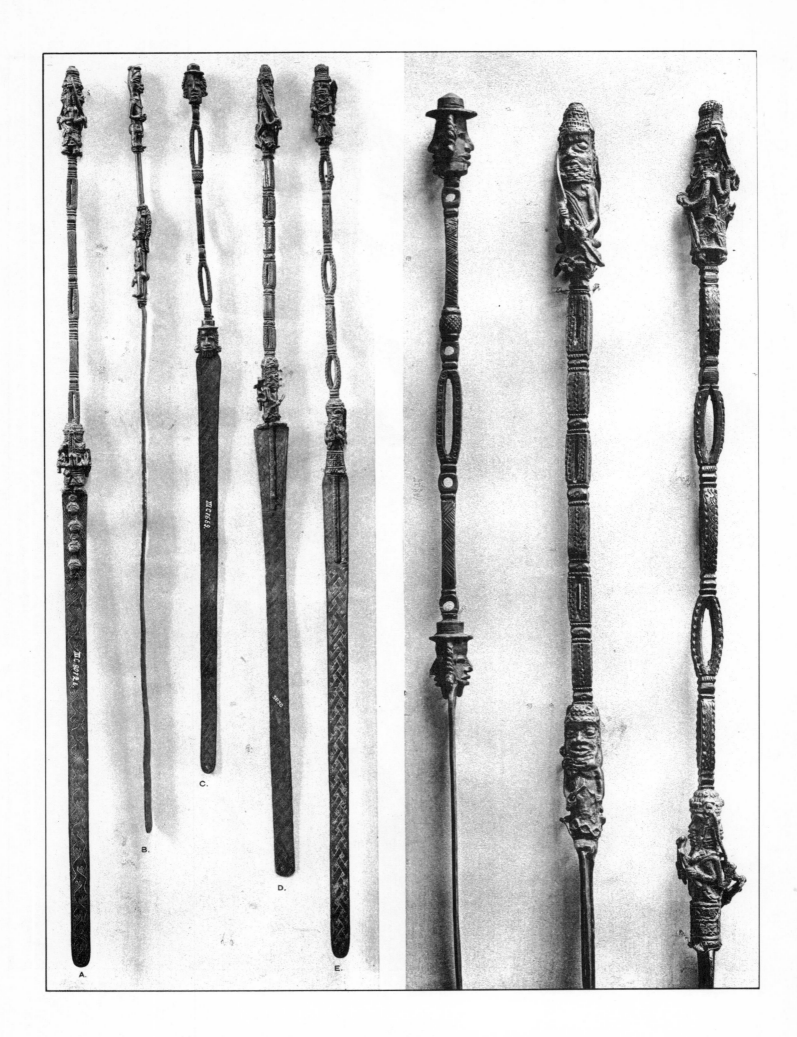

LINKS SZEPTERARTIGE STAEBE, RECHTS GRIFFE VON C., D. UND E.

LICHTDRUCK VON W. NEUMANN UND CO., BERLIN SW. 68.

OBEN GEFAESS, ANHAENGER UND BESCHLAG VON DER MUENDUNG EINES
BLASHORNES, UNTEN PRUNKSCHLUESSEL.

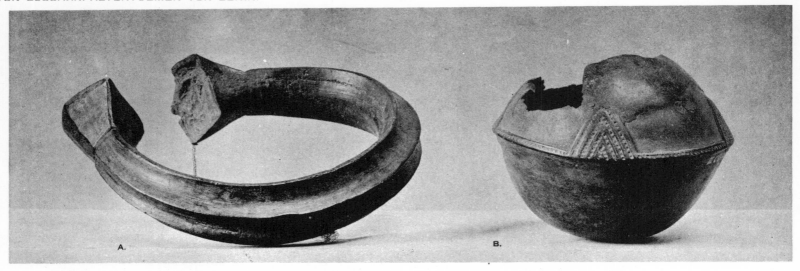

A. GELDRING, B. BIS D. BRUCHSTUECKE VON GEFAESSEN, E. BODEN VON 89 B,
DARUNTER DECKEL ZU 103 A, DANEBEN ZIERSCHEIBE, RECHTS BODEN VON 89 A.

LICHTDRUCK VON W. NEUMANN UND CO., BERLIN SW. 68.

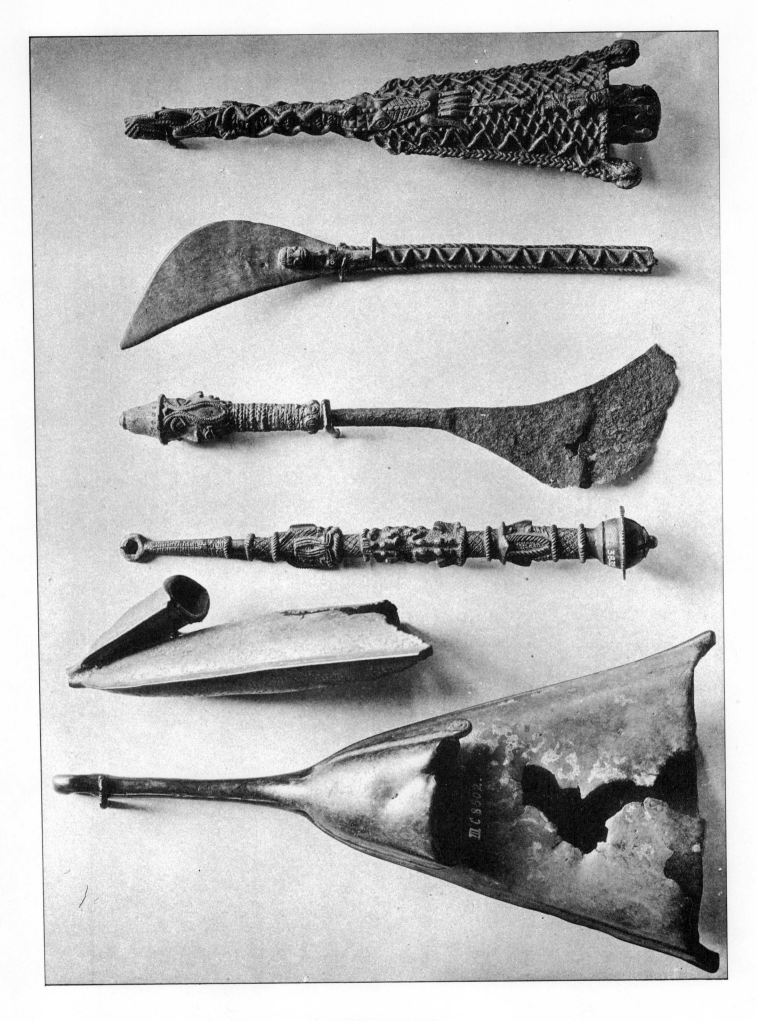

GLOCKEN UND MESSER.

LICHTDRUCK VON W. NEUMANN UND CO., BERLIN SW. 68

LINKS KLANGSTAEBE (?), RECHTS VON GRUPPEN ABGEBROCHENE FIGUREN.

OBEN FLASCHE, BECHER, VOGELFUSS, UNTEN KOPF AUS HOLZ MIT KUPFER
BESCHLAGEN, NEUERE FIGUR AUS ERZ, EISERNER STAB MIT VOEGELN.

LICHTDRUCK VON W. NEUMANN UND CO., BERLIN SW. 68.

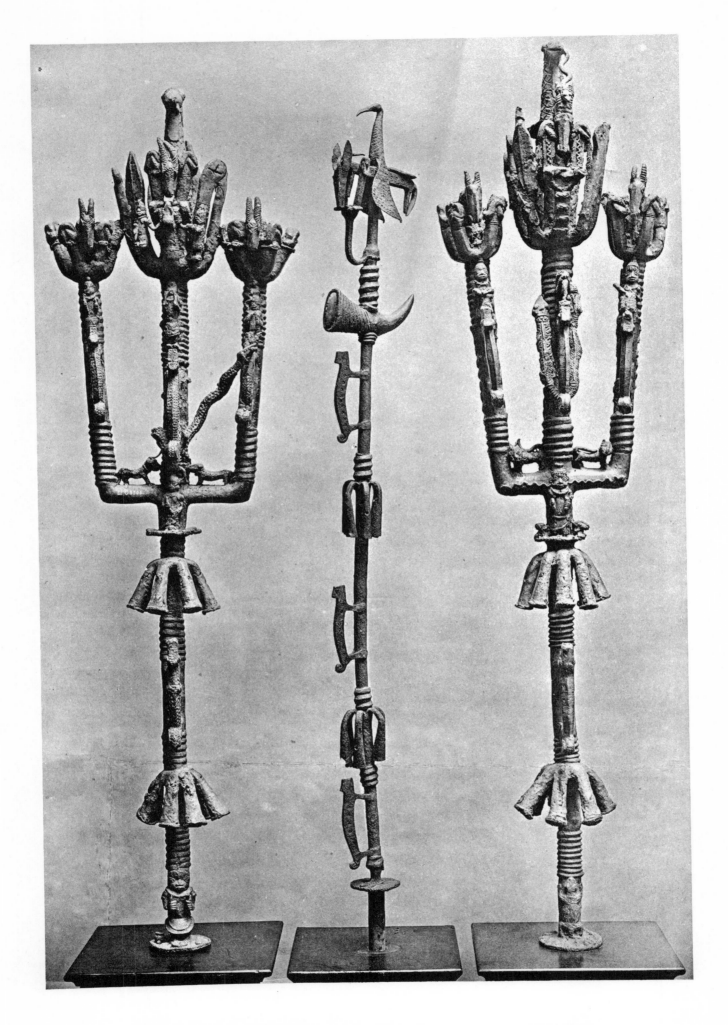

PRUNKSTAENDER AUS EISEN GESCHMIEDET UND MIT ERZ UEBERFANGEN.

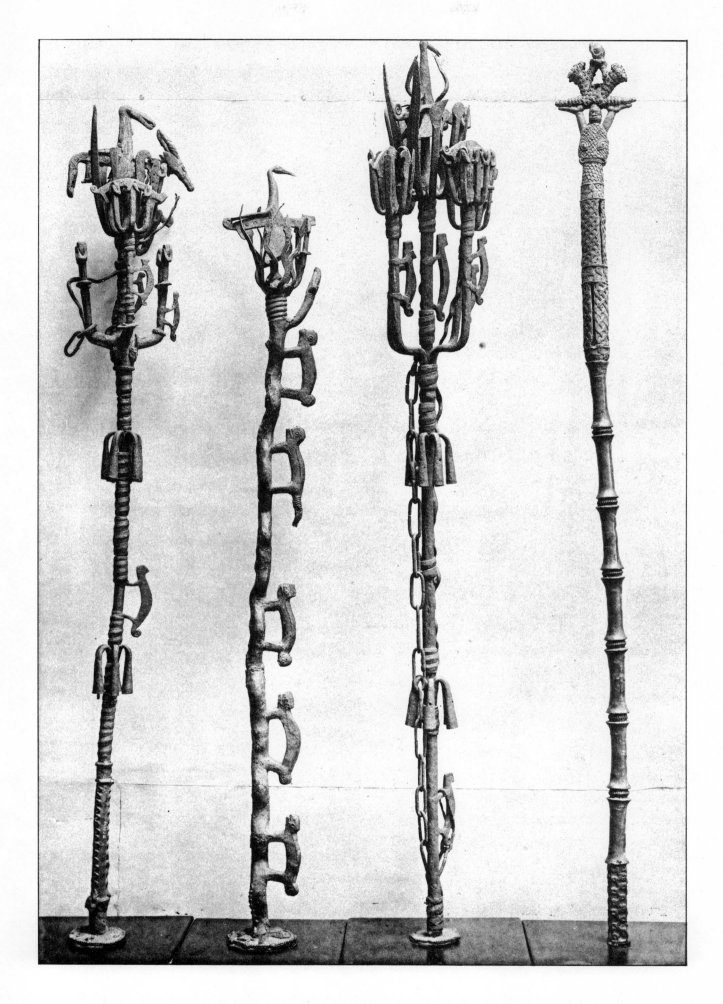

PRUNKSTAENDER AUS EISEN GESCHMIEDET, TEILWEISE MIT ERZ UEBERFANGEN.

PRUNKSTAENDER, A. UND C. MIT STAMMBAEUMEN.

LICHTDRUCK VON W. NEUMANN UND CO., BERLIN SW. 68.

OBERES ENDE DES PRUNKSTAENDERS AUF TAFEL 108 C.

LICHTDRUCK VON W. NEUMANN UND CO., BERLIN SW. 68.

OBERES ENDE DES STAMMBAUMS AUF TAFEL 110 C.

LICHTDRUCK VON W. NEUMANN UND CO., BERLIN SW. 68.

F. VON LUSCHAN, ALTERTUEMER VON BENIN.

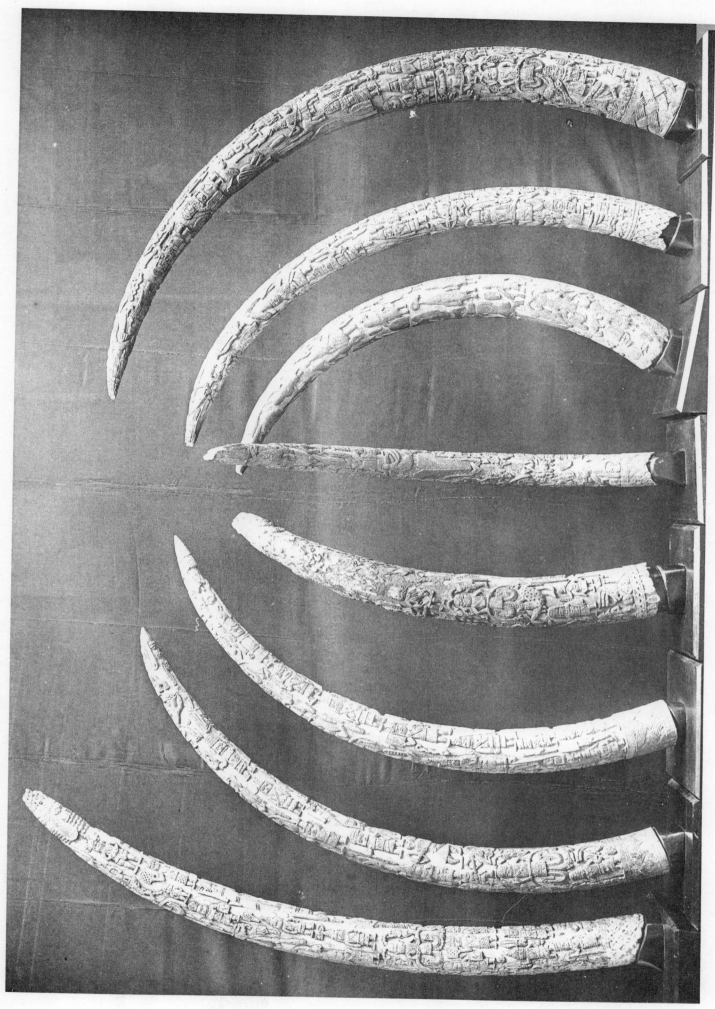

GESCHNITZTE ELEPHANTENZAEHNE.

LICHTDRUCK VON W. NEUMANN UND CO. BERLIN SW. 68.

DAEMONISCHES WESEN VON DEM TAFEL 113D ABGEBILDETEN ELEPHANTENZAHN.

F. VON LUSCHAN, ALTERTUEMER VON BENIN.

ELEPHANTENZAEHNE, DER LINKE MIT DEM REITER NICHT AUS BENIN SELBST STAMMEND.

LICHTDRUCK VON W. NEUMANN UND CO., BERLIN SW. 68.

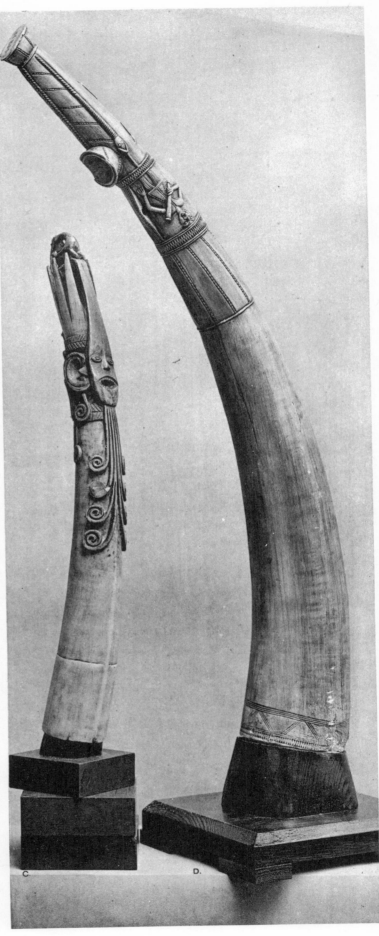

SIGNALHOERNER, A. UND B. MUNDSTUECKE VON D. UND C.

LICHTDRUCK VON W. NEUMANN UND CO., BERLIN SW. 68.

GERAETE AUS ELFENBEIN.

F. VON LUSCHAN, ALTERTUEMER VON BENIN.

ARMBAENDER AUS ELFENBEIN.

LICHTDRUCK VON W. NEUMANN UND CO., BERLIN SW. 68.

GEFAESSE AUS ELFENBEIN.

LICHTDRUCK VON W. NEUMANN UND CO., BERLIN SW. 68.

F. VON LUSCHAN. ALTERTUEMER VON BENIN.

KELCHE AUS ELFENBEIN.

LICHTDRUCK VON W. NEUMANN UND CO., BERLIN SW. 68.

F. VON LUSCHAN, ALTERTUEMER VON BENIN.

GEFAESSE AUS ELFENBEIN.

LICHTDRUCK VON W. NEUMANN UND CO., BERLIN SW., 68.

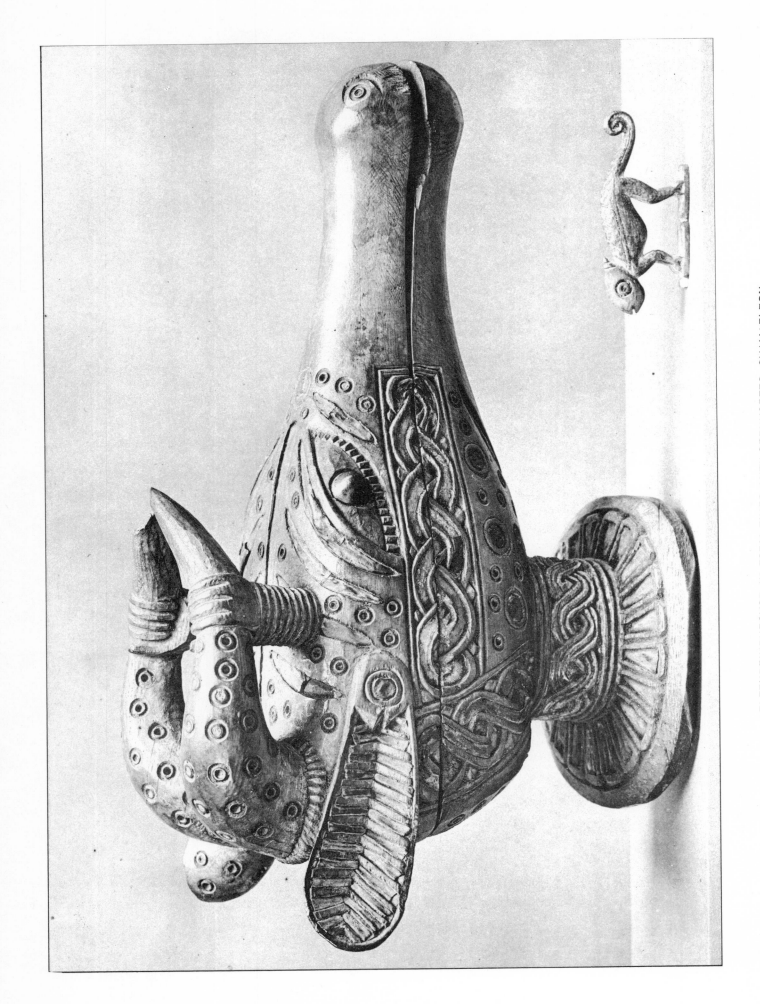

ELFENBEINBUECHSE IN FORM EINES ANTILOPENKOPFES. CHAMAELEON.

LICHTDRUCK·VON W. NEUMANN UND CO., BERLIN SW. 68.

HINRICHTUNGSBLOCK (?) AUS HOLZ, VON VORN UND VON HINTEN GESEHEN.

LICHTDRUCK VON W. NEUMANN UND CO., BERLIN SW. 68.

GESCHNITZTE HOLZPLATTEN VON TISCHARTIGEN GERAETEN.

LICHTDRUCK VON W. NEUMANN UND CO., BERLIN SW. 68.

MODERNE GUSSARBEITEN VON OBER-GUINEA.

LICHTDRUCK VON W. NEUMANN UND CO., BERLIN SW. 68.

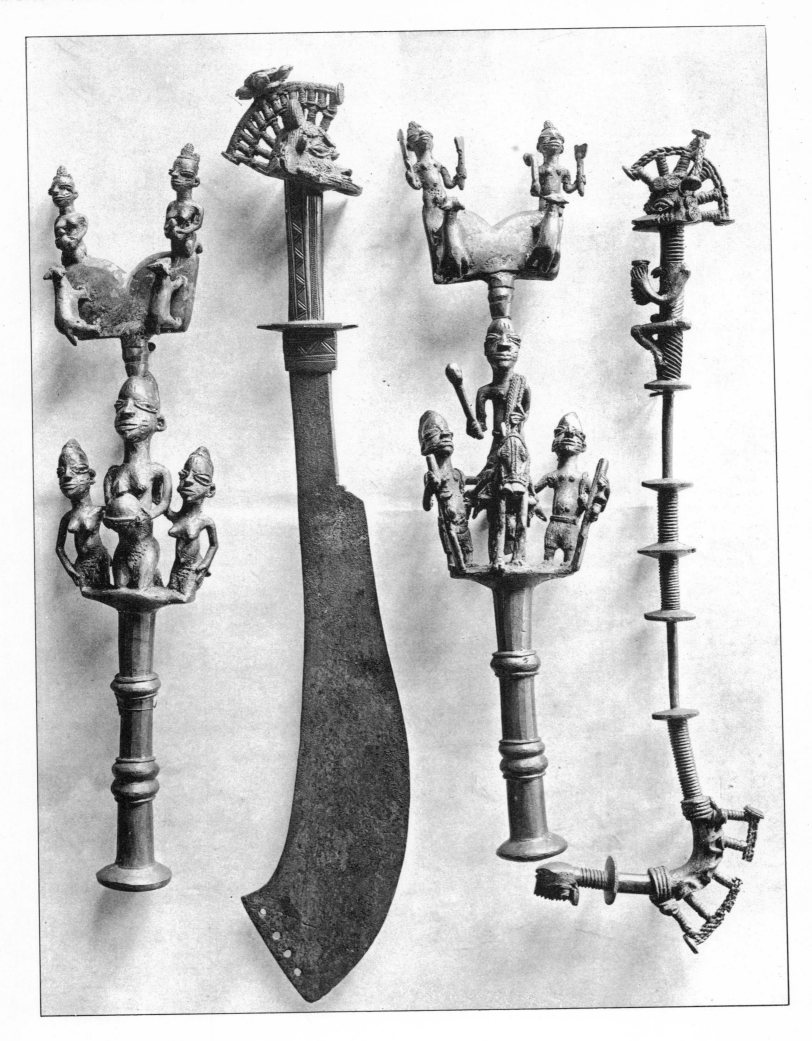

MODERNE GUSSARBEITEN VON OBER-GUINEA.

LICHTDRUCK VON W. NEUMANN UND CO., BERLIN SW. 68.

SEITEN- UND VORDERANSICHT EINER HOLZFIGUR DER BALUBA.

LICHTDRUCK VON W. NEUMANN UND CO., BERLIN SW. 68.

HOELZERNE MASKE DER EKOI.

LICHTDRUCK VON W. NEUMANN UND CO., BERLIN SW. 68.

PLATTE MIT KAMPF- ODER OPFERSZENEN, BENIN, ORIGINAL IN HAMBURG.